Cydymaith i Gerddoriaeth Cymru

Cydymaith i Gerddoriaeth Cymru

GOLYGYDDION
Pwyll ap Siôn
Wyn Thomas

Argraffiad cyntaf: 2018

© Hawlfraint Ysgol Cerddoriaeth, Prifysgol Bangor,
Y Coleg Cymraeg Cenedlaethol a'r Lolfa Cyf., 2018

Dymuna'r cyhoeddwyr gydnabod cymorth ariannol
Cyngor Llyfrau Cymru.

Cyhoeddwyd mewn cydweithrediad â:

Noddwyd gan:

Cynllun y clawr: Sion Ilar

Golygyddion: Pwyll ap Siôn a Wyn Thomas

Golygyddion Iaith: Menna Baines a Rhidian Griffiths

Golygyddion-er-anrhydedd: Phyllis Kinney a Meredydd Evans

ISBN: 978 1 78461 625 0

Cyhoeddwyd ac argraffwyd yng Nghymru gan
Y Lolfa Cyf., Talybont, Ceredigion SY24 5HE
gwefan www.ylolfa.com
e-bost ylolfa@ylolfa.com
ffôn 01970 832 304
ffacs 832 782

Cydnabyddiaethau
ar gyfer y lluniau

Dr Meredydd Evans a Dr Phyllis Kinney (llun: Sally Harper); tudalen allan o lawysgrif Robert ap Huw (llun: Wikipedia/Llyfrgell Brydeinig); Plas Gregynog (llun trwy ganiatâd Gŵyl Gregynog); y cyfansoddwr John Metcalf (llun trwy ganiatâd John Metcalf); Clara Novello Davies (llun: Wikipedia); Joseph Parry (llun: Wikipedia); Adelina Patti (llun: Wikipedia); Canolfan y Mileniwm, Caerdydd (llun: Wikipedia/Flickr/Graham Well); John Cale (llun: Wikipedia/Flickr/Rex Huang); Telyn deires (llun: Wikipedia/Tim Hampson/Gerald Zauner); Cerys Matthews (llun: Gerallt Llewelyn); Dafydd Iwan (llun: Gerallt Llewelyn); Geraint Jarman (llun: Gerallt Llewelyn); Meic Stevens (llun: Gerallt Llewelyn); Shirley Bassey (llun: Gerallt Llewelyn); Gruff Rhys (llun: Gerallt Llewelyn); Ar Log (llun trwy ganiatâd Cwmni Recordiau Sain); Bob Delyn a'r Ebillion (llun trwy ganiatâd Cwmni Recordiau Sain); Calan (llun trwy ganiatâd Cwmni Recordiau Sain); Robin Huw Bowen (llun trwy ganiatâd Cwmni Recordiau Sain); clawr y record 'Dŵr' gan Huw Jones (llun trwy ganiatâd Cwmni Recordiau Sain); Owain Arwel Hughes (llun trwy ganiatâd Archif y BBC); Idris Lewis (llun trwy ganiatâd Archif y BBC); Bryn Terfel a John Pierce (llun trwy ganiatâd Archif y BBC); Bryn Terfel yng nghylch operatig Richard Wagner *Der Ring des Nibelungen* (Archif Tŷ Opera Metropolitan, Efrog Newydd); clawr un o recordiau Hogia Llandegai (llun trwy ganiatâd Archif y BBC); Tom Jones (llun trwy ganiatâd Archif y BBC); *Cylchgrawn Cymdeithas Alawon Gwerin Cymru* (trwy ganiatâd Cymdeithas Alawon Gwerin Cymru); y Welsh Imperial Singers (Archifdy Prifysgol Bangor); 'Glan Rhondda' (trwy ganiatâd Llyfrgell Genedlaethol Cymru); Eisteddfod Ryngwladol Llangollen (Eisteddfod Ryngwladol Llangollen); Alun Hoddinott (trwy ganiatâd Tŷ Cerdd/Rhiannon Hoddinott); Dilys Elwyn-Edwards (trwy ganiatâd Tŷ Cerdd/Geraint Lewis); Côr Cenedlaethol Ieuenctid Cymru (trwy ganiatâd Tŷ Cerdd/Matthew Thistlewood); Grace Williams (trwy ganiatâd Tŷ Cerdd/Eryl Freestone); Nansi Richards (trwy ganiatâd Sain Ffagan Amgueddfa Werin Cymru); Ivor Novello Davies (trwy ganiatâd Sain Ffagan Amgueddfa Werin Cymru); Y Sipsiwn Cymreig (trwy ganiatâd Sain Ffagan Amgueddfa Werin Cymru); Côr Cymysg Rhymni (trwy ganiatâd Sain Ffagan Amgueddfa Werin Cymru); Band Pres Royal Oakley (trwy ganiatâd Sain Ffagan Amgueddfa Werin Cymru); deuawd cerdd dant (Eisteddfod yr Urdd); Côr Meibion Pontarddulais (Eisteddfod Genedlaethol Cymru); 'Galwad y corn gwlad' (Eisteddfod Genedlaethol Cymru); Catrin Finch (llun: Daniel Whiston); Only Men Aloud (llun: Emyr Young); cynhyrchiad Opera Cenedlaethol Cymru o Y *Ffliwt Hudol* Mozart (trwy ganiatâd Opera Cenedlaethol Cymru); Huw Warren (llun: Tim Dickeson); portread Claudia Williams o William Mathias (llun trwy ganiatâd Martin Tinney/Rhiannon Mathias).

Phyllis Kinney a Dr Meredydd Evans – cerddorion ac academyddion o fri, a golygyddion-er-anrhydedd y *Cydymaith i Gerddoriaeth Cymru*

Rhagair

Trafodwyd y syniad o gyhoeddi cyfrol o'r enw *Cydymaith i Gerddoriaeth Cymru* am y tro cyntaf tua chanol yr 1990au gan rai o aelodau staff Adran Cerddoriaeth, Prifysgol Bangor. I roi ychydig o gyddestun i'r drafodaeth, yn 1994 sefydlwyd canolfan ymchwil o'r enw Canolfan Uwch-Astudiaethau Cerddoriaeth Cymru (CUACC) gan yr Athro John Harper a Dr Sally Harper. Yn yr un flwyddyn cynhaliwyd y gynhadledd gyntaf dan enw'r ganolfan ym Mhrifysgol Bangor. Fe'i dilynwyd flwyddyn yn ddiweddarach gan ail gynhadledd (ar lawysgrif Robert ap Huw); ac yna, yn 1996, cyhoeddwyd rhifyn cyntaf cyfnodolyn newydd o'r enw *Hanes Cerddoriaeth Cymru* (Gwasg Prifysgol Cymru), a oedd yn cynnwys rhai erthyglau a draddodwyd fel papurau yng nghynhadledd gyntaf CUACC.

Bu'r cynnydd sydyn hwn mewn gweithgaredd yn ystod y cyfnod yn fodd i sbarduno nifer i droi eu sylw o'r newydd at wahanol agweddau o gerddoriaeth Gymraeg a Chymreig – boed yn fyfyrwyr israddedig chwilfrydig yn edrych ar y maes am y tro cyntaf, yn fyfyrwyr ymchwil gyda'r bwriad o ddatgloi deunydd newydd am ffigwr pwysig neu gyfnod penodol, yn ysgolheigion a chanddynt brofiad helaeth o waith ymchwil, yn athrawon neu'n ddisgyblion cerdd, neu'n wir yn gerddorion yn gweithio y tu allan i academia ond â'u bryd ar ymestyn eu gwybodaeth o'r maes. Mae'n hawdd gorliwio hanes wrth edrych yn ôl dros gyfnod o ugain mlynedd, wrth gwrs, ond mae'n anodd peidio â meddwl am y deng mlynedd hynny rhwng 1996 a 2006, a bontiai'r ddau fileniwm, fel cyfnod llewyrchus a thoreithiog ym maes ymchwil i gerddoriaeth Cymru, diolch yn bennaf i ymdrechion John, Sally a'r Ganolfan. Tipyn o 'oes aur', felly.

O leiaf, dyna sut oedd hi'n edrych o safbwynt rhai a oedd yn dysgu a darlithio yn yr Adran Gerdd ym Mangor, a oedd ar y pryd yn cynnwys – yn ogystal â John a Sally – staff a chanddynt ddiddordeb penodol mewn gwahanol agweddau o gerddoriaeth yng Nghymru: David Evans, Stephen Rees, dau gyd-olygydd y gyfrol hon (Wyn Thomas a Pwyll ap Siôn), ynghyd â myfyrwyr ymchwil megis Rachel Ley, William Reynolds, Cass Meurig, Carys Ann Roberts, Delyth Morgans, Elen Wyn Keen, Craig Owen Jones, ac ychydig yn ddiweddarach Leila Salisbury, Gwawr Jones a Gwawr Ifan. Cyhoeddwyd erthyglau gan nifer ohonynt yn y chwe rhifyn o *Hanes Cerddoriaeth Cymru* a gyhoeddwyd rhwng 1996 a 2006. Ac erbyn diwedd degawd cyntaf yr 21g, roedd Craig a Gwawr Ifan yn aelodau staff yn yr adran, gyda'r ddwy swydd wedi'u hariannu gan Y Coleg Cymraeg Cenedlaethol.

I raddau, ffrwyth cyflwyniadau a thrafodaethau y deg cynhadledd a drefnwyd ac a gynhaliwyd gan CUACC rhwng 1994 a 2009, a'r gwaith ymchwil a gyhoeddwyd, yw'r *Cydymaith i Gerddoriaeth Cymru* (neu'r *Cydymaith Cerdd*, a defnyddio ei deitl talfyredig). O'r cychwyn cyntaf, cenadwri'r ganolfan oedd bod mor hollgynhwysol â phosibl. Yn wir, wrth ddarllen cyflwyniad John Harper i gyfrol gyntaf *Hanes Cerddoriaeth Cymru*, gwelir ei fod yn dweud mai bwriad y Ganolfan oedd defnyddio 'cerddoreg' (neu 'gerddoleg') yn ystyr ehangaf y gair: 'i gynnwys hanes cerddoriaeth, hanesyddiaeth cerddoriaeth, dadansoddi cerddoriaeth ac ethnogerddoreg' (Harper 1996, 3). Roedd cynhadledd gyntaf CUACC yn 1994 yn rhagflas o'r hyn a oedd i ddilyn hefyd, gyda'r pynciau trafod yn amrywio o drefniannau Beethoven o alawon gwerin Cymraeg i ganu gorchest, o fandiau pres Cymreig y cyfnod Fictoraidd diweddar i gysylltiadau rhwng alawon gwerin Cymru a rhai Iwerddon, o Arglwyddes Llanofer a'r delyn deires a John Roberts, Telynor Cymru, i ddadansoddiadau treiddgar o eiriau caneuon roc a phop Cymraeg.

Oedd, roedd ystod y maes yn eang, ond efallai fod hynny wrth wraidd y sialens o gyhoeddi *Cydymaith i Gerddoriaeth Cymru*. Wedi'r cyfan, nid ar chwarae bach yr oedd rhywun yn ymgymryd â'r fath dasg. Roedd yna gynsail i'r cyhoeddiad yn [ffurf] y *Cydymaith i Lenyddiaeth Cymru* (gol. Meic Stephens), a gyhoeddwyd gyntaf gan Wasg Prifysgol Cymru a'r Academi Gymreig yn 1986, ond roedd ceisio hel at ei gilydd bopeth ynglŷn â cherddoriaeth yng Nghymru yn dasg fwy uchelgeisiol byth o bosibl. Felly, er bod ysgolheictod ar gerddoriaeth Cymru wedi cynyddu'n raddol fel caseg eira erbyn diwedd yr 20g., pan drafodwyd y syniad o 'Gydymaith Cerdd' am y tro cyntaf nid oedd yr ymateb yn orfrwdfrydig!

Roedd yna bennau profiadol o gwmpas y bwrdd, wrth gwrs, gyda nifer wedi cyfrannu at y *New Grove Dictionary of Music and Musicians* ac wedi bod ynghlwm â chyfieithiadau i'r Gymraeg o gyfrolau swmpus megis *Hanes Cerddoriaeth y Gorllewin* Donald J. Grout a Claude V. Palisca (gol. Wyn Thomas, Gwasg Prifysgol Cymru, 1997) a *Geiriadur Cerddoriaeth Rhydychen* gan Michael Kennedy (Curiad, 1998). Onid oedd y dasg o geisio cyflawni gorchwyl debyg gyda'r *Cydymaith i Gerddoriaeth Cymru* yn ffwlbri llwyr? Yn sicr roedd angen cymorth ariannol ar ffurf grant ymchwil sylweddol i roi cychwyn i'r prosiect ac i'w lywio i'w derfyn.

Rhyw aeafgysgu a wnaeth y syniad am rai blynyddoedd, felly, hyd nes y sefydlwyd Y Coleg Cymraeg Cenedlaethol yn 2011. Roedd John Harper ei hun wedi dweud yn rhifyn cyntaf *Hanes Cerddoriaeth Cymru* yn 1996: 'Ni ellir gwahanu parhad grymus y diwylliant a'r hunaniaeth Gymreig oddi wrth *ddefnydd byw o'r iaith Gymraeg ar gyfer astudio a chyfathrebu*' (3–4, ein hitaleiddio ni). Gallai'r geiriau yn hawdd fod wedi eu hargraffu ym maniffesto'r Coleg Cymraeg Cenedlethol. Ynghyd â darparu a datblygu addysg uwch trwy gyfrwng y Gymraeg, amcan y Coleg oedd noddi ymchwil, felly dyma fynd ati i lunio cais i ariannu'r prosiect o gronfa prosiectau strategol y Coleg.

Bu'r cais yn llwyddiannus, a dyma gychwyn wedyn ar y broses hir a fyddai ymhen amser yn esgor ar y cyhoeddiad sydd yn eich dwylo chwi heddiw. Lansiwyd y prosiect yn unfed gynhadledd ar ddeg Canolfan Uwch-Astudiaethau Cerddoriaeth Cymru, ar y cyd â'r Coleg Cymraeg Cenedlaethol, a gynhaliwyd yn Y Drwm, Llyfrgell Genedlaethol Cymru, Aberystwyth, ar 24–25 Chwefror 2012. Cyflogwyd swyddog, Dr Tristian Evans, i fynd ati i gydlynu a gweinyddu'r prosiect o ddydd i ddydd, i greu gwefan a chyfrif Twitter, i lunio rhestr o ganllawiau a chytundebau ar gyfer awduron; i anfon gwaith at y cyfieithwyr ac i sicrhau bod y cofnodion (yr erthyglau/eitemau, neu'r *entries*) yn cyrraedd mewn pryd. Roedd hi'n dasg anodd corlannu'r fath haid ar brydiau! Cyflogwyd myfyrwyr ôl-radd i greu rhestrau drafft o gerddorion a chyfansoddwyr ar sail ffynonellau a fodolai'n barod, megis yr adnodd ar-lein *Y Bywgraffiadur Cymreig* a *Gwyddoniadur Cymru yr Academi Gymreig* (Gwasg Prifysgol Cymru, 2008).

Sefydlwyd panel prosiect ynghyd â phwyllgor golygyddol o academyddion gydag arbenigeddau ar draws y sbectrwm er mwyn llunio rhestr o gofnodion terfynol ar gyfer y Cydymaith. Nid rhestr o gofnodion sy'n seiliedig ar fympwy un neu ddau o bobl yw cynnwys y cyhoeddiad hwn, felly, ond un a luniwyd yn ofalus gan y Pwyllgor Golygyddol. Aed ati i gomisiynu awduron i gwblhau'r cofnodion, gan osod dyddiadau cyflwyno terfynol. Bu rhai'n fwy cydwybodol na'i gilydd, wrth gwrs! Cyflogwyd Menna Baines fel golygydd iaith i sicrhau cysondeb o ran arddull a fformat, ynghyd â chyfieithwyr mewn achosion lle derbyniwyd y cofnodion yn Saesneg. Cyflogwyd unigolyn i chwilota am luniau a delweddau addas i'w cynnwys yn y gyfrol a bu un arall yn cynorthwyo gyda'r enghreifftiau cerddorol.

Yn ystod cyfnod y prosiect hwn collwyd dau ffigwr a fu'n hynod bwysig yn ei ddatblygiad. Bu Dr Meredydd Evans (neu Merêd i'r rhan fwyaf) a'i wraig, Phyllis Kinney, yn gwbl gefnogol a chanolog i'r prosiect o'r cychwyn cyntaf. Cafwyd prynhawn difyr a dedwydd iawn o drafod cynnwys y gyfrol gyda Merêd, Phyllis a'u merch Eluned yn eu cartref yng Nghwmystwyth, ac roedd y ddau yn hapus iawn i weithredu fel golygyddion emeritws. Bu Merêd, yn arbennig, yn glir iawn ei farn ynglŷn â threfn a chynnwys y gyfrol, ac mae ei stamp ef a Phyllis i'w weld yn amlwg iawn yn nhudalennau'r cyhoeddiad.

Un arall a fu'n gefnogol iawn o'r dechrau'n deg oedd Dr David Evans, un a fu'n dysgu ar ryw adeg neu'i gilydd yn nhair adran gerdd yr hen 'Brifysgol Cymru' – yng Nghaerdydd, Aberystwyth, ac am ymron ugain mlynedd ym Mangor, lle bu'n bennaeth adran. Er iddo ymddeol o Brifysgol Bangor, roedd David yn parhau i ymweld â'r adran yn rheolaidd gan ein diweddaru o dro i dro ar statws ei gofnodion. Felly, pan ddaeth y newyddion yn Chwefror 2013 am farwolaeth ddisymwth David, roedd gobaith fod ei gofnodion ar gadw ar ffeil yn rhywle. Daeth John Evans, mab David, ar eu traws yn weddol fuan. Trist nodi mai'r rhain oedd cyfraniadau ôl-argraffedig olaf dyn a dreuliodd gymaint o'i amser yn ymchwilio i gerddoriaeth yng Nghymru, ynghyd â ffigyrau a chanddynt gysylltiadau cryf â'r wlad – o'r llawysgrifau o gerddoriaeth yng Nghastell y Waun i hanes a gwaith cyfansoddwyr megis Peter Warlock a J. R. Heath.

Wrth bori trwy'r cyfeirlyfr bydd pob darllenydd yn gweld bylchau, wrth gwrs, ac ambell un hyd yn oed yn gofyn y cwestiwn 'Pam nad ydw i yna?' Mae'n amhosibl plesio pawb mewn cyhoeddiad o'r fath ac mae'n anochel y bydd y cyhoeddiad yn dyddio o'r foment y bydd yn gweld golau dydd. Cipolwg ar y maes hyd at oddeutu 2017 sydd yma. Bydd rhai'n sylwi bod mwy o bwyslais ar yr unigolion a gyfrannodd i ddiwylliant Cymraeg a Chymreig Cymru nag ar y Cymry di-Gymraeg neu rai a wnaeth argraff y tu hwnt i Gymru.

Llyfr sydd wedi ei anelu at ddarllenwyr Cymraeg eu hiaith yw'r *Cydymaith Cerdd* i bob pwrpas. Wrth reswm, ni all llyfr o'r fath ragweld pwy fydd sêr y dyfodol, chwaith, boed berfformwyr, cyfansoddwyr neu gantorion pop. Ond y gobaith yw y daw'r wybodaeth hon – sydd wedi ei chofnodi am y tro cyntaf rhwng cloriau un llyfr mawr – yn sail ar gyfer adnodd ar-lein gwirioneddol gyfredol ymhen ychydig flynyddoedd, lle gallwn unioni ambell fwlch anffodus neu ffaith anghywir. Yn wir, bu gwaith eisoes ar droed, mewn cydweithrediad â gwefan Y Porth, sef llwyfan e-ddysgu'r Coleg Cymraeg Cenedlaethol, a phrosiect Wici Cymru dan ofal Jason J. Evans o Lyfrgell Genedlaethol Cymru, i wireddu'r syniad o osod y deunydd hwn ar-lein rywbryd yn y dyfodol.

Bu cyfraniad hael Y Coleg Cymraeg Cenedlaethol yn fodd i sicrhau cydnabyddiaeth ariannol i nifer am eu gwaith. Ar ddiwedd y dydd, fodd bynnag, llafur cariad sy'n bennaf gyfrifol am brosiect o'r fath, a hoffai'r golygyddion ddiolch i'r canlynol:

- I'r Coleg Cymraeg Cenedlaethol yn bennaf am y grant sylweddol a roddwyd i ariannu'r prosiect, ac am eu hamynedd diflino wrth wynebu oedi di-ben-draw parthed cwblhau a chyflwyno'r testun terfynol;
- UWRET a Chronfa Goffa Thomas Ellis;
- Prifysgol Bangor;
- Bu nifer o staff y coleg ynghlwm â'r prosiect, gan gynnwys Dr Ioan Matthews, Dr Dafydd Trystan, Dr Gwennan Schiavone, Dr Dylan Phillips, Dr Gwenllian Lansdown Davies, Dr Meilyr Emrys, Rhian A. Davies a Mari Fflur; diolch i Lefi Gruffudd a phawb yng ngwasg Y Lolfa am eu cydweithrediad parod yn y broses o gyhoeddi'r gyfrol; i'r panel golygyddol ac i aelodau'r panel prosiect, yn arbennig Dr Llion Jones; i Dr Tristian Evans am ei waith fel swyddog prosiect; y golygydd iaith Menna Baines am dreulio mwy o amser na neb yn gwella safon y cyhoeddiad a chysondeb arddull; yr Athro Peredur Lynch; Dr Rhidian Griffiths am olygu'r drafft terfynol; Glenys M. Roberts ac Elen Robert am eu gwaith cyfieithu penigamp; Elin Roberts am gasglu lluniau a delweddau; Dr Mared Emlyn am brosesu enghreifftiau cerddorol; Dr Gwawr Jones, Nia Davies Williams ac Elain Wyn Jones am eu gwaith wrth lunio rhestrau drafft; Siwan Evans yn Sain am ddarparu rhifau catalog recordiau'r cwmni; Rhiannon Mathias; Charlie Britton am greu logo ar gyfer y prosiect; i bob un sydd yn y gyfrol wnaeth ateb yn sydyn i alwadau am ddyddiadau geni, neu eglurhad pellach ynglŷn â ffaith neu ddwy; ac i'r holl gyfranwyr am roi o'u hamser i sicrhau fod y gyfrol hon yn gweld golau dydd.

Llyfryddiaeth

John Harper, 'Hanes Cerddoriaeth Cymru: Rhagarweiniad', yn *Hanes Cerddoriaeth Cymru*, 1 (1996), 3–4

Pwyll ap Siôn a Wyn Thomas (golygyddion),
Mehefin 2018

Cyflwyniad

Cyfeirlyfr yw'r *Cydymaith i Gerddoriaeth Cymru*. Ei brif fwriad yw cynnig trosolwg cynhwysfawr a diffiniadol o gerddoriaeth Gymraeg a Chymreig ynghyd â cherddorion a chyfansoddwyr a fu'n bwysig yn natblygiad ei hanes. Mae'n cynnwys pob cyfnod a phob *genre* – o gerddoriaeth gynnar i gerddoriaeth gyfoes, o'r traddodiadol i'r modern, o ganu gwerin i ganu pop, o gantorion, cerddorion a digwyddiadau o bwys i unawdwyr opera, cerddorfeydd a thraciau sain y sgrîn deledu a'r sinema.

Trwy ddarparu cyhoeddiad o'r math hwn ym maes cerddoriaeth, y gobaith yw y daw'r *Cydymaith Cerdd* yn garreg filltir yn ysgolheictod cerddoriaeth Cymru. Daw ag arbenigeddau traws-sefydliadol at ei gilydd gan adlewyrchu'r ystod eang o ymchwil sydd i'w ganfod ar gerddoriaeth Gymraeg a Chymreig ar hyn o bryd.

Mae'r *Cydymaith i Gerddoriaeth Cymru* yn dilyn patrwm tebyg i'r *Cydymaith i Lenyddiaeth Cymru* (gol. Meic Stephens) (Caerdydd: Gwasg Prifysgol Cymru, 1986; trydydd argraffiad 1997), a hefyd yn mabwysiadu rhywfaint ar fformat *Gwyddoniadur Cymru yr Academi Gymreig* (gol. John Davies, Menna Baines, Nigel Jenkins a Peredur Lynch) (Caerdydd: Gwasg Prifysgol Cymru, 2008), ond gan gynnig cofnodion mwy manwl ym maes cerddoriaeth, yn debyg felly i'r *New Grove Dictionary of Music and Musicians* (London & New York: Macmillan, 2000). Ein hamcan yw creu cyfeirlyfr sydd o ddefnydd ymarferol ar gyfer ystod eang o ddarllenwyr, o rai sydd â diddordeb yn y maes i ddisgyblion chweched dosbarth, myfyrwyr isradd ac uwchradd mewn colegau a phrifysgolion, myfyrwyr ymchwil, athrawon ac ysgolheigion fel ei gilydd, ynghyd ag ymchwilwyr radio a theledu neu gyfryngau'r we. Mae cyhoeddi'r gyfrol brintiedig yn gam cyntaf mewn prosiect a fydd, ymhen blynyddoedd, yn arwain at fersiwn ar-lein a all gael ei ddiweddaru yn gymharol gyson gan gyfranwyr y gyfrol, ynghyd ag eraill yn y maes.

Er bod y gyfrol wedi ei gosod yn nhrefn arferol yr wyddor, wrth fynd ati i fapio ei chynnwys cyffredinol dyma benderfynu ar wyth is-adran, sef: Cerddoriaeth Gynnar; Cerddoriaeth Draddodiadol a Chanu Gwerin; Organoleg ac Offerynnau; Cerddoriaeth Glasurol a Chelfyddydol; Cerddoriaeth Grefyddol; Canu Poblogaidd; Hanesyddiaeth, Ysgolheictod ac Addysg; Diwylliant a'r Diwydiant Cerddoriaeth.

Mae pob un o'r wyth is-adran yma yn derbyn cofnod eithaf sylweddol yn y *Cydymaith i Gerddoriaeth Cymru*. Bwriad y cofnodion mawr hyn yw cynnig trosolwg o'r maes dan sylw a chyd-destun cyffredinol ar ei gyfer. Delwedd addas, efallai, fyddai coeden, gyda'r wyth is-faes yn gweithredu fel canghennau mawr allan o foncyff y goeden. O'r wyth gangen ceir oddeutu 25 o gofnodion mawr sy'n canolbwyntio mewn mwy o fanylder ar faes penodol. Er enghraifft, o dan un o'r prif ganghennau, 'Diwylliant a'r Diwydiant Cerddoriaeth', ceir cofnodion yn y meysydd canlynol: 'Eisteddfod', 'Cyhoeddi', 'Sefydliadau', 'Cymdeithasau', 'Addysg' a'r 'Cyfryngau'. Allan o'r canghennau mawr yma daw cofnodion ychydig llai ar bynciau perthnasol – tua dwsin o gofnodion canolig eu maint ar gyfer pob prif gategori. Er enghraifft, o'r cofnod mawr ar 'Diwylliant a'r Diwydiant Cerddoriaeth' gellir wedyn fynd at gofnod canolig ar 'Eisteddfod, Cerddoriaeth a'r', sydd wedi ei rannu i 'Eisteddfod Genedlaethol', 'Eisteddfod yr Urdd', 'Eisteddfodau Lleol', ac yn y blaen. Yn olaf, ceir nifer helaeth o gofnodion bychain, ffeithiol eu naws, ar unigolion, artistiaid, grwpiau a chaneuon neu alawon pwysig. Nid yw fformat y cyhoeddiad yn dilyn y patrwm yma'n slafaidd, ond mae'n rhoi syniad i'r darllenydd o'r cynllun cyffredinol, ac mae'n un o nifer o 'lwybrau' y gall rhywun eu dilyn trwy'r gyfrol.

Mewn gwirionedd, gall y darllenydd weithio 'o'r top i lawr' neu 'o'r gwaelod i fyny'. Hynny yw, gall ddechrau gyda'r cofnodion *sylweddol* cyn mynd ati i ddarganfod mwy amdanynt yn y cofnodion *mawr*, ac yna ddarllen am ffigyrau neu ddigwyddiadau penodol yn y cofnodion *llai*; neu ddechrau gyda'r mân gofnodion, er enghraifft gydag enw neu artist penodol, cyn symud at gofnodion mwy gan orffen gyda'r cofnod sylweddol. Mae ein dull croesgyfeirio wedi'i seilio ar ddefnydd o **deip trwm**: hynny yw, defnyddir **teip trwm** ar gyfer enwau a geiriau oddi mewn i gofnod er mwyn arwain y darllenydd at gofnodion ar yr unigolion neu'r pethau hynny. Gwnaed hyn gan anwybyddu treigladau, hynny yw defnyddiwyd **teip trwm** ar gyfer ffurfiau cysefin ar eiriau ac ar gyfer ffurfiau treigledig yn ddiwahân. Lle nad yw'n ymarferol dangos croesgyfeiriad trwy ddefnyddio **teip trwm** yng nghorff y frawddeg, er enghraifft lle nad yw'r gair neu'r enw dan sylw yn cyfateb yn hollol i brifair y cofnod y dymunir cyfeirio ato, rhoddir y croesgyfeiriad mewn cromfachau, er enghraifft '"cerddoriaeth gelfyddydol" Gymreig (gw. **Cerddoriaeth Glasurol a Chelfyddydol**)'. Hyderwn y bydd y dull hwn yn galluogi'r darllenydd i symud yn gymharol ddiffwdan trwy'r gyfrol.

Nodyn ynglŷn â ff2ormat y Llyfryddiaeth, Rhestr Gweithiau a Disgyddiaeth

Mae'r llyfryddiaeth, lle bo'r angen, wedi ei gosod ar ddiwedd pob cofnod, a hynny yn nhrefn amseryddol cyhoeddi'r gweithiau dan sylw (h.y. blwyddyn eu cyhoeddi) yn hytrach nag yn nhrefn yr wyddor. Mae'n cynnwys cyfeiriadau oddi mewn i'r testun, neu destunau cyffredinol a ddefnyddiwyd wrth baratoi'r cofnod, yn hytrach na rhestr lawn o ffynonellau. Yn achos cofnodion ar gyfansoddwyr penodol ni fu o hyd yn bosibl cynnwys rhestr gyflawn o weithiau, ac mae'r ddisgyddiaeth hefyd yn ddethol. Y gobaith yw y bydd y llyfryddiaethau a'r disgyddiaethau yn fodd i'r darllenydd ymchwilio ymhellach i'r ffigwr neu'r maes dan sylw.

Ff 2ormat y recordiau yn y Ddisgyddiaeth

Yn achos cyfeiriadau at Ddisgyddiaeth, cymerir mai albwm (neu record hir) yw'r fformat oni nodir yn wahanol. Gosodir ychwanegiad disgrifiadol megis '[sengl]' neu '[EP]' ar ôl teitl y record os *nad* yw'n record hir.

Er bod y rhan fwyaf o'r cofnodion wedi eu darparu'n unswydd ar gyfer y *Cydymaith i Gerddoriaeth Cymru*, mewn achosion lle na dderbyniwyd cofnod gan gyfrannwr bu'n rhaid mynd ati i gyfieithu neu aralleirio deunydd a fodolai'n barod. Mewn achosion o'r fath, gwnaed pob ymdrech i sicrhau caniatâd yr awduron a chydnabod y ffynhonnell wreiddiol.

Rhestr Paneli

Panel Prosiect y *Cydymaith i Gerddoriaeth Cymru* (2012–16): Pwyll ap Siôn (cadeirydd), Wyn Thomas (cyd-olygydd), Menna Baines (golygydd iaith), Gwenllian Lansdown Davies, Rhian A. Davies, Meilyr Emrys, Tristian Evans, Mari Fflur, Dylan Phillips, Llion Jones (Cyfarwyddwr Canolfan Bedwyr, Prifysgol Bangor), Stephen Rees.

Y Panel Golygyddol:
Dr Meredydd Evans a Dr Phyllis Kinney (golygyddion emeritws); Mr Wyn Thomas a'r Athro Pwyll ap Siôn (cyd-olygyddion); Ms Menna Baines, Mr Einion Dafydd, Dr Tristian Evans, Dr Rhidian Griffiths, Dr Sally Harper, yr Athro Trevor Herbert, Dr Sarah Hill, Dr Richard Elfyn Jones, Dr Cass Meurig, Mr Stephen Rees, Ms Sioned Webb, yr Athro Gareth Williams.

Pwyll ap Siôn a Wyn Thomas, Mehefin 2018

Nodiadau ar y Cyfranwyr

Mae'r cyfeiriadau 'gw.' yn cyfeirio at gofnodion sydd yn ymddangos yng nghhorff y gwaith.

Pwyll ap Siôn (gw. **ap Siôn, Pwyll**)

Chris Collins
Ymunodd yr Athro Chris Collins â staff darlithio'r Ysgol Cerddoriaeth Prifysgol Bangor yn 2001 ar ôl cwblhau PhD ar ddylanwadau Ewropeaidd ar y cyfansoddwr o Sbaen, Manuel de Falla. Penodwyd ef yn Bennaeth ar yr Ysgol yn 2012.

Graeme Cotterill
Yn enedigol o Sir Fynwy, derbyniodd ei addysg yn Ysgol Uwchradd Caerleon (1996–2003), cyn astudio cerddoriaeth ym Mhrifysgol Bangor, gan dderbyn gradd dosbarth cyntaf yno yn 2006. Cwblhaodd ei draethawd doethuriaeth ar 'Music in the blood & Poetry in the soul? National identity in the life and music of Grace Williams' o Fangor yn 2010. Bu hefyd yn ddarlithydd yno am gyfnod, gan weithio'n ogystal i wasg gerddoriaeth Cathedral Press, cyn ei benodi'n gyfarwyddwr Ymddiriedolaeth Natur Gogledd Cymru yn 2012.

Aled Lloyd Davies (gw. **Davies, Aled Lloyd**)

Lyn Davies (gw. **Davies, Lyn**)

Rhian Davies (gw. **Davies, Rhian**)

David Evans (gw. **Evans, David**)

Euros Rhys Evans (gw. **Rhys, Euros**)

Tristian Evans
Ysgolhaig a phianydd. Ar ôl derbyn ei addysg yng Ngholeg Meirion Dwyfor, graddiodd gyda dosbarth cyntaf mewn cerddoriaeth ym Mhrifysgol Bangor cyn mynd ati i gwblhau PhD ar gerddoriaeth ffilm y cyfansoddwr minimalaidd Philip Glass. Ynghyd â'i ymrwymiadau fel pianydd, beirniad, athro a darlithydd, ei ddiddordeb pennaf yw maes dadansoddi. Cyhoeddwyd ffrwyth ei ymchwil yn *Shared Meanings in the Film Music of Philip Glass* (Ashgate, 2015).

Gareth Glyn (gw. **Davies, Gareth Glyn**)

Jon Gower
Yn wreiddiol o Lanelli, aeth Jon Gower i Brifysgol Caergrawnt i astudio Saesneg cyn mynd i weithio i'r BBC am nifer o flynyddoedd fel gohebydd celfyddydol. Bu'n creu rhaglenni dogfen yn y Gymraeg ac yn Saesneg am dros 30 mlynedd. Cyhoeddodd nifer o lyfrau a nofelau, gan gynnwys *Gwalia Patagonia* (Gomer, 2015), hanes blynyddoedd cynnar sefydlu'r wladfa ym Mhatagonia. Derbyniodd wobr Llyfr y Flwyddyn yn 2012 am ei nofel *Y Storïwr* (Gomer, 2011). Mae'n byw yng Nghaerdydd.

Dai Griffiths
Brodor o Gwm Aman a astudiodd ym Mhrifysgol Caergrawnt cyn ei benodi'n ddarlithydd yn adran gerdd, Prifysgol Brookes Rhydychen, lle mae bellach yn uwch-ddarlithydd. Bu'n ymchwilio i faes theori a cherddoriaeth boblogaidd am dros 30 mlynedd, gan gyhoeddi monograffau ar record hir Radiohead, *OK Computer* (Continuum, 2004), a'r canwr Elvis Costello, ynghyd â sawl erthygl am y Cymro, John Cale.

Gethin Griffiths
Cwblhaodd Gethin ei radd BA mewn cerddoriaeth gyda dosbarth cyntaf yn 2015. Derbyniodd radd Meistr yn 2016 am draethawd hir ar gerddoriaeth boblogaidd a'r Eisteddfod Genedlaethol. Mae bellach yn fyfyriwr ymchwil rhan-amser ym Mhrifysgol Bangor ar ysgoloriaeth Ymddiriedolaeth James Pantyfedwen, ar ddylanwad *Cool Cymru* ar ganu pop yng Nghymru tra'n gweithio fel ymchwilydd i BBC Radio Cymru.

Rhidian Griffiths (gw. **Griffiths, Rhidian**)

Arfon Gwilym (gw. **Gwilym, Arfon**)

John Harper (gw. **Harper, John**)

Sally Harper (gw. **Harper, Sally**)

Trevor Herbert (gw. **Herbert, Trevor**)

Sarah Hill (gw. **Hill, Sarah**)

Deian Hopkin (gw. **Hopkin, Deian**)

Meirion Hughes

Hanesydd llawrydd, awdur y gyfrol *The English Musical Renaissance and the Press, 1850–1914: Watchmen of Music* (Ashgate, 2002) a chyd-awdur y gyfrol *The English Musical Renaissance, 1860-1940: Construction and Deconstruction* (Routledge, 1993). Cyfrannodd gyfres o erthyglau ar Edward Elgar yn *Music and the Politics of Culture* (Lawrence & Wishart, 1989) ac ar Gioachino Rossini yn *Conflict and Coexistence* (Gwasg Prifysgol Cymru, 1997). Bu'n ddarlledwr cyson ar Radio 3 (BBC).

Gwawr Ifan

Derbyniodd radd BMus o Brifysgol Bangor yn 2007, cyn derbyn ysgoloriaeth gan Y Coleg Cymraeg Cenedlaethol i astudio ar gyfer gradd MA gan ganolbwyntio ar gerddoriaeth gyda throseddwyr sy'n dioddef o salwch meddwl. Aeth ymlaen i gwblhau doethuriaeth ar gerddoriaeth mewn iechyd a lles yng Nghymru. Fe'i penodwyd i swydd darlithydd cerddoriaeth gyda'r Coleg Cymraeg Cenedlaethol yn yr Ysgol Cerddoriaeth ym Mhrifysgol Bangor ym mis Hydref 2012.

Rhys James

Cerddor a gitarydd a fu'n perfformio a recordio gyda'r Mattoidz a **Fflur Dafydd**. Yn 2016 derbyniodd grant ymchwil gan y Coleg Cymraeg Cenedlaethol i ymchwilio i hanes a chyfraniad **Tich Gwilym** (1950–2005) i ganu roc Cymraeg, gan gynnal cyfweliadau gyda rhai fu'n recordio gyda'r gitarydd, megis **Geraint Jarman**, **Siân James** a Peredur ap Gwynedd.

Craig Owen Jones

Astudiodd Craig Owen Jones ym Mhrifysgol Bangor gan gwblhau ei ddoethuriaeth ar gerddoriaeth boblogaidd gyfoes yn y Gymraeg yn 2007. Bu'n Gymrawd Ymchwil ym Mhrifysgol Bangor rhwng 2007 a 2010 cyn treulio cyfnod yn ddarlithydd yno dan nawdd Y Coleg Cymraeg Cenedlaethol rhwng 2011 a 2016. Mae ei ddiddordebau ymchwil yn cynnwys cerddoriaeth boblogaidd yn y Gymraeg, cerddoriaeth boblogaidd Gymreig yn Saesneg, roc

pync, y Beatles a defnydd cerddoriaeth boblogaidd mewn ffilm. Cyhoeddodd erthyglau ar ganu pop yng nghyfnodolion *Hanes Cerddoriaeth Cymru*, *Gwerddon* a *Popular Music History*.

David R. Jones

Pianydd ac ysgolhaig a astudiodd gerddoriaeth ym Mhrifysgol Bangor gan dderbyn doethuriaeth yn 2007 am draethawd hir ar gyfraniad W. S. Gwynn Williams i gerddoriaeth yng Nghymru hyd at 1950.

Gwawr Jones

Dilynodd gwrs cyd-anrhydedd mewn Cerddoriaeth a Chymraeg ym Mhrifysgol Bangor gan dderbyn gradd dosbarth cyntaf yn 2009. Aeth ymlaen i gwblhau ei doethuriaeth yn 2015, gan gyflwyno traethawd hir ar gyfraniad Clara Novello Davies i fyd cerddoriaeth broffesiynol yng Nghymru. Ers hynny bu'n gweithio i'r Coleg Cymraeg Cenedlaethol fel Pennaeth yr Uned Gymraeg a Swyddog Iaith Gymraeg ym Mhrifysgol De Cymru (Pontypridd).

Elen Wyn Keen

O Rosygwaliau ger Y Bala yn wreiddiol, astudiodd gerddoriaeth ym Mhrifysgol Bangor, gan dderbyn gradd MPhil yn 1999 am waith ymchwil ar J. Lloyd Williams. Bu'n cyfeilio i Ysgol Glanaethwy ers 1997 tra'n gweithio'n rhan-amser fel athrawes biano deithiol i Wasanaeth Ysgolion William Mathias. Ar ôl cyfnod yn magu teulu, dychwelodd i Brifysgol Bangor, gan gofrestru ar gyfer gradd PhD ar waith J. Lloyd Williams yn 2016.

Geraint Lewis (gw. **Lewis, Geraint**)

Owain Llwyd (gw. **Llwyd, Owain**)

Cass Meurig (gw. **Meurig, Cass**)

Bethan Miles (gw. **Miles, Bethan**)

Delyth Morgans Phillips

Yn wreiddiol o Flaenfallen, Dyffryn Aeron, graddiodd Delyth Morgans Phillips mewn cerddoriaeth o Brifysgol Bangor. Bu'n gweithio ar brosiect *Cydymaith Caneuon Ffydd* (2002–5) ac yna fel Swyddog Cyfathrebu Undeb yr Annibynwyr (2006–7). Bu'n Swyddog Gwybodaeth y Cyngor Llyfrau ac yn Ysgrifennydd Cymdeithas Emynau Cymru.

Eiry Palfrey

Yn wreiddiol o Lanfihangel y Creuddyn ger Aberystwyth, cafodd Eiry ei magu a'i haddysgu yn Llanfyllin, Sir Drefaldwyn. Astudiodd y Gymraeg ym Mhrifysgol Cymru, Aberystwyth. Bu'n gweithio i HTV Cymru fel cyflwynydd a darllenydd newyddion cyn mynd ymlaen i gynhyrchu rhaglenni ar gyfer S4C. Bu'n ymddiddori yn nhraddodiadau gwerin a dawnsio gwerin Cymru. Yn awdur toreithiog, cyhoeddwyd ei llyfrau gan Wasg y Dref Wen, Gomer a Hughes a'i Fab.

Guto Puw (gw. **Puw, Guto Pryderi**)

Stephen Rees (gw. **Rees, Stephen Powell**)

Joseph Shooman

Wedi derbyn ei addysg yn Ysgol Friars, Bangor, aeth Joe Shooman ati i gwblhau diploma uwchradd mewn technoleg cerdd ym Mhrifysgol Bangor cyn graddio ym maes technoleg sain o Brifysgol Lerpwl (2000–3). Yn fuan wedyn aeth i gyfeiriad newyddiaduraeth roc a phop, gan gyhoeddi llyfrau ar Bruce Dickinson (canwr y grŵp roc trwm Iron Maiden), Kasabian ac All Time Low, ynghyd â llyfr ar hanes a datblygiad y wefan Myspace: *Whose Space Is It Anyway?* (Independent Music Press, 2007). Cwblhaodd PhD ym maes ysgrifennu creadigol ym Mhrifysgol Bangor rhwng 2013 a 2018.

Wyn Thomas (gw. **Thomas, Wyn**)
Sioned Webb (gw. **Webb, Sioned**)

Gareth Williams (gw. **Williams, Gareth**)

Godfrey Williams

Yn wreiddiol o Bentre Broughton, ger Brymbo, sefydlodd Godfrey Williams orsaf radio Marcher Sound yn ystod yr 1980au, a ddaeth wedyn yn 'Sain y Gororau'. Ar ôl ymddeol o faes y cyfryngau, aeth i Brifysgol Bangor i gynnal gwaith ymchwil ar gerddoriaeth a'r traddodiad ymneilltuol yng ngogledd-ddwyrain Cymru a Lerpwl, gan gwblhau PhD ar y testun yn 2011. Mae hefyd yn organydd profiadol ac yn aelod gweithgar o nifer o gorau cymunedol yng nghyffiniau Wrecsam. Bu'n cyfansoddi tonau cynulleidfaol ers blynyddoedd gan gipio gwobrau mewn sawl Eisteddfod, a dyfarnwyd y wobr gyntaf iddo yn Eisteddfod Genedlaethol Ynys Môn, 2017, am gyfansoddi'r emyn-dôn 'Bodedern'.

Nia Davies Williams

Graddiodd mewn cerddoriaeth o Brifysgol Bangor yn 2011. Cyn hynny, bu'n gerddor llawrydd ac yn aelod o'r grŵp pop **Brigyn**. Cyfansoddodd ganeuon ar gyfer nifer o artistiaid, gan gynnwys Mirain Haf. Cwblhaodd radd Meistr ym Mangor yn 2012 gan ymchwilio i effaith cerddoriaeth ar bobl a chanddynt ddementia. Mae bellach yn gweithio fel cerddor yng nghartref gofal Bryn Seiont ac wedi cyhoeddi erthyglau yn y cyfnodolyn *Gwerddon*.

Hefin Wyn

Brodor o ardal Crymych, Sir Benfro, bu Hefin yn ohebydd adloniant *Y Cymro* yn ystod yr 1970au. Cyhoeddodd sawl llyfr ar hanes canu roc a phop yng Nghymru, gan gynnwys y ddwy gyfrol bwysig *Be Bop a Lula'r Delyn Aur* (Lolfa, 2002) a *Ble Wyt Ti Rhwng?* (Lolfa, 2006).

A

Aberjaber

Grŵp gwerin offerynnol o ardal Abertawe a fu'n nodedig am eu hagwedd arbrofol ac eclectig wrth gyfuno elfennau o'r traddodiad Cymraeg gydag alawon, seiniau ac arferion gwerin eraill. Sefydlwyd y band yn 1983. Yr aelodau gwreiddiol oedd Peter Stacey (ffliwt, sacsoffonau, chwislau, pibau Cymreig, *bodhrán*), Delyth Evans (telyn Geltaidd) a Stevie Wishart (**ffidil**, feiola, **crwth**, *hurdy-gurdy*), ill tri yn gyn-aelodau o'r grŵp gwerin Cromlech. Roedd y trac 'Hindeg', a ryddhawyd ar albwm olaf Cromlech, *Igam Ogam* (Sain, 1982), yn arwydd o'r cyfeiriad a gymerwyd gan Aberjaber. Bu Peter Stacey a Stevie Wishart yn dilyn astudiaethau ôl-radd mewn cerddoriaeth, gyda'r naill yn ymchwilio i gerddoriaeth yr 20g. (gan gynnwys **jazz**, chwarae byrfyfyr a diwylliannau cerddorol y byd) a'r llall yn archwilio'r cysylltiadau rhwng chwarae'r ffidil yn y dull Iberaidd traddodiadol a thechnegau'r ffidil yn yr Oesoedd Canol.

Clywir rhai o'r dylanwadau hyn ar eu halbwm eponymaidd cyntaf (Sain, 1985), sy'n cynnwys trefniannau o alawon Cymraeg ynghyd ag alawon o wledydd eraill, megis 'Hoffedd Meistres' ac alaw draddodiadol o Galisia, 'Aires De Pontevedra'. Rhyddhawyd *Aberdaujaber* flwyddyn yn ddiweddarach, gyda'r chwaraewr pibau Albanaidd Peter Wallace yn cyfrannu hefyd ar 'The Lament for Ronald MacDonald of Morar'. Ar ôl seibiant o ddegawd ailffurfiodd y grŵp, gyda Ben Assare (*cello*, offerynnau taro) yn cymryd lle Stevie Wishart, gan ryddhau *Y Bwced Perffaith* (Sain, 1997), a oedd yn gyfuniad creadigol o alawon Cymreig, Gwyddelig, Albanaidd a Galisiaidd wedi eu gwisgo ar brydiau mewn harmonïau jazz a churiadau Affricanaidd.

Safai cerddoriaeth Aberjaber ar wahân i duedd gyffredinol grwpiau gwerin Cymreig; fel yn achos Cromlech, roeddynt yn cynnwys cyfartaledd uwch na grwpiau eraill o'r cyfnod o ddeunydd a ddeuai tu allan i Gymru, ac mae eu recordiadau offerynnol yn cynnwys llai o dipyn o gadwyni o alawon. Er gwaethaf is-deitl eu recordiad cyntaf ('Music from the Celtic Countries'), buont hefyd yn estyn ffiniau eu *repertoire* yn ehangach, gan berfformio cerddoriaeth o lawysgrif **Robert ap Huw** o gerddoriaeth telyn o'r 17g. a chyfansoddiadau gwreiddiol ochr yn ochr ag alawon dawns o Gymru a gwledydd Celtaidd eraill. Mae eu cyfansoddiadau gwreiddiol hefyd yn mynd y tu hwnt i'r alawon dwy-ran cymesur a ddisgwylir yn *repertoire* y dawnsiau. Roedd awgrym o hynny wedi bod eisoes yn albwm Cromlech, *Igam Ogam* (Sain, 1982), gyda'r trefniant estynedig o 'Hin Deg', a daeth yn fwy amlwg ar recordiadau Aberjaber lle ysgrifennwyd cyfansoddiad Wishart 'Stevie's Tune', er enghraifft, gyda'r bwriad o 'ymestyn arferion traddodiadol o gerddoriaeth werin' (gw. Rees 2007, 334).

Llyfryddiaeth

Stephen P. Rees, 'Traddodiad Celtaidd Newydd? Perfformiad Offerynnol gan Grwpiau yn yr Adfywiad Gwerin yng Nghymru, c.1975–c.1989', *Hanes Cerddoriaeth Cymru*, 7 (2007), 325–43

Disgyddiaeth

Aberjaber (Sain 1340M, 1985)
Aberdaujaber (Sain 1410M, 1986)
Y Bwced Perffaith (Sain SCD2157, 1997)

Pwyll ap Siôn

Addysg (gw. **Diwylliant a'r Diwydiant Cerddoriaeth**)

Adloniant

Ychydig iawn a wyddom am yr adloniant cynnar a fodolai yng Nghymru. Un o'r cyfeiriadau cynharaf a geir yw'r un gan y mynach Gildas o'r 6g. sy'n rhoi darlun o ganu mawl mewn llysoedd Cymreig cynnar. Mae'r farddoniaeth Gymraeg gynharaf, 'Y Gododdin', yn cyfeirio at feirdd a chantorion, ac at y ffaith fod cerddoriaeth a barddoniaeth yn cerdded law yn llaw – nodwedd sydd wedi parhau hyd heddiw. Yn y 10g. gwelir yng nghyfreithiau Hywel Dda fod nifer fawr o gyfeiriadau at yr **offerynnau** a ddefnyddid gan y diddanwyr. Y delyn yn amlwg oedd uchaf ei statws, ond yn yr hen gyfreithiau Cymreig rhoddir lle pwysig i'r **crwth** a'r pibau yn ogystal.

Mae'r **Eisteddfod** wedi chwarae rhan amlwg yn adloniant Cymru, a'r eisteddfod gyntaf y ceir cyfeiriad manwl ati yw'r un a gynhaliodd yr Arglwydd Rhys yng Nghastell Aberteifi ym 1176. Yn yr eisteddfod honno, cyfeirir at dri dosbarth o gystadleuwyr: yr offerynwyr, y beirdd a'r cantorion. Mae'r cyfeiriadau a geir at feirdd a chantorion yr uchelwyr yn amlwg yn fwy niferus, ond cyfeirir hefyd at 'fôn y glêr' sef y werin bobl a 'chantorion penpastwn'.

Nid oes sicrwydd pa fath yn union o ddawnsio a oedd yn digwydd yn y llysoedd cynnar. Nid oedd gair yn y Gymraeg am 'ddawns'. Mae peth tystiolaeth fod dawnsio'n digwydd i'w chael mewn **llawysgrifau** cyn belled yn ôl â'r 14g. Cyfeirir at offerynnau a oedd yn cyfeilio i'r dawnsio megis **y delyn**, **y crwth**, y pibau neu'r pibau cwd. Un ffurf ar adloniant a oedd yn cywain yr holl berfformwyr ynghyd oedd yr **anterliwt**, sef math o ddrama fydryddol a oedd yn boblogaidd yng Nghymru yn yr 17g. a'r 18g. Byddai'r perfformiad fel arfer wrth ymyl y ffordd, yn sgwâr y farchnad neu ar fuarth tafarn a'r llwyfan yn un digon simsan ar gert neu ar astell rhwng dwy faril gwrw. Diben arferol yr anterliwt oedd cyflwyno moeswers neu gynnig sylwebaeth wleidyddol neu gymdeithasol trwy ddychan; ar yr un pryd, roedd yr adloniant a gynigiai yn ddigon di-chwaeth ac awgrymog yn aml. Dau gymeriad canolog yr anterliwt oedd y Ffŵl a'r Cybydd. Byddai **baledwyr** hefyd yn ymweld â ffeiriau a byddai'r grefft honno yn parhau yn ei bri yn y 19g.

Yn y 18g., mae'n amlwg fod y cerddorion proffesiynol yn cael eu denu i gyfeiriad Llundain gan yr uchelwyr neu eu noddwyr – rhai fel **John Parry** (Parry Ddall) (Rhiwabon) ac **Edward Jones** (Bardd y Brenin), ac er i **Iolo Morganwg** fyw yn Llundain am gyfnod y mae hefyd wedi cofnodi disgrifiadau o adloniant cerddorol pobl gyffredin ym Morgannwg ar ôl dychwelyd i Gymru ar ddechrau'r 18g. Ceir awgrymiadau gan Iolo hefyd fod gwahaniaethau sylweddol rhwng adloniant de a gogledd Cymru, ac mae'n sôn am ganu a dawnsio ym Morgannwg.

Gwledig iawn oedd Cymru yn y 18g., ac yn nhyddynnod a ffermydd bychain y gymdeithas amaethyddol hon, a'i bywyd bob dydd yn dilyn rhod y tymhorau, y bodolai unrhyw adloniant. Ceir cofnodion yn disgrifio cneifwyr a chasglwyr y cynhaeaf yn ymgynnull o ffermydd cyfagos a'r merched hefyd yn cyfrannu tuag at wneud y bwyd neu'n dod at ei gilydd i nyddu neu wau. Hwy eu hunain a ddiddanai a chreu adloniant, megis **canu penillion**, dweud straeon, dawnsio a chanu offerynnau. Ar rai tymhorau byddai mwy o wyliau yn digwydd, yn enwedig wrth i'r dyddiau fyrhau. Ar ddydd Nadolig ceid 'gwyliau' am dair wythnos, ac yn ystod y cyfnod hwn cynhelid digwyddiadau megis defod y Fari Lwyd yn ne Cymru, pan eid â phenglog ceffyl addurnedig o ddrws i ddrws. Arfer arall oedd Hela'r Dryw, a cheir disgrifiadau manwl o hyn yn digwydd yn Sir Benfro. Cenid caneuon hefyd wrth fynd i gasglu **calennig**, sef rhoddion ar ddydd Calan. Cynhelid **Gŵyl** Fair y Canhwyllau ym mis Chwefror a cheir enghreifftiau o ganeuon nodweddiadol o'r ŵyl o Lannerch-y-medd, Môn. Wrth i'r gwanwyn a'r haf gyrraedd cynhelid **gwyliau** megis Calan Mai a Gŵyl Mabsant, sef gŵyl i goffáu nawddsant y plwyf lleol.

Roedd **y delyn** ac adloniant mewn tafarnau a ffeiriau yn dal mewn bri hyd adeg y diwygiadau crefyddol yn y 18g. Gadawodd y don grefyddol ei hôl yn drwm ar y ddwy ganrif nesaf. Er hynny, dengys ambell i gofnod fod dawnsio, canu a chwaraeon gwledig yn dal i ddigwydd mewn ffeiriau. Er bod dylanwadau crefyddol wedi cyfrannu at leihau'r hwyl werinol gynhenid yn y cymunedau, ar yr un pryd tyfodd cymdeithasau **corawl** anferth yn sgil y capeli a luosogai yng Nghymru, a byddai'r rhain yn perfformio gweithiau cyfansoddwyr mawr y cyfandir a chyfansoddwyr brodorol. Roedd y cantorion yn ddibynnol ar nodiant **sol-ffa** i ddysgu'r gweithiau, megis yr **oratorio** a gweithiau eraill yn y 19g., yng nghapeli'r ardaloedd gwledig a diwydiannol fel ei gilydd. Yn y cyngherddau hyn byddai unawdwyr proffesiynol a lled broffesiynol yn perfformio. Ond gyda dylanwad y Llyfrau Gleision yn drwm ar bob agwedd o fywyd yng Nghymru, parchuso'n anochel fu hanes adloniant yn gyffredinol.

Yn ystod y 19g. daeth yr eisteddfod yn un o'r sefydliadau pennaf yn niwylliant ac adloniant y Cymry. Ceir yn yr eisteddfodau hyn, megis Eisteddfod Madog (1851) ac Eisteddfod Fawr Llangollen (1858), ddarluniau o adloniant amlochrog. Er bod ynddynt ddisgrifiadau manwl o ganu **cerdd dant** mewn amgylchiadau pur anhrefnus, disgrifir hefyd gyngherddau mawreddog, gan ddangos i raddau ddyhead y Cymry i gael eu derbyn fel cenedl barchus a gwâr. Parhaodd y nodwedd hon o ffurfioli'r adloniant i raddau helaeth hyd y presennol. Bu ffermydd a thai bonedd yn cyfrannu'n helaeth yn y cyfnod hwn tuag at adloniant y Cymry, wrth geisio cadw'r hen arferion yn fyw. Ceir disgrifiadau o adloniant ar fferm Castellior, Môn, yn y 19g. ac roedd Eisteddfod Cymreigyddion y Fenni (a chysylltiad Arglwyddes **Augusta Hall** ym Mhlas Llanofer gerllaw â hi) yn enghraifft o gynnal digwyddiadau allweddol er mwyn diogelu'r hen draddodiadau. Er hynny, y Noson Lawen draddodiadol a'r Canu Llofft Stabl anffurfiol a barhaodd i gadw'r traddodiadau ar lawr gwlad a'r sipsiwn Cymreig yn aml yn ymuno yn yr hwyl.

Bu'r 20g. yn gyforiog o adloniant mewn sawl dull a gwelwyd newidiadau chwyldroadol o ran dulliau a chyfrwng y diddanu. Tyfodd yr Eisteddfod Genedlaethol fwyfwy i roi i'r Cymry rychwant ehangach fyth o adloniant, a chynhaliwyd eisteddfodau mawr a bach ledled y wlad. Sefydlwyd Eisteddfod Ryngwladol Llangollen yn 1947 lle profodd pobl Cymru adloniant a diwylliannau newydd a dieithr. Roedd dylanwad y capeli yn parhau i fod yn gyfrwng adloniant trwy'r cyfarfodydd bach a'r 'sosial' fel y'i galwyd.

Yn sgil dylanwad cynyddol y radio a'r teledu ym myd adloniant, roedd gofyn am genhedlaeth newydd o Gymry Cymraeg a fyddai'n llwyddo i ddygymod â'r dechnoleg ddiweddaraf a'r math newydd o adloniant. Sefydlwyd Cyngor Darlledu Cymru yn 1953 a Radio Cymru/Radio Wales ugain mlynedd yn ddiweddarach. Rhai o'r prif ffigyrau yn nyddiau cynnar darpariaeth adloniant y BBC yng Nghymru oedd Sam Jones, **Meredydd Evans** a Teleri Bevan. Roedd **Triawd y Coleg**, triawd o fyfyrwyr o Fangor, ymhlith sêr y byd adloniant yn y blynyddoedd wedi'r rhyfel, a hwy oedd sêr y *Noson Lawen*, a ddarlledwyd o Neuadd y Penrhyn, Bangor, yn yr un cyfnod. Rhaglenni eraill ym mlynyddoedd cynnar darlledu radio, cyn yr Ail Ryfel Byd, oedd *Sut Hwyl?* a *Shw Mae Heno?*

Ochr yn ochr â'r math yma o nosweithiau, roedd diwylliant clybiau gweithwyr, yn enwedig yn yr ardaloedd mwy diwydiannol, ac adloniant amlddiwylliannol mewn mannau fel Dociau Caerdydd, yn rhoi bywoliaeth i nifer helaeth o artistiaid. Cyn sefydlu S4C yn 1982, roedd nifer o raglenni adloniant ar y sianeli eraill yn Gymraeg a Saesneg, yn eu plith *Gwlad y Gân/Land of Song* (1958–64), gyda'r seren Ivor Emmanuel (1927–2007). Un arall oedd *Ryan a Ronnie* (1971), gyda'r actor a'r canwr **Ryan Davies**, *Disc a Dawn*, a rhaglenni Cymraeg achlysurol iawn ar donfeddi'r sianeli eraill, gyda rhai fel Hywel Gwynfryn yn flaenllaw fel cyflwynwyr. Ef hefyd oedd yn cyflwyno'r rhaglen radio *Helo Bobol* pan sefydlwyd Radio Cymru. Er i'r teledu gyflwyno'r noson lawen i gynulleidfa ehangach pan sefydlwyd S4C, gellir dweud hefyd mai'r un cyfrwng a fu'n gyfrifol i raddau am dranc y noson lawen draddodiadol fel digwyddiad byw yn y gymuned, yn ogystal ag enghreifftiau eraill o weithgaredd cymdeithasol yn chwarter olaf yr 20g.

Daeth mathau eraill o adloniant byw i gymryd lle'r hen rai, fodd bynnag. Digwyddiad o bwys oedd noson Tafodau Tân yn Eisteddfod Rhuthun yn 1973, pan oedd adloniant mwy traddodiadol y noson lawen yn rhannu llwyfan gyda **band roc**, **Edward H Dafis**. Cyn hyn, yn yr 1960au, roedd artistiaid fel **Dafydd Iwan** a **Meic Stevens** wedi poblogeiddio'r gân brotest, a sefydlwyd Cwmni Recordiau Sain yn 1969 er mwyn rhyddhau recordiau roc a gwerin Cymraeg a gâi drafferth i dorri trwodd yn y farchnad Brydeinig.

Rhai **sefydliadau a chymdeithasau** a fu'n allweddol yn cynnal adloniant o bob math yng Nghymru ar wahân i'r teledu a'r eisteddfod oedd Gŵyl Werin y Cnapan (Ffostrasol), Gŵyl Werin Dolgellau a Chymdeithas yr Iaith Gymraeg gyda'u nosweithiau Twrw Tanllyd yn yr Eisteddfod Genedlaethol yn yr 1980au. Gwelwyd tuedd i efelychu mathau o ganu ac adloniant yn deillio o'r tu hwnt i Gymru cyn belled yn ôl â'r 1960au, megis yn achos y band sgiffl **Hogia Llandegai**, a chyfansoddwyd y sioe gerdd Gymreig gyntaf, *Nia Ben Aur*, ar gyfer Eisteddfod Caerfyrddin yn 1974. Yn yr 1980au a'r 1990au roedd nifer o fandiau Cymraeg megis **Maffia Mr Huws** yn anelu at gyrraedd safon gyfuwch ag unrhyw fand y tu allan i Gymru. Daeth bandiau eraill megis y **Manic Street Preachers** a'r **Super Furry Animals**, bandiau proffesiynol yn canu yn Saesneg, i sylw'r siartiau rhyngwladol.

Sefydlwyd Ffederasiwn Cerddoriaeth Amatur Cymru yn yr 1960au hwyr i gydlynu llawer o weithgaredd cymdeithasol cerddorol arall megis corau a gwyliau, ac yn raddol esblygodd y byd adloniant yn ddwy gangen. Tyfodd cwmnïau teledu ledled Cymru a chynhaliwyd gwyliau a chyngherddau gyda chymorth grantiau sylweddol gan Gyngor Celfyddydau Cymru a ffynonellau eraill, gan alluogi nifer o bobl i ymgynnal fel artistiaid proffesiynol; ond ochr yn ochr â hyn gwelwyd cryn dipyn o weithgaredd gwirfoddol yn parhau yn y maes. Yn gyffredinol, bu adloniant yng Nghymru'r 20g. mor amlochrog ag adloniant unrhyw wlad arall; yn cynnwys **canu gwerin**, **canu roc**, y traddodiadol a'r Eingl-Americanaidd a phob rhyw arddull arall yn cydoesi.

Sioned Webb

Ail Symudiad

Band roc ôl-bync o Aberteifi oedd Ail Symudiad a ddaeth i amlygrwydd yn bennaf yn ystod yr 1980au. Fe'i ffurfiwyd gan Richard Jones (gitâr, prif lais), ei frawd Wyn Jones (bas) a Gareth Lewis (drymiau); roedd bandiau pync Prydeinig fel yr Undertones a'r Buzzcocks yn ddylanwadau pwysig i ddechrau. Sefydlodd y band gyswllt cryf gyda'r band poblogaidd Cymraeg, Y **Trwynau Coch**, gan chwarae ochr yn ochr â hwy yn y blynyddoedd cynnar.

Ar ôl gigio yn ardal Aberteifi yn gynnar yn 1979, ymddangosodd Ail Symudiad yn noson Twrw Tanllyd yn **Eisteddfod** Genedlaethol Caernarfon yn yr un flwyddyn, ac yna ym Mhafiliwn Corwen yn ddiweddarach ym mis Awst o flaen torf o 700, gan gefnogi'r **Trwynau Coch** a Rhiannon Tomos. Yn fuan wedyn daethant i sylw Eurof Williams, a oedd wedi sefydlu'r label annibynnol Recordiau Sgwâr yn 1977 gydag Eric Dafydd ac oedd hefyd yn gynhyrchydd rhaglen gerddoriaeth BBC Radio Cymru ar fore Sadwrn, *Sosban*. Estynnodd ef wahoddiad iddynt chwarae sesiwn ar gyfer y sioe, ac yn sgil llwyddiant y sesiwn honno recordiodd y band eu sengl cyntaf, 'Whisgi a Soda', ar label Sain fel rhan o gyfres newydd senglau Sain (gyda aelod newydd, Robin Davies, ar y gitâr flaen erbyn hyn). Roedd llawer o gigiau'n cael eu trefnu yng Nghymru ar ddechrau'r 1980au ac roedd Ail Symudiad yn un o'r bandiau prysuraf, yn chwarae'n gyson mewn lleoliadau megis Pafiliwn Corwen, Clwb Tanybont yng Nghaernarfon, Dixieland yn Rhyl, Plas Coch ar Ynys Môn, a Blaendyffryn ger Llandysul.

Yn 1981 penderfynodd y band sefydlu eu label annibynnol ei hun, sef Fflach. Record gyntaf y label oedd y sengl *Twristiaid yn y Dre*, a ddangosai ddylanwad amlwg y Buzzcocks, ac fe ddaeth sengl arall a oedd yn cynnwys y gân 'Geiriau' yn arbennig o boblogaidd ar donfeddi Radio Cymru. Aeth y band ar daith genedlaethol yr un flwyddyn, a recordiwyd sengl arall (ar y cyd ag Angylion Stanli), 'Edrych trwy y Camerâu', yn 1982. Hyrwyddwyd y record trwy daith arall yn ystod yr haf a drefnwyd gan Gymdeithas Adloniant Cymru. Erbyn hyn roedd Ail Symudiad wedi ennill eu plwyf fel un o brif fandiau Cymru, gan ennill sawl gwobr yn nosweithiau Gwobrau

Sgrech, ac ymddangosent ar y teledu ac ar y radio yn rheolaidd.

Yn ystod yr un cyfnod, bu'r band yn recordio eu halbwm cyntaf yn stiwdio Sain, ac fe ryddhawyd *Sefyll ar y Sgwâr* tua diwedd 1982, gyda Richard Morris yn cynhyrchu ac yn chwarae'r gitâr. Adlewyrchai'r cynnwys newid cyfeiriad o sain amrwd y senglau cynnar tuag at arddull fwy slic, gloyw a phop-aidd ei naws. Ond roedd difrifoldeb yn perthyn i rai caneuon hefyd, megis yr epig naw-munud 'Cymru am Ddiwrnod', a oedd yn sylwebaeth ddeifiol ar genedlaetholdeb byrhoedlog nifer fawr o Gymry ar ddiwrnod gêm rygbi rhyngwladol.

Erbyn diwedd 1983 roedd amser a sylw Richard a Wyn Jones yn mynd i gyfeiriad datblygu label Fflach, ac fe benderfynwyd dod â'r band i ben. Fodd bynnag, ailffurfio fu eu hanes yn sgil y galw iddynt ddychwelyd i'r sîn roc. Rhyddhawyd recordiau megis yr EP *Croeso i Gymru* ar y cyd â **Meic Stevens** (Fflach, 1986), *Dawnsio Hyd yr Oriau Mân* (Fflach, 1987) a *Rhy Fyr i Fod yn Joci* (Fflach, 1989), yr olaf yn cynnwys cyfraniadau gan gitaryddion megis Chris Lewis o'r grŵp **Jess** a Peredur ap Gwynedd. Parhaodd y Jonesiaid i redeg Fflach, a daeth y band yn ôl at ei gilydd sawl gwaith yn niwedd yr 20g. a dechrau'r 21g. ar gyfer digwyddiadau byw ac er mwyn rhyddhau recordiau newydd. Roedd cyfraniad Ail Symudiad i ganu pop yn ystod yr 1980au yn un gwerthfawr, nid yn unig o ran cyflwyno cynulleidfaoedd Cymraeg i sain 'y don newydd' a chreu sîn bwysig yn ardal Aberteifi, ond hefyd wrth sefydlu label annibynnol Fflach, a fu'n ail yn unig i label Sain o ran cynnyrch a gwerthiant.

Disgyddiaeth

'Ad-Drefnu'/'Whisgi a Soda' [sengl] (Sain 76S, 1980)
Twristiaid yn y Dre [sengl] (Fflach 001, 1981)
Geiriau [sengl] (Fflach 002, 1981)
Garej Paradwys [sengl] (Fflach 003, 1981)
Sefyll ar y Sgwâr (Sain 1240M, 1982)
[gydag Angylion Stanli] 'Edrych Trwy y Camerau' [sengl] (Fflach 005, 1982)
'Lleisiau o'r Gorffennol' [sengl] (Fflach 005, 1982)
'Bedlam'/'Arwyr Addfwyn' [sengl] (Sain 108S, 1984)
[gyda **Meic Stevens**] 'Croeso i Gymru' [EP] (Fflach RFAS MEISYM, 1986)
'O Bell ac Agos' [sengl] (Fflach 020, 1986)
Rhy Fyr i Fod yn Joci (Fflach C059C, 1989)

Casgliadau:
Ail Symudiad [casgliad o'u senglau cynnar] (Low Down Kids LDK-LP2, 2002)

Craig Owen Jones a Pwyll ap Siôn

Alarm, The

Grŵp roc o'r Rhyl a dderbyniodd gryn lwyddiant rhyngwladol yn ystod yr 1980au. Ffurfiodd y band yn 1981 a'r aelodau oedd **Mike Peters** (prif lais, gitâr), David Sharp (llais, gitâr), Eddie MacDonald (gitâr fas) a Nigel Twist (drymiau). Bu'r band yn perfformio o dan nifer o enwau (megis The Toilets a Seventeen) cyn penderfynu ar The Alarm ar ôl cyfansoddi cân gyda'r un teitl.

Amcan y band oedd cymhwyso elfennau pync-roc bandiau megis y Clash, roc ysbrydol ac angerddol U2, ynghyd â sain acwstig roc-gwerin Bob Dylan a chantorion protest yr 1960au. Clywir dylanwad egnïol pync-roc yn 'Sixty-Eight Guns', sengl gyntaf a mwyaf llwyddiannus y grŵp, a ryddhawyd yn 1983. Roedd ochr fwy telynegol yn perthyn i'w haddasiad o gân Peter Seeger 'The Bells of Rhymney', i gefnogi streic y glowyr yn 1984. Rhoddai eu pedwerydd record hir, *Electric Folklore Live* (I.R.S., 1988), sylw i'w perfformiadau byw tanllyd. Fel yr awgryma teitl eu pumed record hir, *Change* (I.R.S., 1989), daeth newid cyfeiriad, gyda'r grŵp yn fwy parod i gydnabod hunaniaeth Gymraeg a Chymreig. Rhyddhawyd fersiwn Cymraeg o'r record, a bu'r band yn rhannu llwyfannau gyda grwpiau megis **Maffia Mr Huws** a **Jess**. Fodd bynnag, yn dilyn rhyddhau y record hir *Raw/Tân* yn 1991, dywedodd Peters ei fod am adael y band.

Aeth Mike Peters (g.1959), ati i dorri cwys newydd iddo'i hun fel artist unigol gan ffurfio Mike Peters and the Poets (of Justice) gyda'i wraig Jules Peters ac aelodau'r grŵp Jess o Aberteifi (roedd Brychan Llŷr wedi cynorthwyo Peters gyda chyfieithiadau o'i ganeuon i'r Gymraeg ar gyfer *Tân*). Rhyddhaodd Peters gyfres o senglau ynghyd â'r record hir *Aer* (Crai, 1994), ond ni wnaeth agwedd hunanfoddhaus a ffugdeimladol rhai o'r caneuon argyhoeddi cynulleidfaoedd Cymru, ac ni fu'r fenter yn un gwbl lwyddiannus.

Ail-ffurfiodd The Alarm ar gyfer taith dathlu ugain mlynedd yn 2001, gyda'r band yn rhyddhau trefniant newydd o 'Sixty-Eight Guns' o dan yr enw Poppy Fields yn 2004. Yn fwy diweddar, ar ôl dioddef o ganser, bu Peters yn weithgar iawn yn codi arian ar gyfer achosion da, gan sefydlu'r elusen *Love Hope Strength* er mwyn codi ymwybyddiaeth ynglŷn â lewcemia. Rhyddhawyd rhaglen ddogfen o'r enw *Mike Peters on the Road to Recovery* yn 2006 er mwyn codi ymwybyddiaeth o'r cyflwr ac o waith yr elusen.

Disgyddiaeth
Declaration (I.R.S. IRSA-7044, 1984)
Strength (I.R.S. MIRF-1004, 1985)
Spirit of '76 (I.R.S. IRMT-109, 1985)
Eye of The Hurricane (I.R.S. DMIRG-1023, 1987)
Electric Folklore Live (I.R.S. DMIRM-5001, 1988)
Change (I.R.S. EIRSACD-1020, 1989)
Newid [fersiwn Cymraeg o *Change*] (I.R.S. EIRSAW-1020, 1989)
Raw (I.R.S. EIRSA-1055, 1991)
Tân [fersiwn Cymraeg o *Raw*] (Crai CD014, 1991)

Mike Peters and the Poets:
'It Just Don't Get Any Better Than This' [sengl] (Crai 41CD, 1994)
'Back Into The System' [sengl] (Crai 40CD, 1994)
'Nol i Mewn i'r System' [fersiwn Cymraeg o 'Back Into The System'] (Crai 40CDW, 1994)
Breathe (Crai 47CD, 1994)
Aer [fersiwn Cymraeg o *Breathe*] (Crai 47CDW, 1994)

Casgliadau:
Standards (I.R.S. EIRSACD-1043, 1990)
The Best Of The Alarm And Mike Peters (EMI 4937512, 1998)

Pwyll ap Siôn

Alaw, Owain (gw. **Owen, John**)

Allcock, Maartin (g.1957)

Cynhyrchydd recordiau a cherddor sesiwn sy'n hanu o Fanceinion. Mae'n canu'r gitâr, y gitâr fas, offerynnau amrywiol o deulu'r mandolin ac allweddellau. Martin Allcock oedd ei enw'n wreiddiol; mabwysiadodd sillafiad anghyffredin ei enw cyntaf yn 1978 yn dilyn awgrym gan y ffidlwr Eingl-Wyddelig Kevin Burke. Dechreuodd ei yrfa ym myd **canu gwerin** Lloegr ddiwedd yr 1970au pan fu'n teithio gyda'r canwr a'r digrifwr Mike Harding. Ar ôl cyfnod yn gweithio fel cogydd, dechreuodd deithio eto ddechrau'r 1980au fel aelod o'r Bully Wee Band, **grŵp gwerin**-roc o Loegr, a hefyd gyda'r canwr Gwyddelig Kieran Halpin.

Daeth i enwogrwydd ym Mhrydain ac yn rhyngwladol pan ymunodd â'r grŵp gwerin-roc Seisnig Fairport Convention wrth iddynt ailffurfio yn 1985. Bu'n aelod o'r grŵp fel gitarydd blaen tan 1996, tra oedd hefyd yn chwarae'r allweddellau gyda'r **grŵp roc** Jethro Tull rhwng 1988 ac 1991. Ar ôl gadael Fairport Convention parhaodd i weithio fel cerddor sesiwn a chyda nifer o unawdwyr gwerin/acwstig o Loegr, gan gynnwys y ffidlwr Dave Swarbrick, y cantorion-gyfansoddwyr Ralph McTell ac Yusuf Islam (Cat Stevens gynt) a'r gantores o Unol Daleithiau America, Beth Nielsen Chapman. Yn ddiweddarach bu'n aelod o grwpiau eraill a fu'n boblogaidd yng nghlybiau a **gwyliau** gwerin y Derynas Unedig: Waz, The Bad Shepherds (gydag Adrian Edmondson) a Swarb's Lazarus (gyda Dave Swarbrick).

Symudodd i ogledd Cymru yn 2000 gan ddysgu Cymraeg yng Ngholeg Harlech. Ers 2001 mae wedi bod yn gynhyrchydd ar nifer o artistiaid gwerin Cymreig ar label Sain, gan gynnwys y chwaraewr **telyn teires Robin Huw Bowen**, y grŵp offerynnol **Crasdant**, y delynores a'r gantores werin **Gwenan Gibbard** a'r gantores **Heather Jones**. Chwaraeodd rôl bwysig yn natblygiad y grŵp gwerin Cymreig ifanc **Calan**, gan gynhyrchu pob un o'u pedwar recordiad cyntaf.

Mae wedi rhyddhau tri chryno-ddisg unawdol ar ei label ei hun, yn ogystal â chyhoeddi trawsgrifiadau o gerddoriaeth ac alawon gan artistiaid gwerin Seisnig, megis Sandy Denny, Dave Swarbrick, Allan Taylor a Richard Thompson. Dylanwadau amrywiol iawn – gan gynnwys cerddoriaeth werin-roc a roc blaengar (*progressive rock*) yr 1970au a'r 1980au – sydd i'w clywed ar ei ddisgiau unawdol: defnyddir allweddellau, gitâr fas a drymiau ochr yn ochr ag offeryniaeth werinol acwstig. Fel cynhyrchydd, mae wedi gwneud cyfraniad pwysig i gerddoriaeth werin Gymreig yr 21g. trwy rannu'i brofiad o'r sîn werin Eingl-Geltaidd broffesiynol ac annog artistiaid gwerin Cymraeg i roi o'u gorau yn y stiwdio.

Disgyddiaeth

Fel cynhyrchydd:

Robin Huw Bowen, *Y Ffordd i Aberystwyth* (Sain SCD2526, 2007)

Calan, *Bling* (Sain SCD2577, 2008)

———, *Jonah* (Sain SCD2657, 2011)

———, *Giggly* [EP] (Sain SCD2704, 2013)

———, *Dinas* (Sain SCD2715, 2015)

Crasdant, *Nos Sadwrn Bach* (Sain SCD2306, 2001)

———, *Dwndwr* (Sain SCD2487, 2005)

Gwenan Gibbard, *Y Gwenith Gwynnaf* (Sain SCD2504, 2006)

———, *Sidan Glas* (Sain SCD2581, 2009)

———, *Cerdd Dannau* (Sain SCD2702, 2013)

Heather Jones, *Enaid* (Sain SCD2442, 2006)

Recordiau unawdol:

OX15 (A New Day Records ANDCD38, 1999)

Serving Suggestion (Squiggle Records CD1, 2004)

Chilli Morning (Squiggle Records CD3, 2012)

Gwefan: *www.maartinallcock.com*

Stephen Powell Rees

Alun Tan Lan (gw. **Evans, Alun**)

Amgueddfa Genedlaethol Cymru (gw. **Amgueddfeydd a Llyfrgelloedd**)

Amgueddfa Werin Cymru (gw. **Amgueddfeydd a Llyfrgelloedd**)

Amgueddfeydd a Llyfrgelloedd (gw. hefyd **Archifau**)

Er bod casgliadau preifat o gerddoriaeth, ac ambell gasgliad eglwysig, yn bod cyn yr 20g., nid tan ddyfodiad y sefydliadau cenedlaethol a'r llyfrgelloedd cyhoeddus mawr y gwelwyd casgliadau sylweddol a oedd ar gael i'r cyhoedd yng Nghymru. Cyn hynny casglwyd rhai eitemau o bwys i sefydliadau yn Lloegr, er enghraifft y llawysgrif o gerddoriaeth i'r delyn, 'Llawysgrif **Robert ap Huw**', a ddiogelwyd yn y Llyfrgell Brydeinig (MS Additional 14905). Agorwyd Coleg **Prifysgol** Cymru yn Aberystwyth yn 1872, daeth Prifysgol Cymru i fod yn 1893 a dechreuwyd datblygu casgliadau ymchwil. Sylfaenwyd Llyfrgell Genedlaethol Cymru ac Amgueddfa Genedlaethol Cymru ill dwy ar 19 Mawrth 1907, ac ar ddiwedd y 19g. a dechrau'r 20g. y gwelwyd llyfrgelloedd cyhoeddus mawr megis Caerdydd yn adeiladu casgliadau ymchwil o bwys.

Breintiwyd Llyfrgell Genedlaethol Cymru â'r hawl trwy Ddeddf Hawlfraint 1911 (a diwygiadau diweddarach arni) i ofyn am gopi rhad ac am ddim o bopeth printiedig a gyhoeddir ym Mhrydain ac Iwerddon, gan gynnwys cerddoriaeth. Golyga hyn fod ganddi gasgliad cynhwysfawr o gerddoriaeth brintiedig a gyhoeddwyd gan weisg Prydeinig o 1912 ymlaen, pan ddaeth deddf 1911 i rym. Mae hyn yn cynnwys cyfran uchel (er nad pob dim) o gynnyrch tai cyhoeddi megis Novello, Boosey a Gwasg Prifysgol Rhydychen yn ogystal â chyhoeddwyr llai o faint. Ychwanegwyd at hynny gasgliadau o gerddoriaeth Ewropeaidd, gan gynnwys argraffiadau beirniadol cyflawn o waith cyfansoddwyr blaenllaw – yn eu plith Bach, Beethoven, Handel, Haydn, Mozart, Palestrina, Rossini, Shostakovich a Verdi. Ceir hefyd eitemau o ddiddordeb hanesyddol cyffredinol, gan gynnwys er enghraifft gopi cynnar (tua 1773) o sgôr brintiedig *Messiah* Handel. Yn ogystal, mae'r Llyfrgell wedi casglu'n ddiwyd amrywiaeth o gerddoriaeth brintiedig Gymreig o bob cyfnod, sy'n cynnwys nid yn unig amryfal weithiau cyfansoddwyr Cymreig, ond hefyd wahanol argraffiadau o'r rheini, yn ogystal â deunydd mwy effemeraidd megis rhaglenni cyngherddau a **gwyliau** cerddorol a rhaglenni cymanfaoedd canu lleol a chenedlaethol. Adeiladwyd hefyd yn Archif Genedlaethol Sgrin a Sain Cymru sy'n rhan o'r Llyfrgell Genedlaethol gasgliad o recordiau o ddiddordeb Cymreig o gyfnod y recordiau masnachol cynharaf (tua 1899) ymlaen, a sicrhawyd yr hawl i recordio deunydd o ddiddordeb Cymreig a ddarlledir ar radio a theledu at bwrpas archifo. Archifir yn ogystal ffilmiau, gwefannau a chyhoeddiadau electronig o ddiddordeb cerddorol Cymreig.

Mae'r Llyfrgell hefyd yn gartref i gasgliad eang o **lawysgrifau** ac **archifau** cerddorol o bwys. Yno y cedwir er enghraifft 'Antiffonal Penpont' (llawysgrif NLW 20541E), llyfr gwasanaeth canoloesol sy'n cynnwys gwasanaeth penodol ar gyfer Gŵyl Ddewi; llawysgrifau **Iolo Morganwg**, **Ifor Ceri** a **J. Lloyd Williams** o gerddoriaeth draddodiadol Gymreig; a chasgliadau o donau a llyfrau pricio o'r 18g. a'r 19g. Ceir yno gasgliadau o lawysgrifau nifer dda o gyfansoddwyr blaenllaw y 19g. a'r 20g., gan gynnwys **Joseph Parry**, **Grace Williams**, **Mansel Thomas**, **Daniel Jones**, **Dilys Elwyn-Edwards**, **Alun Hoddinott** a **William Mathias**, yn ogystal â deunydd archifol megis llythyrau a phapurau amryw o gerddorion Cymreig. Ymhlith y realia a gedwir yn y Llyfrgell mae **crwth** y dywedir ei fod yn eiddo i **Edward Jones** (Bardd y Brenin).

O'i dechreuad bron, ymddiddorodd Amgueddfa Genedlaethol Cymru mewn **offerynnau** cerdd ac ymhlith casgliadau Amgueddfa Cymru (yn bennaf yn Amgueddfa Werin Cymru) ceir nifer o enghreifftiau o offerynnau Cymreig, gan gynnwys crythau, pibgyrn a thelynau unrhes a theires. Ceir yno dri phibgorn Cymreig o ogledd Cymru yn dyddio o'r 18g. a chrwth o wneuthuriad Richard Evans o Lanfihangel Bachellaeth sy'n dwyn arno'r dyddiad 1742. Ymhlith y telynau yng nghasgliad yr Amgueddfa ceir **telyn** unrhes y dywedir ei bod yn eiddo i'r llenor Ellis Wynne (1670/1–1734) o'r Lasynys ger Harlech; **telyn deires** o'r 18g. a wnaed gan John Richards, Llanrwst; a phedair telyn, un delyn unrhes a thair telyn deires, o wneuthuriad Bassett Jones, Caerdydd. Ceir hefyd sawl piano hanesyddol ac enghraifft o *virginal* sy'n dyddio o 1654. Mae Amgueddfa Werin Cymru yn gartref i eitemau sy'n ymwneud â digwyddiadau cerddorol, megis 'Cwpan Caradog', a enillwyd gan

Gôr De Cymru dan arweiniad Caradog (Griffith Rhys Jones; 1834–97) yn y Palas Grisial yn 1872 ac 1873, a gramoffon o 1904 a oedd yn eiddo i'r gantores **Adelina Patti**. Ceir hefyd gasgliad o 31 o silindrau cwyr a recordiwyd gan y Fonesig **Ruth Herbert Lewis** yn nyddiau cynnar casglu caneuon gwerin yng Nghymru, a defnyddiau sy'n cofnodi gwaith maes yr Amgueddfa o ran casglu, a recordiadau o gantorion gwerin, **canu plygain**, Adrodd Pwnc a defodau gwerin megis y Fari Lwyd.

O fewn llyfrgelloedd prifysgolion Cymru ceir sawl casgliad o gerddoriaeth. Cedwir llawysgrifau **David de Lloyd** (1883–1948) a chasgliad George Ernest Powell, Nanteos, yn llyfrgell Prifysgol Aberystwyth. Yn llyfrgell Prifysgol Caerdydd cedwir casgliad teulu Mackworth o ardal Castell-nedd, sy'n cynnwys llawysgrifau cerddorol a deunyddiau printiedig o'r 16g. hyd y 18g., a chasgliad Theodore Edward Aylward, a fu'n organydd Eglwys Gadeiriol Llandâf, sy'n cynnwys dros 700 o eitemau cerddorol. Ym Mhrifysgol Caerdydd hefyd y lleolir casgliad y BBC o gerddoriaeth o'r 18g. a'r 19g., a chasgliadau llawysgrifau a defnyddiau personol y gyfansoddwraig **Morfydd Llwyn Owen** (1891–1918) a'r cyfansoddwr **David Wynne** (1900–83). Yn yr un modd mae Llyfrgell ac **Archifau** Prifysgol Bangor yn gartref i gasgliadau o ddiddordeb cerddorol. Yno ceir er enghraifft bapurau R. D. Griffith (1877–1958), hanesydd canu cynulleidfaol Cymru, a chasgliad **Mary Davies** (1855–1930) o ddeunydd sy'n ymwneud â blynyddoedd cynnar **Cymdeithas Alawon Gwerin Cymru** a'r casglu arloesol ar ganeuon gwerin Cymraeg ym mlynyddoedd cynnar yr 20g.

Bu'n arfer ers blynyddoedd i lyfrgelloedd cyhoeddus yng Nghymru grynhoi casgliadau o lyfrau cerddorol a recordiau i'w benthyca, ac weithiau setiau cerddorol i ddiwallu anghenion grwpiau offerynnol a lleisiol lleol. Ac mae Tŷ Cerdd yng Nghaerdydd, sy'n cynnwys Canolfan Hysbysrwydd Cerddoriaeth Cymru, yn gartref i gasgliad pwysig o weithiau gan gyfansoddwyr Cymreig cyfoes.

Rhidian Griffiths

Anhrefn (gw. hefyd **Mwyn, Rhys**)

Grŵp pync roc Cymraeg dylanwadol oedd yr Anhrefn a fu'n weithgar yn bennaf yn ystod yr 1980au. Roedd y band, a oedd â'u gwreiddiau yn Llanfair Caereinion, Powys, yn nodedig am eu hagwedd heriol a gwrthsefydliadol. Yn sgil eu hymdrechion ffynnodd y sîn danddaearol yng Nghymru yn y cyfnod hwn, gan fraenaru'r tir ar gyfer llwyddiant grwpiau roc amgen megis **Catatonia** a'r **Super Furry Animals** yn yr 1990au.

Ffurfiwyd y grŵp yn 1982 gan Siôn Sebon (llais, gitâr) a fu cyn hynny mewn grŵp ysgol o'r enw The Chaos. Bwriad Siôn, ynghyd â'i frawd **Rhys Mwyn** – a fu'n rheoli a hyrwyddo'r band i ddechrau cyn dod yn aelod maes o law – oedd creu 'grŵp tanddaearol, *punk*, swnllyd, anarchaidd, amrwd fel gwrthgyferbyniad i'r roc Cymraeg saff, canol y ffordd, henffasiwn' (Mwyn 2006, 7). Daeth sylw cynnar i'r Anhrefn yn sgil eu cân dros hawliau anifeiliaid, 'Stwffiwch y Dolig', a ymddangosodd ar y record amlgyfrannog *Pwy Fydd Yma Mewn Can Mlynedd* (Lola, 1983).

Gweddol ansefydlog oedd aelodaeth y band yn ystod y blynyddoedd cyntaf. Chwaraeodd Rhys Mwyn gitâr fas ar sengl gyntaf y band, 'Dim Heddwch'/'Priodas Hapus' (Recordiau Anhrefn, 1984), a ryddhawyd ar feinyl llachar gwyrdd, gyda Dic Ben (drymiau) a Mark Whitley (gitâr) yn cwblhau'r pedwarawd. Yn dilyn hyn daeth mwy o gydnabyddiaeth i'r band gyda gwahoddiad i berfformio yn Pesda Roc, ynghyd â chyfweliad yn y cylchgrawn pop Saesneg, y *New Musical Express*. Fodd bynnag, erbyn iddynt recordio tair cân ar gyfer y record hir amlgyfrannog *Cam o'r Tywyllwch* (Recordiau Anhrefn, 1985), roedd Dewi Gwyn (gynt o Bismyth a'r Sefydliad) a Hefin Huws (gynt o **Maffia Mr Huws**) wedi ymuno, y naill ar y bas a'r llall yn chwarae'r drymiau.

Rhoddwyd cryn sylw i *Cam o'r Tywyllwch* – a oedd hefyd yn cynnwys cyfraniadau gan grwpiau amgen megis **Datblygu**, **Y Cyrff** a'r Tynal Tywyll – gan droellwr recordiau Radio 1, John Peel. Gyda Rhys Mwyn yn ôl ar y bas a Dewi Gwyn erbyn hyn ar y gitâr flaen, recordiodd y band eu sesiwn gyntaf i raglen Peel yng Ngorffennaf 1986. Flwyddyn yn ddiweddarach rhyddhawyd eu record hir gyntaf, *Defaid, Skateboards a Wellies* (Workers Playtime, 1987), gyda Ronnie Stone (gynt o'r grŵp China Crisis) yn cynhyrchu. Gwerthodd y record oddeutu 5,000 o gopïau, gyda'r rhan fwyaf o'r gwerthiant yn dod o'r tu hwnt i Glawdd Offa.

Yn wir, gyda'r berthynas rhwng yr Anhrefn a'r **cyfryngau** Cymraeg yn prysur ddirywio o ganlyniad i sylwadau di-flewyn-ar-dafod Mwyn mewn cyfweliadau radio ac yn ei golofn ddadleuol yn *Y Faner*, ymbellhaodd y band oddi wrth y sîn roc Gymraeg a bu mwy o weithgaredd ganddynt y tu hwnt i Gymru. Bu cyfweliad gyda Rhys Mwyn

a Siôn Sebon ar y *Whistle Test* (BBC 2) ynghyd â fideo ar gyfer rhaglen *The Tube* (Sianel 4). Bu'r band hefyd yn cefnogi canwr The Clash, Joe Strummer, ar y daith 'Rock Against The Rich' yn 1988. Yn wir, rhwng 1988 ac 1991 bu'r Anhrefn yn teithio'n rheolaidd trwy Ewrop gan gynnwys yr Almaen, yr Iseldiroedd, Tsiecoslofacia, y Swistir, Awstria, Gwlad y Basg a Llydaw.

Gyda drymiwr Y Cyrff, Dylan Hughes, bellach yn aelod yn lle Hefin Huws, a gitarydd Maffia Mr Huws, Siôn Jones, yn ymuno yn lle Dewi Gwyn, rhyddhawyd y sengl 'Be Nesa 89'/'Bach Dy Ben' (Recordiau Anhrefn, 1989) ac yna, flwyddyn yn ddiweddarach, ail record hir, *Burw Cwrw* (Workers Playtime, 1989), a ddangosai ddylanwadau *reggae* (bu'r grŵp *reggae* One Style MDV yn aml yn perfformio gyda'r band). Fodd bynnag, siomedig oedd gwerthiant *Burw Cwrw* o'i gymharu â *Defaid, Skateboards a Wellies*, er i fideos o rai o'r caneuon gael eu darlledu ar Sky, Super Channel a BBC 2 (Mwyn 2006, 102).

Erbyn 1989 roedd Gwyn Jones (hefyd o Maffia Mr Huws, a brawd Siôn Jones) wedi cymryd lle Dylan Hughes ar y drymiau, gan greu band a oedd yn cynnwys dwy set o frodyr. Dyna'r aelodaeth a glywir ar *The Dave Goodman Sessions* (Crai, 1990), a ryddhawyd ar is-label Sain, a *Live! Rhedeg i Bohemia* (Pro Art, 1991) – uchafbwyntiau gigs a gynhaliwyd yn Slofacia ym Medi 1990. Ychydig fisoedd ynghynt lansiwyd sengl a oedd yn cynnwys y gân 'Rhedeg i Paris' (Crai, 1990) mewn gig a drefnwyd ar gopa'r Wyddfa. Ysbrydolwyd geiriau'r gân gan '[derfysgoedd] y myfyrwyr ym Mharis yn 1968' (Mwyn 2006, 110). Daeth y gân yn boblogaidd yn ddiweddarach yn sgil llwyddiant tîm pêl-droed cenedlaethol Cymru yn cyrraedd rownd gyn-derfynol Ewro 2016, pan recordiodd y grŵp **Candelas** drefniant ohoni. Clywir sain fwy masnachol ar drydedd record hir y grŵp, *Dial y Ddraig/Dragon's Revenge* (Crai, 1990).

Erbyn 1991 roedd Gwyn Jones wedi gadael y band a Dafydd Ieuan o **Ffa Coffi Pawb** wedi cymryd ei le, ond gyda'r sîn *rave* a *techno* ar ei anterth ar ddechrau'r 1990au, lleihaodd dylanwad cerddoriaeth pync yn gyffredinol. Daeth gyrfa'r grŵp i ben i bob pwrpas gyda rhyddhau'r CD sengl 'Clutter from the Gutter' (Crai, 1994) ar y cyd â'r gantores a'r actores Margi Clarke, ar wahân i'r record hir arbrofol *Hen Wlad Fy Mamau* (Crai, 1995) – prosiect ar y cyd rhwng Anhrefn a cherddorion fel y gantores **Siân James** a'r delynores glasurol **Elinor Bennett**, a geisiai gyfuno dylanwadau electronaidd *house* a *techno* gyda thraddodiadau cerddorol Cymru. Gydag elfennau mwy ysbrydol i'w clywed yn *Hen Wlad Fy Mamau*, nid oedd sloganau'r Anhrefn yn berthnasol mwyach.

Ailffurfiodd y band yn 2007 heb Rhys Mwyn, gyda Ryan Kift yn canu. Mewn cyfweliad yn 1996 dywedodd Rhys Mwyn: 'gyda'r [gân honno, 'Clutter from the Gutter'] roedden ni wedi sgwennu y gân olaf. Roedden ni wedi ei wneud o a'i ddweud o ...' (yn ap Siôn, 1996). Yn sicr ni wnaeth yr un band arall o Gymru ei 'wneud o' na'i 'ddweud o' cweit fel y gwnaeth yr Anhrefn. Yng ngeiriau **Sarah Hill**, '[Anhrefn] gained notoriety in their home territory without acknowledgment of their relative success in England and beyond' (Hill 2007, 86–7).

Disgyddiaeth

'Dim Heddwch'/'Priodas Hapus' [sengl] (Recordiau Anhrefn 001, 1984)

Defaid, Skateboards a Wellies (Workers Playtime PLAY LP1, 1987)

'Be Nesa 89'/'Bach Dy Ben' [sengl] (Recordiau Anhrefn 015, 1988)

Bwrw Cwrw (Workers Playtime PLAY LP5, 1989)

Live (Incognito INC010, 1990)

Bwtleg Powerhaus Llundain 1.3.90 [EP] (Crai 010, 1990)

Dial y Ddraig/Dragon's Revenge (Crai 012, 1990)

The Dave Goodman Sessions (Incognito INC019, 1990)

[gyda Margi Clarke] 'Clutter from the Gutter'/'Crocso i Gymru' [sengl] (Crai CD037, 1994)

[amrywiol] *Hen Wlad Fy Mamau* (Crai CD048, 1995)

Casgliadau:

[amrywiol] 'Stwffiwch y Dolig' yn *Pwy Fydd Yma Mewn Can Mlynedd* (Lola MW006, 1983)

[amrywiol] 'Action Man'/'Rhywle yn Moscow'/'Dagrau yn eu Llygaid' yn *Cam o'r Tywyllwch* (Recordiau Anhrefn 002, 1985)

Llyfryddiaeth

Pwyll ap Siôn, 'Lawr yn y Disgo: Pwyll ap Siôn yn sgwrsio gyda Rhys Mwyn a Jonny 'R'', *Barn* (Tachwedd, 1996), 16–17

Rhys Mwyn, *Cam o'r Tywyllwch* (Lolfa, 2006)

Sarah Hill, *'Blerwytirhwng?' The Place of Welsh Pop Music* (Aldershot, 2007)

Pwyll ap Siôn

Anterliwt a Cherddoriaeth mewn Anterliwtiau

Drama fydryddol oedd yr anterliwt, a gyrhaeddodd anterth ei phoblogrwydd yng ngogledd Cymru rhwng ail hanner yr 17g. a dechrau'r 19g. Mae'n perthyn yn arbennig i siroedd Dinbych, Fflint a gogledd Meirionnydd. Er bod y gair yn tarddu o'r gair Saesneg *interlude* roedd yr anterliwt yn hollol Gymreig ei naws a'i chyflwyniad. Fe'i perfformid yn yr awyr agored, ar fin y ffordd, ar fuarth fferm neu westy, neu ar sgwâr y farchnad, ac yn aml defnyddid trol neu gert, neu ystyllen ar draws dau faril, i ffurfio llwyfan, heb lenni na chelfi. Nifer fach o chwaraewyr a geid fel arfer, a'r rheini'n chwarae mwy nag un rhan, yn pwysleisio mai chwarae rhan yr oeddynt, ac nid yn creu cymeriad fel mewn drama fodern. Dynion yn unig fyddai'n perfformio. Ceid cyfeiriadau cyfoes a lleol o fewn y ddrama a oedd yn fodd i ddwyn y gynulleidfa i mewn i'r chwarae.

Byddai'r ddeialog i gyd mewn penillion pedair llinell, yn dribannau fel arfer, ond weithiau mewn mesurau eraill, gyda chyffyrddiadau cynganeddol o bryd i'w gilydd. Cynhwysai'r anterliwt fel arfer gymeriadau stoc y Ffŵl a'r Cybydd, y naill yn cynrychioli ysbryd rhydd (a doethineb yn amlach na heb) a'r llall yn gocyn hitio, yn cynrychioli gormes ac awdurdod. Ceir yn yr anterliwtiau elfennau o ddiwinyddiaeth, doethinebu, stori Feiblaidd, stori werin neu ryw ddigwyddiad hanesyddol, a llawer o ddychan cymdeithasol. Ceir protestio yn erbyn symudiadau'r oes a newid o bob math, sydd efallai'n esbonio poblogrwydd yr anterliwt mewn ardaloedd gwledig neilltuedig lle nad oedd croeso brwd i bethau newydd. Mae'r anterliwt *Ffrewyll y Methodistiaid* gan William Roberts, er enghraifft, yn deillio o'r 1740au cynnar ac yn bwrw ei chas ar y mudiad crefyddol newydd.

Diogelwyd anterliwtiau gan nifer o awduron, yn eu plith Huw Jones, Llangwm, ac Ellis Roberts. Digon cwrs yw cynnwys rhai o'r anterliwtiau, ond datblygodd y ffurf yn sylweddol yn llaw Twm o'r Nant (Thomas Edwards; 1739–1810), yr amlycaf o'r anterliwtwyr. Ceir yn ei waith ef fwy o bwyslais ar ddychan ac alegori, a llai o anlladrwydd nag a geir yng ngwaith rhai awduron eraill. Nid oes amheuaeth am boblogrwydd y perfformiadau. Yn ôl Elizabeth Baker yn 1785, gallai'r chwaraewyr, trwy godi ceiniog yr un ar y gynulleidfa, dderbyn rhwng 25 a 30 swllt mewn noson, sy'n cynrychioli cyfanswm o 300 i 360 o wrandawyr (**Kinney** 2011, 122).

Ceid llawer o ganu a dawnsio yn yr anterliwtiau, a byddai **ffidil** yn cyfeilio i'r dawnsio fel arfer. Mae'n debyg fod John Thomas yn ffidlwr anterliwtiau profiadol, gan iddo gofnodi nifer o'r tonau a ddefnyddid ynddynt, ac alawon dawns yw'r rhan helaethaf o'i *repertoire* (*Alawon John Thomas* (Aberystwyth, 2004), iv). Enghraifft o alaw ddawns yw 'Sboncbogel', sy'n amrywiad ar yr alaw Elisabethaidd o Loegr, 'Pepper is black'. Defnyddid alawon poblogaidd ar gyfer y caneuon, er nad enwir mohonynt yn y testunau bob tro – 'Breuddwyd y Frenhines', 'Blodau'r Gogledd', 'Bryniau'r Werddon', 'Glan Meddwdod Mwyn', '*Miller's Key*', '*Crimson Velvet*', '*Black-eyed Susan*'. Digwydd 'Ar Hyd y Nos' yn *Ffrewyll y Methodistiaid*. Mae'r caneuon eu hunain yn aml yn gywrain eu gwead ac yn gyfoethog eu cynnwys.

Perthyn i'w cyfnod yr oedd yr anterliwtiau. Aethant allan o ffasiwn yn gyflym yn nechrau'r 19g., a dim ond *Tri Chryfion Byd* o waith Twm o'r Nant a barhaodd yn destun adnabyddus. Yn ddiweddar, fodd bynnag, daethpwyd i werthfawrogi o'r newydd rymuster a chlyfrwch y ffurf arbennig hon ar lenyddiaeth a diddanwch y werin.

Llyfryddiaeth

William Roberts, *Ffrewyll y Methodistiaid*, gol. A. Cynfael Lake (Caerdydd, 1998)

Dafydd Glyn Jones, 'The Interludes', *A guide to Welsh Literature c.1700–1800*, gol. Branwen Jarvis (Caerdydd, 2000), 210–55

Alawon John Thomas: a fiddler's tune-book from eighteenth-century Wales, gol. Cass Meurig (Aberystwyth, 2004)

Phyllis Kinney, *Welsh Traditional Music* (Caerdydd, 2011)

Ffion Mair Jones (gol.), *Y Chwyldro Ffrengig a'r Anterliwt* (Caerdydd, 2014)

Rhidian Griffiths

Anthemau

Cysylltir y gair anthem yn gyffredinol â'r syniad o gân wladgarol, hynny yw anthem genedlaethol. Gall hon fod yn **emynyddol** ei naws fel y mae nifer o anthemau Ewrop, ac mae hyn yn briodol gan mai gosodiad lleisiol o destun Beiblaidd oedd yr anthem yn wreiddiol i'w chanu fel rhan o ffurf-wasanaeth yr Eglwys, a datblygwyd hi yn Lloegr wedi'r Diwygiad Protestannaidd gan gyfansoddwyr fel Tallis, Blow, Purcell, Boyce ac yn arbennig Handel. Cyfansoddodd Handel dros ugain o anthemau, gan gynnwys un ar ddeg ar gyfer Dug Chandos (1716–18); *O Praise the Lord with one consent* yw'r *Chandos Anthem* fwyaf adnabyddus.

Cafodd yr anthem adfywiad pan gyfrannodd S. S. Wesley yn helaeth i'r ffurf ar ddechrau oes Victoria, a Hubert Parry a C. V. Stanford ar ei diwedd. Gyda datblygiad canu cynulleidfaol a thwf corau capel o ganol y 19g. yng Nghymru gwelwyd cyfansoddwyr Cymreig yn ysgrifennu ar eu cyfer; yn wahanol i'r drefn yn Lloegr, byddai'r anthem Gymraeg yn adlewyrchu poblogrwydd canu cynulleidfaol a'r gymanfa ganu, a byddai anthemau newydd yn ymddangos yn rheolaidd yng nghyfnodolion cerddorol y wlad. Geiriau Cymraeg yn unig oedd iddynt fel arfer, ond o'r 1870au byddai cyhoeddwyr fel Isaac Jones yn y Rhondda yn ychwanegu cyfieithiadau Saesneg (gwael), adlewyrchiad o newid ieithyddol yn y cwm.

Gelwir *God Bless the Prince of Wales* (y geiriau Saesneg gan George Linley) neu 'Ar D'wysog Gwlad y Bryniau' (y geiriau Cymraeg gan Ceiriog), y gerddoriaeth gan **Brinley Richards**, yn 'Anthem Tywysog Cymru' oherwydd iddi gael ei hysgrifennu ar gyfer priodas y Tywysog Edward ac Alexandra o Ddenmarc yn 1863. Ond yn ddiau, y fwyaf adnabyddus hyd heddiw o holl anthemau Cymru yw *Teyrnasoedd y Ddaear*, gosodiad John Ambrose Lloyd o adnodau yn Salm 68 ar gyfer unawdwyr a chôr cymysg, a ddyfarnwyd yn fuddugol yn **Eisteddfod** Bethesda yn 1852. Fe'i canwyd am y tro cyntaf rai misoedd wedyn gan gôr y Tabernacl, Aberystwyth, dan arweiniad Edward Edwards (Pencerdd Ceredigion).

Ymhlith anthemau eraill a ddaeth yn boblogaidd ledled Cymru yr oedd *Efe a Ddaw* gan Tom Price, a ddyfarnwyd yn fuddugol yn Eisteddfod Genedlaethol Bangor yn 1902; *Dyddiau dyn sydd fel glaswelltyn* gan Tom Davies o Lynebwy, yr honnir bod dros 320,000 o gopïau ohoni wedi'u gwerthu erbyn 1920; *Bendigedig fyddo Arglwydd Dduw Israel* a ysgrifennwyd gan John Thomas, Blaenannerch, cyn iddo symud i Lanwrtyd yn 1871, a *Dyn a aned o wraig* gan D. C. Williams. Ystyrid anthemau yn llai heriol i'w canu na chorawdau **oratorio**, gyda'u cynganeddion cyfarwydd a'u cyfeiliant i harmoniwm neu organ yn gwneud fawr mwy na dyblu rhannau'r pedwar llais. Er mai ychydig o werth arhosol a oedd ynddynt, roeddynt fel arfer yn weithiau apelgar a oedd o fewn cyrraedd y cantorion 'ar y galeri' mewn cymanfa ganu, cantorion a fyddai wedi eu meistroli ar ôl ychydig o baratoi yn yr Ysgol Gân.

O droad y ganrif byddai cyfansoddwyr a gafodd well manteision **addysgol**, fel **David Jenkins**, **E. T. Davies**, **David de Lloyd** a **David Emlyn Evans**, yn ysgrifennu mewn arddull fwy mentrus gyda chyfeiliant pwrpasol, ond byddai anthemau fel *Y Mae Afon* gan **Daniel Protheroe**, *Dyrchafaf fy Llygaid* gan **T. Hopkin Evans** ac *Yr Arglwydd yw fy Mugail* o waith Caradog Roberts i'w clywed o hyd yn y blynyddoedd ar ôl yr Ail Ryfel Byd. Anthem o'r math Seisnig, at wasanaeth y ddefod Anglicanaidd, oedd *Let the People Praise Thee, O God* a gyfansoddwyd gan **William Mathias** ar gyfer priodas y Tywysog Siarl a'r Dywysoges Diana yn 1981.

Gareth Williams

Anweledig

Band o Flaenau Ffestiniog oedd Anweledig a fu'n un o brif grwpiau Cymru yn ystod yr 1990au ac ym mlynyddoedd cynnar y mileniwm. Ffurfiodd y band yn 1991 a'r aelodau oedd Ceri Cunnington (prif lais), **Gai Toms** (gitâr a llais), Iwan Jones (gitâr flaen), Rhys Roberts (gitâr fas), Alwyn Evans (drymiau) a Joe Buckley (allweddellau), ynghyd ag adran chwyth a berfformiai'n fyw o dan yr enw 'Y Tri Tôn', yn cynnwys Edwin Humphries (sacsoffon), Barri Gwilliam (trwmped) ac Arwel Davies (trombon).

Gan ddod i sylw yn bennaf ar sail eu perfformiadau cynhyrfus ac egnïol, datblygodd y band ddilyniant sylweddol erbyn cyhoeddi eu record gyntaf *Sombreros yn y Glaw* ar label Crai yn 1998. Gyda chaneuon hwyliog fel 'Dawns y Glaw' a 'Merch Coffi' yn arddangos dylanwadau *ska* a ffync, dilynwyd yr albwm flwyddyn yn ddiweddarach gyda'r EP *Cae yn Nefyn*. Adlewyrchwyd poblogrwydd Anweledig pan ddewiswyd y band i orffen cyngherddau Maes B yn **Eisteddfod** Genedlaethol Ynys Môn, 1999. Fe ddaeth y gân 'Eisteddfod' o *Sombreros yn y Glaw* yn anthem answyddogol yr ŵyl. Yn ystod y cyfnod yma buont yn rhannu llwyfannau gyda bandiau megis **Super Furry Animals, Gorky's Zygotic Mynci, Stereophonics, Catatonia**, a **Geraint Jarman** a'r Cynganeddwyr.

Yn y blynyddoedd ers hynny, rhyddhaodd y band nifer o recordiau, gan gynnwys ail albwm o'r enw *Gweld y Llun* yn 2001. Wedi taith i Lydaw yn 2002, bu cyfnod tawelach er mwyn i rai o aelodau'r band ddilyn prosiectau eraill, megis **Gai Toms** o dan yr enw **Mim Twm Llai**. Ailffurfiodd y band yn 2004, gan chwarae yng **Ngŵyl** Tân y Ddraig yn ystâd y Faenol ger Bangor yn Awst 2006, ac maent wedi parhau i berfformio'n achlysurol ers hynny.

Un o nodweddion Anweledig yw'r ystod eang o arddulliau sy'n perthyn i'w caneuon, yn amrywio o ffync ('Gweld y Llun', 'Wga Bwga'), *reggae* ('Eisteddfod') a *ska* ('Cae yn Nefyn'), i faledi roc megis 'Chwarae dy Gêm'. Diau fod hyn – ynghyd â dawn **Gai Toms** fel cyfansoddwr – wedi cyfrannu at boblogrwydd Anweledig, ynghyd â phresenoldeb llwyfan trawiadol eu prif leisydd Ceri Cunnington.

Disgyddiaeth

Sombreros yn y Glaw (Crai CD060, 1998)
Cae yn Nefyn [EP] (Crai CD067, 1999)
Scratchy (ar y cyd gyda Zion Train) [EP] (Crai CD070, 2000)
Gweld y Llun (Crai CD074, 2001)
Low Alpine [EP] (Crai CD081, 2001)
Byw [EP] (Rasal CD002, 2004)

Pwyll ap Siôn

ap Huw, Robert (*c*.1580–1665)

Bardd-delynor medrus, bardd 'tafarn' traddodiadol ac, yn fwyaf arwyddocaol, copïwr cerddoriaeth oedd Robert ap Huw. Roedd yn ŵyr i'r bardd adnabyddus, Siôn Brwynog o Lanfflewin, Môn, ac yn fab i Huw ap Siôn (m.1590/91?) a'i wraig, Catrin (m.1644), ac mae'n debyg iddo gael ei eni ym Mhlas Penmynydd, Môn, cartref ei nain ar ochr ei fam, Margaret, un o ferched Richard Owain Tudur o Benmynydd. Fe'i magwyd ym Modwigan, Llanddeusant, ac mae'n ddigon posibl mai ef yw'r 'boye of llan ythyssante … harper' a grybwyllir mewn rhestr o daliadau ym Môn yn 1594–5. Mae 'cywydd i ofyn telyn', *c*.1618, gan Huw Machno (*c*.1560–1637) yn pwysleisio tras Robert ym Môn, gan gynnwys y cysylltiad â Phenmynydd ('Gwaed o Ben, goed a bonedd, / – Mynydd ym Môn, union wedd').

Yn ŵr ifanc, ymddengys i Robert ap Huw dreulio amser yn delynor crwydrol proffesiynol: mae'n debyg mai ef yw'r gŵr o'r enw hwnnw a wysiwyd gerbron llys yr esgob yn Llanelidan, Sir Ddinbych, yn 1599, i ateb sawl cyhuddiad a wnaed yn ei erbyn wrth iddo grwydro o amgylch tai nifer o fân uchelwyr yn Nyffryn Clwyd, gwŷr y gwyddys fod ganddynt oll ddiddordeb ysgolheigaidd yn niwylliant barddol yr Oesoedd Canol. Roedd y cyhuddiadau'n cynnwys ymdrech i ddianc gyda merch un o'i westeiwyr, a dwyn 'writtinges' nas enwir – rhai ohonynt o bosibl 'in the Pope's Corse'.

Yn ddiweddarach, mae cerdd anhysbys o *c*.1615 yn cyfeirio ato fel pencerdd **telyn**, ac mae englyn o waith Robert ei hun (tua'r un dyddiad, efallai) yn cadarnhau hynny, gan honni ei fod erbyn hynny wedi meistroli rhai o brif ffurfiau crefft ganoloesol **cerdd dant** (ceinciau, cytgerdd, colofnau a chadeiriau). Mae cywydd Huw Machno hefyd yn ei ddisgrifio fel 'gwas y brenin' ac yn dweud ei fod yn 'gerddor mewn rhagorddysg' i Iago I. Mae hyn fel petai'n dystiolaeth glir o wasanaeth brenhinol o ryw fath, er na cheir enw

Robert yn unrhyw gofnod llys swyddogol – mae'n debygol mai trefniant anffurfiol ac achlysurol a fodolai (efallai yn sgil cysylltiadau agos teulu Gruffudd o'r Garreg Lwyd, Môn, â'r llys).

Ymddengys fod ail hanner bywyd Robert yn llai crwydrol. Ar ôl ei briodas yn 1623 â Grace, merch Robert ap Thomas o Landegfan, ger Porthaethwy, ymddengys iddo ymgartrefu yn Llandegfan fel ffermwr hamdden. Yn ôl ei ewyllys (18 Mai 1665), roedd yn gymharol gefnog ac yn dymuno cael ei gladdu yn eglwys y plwyf, Llandegfan. Gadawodd ei lyfrau i un o'i wyth plentyn, Henry Hughes, a'i delyn orau i'w fab bedydd, Robert Edwards, ar yr amod na fyddai'n 'remove from it the Kings Arms fixed thereon' (arwydd herodrol, mae'n debyg, a roddwyd am wasanaeth yn y llys).

Mae Robert ap Huw'n enwog heddiw oherwydd i ddetholiad rhyfeddol o gerddoriaeth i'r delyn oroesi yn ei law ef, yn cynnwys dros ddeg ar hugain o gyfansoddiadau mewn tabl nodiant Cymreig unigryw. Mae'n debyg iddo gael ei gopïo c.1613 (gwelir y dyddiad hwnnw ar t.69), er mai dim ond yn yr 1720au y cafodd ei 'ailddarganfod' – ymddengys i'r hynafiaethydd o Fôn, Lewis Morris (1701–65), ddod ar ei draws ym Modorgan yn 1723–4 ac yntau'n gweithio fel syrfëwr tir i Syr Owen Meyrick. Yn ôl pob golwg roedd y llawysgrif ym meddiant Morris erbyn diwedd y degawd hwnnw, ac mae'n debyg iddo ychwanegu ei restr gynnwys ei hun a thudalen deitl newydd yn fuan wedyn, gan gofnodi ychwanegiadau eraill yn fwy graddol.

Pan fu Lewis farw, aeth y llawysgrif i feddiant ei frawd Richard, a ychwanegodd ragor o ddeunydd ar y tudalennau gwag a rhoi ei benthyg i nifer o bobl eraill a oedd â diddordeb. Wedi hynny fe'i gadawyd i'r Ysgol Gymraeg yn Llundain yn 1779, a'i chyflwyno gan lywodraethwyr yr ysgol i'r Amgueddfa Brydeinig yn 1844; bellach fe'i cedwir yn y Llyfrgell Brydeinig fel MS Additional 14905. Er mai'r llawysgrif hon yn unig a oroesodd, mae'n amlwg fod Robert ap Huw wedi copïo o leiaf ddwy gyfrol arall o gerddoriaeth **telyn** mewn dull tebyg, gan fod y llawysgrif yn cynnwys rhestri o eitemau eraill o'r fath. Mae tri darn tebyg hefyd wedi goroesi mewn casgliad llawysgrif amrywiol a drawsgrifiwyd yn 1800 gan **Iolo Morganwg**; honnir iddynt gael eu copïo o ffynhonnell (sydd wedi hen fynd ar goll ers hynny) a oedd yn eiddo i'r bardd o'r Blaenau, Llanfachreth, Rhys Jones (1718–1801).

Cerdd dant yr Oesoedd Canol hwyr yw cynnwys llawysgrif Robert ap Huw – deunydd crai

bardd-delynorion proffesiynol Cymru, yr oedd ei wreiddiau'n mynd yn ôl i'r 14g. o leiaf. Ymddengys fod y rhan fwyaf o'r darnau yn bodoli ar ryw ffurf cyn 1500, ac mae'n bosibl fod un neu ddau ohonynt yn dyddio'n ôl i gyfnod Dafydd ap Gwilym hyd yn oed, er nad yw'n ymddangos fod unrhyw beth wedi ei nodi'n ysgrifenedig cyn yr 16g., pan gredir i'r tabl nodiant gael ei ddyfeisio, efallai â chymorth y bardd-delynor **Wiliam Penllyn** (c.1560–80). (Roedd casglu a thrawsgrifio deunydd barddol cynharach yn weithgaredd llenyddol cyffredin yng Nghymru o ddiwedd yr 16g., ac mae'n bosibl mai cywreinrwydd am lawysgrifau a oedd yn rhannol gyfrifol am ddenu'r Robert ap Huw ifanc i Ddyffryn Clwyd yn 1599.)

Mae'n bosibl bras-ddyddio rhai o'r darnau yn ei gasgliad drwy eu cysylltiad â cherddor neu fardd-gerddor a enwir, gan gynnwys Cynwrig Bencerdd (y telynor buddugol yn **Eisteddfod** Caerfyrddin c.1452), Y Brido (a grybwyllir gan y bardd Guto'r Glyn) a'r Llwyteg (y gwyddys ei fod yn canu ddiwedd y 15g.). Mae'r ffurfiau a gynrychiolir bron i gyd yn rhan o'r deunydd eisteddfodol cyfoes ac adlewyrchir yn Statud farddol enwog Gruffudd ap Cynan. Mae'n debyg i'r Statud gael ei llunio ar gyfer eisteddfod enwog Caerwys 1523 a'i haddasu ar gyfer eisteddfod 1567, ond mae'n seiliedig ar ddeunydd llawer hŷn; ynddi manylir ar y gofynion ar gyfer gwahanol raddau o delynorion.

Mae llyfr Robert ap Huw yn cynnwys cyfres o bedwar o *ostegion*; pedair cyfres o 'ymarferion' a elwir yn *glymau cytgerdd* (yr honnir eu bod yn dod o lyfr arall a oedd yn eiddo i'r telynor **Wiliam Penllyn**); a phymtheg o *ganiadau* (wedi'u trefnu'n ddau grŵp gwahanol). Ceir hefyd saith o *brofiadau* a grŵp o ddarnau llawer byrrach: *erddigan*, *pwnc* i'w chwarae ar ôl pob *profiad*, *profiad cyffredin* a dau ddarn o'r enw *cainc*. Cysylltir un o'r ceinciau â Dafydd Broffwyd, sef Dafydd Frenin y Beibl; a'r llall â'r bardd Gruffudd ab Adda (bl.c.1340–70), sy'n dwyn i gof englyn a dadogir ar Ruffudd ei hun ('Cainc Ruffudd, groyw-wŷdd ddi-gryn, / Ab Adda, nis gŵyr bowddyn'). Mae'n bosibl fod ceinciau cerddorol byr o'r math hwn yn cael eu defnyddio fel cyfeiliant ailadroddus syml i ddatgan barddol, ac mae holl gynnwys llawysgrif Robert ap Huw yn adlewyrchu'r plethu agos rhwng **cerdd dant**, y grefft gerddorol, a cherdd dafod, crefft barddoniaeth lafar beirdd Cymru, a oedd yr un mor soffistigedig.

Mae'r tabl nodiant ei hun yn cynnwys sawl elfen wahanol, ac yn rhyfeddol o gynnil. Cynrychiolir traw gan lythrennau o *a* i *g* (yn cynrychioli tannau'r delyn), ac ni cheir arwyddion cyweiriau, hapnodau na llinellau erwydd. Weithiau cyfarwyddiadau geiriol byr yn unig a roddir i'r telynor, gyda chyfres o arwyddion troellog a chroesau'n dangos gwahanol fannau dychwelyd ac ailadrodd. Caiff rhai nodweddion eu hegluro gan ddeunyddiau eraill sydd wedi'u copïo gan Robert ap Huw yn y llawysgrif. Mae'n rhestru pedwar mesur ar hugain y canon **cerdd dant** ar t.107: mae'r rhain yn sail i bob un o'r darnau estynedig ar wahân i'r profiadau, ac yn cynnwys patrymau dwyran syml yn seiliedig ar chwarae dwy elfen harmonig gyferbyniol bob yn ail, sef y cyweirdant a'r tyniad, a ddiffinnir gan ddau grŵp ategol o nodau sy'n rhoi cyfeiriad harmonig i'r darn. Mae tabl arall ar t.35 o dan yr enw 'gogwyddor i ddysgu y prikiad' (sydd efallai'n awgrymu mai hyfforddi yw'r nod) yn dangos dau fath ar bymtheg o addurniadau melodig, yn ymwneud â gwahanol ffyrdd o blycio tannau'r delyn ac o bylu'r sain: mae'r rhan fwyaf yn defnyddio rhan uchaf y llaw a rhai'n golygu defnyddio'r ewinedd. Mae nifer o wahanol batrymau o nodau hefyd o dan yr enw 'kower' ar tt.108–9 sydd efallai â rhyw gysylltiad â chywreiriadau sgordatura (anghytgordio).

Mae llawysgrif Robert ap Huw'n un bwysig iawn. Mae'n amlwg fod hon yn gerddoriaeth soffistigedig yr oedd angen cryn fedr a blynyddoedd lawer o astudio i'w meistroli. Mae gwreiddiau cynharach y casgliad hefyd yn hynod arwyddocaol, gan mai hwn yw'r casgliad cynharaf o gerddoriaeth delyn i oroesi yn Ewrop. Er bod llawer o ddyfalu o hyd ynghylch yr union ddehongliad o'r tabl nodiant, mae llawer o'r gerddoriaeth bellach wedi'i hail-greu'n weddol lwyddiannus, ac o'r diwedd mae gennym ryw syniad o sut y gallai'r gerdd dant ganoloesol a gofnodir yn llyfr Robert ap Huw fod wedi swnio.

Llyfryddiaeth

Gwyn Thomas, *Eisteddfodau Caerwys* (Caerdydd, 1968)

Dafydd Wyn Wiliam, *Robert ap Huw (1580–1665): Astudiaeth o'i Gefndir, ei Fywyd a'i Waith* (Dinbych, 1975)

Osian Ellis, *Hanes y Delyn yng Nghymru* (Caerdydd, 1980)

Peter Crossley-Holland, *The Composers in the Robert ap Huw Manuscript: The Evidence for Identity, Dating and Locality* (Bangor, 1998)

Sally Harper (gol.), *Robert ap Huw Studies/Astudiaethau Robert ap Huw, Welsh Music History/Hanes Cerddoriaeth Cymru* vol. 3 (Caerdydd, 1999)

———, 'Robert ap Huw and his manuscript of harp music', *Anglesey Antiquarian Society and Field Club Transactions* (2000), 7; 20

Peter Greenhill, 'The Robert ap Huw Manuscript: An Exploration of its Possible Solutions', 5 cyfrol (traethawd PhD Prifysgol Bangor, 2000)

Sally Harper, 'Datblygiad cerdd dant yng Nghymru yn yr Oesoedd Canol', *Cof Cenedl*, 19 (2004), 1–35

Bethan Miles, 'Robert ap Huw', *Oxford Dictionary of National Biography*, gol. C. Matthew, B. Harrison et al., 60 cyfrol (Rhydychen, 2004; ar-lein <http://www.oxforddnb.com/>)

Sally Harper, *Music in Welsh Culture before 1650* (Aldershot, 2007)

Sally Harper

ApIvor, Denis (1916–2004)

Haedda Denis ApIvor ei ystyried ymhlith cyfansoddwyr Cymru yn yr 20g. er iddo gael ei eni yn Iwerddon, gan fod ei fam a'i dad yn Gymry. Dychwelodd y teulu i Gymru a bu yntau'n astudio gwyddoniaeth ym Mhrifysgol Aberystwyth lle bu'n aelod o gerddorfa'r coleg o dan arweinyddiaeth **David de Lloyd** (1883–1948) (gw. **Arweinyddion**). Yna dilynodd gwrs meddygaeth yn Llundain gan ddod yn anesthetydd wrth ei alwedigaeth maes o law, ond cerddoriaeth oedd ei brif ddiddordeb. Roedd yn gymeriad lliwgar a daeth i adnabod yn dda gylch o gerddorion a oedd yn cynnwys cyfansoddwyr megis Alan Rawsthorne (1905–71) a Patrick Hadley (1899–1973) gan dderbyn gwersi cyfansoddi gan amryw ohonynt.

Mae ei ddatblygiad fel cyfansoddwr yn debyg i eiddo nifer o gyfansoddwyr ei genhedlaeth, megis Elisabeth Lutyens (1906–83) a Humphrey Searle (1915–82) ymhlith eraill. Y duedd yw symud oddi wrth y gweithiau cynnar a gyfansoddwyd o dan ddylanwad Constant Lambert (1905–51), a fu'n gyfaill agos iddo, lle mae tonyddiaeth yn ganolog, tuag at gyfresiaeth yng ngweithiau'r 1950au hwyr ymlaen, gan ymlacio eto yn y gweithiau olaf. Un o'i weithiau cynnar pwysicaf yw *The Hollow Men* (1939), ei osodiad nodedig o gerdd T. S. Eliot o'r un enw. Roedd ei chwaeth mewn barddoniaeth yn aruchel a byddai'n ofalus wrth ddewis beirdd i'w gosod. Roedd hefyd yn ffrind agos i Dylan Thomas, Roy Campbell a Louis MacNeice. Oherwydd ei gysylltiad â Lambert, a oedd yn arwain y Bale Brenhinol yn gyson, cyfansoddodd nifer o weithiau ar gyfer dawns, megis *A Mirror for Witches* (1952) a *Blood Wedding* (1953), sy'n tystio i'w ddiddordeb mawr yng ngwaith y Sbaenwr Lorca a ddienyddiwyd gan luoedd Franco.

Am gyfnod daeth o dan ddylanwad Edward Clark a'i wraig Elisabeth Lutyens ac erbyn tua 1960 roedd wedi llwyr feistroli elfennau cyfresiaeth. Mae hyn yn amlwg mewn gweithiau fel yr *Amrywiadau i'r Gitâr* (roedd y gitâr yn hoff offeryn ganddo) o 1959, *Discanti* (1970) a'r *Serial Composition for Guitarists* (1982). Roedd ei ddiddordeb yn sain y gitâr yn dyddio'n ôl i'w *Concertino* i'r offeryn a gyfansoddodd yn 1954. Nid yw ei **opera** *Yerma* (1959) wedi'i pherfformio ar lwyfan eto ond cafwyd darl,ediad gan y BBC o'r gwaith, sydd eto'n dangos dyled i Lorca. Roedd delweddau'r bardd yn gweddu i'r dim i'w weledigaeth gerddorol. Yn ystod ei holl yrfa cyfansoddodd bum symffoni, ynghyd â'r Concerto i'r Cello (1977), sy'n arddangos yr elfen delynegol yn ei waith ar ei gorau. Erbyn iddo gwblhau ei Bedwarawd Llinynnol Rhif 3 yn 1988 roedd ei ddefnydd o donyddiaeth yn gwneud llawer i liniaru'r elfennau cromatig a welwyd yn ei waith yn y blynyddoedd cyn hynny. Ei waith olaf oedd y *scena* operatig, *The Trixter* yn 2002, sydd eto'n tystio i'w hoffter o'r llwyfan.

Safai ApIvor y tu allan i brif ffrwd cerddoriaeth Brydeinig ac roedd amryw yn ei ystyried yn gymeriad lletchwith. Mae hynny'n esbonio rhywfaint ar y diffyg derbyniad i'w waith yn gyffredinol, ond ni ddylai ein hatal rhag edmygu crefftwaith glân, gweledigaeth rymus a neges gerddorol tryloyw ei weithiau gorau.

Gwefannau

www.welshicons.org.uk/html/denis_apivor.php

Llyfryddiaeth

Lyn Davies, 'ApIvor, Denis', *New Grove Dictionary of Music and Musicians,* gol. Stanley Sadie (Llundain, 2001)

Lyn Davies

ap Rhys, Philip (m.1566)

Organydd a chyfansoddwr oedd Philip ap Rhys ac un o'r Cymry niferus a drigai yn Llundain yn oes y Tuduriaid. Enwir 'Philipp Ryse, organ player' gyntaf yng nghyfrifon plwyf 1547–8 St Mary at Hill (ger Billingsgate); ymddengys iddo adael yr eglwys honno am Eglwys Gadeiriol Sant Paul adeg y Nadolig 1547, ond dychwelodd fel 'Mr Philip of Poles' yn organydd gosber ar 17 Gorffennaf 1559. Ef oedd yr ail o ran pwysigrwydd o chwe ficer **corawl** Eglwys Sant Paul, a bu'n canu'r organ yno gydol teyrnasiad Mari Tudur (1553–8), gan gynnwys 'at the precessyone tyme in Whitsone weeke'; mae ei lofnod yn ymddangos hefyd ar Ddeddf Goruchafiaeth Sant Paul 1559. Yn ddiweddar, darganfuwyd ei ewyllys, a wnaed ar 14 Tachwedd 1563 ac a brofwyd ar 3 Rhagfyr 1566, sy'n nodi ei

fod yn byw 'within the parish of Aldermanbury' ac yn un o'r 'vicars in the cathedral church of St Paul in London'. Mae'r ewyllys yn cadarnhau ei fod i'w gladdu ym mynwent eglwys Aldermanbury, mai ei wraig, Anne, fyddai'r unig ysgutor ac mai'r tystion oedd ei frawd John Apprice (y gadawodd Philip wahanol ddarnau o ddillad iddo) a Harry Blower (a benodwyd hefyd yn oruchwyliwr). Gadawodd Philip i Harry 'the chief of such books of song as pleaseth him to have after the perusing of hem', ac roedd y cyfansoddwr Edmund Strowger (a adawodd ddarn yn y casgliad o weithiau organ a ddisgrifir isod) i gael 'such books as the said Harry shall think good'.

Mae saith darn o gerddoriaeth organ gan 'phelyppe apprys Off Saynt poulls in London' yn goroesi yn yr haen gyntaf o gasgliad adnabyddus o gerddoriaeth organ ar gyfer y litwrgi Lladin (MS Additional 29996 y Llyfrgell Brydeinig). Dyma'r unig ffynhonnell hysbys o'i gerddoriaeth, ac ymddengys fod y cyfan o'r cynnwys wedi'i gyfansoddi cyn 1548; mae'n ddiddorol i'r cofnodydd ddewis y ffurf ddigamsyniol Gymreig ar ei enw yn hytrach na'r 'Ryse' Seisnigedig mwy arferol.

Mae arddull y gerddoriaeth yn deillio o'r blaengan ac yn gonfensiynol iawn, ond y saith darn hyn yw'r gerddoriaeth lawfwrdd gynharaf i oroesi y gellir ei phriodoli i gyfansoddwr o Gymro (er mai un a weithiai yn Llundain oedd hwnnw). Maent yn cynnwys atepgan y Cwmplin, *Miserere*; offrymgan Offeren Fair, *Felix namque*; a phedwar symudiad o Ordinari'r Offeren, sy'n ffrâm i'r offrymgan 'In Die Sancte Trinitatis', sy'n seiliedig ar y briod lafar-gân ar gyfer Sul y Drindod*, Benedictus sit Deus Pater*. Cyfeirir yn aml at y casgliad hwn o symudiadau fel yr enghraifft gynharaf y gwyddys amdani o offeren organ, er ei bod yn debygol mai'r cofnodydd a'i gosododd at ei gilydd yn hytrach na'r cyfansoddwr.

Yn ddiweddarach, daeth y casgliad i feddiant **Thomas Tomkins** (1572–1656), ac mae'n ddigon posibl iddo yntau ei gael gan ei dad (Thomas Tomkins oedd yntau hefyd). Roedd gan Tomkins y tad ddiddordeb mawr mewn **llawysgrifau** hynafol, a chysylltiad maith hefyd â Thyddewi o 1571 o leiaf. Fe'i penodwyd yn organydd yno yn 1577, ac felly mae'n bosibl fod cerddoriaeth Philip ap Rhys yn hysbys yn Nhyddewi, os nad mewn rhannau eraill o Gymru, yn weddol fuan ar ôl ei chyfansoddi.

Llyfryddiaeth

Denis Stevens, 'Philip ap Rhys', *Y Bywgraffiadur Cymraeg,* gol. J. E. Lloyd & R. T. Jenkins (Llundain, 1959),

fersiwn newydd arlein (LlGC, 2009), <http://yba.llgc.
org.uk/cy>;

John Harper, 'Ailolwg ar Philip ap Rhys a'i Gerddoriaeth
Organ Litwrgi'/'Philip ap Rhys and his liturgical organ
music revisited', *Hanes Cerddoriaeth Cymru/Welsh Music
History*, 2 (1997), 126–72

———, 'Philip ap Rhys [Philipp Ryse]', *Oxford Dictionary
of National Biography*, gol. C. Matthew, B. Harrison et
al., 60 cyfrol (Rhydychen, 2004; ar-lein <http://www.
oxforddnb.com/>)

Sally Harper

ap Siôn, Pwyll (g.1968)

Ganed Pwyll Edwin ap Siôn yn Sir Benfro ond
symudodd i Ynys Môn pan oedd yn ifanc. Astudiodd
gyda'r cyfansoddwr **Gareth Glyn** rhwng 1980 ac
1984, tra yn mynychu Ysgol Uwchradd Llangefni,
cyn treulio tair blynedd yng Ngholeg Magdalen,
Rhydychen, gan raddio yno yn 1990. Flwyddyn
yn ddiweddarach enillodd wobr Tlws y Cerddor
yn **Eisteddfod** Genedlaethol Bro Delyn a'r Cylch.
Aeth ymlaen i astudio cyfansoddi ym Mhrifysgol
Bangor gyda **John Pickard** (g.1963) a Martin
Butler (g.1960), gan dderbyn doethuriaeth yn 1998
am bortffolio o gyfansoddiadau. Ac yntau'n aelod
o staff yr adran gerdd ym Mangor ers 1993, y mae
bellach yn Athro mewn cerddoriaeth yno.

Y tu hwnt i gyhoeddi erthyglau ar gerddoriaeth
bop Gymraeg, ei brif ddiddordeb fu cerddoriaeth
finimalaidd cyfansoddwyr fel Steve Reich a Michael
Nyman, a chlywir eu dylanwad yn ei arddull
gerddorol. Enghraifft o hyn yw'r *Waltz* (1995) ar
gyfer piano unawdol, a berfformiwyd gan bianyddion
fel **Llŷr Williams** ac **Iwan Llewelyn-Jones**, lle
gosodir yr un patrwm o bum nodyn mewn cylchdro
ar gyfer pob un o chwe adran y darn.

Gan ddangos dylanwad Nyman ymhellach,
bu hefyd yn hoff o gynnwys dyfyniadau yn ei
gerddoriaeth. Mae ei ddarn cerddorfaol *Gwales* (1995),
a gomisiynwyd gan Eisteddfod Genedlaethol Bro
Colwyn 1995, yn defnyddio dyfyniadau o *Requiem*
anorffenedig Mozart gan gynnwys rhai brasluniau
gan y cyfansoddwr na wnaethant ymddangos yn
sgôr terfynol y gwaith. Perfformiwyd *Gwales* gan
Gerddorfa Symffoni Gogledd Carolina yn ystod ei
thymor yn 2012.

Yn 2008 comisiynwyd Pwyll ap Siôn gan
Gystadleuaeth Ryngwladol Yehudi Menuhin (a
gynhaliwyd y flwyddyn honno yng Nghaerdydd)
i gyfansoddi darn prawf ar gyfer **ffidil** unawdol.

Perfformiwyd *Y Gwenith Gwyn* – thema ac amrywiadau
ar yr alaw draddodiadol 'Bugeilio'r Gwenith Gwyn'
– yng Nghanolfan y Mileniwm, a chyhoeddwyd y
sgôr yng nghylchgrawn y *Strad* (Ebrill, 2008).

Ymhlith ei gyfansoddiadau mwy diweddar y mae
cylch o ganeuon, *Sevi* (2013), ar gyfer soprano,
piano a cherddorfa linynnol, sy'n rhyngosod testunau
Cernyweg a Chymraeg gan y bardd a'r cerddor Twm
Morys, ar gyfer y soprano **Elin Manahan Thomas**
a Cherddorfa Siambr yr Undeb Ewropeaidd.
Ailgynhyrchwyd ei **opera** gymunedol *Gair ar
Gnawd* (2012) gan Opera Cenedlaethol Cymru yn
theatr y Ffwrnes, Llanelli, yn ystod Ebrill 2015, gyda
darllediadau o'r gwaith ar S4C, a chafodd *Chaotic
Angels* – cylch o ganeuon yn gosod geiriau gan y
bardd Gwyneth Lewis – ei berfformio am y tro cyntaf
yn Neuadd Dewi Sant, Caerdydd, yng nghyngerdd
olaf Lothar Koenigs fel arweinydd cerddorfa Opera
Cenedlaethol Cymru, gyda'r soprano o Abertawe,
Céline Forrest (cystadleuydd **BBC Canwr y Byd**
2015) yn canu.

O bryd i'w gilydd bu'n cyfansoddi ym maes ffilm,
gan ddarparu trac sain newydd ar gyfer ailgread
Cwmni Da o ffilm *Y Chwarelwr* (1935) gan Syr Ifan
ab Owen Edwards; darlledwyd y ffilm ar ei newydd
wedd am y tro cyntaf yn 2006 ac fe'i rhyddhawyd
ar ffurf DVD yn ogystal. Fel allweddellydd bu hefyd
yn perfformio a recordio gyda nifer o grwpiau ac
artistiaid pop Cymraeg gan gynnwys **Dafydd Iwan**,
Meic Stevens, **Bryn Fôn**, **Steve Eaves**, **Edward
H Dafis**, Dafydd Dafis a **Siân James**. Cyfansoddodd
y gân 'Gerfydd Fy Nwylo Gwyn' ar y cyd â Twm
Morys ar gyfer dathlu hanner canmlwyddiant sefydlu
UNICEF yn 1995.

Disgyddiaeth

Caneuon Jeremy ['Merch'] (Sain SCD2266, 2000)
Portreadau Cymreig [*Waltz*] (Sain SCD2308, 2001)
Caneuon y Werin [*Tair Cân Werin*] (Fflach CD295H, 2006)
Caneuon Heb Eiriau (Sain SCD2646, 2011)

Tristian Evans

Archifau

Yn ystod yr hanner can mlynedd diwethaf sefydlwyd
nifer o archifau er mwyn casglu a diogelu deunydd
yn ymwneud â cherddoriaeth Cymru. Ymhlith yr
hynaf y mae **Llyfrgell Genedlaethol Cymru**,
Aberystwyth a sefydlwyd yn 1907. Daeth yn gartref
i lawysgrifau nifer o gyfansoddwyr Cymreig dros y
blynyddoedd, gan gynnwys **Joseph Parry**, **Grace**

Williams, **Alun Hoddinott** a **William Mathias**. Mae hefyd wedi bod yn weithgar iawn y tu hwnt i gerddoriaeth gelfyddydol, gan sefydlu Archif Genedlaethol Sgrin a Sain Cymru yn 2001 trwy uno casgliad Sain a Delweddau Symudol y Llyfrgell gydag Archif Ffilm a Theledu Cymru. Mae'r Archif yn cynnwys pob math o gerddoriaeth wedi'i recordio ynghyd â deunydd gweledol perthnasol.

Cedwid casgliadau pwysig hefyd yng Nghanolfan Hysbysrwydd Cerddoriaeth Cymru, a sefydlwyd yn 1983 yng Nghaerdydd; ymgorfforwyd Archif Cerddoriaeth Cymru (a sefydlwyd yn 1976) ynddi. Peidiodd y Ganolfan â bod, yn ei ffurf wreiddiol, yn 1997 ar ôl colli nawdd, a throsglwyddwyd ei chasgliadau i'r **Llyfrgell Genedlaethol**. Cafodd y Ganolfan yn ei ffurf newydd ei sefydlu yn 2000, fodd bynnag; erbyn heddiw mae'n ffurfio rhan (gyda Ffederasiwn Cerddoriaeth Amatur Cymru) o'r corff hyrwyddo Tŷ Cerdd, sydd wedi'i leoli yng Nghanolfan y Mileniwm, Caerdydd. Casgliadau o gerddoriaeth gelfyddydol a chyfoes gan gyfansoddwyr o'r 20g. a'r 21g. sydd yma yn bennaf.

Mae'r **prifysgolion** a sefydliadau eraill hefyd wedi gweithredu i ddiogelu deunydd sy'n gysylltiedig ag arddulliau a meysydd penodol. Sefydlwyd Archif **Cerddoriaeth Draddodiadol** Cymru ym Mhrifysgol Cymru, Bangor, yn 1986 drwy gyfrwng nawdd a chefnogaeth Cyngor Celfyddydau Cymru; mae'r Archif yn cynnwys dros 1,200 o eitemau. Mae'r Archifau a Chasgliadau Arbennig ym Mhrifysgol Caerdydd yn cynnwys nifer fawr o eitemau'n ymwneud â cherddoriaeth glasurol Gymreig, yn eu plith archifau personol cyfansoddwyr megis **Grace Williams**, **David Wynne** a **Morfydd Llwyn Owen**, a chasgliad mawr o faledi Cymraeg, sydd wedi cael eu digideiddio trwy brosiect rhyng-sefydliadol ar y cyd â'r **Llyfrgell Genedlaethol** a phrifysgolion Cymreig eraill yn cynnwys Bangor ac Abertawe.

Yn fwy diweddar, sefydlwyd Archif Bop Cymru ym Mhrifysgol Bangor yn 2008, gyda'r bwriad o gasglu eitemau a recordiadau'n ymwneud â hanes cerddoriaeth bop Gymraeg; ceir ynddi dros 3,000 o eitemau. Ceir hefyd gasgliadau preifat pwysig, megis Archif Roc a Phop Cymraeg, sef casgliad o ddeunydd yn ymwneud â maes **canu poblogaidd** sy'n eiddo i Gari Melville yn Abertawe. Mae **Amgueddfa Werin Cymru** hefyd wedi adeiladu casgliad sylweddol o recordiadau ac yn cynnal arddangosfeydd ar gerddoriaeth bop a cherddoriaeth werin.

Craig Owen Jones

Ar Log

Un o grwpiau gwerin mwyaf poblogaidd a dylanwadol Cymru yn chwarter olaf yr 20g. Ffurfiodd Ar Log yn Awst 1976 ar ôl derbyn gwahoddiad gan yr ŵyl werin ryng-Geltaidd yn Lorient, Llydaw, i berfformio yno. Yr aelodau gwreiddiol oedd Gwyndaf Roberts (**telyn** Geltaidd, gitâr fas), Dafydd Roberts (**telyn deires**, ffliwt), Iolo Jones (**ffidil**) a Dave Burns (gitâr, mandolin) – Gwyddel o Gaerdydd a fu gynt yn aelod o **grŵp gwerin** yr Hennessys. Bu'r ddau frawd Dafydd a Gwyndaf (yr unig ddau aelod cyson trwy gydol gyrfa'r grŵp) yn ddisgyblion i'r delynores **Nansi Richards** (Telynores Maldwyn), felly roedd ganddynt gyswllt uniongyrchol â'r unig draddodiad offerynnol di-dor a oroesodd yng Nghymru. Rhwng 1972 ac 1975 bu Gwyndaf yn aelod o'r **grŵp roc**-gwerin Brân, a fu'n llwyddiannus yn **Ngŵyl** Ban-Geltaidd Killarney, ynghyd â rhyddhau EP, *Brân* (Gwawr, 1974), a record hir, *Ail-Ddechra* (Sain, 1975). Bu ei frawd Dafydd hefyd yn aelod o'r grŵp am gyfnod.

Yn dilyn derbyniad brwdfrydig yn Lorient ac anogaeth gan y grŵp gwerin adnabyddus o Iwerddon, y Dubliners, aeth Ar Log ati i geisio gwneud bywoliaeth o'u cerddoriaeth – y grŵp gwerin Cymraeg cyntaf i droi'n broffesiynol. Gan ddefnyddio cysylltiadau Dave Burns â'r rhwydwaith werin yng Nghymru a Lloegr o'i ddyddiau gyda'r Hennessys, rhwng 1977 ac 1981 teithiodd Ar Log i Iwerddon, yr Alban, Llydaw, yr Almaen ac Awstria, Lloegr, Gwlad Belg a'r Iseldiroedd, yn ogystal â chynnal cyngherddau ar draws Cymru. Roedd eu perfformiadau'n gyfuniad o alawon a chaneuon Cymraeg, yn aml yn cyrraedd uchafbwynt gydag arddangosiad medrus o glocsio gan Dafydd i gyfeiliant y band. Dyma gyfnod prysuraf Ar Log o ran teithiau dramor, pan y'u gwelid yn aml yn perfformio mewn clybiau gwerin neu wyliau mawr gydag artistiaid rhyngwladol o'r gwledydd Celtaidd a thu hwnt, megis Clannad, y Battlefield Band, y Chieftains, Silly Wizzard, Alan Stivell a Dan Ar Braz.

Clywir cymysgedd o ganu gwerin traddodiadol ac alawon offerynnol ar ddau albwm cyntaf y grŵp, *Ar Log* (Dingle's, 1978) ac *Ar Log II* (Dingle's, 1980). Deuai rhai o'r caneuon o hen *repertoire* yr Hennessys, megis 'Ar Lan y Môr', 'Hiraeth' a 'Rownd yr Horn', a rhoddai llais Dave Burns naws Wyddelig i'r record hir gyntaf. Roedd yr albwm hefyd yn nodedig am mai dyma'r tro cyntaf i'r **delyn deires** Gymreig gael ei defnyddio mewn grŵp gwerin. Yn ôl **Stephen Rees** (a ddaeth yn ddiweddarach yn aelod pwysig o'r grŵp), defnyddir y delyn deires mewn dwy brif ffordd: yn gyntaf i ddarparu 'cyfeiliant cordiol, "byrfyfyr" i alawon dawnsio cyflym (tebyg i'r hyn y gellid ei gyflawni ag offeryn rhes sengl); ac [yn ail] mewn alawon arafach, gan ddefnyddio effeithiau ail-chwarae nodyn, yn cynnwys ail-chwarae'r un traw neu gordiau yn gyflym drosodd a thro rhwng y rhesi allanol a oedd wedi'u tiwnio'n ddiatonig, rhywbeth a fyddai'n amhosibl ar delyn un rhes.' Mae Stephen Rees yn mynd ymlaen i nodi bod gan y delyn deires 'sain deneuach a mwy treiddgar na'r delyn Geltaidd, a chyda thechneg ail-chwarae nodyn, roedd gan yr offeryn soniarusrwydd unigryw … [a arhosodd] yn un o brif nodweddion recordiadau a pherfformiadau Ar Log trwy gydol yr 1970au a'r 1980au' (Rees 2007, 329–30).

Bu 1979 yn dipyn o drobwynt i'r band, gydag ymadawiad Iolo Jones yn gyntaf ac yna Dave Burns flwyddyn yn ddiweddarach. Erbyn recordio *Ar Log II* roedd Graham Pritchard (ffidil) a Geraint Glynne Davies (gitâr, llais) wedi ymuno, gyda llais Geraint yn cynnig ansawdd mwy Cymreig i'r grŵp. Yr un oedd yr aelodaeth ar gyfer *Ar Log III* (Dingle's, 1983), a ddangosai fwy o barodrwydd i arbrofi ac ailddehongli'r traddodiad.

Daeth newid cyfeiriad am yr ail waith wedi ymadawiad Graham Pritchard yn 1982. Yr un flwyddyn daeth y syniad o drefnu taith ar y cyd â'r canwr **Dafydd Iwan** i gofio 700 mlynedd ers marwolaeth tywysog olaf Cymru, Llywelyn ap Gruffudd. Bu 'Taith 700' yn llwyddiant, gan esgor ar y sengl 'Cerddwn Ymlaen' (Sain, 1982) ac yna'r record hir *Rhwng Hwyl a Thaith* (Sain, 1982). Erbyn hyn roedd y cerddor ifanc disglair o Rydaman, Stephen Rees (ffidil, acordion, allweddellau, pibau), wedi cymryd lle Graham Pritchard. Flwyddyn yn ddiweddarach cafwyd ail daith yr un mor llwyddiannus – 'Taith Macsen', y tro hwn i gofio sefydlu Cymru fel gwlad pan adawodd ymerawdr Rhufain, Macsen Wledig, ynys Prydain yn 383 gan adael Cymru 'yn un darn'. Cadarnhaodd y gân anthemig 'Yma o Hyd', ynghyd â'r record hir o'r un enw (Sain, 1983), bartneriaeth greadigol effeithiol rhwng Dafydd Iwan ac Ar Log.

Fodd bynnag, daeth rhai i weld y bartneriaeth fel un anghytbwys, gydag Ar Log yn ddim mwy na chyfeiliant i'r canwr. Gwelwyd y grŵp yn newid cyfeiriad unwaith yn rhagor, felly, a'r sbardun y tro hwn oedd cyfres o deithiau i Ogledd America a De America. Roeddynt eisoes wedi perfformio yng Nghanada yn 1982 ac 1984, gyda Graham Pritchard yn ailymuno ar gyfer yr ail daith. Taflwyd y rhwyd ymhellach yn 1985 pan gafwyd cynnig gan y Cyngor Prydeinig i berfformio yn Ecwador a Cholombia. Yn 1986 dathlodd y band eu pen-blwydd yn ddeg oed gyda thaith 'Ar ôl Deg', a flwyddyn yn ddiweddarach buont ar daith bellach i Dde America, gan ymweld y tro hwn â Chile a Pheriw yn ogystal ag Ecwador a Cholombia, gyda chriw ffilmio o'r BBC yn eu dilyn.

Roedd y band eisoes wedi rhyddhau *Ar Log IV* ar eu label eu hunain (Ar Log, 1984), albwm a roddai fwy o bwyslais ar draciau offerynnol, gyda chyfraniad yr amryddawn Stephen Rees yn dod i'r amlwg mewn cadwyni o alawon wedi eu cyfuno megis 'Castell Caernarfon/Pibddawns Aberhonddu/Llys Warpool'. Er bod rhai traciau'n parhau i bwysleisio sain draddodiadol y grŵp (e.e. telynau yn 'Cerrig y Rhyd'), gwelwyd ymdrech i ymestyn yr ystod seinyddol. Er mai wedi ei seilio ar offeryniaeth o ddwy delyn, gitâr neu fandolin, ffidil a ffliwt yr oedd sain Ar Log, clywid harpsicord synthetig ar rai traciau, gan alw i gof y *clavinet* a ddefnyddid ar recordiadau gan y grŵp Gwyddelig The Bothy Band. Label Ar Log fu'n gyfrifol hefyd am ryddhau'r gân *Band Aid* Cymraeg 'Dwylo Dros y Môr', a gyfansoddwyd gan **Huw Chiswell** a'i chanu gan gantorion pop a gwerin mwyaf amlwg y cyfnod er mwyn codi pres i gynorthwyo pobl a ddioddefai yn sgil y newyn enbyd a oedd yn Ethiopia ar y pryd.

Gwelwyd symudiad pellach i gyfeiriad sain fwy amlwg 'Geltaidd' ar *Ar Log V* (Sain, 1988), gyda defnydd o'r *synth bass* yn y gadwyn agoriadol 'Rew-di-ranno/Y Facsen Felen' yn adlewyrchu'r duedd ymysg grwpiau gwerin Gwyddelig ac Albanaidd y cyfnod, fel Clannad a Runrig, i gyfuno **offerynnau** roc a gwerin. Clywir rhyfaint o ddylanwad De America yn y pibau ar 'Lisa Fach' yn ogystal.

Cymharol dawel fu'r grŵp wedi dathliadau'r deng mlynedd, gyda rhai aelodau'n cael eu penodi i swyddi yn y **cyfryngau** neu ym myd **addysg** uwch, ac eraill yn datblygu prosiectau cerddorol annibynnol. Fodd bynnag, daeth y band ynghyd yn 1996 i ddathlu ugain mlynedd o fodolaeth, gan gyhoeddi *Ar Log VI* (Sain, 1996) i gyd-fynd â thaith ledled Cymru. Roedd y record – a ddaeth ag aelodau presennol a chyn-aelodau'r band at ei gilydd i greu math o *supergroup* gwerin – yn arwydd pellach o barodrwydd y band i wthio ffiniau, gyda'r cynhyrchydd roc **Myfyr Isaac** wrth y llyw, ynghyd â chyfraniadau gan y cerddorion sesiwn Graham Land (drymiau) a Dafydd Wyn (gitâr fas).

Dangosai traciau megis y medli 'Twll yn y To/ Cymro o Ble?/Pedwar Post y Gwely II', gyda'i sain gyfoethog a'r cynhyrchu slic, gymaint yr oedd Ar Log wedi datblygu ers y recordiau cynnar. Mae'r grŵp yn parhau i ganu o dro i dro, fel yn 2016 pan ddaethant at ei gilydd i ddathlu eu pen-blwydd yn ddeugain. Wrth edrych yn ôl dros gyfraniad Ar Log, dywedodd y beirniad cerddoriaeth werin Christina Roden amdanynt: 'Although there are many superb musicians in Wales, any exploration of the region's music should start with, or at least include, a selection of Ar Log's recordings' (Roden, 2000).

Disgyddiaeth
Ar Log (Dingle's DIN305, 1978)
Ar Log II (Dingle's DIN310, 1978)
Ar Log III (Dingle's DIN315/Sain 1218M, 1978)
'The Carmarthen Oak' [sengl] (Dingle's SID224, 1980)
[gyda Dafydd Iwan] 'Cerddwn Ymlaen' [sengl] (Sain 95S, 1982)
[gyda Dafydd Iwan] *Rhwng Hwyl a Thaith* (Sain 1252M, 1982)
[gyda Dafydd Iwan] *Yma o Hyd* (Sain 1275M, 1983)
Meillionen (Dingle's DIN715, 1983)
Ar Log IV (Ar Log RAL001, 1984)
Ar Log V (Sain 1468M, 1988)
Ar Log VI (Sain SCD2119, 1996)

Casgliadau:
O IV i V (Sain SCD9068, 1991)
Goreuon Ar Log (Sain SCD2547, 2007)

Llyfryddiaeth
Lyn Ebenezer, *Ar Log ers Ugain Mlynedd* (Llanrwst, 1996)
Christina Roden, 'Ar Log – Welsh Soul for Hire,' yn *Wales – An Introduction* (2000), yn <http://www.rootsworld.com/ celtic/wales2000.html>
Stephen Rees, 'Traddodiad Celtaidd Newydd? Perfformiad Offerynnol gan Grwpiau yn yr Adfywiad Gwerin yng Nghymru, c.1975–c.1989', *Hanes Cerddoriaeth Cymru* 7 (2007), 325–43

Pwyll ap Siôn

Arweinydd, Arweinyddion

Arweinyddion Cerddorfaol

Bu'r diffyg datblygiad ym maes cerddoriaeth broffesiynol yng Nghymru hyd at yr Ail Ryfel Byd yn rhwystr i greu ethos lle gallai arweinyddion cerddorfaol (sef y cerddorion hynny a ystyrid mewn gwledydd eraill yn brif gynheiliaid gweithgarwch cerddorol broffesiynol) ddod i amlygrwydd a chael y cyfle i feithrin eu doniau yn eu mamwlad. Rhaid

oedd aros tan ddyfodiad y BBC i Gaerdydd yn 1923 a chreu Cwmni Opera Cenedlaethol Cymru yn 1946 (er nad oedd yn gwmni cwbl broffesiynol yr adeg honno) cyn bod unrhyw gymhelliad na phosibilrwydd am yrfa broffesiynol fel arweinydd cerddorfaol. Oherwydd y diffyg traddodiad, ac er gwaethaf y nifer lluosog o arweinyddion amatur, boed ar gorau neu fandiau pres, y tueddiad fu i'r ddau sefydliad a enwir uchod benodi cerddorion blaengar o'r tu hwnt i Glawdd Offa i ddatblygu eu gwaith. Hyd at ganol yr 1960au roedd y ddibyniaeth ar dalent o'r tu allan i Gymru yn llai amlwg yn y BBC; a'i cherddorfa heb uchelgais symffonig, nid oedd galw am fawrion y podiwm o'r tu allan i Gymru i'w gwasanaethu. Ond roedd tuedd i benodi estroniaid i'w gweld yn achos y Cwmni Opera o'r cychwyn cyntaf.

Yn y BBC roedd sawl cerddor o Gymro a gofir am eu cyfraniadau pwysig. Yn eu plith yr oedd **Idris Lewis** (1889–1952) a wnaeth enw iddo'i hun yn ifanc fel arweinydd mewn theatrau yn Llundain ac mewn ffilmiau o stiwdios Elstree. Wedyn bu'n arwain cerddorfa'r BBC yng Nghaerdydd ac ef oedd cyfarwyddwr cerdd y Gorfforaeth yng Nghymru o 1936 hyd 1952. Yn y BBC adeg yr Ail Ryfel Byd ac wedi hynny roedd cyfraniad **Mansel Thomas** (1909–86) ac **Arwel Hughes** (1909–88) fel arweinyddion yn cydredeg gyda'u dyletswyddau pwysig fel cyfansoddwyr a chynhyrchwyr rhaglenni cerddorol. Er nad oedd yr arlwy yn nodedig iawn o safbwynt disgwyliadau symffonig llwyddodd Rae Jenkins (1903–85), ar ôl ei benodiad yn brif arweinydd y Gerddorfa (1950–65), i fraenaru'r tir ar gyfer datblygiadau cerddorfaol mwy cyffrous. Ar y podiwm enillodd Rae Jenkins barch am ei ddawn ryfeddol i reoli'n ddi-feth hyd y darnau a arweiniai rhag iddynt or-redeg. Ar hyd y blynyddoedd prif fwriad y gwaith yn y stiwdio a'r cyngherddau cyhoeddus oedd ateb anghenion Prydeinig rhwydwaith y Third Programme (Radio 3 ar ôl hynny) a phrin fod y Gerddorfa'n adlewyrchu Cymreictod yn y gweithiau a berfformiai nac yn y dewis o offerynwyr ac arweinyddion. Fodd bynnag, clywyd llawer o gantorion Cymreig enwog, sy'n adlewyrchiad o rym ein traddodiad lleisiol.

Mewn perthynas â Chwmni Opera Cenedlaethol Cymru, mae lliaws o arweinyddion o Loegr a thramor wedi bod yn ddylanwadol. Yn y dyddiau cynnar bu Charles Groves (1915–92) yn gynheiliad uchel ei barch i ddatblygiad cynnar y Cwmni, ond nid yn ne Cymru yn unig yr oedd yn amlwg. Cofir am Groves fel dylanwad pwysig yn ddiweddarach ar gyngherddau cerddorfaol yng ngogledd Cymru yn rhinwedd ei swydd fel cyfarwyddwr cerdd Cerddorfa Ffilharmonig Lerpwl (1963–77) a bu'n arweinydd hynaws sawl tro yn yr **Eisteddfod** Genedlaethol. Un arall a nodir fel dylanwad mawr oherwydd ei berthynas â'r Cwmni Opera yw Carlo Rizzi (g.1960), Eidalwr a glosiodd at y diwylliant Cymreig ac a ddysgodd Gymraeg. Mae ei ddawn gynhenid yn y *repertoire* rhamantaidd a'i natur allblyg yn ei wneud yn addas iawn i weithio gyda chorau amatur Cymru a cheidw ei gysylltiad gyda Chymru a Chaerdydd yn ei gyngherddau gyda Chôr a Cherddorfa Coleg Brenhinol Cerdd a Drama Cymru.

Ceir rhestr hir o arweinyddion o fri rhyngwladol sydd wedi gweithio gyda Cherddorfa Genedlaethol Gymreig y BBC, a bu gan rai ohonynt berthynas arbennig gyda'r Gerddorfa, er enghraifft Richard Hickox (1948–2008) a Tadaaki Otaka (g.1947). Daeth sawl arweinydd ati pan oeddynt yn dal yn meithrin eu sgiliau, cyn mynd ymlaen i wneud enw iddynt eu hunain yn rhyngwladol. Mae Mariss Jansons (g.1943) gyda'r pwysicaf o'r rhain.

Ymhlith yr arweinyddion hynny o Loegr neu o wledydd tramor sydd wedi bod yn ddylanwadol yng Nghymru rhaid nodi cerddor o Ganada, Arthur Davison (1918–92), oherwydd ei gyfraniad pwysig i'r fagwrfa werthfawr honno, Cerddorfa Genedlaethol Ieuenctid Cymru. Bu cysylltiad Davison â Chymru yn un hir. Ef oedd arweinydd y Gerddorfa o 1967 hyd 1990 yn dilyn cyfnod Clarence Raybould (1886–1972), sef yr arweinydd cyntaf a fu wrth y llyw o 1946 ymlaen.

Os mai prin fu'r cyfle i'r to newydd o arweinyddion o Gymru yn yr 1950au a'r 1960au hogi'u sgiliau, gwelwyd rhai'n mynd ati'n ddygn i dorri cwys iddynt eu hunain y tu allan i'w mamwlad. Yr hynotaf o'r rhain ymhlith y genhedlaeth gyntaf o arweinyddion proffesiynol oedd Wyn Morris (1929–2010), mab y cerddor o Lanelli, **Haydn Morris**. Nid oedd unrhyw bosibilrwydd i Wyn Morris feithrin ei ddoniau yng Nghymru gan iddo ddewis arbenigo ar y gerddoriaeth fwyaf anodd i'w chyflwyno mewn gwlad a oedd heb yr isadeiledd cerddorol ac ariannol ar ei chyfer, sef campweithiau symffonig enfawr Mahler – cyfansoddwr a oedd yn llawer mwy tebygol o gael ei glywed ar lwyfannau Llundain nag yng Nghymru. Ar ôl iddo ennill Gwobr Koussevitsky a threulio cyfnod fel cynorthwywr i George Szell yn Cleveland, bu 1963 yn flwyddyn bwysig i Wyn Morris. Yn y flwyddyn hon enillodd glod yn y wasg gerddorol am ei ddehongliad o Nawfed Symffoni Mahler

yn y Royal Festival Hall, gyda cherddorfa'r Royal Philharmonic. Cymharodd y *Times* yr arweinydd ifanc gyda neb llai na Bruno Walter (1876–1962).

Nid oedd cymaint o fri ar symffonïau Mahler yr adeg honno a sicrhaodd gorchest Wyn Morris enw iddo fel arweinydd eneiniedig. Cafodd ei benodi i ddilyn Syr Malcolm Sargent yn arweinydd y Gymdeithas Gorawl Frenhinol (1968–70) a hefyd bu'n arwain Cymdeithas Gorawl Huddersfield (1969–74), ond terfynwyd y ddwy swydd mewn chwerwder a drwgdeimlad, canlyniad natur orsensitif yr arweinydd carismataidd hwn mae'n debyg, ac ni fu'r blynyddoedd dilynol yn rhai llwyddiannus iddo.

Arweinydd carismataidd arall yw Owain Arwel Hughes (g.1942), ac o gychwyn ei yrfa roedd y ffaith fod ei dad yn bennaeth cerdd y BBC yng Nghaerdydd (ac felly yn y sefyllfa o allu ei gytundebu) yn rhoi pwysau arno i ddatblygu gyrfa y tu allan i Gymru. Cafodd lwyddiant cynnar gyda sawl cerddorfa yn Lloegr, er enghraifft bu'n arweinydd cyswllt y Philharmonia ac yn brif arweinydd cyswllt y Royal Philharmonic. Yn ddiweddarach bu'n gysylltiedig hefyd â sawl cerddorfa arall ym Mhrydain a thramor, gan gynnwys Cerddorfa Symffoni Aalborg (lle bu'n brif arweinydd, 1994–9) a'r Cape Philharmonic yn Ne Affrica (lle bu'n brif arweinydd gwadd ers 2007). Bu'n arweinydd cyswllt Cerddorfa Symffoni Gymreig y BBC o 1980 hyd 1986 ac yn arweinydd Cerddorfa Genedlaethol Ieuenctid Cymru o 2003 hyd 2010. Ni chafodd fawr o gysylltiad gyda Chwmni Opera Cenedlaethol Cymru ond cafodd berthynas agos gyda llawer o gorau Cymreig, perthynas sy'n parhau mewn sawl achos, yn enwedig pan ddaw'r corau i berfformio ar y cyd. Unwyd sawl côr meibion a chôr cymysg dan ei faton. Yn y maes **corawl**, efallai mai ei waith gyda Chôr Huddersfield yn yr 1980au sydd fwyaf nodedig oherwydd y cyfle a gafodd i adfywio'r Côr pan oedd wedi colli rhywfaint o'i enw da.

Oherwydd ei berthynas gyda'r traddodiad corawl yng Nghymru a'i rôl fel cyfarwyddwr y Proms Cymreig, ni bu Owain Arwel Hughes yn artist alltud. Ef a sefydlodd y Proms Cymreig, yn sgil adeiladu Neuadd Dewi Sant yng Nghaerdydd, a bu'n ŵyl bwysig yn y ddinas bob haf ers 1986. Croesewir yno lawer o brif gerddorfeydd Prydain yn flynyddol a llwyddwyd dros y blynyddoedd i ddiwallu anghenion cynulleidfaoedd de Cymru trwy blethu cerddoriaeth hen a newydd. Gwahanol iawn yw hanes Alun Francis (g.1943) oherwydd iddo dreulio'i holl fywyd proffesiynol ymhell o Gymru. Cychwynnodd ei yrfa gyda Cherddorfa Ulster ac ymhlith y prif gerddorfeydd a'i penododd y mae'r North West Chamber Orchestra of Seattle (1980–5), yr Overijssels Philharmonic a'r Opera Forum yn yr Iseldiroedd (1985–7), Cerddorfa Nordwestdeutsche Philharmonie (1987–91), Orchestra Symfonica de Milano 'Giuseppe Verdi' (1996) a thua'r un amser, Orchestra Sinfonica Haydn. Yn 1989 cafodd swydd bwysig fel prif arweinydd Cerddorfa Symffoni Berlin ac mae'r rhestr o gerddorfeydd tramor y mae'n ymweld â nhw yn drawiadol. Ers canol yr 1980au mae wedi arwain dros 200 o gerddorfeydd a chwmnïau opera ac mae ei *repertoire* yn cynnwys mwy na 70 o operâu. Mae'n frwdfrydig dros gerddoriaeth gyfoes a dangosodd fedrusrwydd gyda cherddoriaeth dra modern, gan gynnwys gweithiau gan Berio a Stockhausen. Recordiodd holl symffonïau Darius Milhaud a hybodd weithiau cyfansoddwyr a esgeuluswyd, fel Ernst Toch, Allan Pettersson, Wolf-Ferrari a Casella. Erbyn hyn mae Alun Francis yn arweinydd yr Orquestra Filarmonica de la UNAM (Dinas Mecsico).

Ganed Wyn Davies yn 1952, ac er mai gyda Chwmni Opera Cenedlaethol Cymru y bu ei weithgarwch cynnar, ni fu'n bosib iddo ddatblygu'i ddawn gartref yng Nghymru ac felly bu ei lwyddiant rhyngwladol yn golled i'w famwlad. Fe'i cytundebwyd gan y Met yn Efrog Newydd o 1987 hyd 1989 a thua'r un amser yn Banff, Canada. Dangosodd ddawn arbennig wrth arwain ystod eang o weithiau mewn amryw o arddulliau, gan gynnwys y *repertoire* operatig mwy ysgafn a sioeau cerdd fel *Show Boat*, ynghyd ag *Of Thee I Sing* a *Let 'Em Eat Cake* gan Gershwin. Daeth i sylw gyda Chwmni Opera Cenedlaethol Lloegr, Opera'r Alban ac Opera North yn ogystal â dangos ei amlochredd yn y Buxton Opera. Ers 2005 bu'n gyfarwyddwr cerdd Opera Seland Newydd. Yn 2014 dychwelodd i Gymru i arwain **opera John Metcalf**, *Under Milk Wood*; roedd hefyd yn canu'r piano a'r syntheseisydd ac yn cymryd rhan Organ Morgan yn yr opera honno, gan amlygu eto ei alluoedd disglair fel cymeriad trawiadol sy'n gartrefol ar y llwyfan yn ogystal ag ar bodiwm yr arweinydd. Mae'n bianydd a chanwr talentog, fel sy'n amlwg i unrhyw un a welodd ei berfformiadau cabaret.

Fel Wyn Davies, bwriodd Gareth Jones (g.1960) ei brentisiaeth fel arweinydd ar staff y Cwmni Opera Cenedlaethol. Ond mae ei brif waith yn awr y tu allan i Gymru a hynny gyda phrif gerddorfeydd y Deyrnas Unedig. Cafodd lwyddiant mawr yn 2013 pan arweiniodd y perfformiad cyntaf ym Mhrydain o opera Philip Glass, *A Perfect American,* i Opera Cenedlaethol Lloegr. Mae perthynas artistig agos rhyngddo a **Bryn Terfel** ac mae wedi arwain mwy na 60 o gyngherddau gyda'r canwr, un ai gyda **Sinfonia Cymru** neu gerddorfeydd eraill, gan gynnwys perfformiad enwog yn y BBC Proms gyda Bryn Terfel a Renée Fleming. Ymhlith y cantorion byd-enwog eraill y mae wedi cyfeilio iddynt y mae **Dennis O'Neill**, **Rebecca Evans**, Simon Keenlyside, Joseph Calleja a **Gwyn Hughes Jones**. Mae Gareth Jones yn arweinydd dyfeisgar, ac iddo enw da oherwydd ei natur ddibynadwy ar y podiwm a'i sensitifrwydd i anghenion ei gyd-berfformwyr. Yn 1996 ffurfiodd gerddorfa newydd, **Sinfonia Cymru**, yn benodol er mwyn hyrwyddo chwaraewyr ifanc ar ddechrau eu gyrfaoedd ac yn sgil hyn fe'i gwelir yn arwain yn aml yng Nghymru. Mae hefyd yn dysgu arwain yng Ngholeg Brenhinol Cerdd a Drama Cymru.

Ganed Grant Llewellyn (g.1960) yn Ninbych-y-pysgod ac yn 1985 fe'i penodwyd i gymrodoriaeth arwain yng nghanolfan gerdd enwog Tanglewood ym Massachusetts. Yno astudiodd gyda Leonard Bernstein, Seiji Ozawa, Kurt Masur ac André Previn. Gellir gweld dylanwad Bernstein arno yn y ffordd y mae'n dangos argyhoeddiad yn ei ddehongliadau apelgar o weithiau o bob cyfnod. Arweiniodd gyngherddau yng **Ngŵyl** Tanglewood gyda'r Boston Pops ac fe'i penodwyd yn ddirprwy arweinydd Cerddorfa Symffoni Boston. Bu'n arweinydd gwadd Stavanger Symfoniorkester ac yn brif arweinydd Cerddorfa Frenhinol Ffilharmonig Fflandrys (deFilharmonie). Rhwng 2001 a 2006 ef oedd cyfarwyddwr cerdd Cymdeithas Handel a Haydn, Boston, ac ers 2004 mae wedi bod yn gyfarwyddwr cerdd Cerddorfa Symffoni Gogledd Carolina. Yn Unol Daleithiau America a Chanada mae Grant Llewellyn wedi arwain cerddorfeydd nodedig fel y rhai yn Atlanta, Houston, Milwaukee, Montreal, Philadelphia, St. Louis a Thoronto, ac yn 2015 fe'i penodwyd i arwain yr Orchestre Symphonique de Bretagne. Yn Ewrop ehangwyd ei gysylltiadau i gynnwys yr Helsinki Philharmonic, y Northern Sinfonia, Orquestra Sinfónica do Porto Casa da Música, Cerddorfa Frenhinol Ffilharmonig Llundain, y Philharmonia a Cherddorfa Genedlaethol yr Alban. Fel cyfarwyddwr cerdd Cerddorfa Symffoni Gogledd Carolina, credir fod ei ymroddiad a'i ddawn i hyfforddi'r chwaraewyr (yn enwedig chwaraewyr newydd) wedi gwella perfformiadau'r gerddorfa yn ystod y degawd diwethaf. Mae'n dal cysylltiad agos â Chymru trwy ei waith effeithiol a chyson gyda **Cherddorfa Genedlaethol Gymreig y BBC**.

Gwerthfawrogir ei natur hyblyg, yn enwedig yng ngweithgareddau **addysgiadol** y Gerddorfa (prosiect *Feel the Music*, er enghraifft), ac yn 2013 roedd yn ddewis naturiol i fod yn arweinydd Cerddorfa Genedlaethol Ieuenctid Cymru, y bu'n aelod ohoni fel chwaraewr soddgrwth pan oedd yn fachgen.

Arweinyddion Corawl

Y blynyddoedd rhwng 1860 a'r Ail Ryfel Byd oedd oes aur canu corawl yng Nghymru; yn y cyfnod hwn roedd arweinyddion corau yn eilunod i'w haelodau ac i'w hardaloedd. Enillasant nid yn unig wobrau lu ond enwogrwydd cenedlaethol, a hyn sydd yn eu gwahaniaethu oddi wrth gerddorion y genhedlaeth gynt a fu'n weithgar yng nghapeli Merthyr ym mlynyddoedd arloesol yr 1830au a'r 1840au fel **Ieuan Ddu** (**John Thomas**, 1795–1871), Rosser Beynon (1811–76) ac Abraham Bowen (1817–92).

1860–1900

Hwyrach mai'r cyntaf i wneud enw iddo'i hun fel arweinydd côr mawr oedd William Griffiths (Ifander; 1830–1910), arweinydd Côr Undebol Dyffryn Tawe. Brodor o Aberafan ydoedd a symudodd i fyw i Bontardawe yn 1850 i weithio yng ngwaith alcam Ynyspenllwch, Clydach. Sefydlodd gôr dirwest o 200 o aelodau yn 1853 ac ar ôl iddo gynnal cyfres o wyliau canu dirwestol, fe dyfodd nifer o gorau bach ar hyd Cwm Tawe. Yn 1862 daethant ynghyd i ffurfio Cymdeithas Gorawl Dyffryn Tawe. Gyda'i gôr bellach yn rhifo dros 300, perfformiwyd y *Messiah* ym Mhant-teg, Ystalyfera, gyda chyfeiliant cerddorfa; credir mai dyma un o'r troeon cyntaf i'r gwaith cyfan gael ei glywed yng Nghymru. Yn 1869 ymfudodd Ifander i ogledd Lloegr i ymgymryd â gweithfeydd alcam yn Workington ac aeth â nifer o gydweithwyr gydag ef. Aeth rhagddo i fywiogi bywyd cerddorol Ardal y Llynnoedd ond daeth y bennod arloesol hon yn hanes corawl Cymru i ben. Er hynny, dyma gychwyn y syniad o'r 'côr mawr'.

Yr awydd i gystadlu a fyddai'n gyfrifol am ddwyn y mwyafrif o arweinyddion corawl Cymru i sylw'r genedl – er mwyn cystadlu y ffurfiodd Ifander ei gôr ef yn wreiddiol – ond roedd yn gas gan O. O. Roberts (1847–1926) o Dalsarnau gystadleuaeth, ac i'r ffaith honno y priodolai ei hirhoedledd fel arweinydd Cymdeithas Gorawl Idris o 1872 tan 1926: llwyddiant digonol iddo ef oedd dysgu ei gôr i berfformio'n flynyddol oratorios y meistri. Llawer enwocach oedd Caradog (Griffith Rhys Jones; 1834–97), yr unig arweinydd o Gymru y mae cerflun

iddo, gan W. Goscombe John, a ddadorchuddiwyd yn Aberdâr yn 1920.

Cerddor hunanaddysgedig oedd Caradog, a adawodd yr ysgol yn ddeuddeg oed i weithio fel tarawr gof yng ngwaith haearn y Gadlys yng Nghwm Cynon, a dymuniad unfryd cerddorion blaenaf y de oedd mai ef fyddai'r un i arwain Côr Undebol Deheudir Cymru, y South Wales Choral Union, a enillodd ddwywaith yn olynol ym mhencampwriaethau corawl y Palas Grisial yn Llundain yn 1872–3. Rhifai'r côr 350 o gantorion y tro cyntaf, a 450 yr ail flwyddyn. Gweithwyr cyffredin a'u teuluoedd oedd aelodau'r Côr Mawr a gellir dweud mai hwn oedd y corff cyntaf erioed i gynrychioli pobl gyffredin Cymru; roedd hefyd yn symbol o'r Gymru ddiwydiannol. Syfrdanwyd y wasg a beirniaid Seisnig gan nerth eu canu ac o hyn ymlaen cyfystyrid Cymru â chanu tanbaid, soniarus.

Ystyriai'r Cymry eu hunain fod camp Côr Caradog wedi gwneud yn iawn i raddau helaeth am yr ensyniadau gwrthun a wnaed gan awduron y Llyfrau Gleision (1847) fod y Cymry Cymraeg yn ddiddiwylliant. Ar wahanol adegau bu Caradog yn byw mewn sawl man yn ne Cymru, a ffurfiai gorau lle bynnag roedd yn digwydd preswylio. Sefydlodd gôr meibion cyntaf Treorci, ac ef hefyd a arweiniodd y cyngerdd cyntaf o 500 o leisiau meibion unedig, sydd yn rhif digon cyfarwydd erbyn hyn, a hynny yn Neuadd Albert Abertawe yn 1895. Ar awgrym Caradog, yn ogystal, y penderfynodd yr **Eisteddfod** Genedlaethol y dylid cael cerddorfa i gyfeilio i'r brif gystadleuaeth gorawl, a digwyddodd hynny am y tro cyntaf ym Mhontypridd yn 1893. Cnewyllyn y Côr Mawr oedd Côr Undebol Aberdâr a gydnabyddid, dan arweiniad Caradog, a Silas Evans o'i flaen, yn un o gymdeithasau corawl gorau'r wlad. Olynwyd Caradog gan yr athrylithgar Rees Evans (1835–1916) a fu'n gyfrifol am gyngherddau **oratorio** o'r safon uchaf yn flynyddol yn Aberdâr rhwng 1874 ac 1895.

Daeth Cwm Rhondda yn enwog am ei ganu corawl o'r 1870au yn sgil twf aruthrol y diwydiant glo. O fod yn arweinwyr y gân yn eu capeli, aeth cerddorion a oedd wedi symud yno, fel M. O. Jones o Ddeiniolen (1842–1908), Eos Cynlais o Ystradgynlais (D. T. Prosser; 1844–1904) a Taliesin Hopkins o Aberpennar (1859–1906), ymlaen i arwain yn eu tro Gôr Unedig Treherbert, Côr Ffilharmonig y Rhondda a Chôr Cymer–Porth, a fu i gyd yn bencampwyr eisteddfodol. Tebyg oedd hanes Tom Stephens (1856–1906), brodor o Frynaman er iddo symud i'r Rhondda yn 1877 o Aberdâr lle buasai'n aelod o'r Côr Mawr. Yn Ystrad Rhondda sefydlodd y Rhondda Glee Society a gafodd sawl buddugoliaeth nodedig gan gynnwys ennill o blith dau ar bymtheg o gorau yn Eisteddfod Genedlaethol Caerdydd yn 1883, a rhannu'r wobr gyda chôr enwog o Huddersfield yn Eisteddfod Genedlaethol Llundain 1887. Eu buddugoliaeth yn Eisteddfod Genedlaethol Pontypridd yn 1893 a enillodd iddynt yr hawl a'r modd i gystadlu – ac ennill – yn Eisteddfod Ffair y Byd yn Chicago y flwyddyn honno.

Er i Tom Stephens a'i gôr gael eu gwahodd i ganu o flaen y Frenhines Victoria yn 1898 roedd yr anrhydedd honno eisoes wedi dod i ran Côr Merched Cymru dan Madam **Clara Novello Davies** (1861–1943; mam y cerddor **Ivor Novello**), a oedd hefyd wedi ennill yn Chicago yn 1893. Ond er gwaethaf cenfigen Tom Stephens, Côr Meibion Treorci oedd y côr cyntaf o Gymru i ganu yn Windsor. Ganed eu harweinydd William Thomas (1851–1920) yn Aberpennar, yntau hefyd yn aelod o Gôr Caradog cyn iddo symud i Dreorci fel swyddog ysgolion ac arweinydd y gân yng nghapel Noddfa. Roedd yn ddirwestwr brwd (yn wahanol i Caradog a Tom Stephens a oedd yn dafarnwyr) ac yn 1885 cytunodd i fod yn arweinydd ar barti o feibion a oedd yn canu'n anffurfiol yn nhafarn y Red Cow, ar yr amod eu bod yn gadael y dafarn i ymarfer mewn ysgol.

Dyna a wnaed, a ganed Côr Meibion Treorci. Glowyr ym mhyllau cwmni'r Ocean oedd y mwyafrif o'r côr, a nifer ohonynt yn aelodau yng nghapel Noddfa hefyd, gan mai'r pwll a'r capel oedd seiliau traddodiad corawl y cymoedd – ac ymhen byr amser cafwyd buddugoliaethau ar y llwyfan cenedlaethol. O ganlyniad i'w hymweliad â Chastell Windsor ailenwyd y côr yn Gôr Brenhinol Cymru. Cwtogodd William Thomas nifer ei gantorion o 70 i 20 a bu'r côr newydd ar daith o gwmpas y byd yn 1908–9, gan gynnal dros 300 o gyngherddau. Roedd gan y côr hefyd unawdwyr o fri cenedlaethol fel y tenor Todd Jones o Dreherbert a'r bariton Tom Thomas o Ynys-hir.

Camp corau Dr Roland Rogers a John Price, y naill o ogledd Cymru a'r llall o'r de, oedd ennill y brif wobr gorawl yn yr Eisteddfod Genedlaethol sawl gwaith, tair ohonynt yn olynol. Ganed Roland Rogers (1847–1927) yn West Bromwich; bu'n organydd eglwysi yng nghanolbarth Lloegr ac enillodd raddau cerddoriaeth **Prifysgol** Rhydychen cyn ei benodi'n Athro yn y Coleg Cenedlaethol ym Mangor ac yn organydd yr eglwys gadeiriol. Cafodd lwyddiant nodedig gydag Undeb Corawl Eryri neu Gôr Undebol y Penrhyn

(Côr Bethesda) fel y'i gelwid, gan gipio'r wobr yn Eisteddfodau Cenedlaethol Dinbych 1882, Caerdydd 1883 a Lerpwl 1884, a rhannu'r wobr gyda chôr o Loegr yn Eisteddfod Genedlaethol Llundain yn 1887. Sais uniaith oedd Rogers ac yn ei ymarferion byddai'n cyfathrebu â'i gantorion uniaith Gymraeg trwy gyfieithydd. Gorfu iddo ymddeol o fod yn organydd y Gadeirlan yn 1891 am ei fod yn chwarae yng nghapeli Anghydffurfiol y cylch ond cafodd ei adfer i'w swydd yn 1902.

O'i gymharu â Dr Rogers, gŵr diaddysg oedd John Price (1853–1936), arweinydd Côr Unedig Rhymni a fu'n fuddugol yn yr Eisteddfod Genedlaethol bump o weithiau, tair o'r rheini'n olynol, sef ym Mhontypridd (1893), Caernarfon (1894) ac yn gydradd â chôr Merthyr yn Llanelli (1895). Dyma'r cyfnod pan fyddai wyth neu ddeg o gorau'n cystadlu am bump awr, pob côr yn rhifo hyd at 200 mewn nifer, gyda'r darnau prawf yn cynnwys corawd o **oratorio** a chytgan o waith cyfansoddwr cyfoes fel **David Jenkins**. Dod at ei gilydd er mwyn cystadlu a wnâi'r corau undebol hyn, a phrin oedd y cyngherddau a gadwent, ar wahân i'r ymarfer olaf cyn cystadleuaeth fawr pan oedd mynediad trwy docyn yn unig.

1890–1939
Tra oedd côr-feistri corau undebol fel R. C. Jenkins, Llanelli (1848–1913), a John Williams, Caernarfon (1856–1917) yn adnabyddus ledled Cymru, y tanllyd Dan Davies (1859–1930) o Ddowlais oedd ffigwr mwyaf carismataidd y byd corawl diwedd y 19g. Roedd yn arwain parti o fechgyn yng nghapel Moriah, Dowlais, pan nad oedd ond yn naw oed. Yn 1881 ychwanegodd at nifer y côr meibion a oedd ganddo a ffurfio'r Dowlais Harmonic Society, ac am y deng mlynedd nesaf roedd y côr hwnnw, gyda'i 200 o gantorion, yn un o rai mwyaf llwyddiannus Cymru. Gyda'u buddugoliaeth annisgwyl dros y ffefrynnau, Llanelli, yn **Eisteddfod** Genedlaethol Aberdâr yn 1885, agorwyd y fflodiart i lif o wobrau.

Yn 1893 bu dadlau poeth pan gefnodd Davies ar gôr Dowlais a chymryd awenau Côr Ffilharmonig Merthyr. Prin ddwy filltir sydd rhwng y ddau le, ond cyhuddwyd Dan Davies o 'fradychu' Dowlais a thaflwyd carreg ato un tro yn stryd fawr Merthyr. Bu'n fuddugol eto gyda'r côr hwn, ond roedd cerddorion o Loegr yn feirniadol o'i arddull ddramatig wrth arwain, ar draul disgyblaeth a thonyddiaeth. Pan fethodd côr Dan Davies ag ennill yn Eisteddfod Genedlaethol Casnewydd yn 1897, a hynny ar ôl colli'r flwyddyn gynt yn Llandudno hefyd, aeth yn ffrae gyhoeddus rhyngddo ef a'r beirniaid. Teimlai Dan Davies mai rhagfarn Seisnig a chenfigen oherwydd ei fod ef a'i gorau 'wedi ennill mwy o wobrau na'r un arweinydd arall yn y byd' (*Merthyr Express*, 14 Awst 1897) a oedd wedi ei amddifadu o'r wobr gyntaf haeddiannol. Ciliodd o'r llwyfan eisteddfodol wedi hynny ond cafodd dderbyniad bonllefus gan Gymry alltud Scranton, Pennsylvania, yn 1904, ac fe'i gwahoddwyd i'r Tŷ Gwyn gan yr Arlywydd Theodore Roosevelt.

Harry Evans (1873–1914) a gydiodd yn awenau corau Merthyr a Dowlais. Cawsai hyfforddiant cerddorol gan Edward Lawrence a oedd wedi astudio yn Leipzig, a rhwng 1887 ac 1901 bu'n organydd yn eglwys Bethania, Dowlais, gan ennill yn y cyfnod hwnnw yr ARCO (1893) a'r FRCO (1897). Cymerodd at arweinyddiaeth côr Dowlais ar ôl i Dan Davies gefnu arnynt yn 1893, a'u hyfforddi i gyflwyno *Samson* (Handel) gyda cherddorfa lawn o fewn y flwyddyn. Yn 1899 ffurfiodd gôr meibion newydd yn Nowlais ac ennill gyda hwy gystadleuaeth y côr meibion yn Eisteddfod Genedlaethol Lerpwl yn 1900 yn erbyn deg o gorau eraill gan gynnwys rhai mwyaf blaenllaw Lloegr fel Orffiws Manceinion a Nelson Arion. Ddwy flynedd yn ddiweddarach enillodd y brif gystadleuaeth gorawl gyda chôr cymysg unedig Merthyr a Dowlais yn Eisteddfod Genedlaethol Llanelli 1903.

Y flwyddyn honno derbyniodd Harry Evans wahoddiad i fod yn arweinydd Undeb Corawl Cymry Lerpwl. Daeth yn organydd eglwys Great George Street ac yn arweinydd cymdeithas gorawl y Brifysgol a chôr Ffilharmonig y ddinas. Gyda'r undeb corawl Cymraeg, cyflwynodd weithiau mawr ac heriol, o'r *Dioddefaint yn ôl Sant Mathew* (Bach) a *Faust* (Berlioz) i'r perfformiadau cyntaf o 'symffonïau corawl' uchelgeisiol a digyfeiliant Granville Bantock. Cafodd ei gydnabod fel 'arweinydd mawr' ('a great conductor', *Western Mail,* 24 Gorffennaf 1914) gan neb llai nag Edward Elgar, cyn ei farwolaeth gynamserol yn 41 oed. Ar wahân i fod yn gyfansoddwr, bu **T. Hopkin Evans** (1879–1940) yn arweinydd corawl o'r radd flaenaf, yn bennaf gydag Undeb Corawl Cymry Lerpwl ar ôl Harry Evans.

Yr un flwyddyn â cholli Harry Evans bu farw Cadwaladr Roberts (1854–1914) a fu'n gweithio yn y chwarel yn Nhanygrisiau er pan oedd yn ddeg oed; chwarelwr ydoedd gydol ei oes. Fel cynifer o gerddorion y cyfnod ni chafodd fawr o addysg gerddorol ffurfiol, ond yn 1872 gofynnwyd iddo

arwain côr capel lleol. Tociodd nifer yr aelodau gan haneru'r côr, cyn creu Côr Tanygrisiau o'r newydd a dechrau ennill yn rheolaidd mewn eisteddfodau.

Ganol yr 1880au ffurfiodd Gôr Meibion Moelwyn ac yn Eisteddfod Genedlaethol Llandudno 1896 bu'n fuddugol gyda'i ddau gôr. Fe'i dewiswyd yn arweinydd ar gôr Eisteddfod Genedlaethol Ffestiniog 1898 pan berfformiwyd *Ystorm Tiberias* Edward Stephen (Tanymarian), y tro cyntaf i'r Eisteddfod glywed fersiwn diwygiedig Emlyn Evans o'r **oratorio** Gymraeg gyntaf hon gyda chyfeiliant cerddorfa; clywyd hefyd *Elijah* Mendelssohn a gwaith y cyfansoddwr cyfoes D. Christmas Williams, 'Traeth y Lafan'. Bu Cadwaladr Roberts a'r Moelwyn yn Unol Daleithiau America a Chanada yn 1910 ac 1911 i godi arian at elusen y ddarfodedigaeth (twbercwlosis) gydag Ann Elen Owen Davies yn gyfeilydd a Mary King Sarah o Danygrisiau yn unawdydd, a bu'n arwain am y tro olaf yng Nghylchwyl Castell Harlech ym mis Gorffennaf 1914.

Yn y gogledd-ddwyrain, tra oedd enw da arweinyddion fel Wilfrid Jones y Rhos a G. W. Hughes, Cefn-mawr, yn ymestyn y tu hwnt i'w hardal eu hunain, gwnaeth un gŵr o'r Rhos enw iddo'i hun yng nghymoedd y de. Bu John Hughes (1896–1968) yn gweithio dan ddaear cyn mynd i astudio cerddoriaeth yn Aberystwyth a chael ei benodi'n organydd a chôr-feistr yng nghapel Noddfa Treorci, lle bu William Thomas o'i flaen. Bu yn y swydd honno o 1925 hyd 1942 cyn dod yn drefnydd cerdd cyntaf Sir Feirionnydd (o 1945 hyd 1961). Gan adeiladu ar draddodiad lleol o ganu cynulleidfaol grymus gwnaeth enw mawr iddo'i hun yn yr 1930au fel arweinydd oratorio, gan berfformio tair oratorio bob Nadolig yn Noddfa. Hyfforddodd gôr yr Eisteddfod nifer o weithiau yn ystod ei yrfa, y tro mwyaf nodedig yn Eisteddfod Genedlaethol Treorci yn 1928 pan fu'n gyfrifol am arwain *Breuddwyd Gerontius* (Elgar), *Elijah* a'r *Dioddefaint yn ôl Sant Mathew* (Bach).

Cyfoeswr â John Hughes oedd W. D. Clee a wnaeth Gôr Mawr Ystalyfera yn destun siarad ledled Cymru o 1926 hyd at doriad y rhyfel yn 1939. Ffurfiwyd y côr yn ystod streic yn y maes glo carreg yn 1925. Organydd a chôr-feistr eglwys Pant-teg, Ystalyfera, oedd William David Clee (1883–1946) FRCO, ac enillodd enwogrwydd gyda chôr a ddenai ei aelodau, fel côr Ifander gynt, o gylch eang yng Nghwm Tawe o Glydach i Ystradgynlais. Fe'i hadwaenid fel Côr Mawr Ystalyfera ar bwys ei faint (340 ar lwyfan Eisteddfod Genedlaethol Abertawe

1926) a'i lwyddiant eisteddfodol, sef yn Eisteddfod Genedlaethol Treorci 1928 (pan ddyfarnwyd 99 marc yr un iddynt am y ddau ddarn prawf), Llanelli 1930, Bangor 1931, Wrecsam 1933 a Chastell-nedd 1934. Mor llwyddiannus oeddynt fel y gofynnodd pwyllgor yr Eisteddfod iddynt beidio â chystadlu oherwydd yr ofn y byddai corau eraill yn cadw draw. Felly, yn Eisteddfod Genedlaethol Caernarfon 1935 cafodd côr Clee wahoddiad i gynnal un o gyngherddau'r nos yn hytrach na chystadlu.

Roedd gan Clee brofiad o gyfarwyddo perfformiadau o operâu ac efallai i hyn ddylanwadu ar ei agwedd tuag at ganu corawl. Bu cryn drafodaeth yn 1936 ar ôl i Dr Richard Terry o Eglwys Gadeiriol Westminster feirniadu côr Clee am eu 'vocal stunts', sef eu tueddi greu effeithiau trwy orbwysleisio mewn dull angherddorol, ac er iddynt gystadlu ar ôl hynny ni fedrent adfer y gogoniant a fu. Pan gipiodd Ystalyfera'r wobr gyntaf yn Eisteddfod Genedlaethol Llanelli yn 1930, un marc yn unig a'u gwahanai oddi wrth Gôr Pontarddulais. Trowyd y byrddau ar gôr Clee yn Eisteddfod Genedlaethol Aberafan yn 1932. Arweinydd Côr Pontarddulais oedd T. Haydn Thomas (1899–2006), ac wedi'r Ail Ryfel Byd, daeth y côr i chwarae rhan flaenllaw yng **Ngŵyl** Gerddorol Flynyddol Abertawe pan ddeuai cerddorion amlwg fel John Barbirolli, Adrian Boult a Hugo Rignold i arwain gweithiau corawl a oedd wedi cael eu paratoi i'w perfformio gan gôr T. Haydn Thomas.

1945–2010

Erbyn dechrau'r 1960au roedd Côr Pontarddulais yn prysur edwino a hynny'n rhannol oherwydd twf côr meibion yn y pentref cerddgar hwnnw. Erbyn 1962 roedd gan Noel Davies (1928–2005), arweinydd Côr Meibion Pontarddulais o 1960 hyd 2002, dros gant o aelodau a oedd yn barod i fentro i ffau llewod prif gystadleuaeth y **corau meibion**. Yn **Eisteddfod** Genedlaethol Llandudno 1963 cawsant y gorau ar un o'r llewod mawr, sef Côr Pendyrus, a oedd yn cystadlu am y tro cyntaf o dan eu harweinydd newydd, y lliwgar Glynne Jones (1927–2000). Gyda thenoriaid seingar a oedd yn dangos cymaint fu dylanwad John Davies, Treorci, ar Noel Davies, byddai buddugoliaethau eisteddfodol y Bont maes o law yn torri nid yn unig record gwobrau cyntaf Ivor Sims, arweinydd Côr Orpheus Treforys o 1935 hyd at ei farwolaeth yn 1961 (fel arweinydd côr bechgyn ysgol Pentre-poeth bu Sims yn gyfrifol yn 1943 am recordiad hanesyddol o *Seremoni Garolau* Benjamin Britten), ond hefyd record John Haydn Davies

(1905–91), arweinydd Côr Meibion Treorci o 1946 hyd 1969, trwy ennill un ar ddeg o weithiau.

Parhaodd y côr i fod yn llwyddiannus o dan Clive Phillips. Athrylith y cyn-lôwr a'r pianydd disglair Colin Jones, a lleisiau bas coeth ei gôr, a ddaeth ag enwogrwydd i Gôr Meibion y Rhos, yr unig un i dorri crib Treorci yn eu hanterth pan gawsant fuddugoliaeth hanesyddol drostynt hwy, Treforys a Threfansel yn Eisteddfod Genedlaethol Llanelli 1962. Crëwyd record o fath arall pan enillodd Côr Meibion Dowlais yn Eisteddfod Genedlaethol Rhuthun 1973; yn y brifwyl honno, ac yntau bellach yn hydref ei ddyddiau, sicrhaodd eu harweinydd, sef y diymhongar D. T. Davies (1900–83) FRCO, goron driphlyg gorawl a hynny ar ôl cael llwyddiant gyda Chôr Merched Dowlais ym mhrifwyliau 1928, 1934 ac 1935, a gyda chôr cymysg Dowlais yn Eisteddfod Abergwaun 1936. Er bod **Alwyn Humphreys** yn un o arweinyddion a darlledwyr mwyaf adnabyddus a phoblogaidd Cymru, ac yn ymwelydd cyson â gwledydd tramor fel arweinydd gwadd, er siom i nifer ni fentrodd erioed i'r maes cystadleuol gyda Chôr Orpheus Treforys y bu yn eu harwain o 1979 hyd 2004.

Y tu allan i Gymru, creodd Wyn Morris (1929–2010) o Lanelli a **George Guest** (1929–2002) o Fangor gryn argraff fel arweinyddion corawl. Bu'r naill, a oedd yn fab i'r cerddor **Haydn Morris**, yn arweinydd y Gymdeithas Gorawl Frenhinol (Royal Choral Society) o 1968 hyd 1970 a Chymdeithas Gorawl Huddersfield o 1969 hyd 1974, a'r llall yn gôr-feistr o 1951 hyd 1991 ar Gôr Coleg Sant Ioan yng Nghaergrawnt lle llwyddodd i greu sain mwy 'cyfandirol', llai Seisnig na chôr enwog Coleg y Brenin. Yn 1988, blwyddyn dathlu 400 mlynedd cyhoeddi Beibl William Morgan a fuasai'n astudio yng Ngholeg Sant Ioan, hyfforddodd George Guest ei gôr i ganu yn Gymraeg, a buont ar daith drwy Gymru yn canu darnau gan gyfansoddwyr Cymreig fel **William Mathias**, **Dilys Elwyn-Edwards** a **T. Hopkin Evans**, gyda'r bariton **Jeremy Huw Williams** ymhlith yr unawdwyr.

O'r 1960au gwelwyd cyfnod newydd yn hanes Cymru gyda thwf sefydliadau fel BBC Cymru a chynnydd dinas Caerdydd. Daeth cenhedlaeth newydd o arweinyddion i'r amlwg fel Alun Guy (Côr Aelwyd Caerdydd), Helena Braithwaite (Cantorion Ardwyn), **Richard Elfyn Jones** (Côr Poliffonig Caerdydd) a Wil Morus Jones (Côr Godre'r Garth) yng nghyffiniau Caerdydd, yn y gorllewin Alun John (Côr y Tabernacl, Treforys), John Hugh Thomas (Côr Bach Abertawe) a John S. Davies

(Cantorion Dyfed), yn y canolbarth Jayne Davies (Côr Merched Hafren) ac yn y gogledd-ddwyrain Brian Hughes (Cantorion Cynwrig) a Jean Stanley Jones (Côr Sirenian). Trosglwyddwyd y batwn yn fwy diweddar i genhedlaeth newydd eto, fel Islwyn Evans yn Nyffryn Teifi, Cefin Roberts ym Mangor, Edward Harry ym Mro Ogwr a **Tim Rhys-Evans**, Eilir Owen Griffiths, Sioned James a Gwawr Owen yng Nghaerdydd. Ond er eu cystal, go brin eu bod yn cael eu heilunaddoli fel Caradog, Dan Davies a'u tebyg yn yr oes aur.

Richard Elfyn Jones a Gareth Williams

Arwel, Rhisiart (g.1951)

Gitarydd clasurol, cyfansoddwr ac athro. Ganed yn Nimbych. Treuliodd ei blentyndod ym mhentref Garnswllt, Dyffryn Aman cyn i'r teulu symud i ardal Corwen. Derbyniodd ei addysg uwchradd yn Ysgol y Berwyn Bala cyn mynd ymlaen i astudio'r gitâr glasurol yng Ngholeg Cerdd Brenhinol y Gogledd ym Manceinion gyda Gordon Crosskey a John Arran (g.1945). Yn ddiweddarach derbyniodd ysgoloriaeth gan Gyngor Celfyddydau Cymru i astudio ymhellach ym Madrid gyda Ricardo Iznaola ac yna'n Llundain gyda John Duarte (1919–2004).

Bu'n gweithio am gyfnod fel tiwtor gitâr yn Ngholeg Cerdd a Drama Cymru yng Nghaerdydd, ond fe'i adnabyddir yn bennaf am ei berfformiadau a'i recordiadau fel un o unawdwyr amlycaf Cymru ar y gitâr glasurol. Bu'n perfformio'n rheolaidd ar lwyfannau ledled Cymru a thu hwnt, gan gynnwys ymddangosiad yn Neuadd Albert, Llundain. Bu'n unawdydd gyda Cherddorfa Genedlaethol Gymreig y BBC ar fwy nag un achlysur, hefyd, mewn consiertos gan Antonio Vivaldi a Joaquín Rodrigo. Mae wedi perfformio'n gyson ar y radio a'r teledu.

Fel rhan o ddathliadau 150 mlwyddiant sefydlu'r Wladfa ym Mhatagonia yn 2015, trefnodd gyfres o gyngherddau ar draws Cymru a'r Wladfa. Yn ystod y daith, perfformiodd gerddoriaeth o Gymru a De America a bu'n cydweithio gyda nifer o gerddorion blaenllaw o Gymru a'r Ariannin.

Mae ystod ei repertoire yn eang, gyda phwyslais arbennig ar gerddoriaeth o Sbaen a De America. Clywir ei ddiddordeb yng ngherddoriaeth yr Ariannin yn ei gryno ddisg *Etifeddiaeth / Herencia / Heritage* (Sain, 2018), sy'n cynnwys cerddoriaeth gan Ariel Ramirez, Abel Fleury a Jorge Cardoso.

Disgyddiaeth
Etifeddiaeth / Herencia / Heritage (Sain SCD2794, 2018)

Arwyn, Robat (g.1959)

Ganed y cerddor, y cyfansoddwr a'r **arweinydd** Robat Arwyn yn Nhal-y-sarn, Caernarfon, yn 1959. Graddiodd mewn cerddoriaeth o Brifysgol Caerdydd yn 1980, cyn mynd ymlaen i ennill diploma mewn llyfrgellyddiaeth yng Ngholeg Llyfrgellwyr Cymru yn Aberystwyth yn 1981. Symudodd i Ruthun y flwyddyn honno gan ymuno â Chôr Rhuthun, ac fe'i penodwyd yn arweinydd y côr yn 2007 wedi marwolaeth Morfydd Vaughan Evans. Rhwng 1982 ac 1995 bu'n aelod o'r triawd gwerin Trisgell, gan ysgrifennu caneuon megis 'Fel Un', 'Llanelidan' a 'Gwin Beaujolais' ar eu cyfer (daeth 'Gwin Beaujolais' yn ail yng nghystadleuaeth **Cân i Gymru**). Dyma gyfnod ffrwythlon gyda sawl cyhoeddiad yn ymddangos, gan gynnwys y casgliadau *Miwsig y Misoedd* (1990), *Gwin Beaujolais* (1991) a'r cylch o ganeuon Nadoligaidd, *Stori'r Preseb* (1992).

Ac yntau'n gyfansoddwr caneuon ysgafn a phoblogaidd, mae Robat Arwyn wedi rhyddhau nifer sylweddol o gryno-ddisgiau, a pherfformir ei weithiau **corawl**, ei unawdau a'i sioeau cerdd ledled Cymru mewn **eisteddfodau** a chyngherddau. Yn 1985 cyfansoddodd ei sioe gerdd gyntaf, *Ceidwad y Gannwyll*, ar y cyd â Sioned Williams ar gyfer Eisteddfod Genedlaethol y Rhyl. Dyma gychwyn ar gyfnod toreithiog o gyfansoddi sioeau cerdd, yn eu plith *Eiddo Cesar* (1992), *Er Mwyn Yfory* (1997), *Plas Du* (2002) a *Pwy Bia'r Gân* (2003). Yn 2001 derbyniodd gomisiwn gan yr Eisteddfod Genedlaethol i gyfansoddi *Atgof o'r Sêr*, a berfformiwyd gan **Bryn Terfel**, **Fflur Wyn** a Chôr Rhuthun yn Eisteddfod Genedlaethol Dinbych yn 2001. Ddeuddeng mlynedd yn ddiweddarach llwyfannwyd detholiad o'i weithiau yn yr Eisteddfod Genedlaethol, a gynhaliwyd unwaith eto yn ardal Dinbych.

Ysgrifennodd sawl cân ar y cyd gyda'r Prifardd Robin Llwyd ab Owain, gan gynnwys 'Gwin Beaujolais', 'Ceidwad y Gannwyll', 'Pedair Oed' ac, yn fwy diweddar, 'Llefarodd yr Haul'. Ysgrifennwyd y ddwy gân olaf yn arbennig ar gyfer y tenor **Rhys Meirion** – rhyddhawyd 'Pedair Oed' ar albwm o'r un enw yn 2004, a 'Llefarodd yr Haul' yn 2013 fel cân deyrnged i chwaer y canwr, a fu farw yn 2012.

Cydganodd Rhys Meirion 'Benedictus' gyda Bryn Terfel yn 2005, cân o'r gwaith corawl *Er Hwylio'r Haul* (2005). Recordiwyd y gân hon gan y triawd o offeiriaid Pabyddol, The Priests, ar eu halbwm eponymaidd (Epic, 2008), a fu'n llwyddiant ysgubol, gan gyrraedd rhif 5 yn siartiau Prydain. Ddwy flynedd cyn hynny cafwyd recordiad o'r gân gan Gôr Rhuthun ac ailryddhawyd eu dehongliad ar yr albwm *Bytholwyrdd: Goreuon 30 Mlynedd 1981–2011* (Sain, 2011). Yn y casgliad hwn, clywir yn ogystal 'Anfonaf Angel', a ysgrifennwyd i godi arian tuag at elusen Ambiwlans Awyr Cymru. Gyda geiriau gan y darlledwr Hywel Gwynfryn, recordiwyd y gân yn wreiddiol gan Bryn Terfel a Cherddorfa Opera Cenedlaethol Cymru yn 2010.

Wrth drafod ei ddawn gyfansoddi, cyfeiria Rhys Meirion at y 'gallu unigryw yna i briodi cerddoriaeth hefo geiriau'. Yn gerddor hirsefydlog, mae Robat Arwyn wedi llwyddo i ysgrifennu rhai o ganeuon a sioeau cerdd mwyaf poblogaidd ei gyfnod, yr un pryd â chynnal swydd prif lyfrgellydd gyda Chyngor Sir Dinbych.

Disgyddiaeth

Caneuon Robat Arwyn (Sain SCD2669, 2012)
Llefarodd yr Haul (Sain SCD2684, 2013)
Ffydd Gobaith Cariad – Caneuon Robat Arwyn 2 (Sain SCD2728, 2015)

Llyfryddiaeth

<*http://www.robatarwyn.co.uk*>
<*http://www.corrhuthun.co.uk/tud/arweinyddion.htm*>
'Rhoi ei ddawn i'w ardal ac i Gymru – portread o Robat Arwyn', *Golwg* 25/46 (1 Awst 2013), 20

Tristian Evans

Athrawon Crwydrol

Yn y cyfnod cyn bod deunydd ysgrifenedig na choleg nac athrofa i ddysgu cerddoriaeth, rhaid oedd dibynnu ar ddawn athrawon unigol i drosglwyddo'r elfennau o un genhedlaeth i'r nesaf. Cyfyng, mae'n debyg, oedd cylchrediad y gwerslyfrau cerddorol Cymraeg cynnar, ac nid tan ganol y 19g. y byddai astudio elfennau cerddoriaeth o lyfr yn dod yn arfer mwy cyffredinol. Cyn y 18g. dibynnid yn helaeth ar offerynwyr a chantorion i drosglwyddo'u crefft i eraill ar lefel unigol, ond wedi hynny datblygodd yr athrawon cerdd crwydrol fel roedd yr hen arferion yn pallu.

Noda R. D. Griffith gyfraniad mawr gan yr Eglwys Wladol yn y maes hwn. Roedd John Williams (1740–1821) yn fab i wneuthurwr brethyn, ac fe'i maged yn ymyl Dolgellau; gwelodd rhai o'r masnachwyr gwlân a ymwelai â Dolgellau fod gan John ddoniau cerddorol, a threfnwyd iddo gael cyfnod o ysgol yn Amwythig, lle gallodd ddatblygu ei ddoniau. Cafodd hyfforddiant pellach gan athro teithiol o'r enw John

Symonds o Drefaldwyn, a ymwelai'n wythnosol ag eglwys Dolgellau, ac yna bu John Williams ei hun yn cynnal dosbarthiadau cerddorol ar draws gogledd Cymru, gan addysgu cerddorion megis David John James, Ardudwy, Hugh Jones, Maesglasau, a J. R. Jones, Ramoth.

Yn ne Cymru bu Abram Morris (1720–83) yn weithgar fel athro yn Sir Fynwy yn arbennig. Mab i glochydd eglwys Llangrannog oedd Dafydd Siencyn Morgan (1752–1844), a ddysgodd elfennau cerddoriaeth gan ei dad. Ychwanegodd at ei brofiad cerddorol trwy ymuno â'r Cartreflu Milwrol (y milisia) yn Sir Benfro a chwarae yn y band. Arweiniai'r canu yn eglwys y plwyf ond fe'i cydnabyddid yn eang fel athro dawnus, a bu'n cynnal dosbarthiadau yng ngogledd a de Cymru. Yn Llanidloes a'r ardaloedd cyfagos cafodd Henry Mills (1757–1820) ddylanwad mawr iawn. Ef oedd sylfaenydd olyniaeth gerddorol teulu'r Millsiaid, ac ef hefyd oedd y cyntaf i'w benodi'n swyddogol gan Gyfarfod Misol y Methodistiaid yn yr ardal i hyfforddi'r cynulleidfaoedd yn egwyddorion canu. Parhawyd â'i waith gan ei feibion James Mills a Richard Mills. Roedd hefyd nifer o athrawon di-sôn-amdanynt a ddylanwadodd yn helaeth ar ffigurau pwysig yn y traddodiad Cymreig. Cafodd **Ieuan Gwyllt** (John Roberts; 1822–77) ei wersi cerddorol cyntaf gan athro crwydrol o'r enw 'Dafydd Siencyn y Borth', a chan un arall o'r enw Thomas Jenkins, a gynhaliai ddosbarthiadau ym Mhenllwyn, Ceredigion.

Ymdoddodd traddodiad yr athrawon crwydrol i'r cymdeithasau cerddorol a ffurfiwyd mewn sawl ardal o'r 1820au ymlaen. Sefydlwyd cymdeithasau yn y Carneddi, Bethesda, Rhosllannerchrugog, Aberystwyth a chanolfannau eraill, a daethant yn gyfryngau dysgu a throsglwyddo elfennau cerddoriaeth i'w haelodau. Wedi cyhoeddi *Gramadeg Cerddoriaeth* gan John Mills yn 1838 a *Gramadeg Cerddorol* gan David Roberts (Alawydd) yn 1848, roedd mwy o gyfarpar ysgrifenedig ar gael yn gyffredinol i gynnal astudiaeth breifat gan unigolion, ac yn sgil hynny lai o ddibyniaeth ar athrawon crwydrol. Cryfhawyd y duedd hon ymhellach gydag ymddangosiad cyfnodolion cerddorol yn yr 1850au a'r 1860au: byddai *Y Cerddor Cymreig* (1861–73) yn cynnwys gwersi rheolaidd ar gynghanedd a gwrthbwynt a brofodd yn fuddiol i genhedlaeth gyfan o gerddorion.

Llyfryddiaeth

R. D. Griffith, *Hanes Canu Cynulleidfaol Cymru* (Caerdydd, 1948)

Rhidian Griffiths

B

Baled

Cerdd ar bwnc cyfoes a gâi ei chyflwyno ar gân. Roedd swyddogaeth ddeublyg y faled fel cyfrwng adloniant ac fel dull o drosglwyddo newyddion y dydd yn adlewyrchu meddylfryd a chyd-destun hanesyddol y cyfnod. Nod y baledwyr oedd diddanu gan ddefnyddio chwedlau a hanesion cyfoes. Nid oedd papurau newydd ar gael i'r werin yn gyffredinol ac roedd canran helaeth o'r boblogaeth yn anllythrennog, felly roedd y baledi yn gyfrwng newyddion pwysig. Cyfeirir at gynnyrch y traddodiad yn aml fel baledi storïol a chaent eu perfformio i gyfeiliant **alawon gwerin** Cymraeg a Saesneg poblogaidd y dydd, megis 'Bugeilio'r Gwenith Gwyn', 'Mentra Gwen', 'Diniweidrwydd', 'Bryniau'r Iwerddon', 'Glan Meddwdod Mwyn', '*Charity Mistress*' a '*Pray what will Old England come to*'.

Ymysg themâu nodweddiadol y baledi yr oedd serch a'r bywyd priodasol, damweiniau diwydiannol, llofruddiaethau, crefydd, llongddrylliadau, dirwest a ffasiynau'r cyfnod. Un o'r motiffau mwyaf poblogaidd oedd hanes y cariadon yn gorchfygu pob rhwystr er mwyn priodi, gyda'r diweddglo yn amrywio yn ôl mympwy'r baledwr. Motiff baledol arall a oedd yn boblogaidd yng Nghymru ac yn ehangach ar hyd a lled Ewrop oedd y stori honno am rieni yn methu ag adnabod eu mab eu hunain ar ôl iddo fod i ffwrdd am gyfnod maith, yn ei gamgymryd am leidr ac yn ei lofruddio. Caiff y faled hon ei hadnabod fel 'Y Blotyn Du' ac mae'r fersiwn cynharaf yn dyddio'n ôl i 1716.

Er bod y baledwyr weithiau'n cael eu beirniadu am eu diffyg moesoldeb, canent yn aml am grefydd a thestunau moesol ac ni fyddai'n anarferol iddynt gynnwys cwpled moeswersol ar ddiwedd pob baled fel rhybudd i'w cynulleidfaoedd. Mewn cyfnod heriol yn gymdeithasol ac yn economaidd, roedd y baledi hefyd yn gyfrwng i'r werin leisio'u cwyn am y modd y caent eu gormesu gan y tirfeddianwyr a'r stiwardiaid.

Câi'r baledi eu cyhoeddi ar ffurf pamffledi a'u gwerthu gan y baledwyr yn y fan a'r lle, boed hynny mewn ffeiriau, marchnadoedd neu dafarndai, ac roedd hyn yn aml yn sicrhau bywyd pellach i'r baledi wrth i'r sawl a'u prynai fynd ati i'w perfformio yn eu cartrefi a'u cymunedau eu hunain maes o law. Ymhlith rhai o brif ganolfannau cyhoeddi'r baledi yr oedd yr Amwythig, Caerfyrddin, Llanrwst, Croesoswallt a Wrecsam. Yn gyffredinol, Cymraeg oedd iaith y baledi er bod y baledwyr yn defnyddio newyddion a straeon o'r ochr arall i'r ffin yn ogystal ag alawon gwerin benthyg o Loegr a thu hwnt. Mae ambell faled facaronig, sef baled sy'n cyfuno'r Gymraeg a'r Saesneg am yn ail, wedi goroesi yn ogystal. Y 19g. oedd oes aur y baledi, gyda miloedd yn cael eu hargraffu a'u gwerthu ledled y wlad, yn enwedig yn ardaloedd diwydiannol y de. Ceir tystiolaeth fod y baledi'n rhan o draddodiad llawer hŷn fodd bynnag, gydag un faled lofruddiaeth yn dyddio'n ôl i oddeutu 1600 (Evans 1998).

Ymhlith y baledwyr mwyaf adnabyddus yr oedd Huw Jones, Llangwm (1700–82), Richard Williams (Dic Dywyll; 1790?–1862?) ac Abel Jones (Bardd Crwst; 1829–1901). Roedd y goreuon o blith y baledwyr yn cyfansoddi eu baledi eu hunain ac yn perfformio ar hyd a lled y wlad yn gyson. Dylid cofio hefyd fod nifer o'r baledwyr yn borthmyn, a thrwy eu teithiau clywent y newyddion diweddaraf a ddeuai'n sail i'w baledi. Fodd bynnag, doedd canran helaeth o'r baledwyr yn ddim namyn crwydriaid a phedleriaid a fyddai'n fodlon perfformio unrhyw faled y caent eu dwylo arni er mwyn ennill ychydig o arian. Er gwaethaf rôl bwysig y baledwyr oddi mewn i'w cymdeithas werinol fel darparwyr adloniant a newyddion, prin oedd parch eu cynulleidfaoedd tuag atynt fel unigolion. Roedd nifer o'r baledwyr yn gadael teuluoedd ar eu hôl gartref tra byddent hwy'n crwydro'r wlad am gyfnodau maith, gan gysgu ar fin y ffordd ac mewn ysguboriau a dwyn bwyd a nwyddau at eu cynhaliaeth o bryd i'w gilydd. O ganlyniad roedd cryn ragfarn gymdeithasol yn eu herbyn.

Mae'r baledi yn ffynhonnell bwysig o wybodaeth

i'r ieithydd, y cerddor a'r hanesydd gan eu bod yn cynnig cipolwg prin ar fywyd beunyddiol a chymdeithas y werin bobl. O ganlyniad i waith croniclo a chasglu gan **Amgueddfa Werin Cymru**, yn ogystal â'r cyfweliadau a wnaed gydag unigolion a gofiai'r baledi'n cael eu perfformio, mae casgliad sylweddol o faledi o'r 18g. a'r 19g. wedi goroesi hyd heddiw yn **Llyfrgell Genedlaethol Cymru**, **Prifysgol** Caerdydd a Phrifysgol Bangor. Un o'r unigolion a gafodd ei gyfweld oedd Bertie Stephens. Ac yntau wedi'i eni yn Abergorlech, Sir Gaerfyrddin, yn 1900, cafodd y gŵr hwn ei fagu yn sŵn y baledi. Cawsant gryn argraff arno ac roedd wedi dysgu nifer fawr ohonynt ar ei gof. Llwyddodd i recordio tua 80 o faledi ar gyfer yr Amgueddfa Werin. Yn ogystal â chofio'r sawl a ganodd y baledi, gallodd bennu ymhle y'u clywodd yn cael eu perfformio. Ffafriai'r baledi crefyddol a phwysleisiai bwysigrwydd y perfformiad wrth drosglwyddo neges y faled i'r gynulleidfa.

Un o faledi mwyaf adnabyddus y 19g. oedd 'Y Mochyn Du', a ysgrifennwyd yn 1854 gan John Owen (1836–1915). Cyfansoddwyd y gân pan fu farw mochyn Dafydd Thomas, Parc-y-maes, Brynberian yn 'dra sydyn' ac fe'i canwyd gan Levi Gibbon ar hyd a lled y wlad mewn ffeiriau a marchnadoedd. Cafodd y faled argraff ar gynulleidfaoedd Cymreig a lledaenodd ei phoblogrwydd i sawl rhan o'r byd. Er gwaethaf ei hapêl ryngwladol, daeth yn destun cywilydd i'w hawdur wedi iddo droi at y weinidogaeth a gorchmynnodd nad oedd i'w hadargraffu eto yn y dyfodol serch y galw amdani.

Gyda dyfodiad y sinemâu a'r neuaddau cerdd fel cyfrwng adloniant newydd, collodd y baledi eu bri erbyn yr 20g. Wrth i **addysg** ddatblygu, gwelwyd mwy yn troi at bapurau newydd fel ffynhonnell newyddion fwy dibynadwy na'r baledi nad oeddynt yn cyfleu'r ffeithiau cywir bob amser; byddai'r baledwyr yn aml yn gor-ddweud yn fwriadol er mwyn effaith ddramatig ac er mwyn cydio yn nychymyg y gynulleidfa. Diflannodd y traddodiad o ganu baledi bron yn gyfan gwbl ym mhob rhan o Gymru bellach. Er hynny, ceir rhai unigolion sy'n parhau i lunio baledi am ddigwyddiadau lleol, ac mae'r **Eisteddfod** Genedlaethol o bryd i'w gilydd yn cynnal cystadleuaeth i lunio a chanu baled wreiddiol ar alaw gyfarwydd.

Llyfryddiaeth

Meredydd Evans, 'Canu Cymru yn yr unfed ganrif ar bymtheg', *Cof Cenedl*, 13 (1998), 33–67

Gwawr Jones

Bandana, Y

Grŵp roc Cymraeg o Gaernarfon a fu'n un o fandiau mwyaf poblogaidd Cymru oddi fewn i'r sîn Gymraeg rhwng 2010 a 2016. Ffurfiwyd y band yn 2007 a'r aelodau oedd Gwilym Bowen Rhys (prif lais, gitâr), Robin Jones (drymiau), a'r ddau frawd Tomos Owens (allweddellau) a Siôn Owens (gitâr fas).

Gan ddatblygu set o ganeuon egnïol ac uniongyrchol a roddai bwyslais ar alawon canadwy a threfniannau di-lol a di-addurn, rhyddhaodd y grŵp eu record hir gyntaf eponymaidd ar label Copa yn 2011. Roedd yn cynnwys 'Cân y Tân' ac 'Wyt ti'n nabod Mr Pei', dwy gân a dderbyniodd wobrau yng nghategori y gân orau yng ngwobrau blynyddol cylchgrawn *Y Selar* yn 2010 ac 2011. Y Bandana hefyd dderbyniodd gategori band gorau'r flwyddyn yng Ngwobrau'r Selar yn 2010, 2011 a 2012. Roedd eu hail record hir, *Bywyd Gwyn* (Copa, 2013) yn cynnwys yr anthemig 'Heno yn yr Anglesey', cân arall a fu'n fuddugol yng ngwobrau'r Selar (y tro hwn yn 2012), un a oedd yn ymgorfforiad arbennig o ddawn y grŵp i leoli eu caneuon ym mhrofiadau trefol Cymry Cymraeg yn eu harddegau yn negawdau cyntaf yr 21g., mewn modd gonest, plaen a diffuant.

Rhyddhaodd y band eu record hir olaf, *Fel Tôn Gron*, yn 2016. Yn yr un flwyddyn cyhoeddodd y band eu bod yn chwalu, gan berfformio yng Nghaernarfon am y tro olaf ym mis Hydref 2016. Mae'r aelodau yn parhau i recordio a pherfformio'n gyson gydag amryw brosiectau eraill, gyda Gwilym Bowen Rhys yn ryddhau deunydd fel artist unigol ac fel aelod o Plu, **grŵp gwerin**-bop amgen a sefydlodd ar y cyd gyda'i ddwy chwaer Elan a Marged yn 2012.

Disgyddiaeth

Y Bandana (Copa CD013, 2010)
Bywyd Gwyn (Copa CD018, 2013)
Fel Tôn Gron (Copa CD024 2016)

Gethin Griffiths a Pwyll ap Siôn

Bandiau Militaraidd

Gall yr ymadrodd 'band milwrol' olygu band (chwyth, fel rheol) sy'n gysylltiedig ag unrhyw gangen o luoedd arfog unrhyw wlad, neu â lluoedd eraill fel unedau'r heddlu neu'r frigâd dân, ond mae wedi'i ddefnyddio'n fwy llac hefyd i olygu unrhyw fand sy'n cynnwys offerynnau pres, chwythbrennau ac offerynnau taro. Ym mlynyddoedd olaf yr 20g., i osgoi defnyddio'r derminoleg lacach hon cyflwynwyd y term 'band cyngerdd', y gellir ei ddefnyddio am unrhyw *ensemble* mawr sifilaidd o chwythbrennau, offerynnau pres ac offerynnau taro. Mae datblygiad y gwir fand milwrol yn bwysig gan mai dyma un o'r prif ffyrdd yr ehangodd y proffesiwn cerddoriaeth yn y 19g. Am flynyddoedd lawer – hyd yn oed hyd ganol yr 20g. – i'r rhan fwyaf o bobl, y band milwrol oedd un o'r ffurfiau mwyaf cyfarwydd o gerddoriaeth fyw.

Bu 'bandiau cerddoriaeth' yn y lluoedd rheolaidd (amser llawn) ac afreolaidd (rhan-amser) ers y 18g. Gellid dadlau eu bod hyd yn oed yn hŷn, os derbynnir grwpiau cadbibau a drymiau ac offerynnau signal (fel utgyrn milwrol) yn rhan o hanes di-dor cerddoriaeth filwrol. Er hynny, hyd yn oed pe derbynnid y ddadl honno, mae angen gwahaniaethu'n glir rhwng *offerynnau signal*, ynghyd â'r offerynnau gorymdeithio, fel drymiau, utgyrn a chadbibau, a *bandiau cerddoriaeth*. Câi'r dosbarth cyntaf ei gyfyngu i'r offerynnau a oedd yn cyfleu arwyddion neu a oedd yn cael eu defnyddio'n benodol at ddibenion milwrol yn unig. Roedd bandiau cerddoriaeth, ar y llaw arall, yn wahanol ac yn fwy soffistigedig: roeddynt yn grwpiau mwy, a'u cyfansoddiad offerynnol yn cael ei ystyried yn fwy gofalus; fel rheol, roedd angen i'r offerynwyr allu darllen cerddoriaeth ac, yn bwysicach, roedd ganddynt swyddogaeth ehangach nag offerynnau signal.

Daethpwyd i ffafrio'r term 'bandiau cerddoriaeth' o'r 1770au yn fras, i ddisgrifio'r grwpiau hynny o offerynwyr chwyth a ffurfiwyd yng nghatrodau elît y Gwarchodlu yn Llundain ac yn yr Artileri Brenhinol. Fe'u ffurfiwyd i efelychu cysyniad yr *Harmoniemusik* a oedd yn boblogaidd mewn gwledydd Almaeneg eu hiaith. Nid oedd *Harmoniemusik* yn pennu offerynnau penodol, ond roedd fel rheol yn awgrymu grŵp o ryw wyth o chwaraewyr a fyddai'n cynnwys oboau, baswnau, cyrn ac weithiau utgorn; weithiau câi clarinetau a seirff eu cynnwys hefyd. Ni châi bandiau o'r fath eu cynnal gan gyllid milwrol ffurfiol (y llywodraeth), ond yn hytrach yn breifat gan swyddogion catrodau a danysgrifiai i gronfa band. Y cymhelliant i'r nawdd hwn oedd teimlad cyffredinol ar ran swyddogion (uchelwyr neu foneddigion bron bob tro) y byddai eu bywyd cymdeithasol yn yr ystafell fwyta yn well o gael cyfleuster o'r fath; er hynny, byddai'r bandiau hyn hefyd yn chwarae i orymdeithiau a rhai seremonïau.

Roedd y bandiau cynnar yn cael eu harwain gan **arweinyddion** proffesiynol, ac Almaenwyr oedd y rhan fwyaf o'r rheini. Pan ddechreuwyd ffurfio

bandiau cerddoriaeth milisia yn y rhanbarthau, unwaith eto Almaenwyr yn aml a gâi eu recriwtio i'w harwain. Cyflwynwyd y milisia yn y 18g. i fod yn amddiffynfa olaf petai'r wlad yn cael ei goresgyn ac, yn ogystal, fel cronfa o ddynion y gellid galw arnynt petai angen ehangu'r fyddin reolaidd ar frys.

O ganol y 18g. roedd Deddf Seneddol wedi gwneud unedau milisia yn ofynnol drwy'r Deyrnas Unedig gyfan: câi dynion eu dethol i wasanaethu mewn uned leol drwy dynnu tocyn. Os caent eu dewis, roedd yn ofynnol iddynt wneud isafswm o ddyddiau o hyfforddiant a gellid galw ar eu gwasanaeth ar unrhyw adeg. Byddai'r rhan fwyaf o unedau yn ffurfio bandiau cerddoriaeth gan efelychu rhai Llundain. Roedd y bandiau milisia yn gryf yng Nghymru ac maent yn arbennig o arwyddocaol yn hanes cerddoriaeth Gymreig oherwydd mai dyna un o'r prif ffyrdd y cyflwynwyd cerddoriaeth *ensemble* offerynnol i bron bob cwr o'r wlad yn y 18g. a'r 19g. Câi'r bandiau eu ffurfio o blith cerddorion lleol a gâi eu dwyn ynghyd â chefnogaeth yr uchelwyr a'r boneddigion; byddai'r niferoedd yn cael eu chwyddo drwy recriwtio gwŷr milisia newydd a ddangosai addewid cerddorol ac a fyddai'n gallu elwa ar hyfforddiant cerddorol. Bechgyn iau na deuddeg oed oedd llawer o'r recriwtiaid cerddorol newydd. Yn y trefi mwyaf, fel Abertawe, Caerdydd a Wrecsam, mae'n bosibl i'r cartrefi plant amddifad gael cais i ddarparu bechgyn i'r bandiau.

Erbyn canol y 19g., roedd bandiau milwrol yn un o nodweddion rheolaidd catrodau'r fyddin a'r llynges. Mae'r cyfuno a'r newid enwau a effeithiodd ar gatrodau Prydain wedi effeithio hefyd ar fandiau'r fyddin reolaidd yng Nghymru. Oherwydd hynny, cafodd bandiau cysylltiedig â chatrodau Cymreig eu galw yn eu tro yn 41ain a 42ain Traedfilwyr, Cyffinwyr De Cymru, y Gatrawd Gymreig a Chatrawd Frenhinol Cymru. Mae Band y Gwarchodlu Cymreig yn un o fandiau Brigâd y Gwarchodlu. Mae wedi'i leoli'n barhaol ym Marics Wellington, Llundain, a'i brif ddyletswydd yw cefnogi seremonïau'r wladwriaeth. Yn y 19g. daeth pwyslais swyddogaethol y band catrodol fwyfwy ar gefnogi digwyddiadau seremonïol, ond byddai bandiau hefyd yn teithio gyda'u catrodau i feysydd y gad. Cafodd pob aelod o fand y 41ain Traedfilwyr (dyna enw'r gatrawd nes iddi droi'n Gyffinwyr De Cymru) ei ladd yn y rhyfel yn erbyn y Zwlŵaid yn 1879.

Er bod swyddogaeth seremonïol bwysig wedi bod i fandiau milwrol, maent yn gweithio'n barhaol fel diddanwyr yn yr awyr agored, a bu hwn yn waith pwysig yng ngolwg y lluoedd arfog Prydeinig. Yn hanner cyntaf yr 20g. roedd bandiau milwrol ymhlith y mwyaf poblogaidd o'r holl fathau Prydeinig o ensemblau cerddorol, yn rhannol oherwydd fod ansawdd eu sain yn eu gwneud yn arbennig o effeithiol yn y technolegau recordio cynnar. Ynghyd â **bandiau pres**, mae bandiau milwrol wedi cynhyrchu llawer o'r chwaraewyr chwythbrennau a phres proffesiynol pwysicaf. Nid oes amheuaeth ychwaith nad lluoedd arfog Prydain (o gymryd y tri llu gyda'i gilydd) sy'n cyflogi'r nifer mwyaf o gerddorion yn y Deyrnas Unedig, a hynny o bell ffordd.

Llyfryddiaeth

Trevor Herbert a Helen Barlow, *Music and the British Military in the Long Nineteenth Century* (Rhydychen, 2013)

Trevor Herbert

Bandiau Pres

Ensemble offerynnol o offerynnau chwyth pres yn unig neu'n bennaf yw band pres. Mewn cyd-destunau ac mewn gwledydd eraill defnyddir y term yn llac, ond yng Nghymru ac yng ngweddill Prydain mae'n cyfeirio at gyfuniad penodol o offerynnau ac mae ei *repertoire* yn *genre* diffiniedig. Gweithgaredd amatur ydyw yn ei hanfod, ond mae'r safonau a gyrhaeddir gan y bandiau pres gorau yn eithriadol o uchel.

Datblygodd bandiau pres ddiwedd yr 1840au fel ffurf ddosbarth gweithiol ar gerddoriaeth. Fe'u disgrifiwyd fel ffenomen drefol yn bennaf, ac i raddau mae hynny'n wir, ond mae digon o dystiolaeth eu bod i'w cael mewn cymunedau gwledig, neu o leiaf mewn aneddiadau (fel trefi marchnad) a fu'n ganolfannau i gymunedau gwledig mwy gwasgaredig. Ffurfiwyd y rhan fwyaf o fandiau pres mewn perthynas â menter gymunedol, grefyddol neu ddiwydiannol. Dyna pam y mae'r rhan fwyaf ohonynt yn dwyn enw ffatri, pwll glo, eglwys, capel neu fudiad dirwest.

Daeth bandiau pres i fod am nifer o resymau cysylltiedig. Y pwysicaf oedd gwelliannau i fecanwaith falfiau offerynnau, a dulliau o weithgynhyrchu a dosbarthu. Dyfeisiwyd offerynnau falf yn wreiddiol yn ystod ail ddegawd y 19g. ac mae tystiolaeth iddynt gael eu defnyddio yn yr 1830au, ond ni ddechreuodd chwarae mewn bandiau pres fod yn weithgaredd torfol tan ddiwedd yr 1840au. Un o'r bandiau cynnar mwyaf arwyddocaol oedd Band Cyfarthfa ym Merthyr Tudful, a ddefnyddiai offerynnau falf a'r

mathau hŷn o offerynnau bysellog. Fe'i ffurfiwyd fel band preifat Robert Crawshay, perchennog Gwaith Haearn Cyfarthfa. Roedd hwn yn fand eithriadol, ac mae ei daflenni erwydd o gerddoriaeth mewn llawysgrifen ymysg y casgliadau pwysicaf o'u math yn unrhyw ran o'r byd.

Yng nghanol y ganrif llwyddodd dylunwyr (yn enwedig Adolphe Sax, y dylunydd Belgaidd) i wella gweithrediad offerynnau pres a dyfeisio prosesau gweithgynhyrchu a baratodd y ffordd ar gyfer masgynhyrchu offerynnau pres. Dyfeisiodd y diwydiant manwerthu gynlluniau busnes newydd i'w marchnata. Y ddwy elfen newydd oedd gwerthu *setiau* o offerynnau a oedd yn caniatáu i grwpiau o ddynion nad oeddynt wedi canu offerynnau o'r blaen sefydlu bandiau yn ddiymdroi, a chyflwyno cynlluniau gohirio taliadau a oedd yn eu galluogi i gael yr offerynnau hynny cyn talu amdanynt. Roedd y trefniadau ariannol yn syml: byddai pobl bwysig neu gyflogwyr lleol yn gwarantu'r benthyciad, a châi arian ei godi i'w ad-dalu drwy gyfrwng cyngherddau cyhoeddus a gweithgareddau entrepreneuraidd bychain eraill. Digon rhwydd oedd cael hyd i warantwyr gan fod cerddoriaeth yn cael ei hystyried yn gyffredinol yn 'weithgaredd hamdden rhesymol': gweithgaredd a oedd yn cyd-fynd â chred oes Victoria y dylai amser hamdden gweithwyr gael ei neilltuo i weithgareddau moesol dderbyniol a llesol a oedd yn meithrin cymeriad.

Roedd bandiau'r 19g. yn cynnwys gwahanol gyfuniadau o offerynnau (yn aml byddent yn cynnwys clarinetau). Roedd **arweinyddion** bandiau (a elwid hefyd yn 'athrawon bandiau') yn gerddorion llythrennog lleol fel organyddion neu athrawon cerddoriaeth, neu'n fwy aml yn ddynion a oedd wedi eu hyfforddi mewn **bandiau militaraidd** o wahanol fathau. Erbyn dechrau'r 20g. roedd yr offeryniaeth wedi'i safoni o ganlyniad i lwyddiant cyflwyno cystadlaethau bandiau pres a'r angen yn sgil hynny i gyhoeddi cerddoriaeth a fyddai'n caniatáu i fandiau gystadlu ar seiliau cyfartal.

Dyma fu offeryniaeth safonol y band pres cystadleuol ers blynyddoedd cynnar yr 20g.: Cornet soprano ym meddalnod E; 4 cornet unawd ym meddalnod B; 2 ail gornet ym meddalnod B; 2 drydydd cornet ym meddalnod B; Cornet *repiano* ym meddalnod B; Corn *flugel* ym meddalnod B; 3 chorn tenor ym meddalnod E; 2 drombôn tenor; Trombôn bas; 2 fariton ym meddalnod B; 2 ewffoniwm ym meddalnod B; 2 fas dwbl ym meddalnod E; 2 fas dwbl ym meddalnod B; Offerynnau taro (ni chafodd chwaraewyr offerynnau taro eu cynnwys am gyfnod hir yng nghanol yr 20g.)

O 1913 cyhoeddwyd 'darnau prawf' (a gafodd yr enw hwnnw oherwydd y defnydd ohonynt mewn cystadlaethau) wedi eu cyfansoddi'n benodol ar gyfer bandiau pres, ond parhaodd yr arfer cynharach o drefnu gweithiau a fodolai eisoes, fel cerddoriaeth ddawns a cherddoriaeth yn deillio o operâu. Y gwaith gwreiddiol cyntaf ar gyfer band pres (yn hytrach na threfniant o waith a fodolai eisoes) oedd *Labour and Love* (1913), gan Percy Fletcher, arweinydd theatr gerdd yn Llundain.

Yn yr 20g. ac wedi hynny bu bandiau pres yn flaenllaw ym myd cerddoriaeth amatur yng Nghymru, a chynhelir cystadlaethau bandiau pres yn yr **Eisteddfod** Genedlaethol ar un diwrnod penodol. Y band pres mwyaf cyson lwyddiannus yn y cyfnod modern, mewn cystadlaethau yng Nghymru, Prydain ac Ewrop, yw Band y Cory, Pentre, y Rhondda; ymhlith y bandiau eraill y mae'r Park & Dare (Treorci), Tredegar a Point of Ayre. Bu bandiau ieuenctid hefyd yn amlwg yng Nghymru: band ysgolion Treorci oedd y cyntaf i gystadlu yn rownd derfynol yr adran uchaf o'r bencampwriaeth genedlaethol.

Bandiau pres i raddau helaeth sydd wedi cyflenwi chwaraewyr offerynnau pres proffesiynol i gerddorfeydd Llundain a mannau eraill, a bu chwaraewyr o Gymru yn arbennig o flaenllaw. Er hynny, nid yw'r pontio rhwng chwarae mewn band ac mewn cerddorfa mor syml â hynny. Ar wahân i'r gwahaniaethau yn yr offeryniaeth (ni cheir trwmpedi a chyrn Ffrengig mewn band pres), mae'r arddulliau perfformio'n gwbl wahanol.

Bu arddull y band pres yn nodwedd barhaus mewn cerddoriaeth Brydeinig a Chymreig ers y 19g. Ym mhedwar degawd olaf yr 20g. bu rhai datblygiadau amlwg: datblygiad *repertoire* penodol sy'n ehangu'r arddull drwy iaith gerddorol fwy radicalaidd a mabwysiadu technegau chwarae wedi'u hysbrydoli gan yr *avant-garde*; a chynnwys merched mewn maes a fu'n un cwbl wrywaidd am y rhan helaethaf o ganrif (erbyn hyn mae rhai o'r chwaraewyr offerynnau pres amatur a phroffesiynol gorau yn ferched). Efallai mai datblygiad pwysicaf ail hanner yr 20g. oedd symud bandiau pres yn eu crynswth i'r traw A=440 safonol, o'r traw uwch a fu'n A=452.5 am dros gan mlynedd. Digwyddodd y newid yn niwedd yr 1960au pan gafodd cwmni cynhyrchu offerynnau Byddin yr Iachawdwriaeth ei ddirwyn i ben.

Mae bandiau pres Byddin yr Iachawdwriaeth wedi ffynnu er yr 1870au, ond deuant o draddodiad hollol wahanol i fandiau pres eraill. Cyflwynwyd y bandiau cyntaf i genhadaeth Byddin yr Iachawdwriaeth fel ffordd o ddenu sylw mewn cyfarfodydd crefyddol awyr agored. Un o'r bandiau cynharaf o'r math hwn oedd yr un a sefydlwyd ym Merthyr Tudful, ac wedi hynny lledaenodd bandiau tebyg bron ar unwaith ledled Cymru. Er mai'r un oedd yr offerynnau ag mewn bandiau eraill, byrfyfyr oedd yr offeryniaeth. At hynny, nid yw bandiau'r Fyddin yn cystadlu: cyhoeddodd eu sylfaenydd mai eu hunig ddiben oedd pwysleisio a phoblogeiddio'r genhadaeth greiddiol, sef iachawdwriaeth. I sicrhau purdeb y diben hwnnw, bu rhaniad clir rhwng bandiau'r Fyddin a bandiau eraill hyd yr 1970au.

Llyfryddiaeth
Trevor Herbert, *The British Brass Band: a Musical and Social History* (Rhydychen, 2000)

Trevor Herbert

Bandiau Roc a Phop
(gw. **Poblogaidd, Cerddoriaeth**)

Bando (gw. **Jones, Caryl Parry**)

Bara Menyn, Y
(gw. hefyd **Stevens, Meic; Jones, Heather; Jarman, Geraint**)

Grŵp acwstig oedd Y Bara Menyn a ryddhaodd ddwy record EP yn ystod gyrfa fer. Yr aelodau oedd **Meic Stevens** (llais, gitâr), **Heather Jones** (llais, gitâr) a **Geraint Jarman** (llais, tamborîn, organ geg). Roedd enw'r band yn gyfeiriadaeth eironig a chwareus at y syniad o ennill bywoliaeth drwy ganu yn y Gymraeg. Pan ffurfiwyd y grŵp yn 1969 roedd y tri eisoes yn adnabyddus yn y byd pop Cymraeg, ac roedd Meic Stevens hefyd yn amlwg yn y byd pop Saesneg fel canwr gwerin. Roedd eu diddordebau cerddorol hefyd yn ehangach na ffiniau cerddoriaeth gyfoes Gymraeg.

Un o fwriadau'r tri oedd dychanu'r negeseuon sentimental o wladgarol ac arwynebol oedd yn nodweddu'r mwyafrif o ganeuon poblogaidd ar y pryd gan osgoi'r sain ffformwläig oedd yn perthyn i grwpiau megis **Y Diliau** a'r **Pelydrau**. Roedd eu sengl gyntaf, 'Caru Cymru', yn ymdrech chwareus i gyflawni'r bwriad hwnnw. Yn anffodus, fodd bynnag, roedd y gynulleidfa ar y cychwyn yn gwbl glustfyddar i holl eironi'r gân. Dywedodd y grŵp mewn cyfweliad yn 1969, 'cân ddychan am y canu pop-wladgarol … oedd "Caru Cymru", ond fe brynodd pobl hi heb sylweddoli hynny a'i hoffi am ei bod, ar yr wyneb, yn debyg i'r caneuon roedd hi'n eu dychanu …' (yn Wyn 2002, 111).

Rhoddodd y grŵp sylw i destunau swrrealaidd Stevens yn arddull bandiau megis y Flying Burrito Brothers, ac fe ddylanwadodd hyn yn ddiweddarach ar rai o ganeuon unawdol Jarman, megis 'I've Arrived'. Er mai byrhoedlog fu gyrfa Y Bara Menyn, buont yn ysbrydoliaeth i grwpiau pop amgen o'r 1970au cynnar megis Y **Tebot Piws** a'r **Dyniadon Ynfyd Hirfelyn Tesog**. Aeth y tri ati yn ystod yr 1970au i wneud eu marc fel artistiaid unigol, gyda Jarman yn ffurfio'i grŵp y Cynganeddwyr erbyn diwedd y degawd.

Disgyddiaeth

Bara Menyn [EP] (Dryw WRE1065, 1969)
Rhagor o'r Bara Menyn [EP] (Dryw 1072, 1969)

Llyfryddiaeth

Lyn Ebenezer (gol.), *Meic Stevens: I Adrodd yr Hanes* (Llanrwst, 1993)
Hefin Wyn, *Be Bop a Lula'r Delyn Aur* (Talybont, 2002)
Geraint Jarman, *Twrw Jarman* (Llandysul, 2011)
Heather Jones, gyda Caron Wyn Edwards, *Gwrando ar Fy Nghân* (Caerdydd, 2007)
Meic Stevens, *Mâs o 'Mâ* (Talybont, 2011)

Sarah Hill a Pwyll ap Siôn

Barratt, Michael
(gw. **Shakin' Stevens**)

Barbier, Lucie (1875–1963)

Bu dyfodiad Lucie Barbier (*née* Hirsch) i Brifysgol Cymru, Aberystwyth, yn 1909 yn gyfrwng i arallgyfeirio gweithgarwch ymarferol Adran Gerdd y Coleg ac i ddwyn sylw rhyngwladol i gerddoriaeth draddodiadol y genedl. Wedi blynyddoedd o drefnu cyngherddau o weithiau gan gyfansoddwyr o Ffrainc ar ran La Société des Concerts Français a hybu cynnyrch cerddorion mwyaf blaenllaw'r wlad, gan gynnwys Fauré, Debussy a D'Indy ym Manceinion a Llundain, ymgartrefodd André a Lucie Barbier yn Aberystwyth (yn dilyn cyfnod byr ym Mangor) gan fentro i sefydlu'r University of Wales Musical Club yn 1910 gyda chefnogaeth ariannol Gwendoline a Margaret Davies (Gregynog), yn bennaf er mwyn

cyfoethogi'r ddarpariaeth gerddorol yn y dref ac ennyn gwell dealltwriaeth o'r traddodiad Ffrengig.

Wrth i'r hinsawdd wleidyddol yn Ewrop ac yn enwedig y cyswllt â'r Almaen ddirywio, anelwyd at gryfhau'r berthynas rhwng Ffrainc ac Ynysoedd Prydain drwy gefnogi mudiadau a hyrwyddo digwyddiadau diwylliannol o'r fath. Camp fawr Lucie Barbier, fodd bynnag, oedd trefnu cyfres o gyngherddau Cymreig ym Mharis ym mis Mawrth 1911 pan deithiodd pedwar myfyriwr o Aberystwyth – Dora Rowlands (**Dora Herbert Jones** yn ddiweddarach), Gwen Taylor, Tudor Williams a Stanley Knight – i'r ddinas i gynnal cyfres o chwe chyngerdd o gerddoriaeth werin Gymreig dan nawdd rhai o gymdeithasau diwylliannol y brifddinas, megis Le Lied en Tous Pays ac Audition d'Élèves. Roedd ymddangosiad y pedwarawd lleisiol hwn yn Ffrainc yn ganlyniad uniongyrchol y gweithgaredd cerddorol a gafwyd yn Aberystwyth y flwyddyn flaenorol dan arweiniad Madame Barbier. Roedd y syniad o gyflwyno **cerddoriaeth draddodiadol** Gymreig yn Ffrainc yr adeg honno yn gwbl unigryw.

O safbwynt hanesyddol, dyma'r tro cyntaf erioed i berfformiadau o gerddoriaeth werin Gymreig gael eu clywed yn y wlad ac o safbwynt gwleidyddol, roedd y perfformiadau hyn yn ymgorffori ysbryd a gobeithion yr *Entente Cordiale* a lofnodwyd gan lywodraeth Ynysoedd Prydain a Ffrainc yn 1904, wrth i'r peryglon o gyfeiriad yr Almaen gynyddu. Roedd hyn hefyd yn ymgais rhwng y gwledydd i ddod i well dealltwriaeth ac i feithrin heddwch a chyfeillgarwch. Sicrhaodd ymddangosiad y Pedwarawd Cymreig ym Mharis gryn sylw o gyfeiriad y wasg a'r **cyfryngau** yn Ffrainc a Lloegr, a chyfeiriwyd at y gyfres o berfformiadau, gan gynnwys un ym Mhrifysgol Paris (y Sorbonne), ar dudalennau *Le Figaro* fel 'yr *Entente Cordiale* cerddorol' – yn yr union fodd y cyfeiriwyd at ymddangosiad rhai o gerddorion a chyfansoddwyr amlwg Ffrainc yn Lloegr a Chymru yr adeg honno (e.e. ymwelodd Gabriel Fauré â Manceinion a'r Fenni a Debussy yn ogystal).

Golygodd y chwe pherfformiad dros bedwar diwrnod ym Mharis lawer o waith ymarfer a pharatoi cerddorol i aelodau'r Pedwarawd, i Lucie Barbier (fel cyfarwyddwraig a chyfeilyddes) ac i'r Athro **J. Lloyd Williams** (pennaeth yr Adran Fotaneg ym Mhrifysgol Aberystwyth) a luniodd drefniannau o'r alawon, ond golygodd y daith hefyd gryn waith gweinyddol yn trefnu tocynnau, archebu neuaddau a hysbysebu'r cyngherddau. Bu Madame Barbier yn gohebu â rhai o'i chyfeillion ym Mharis ers misoedd yr haf 1910 ond ymdrechodd y Ffrancwyr hefyd i sicrhau bod ymweliad y 'Welsh Quartet' yn llwyddiant ysgubol.

Roedd cael bod yn aelod o'r pedwarawd yn golygu prentisiaeth hynod werthfawr a phrofiad amheuthun i'r pedwar canwr gan fod Madame Lucie Barbier yn mynd ati gyda'r un difrifoldeb ac yn mynnu'r un safon wrth i'r *ensemble* berfformio caneuon gwerin o Gymru a chyfansoddiadau clasurol rhai fel César Franck a Franz Schubert fel ei gilydd. Ond roedd dyrchafu cerddoriaeth frodorol Gymreig i'r fath statws yn Ffrainc yn gwbl groes i'r hyn a ddigwyddai yng Nghymru, fodd bynnag.

Ar wahân i weithgaredd Madame Barbier yn ei 'Musical Club' yn Aberystwyth, anaml iawn y byddai myfyrwyr a chynulleidfaoedd y cyfnod yn clywed perfformwyr o Gymru, heb sôn am gerddoriaeth Gymreig, gan fod tuedd i *repertoire* cyngherddau cyhoeddus y cyfnod ddod o'r tu hwnt i'r wlad. Fel aelod o **Gymdeithas Alawon Gwerin Cymru**, perfformwraig, athrawes leisiol a beirniad, bu Lucie Barbier yn frwd iawn ei chefnogaeth i draddodiadau cerddorol Cymru'r cyfnod a gadawodd waddol gyfoethog ar ei hôl yn dilyn ei hymadawiad ag Aberystwyth yn 1918.

Wyn Thomas

Barrett, Richard (g.1959)

Ganed Richard Barrett yn Abertawe yn 1959 ac er iddo raddio mewn geneteg a microbioleg yng Ngholeg **Prifysgol** Llundain (1980), dechreuodd ymddiddori mewn cyfansoddi yn fuan wedyn. Derbyniodd wersi preifat gyda Peter Wiegold (g.1949) a mynychodd Ysgol Haf Darmstadt yn 1984, lle derbyniodd hyfforddiant gan Brian Ferneyhough (g.1943) ac Hans-Joachim Hespos (g.1938). Wedi dal swydd ddarlithio mewn cyfansoddi ym Mhrifysgol Middlesex (1989–92), bu'n Athro cyfansoddi electronig yn Sefydliad Sonoleg Conservatoire Brenhinol yr Hag (1996–

2001) ac yna'n Athro cerddoriaeth ym Mhrifysgol Brunel, Llundain (2006–9). Bu'n gyd-gyfarwyddwr Ensemble Exposé (1984–93) a sefydlodd berthynas berfformio glos gyda Paul Obermeyer yn y ddeuawd FURT (1986) ac yn ddiweddarach gyda'r *ensemble* lleisiol/electronig/offerynnol fORCH (2005). Canlyniad ei gydweithio gyda'r *ensemble* Elision oedd nifer o recordiadau masnachol argyhoeddiedig o'i gyfansoddiadau. Ymysg y gwobrwyon cyfansoddi a dderbyniodd ceir y Kranichsteiner Musikpreis (1986) a Gwobr Gaudeamus (1989).

Enillodd Barrett enw da iddo'i hun yn rhyngwladol fel cyfansoddwr a pherfformiwr byrfyfyr sydd wedi llwyr ymuniaethu ag uchel foderniaeth. Cysylltwyd ei gerddoriaeth gyda'r mudiad 'cymhlethdod newydd' (*new complexity*), ymysg cyfansoddwyr megis Ferneyhough, James Dillon (g.1950) a Michael Finnissy (g.1946), lle mae'r gerddoriaeth yn aml yn defnyddio cyfuniad o feicrodonyddiaeth, technegau estynedig, rhythmau cymhleth, a newidiadau sydyn mewn gweadau. Gellir sylwi ar y nodweddion hyn yn ei ddarnau cynnar, megis *Tract I* (1984–96) ar gyfer piano unawdol, lle mae'r darn yn agor gyda'r ddwy law yn chwarae o fewn yr un cwmpas gyda rhythmau anghymarebol, deinameg eithafol ac ynganiadau heriol:

> Yn debyg i rai o weithiau llenyddol Samuel Beckett, lle gall brawddegau neu hyd yn oed yr un paragraffau ailymddangos o fewn y testun, dychwela *Tract II* at yr un deunydd cerddorol â *Tract I* ond trwy ffurfio cyfres o adrannau lled *étude*-aidd o dan deitlau unigol. (Barrett 2001)

Yn dilyn ei berfformiad cyntaf, cydnabuwyd *Vanity* (1990–4), gwaith cerddorfaol mewn tri symudiad, fel 'un o'r sgorau gwreiddiol diweddar mwyaf trawiadol' (Fox 1994). Rhennir holl offerynnau'r gerddorfa i chwe grŵp gwahanol gan eu defnyddio mewn amrywiol gyfuniadau o fewn y darn. Nodweddir pob grŵp gan wead penodol neu 'ymddygiad' unigryw sy'n fodd o ymestyn palet cerddorol y gerddorfa.

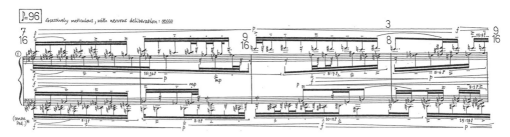

Tract I gan Richard Barrett, mm.1–4 (defnyddiwyd trwy ganiatâd United Music Publishers)

Mae rhai wedi beirniadu Barrett – ynghyd â chyfansoddwyr eraill sy'n cael eu cysylltu â symudiad y cymhlethdod newydd – am ei ddefnydd eithafol o nodiant cerddorol, ynghyd â'r sialensiau afresymol ac amhosibl mae'n eu gosod ar y perfformiwr (gw. Hewett 1994). Fodd bynnag, mae eraill wedi cyfiawnhau esthetig Barrett ar sail y ffaith fod y sialensiau o gyfansoddi'r gerddoriaeth yr un mor ddigyfaddawd i'r cyfansoddwr ei hun ag i'r perfformiwr (Fox 1995).

Genres eraill lle mae Barrett yn gwbl gyfforddus yn greadigol yw chwarae byrfyfyr ac electroneg fyw. Ers iddo gyfansoddi *codex I* yn 2001, llwyddodd i ymestyn y gyfres hon o 'strwythurau byrfyfyrio', fel arfer gyda offeryniaeth sy'n hyblyg, i bymtheg o ddarnau erbyn 2015. Yn ogystal, mae llawer o'i ddarnau'n cyfuno electroneg fyw a phrosesu sain, sy'n galluogi Barrett ei hun i gymryd rhan fel perfformiwr a chrëwr ei gerddoriaeth.

Cyfansoddiadau (rhestr ddethol)
Cerddorfaol:
Vanity (1990–4), ar gyfer cerddorfa lawn
NO (1999–2004), ar gyfer cerddorfa lawn
IF (2005–10), ar gyfer cerddorfa lawn

Ensemble/offerynnol:
Ne songe plus à fuir (1985–6), ar gyfer soddgrwth unawdol
EARTH (1987–8), ar gyfer trombôn ac offerynnau taro
Tract I and II (1984–96), ar gyfer piano unawdol
I open and close (1983–8), ar gyfer pedwarawd llinynnol
Another heavenly day (1989–90), ar gyfer clarinét E♭, gitâr drydan, bas dwbl ac electroneg fyw
negatives (1988–93), ar gyfer *ensemble* ac *amplification*
DARK MATTER (1990–2002), ar gyfer 19 cerddor, electroneg fyw a gosodiad celf
codex I – XVII (2001–15), cyfres o ddarnau byrfyfyr gydag offeryniaeth amrywiol
CONSTRUCTION (2003–11), ar gyfer 3 llais, 16 offerynnwr ac electroneg

Lleisiol:
Opening of the Mouth (1992–7), ar gyfer soprano, mezzo-soprano, *ensemble* gydag *amplification* ac electroneg fyw

Disgyddiaeth
Another heavenly day (One-M-One 1M1CD 1018, 1992)
DARK MATTER (NMC D183, 2012)
negatives (NMC D143, 2009)
Opening of the Mouth (ABC Classics 465268–2, 1999/2008)
transmission (NMC D117, 2006)
Vanity (NMC D014S, 1996)
to hear with the mouth (Caprice CAP21713, 2005)
Tracts (NMC D066, 2001)

Gwefan
http://richardbarrettmusic.com/
http://ump.co.uk/composer/richard-barrett/

Llyfryddiaeth
Richard Toop, 'Four Facets of the "New Complexity"', *Contact*, 32 (1988), 4–8
Robin Freeman, 'Richard Barrett, compositeur maudit manqué', *Tempo*, 190 (1994), 41–46
Ivan Hewett, 'Fail worse; Fail Better, Ivan Hewett on the Music of Richard Barrett', *Musical Times*, 135/1815 (Mawrth, 1994), 148–151
Christopher Fox, '*Vanity*: cyflwyniad i'r sgôr' (UMP, 1994)
———, 'Music as Fiction: a consideration of the work of Richard Barrett', *Contemporary Music Review*, 13 (1995), 147–57
James Harley, 'The New Nihilism: *l'objet sonore* and the music of Richard Barrett', *Musicworks*, 72 (1998), 29
Richard Barrett, 'Tracts for our Times?', *Musical Times*, 139/1864 (Hydref, 1998), 21–24
———, 'Nodiadau clawr ar gyfer *tracts*' (NMC, 2001)
Arnold Whittall, 'Resistance and reflection', *Musical Times* (Hydref, 2005), 57–69
Barrie Webb, 'Richard Barrett's "imaginary trombone"', *Contemporary Music Review*, 26/2 (2007), 151–77

Guto Puw

Bassey, Shirley (g.1937)

Gyda'i llais contralto grymus a phresenoldeb llwyfan arbennig, roedd Bassey yn un o gantoresau pop mwyaf llwyddiannus yr 20g.

Fe'i ganed yn ardal Bute, Caerdydd. Roedd ei thad, Henry Bassey, yn wreiddiol o Nigeria, tra hanai ei mam, Eliza Jane Start, o Newcastle. Er iddi ddangos addewid lleisiol yn ifanc, ni chafodd fawr o anogaeth a gadawodd yr ysgol yn 14 mlwydd oed. Tra'r oedd yn ei harddegau parhaodd i ganu mewn clybiau. Fodd bynnag, yn 1955 aeth i ganu i'r West End yn Llundain. Daeth i amlygrwydd cenedlaethol yn ystod yr 1950au hwyr a'r 1960au cynnar gyda'i pherfformiadau o faledi pop melodramatig o sioeau cerdd neu ffilmiau poblogaidd, megis 'As long as he needs me' (Lionel Bart, *Oliver!*) neu 'Climb ev'ry mountain' (Rodgers & Hammerstein, *The Sound of Music*). Yn 1958 aeth dehongliad Bassey o 'As I Love You' i rif 1 yn siartiau Prydain – hi oedd y gantores gyntaf o Gymru i lwyddo yn y modd hwn.

Parhaodd ei phoblogrwydd yn yr 1960au, gyda'i dehongliad pwerus o'r gân 'Big Spender' o'r sioe gerdd *Sweet Charity* gan Cy Coleman (1966) yn gwneud argraff arbennig. Daeth llais Bassey hefyd yn gyfarwydd ar draws sinemâu'r wlad pan y'i dewiswyd i berfformio'r gân deitl mewn tair o'r ffilmiau yng nghyfres James Bond, gan gynnwys *Goldfinger* (1964; geiriau gan L. Bricusse ac A. Newley), *Diamonds Are Forever* (1972; geiriau gan D. Black) a *Moonraker* (1979; geiriau gan H. David). Bu'r 1970au yn un o'i chyfnodau mwyaf llewyrchus. Rhwng 1970 ac 1979 aeth 18 o'i recordiau hir i'r siartiau Prydeinig gan gynnwys *Something* (United Artists, 1970) a arhosodd yn y siartiau am gyfnod o bum mis.

Roedd nifer fawr o recordiau mwyaf poblogaidd Bassey wedi eu trefnu a'u harwain gan Johnny Franz a Norman Newell, ond roedd ei dawn leisiol yn ei galluogi i symud i gyfeiriadau **jazz** hefyd, megis yr albwm *Let's Face The Music* (EMI, 1962) gyda'r **arweinydd** *Big Band* Americanaidd Nelson Riddle. Bu'n cydweithio gydag artistiaid eraill ar rai prosiectau digon anarferol, megis y band Yello ar y sengl 'The Rhythm Divine' (Mercury, 1989) a'r Propellerheads ar 'History Repeating' (Wall of Sound, 1997). Perfformiodd fersiwn o'r gân 'World in Union' ar y cyd â **Bryn Terfel** yn seremoni agoriadol cystadleuaeth Cwpan Rygbi'r Byd 1999 yn Stadiwm y Mileniwm, Caerdydd, gan wisgo gŵn a oedd wedi ei gynllunio o'r ddraig goch. Aeth y sengl i'r siartiau Prydeinig, gyda'r albwm *Land of My Fathers* yn cyrraedd rhif 1. Fodd bynnag, daeth ymddangosiadau cyhoeddus Bassey yn llai rheolaidd yn ystod degawd cyntaf yr 21g. Bu'n ffigwr dylanwadol iawn ym myd **canu poblogaidd**, gyda'i hedmygwyr yn cynnwys Marc Almond o'r grŵp electronaidd Soft Cell, Neil Tennant o'r Pet Shop Boys a'r **Manic Street Preachers**. Cydnabuwyd ei chyfraniadau i'r byd pop ym Mhrydain pan dderbyniodd CBE yn 1993 a'r DBE yn 2000.

Disgyddiaeth

Detholiad o gasgliadau rhwng 1965–1988:

The Golden Sound Of Shirley Bassey (MGM Records SE4301, 1965)

The Spectacular Shirley Bassey (Philips PHS 600-168, 1965)

Born To Sing The Blues (Wing Records WL-1160, 1967)

Golden Hits Of Shirley Bassey (Columbia SCX-6294, 1968)

The Fabulous Shirley Bassey (Music For Pleasure MFP-1398, 1970)

The Best Of Bassey (Fontana 859051FZY, 1970)

The Shirley Bassey Collection (United Artists Records UAD60013, 1972)

The Magic Of Shirley Bassey (Sounds Superb SPR-90024, 1973)

The Shirley Bassey Collection Vol. II (United Artists Records UAD60111, 1975)

The Shirley Bassey Singles Album (United Artists Records UAS29728, 1975)

The Second Album Of The Very Best Of Shirley Bassey (EMI SCX6584, 1975)

20 Golden Film Hits (EMI NTS112, 1977)

25th Anniversary Album (United Artists Records SBTV60147/48, 1978)

21 Hit Singles (EMI EMTC105, 1979)

Diamonds: The Best Of Shirley Bassey (EMI CDP7-90469-2, 1988)

Pwyll ap Siôn

BBC Canwr y Byd
(gw. **Cystadlaethau Cerddorol**)

Bennett, Elinor (g.1943)

Telynores bwysicaf ei chyfnod yng Nghymru a lladmerydd unigryw dros nifer o achosion cerddorol arbennig, gan gynnwys sefydlu Canolfan Gerdd **William Mathias** yng Nghaernarfon yn 1999. Fel brodor o Lanuwchllyn, cafodd ei haddysg gynnar yn un o ardaloedd cyfoethocaf y diwylliant cerddorol Cymraeg a datblygodd yn delynores ddawnus yn ystod ei dyddiau ysgol. Ym Mhrifysgol Aberystwyth graddiodd yn y gyfraith ond aeth ymlaen i astudio'r delyn yn yr Academi Gerdd Frenhinol yn Llundain gydag **Osian Ellis**. Cafodd sawl cyfle mawr yn ystod ei blynyddoedd cynnar yn Llundain, megis perfformio yn Aldeburgh dan arweiniad Benjamin Britten ac ar nifer o recordiadau pwysig, gan gynnwys un o ddisgiau cyntaf y gantores Margaret Price. Yn 1970 cyflwynodd y perfformiad cyntaf o'r *Fantasy* gan **Alun Hoddinott** yn Neuadd Wigmore, Llundain.

Parhaodd ei gyrfa gerddorol ar ôl priodi Dafydd Wigley yn 1967, ond fel gwraig i un o wleidyddion Cymreig mwyaf blaenllaw ei genhedlaeth daeth cyfrifoldebau eraill i'w rhan yn gynyddol. Pan ddaeth yn amlwg fod eu dau fab cyntaf yn dioddef o anabledd difrifol cyfyngwyd ymhellach ar ei hannibyniaeth fel perfformiwr. Yn nodweddiadol iawn ohoni, trodd Elinor y profiad o ddefnyddio cerddoriaeth i leddfu dioddefaint dwys ei meibion i ddiben ymarferol ehangach trwy astudio'r datblygiadau mewn therapi cerdd yn Awstralia, ar ôl ennill Ysgoloriaeth Churchill yn 1985. Rhoddodd hyn ar waith wedyn yng Ngwynedd gan arwain at benodi therapydd cerdd proffesiynol cyntaf y sir yn dilyn cynllun peilot yn adran gerdd **Prifysgol** Bangor lle'r oedd Elinor yn diwtor **telyn**.

Wrth ailgydio yn ei gyrfa bu'n ddygn yn denu

cyfansoddwyr cyfoes Cymru i gyfansoddi ar gyfer y delyn, gan gychwyn gyda *Llyfr-lloffion y Delyn/ Harp Scrapbook* **John Metcalf** yn 1990. Dan ei golygyddiaeth cyhoeddwyd dwy gyfrol yn dwyn y teitlau *Telyn Fyw* (Curiad, 1996) a *Telyn Fyw 2* (Curiad, 1998) sy'n ffrwyth ei brwdfrydedd i greu *repertoire* newydd ar gyfer offeryn traddodiadol. Yn dilyn cyfnod hir o gynllunio yn ystod yr 1990au aeth Elinor ati i sefydlu Canolfan Gerdd **William Mathias** yng Nghaernarfon, yn rhannol i lenwi'r bwlch dirfawr ym maes **addysg** gerddorol yn hen siroedd gogledd Cymru, ond hefyd fel canolbwynt i astudiaethau cerdd annibynnol mewn nifer o feysydd amrywiol. O symud i'r Galeri yn Noc Fictoria Caernarfon yn 2004 datblygodd y Ganolfan yn bwerdy creadigol unigryw. Elinor hefyd yw sylfaenydd **Gŵyl** Delynau Ryngwladol Caernarfon a gynhelir bob tair blynedd yn Galeri. Derbyniodd OBE yn 2005. Recordiodd yn helaeth ym meysydd **cerddoriaeth glasurol a chelfyddydol** a'r traddodiadol.

Disgyddiaeth Ddethol
Darlun o'r Delyn (Sain SCD9053, 1988)
Telynau a Chân (Sain SCD4041, 1991)
Mathias, *Santa Fe Suite* (Nimbus NI5441, 1995)
Alawon John Thomas, Pencerdd Gwalia (Sain SCD2195, 1998)

Llyfryddiaeth
Elinor Bennett, *Tannau Tynion* (Cyfres y Cewri 35) (Gwasg Gwynedd, 2011)

Geraint Lewis

Bevin neu Bevan, Elway
(*c.*1554–1638)

Organydd, damcaniaethwr a chyfansoddwr. Ymddengys mai yn Lloegr y treuliodd ei holl yrfa, ond mae'n bosibl fod ei enw, ffurf Seisnigedig ar Elwy ap Ifan efallai, yn awgrymu cysylltiad teuluol cynharach â Dyffryn Clwyd (trwy Afon Elwy). Honnodd yr hynafiaethydd o Rydychen, Anthony Wood (1623–95) hefyd, mewn ffordd amhenodol, ei fod o dras Gymreig. Yn ddiweddar, darganfuwyd enw Bevin yng nghofnodion eglwys blwyf St Edmund, Caersallog, sy'n cadarnhau iddo gael ei gyflogi yno fel clerc lleyg yn 1576–7; bu hefyd yn gwneud cyfrifon wardeiniaid yr eglwys. Mae'n bosibl fod y trefniant hwn wedi parhau hyd nes iddo gael ei dderbyn i Eglwys Gadeiriol Wells yn ficer corawl ym mis Mai 1579, er iddo gael ei atal dros dro ym mis Ionawr 1580 am esgeuluso

cymuno am bedair blynedd (mae dyfalu ei fod efallai'n reciwsant).

Yn ddiweddarach, cofnodir bod Bevin yn feistr cantorion côr Eglwys Gadeiriol Bryste o fis Mawrth 1585, ac yna'n organydd yn 1589. Yn ôl pob tebyg byddai wedi adnabod y William Childs ifanc yno; honnai Wood fod y cyfansoddwr a'r organydd yn ddisgybl i Bevin. Ymddengys fod Bevin wedi dal ei swydd yn yr eglwys gadeiriol yr un pryd â'i ddyletswyddau yn y Capel Brenhinol, lle cafodd ei benodi'n Wrda Arbennig ar 3 Mehefin 1605. Cafodd Bevin ei ddiswyddo o'r eglwys gadeiriol yn y pen draw naill ai yn 1637 neu yn 1638, efallai oherwydd llesgedd, ac fe'i claddwyd yn eglwys St Augustine-the-Less, Bryste, lle'r oedd chwech o'i blant wedi eu bedyddio rhwng 1590 ac 1603.

Ychydig o gerddoriaeth a adawodd Bevin, er bod canu o hyd ar ei Wasanaeth Doraidd (Byr), a oedd yn ddigon poblogaidd i gael ei gynnwys yng nghasgliad John Barnard, *The First Book of Selected Church Musick* (1641). Roedd gan Bevin ddiddordeb mewn canonau a ffurfiau caeth eraill, ac roedd gan sawl cyfansoddwr diweddarach, gan gynnwys Henry Purcell, feddwl uchel ohono. Cyhoeddwyd ei lawlyfr i ddarpar gerddorion, *A Briefe and Short Instruction of the Art of Musicke*, yn 1631 a'i gyflwyno i esgob Caerloyw, Godfrey Goodman; mae'n bosibl mai Goodman a oedd wedi sicrhau lle i Bevin yn y Capel Brenhinol, a'i fod yntau hefyd yn Babydd.

Llyfryddiaeth
J. G. Hooper, *The Life and Work of Elway Bevin* (Bristol, 1971)
Helen Barlow, 'Bevin, Elway', *Oxford Dictionary of National Biography*, gol. C. Matthew, B. Harrison et al., 60 cyfrol (Rhydychen, 2004; ar-lein <http://www.oxforddnb.com/>)
Elway Bevin, *A Briefe and Short Instruction of the Art of Musicke*, gol. Denis Collins (Aldershot, 2007)

Sally Harper

Big Leaves

Band roc Cymraeg o ardal Waunfawr ger Caernarfon a fu'n boblogaidd yn ystod diwedd yr 1990au ac ym mlynyddoedd cynnar y mileniwm. Aelodau'r band oedd Rhodri Sion (llais), Meilir Gwynedd (gitâr), Kevin Tame (gitâr fas, trwmped) ac Osian Gwynedd (drymiau, allweddellau).

Ffurfiodd y band yn 1988 dan yr enw Beganifs (gyda Rhys Sion ar y drymiau) tra'r oedd yr aelodau i gyd yn eu harddegau cynnar. Daethant i sylw

Geraint Jarman ar ôl ymddangos ar raglen bop S4C *Fideo 9*, a bu'r band yn teithio gyda Jarman a'r Cynganeddwyr yn ystod yr 1990au cynnar. Rhyddhaodd Beganifs ddau gasét EP ar label Ankst. Gan ddod i sylw hyrwyddwyr a threfnwyr tu hwnt i Gymru, dyma'r band yn newid eu henw i Big Leaves. Yn sgil llwyddiant *Cool Cymru* ynghanol yr 1990au, teithiodd Big Leaves yn gyson gyda bandiau megis **Catatonia** a'r **Super Furry Animals**. Fodd bynnag, ni dderbyniodd y grŵp sylw na chydnabyddiaeth haeddiannol, er i gyflwynwyr radio megis y DJ Mark Radcliffe eu hyrwyddo ar Radio 1, ac er i ganeuon megis 'Seithenyn' (am chwedl Cantre'r Gwaelod) a 'Dydd ar ôl Dydd', brofi'n boblogaidd iawn ar raglenni Radio Cymru.

Rhyddhaodd Big Leaves eu record hir gyntaf, *Pwy Sy'n Galw*, yn 2000. Profodd y band lwyddiant tu hwnt i Gymru am gyfnod, gan berfformio mewn **gwyliau** megis South by Southwest yn Austin, Texas, yn 2002, ond chwalodd y grŵp yn fuan ar ôl rhyddhau eu hail record hir *Alien & Familiar* yn 2004.

Aeth y ddau frawd Meilir ac Osian Gwynedd ymlaen i ffurfio **Sibrydion**, band a brofodd gryn lwyddiant rhwng 2004 a 2010. Yr aelodau eraill oedd Dan 'Fflos' Lawrence (gitâr flaen), Rhys Roberts (gitâr fas), a fu hefyd yn aelod o **Anweledig**, a Dafydd Nant (drymiau). Perfformiodd Sibrydion am y tro cyntaf yn **Eisteddfod** Genedlaethol Casnewydd 2004 gan ryddhau eu halbwm cyntaf *JigCal* flwyddyn yn ddiweddarach.

Gan arbrofi gydag ystod ehangach o arddulliau na roc caled Big Leaves gan gynnwys sain fwy acwstig a gwerinol, enillodd y grŵp gategori albwm gorau 2006 yng Ngwobrau Roc a Phop BBC Radio Cymru am *JigCal*. Rhyddhawyd eu hail albwm, *Simsalabim*, yn 2007, ar label Copa, ac yna albwm yn Saesneg, *Campfire Classics*, yn 2009. Sibrydion oedd band gorau 2009 yng ngwobrau'r Selar.

Disgyddiaeth

Beganifs:
Ffraeth [EP] (Ankst 026, 1992)
Aur [EP] (Ankst 035, 1992)

Big Leaves:
Trwmgwsg [EP] (Crai CD062, 1998)
Belinda [EP] (Crai CD066, 1999)
'Sly Alibi' [sengl] (Whipcord W-CRACK002, 1999)
'Racing Birds' [sengl] (Whipcord W-CRACK003, 1999)
'Fine' [sengl] (Metropolis MET1, 2000)
Pwy Sy'n Galw? (Crai CD069, 2000)
Animal Instinct [EP] (Dell'Orso EDDA02, 2001)
'Electro-Magnetic Pollution' [sengl] (BOOB 009CD, 2001)

'Speakeasy' [sengl] (Dell'Orso EDDA04, 2002)
Siglo [EP] (Crai CD082, 2002)
Alien & Familiar (Dell'Orso, EDDA 05CD, 2004)

Sibrydion:
JigCal (Rasal CD009, 2005)
Simsalabim (Copa CD002, 2007)
Campfire Classics (Dell'Orso EDDA17CD, 2008)

Pwyll ap Siôn

Bingley, William (1774–1823)

Offeiriad, botanegydd a cherddor amatur. Fe'i bedyddiwyd yn Doncaster, Swydd Efrog, lle cafodd ei addysg gynnar, ac oddi yno aeth i Peterhouse, Caergrawnt (1795) lle graddiodd yn BA (1799) ac MA (1803). Fe'i hurddwyd yn offeiriad yn Eglwys Loegr a gwasanaethodd yn Mirfield (Swydd Efrog), Christchurch (Hampshire) ac yng Nghapel Fitzroy, Eglwys Sant Saviour, Charlotte Street, Llundain. Yn 1800 fe'i gwnaed yn Gymrawd o'r Gymdeithas Linneaidd.

Yn 1798 treuliodd wyliau'r haf yn teithio o amgylch gogledd Cymru am dri mis a chyhoeddodd hanes y daith mewn dwy gyfrol o'r enw *A Tour Round North Wales …* (1800), gyda'r nod o 'arwain teithwyr y dyfodol'. Mae'n cydnabod ei ddyled i gyhoeddiadau Thomas Pennant (1726–98) ac **Edward Jones** (Bardd y Brenin; 1752–1824), i'r olaf o'r ddau'n arbennig am ei wybodaeth am feirdd, cerddoriaeth, **offerynnau** ac arferion Cymru, a chynhwysir darn wedi'i drawsgrifio o lawysgrif **Robert ap Huw** hefyd.

Mae ail gyfrol y *Tour* yn cynnwys 'Select Specimens of Welsh Music', sef pymtheg o alawon a cheinciau Cymreig: 'Ar Hyd y Nos'; 'Blodau'r Grug'; 'Cwynfan Brydain'; 'Difyrrwch Arglwyddes Owen's'; 'Dowch i'r Frwydr'; 'Glan Meddwdod mwyn'; 'Llwyn On'; 'Merch Megan'; 'Morfa Rhuddlan'; 'Nos Galan'; 'Suo Gan'; 'Tri Chant o Bunnau'; 'Triban Gwyr Morgannwg'; 'Y Gadlys'. Am y rhain dywed (t. 289):

> Yn yr alawon a ddewisais, newidiais gywair rhai ohonynt, a newid y bas, fel y gellid eu haddasu'n well ar gyfer yr harpsicord. Mae'r rhan fwyaf o'r telynorion y cyfarfûm â hwy yng Nghymru yn chwarae yng nghyweiriau mwyaf G a D, nad ydynt yn gweddu o gwbl i destunau lleddf. Cymerwyd chwech o'r alawon o gasgliad rhagorol Mr Jones, ac ysgrifennais y gweddill o'r delyn, pan oeddwn yn y wlad honno.

Mae hyn nid yn unig yn amlygu ei dueddiadau golygyddol a'i ddoniau cerddorol, ond hefyd yn cadarnhau ei fod yn gasglwr brwd. Anghofiwyd ei gyfansoddiadau gwreiddiol i raddau helaeth.

Dychwelodd i ogledd Cymru yn 1801 am bedwar mis o Fehefin hyd Fedi, gan gymryd diddordeb arbennig yn siroedd Dinbych, Meirionnydd, Caernarfon a Môn. Yn sgil hynny cyhoeddwyd *Sixty of the most admired Welsh Airs collected … By the Rev. W. Bingley … arranged for the Pianoforte By W. Russell. Junr Organist of the Foundling Hospital, London* (1803). Roedd y rhan fwyaf o'r alawon hyn wedi eu hargraffu'n flaenorol mewn cyhoeddiadau gan **John Parry** (Rhiwabon) ac **Edward Jones** (Bardd y Brenin).

Cyfunwyd teithiau 1798 ac 1801 yn y ddwy gyfrol *North Wales; including its Scenery, Antiquities, Customs … delineated from Two Excursions …* (1804). Mae'r ail gyfrol yn cynnwys 'Sixteen Admired Welsh Airs' y mae chwech ohonynt ('Ar Hyd y Nos', 'Difyrwch Arglwyddes Owain', 'Llwyn On', 'Merch Megan', 'Morfa Rhuddlan', 'Nos Galan') yn ymddangos yng nghyhoeddiad 1800; mae'r gweddill – 'Blodau y Drain', 'Codiad yr Haul', 'Codiad yr Hedydd', 'Difyrwch Gwyr Dyfi', 'Grisial Ground', 'Hai Lwli', 'Megan a golles ei gardas', 'Toriad y Dydd', 'Y Dydd Cyntaf o Awst', 'Ymadawiad y Frenhines' – i'w cael hefyd yng nghasgliad 1803 o'i eiddo. Nid yw'r argraffiadau a ddilynodd yn cynnwys cerddoriaeth. Archwiliodd Bingley dair canrif o gerddoriaeth Ewropeaidd yn ei *Musical Biography…* (1814). Bu farw yn Charlotte Street, Llundain, ar 11 Mawrth 1823.

David R. Jones

Blew, Y

Er mai byrhoedlog fu gyrfa'r grŵp, chwaraeodd Y Blew ran allweddol yn natblygiad y byd canu cyfoes Cymraeg yn yr 1960au. Dyma fand, yn anad dim, a fu'n gyfrifol am foderneiddio byd pop Cymraeg a oedd hyd hynny wedi'i nodweddu gan artistiaid acwstig a cherddoriaeth braidd yn sentimental. Roedd eu perfformiadau byw herfeiddiol a'u sengl 'Maes B' yn arwyddocaol am eu bod wedi profi addasrwydd y Gymraeg ar gyfer **canu roc**.

Aelodau'r band oedd Maldwyn Pate (llais), Dafydd Evans (gitâr fas), Geraint Evans (drymiau) a Richard Lloyd (gitâr flaen). Ymunodd Dave Williams (allweddellau) yn ddiweddarach. Bu Dafydd Evans yn gwrando ar roc a rôl o'i blentyndod, a ffurfiodd fand sgiffl Saesneg, y Firebirds, gyda ffrindiau ysgol yn Llandeilo yn 1962 cyn mynd ymlaen i chwarae

mewn sawl grŵp roc Saesneg yng nghanol yr 1960au. Ymddiddorai mewn llenyddiaeth a chelf gyfoes, ac yn nes ymlaen mewn seicedelia, ac roedd yn weithgar yng ngwleidyddiaeth myfyrwyr Coleg **Prifysgol** Aberystwyth, lle'r oedd yn astudio am radd yn y gyfraith. Bu hefyd yn canfasio dros ei dad, Gwynfor Evans, yn ystod ei ymgyrch lwyddiannus i gael ei ethol yn Aelod Seneddol Plaid Cymru dros Gaerfyrddin yn 1966. Ffurfiodd ef a Maldwyn Pate fand o'r enw Y Pedair Kaink ar gyfer perfformiad mewn cyngerdd gan Blaid Cymru yn **Eisteddfod** Genedlaethol Aberafan yn Awst 1966.

Roedd y perfformiad – sef cyfieithiadau o ganeuon roc Eingl-Americanaidd enwog – yn ddigon llwyddiannus i gyfiawnhau ffurfio band newydd, a daeth Y Blew i fodolaeth. Roedd pob un o'r aelodau yn fyfyriwr yng Ngholeg Prifysgol Aberystwyth, ac yn y dref honno gwnaethant ymddangos am y tro cyntaf ar lwyfan, ar 6 Chwefror 1967. Buont yn perfformio fel band proffesiynol am y deng mis nesaf, gan fynd ar deithiau cenedlaethol dair gwaith a chwarae tua hanner cant o gigiau, yn bennaf yn y de a'r canolbarth.

Rhoddodd y band bwyslais a sylw hefyd i hyrwyddo a delwedd, gan fabwysiadu slogan y Beatles gyda phosteri yn datgan 'Mae'r Blew yn dod …' Gyda'u sbectols haul, eu jîns a'u gwallt hir, edrychent yn hollol wahanol i'w cyfoedion yn y byd pop Cymraeg, fel **Tony ac Aloma** neu'r **Pelydrau**, a ffafriai wisg ac arddull gerddorol mwy ceidwadol. Perfformiodd y band yn y Babell Lên yn Eisteddfod Genedlaethol y Bala yn 1967 – achlysur y tueddir i edrych yn ôl arno heddiw fel un chwyldroadol ac arloesol, er bod cyd-destun y perfformiad (fel rhan o 'raglen bop' arbrofol) yn ategu'r dystiolaeth nad oedd yr ymateb cyhoeddus mor gyffrous â hynny ar y pryd.

Unig recordiad Y Blew oedd y sengl 'Maes B' (Qualiton, 1967). Recordiwyd dwy gân, 'Maes B' a 'Beth Sy'n Dod Rhyngom Ni' yn stiwdio'r cwmni yn Abertawe ddiwedd Medi 1967, a rhyddhawyd y sengl yn y mis Tachwedd dilynol, yn ddigon buan i ymddangos yn siartiau cyntaf *Y Cymro*. Er ei llwyddiant, ni chafodd sengl arall ei recordio; aeth cynlluniau ar gyfer albwm cysyniadol ar thema Eisteddfod seicedelig i'r gwellt yn sgil y penderfyniad i ddirwyn y band i ben. Aeth Richard Lloyd ymlaen i brofi llwyddiant yn y siartiau Prydeinig gyda band y Flying Pickets yn yr 1980au.

Nid Y Blew oedd y **band roc** Cymraeg cyntaf, yn groes i'r dyb gyffredin, ond yn sicr hwy oedd y band roc cyntaf i adael marc ar y byd pop Cymraeg.

Yn ôl Hefin Wyn, 'Doedd dim yn anghyffredin yn yr hyn yr oedd Y Blew yn ei wneud o ran ansawdd y gerddoriaeth … [ond] yr hyn a oedd yn chwyldroadol am Y Blew oedd eu bod nhw'n gwneud hynny yn Gymraeg' (Wyn 2002, 89). Fodd bynnag, yn wahanol i rai o artistiaid y cyfnod, megis **Dafydd Iwan** a **Huw Jones**, nid oedd yna elfen wleidyddol amlwg yn perthyn i'r grŵp. Fel y dywed **Sarah Hill**, roedd Cymreictod y band yn 'ffaith ieithyddol' yn hytrach nag yn 'ddatganiad gwleidyddol' (Hill 2007, 65). Roedd llawer yn parhau i ganmol y band yn yr 1970au, gan gynnwys Hefin Elis, a aeth ymlaen i ffurfio **Edward H Dafis**.

Disgyddiaeth

'Maes B'/'Be Sy'n Dod Rhyngom Ni' [sengl] (Qualiton QSP7001, 1967)

Llyfryddiaeth

Hefin Wyn, *Be Bop a Lula'r Delyn Aur* (Talybont, 2002)
Sarah Hill, *'Blerwytirhwng?' The Place of Welsh Pop Music* (Aldershot, 2007)

Craig Owen Jones

Bob Delyn a'r Ebillion

Grŵp gwerin-roc amgen dyfeisgar a dylanwadol oedd Bob Delyn a'r Ebillion (neu Bob Delyn), a ddaeth i amlygrwydd yn ystod yr 1990au. Ffurfiwyd y band gan y bardd a'r cerddor Twm Morys (llais, **telyn**, gitâr) ynghyd â Gorwel Roberts (gitâr). Aelod arall cyson oedd Edwin Humphreys (sacsoffon, clarinet), gynt o'r grŵp *reggae* o Fethesda, Y Jecsyn Ffeif, ac yn aelod o **Geraint Løvgreen** a'r Enw Da. Roedd enw'r grŵp, Bob Delyn a'r Ebillion, yn chwarae ar enw'r ffigwr gwerin amlwg o America, Bob Dylan, a fu'n ddylanwad mawr ar Twm a Gorwel.

Wedi cyfnod o jamio a pherfformio byrfyfyr mewn sesiynau gwerin, rhyddhaodd Bob Delyn *Croeso i'r Crac Cymraeg* (1989), casét EP pedair cân ar eu liwt eu hunain. Roedd arddull gynnar y grŵp yn mynd yn ôl at wreiddiau'r traddodiad gwerin gan gyfuno canu amrwd a herfeiddiol ag elfennau gwrthsefydliadol pync-roc. Yn hyn o beth roedd hi'n bosibl gweld tebygrwydd rhwng yr hyn yr oedd Bob Delyn yn ceisio'i wneud yng Nghymru a chynnyrch grwpiau pync-gwerin megis The Pogues a The Wolfe Tones ar lefel fwy rhyngwladol.

Yn wir, mewn adolygiad yn y cylchgrawn *Sothach*, disgrifiwyd 'Gwyddel yn y Dre' fel y gân 'pync-gwerin gyntaf yn y Gymraeg'. Yn yr un adolygiad mae'r awdur yn crynhoi'r gwahaniaeth sylfaenol rhwng Bob Delyn a grwpiau gwerin eraill Cymraeg y cyfnod: 'Anghofiwch [am y rhagfarn sy'n bodoli tuag at] **ddawnsio gwerin** … yr **Eisteddfod**, twmpathau hen ffasiwn yr Urdd a gwylio **Ar Log** eto fyth yn perfformio set nodyn-berffaith ddiflas, mae Bob D[elyn] yma i roi'r sioc ddiwylliannol fwyaf ers cryn amser' ([dienw] 1990, 24). Symbylodd 'Gwyddel yn y Dre' a chaneuon tebyg gan Bob Delyn nifer o ddynwarediadau gan grwpiau pync-gwerin megis Y Defaid a **Gwerinos**.

Ynghyd â Twm, Gorwel ac Edwin, yr aelodau eraill oedd **Bethan Miles** (**ffidil**, feiola) a Gareth Jones (drymiau, *bodhran*). Daeth sylw pellach i'r grŵp yn dilyn rhyddhau eu halbwm cyntaf, *Sgwarnogod Bach Bob* (Crai, 1990), lle clywid trefniannau ffres ac anarferol o alawon traddodiadol, weithiau gyda geiriau newydd gan Twm (fel 'Un bore/'Asu Jo'). Erbyn rhyddhau eu hail albwm, *Gedon* (Crai, 1992), roedd aelodaeth y band wedi sefydlogi ac yn cynnwys Jamie Dore (gitâr fas), Hefin Huws (drymiau, gynt o **Maffia Mr Huws**) a'r gantores o Lydaw, Nolwenn Korbell. Gyda Korbell yn dod yn fwyfwy amlwg yn y broses greadigol (a Twm yntau'n rhugl yn yr iaith), canwyd ambell gân yn Llydaweg (megis 'Llewg Zotrog oz Llep Zotrog'), a threiddiodd y dylanwad Llydewig i mewn i sain y grŵp hefyd, megis y defnydd o'r bombard yn 'Ffair y Bala'.

Recordiwyd *Sgwarnogod Bach Bob* a *Gedon* yn Stiwdio Ofn ym Môn, gyda'r amryddawn Gorwel Owen (a fu hefyd yn cynhyrchu ar ran **Datblygu**, y **Super Furry Animals** a **Gorky's Zygotic Mynci**) wrth y llyw. Bu'n berthynas symbiotig, gyda'r band yn barod i arbrofi gyda thechnegau stiwdio megis samplo, recordio gitarau am yn ôl, defnydd o seiniau ac offerynnau anarferol, *loops* ac ati. Fodd bynnag, bu cyfnodau hir yn aml rhwng un recordiad a'r nesaf, yn rhannol oherwydd yr amser a'r gofal a roddwyd i'r caneuon yn y stiwdio.

Bu bwlch o bedair blynedd rhwng *Gedon* a'r trydydd albwm, *Gwbade Bach Cochlyd* (Crai, 1996). Perthynai awyrgylch mwy dwys a mewnsyllgar i *Gwbade Bach Cochlyd*, a bu rhyddhau'r casgliad hwn yn benllanw yn hanes y grŵp: gadawodd Korbell wedyn ac ymfudodd Dore i Awstralia. Aeth cyfnod o saith mlynedd heibio cyn rhyddhau *Dore* (Crai, 2003), yr oedd ei deitl yn chwarae ar gyfenw cyn-fasydd y grŵp (ac yn deyrnged iddo) ynghyd â'r syniad o agor drysau. Gyda chyfraniadau gan John Lawrence (gynt o **Gorky's Zygotic Mynci**) ar y gitâr ddur a **Gai Toms** ar y bas dwbl, clywid sain fwy breuddwydiol a rhith-weledigaethol ar draciau megis 'Cân yr Haul' a 'Hen Ŵr Mwyn'.

Mae *Dal i 'Redig Dipyn Bach* (Sain, 2017) yn albwm trawiadol ac eithaf lleddf ei gywair, gyda chysgod colledion personol y canwr yn drwm dros nifer o'r caneuon; dywed un adolygiad y gellid disgrifio'r albwm cyfan bron fel 'rhyw fath o farwnad estynedig' i Iwan Llwyd, cyfaill Twm Morys a'i gydymaith ar deithiau barddol cyn ei farw annhymig yn 2010 (Baines 2017, 38).

A hwythau'n amharod i aros yn segur yn greadigol, clywir datblygiad ac aeddfedrwydd cynyddol ym mhob un o recordiadau'r grŵp, o'r arddull pync-gwerin i ganeuon araf a dwys y recordiadau mwy diweddar, sydd wedi eu crefftio'n ofalus a'u cynhyrchu'n soffistigedig. Fodd bynnag, efallai fod geiriau'r adolygydd am yr albwm cyntaf yn berthnasol i holl gynnyrch y grŵp ar hyd y blynyddoedd: 'Yn gyfoes neu'n gyntefig, yn ddinesig neu'n wledig, mae cerddoriaeth Bob Delyn yn llwyddo orau yn y gofod sydd rhwng categorïau tebyg, yn puro, yn ailddiffinio ac yn alcemeiddio' (1990, 24).

Disgyddiaeth

Sgwarnogod Bach Bob (Crai C005A, 1990)
Bob Dolig [sengl] (Crai C011E, 1990)
Gedon (Crai CD021, 1992)
Gwbade Bach Cochlyd (Crai CD049, 1996)
Dore (Sain SCD2421, 2003)
Dal i 'Redig Dipyn Bach (Rasal SCD2773, 2017)

Llyfryddiaeth

[dienw] 'Adolygiad o Sgwarnogod Bach Bob', *Sothach* (Hydref, 1990), 24–5
Menna Baines, 'Adolygiad o *Dal i 'Redig Dipyn Bach'*, *Barn*, 658 (Tachwedd, 2017), 38

Pwyll ap Siôn

Bob Tai'r Felin
(gw. **Roberts, Robert**)

Bonello, Gareth
(gw. **Gentle Good, The**)

Bois y Blacbord

Grŵp canu harmoni clòs o ysgolfeistri a ffurfiwyd yn 1958 yn Ysgol Haf flynyddol awdurdod addysg Sir Gaerfyrddin. Yn ogystal â chanu penillion mewn cystadlaethau cenedlaethol roedd Bois y Blacbord yn ymroi i adloniant ysgafn y cyfnod, gan gynnwys

caneuon gwerin wedi'u haddasu at ddant cynulleidfa eang.

Bu'r Bois yn brysur am flynyddoedd yn canu mewn cyngherddau elusennol ac ar raglenni teledu a radio. Cawsant ran hefyd yn seremoni agoriadol **Eisteddfod** Genedlaethol Llanelli yn 1962. Yn 1964 aethant ar daith i Iwerddon lle cawsant gryn sylw mewn cyngherddau ac ar y **cyfryngau**. Yr **arweinydd** oedd Noel John ac ef hefyd a oedd yn gyfrifol am addasiadau cerddorol eu *repertoire*.

Disgyddiaeth

'Hen Fenyw Fach Cydweli' [sengl] (Welsh Teldisc SPWD909, 1963)
Caneuon Difyrrus Bois y Blacbord … Jovial Songs of the Blackboard Boys [EP] (Welsh Teldisc TEP841, 1964)
Noson Lawen [EP] (Wren WRE1001, 1964)
Nadolig yng Nghwmni Bois y Blacbord [EP] (Wren WRE1010, 1965)
Bois y Blacbord [EP] (Wren WRE1019, c.1965)

Casgliadau amrywiol:
Y Bois a'r Hogia (Sain SCD2578, 2010)

Sarah Hill

Bois y Frenni

Parti noson lawen o ardal Crymych, Sir Benfro, a gafodd ei ffurfio yn ystod yr Ail Ryfel Byd a hynny'n wreiddiol er mwyn cynnig adloniant yn lleol ac i godi ysbryd y gymdogaeth mewn cyfnod anodd. Cynhaliwyd eu perfformiad cyntaf yn Neuadd Bentref Boncath ar 6 Tachwedd 1940 dan arweiniad sylfaenydd y parti, William Rees Evans (1910–91), a oedd yn awdur cerddi ysgafn a chyfansoddwr caneuon hwyliog. Roedd yn frodor o Fynachlog-ddu; bu'n athro yn Abergwaun a'r Barri ac yna'n drefnydd iaith ac arolygydd ysgolion yn Sir Benfro. Roedd Evans yn adnabyddus fel arweinydd nosweithiau Bois y Frenni am hanner canrif.

O ystyried mai yng nghysgod yr Ail Ryfel Byd y sefydlwyd y grŵp, nid yw'n syndod gweld cyfeiriadaeth at awyrennau a bomiau yn rhai o'u caneuon cynnar, fel 'Cwtsh Dan Stâr', a hynny yn nhafodiaith naturiol yr ardal ('Mae gennyf loches rhag y bom/Cwtsh dan Stâr, cwtsh dan stâr/Lle rhed y wraig, a fi a'r pom/Cwtsh bach net dan stâr/Caf yno lonydd rhag pob sŵn/Rhag eroplên a chyfarth cŵn').

Yn wahanol i grwpiau'r 'Hogiau', oedd ar y cyfan yn hanu o Ogledd Orllewin Cymru ac aelodaeth cymharol ddigyfnewid yn perthyn iddynt, drwy gadw'r aelodaeth yn fwy hyblyg, llwyddodd grwpiau'r

'Bois' i ddatblygu a pharhau am flynyddoedd lawer. **Adloniant**, hwyl a chwmnïaeth yr aelodau drwy ganu caneuon ysgafn y cyfnod oedd prif amcan sefydlu'r 'Bois'; yn Nhachwedd 2015, er mwyn nodi 75 mlynedd ers sefydlu Bois y Frenni, cynhaliwyd cyngerdd yn yr un man lle'u clywyd am y tro cyntaf.

Llyfryddiaeth

W. R. Evans, *Cerddi Bois y Frenni* (Llandysul, 2000)

Sarah Hill

Bowen, Kenneth (g.1933)

Ganed Kenneth Bowen yn Llanelli ac fe'i haddysgwyd yng Ngholeg y Brifysgol, Aberystwyth, a Choleg Sant Ioan, Caergrawnt, lle'r oedd yn aelod o gôr enwog y capel dan arweiniad **George Guest**. Yn ystod yr 1960au cynnar enillodd lawer o wobrau pwysig, gan gynnwys gwobr Cystadleuaeth Ryngwladol Munich a Gwobr y Frenhines.

Cafodd yrfa ryngwladol ddisglair ac yn ôl ym Mhrydain perfformiodd ym mhob un o'r **gwyliau** cerddorol blaenllaw a chyda'r prif gwmnïau opera, gan gynnwys yr Opera Frenhinol yn Covent Garden, Cwmni Opera Cenedlaethol Cymru, Cwmni Opera Cenedlaethol Lloegr ac Opera Deithiol Glyndebourne. Canodd lawer gwaith yng **Ngŵyl** y Tri Chôr a'r Proms ac oherwydd ei ddeallusrwydd cerddorol fe'i gwahoddwyd yn aml i berfformio mewn gweithiau cyfoes. Bu'n bennaeth astudiaethau llais yn yr Academi Gerdd Frenhinol am nifer o flynyddoedd, ac o 1983 hyd 2008 ef oedd Arweinydd Corál Cymry Llundain. Bu'n gadeirydd y Gymdeithas Athrawon Canu (1991–2) a daeth llawer o anrhydeddau iddo, gan gynnwys gradd doethur mewn cerddoriaeth er anrhydedd gan Brifysgol Cymru.

Bu llais swynol Kenneth Bowen yn ysbrydoliaeth i genedlaethau o denoriaid ifanc ac mae llawer o gyfansoddwyr cyfoes yn ddyledus iddo am ei ofal proffesiynol wrth baratoi gweithiau newydd, yn eu plith **Dilys Elwyn-Edwards** a ddyfalbarhaodd i berffeithio ei chân enwog 'Mae hiraeth yn y môr', i raddau helaeth oherwydd y modd y'i hysbrydolwyd gan gywreinrwydd artistig a llais Kenneth Bowen.

Disgyddiaeth

Mae Hiraeth yn y Môr (Sain SCD2570, 2008)

Richard Elfyn Jones

Bowen, Robin Huw (g.1957)

Arbenigwr ar y **delyn deires** a **cherddoriaeth draddodiadol**. Fe'i ganed yn Lerpwl, er bod ei rieni'n hanu o Ynys Môn. Gyda'i deulu'n rhan o gymdeithas Gymraeg y ddinas, cafodd fagwraeth Gymreig iawn er mai yn Saesneg y derbyniodd ei addysg gynnar. Daeth dan ddylanwad y telynor Alan Stivell yn ystod ei ieuenctid a dechreuodd ddysgu canu'r delyn Geltaidd yn 17 oed. Yn 1979, graddiodd mewn Cymraeg o Brifysgol Cymru, Aberystwyth.

Dechreuodd ganu'r delyn deires yn 1980 tra oedd yn gweithio yn **Llyfrgell Genedlaethol Cymru** yn Aberystwyth, ar ôl cael ei gyflwyno i'r offeryn gan y brodyr Dafydd a Gwyndaf Roberts o **Ar Log**. Mireiniodd ei grefft dros y chwe mlynedd ddilynol cyn mentro ar yrfa broffesiynol fel telynor. Cyfarfu ag Eldra Jarman (Roberts gynt) (1917–2000) yn 1991 a throsglwyddodd hithau alawon ac arddull yr hen sipsiwn Cymreig iddo; alawon megis *Eldra's Polka* a gyfansoddodd ei hun, yn ogystal â hen alawon a etifeddodd oddi wrth ei hen-daid, **John Roberts** (Telynor Cymru). Yn 2000 cyfansoddodd y sgôr ar gyfer y ddrama deledu *Eldra* a oedd yn seiliedig ar blentyndod Eldra Jarman. Perfformiodd y sgôr ei hun ar y delyn, ac enillodd wobr BAFTA Cymru am y gerddoriaeth wreiddiol orau.

Mae Robin Huw Bowen yn unawdydd blaenllaw sy'n unigryw fel perfformiwr ac arbenigwr ar y delyn deires. Teithia i bedwar ban byd gan hyrwyddo'r delyn deires fel offeryn cenedlaethol y Cymry, yn ogystal â hybu a datblygu'r *repertoire* traddodiadol a chyfoes ar gyfer yr offeryn. Adlewyrcha ei *repertoire* o'r gorffennol gerddoriaeth frodorol Gymreig o'r 17g. i'r 19g., pan oedd y delyn deires yn anterth ei bri. Y mae wedi ymchwilio'n fanwl i'r gerddoriaeth hon ac i'r modd y câi'r delyn deires ei chwarae yn yr arddull Gymreig gynhenid, gan ddadansoddi a dehongli'r gerddoriaeth yng ngoleuni hynny.

Ymunodd â'r grŵp traddodiadol Mabsant yn 1983 gan deithio a pherfformio gyda hwy ar hyd a lled Gogledd America, Awstralia ac Ewrop. Rhwng 1990 ac 1996 bu'n perfformio ac yn recordio caneuon gyda Cusan Tân, ac yn 1998 ffurfiodd y grŵp **Crasdant**. Yn 2000 sefydlodd ef a phedwar telynor arall gôr telynau teires o'r enw Rhes Ganol – y côr telynau teires cyntaf i gael ei glywed yn perfformio ers **Eisteddfod** y Fenni yn 1913.

Sefydlodd gwmni cyhoeddi Gwasg Teires yn 1990 gan sicrhau parhad i gerddoriaeth draddodiadol

Gymraeg gyhoeddedig. Ymhlith ei gyhoeddiadau y mae *Tro Llaw: 200 o bibddawnsiau Cymreig o Lyfrgell Genedlaethol Cymru* (1987), *Tannau'r ddraig* (1991), *Llyfr Alawon Poced John Parry Ddall Rhiwabon* (1991), *Llyfr Alawon Poced Mary Richards, Darowen* (1991), *Cadw Twmpath* (1999) a *Ffylantin-tw!* (2012). Y mae hefyd wedi rhyddhau sawl albwm o gerddoriaeth werin ar gyfer y delyn deires, megis *Telyn Berseiniol fy Ngwlad: Sweet Harp* (Teires, 1991), *Hen Aelwyd: Old Hearth* (Sain, 1999), *Y Ffordd i Aberystwyth* (Sain, 2007) ac *Iaith Enaid* (Sain, 2015).

Disgyddiaeth
Telyn Berseiniol fy Ngwlad: Sweet Harp (Teires CDRHB001, 1991)
Hen Aelwyd: Old Hearth (Sain SCD2232, 1999)
Y Ffordd i Aberystwyth (Sain SCD2526, 2007)
Iaith Enaid (Sain SCD2723, 2015)

Gwawr Jones

Boyce, Max (g.1943)

Ganed Max Boyce yng Nglyn-nedd i deulu a oedd wedi symud yno o Ynys-hir yn y Rhondda. Y diwydiant glo oedd y dylanwad pennaf ar ei ddyddiau cynnar. Cafodd ei dad ei ladd mewn ffrwydrad tanddaearol ddyddiau'n unig ar ôl genedigaeth ei fab. Er hynny, bu Max Boyce ei hun yn gweithio mewn pyllau glo am ddegawd, profiad sy'n cael ei adlewyrchu mewn caneuon megis 'Duw! It's Hard' a 'Rhondda Grey'. Fe'i prentisiwyd yn drydanwr yng nghwmni Metal Box yng Nghwm Nedd ac yn ddiweddarach astudiodd i fod yn beiriannydd mwyngloddio ym Mhontypridd.

Wrth astudio yno ymddangosodd ar lwyfannau lleol yn canu **caneuon gwerin**. Yn raddol daeth y perfformiadau hyn i gynnwys y straeon doniol sydd mor nodweddiadol o'i allbwn fel canwr a baledwr. Rhyddhaodd hefyd ddwy record. Y gyntaf o'r rhain oedd *Max Boyce in Session*, a recordiwyd yn y Valley Folk Club, Pontardawe (Cambrian, 1971). Ymhlith y caneuon yr oedd nifer a ddaeth yn ffefrynnau mawr megis 'Hymns and Arias' a 'Slow – Men at Work'. Yn yr un flwyddyn hefyd y rhyddhawyd *Caneuon Amrywiol*, unwaith eto gan Cambrian.

O ganlyniad i'r recordiau hyn, ynghyd ag ymddangosiad ar y rhaglen deledu *Opportunity Knocks*, daeth Max Boyce i sylw cwmni EMI. Dechreuodd ei yrfa o ddifrif ar 23 Tachwedd 1973 pan recordiodd yr albwm byw *Live at Treorchy* (EMI, 1974). Heb fawr o amser i baratoi, llwyddodd i hel criw o gerddorion ynghyd, a pherfformiwyd caneuon megis 'The

Outside-Half Factory' a 'The Ballad of Morgan the Moon' o flaen cynulleidfa nad oedd wedi clywed am y canwr. Dotiodd y gynulleidfa at ei ganeuon, at eu perthnasedd lleol, hiwmor ffraeth a'u cyfeiriadau doniol at fyd rygbi.

Llwyddodd y recordiad o'r cyngerdd yn Nhreorci greu record aur i Boyce ac i gwmni EMI. Dilynodd *We All Had Doctors' Papers* (EMI, 1975), a recordiwyd yng nghlwb rygbi Pontarddulais. Aeth i rif un yn siartiau'r albymau, y tro cyntaf i record gomedi gyflawni'r fath gamp. Roedd llwyddiant caneuon rygbi Boyce yn adlewyrchu oes aur y tîm cenedlaethol, gyda sêr megis Gareth Edwards, Barry John a Gerald Davies yn disgleirio ar y maes. Dilynodd recordiau aur eraill, megis *The Incredible Plan* (EMI, 1976) ac *I Know 'Cos I Was There!* (EMI, 1978).

Yn sgil y llwyddiannau hyn a'i ddawn i ddiddanu cynulleidfa, blodeuodd ei yrfa fel cyflwynydd **rhaglenni teledu**. Yn ystod yr 1980au a'r 1990au bu'n perfformio mewn pantomeimiau. Cymerodd ran hefyd mewn cyfres o raglenni her ar y teledu. Byddai'n derbyn sialens ym mhob un, megis chwarae pêl-droed Americanaidd, marchogaeth fel cowboi mewn rodeo a chwarae polo ar gefn eliffant. Yn 1999 cyflwynodd y gyfres *An Evening with Max Boyce* (BBC Wales), gan ddenu cynulleidfa iau a niferus iawn. Torrodd y gyfres record BBC Wales o ran ffigyrau gwylio. Canodd yn y seremoni i agor Cynulliad Cenedlaethol Cymru ym Mae Caerdydd ac yng Nghwpan Rygbi'r Byd yn 1999. Yn 2000 derbyniodd yr MBE a thanlinellwyd ei boblogrwydd pan ffurfiwyd band teyrnged iddo, sef Boycezone.

Dros ddeugain mlynedd ar ôl dechrau ei yrfa yng nghlybiau bychain cymoedd y de roedd wedi llwyddo i werthu dros ddwy filiwn o recordiau a chreu canon o ganeuon poblogaidd, yn enwedig felly ymhlith selogion y byd rygbi.

Disgyddiaeth
In Session (Cambrian MCT207, 1971)
The World of Max Boyce (Decca PA469, 1971)
'Live' At Treorchy (EMI OU2033, 1974)
We All Had Doctors' Papers (EMI MB101, 1975)
I Know 'Cos I Was There! (EMI Max1001, 1978)

Jon Gower a Sarah Hill

Bragod

Deuawd a ffurfiwyd yn 1999 gan Robert Evans (**crwth**, lyra a llais) a Mary-Anne Roberts (llais); ystyr 'bragod' yw diod a geir wrth eplesu cwrw â mêl neu berlysiau. Magwyd Robert Evans yng ngogledd Ceredigion; dechreuodd astudio cerddoriaeth ganoloesol Gymreig ynghanol yr 1970au, a datblygodd yrfa fel gwneuthurwr telynau hanesyddol. Mae Mary-Anne Roberts yn hanu o Drinidad a Thobago, ac mae ganddi ddiddordeb arbennig yn nhraddodiadau carnifal Trinidad. Bu'r ddau hefyd yn aelodau o'r grŵp Lyrae Cambrenses gyda William Taylor, arbenigwr ar ganu'r delyn hanesyddol.

Prif nod Bragod yw perfformio cerddoriaeth Gymreig a barddoniaeth Gymraeg o'r cyfnod cyn c.1600, gan ailgyfuno traddodiadau cerdd dafod a cherdd dant. Yn ogystal â defnyddio cyrchddull hanesyddol i archwilio cerddoriaeth a barddoniaeth y cyfnod, mae Robert Evans wedi datblygu technegau crwth a lyra ar sail ysgrifau hynafol o Gymru ac Ewrop. Daw seiliau iaith gerddorol y grŵp yn bennaf o'r gerddoriaeth a nodir yn llawysgrif **telyn Robert ap Huw** (c.1580–1665). Cofnodwyd y gerddoriaeth ar ffurf tablun tua 1613 ond mae'n adlewyrchu traddodiad barddol hŷn. Cynhwysa gorff o gerddoriaeth telyn sy'n unigryw yn Ewrop, ac mae'n cyfateb i draethodau canoloesol Cymraeg sy'n disgrifio Pedwar Mesur ar Hugain **Cerdd Dant**. Mae Robert Evans wedi addasu cerddoriaeth telyn llawysgrif Robert ap Huw er mwyn ei chanu ar y crwth, yn ogystal â chreu cerddoriaeth newydd ar sail y mesurau, y cyweiriau (h.y. y tiwniadau moddau) a'r addurniadau a nodir ynddi.

Mae sain y crwth yn gyfoethog mewn harmonigau, yn enwedig pan y'i cenir mewn tonyddiaeth hanesyddol. Mewn ymateb i ddisgrifiad Seisnig o'r 16g. sy'n cymharu llais Cymro gyda'i delyn i suo gwenynen ('the hussyng of a homble be'), datblygodd Mary-Anne Roberts sain llais unigryw er mwyn pwysleisio'r cyseiniannau a geir wrth i'r crwth a'r llais gydseinio.

Yn ogystal ag ymchwilio a pherfformio'n fyw, mae Bragod wedi rhyddhau tri chryno-ddisg. Mae'r ddau gyntaf yn cynnwys cymysgedd o eitemau amrywiol: caneuon traddodiadol Cymraeg ochr yn ochr ag alawon poblogaidd o'r 16g., cân Nadolig o Drinidad a gosodiadau o'r Hengerdd. Yn fwyaf diweddar aethpwyd ati i ddehongli cerddi hirach. Ar *Kaingk* (BRA, 2004), ceir perfformiad o 'Ystorya Trystan', cerdd Arthuraidd sy'n dyddio'n rhannol o'r 12g. ac yn rhannol o'r 14–15g. Ar gyfer hon, cyfansoddwyd alaw newydd syml uwchben amrywiad ar y mesur cerdd dant *makymwn hir*. Perfformiadau estynedig o gerddi canoloesol yn unig a geir ar *Llatai* (BRA,

2013), eu trydydd cryno-ddisg: gosodiadau o ddwy gerdd gan Dafydd ap Gwilym ('Yr Wylan' ac 'Offeren y Llwyn') ac 'Ymddiddan Arthur a'r Eryr', cerdd hir anhysbys o'r 12g.

I'r rhan fwyaf o grwpiau sy'n perfformio cerddoriaeth orllewinol o'r cyfnodau cynnar, mae'r testun cerddorol gan amlaf yn orffenedig ac wedi'i nodi'n gyfan. Ond ar wahân i gynnwys llawysgrif Robert ap Huw, cymharol brin yw'r deunydd cerddorol cynhenid Gymreig y gellir ei briodoli i'r cyfnod cyn 1600. Felly er mwyn perfformio cerddoriaeth Gymreig o'r Oesoedd Canol, mae aelodau Bragod yn creu rhannau sylweddol o'u deunydd cerddorol o'r newydd, gan ddefnyddio cerddoriaeth ganoloesol frodorol fel sail, a damcaniaeth gerddorol Gymreig ac Ewropeaidd fel canllawiau. Wrth gyfuno cerdd dant a cherdd dafod, ail-greu technegau offerynnol a datblygu byd sain amgen trwy ddefnydd heriol o'r llais, mae Bragod felly'n cyfuno cyrchddull hanesyddol gydag agweddau arbrofol.

Disgyddiaeth

Welsh Music and Poetry from the 14th to the 18th Century (BRA 001, 2001)

Kaingk: Medieval and Later Welsh Music and Poetry (BRA 002, 2004)

Llatai (BRA 003, 2013)

Gwefan
bragod.wordpress.com

Stephen Powell Rees

Brigyn

Brigyn yw enw'r ddeuawd a ffurfiwyd gan y brodyr Ynyr ac Eurig Roberts o Lanrug ger Caernarfon yn 2004. Roedd y ddau wedi bod yn aelodau o'r **band roc** Epitaff am flynyddoedd cyn ffurfio Brigyn. Roedd eu sŵn newydd yn rhoi pwyslais ar weadau cyfoethog a defnydd o sampleri a thechnoleg. Ymhlith eu dylanwadau eclectig oedd cerddoriaeth Björk a Simon & Garfunkel.

Bu adolygiadau da i'w halbwm cyntaf, *Brigyn* (Gwynfryn Cymunedol, 2004), gyda chaneuon megis 'Os Na Wnei Di Adael Nawr' yn cyfuno'n effeithiol sain Geltaidd y delyn gyda tecno *ambient* i greu'r hyn a ddisgrifiodd y band yn ddiweddarach fel arddull 'folktronica'. Rhyddhawyd eu hail albwm, *Brigyn2*, ar yr un label yn 2005. Teithiodd y ddeuawd i Galiffornia yn Unol Daleithiau America yn Nhachwedd 2005 ac yna ledled Iwerddon yn Ebrill

2006, cyn mynd ymlaen i berfformio yn Sesiwn Fawr Dolgellau yng Ngorffennaf y flwyddyn honno. Yn 2007 daeth nifer o artistiaid electronig Cymreig, gan gynnwys **Llwybr Llaethog**, Jakokoyak, ac Evils, at ei gilydd i recordio casgliad o ailgymysgiadau o waith Brigyn ar gyfer yr albwm *Ailgylchu* (Gwynfryn Cymunedol, 2007). Rhyddhawyd nifer cyfyngedig o'r albwm ar gyfer **Eisteddfod** Genedlaethol yr Wyddgrug y flwyddyn honno.

Fodd bynnag, mwy cymysg fu'r adolygiadau ar drydydd albwm stiwdio y ddeuawd, *Brigyn3* (Gwynfryn Cymunedol) ym Mai 2008, gyda rhai'n cwyno am ddiffyg syniadau newydd. Perfformiodd Brigyn yng **Ngŵyl** y Dyn Gwyrdd, Brycheiniog, yn nes ymlaen y flwyddyn honno. Yn dilyn awgrym gan delynores Brigyn ar y pryd, Nia Davies Williams, trefnwyd fersiwn Cymraeg o'r gân 'Hallelujah' gan y canwr-gyfansoddwr adnabyddus Leonard Cohen (1934–2016), i eiriau gan Tony Llewelyn Roberts. Rhyddhawyd y gân ar ffurf sengl cryno-ddisg tua diwedd 2008 ac yn sgil llwyddiant y record daeth i sylw'r wasg Eingl-Americanaidd.

Bu saib o chwe mlynedd rhwng *Brigyn3* a *Brigyn4* (2014), gyda'r bedwaredd record hir yn cynnwys cyfraniadau gan artistiaid amrywiol megis y cerddorion gwerin **Georgia Ruth Williams**, Angharad Jenkins o **Calan**, y cerddorion roc Mei Gwynedd o **Big Leaves** a'r **Sibrydion**, ac Osian Williams o'r **Candelas**. Rhwng y ddau albwm, rhyddhaodd Brigyn ddwy sengl yn Saesneg, 'One Way Streets' a 'Home'. Enillodd Ynyr Roberts gystadleuaeth **Cân i Gymru** gyda 'Rhywun yn Rhywle', cân a ysgrifennwyd gyda Steve Balsamo, yn 2011. Yn 2015 rhyddhawyd eu pumed albwm *Dulog* ar label Gwynfryn i nodi canmlwyddiant a hanner sefydlu'r Wladfa Gymreig ym Mhatagonia: mae'r casgliad yn llawn cyfeiriadau at hanes y Wladfa a'i phobl, ac yn ffrwyth cydweithio gyda cherddorion brodorol.

Disgyddiaeth

Brigyn (Gwynfryn Cymunedol GCCD18, 2004)
Brigyn2 (Gwynfryn Cymunedol GCCD, 2005)
Buta efo'r maffia [sengl] (Gwynfryn Cymunedol GCCD36, 2006)
Ailgylchu (Gwynfryn Cymunedol GCCD43, 2007)
Brigyn3 (Gwynfryn Cymunedol GCCD45, 2008)
'Haleliwia' [sengl] (Gwynfryn Cymunedol GCCD49, 2008)
'One Way Streets' [sengl] (Gwynfryn Cymunedol GCCD57, 2010)
'Home'/'I Need All The Friends I Can Get' [sengl] (Gwynfryn Cymunedol GCCD59, 2011)

Brigyn4 (Gwynfryn Cymunedol, 2014)
Dulog (Gwynfryn Cymunedol, 2015)

Craig Owen Jones

Bryngwyn, Owen
(gw. **Jones, John Owen**)

Budgie

Band roc trwm a ddaeth i amlygrwydd yn bennaf rhwng 1975 ac 1985. Ffurfiwyd y band yng Nghaerdydd ar ddiwedd yr 1960au. Yr aelodau gwreiddiol oedd Burke Shelley (llais a gitâr fas), Tony Bourge (gitâr a llais) a Ray Phillips (drymiau); ond bu amrywiol aelodau dros y blynyddoedd, gan gynnwys drymwyr a gitaryddion megis Pete Boot, Steve Williams, Robert Kendrick a John Thomas. Bu'r gitarydd **Myfyr Isaac** hefyd yn aelod o'r band rhwng 1975 ac 1978 cyn iddo ymuno â grwpiau pop Cymraeg megis **Jîp** a **Bando**.

Daeth llwyddiant pennaf Budgie yng nghanol yr 1970au ar ôl rhyddhau eu pedwaredd a'u pumed record hir, *In for the Kill!* (MCA, 1974) a *Bandolier* (MCA, 1975). Roedd y ddau albwm yn nodedig am eu caneuon roc trwm amladrannol a geisiai ymestyn terfynau arferol y gân roc dri munud a'i throi'n endid llawer mwy trwy ddatgan a datblygu nifer o riffiau cysylltiol a'u gosod yn gyfochr ag adrannau gwrthgyferbyniol (fel yn y caneuon 'Breaking All the House Rules' ac 'I Can't See My Feelings' allan o *Bandolier*). Yn ddiweddarach, ymglywir â dylanwadau eraill hefyd, megis harmonïau a rhythmau Lladin-Americanaidd gitaryddion tebyg i Carlos Santana (g.1947) ac Al Di Meola (g.1954), ynghyd â rhythmau ffync, ar eu seithfed record hir, *Impeckable* (A&M, 1978).

Cymharol fyrhoedlog fu poblogrwydd Budgie, a hynny'n rhannol o ganlyniad i ymddangosiad pync ar ddiwedd yr 1970au. Roedd ethos pync yn bur wahanol i un grwpiau roc trwm megis Budgie. Daeth yn ffasiynol yng ngwasg gerddorol y cyfnod i feirniadu grwpiau roc trwm a roc blaengar am eu hagwedd uchelgeisiol, ymhongar a hunanfaldodus. Roedd elfennau o roc trwm a roc blaengar yn perthyn i arddull Budgie, ac yn hynny o beth gellir eu cymharu â Rush, y grŵp o Ganada, a oedd, fel Budgie, yn driawd roc pwerus, er nad oedd gan Budgie yr un lefel o soffistigeiddrwydd a gallu meistraidd, na chwaith yr un apêl ryngwladol.

Dros y blynyddoedd bu i nifer o grwpiau a cherddorion gydnabod dylanwad cynnar Budgie ar eu cerddoriaeth, gan gynnwys Iron Maiden a Metallica. Yn wir, yn 1988 recordiodd Metallica fersiwn o un o'u caneuon, sef 'Breadfan'.

Disgyddiaeth

Budgie (MCA MKPS2018, 1971)
Squawk (MCA MKPS2023, 1972)
Never Turn Your Back on a Friend (MCA MDKS8010, 1973)
In for the Kill! (MCA MAPS7413, 1974)
Bandolier (MCA MAPS 8092, 1975)
If I Were Brittania I'd Waive the Rules (A&M AMLH 68377, 1976)
Impeckable (A&M AMLH 64675, 1978)
Power Supply (Active ACT LP1, 1980)
Nightflight (RCA LP 6003, 1981)
Deliver Us from Evil (RCA LP 6054, 1982)
"You're All Living in Cuckooland" (Noteworthy NP15, 2006)

Pwyll ap Siôn

Burrows, Stuart (g.1933)

Ganed y tenor byd-enwog yn yr un pentref â'i gydganwr a'i gyfaill Syr **Geraint Evans**, sef Cilfynydd ger Pontypridd; yn wir, deuent o'r un stryd. Wedi derbyn ei addysg yn lleol aeth i'w gymhwyso fel athro ysgol yng Ngholeg y Drindod, Caerfyrddin. Gallasai fod wedi dilyn gyrfa fel chwaraewr rygbi ar y lefel uchaf, ond yn dilyn ei fuddugoliaeth yng nghystadleuaeth y Rhuban Glas yn **Eisteddfod** Genedlaethol Caernarfon 1959, daeth ei lais llyfn, cywir a melfedaidd rhyfeddol yn gyfarwydd ar draws pedwar cyfandir. Yn wir, fe'i hystyrir yn un o denorion telynegol gorau'r 20g.

O tua chanol yr 1960au ymlaen datblygodd Burrows fel yr olynydd amlycaf i Fritz Wunderlich (1930–66), a fu farw'n gynamserol. Sylwyd yn fynych ar felyster a llyfnder y llais sylfaenol ynghyd â'r dechneg naturiol, ddirodres. Mewn perfformiadau ac ar recordiadau mae geirio eglur y canwr yn ddiguro, nodwedd sy'n adlewyrchu ei gefndir diwylliannol Cymreig yn ddiau. Daeth hyn yn amlwg mewn perfformiadau o brif weithiau Mozart yn fwyaf arbennig, ond hefyd mewn *repertoire* a oedd yn eang a chatholig. Bu hefyd yn brysur yn y neuadd gyngerdd a pherfformiodd nifer o weithiau newydd gan gynnwys caneuon gan ei gyfaill **Alun Hoddinott** (1929–2008). Roedd *repertoire* Burrows yn cwmpasu Berlioz, Britten, Tchaikovsky (roedd ei bortread o Lensky yn *Eugene*

Onegin yn dra nodedig), Stravinsky, Hoddinott, Schubert a'r traddodiad *lied* yn gyffredinol, ynghyd â baledi Cymreig y 19g.

Gwnaeth ei *début* gydag Opera Cenedlaethol Cymru yn 1963 yn *Nabucco* Verdi ond y profiad a roddodd yr hwb mwyaf i'w yrfa oedd canu'r unawd tenor yn opera-oratorio Stravinsky, *Oedipus Rex* (1927) yn 1965, a hynny ar gais y cyfansoddwr ei hun. Perfformiodd yn fynych yn Covent Garden yn y Tŷ Opera Brenhinol, yn ogystal â thai opera pwysicaf y cyfnod yn San Francisco, Santa Fe, Paris, y Metropolitan yn Efrog Newydd lle bu'n canu'n ddi-dor am ddeuddeg tymor (record i unrhyw ganwr o Brydain), Buenos Aires, Fienna (lle bu'n unawdydd yn y Brahms-Saal), Brwsel, Milan, ac ar hyd a lled Gogledd America ac Awstralia. Canodd y brif ran yn *La Damnation de Faust* Berlioz yn La Scala, Milan, yn 1978, a pherfformiodd yn ogystal gyda rhai o brif **arweinyddion** cerddorfaol ei gyfnod megis Syr Georg Solti, Leonard Bernstein, Seiji Ozawa, Zubin Mehta ac Eugene Ormandy.

Roedd gwaith cyngerdd yn bwysig iddo yn ogystal â llwyfannau opera. Canodd yn Neuadd Carnegie, Efrog Newydd, ac yn llawer o neuaddau mawr Prydain ac America. Daeth hefyd yn adnabyddus ar deledu ac roedd ei gyfres *Stuart Burrows Sings* i'r BBC yn denu tua deunaw miliwn o wylwyr bob wythnos. Roedd ei gyfres *Gwlad y Gân* i S4C yr un mor boblogaidd. Fe'i hanrhydeddwyd â DMus er anrhydedd gan Brifysgol Cymru yn 1981 ac fe'i gwnaed yn Gymrawd o'i hen goleg yng Nghaerfyrddin yn 1989, coleg lle sefydlodd Gystadleuaeth Llais Ryngwladol. Derbyniodd yr OBE ac mae'n Gymrawd o Brifysgol Aberystwyth. Beirniadodd yng Nghystadleuaeth **BBC Canwr y Byd**, Caerdydd, yn y Sommerakademie yn y Mozarteum yn Salzburg ac yng Nghystadleuaeth Ryngwladol y Frenhines Elisabeth ym Mrwsel. Yn nes adref, bu'n gweithio'n ddiflino dros achosion da ac yn hybu gyrfaoedd cantorion ifanc.

Disgyddiaeth ddethol

Stuart Burrows Sings Operetta Favourites (L'Oiseau-Lyre DSLO16, 1980)
Emyn o Fawl (Sain SCD8003, 1984)
Hen Gerddi Fy Ngwlad (Sain SCD2032, 1992)
Stuart Burrows: Ffefrynnau Cymraeg a Saesneg (Sain SCD2556, 2009)

Gwefannau dethol

www.stuartburrows.f9.co.uk
www.bbc.co.uk/wales/music/sites/stuart-burrows
http://www.sainwales.com/en/artists/stuart-burrows

Lyn Davies

Burtch, Mervyn (1929–2015)

Cyfansoddwr a aned yn Ystradmynach. Roedd yn ffodus i gael **David Wynne** fel athro cerddoriaeth yn yr Ysgol i Fechgyn, Lewis Pengam. Graddiodd mewn cerddoriaeth yng Ngholeg y Brifysgol, Caerdydd. Treuliodd y rhan fwyaf o'i yrfa fel athro cerddoriaeth yn yr Ysgol i Ferched, Lewis Pengam. Yn 1979 ymunodd â staff y Coleg Cerdd a Drama yng Nghaerdydd ac ef oedd pennaeth y cwrs perfformio yno hyd 1989.

Roedd Mervyn Burtch yn gyfansoddwr toreithiog a enillodd fri yn benodol am weithiau ar gyfer ieuenctid, ffrwyth ei ymroddiad diflino i addysg gerddorol a'i allu i ymateb i gomisiwn mewn ffordd ymarferol. Ffynnodd y Rhaglen Opera i Ysgolion yn y Coleg Cerdd a Drama dan ei gyfarwyddyd. Cyfansoddodd 13 o operâu byr ar gyfer plant a phobl ifanc ac fe'u perfformiwyd gan dros 80,000 o blant ar draws y byd. Enillodd sylw rhyngwladol trwy ei gydweithrediad â'r awdur Mark Morris yn Banff, Canada, lle datblygwyd prosiect diddorol ar wefan KidsOp. Nodwedd ddychmygus y prosiect hwn oedd cysylltu plant o wahanol wledydd â'i gilydd trwy'r we gan alluogi cydweithio cerddorol eang. Ei waith mwyaf llwyddiannus yn y maes hwn oedd *The Raven King* (1999) a ddaeth i amlygrwydd rhyngwladol yn ogystal ag ym Mhrydain. Fe'i perfformiwyd yn Ne Affrica, yr Almaen, Iwerddon a Mecsico yn ogystal ag yng Nghymru. Perfformiwyd y gwaith hefyd yn Neuadd Albert, Llundain, gan 500 o blant. Gwaith arall deniadol ac ysmala oedd *The Great Wine Gum Robbery* a gyfansoddwyd ar gyfer myfyrwyr i'w berfformio i blant.

Ni ddylai pwysigrwydd ei waith ar gyfer yr ifanc dynnu ein sylw oddi wrth gyfraniad mwy cyffredinol a wnaeth ym meysydd canu **corawl**, cerddoriaeth siambr, cerddoriaeth gerddorfaol a deunydd ar gyfer **bandiau pres**. Mae'r corff o weithiau offerynnol a cherddorfaol a adawodd yn swmpus. Gwelwyd agwedd wleidyddol ar brydiau, fel yn yr **oratorio** *Revolt in the Valleys*, gwaith i goffáu'r terfysg Siartaidd, 1839. Perfformiwyd yr oratorio hon yng Nghaerdydd yn 1993, gyda Michael Foot fel adroddwr, ar achlysur cau un o byllau glo olaf de Cymru yn Aberdâr. O safbwynt arddull mae Mervyn Burtch wedi ei gymharu â Bartók a Vaughan Williams yn sgil ei ymroddiad i greu ar gyfer ei gymuned tra ar yr un pryd yn torri cwys bersonol. Mae ei arddull yn gydblethiad o'r ingol a'r telynegol sydd nid yn unig yn dangos dylanwad Bartók ond hefyd Janáček, Britten a'i athro, **David Wynne**. (Yn ei fachgendod ennynwyd yn Burtch awch am gyfansoddi trwy wylio Wynne yn yr ysgol yn dygn gopïo cerddoriaeth.)

Ysgrifennodd Burtch lawer o weithiau corawl, yn cynnwys trefniannau o ganeuon gwerin Cymru (ar gyfer Côr Ieuenctid Cenedlaethol Cymru, er enghraifft). Yn y darnau corawl mwy cymhleth defnyddir mydrau afreolaidd i sicrhau acenion naturiol wrth osod geiriau ac efallai fod dylanwad Janáček i'w weld yn hyn o beth. Haedda llawer o'i ganeuon eu perfformio'n fwy aml, ac yn eu sensitifrwydd maent yn adlewyrchu ei ddiwylliant eang a'i wybodaeth o lenyddiaeth, yn enwedig barddoniaeth Saesneg.

Ym maes cerddoriaeth offerynnol bu cyfraniad Mervyn Burtch yn arbennig iawn. Ar ôl 1985 treuliodd fwy o amser ar weithiau offerynnol, gan gyfansoddi 14 consierto a 17 o bedwarawdau. Cyfansoddodd consierto i biano yn 1989 a gweithiau byrrach ar ffurf *concerti* i ffidil ac i drwmped. Ei 17 pedwarawd llinynnol, a gyfansoddodd rhwng 1985 a 2013, yw'r cyfraniad mwyaf a wnaethpwyd yn y *genre* hwn gan gyfansoddwr o Gymro (gw. hefyd **ffurfiau offerynnol**).

Roedd Mervyn Burtch yn berson hawddgar a charedig. Mewn un ysgrif goffa iddo nodir bod Haydn yn hoff gyfansoddwr ganddo ac nad oedd hyn yn syndod oherwydd ymateb tebyg y ddau gyfansoddwr tra gwahanol hyn i oblygiadau'r artist creadigol i'r gymdeithas o'i gwmpas. Bu'n weithgar ar lawer i bwyllgor cerddorol ac fe'i hanrhydeddwyd yn 2003 â'r MBE. Yn 2014 sefydlwyd Ymddiriedolaeth Mervyn Burtch i hyrwyddo ei gerddoriaeth.

Llyfryddiaeth Ddethol

Lyn Davies, *Bywgraffiadau Cyfansoddwyr: Mervyn Burtch* (Caerdydd, 2004)
mervynburtch.com

Richard Elfyn Jones

C

Calan

Grŵp gwerin deinamig a ddaeth i amlygrwydd yn ystod degawd cyntaf yr 21g. ac a fu'n weithgar iawn ers hynny.

Daeth y syniad o gychwyn grŵp pan fynychodd tri o'r aelodau gwrs Ethno yn Sweden yn 2003, rhan o raglen gyfnewid ar gerddoriaeth draddodiadol wedi ei threfnu gan *trac* (Traddodiadau Cerdd Cymru) rhwng y wlad honno a Chymru. Ychydig flynyddoedd yn ddiweddarach ffurfiwyd Calan. Yr aelodau gwreiddiol oedd Bethan Rhiannon Williams-Jones (acordion, piano, llais a chlocsio), Angharad Siân Jenkins (**ffidil**), Patrick Rimes (ffidil, pibau a chwibanogl), Llinos Eleri Jones (**telyn** Geltaidd) a Chris ab Alun (gitâr). Bu'r aelodaeth yn newid yn achlysurol gydag Alaw Ebrill Jones (telyn) yn perfformio o dro i dro, ynghyd â **Gwenan Gibbard** yn ddiweddarach, a daeth Sam Humphreys (gitâr) yn aelod parhaol o 2013 ymlaen.

Eu hymddangosiad cyntaf oedd yn Sesiwn Fawr Dolgellau yn 2008. Ers hynny perfformiodd y grŵp mewn **gwyliau** ym Mhrydain a thu hwnt, gan gynnwys Caergrawnt, Amwythig a Cropredy, ynghyd â theithio i'r Eidal, Gwlad Belg, Ffrainc ac Unol Daleithiau America. Fel yn achos **Ar Log** gynt, roedd eu perfformiadau hefyd yn cynnwys clocsio. Bu iddynt ymddangos droeon ar S4C ar raglenni megis *Noson Lawen*, *Stiwdio Gefn* a'r *Sioe Gelf*, a chafodd eu cerddoriaeth ei chwarae'n gyson ar donfeddi Radio Cymru a gorsafoedd megis Radio 2 a 3.

Daethant i sylw'n gyntaf ar ôl rhyddhau eu halbwm cyntaf, *Bling* (Sain, 2008), record a roddai bwyslais ar drefniannau chwaethus ac afieithus o alawon dawns, jigiau, riliau, pibddawnsiau ac ati, gan roi sylw i dechneg gerddorol gaboledig Bethan ar yr acordion, Angharad ar y ffidil a'r amldalentog Patrick ar y ffidil a'r pibau. Deuai sain pibau Patrick ac acordion Bethan â sain fwy 'Celtaidd' i'r grŵp, gyda dylanwad pibau a ffidil Northumbria Kathryn Tickell, grŵp rhyng-Geltaidd Jamie Smith, Mabon, a'r grŵp Albanaidd Breabach i'w glywed. O bryd i'w gilydd ceid cân a oedd yn perthyn yn nes i ganu poblogaidd, gyda llais Bethan yn fwyaf blaenllaw, gan annog Nathaniel Handy i'w chymharu â'r cerddor Julie Fowlis sy'n canu'n bennaf yng Ngaeleg yr Alban (gw. Handy 2009).

Clywid mwy o wrthgyferbyniadau ar yr ail albwm, *Jonah* (Sain 2012), gyda thraciau megis 'Slip Jigs' a'r 'Swansea Hosepipe Set' yn ychwanegu drymiau ac yn swnio'n fwy ergydiol ac egnïol o ganlyniad. Eto, rhoddwyd sylw i ochr delynegol y band mewn caneuon megis 'Y Gwydr Glas'. Dilynwyd yr albwm hwn gan yr EP *Giggly* (Sain, 2013). Aeth y band ymhellach i gyfeiriad caneuon roc-gwerin yn *Dinas* (Sain, 2015), gyda'r gân ddramatig a theatrig 'Chwedl y Ddwy Ddraig'.

Trwy safon eu perfformiadau byw egnïol, eu hagwedd ffres a chyfoes tuag at y traddodiad a'u recordiadau safonol, prin fod unrhyw grŵp arall yn ystod y degawd diwethaf wedi gwneud mwy na Calan i boblogeiddio **cerddoriaeth draddodiadol** yng Nghymru, ac i ledaenu ei hapêl ymysg pobl ifanc yng Nghymru a thu hwnt.

Disgyddiaeth

Bling (Sain SCD2577, 2008)
Jonah (Sain SCD2657, 2012)
Giggly [EP] (Sain SCD2704, 2013)
Dinas (Sain SCD2715, 2015)
Solomon (Sain SCD2749, 2017)

Llyfryddiaeth

Nathaniel Handy, 'Calan: *Bling*', Songlines, 58 (2009), 66

Pwyll ap Siôn

Cale, John (g.1942)

Ganed John Davies Cale, cerddor, cyfansoddwr, cyfansoddwr caneuon a chynhyrchydd recordiau, yn y Garnant, Dyffryn Aman, ar 9 Mawrth 1942. Glöwr di-Gymraeg oedd ei dad, Willie Arthur George Cale, ac athrawes Gymraeg ei hiaith oedd ei fam, Margaret, y cedwir ei henw morwynol yn enw canol Cale. Mae Cale, a oedd yn unig blentyn, yn cofio pedwar brawd ei fam yn glir, yn eu plith Davey Davies a gynhyrchai, gyda'i wraig, Mai Jones, sioe radio adloniant ysgafn BBC Wales, *Welsh Rarebit*; hi a gyfansoddodd y gerddoriaeth i '**We'll Keep a Welcome**', a glywyd gyntaf yn 1940. 'Dyma beth oedd adloniant o ddifri', meddai Cale (Cale a Bockris 1999). Roedd ewythr arall, 'dylanwad mawr iawn arnaf', yn canu'r **ffidil**, ac o ganlyniad dechreuodd Cale ddysgu'r piano a'r fiola yn y man.

Roedd cerddoriaeth ac **addysg** o'i gwmpas ym mhobman wrth iddo dyfu, ac aeth yn ei flaen o Ysgol Gynradd Sirol y Garnant i Ysgol Ramadeg Dyffryn Aman. Bu cyfres o drafferthion personol pan oedd oddeutu'r 13 oed yn rhwystr i'w yrfa academaidd; ond maes o law enillodd Cale le i hyfforddi fel athro yng Ngholeg Goldsmiths yn ne Llundain, lle bu'n astudio rhwng 1960 ac 1963. Yno, cyfrannodd at gyflwyno cerddoriaeth fodernaidd ac *avant-garde* ei ddydd, gan gynnwys ei waith ei hun. Yn sgil cyfarfod ag Aaron Copland cafodd le yng Nghanolfan Gerddoriaeth Berkshire yn Tanglewood, Massachusetts, ond buan y symudodd i Efrog Newydd, a fu ers hynny'n ganolbwynt daearyddol i'w fywyd.

Rhwng 1963 ac 1968 bu Cale yn ymwneud â'r gweithgaredd cerddorol y mae'n cael ei gofio fwyaf amdano. Fel rhan o *avant-garde* cerddorol, cymerodd ran mewn perfformiad cyntaf o *Vexations* Erik Satie (*c*.1893) o dan John Cage yn 1963 ac ymuno â'r Theatre of Eternal Music, ynghyd â La Monte Young (g.1935) ac eraill. Ar ôl cwrdd â'r canwr Lou Reed ddiwedd 1964 bu'r ddau'n gweithio o dan enw un band ar ôl y llall, gan benderfynu yn y diwedd mai'r Velvet Underground fyddai'n mynd â hi. Daeth yr arlunydd enwog Andy Warhol (1928–87) yn rheolwr ar y band, ac ef a gyflwynodd y gantores Nico y byddai Cale yn cydweithio â hi o bryd i'w gilydd hyd ei marwolaeth yn 1988. Cwta bedair blynedd fu cyfnod Cale gyda'r Velvet Underground (VU); rhyddhawyd dwy record yn cynnwys cyfraniad ganddo cyn iddo gael ei gardiau gan y band ym mis Medi 1968 (chwalodd gweddill aelodau VU ym mis Awst 1970). Ond bu'r ddwy record hynny ymhlith y mwyaf dylanwadol mewn cerddoriaeth roc, ac mae cyfraniad Cale, gyda'i lais, sain bur y fiola, a disgyblaeth gerddorol o'r bydoedd clasurol ac *avant-garde* fel ei gilydd, yn allweddol.

Bu gyrfa gerddorol Cale ers y Velvet Underground yn amrywiol, ond gellir ei rhannu'n dri math o weithgaredd. Daliodd ati i weithio fel cerddor roc, ar recordiau ac mewn cyngherddau, gan ryddhau sawl albwm, fel cyfansoddwr caneuon (geiriau

a cherddoriaeth), fel perfformiwr (llais, piano, gitâr, fiola), fel arweinydd a threfnydd bandiau, ac fel cynhyrchydd recordiau. Mae'r recordiau'n ymddangos ar amrywiaeth eang o labeli, sydd o bosib yn arwydd o aflonyddwch, anghysonder neu fethiant: Columbia (e.e. *Vintage Violence*), Reprise (e.e. *Paris 1919*), Island (e.e. *Fear*), A and M (*Honi Soit*), Spy (*Sabotage/Live*), Ze (e.e. *Music for a New Society*), Beggars Banquet (*Artificial Intelligence*), Opal/Land (e.e. *Words for the Dying*), Hannibal (e.e. *Walking on Locusts*), EMI (e.e. *HoboSapiens*) a Double Six (*Shifty Adventures in Nookie Wood*). Mae rhai'n enwi cyd-gyfranwyr, fel Terry Riley (*Church of Anthrax*), Brian Eno (*Wrong Way Up*), Bob Neurith (*Last Day on Earth*) a Lou Reed (*Songs for Drella*).

Cynhyrchodd Cale y mwyafrif o'i recordiadau ei hun, ond cynhyrchodd hefyd waith llawer iawn o artistiaid eraill: yn fwyaf cyson Nico (tri albwm i gyd), ond yn cynnwys recordiau sy'n enwog am amryfal resymau, gan gynnwys *The Stooges* (Elektra, 1969), *The Modern Lovers* (Home of the Hits, 1973) a record Patti Smith, *Horses* (Arista, 1975): mae'r casgliad *Conflict and Catalysis* (Big Beat Records, 2012) yn cynnig gorolwg o'i waith cynhyrchu. Cynhyrchodd record roc arall yn 2012 ac yntau'n 70 oed.

Yn ail, creodd Cale hefyd gerddoriaeth yn ystyr fwy cyfyng y gair 'cyfansoddiad': **cerddoriaeth offerynnol** a lleisiol at ei gilydd iddo ef ei hun neu eraill ei chanu a'i chwarae, wedi'i nodiannu neu'n fyrfyfyr. Mae ei waith yn cynnwys **opera** (*Mata Hari*, 1995), gweithiau bale (e.e. *Nico*, 1997) a llawer o draciau sain ar gyfer ffilmiau, nifer ohonynt wedi'u rhyddhau ar y label recordiau Belgaidd Crépuscule. Yn olaf, ac roedd hyn yn ddatblygiad o'i waith gyda Warhol, cynhyrchodd Cale weithiau celf amlgyfrwng yn cynnwys cerddoriaeth a sain, yn ogystal â geiriau a delweddau gweledol, er enghraifft, y gwaith *Dyddiau Du/Dark Days* a gynhyrchwyd ar ran Cyngor y Celfyddydau ar gyfer Biennale Fenis yn 2009.

Yn gyson â'i gynnyrch, mae iaith gerddorol Cale hefyd yn amrywiol, ac yn ymateb yn aml i ofynion comisiwn. Er enghraifft, mae'r gerddoriaeth biano i'r ffilm *La Naissance d'amour* yn cynnwys cerddoriaeth gyweiraidd (e.e. mae 'If I Love You Still' yn ddarn byr syml yn D fwyaf), tra mae'r gerddoriaeth biano i'r ffilm *Process* yn dangos meistrolaeth ar iaith gerddorol ôl-gyweiraidd: mae 'Museum', er enghraifft, yn cynnwys yn ei bedwar munud a deugain eiliad o wead piano uchel cynaledig, gordiau ac alawon anghytseiniol, sawl symudiad cyfochrog, brawddegau na ellir rhagweld eu hyd, ac ambell i fan gorffwys lled-gyweiraidd. O safbwynt caneuon, mae 'Fear is a Man's Best Friend' yn crisialu nod amgen cynnar: y seicodrama gwrthdrawiadol sy'n chwalu'n anhrefn dan reolaeth.

Yng nghanol ei yrfa, mae'r albwm *Music for a New Society* yn ymestyn a thema honno, ond mae hefyd yn cynnwys harmoni cyfoethog yr allweddell yn 'Taking Your Life In your Hands', a sgwrs gerddorol â Beethoven yn 'Damn Life'. Mewn blynyddoedd diweddarach, mae fersiwn Cale o'r gân werin 'Ar Lan y Môr', ar gyfer y ffilm *Dal: Yma, Nawr* (2003), hefyd yn dangos cynhaliaeth harmonig gyfoethog i'r alaw werin, ond yn ogystal â hynny mae'n amlygu ei barodrwydd i ddefnyddio dulliau cerddorol gwrthgyferbyniol.

Mae Cale yn dechrau ac yn gorffen ei hunangofiant, *What's Welsh for Zen* (Bloomsbury, 1999), yn ne Cymru, a ffotograff o'i fam yw'r llun olaf yn y llyfr. 'I was thinking about my mother,' meddai yn 'Dying on the Vine' o'r albwm *Artificial Intelligence* (Beggars Banquet, 1985), un o'i ganeuon mwyaf trawiadol, ac yn aml roedd rhaglen ei gyngherddau'n cynnwys 'Ship of Fools', sy'n enwi Abertawe, y Mwmbwls, Rhydaman a'r Garnant. Yn ddiweddarach yn ei fywyd daeth Cale yn ôl i Gymru ar gyfer prosiectau a oedd at ei gilydd yn derbyn nawdd cyhoeddus, er enghraifft i gyflwyno rhaglen ddogfen i *Week In Week Out* BBC Wales y defnydd o heroin yn ne Cymru (2009), ac i gymryd rhan mewn ffilm a gynhyrchwyd ar gyfer S4C ac a gyfarwyddwyd gan Marc Evans, *Camgymeriad Gwych* (2000), lle'r oedd Cale yn chwarae rhan hen law a gydweithiai'n gyfeillgar ond yn feirniadol â tho newydd o gerddorion Cymreig ifanc. Yno bu ffrwgwd byr â James Dean Bradfield a oedd yn arwydd o densiwn parhaus ym mywyd cerddorol Cale y gellid ei olrhain yn ôl i'w blentyndod: Cale, gyda pharch at ysgol, yn awyddus i ddysgu, yn gerddor disgybledig a chanddo brofiad helaeth, ond yn benderfynol o amddiffyn 'greddf', y ddelfryd Ramantaidd o fynegiant personol.

Dyfarnwyd iddo OBE yn 2010 yn Rhestr Anrhydeddau Pen-blwydd y Frenhines 'am wasanaeth i gerddoriaeth ac i'r celfyddydau'. Barn Nigel Jenkins am Cale yw 'mai ef mae'n debyg, ar draws pob *genre*, yw cerddor Cymreig mwyaf yr ugeinfed ganrif' (Jenkins 1991). Mae safle Cale yn ddiogel fel un o gerddorion Cymreig mwyaf blaenllaw'r 20g., cerddor ac iddo enw rhyngwladol, ac un a bontiodd rhwng y meysydd 'poblogaidd' a 'chlasurol'.

Disgyddiaeth

[recordiau unawdol oni nodir yn wahanol]

Vintage Violence (Columbia CS1037, 1971)
The Academy in Peril (Reprise MS2079, 1972)
Paris 1919 (Reprise MS2131, 1973)
Fear (Island ILPS9301, 1974)
Slow Dazzle (Island ILS80345, 1975)
Helen of Troy (Island ILPS9350, 1975)
Honi Soit (A&M L37586, 1981)
Music for a New Society (Ze 6313-416, 1982)
Caribbean Sunset (Ze 818.290-1, 1984)
Artificial Intelligence (Beggars Banquet SNIR25114, 1985)
Words for the Dying (Opal 9-26024-4, 1989)
Walking on Locusts (Hannibal HNCD1395, 1996)
Hobo Sapiens (EMI 5939092, 2003)
Black Acetate (EMI 0946-334, 2005)
Shifty Adventures in Nookie Wood (Double Six DS047CD, 2012)

Cyweithiau:

Church of Anthrax [gyda Terry Riley] (Columbia C30131, 1971)
Songs for Drella [gyda Lou Reed] (Sire CD26140, 1990)
Wrong Way Up [gyda Brian Eno] (Land CD12, 1990)
Last Day on Earth [gyda Bob Neurith] (MCA MCD11037, 1994)

Cyn y Velvet Underground:

Sun Blindness Music (Table of the Elements TOE-CD-75, 2001)
Day of Niagara [gyda Tony Conrad, Angus MacLise, La Monte Young, Marian Zazeela] (Table of the Elements TOE-CD-74, 2000)
Dream Interpretation (Table of the Elements TOE-CD-79, 2001)
Stainless Gamelan (Table of the Elements TOE-CD-80, 2001)

Gyda'r Velvet Underground:

Velvet Underground and Nico (Verve V6-5008, 1966)
White Light, White Heat (Verve V-5046, 1968)
Live MCMXCIII (Sire 9362-45465-2, 1993)

Gwaith fel cynhyrchydd:

Conflict and Catalysis: Production and Arrangements 1966–2006 (Big Beat/Ace Records CDWIKD299, 2012)

Llyfryddiaeth

Victor Bockris a Gerard Malanga, *Uptight: The Velvet Underground Story* (Llundain, 1983)

John Cale a Victor Bockris, *What's Welsh for Zen: The Autobiography of John Cale* (Llundain, 1999)

Nigel Jenkins, 'The Scars of Imagination: A Profile of John Cale', *Planet* 79 (1991), yn *Footsore on the Frontier: Selected Essays and Articles* (Llandysul, 2001), 75–86

Dai Griffiths, '"Home is Living Like a Man on the Run": John Cale's Welsh Atlantic', yn Sally Harper (gol.), *Welsh Music History* (2000), 159–85, cyfieithiad Cymraeg, 186–211; ailargraffwyd yn Martin Stokes a Philip V. Bohlman (goln.), *Celtic Modern: Music at the*

Global Fringe (Lanham, Maryland, 2003), 171–99

Tim Mitchell, *Sedition and Alchemy: a Biography of John Cale* (Llundain, 2003)

Richard Witts, *The Velvet Underground* (Llundain, 2006)

Dai Griffiths

Calennig, Canu

Ffurf ar **ganu gwasael** yw canu Calennig, ac efallai mai ei ddiben gwreiddiol oedd dymuno bendith a ffrwythlondeb i drigolion y tŷ; mae hefyd ynghlwm wrth yr arfer o gyflwyno anrhegion y flwyddyn newydd, arfer sy'n ymestyn yn ôl i gyfnod y Rhufeiniaid. Yn y cyfnod diweddar, cysylltwyd yr arfer yn fwy gyda phlant na chydag oedolion. Arferid dechrau'n fore a pharhau tan ganol dydd, gan fynd o dŷ i dŷ o fewn y gymdogaeth. Ceir disgrifiad o orllewin Morgannwg yn 1819 sy'n sôn am gwmni o blant yn mynd o amgylch gydag afal yn llawn o ŷd, wedi ei addurno â gwyrddni (Owen 1974, 44). Byddai'r cantorion yn cario cwd o amgylch eu gyddfau i ddal y bwyd neu'r arian a gynigid iddynt, ac weithiau'n cario ffon i guro ar y drws i ddeffro'r teulu. Cenid penillion wrth y drws, a byddai trigolion y tŷ yn rhoi eu hanrhegion i'r plant. Ym Morgannwg ac yn Sir Benfro cofnodwyd fel y byddai'r cantorion yn cario dŵr ac yn ei daenellu ar drigolion y tŷ gyda sbrigyn o focs i ddod â bendith, arfer sydd efallai'n gysylltiedig â'r hen arfer eglwysig o daenellu dŵr sanctaidd.

Diogelwyd nifer o enghreifftiau o ganeuon Calennig: o Sir Benfro y daw un o'r hynaf ohonynt, 'Deffrowch ben teulu', sydd ar fesur cywydd deuair fyrion (**Kinney** 2011, 84). Gosodwyd geiriau penillion Calennig ar donau poblogaidd o ffynonellau eraill: er enghraifft, cenir y geiriau adnabyddus, 'Blwyddyn newydd dda i chi / Ac i bawb sydd yn y tŷ' i addasiad o gytgan cân *gospel* o Ogledd America, 'The bright for-evermore'. Cenid llawer o'r un penillion mewn gwahanol ardaloedd o Gymru: maent yn cynnwys elfennau o ofyn am fwyd neu arian ac o ddymuno llwyddiant, er enghraifft:

> Mi godais heddiw'n fore
> I gerdded at eich tai
> I ymofyn ambell chwechyn –
> Mi gymeraf beth yn llai.
>
> Gobeithio y ca'i fynd adre
> Yn llawen er fy lles,
> A'm cod yn llawn o arian
> A llawer iawn o bres.
>
> A diolch fydd i chwi
> Am ddim a gefais i
> A bendith fyddo arnoch
> A phob peth yn eich tŷ.

(Ifans 1983, 94)

Llyfryddiaeth

Trefor M. Owen, *Welsh Folk Customs* (Caerdydd, 1974)

Rhiannon Ifans, *Sêrs a Rybana* (Llandysul, 1983)

Phyllis Kinney, *Welsh Traditional Music* (Caerdydd, 2011)

Rhidian Griffiths

'Calon Lân'

Un o **emynau** mwyaf adnabyddus Cymru, er nad ydyw, yn wahanol i donau fel '**Cwm Rhondda**', 'Hyfrydol' a 'Llanfair', yn gyfarwydd y tu allan i Gymru. Awdur y geiriau yw Gwyrosydd (Daniel James; 1848–1920), a aned yn Nhre-boeth,

Cytgan yr emyn 'Calon Lân'

Abertawe. Bu'n gweithio yn y diwydiant tunplat cyn symud draw i'r maes glo, a glöwr yn Aberpennar ydoedd pan gyhoeddodd 'Calon Lân' yn ei gasgliad o farddoniaeth, *Caniadau*, yn 1892. Ymddangosodd y geiriau a'r dôn gyfarwydd gyda'i gilydd am y tro cyntaf yn 1899 cyn dod yn boblogaidd iawn yn ystod Diwygiad 1904–5. Gŵr arall o gylch Abertawe a gyfansoddodd y dôn 'Calon Lân', sef John Hughes (1872–1914) a oedd yn wreiddiol o Benbryn ger Aberteifi ond a symudodd yn ddwyflwydd oed i Landŵr (mae'n un o sawl John Hughes yn ein hemynyddiaeth). Daeth yr emyn yn ffefryn gan dorfeydd rygbi, ac fe'i canwyd ar gryno-ddisg gyntaf (2012) Only Boys Aloud, côr o 140 o fechgyn ifanc o gymoedd de Cymru a ffurfiwyd gan **Tim Rhys-Evans** yn 2010.

Cenir geiriau 'Calon Lân' yr un mor aml ar y dôn gynulleidfaol enwog 'Blaenwern' a gyfansoddwyd yng ngwres y Diwygiad gan William Penfro Rowlands, **arweinydd** Côr y Tabernacl, Treforys, o 1892 hyd 1919. Clywir canu'r geiriau hefyd ar yr emyn dôn 'Converse', o eiddo'r Americanwr C. C. Converse, sydd yn fwy cyfarwydd fel y dôn i'r emyn Saesneg, 'What a friend we have in Jesus'.

Gareth Williams

Cambrian Minstrels, Y
(neu Teulu Roberts)

Grŵp o ddeg cerddor a ffurfiwyd gan **John Roberts** (Telynor Cymru) a naw o'i feibion a fu'n perfformio ar hyd a lled y wlad yn ystod y 19g. Roedd dylanwad y sipsiwn yn ddi-os arnynt. Fel gor-ŵyr i Abram Wood, roedd John Roberts yn perthyn i linach y sipsiwn Cymreig ac fel nifer ohonynt gallai siarad Cymraeg, Saesneg a Romani (gw. **Woodiaid, Teulu'r**). Ond meddai hefyd ar y gallu i ddarllen ac ysgrifennu a bu hynny'n allweddol i'w lwyddiant a'i arwyddocâd fel cerddor yn y tymor hir. Lloyd a Madoc a ganai'r delyn Ewropeaidd tra chwaraeai Johnny, Albert ac Ernest y delyn deires. Chwaraeai Charley y *cello* a Reuben y bas dwbl, James y bib a Willie y **crwth**. Roedd Reuben, James, a Charley hefyd yn feistri ar y delyn deires, a Willie a Reuben ill dau yn ffidlwyr nodedig. Roeddynt yn gerddorion cwbl ymroddedig a threulient oriau lu yn perffeithio'r darnau, gan greu'r gerddoriaeth emosiynol a rhythmig a oedd yn nodweddiadol ohonynt, yn ôl Roberts (gw. Roberts 1978, 58).

A hwythau wedi'u sefydlu yn y Drenewydd, roeddynt yn ddigon agos i'r ffin i deithio i Swydd Amwythig a Chaer, gan barhau i gynnal eu cyswllt â'r byd a'r bywyd Cymreig. Treulient sawl dydd Sul yn chwarae yng Ngwesty'r Arth neu ar strydoedd y Drenewydd, ac yn ystod misoedd yr haf aent ar gylchdaith flynyddol o amgylch trefi arfordirol gorllewin a gogledd Cymru hyd at Gilgwri. Buont yn ymweld â threfi megis Machynlleth, Dolgellau, Aberystwyth, Harlech a Chaergybi. Byddent yn cerdded i'r cyngherddau, gan ddefnyddio cart a cheffyl i gario'r **offerynnau**. Roedd **alawon gwerin** megis 'Serch Hudol', 'Merch Megan', 'Clychau Aberdyfi' a 'Codiad yr Ehedydd' i'w clywed yn gyson yn eu perfformiadau, a'r cyfan wedi'u trefnu gan John Roberts ei hun.

Roedd gan John Roberts synnwyr busnes craff, ac arferai'r Cambrian Minstrels hysbysebu'r ffaith eu bod ar gael ar gyfer dawnsfeydd, cyngherddau a chynulliadau preifat yn ystod tymor y gaeaf pan na fyddai'r tywydd yn ffafriol ar gyfer teithio o amgylch y wlad. Gyda'u *repertoire* amrywiol ac estynedig, gallent ddarparu cerddoriaeth briodol ar gyfer pob math o gynulleidfa. Yn ogystal â'r alawon a'r **baledi** poblogaidd, chwaraeent addasiadau o operâu, *jigs* a *quadrilles* yn ôl Roberts. Mewn cyfnod pan oedd y bonedd yn parhau i noddi cerddorion, teithiai'r Cambrian Minstrels yn rheolaidd i blastai ar hyd a lled y wlad ar achlysuron cymdeithasol nodedig. Ymhlith eu cynulleidfaoedd yr oedd teulu Kinmel, Dug San Steffan, **Augusta Hall** (Arglwyddes Llanofer), Iarll Powys ac Iarll Dinbych, yn ogystal â chynulleidfaoedd rhyngwladol o waed brenhinol, megis yr Archddug Constantin o Rwsia ac Ymerodres Awstria. Mae'n debyg mai pinacl gyrfa John Roberts a'r Cambrian Minstrels oedd perfformio gerbron y Frenhines Victoria yn 1889 ym mhlasty Palé, Llandderfel.

Dros y blynyddoedd, gwnaeth y Cambrian Minstrels enw da iddynt eu hunain ac fe'u hystyrid yn gerddorion o safon. Yn eu hanterth gallent ymffrostio eu bod, rhyngddynt, yn dwyn ynghyd ddeg **telyn**, chwe **chrwth**, dau *cello*, bas dwbl, ffliwt, picolo a phib. Nid cerddorion amatur o'r hen draddodiad Romani oeddynt, ond cerddorion proffesiynol a hawliai barch a chydnabyddiaeth yn eu cymdeithas.

Yn ogystal â chanu'r offerynnau'n gelfydd, roedd ganddynt ddealltwriaeth gadarn o'u peirianwaith. Gweithient yn ddiwyd ac yn gyson i ddatblygu sain ac ansawdd yr **offerynnau** trwy eu datgymalu a'u hatgyweirio, a hynny gan ddefnyddio'r deunydd gorau posibl i greu offerynnau a gynhyrchai sain o'r radd flaenaf. Mewn cyfnod pan oedd canu **corawl** yn rhagori yng Nghymru, roedd y Cambrian Minstrels yn *ensemble* offerynnol lliwgar a phroffesiynol a oedd yn ymgorffori'r hen draddodiadau gwerin yn ogystal ag amsugno dylanwadau cyfoes.

Llyfryddiaeth

E. Ernest Roberts, *John Roberts: Telynor Cymru* (Dinbych, 1978)

Eldra Jarman & A. O. H. Jarman, *Y Sipsiwn Cymreig* (Caerdydd, 1979)

Gwawr Jones

Cân i Gymru

Cystadleuaeth flynyddol bwysig ers 1969 a fu'n rhaglen deledu boblogaidd ar y BBC ac yna ar S4C. Amcan wreiddiol Cân i Gymru oedd darganfod cân ar gyfer cystadleuaeth yr *Eurovision Song Contest*, ond roedd hyn yn mynd yn groes i bolisi'r BBC. Yn lle hyn, penderfynwyd defnyddio'r gystadleuaeth i ddatgelu pa gân fyddai'n cynrychioli Cymru yn yr Ŵyl Ban-Geltaidd a gynhaliwyd yn Iwerddon, a sefydlwyd ar ddechrau'r 1970au.

Ni dderbyniodd y gystadleuaeth lawer o sylw gan y **cyfryngau** yn ystod yr 1970au. Ni chafwyd darllediadau byw, a phanel o arbenigwyr a benderfynai pwy fyddai'n fuddugol yn hytrach na phleidlais dros y ffôn. Gyda sefydlu S4C yn 1982, fodd bynnag, daeth 'Cân i Gymru' yn rhaglen deledu, ac er i'r fformat amrywio o flwyddyn i flwyddyn, at ei gilydd mae natur y rhaglen wedi aros yr un fath: rhaglen fyw gyda chynulleidfa yn y stiwdio a chyfle i'r cyhoedd bleidleisio, weithiau ar y cyd gyda phanel o feirniaid.

Profodd y rhaglen yn hynod boblogaidd i'r pwynt lle'r oedd perfformio yn yr Ŵyl Ban-Geltaidd ei hun yn gymhelliad eilaidd i'r nod o ennill y gystadleuaeth, gan fod y wobr ariannol ar gyfer 'Cân i Gymru' yn rhai miloedd o bunnoedd – tipyn uwch na'r hyn a geid yn Iwerddon. (Yn wir, yn aml nid oedd gan y cwmnïau teledu fu'n cynhyrchu'r rhaglen unrhyw ddiddordeb yn nyfodol y gân fuddugol, ymhellach na'i llwyddiant ar y rhaglen ei hun.)

Ni fu'r gystadleuaeth heb ei phroblemau na'i beirniaid. Tra'r oedd nifer wedi croesawu'r system 'ddemocrataidd' a ddaeth i'w lle yn ystod yr 1980au i adael i'r cyhoedd benderfynu ar y gân orau, yn aml profwyd problemau technegol, gyda nifer o bobl yn methu cyrraedd y rhif er mwyn cofrestru eu pleidlais. Gan fod y bleidlais ar gyfer y caneuon salaf yn gymharol isel (ac i raddau yn datgelu bod ffigyrau

gwylio'r rhaglen dipyn yn llai na'r hyn a gredid), bu amheuaeth hefyd ynglŷn â'u cywirdeb.

Bu rhai yn feirniadol hefyd o natur, ansawdd ac apêl ganol-y-ffordd y rhaglen, arddull y caneuon ynghyd â'r trefniannau a oedd ar brydiau yn lastwraidd a di-ddychymyg. Fodd bynnag, dros y blynyddoedd fe gafwyd nifer o ganeuon buddugol cofiadwy, megis 'Nwy yn y Nen' gan Dewi 'Pws' Morris (1971), 'Pan Ddaw'r Dydd' gan **Geraint Jarman** (1972), 'Nid Llwynog oedd yr Haul' gan **Geraint Løvgreen** a Myrddin ap Dafydd (1982), 'Twll Triongl' gan Hefin Huws a Les Morrison (1989), 'Y Cwm' (1984) gan **Huw Chiswell**, ac yn fwy diweddar, 'Mynd i Gorwen Hefo Alys' (2013) gan Rhys Gwynfor ac Osian Huw Williams. Y gyfrinach yn aml iawn yn achos y caneuon hyn oedd eu bod nhw'n ymwrthod â phatrwm arferol nifer o ganeuon fformwläig y rhaglen.

Gwelwyd hyn yn 2013 yng nghân 'Mynd i Gorwen Hefo Alys' – cân *blues* 12-bar a berfformiwyd gan Jessop a'r Sgweiri a safai ar wahân i weddill y caneuon ar y noson. Cafwyd hefyd rai caneuon a ddaeth yn boblogaidd iawn ar donfeddi Radio Cymru er na fu'r gân ei hun yn fuddugol, megis 'Dwi'n Amau Dim' gan **Celt**, 'Mordaith' gan John Williams a Tony Llewelyn Roberts, a 'Tŷ Coz' gan Elwyn Williams ac Iwan Llwyd, yr olaf mewn perfformiad cofiadwy gan y canwr a'r sacsoffonydd Dafydd Dafis.

Yn ogystal, fe ddaeth y gystadleuaeth yn llwyfan ar gyfer cyflwyno talent newydd, megis perfformiad **Siân James** o 'Ceiliog y Gwynt' (Euros Rhys Evans, 1985), Iwcs a Doyle o 'Cerrig yr Afon' (Iwan Roberts a John Doyle, 1996), **Elin Fflur** o 'Harbwr Diogel' (Arfon Wyn, 2002), ac Elin Angharad yn 'Y Lleuad a'r Sêr' (Elin Angharad, Arfon Wyn, 2015). Waeth beth am y feirniadaeth, mae'r gystadleuaeth wedi parhau yn boblogaidd ers bron i hanner can mlynedd, ac yn ddyddiad pwysig i nifer yng nghalendr cerddorol Cymru.

Pwyll ap Siôn

Candelas

Ffurfiwyd y **band roc** Candelas yn ardal y Bala yn 2009. Yr aelodau gwreiddiol oedd Osian Williams (prif leisydd, gitâr, drymiau), Ifan Jones (gitâr), Tomos Edwards (gitâr fas) a Gruffydd Edwards (gitâr). Ymunodd Lewis Williams ar y drymiau yn 2012, gan alluogi Osian Williams i ganolbwyntio ar ganu a chwarae'r gitâr.

Disgrifir cerddoriaeth Candelas fel **canu roc**

indie pwerus gyda chyffyrddiadau o'r *blues*, ynghyd â dylanwadau trymach na'r hyn a oedd i'w glywed yn y sîn bop Gymraeg ar y pryd, megis Queens of the Stone Age, Band of Skulls, cerddoriaeth gynnar Kings of Leon a cherddoriaeth ddiweddar yr Arctic Monkeys. Rhyddhawyd eu EP *Kim y Syniad* (Peno, 2011) ac yna'r albwm ddwyieithog eponymaidd *Candelas* (Peno, 2013) ar eu label eu hunain. Daeth rhai o'r caneuon megis 'Anifail' a 'Symud Ymlaen' yn gyfarwydd iawn ar donfeddi Radio Cymru ar y pryd, ynghyd â bod yn boblogaidd mewn nosweithiau byw.

Yn 2014 cawsant eu dewis fel un o fandiau prosiect *Gorwelion* BBC Cymru, sef cynllun a sefydlwyd gan BBC Cymru mewn partneriaeth â Chyngor Celfyddydau Cymru i ddatblygu cerddoriaeth gyfoes annibynnol newydd yng Nghymru. Daethant i'r brig mewn amryw gategori yng Ngwobrau'r Selar dros y blynyddoedd, megis Record Hir Orau (gyda'r albwm *Candelas*), cân orau ('Anifail') ynghyd â Band Gorau yn 2013; a Band Gorau a Gwaith Celf Gorau am *Bodoli'n Ddistaw* yn 2014. Yn ogystal, enillodd drymiwr y band, Lewis Williams, wobr Offerynnwr y Flwyddyn yr un flwyddyn.

Daeth Candelas o dan label I Ka Ching yn haf 2014 pan ryddhawyd dwy sengl ganddynt, 'Cynt a'n Bellach' a 'Dim Cyfrinach'. Yn dilyn hyn rhyddhawyd eu hail albwm, *Bodoli'n Ddistaw* (I Ka Ching, 2014). Roedd elfen hunangofiannol yn perthyn i'r albwm yn dilyn marwolaeth annhymig Derec Williams, tad Osian – un o sylfaenwyr Cwmni Theatr Maldwyn a Chwmni Theatr Meirion – gyda chaneuon tywyll a dwys megis y trac olaf ar yr albwm, 'Awn Ni'n Nôl', yn trafod colled, rhwystredigaeth ac anobaith.

Fodd bynnag, nid oedd pob cân mor bersonol, a daeth 'Llwytha'r Gwn' – deuawd ar y cyd â'r gantores Alys Williams (a brofodd lwyddiant yng nghystadleuaeth *The Voice*) – yn arbennig o boblogaidd. Lansiwyd *Bodoli'n Ddistaw* mewn noson arbennig yn Neuadd Buddug y Bala, ar 22 Ionawr 2015, ac fe'i darlledwyd yn fyw ar raglen C2 Radio Cymru. Candelas oedd prif berfformwyr Maes B yn **Eisteddfod** Genedlaethol Maldwyn a'r Gororau yn 2015.

Yr un flwyddyn enillodd Osian Williams gystadleuaeth Tlws y Cerddor (gwobr y prif gyfansoddwr) yn yr Eisteddfod Genedlaethol. Bu hefyd ynghlwm â nifer o brosiectau eraill. Yn eu mysg bu'n aelod o Endaf Gremlin, grŵp 'gwneud' (neu *supergroup*) Cymraeg, gyda'r aelodau eraill yn cynnwys Mei Gwynedd (**Sibrydion**, **Big Leaves**),

Rhys Aneurin (**Yr Ods**), Dylan Hughes (Radio Luxembourg, Race Horses) a Dafydd Hughes (**Cowbois Rhos Botwnnog**). Ffurfiwyd y band yn 2013 ac aethant ati i ryddhau albwm eponymaidd yn Awst 2014 (JigCal, 2014), cyn cyhoeddi ar ddiwedd y flwyddyn eu bod wedi dod i ben. Prosiect arall yw Siddi, deuawd gwerin gyfoes rhwng Osian a'i chwaer Branwen Williams (a fu'n perfformio gyda Cowbois Rhos Botwnnog a'r Jessops) a ffurfiwyd yn 2013; rhyddhawyd albwm cysyniadol o'r enw *Un Tro* ganddynt ar label I Ka Ching yn 2013.

Disgyddiaeth
Kim y Syniad [EP] (Cyhoeddiadau Peno, 2011)
Candelas (Cyhoeddiadau Peno, 2013)
'Cynt a'n Bellach' [sengl] (I Ka Ching, 2014)
'Dim Cyfrinach' [sengl] (I Ka Ching, 2014)
Bodoli'n Ddistaw (I Ka Ching IKACHING012, 2014)
Wyt Ti'n Meiddio Dod i Chwarae? (I Ka Ching IKACHING040, 2018)

Nia Davies Williams

Cantata

Mae'r gantata, neu'r gantawd, fel yr awgryma'r gair (o'r Lladin *cantare*), yn gyfansoddiad ar gyfer ei ganu. Fel yr **opera** a'r **oratorio**, roedd dechreuadau'r cyfrwng hwn yn yr Eidal yn yr 17g. ond nid yw mor theatrig â'r naill na mor sylweddol o ran hyd a chynnwys â'r llall. Caiff y term ei ddefnyddio bellach i ddisgrifio amrywiaeth o gyfansoddiadau nad oes ganddynt fawr o nodweddion yn gyffredin ond eu bod yn weithiau i leisiau a cherddorfa fach. Gall y gantata fod yn seciwlar, fel yr oedd cantatas niferus Scarlatti, ond yn yr Almaen datblygodd gwedd fwy crefyddol ar y cyfrwng yng ngwaith Telemann, Handel ac yn bennaf J. S. Bach, a ysgrifennodd dros 200 o gantatas eglwysig.

Math o **oratorio** fer na fyddai'n ddigon i wneud cyngerdd ynddi'i hun oedd y gantata ac oherwydd hynny, ynghyd â'i strwythur syml (roedd y ffiwg i'w hosgoi) a'r ffaith nad oedd yn gofyn am adnoddau lleisiol na cherddorfaol mawr, denwyd sawl cyfansoddwr Cymreig yn oes Victoria i efelychu datblygiadau yn Lloegr ac i lunio eu cantatas eu hunain. Fe'u cyfansoddwyd ar gyfer eu perfformio yn yr **Eisteddfod** Genedlaethol a chafwyd llifeiriant ohonynt wedi i *Tywysog Cymru* **John Owen** (Owain Alaw), ym mhrifwyl Caernarfon 1862, agor y fflodiart. Prydeingarwch ac eilunaddoliad o'r teulu brenhinol oedd nodweddion cantatas y cyfnod hwn. Yn yr 1860au gwelwyd yng nghyngherddau'r

Eisteddfod berfformiadau o *Gwarchae Harlech* Edward Lawrence, *Llewelyn* a *The Bride of Neath Valley* **John Thomas** (Pencerdd Gwalia), *Gŵyl Gwalia* Owain Alaw eto, *Llys Arthur* J. D. Jones ac *Owen Glyndŵr* **John Jones** (Eos Bradwen), i gyd wedi'u seilio ar alawon Cymreig a digwyddiadau lled hanesyddol, gyda geiriau gan feirdd amlycaf eu dydd fel Ceiriog a Thalhaiarn.

Rhagflaenwyd y corawdau hyn serch hynny gan gyfansoddiad cysegredig John Ambrose Lloyd, *Gweddi Habacuc*, ar destun o'r Beibl, a ysgrifennwyd yn ystod 1850–51 ac a farnwyd yn orau yn Eisteddfod Porthmadog yn 1851. Trodd **Joseph Parry** ei law at y gantata grefyddol hefyd, gydag *Y Mab Afradlon* (1866) ymhlith nifer, er mai'r orau efallai o'i ddeuddeg cantata oedd *Cantata y Plant* neu 'Ymgom yr Adar', a barhaodd yn boblogaidd am hanner canrif ar ôl adeg ei hysgrifennu yn yr 1870au.

Cantatas eraill y bu canu mynych arnynt yn eu cyfnod oedd *Plant y Tlotty* gan Gwilym Gwent (William Aubrey Williams), a fu'n fuddugol mewn eisteddfod yn Nhreherbert yn 1878 ac y gwelodd Caradog yn dda i drefnu rhannau ohoni ar gyfer cyfeiliant cerddorfa, a'r *Gaethglud* (1904) gan **D. Emlyn Evans**. Machludodd haul y gantata wedi hynny yn wyneb datblygiad 'baledi corawl' mwy swmpus o Loegr gan, e.e., Sullivan, Stanford, Elgar, Coleridge-Taylor (yr oedd ei *Hiawatha's Wedding Feast* (1898), yn ffefryn yng Nghymru am dri chwarter canrif) a R. Vaughan Williams. Ni chollodd y gantata ei hapêl i gyfansoddwyr na chantorion Cymru serch hynny. Fel cantata y disgrifiodd **Daniel Jones** ei *The Country Beyond the Stars* (1958) a **William Mathias** ei *St Teilo* (1970), a gwelwyd mwynhad amlwg ym mherfformiad Côr Ysgol Glanaethwy wrth iddynt ganu 'O Fortuna!' o *Carmina Burana* (Carl Orff; 1935–6) yn rownd derfynol y gystadleuaeth deledu *Last Choir Standing* yn 2008 ac wedyn ar eu crynoddisg o'r un enw.

Gareth Williams

Canu Gwerin (gw. **Gwerin, Canu a Cherddoriaeth Draddodiadol**)

Canu Gwlad

Daw canu gwlad yn wreiddiol o ddosbarth gweithiol Eingl-Americanaidd Unol Daleithiau America, lle crewyd *genre* newydd yn ystod yr 1920au drwy gyfuno elfennau o gerddoriaeth werin gyda chaneuon poblogaidd, alawon Celtaidd, caneuon cowbois a baledi traddodiadol y cyfnod (gw. Neal 2012). Daeth yr arddull yn fwyfwy poblogaidd yn ystod y 1930au a'r 40au yn sgil poblogrwydd cantorion megis Jimmie Rogers a Hank Williams, gan ddod i sylw rhyngwladol yn ystod y 1950au a'r 60au wrth i gantorion megis Elvis Presley, Carl Perkins a Johnny Cash fabwysiadu elfennau canu gwlad yn eu caneuon.

Pinacl yr arddull yn nhyb nifer oedd cyfnod y 1970au a'r 80au, gyda phoblogrwydd cantorion megis Kenny Rogers, Dolly Parton (ac yna'n fwy diweddar, Emmylou Harris, Garth Brooks ac Alison Krauss), yn sicrhau lle anrhydeddus i'r ffurf yn natblygiad cerddoriaeth boblogaidd yn ystod yr 20g, ac yn dod â sylw'r byd i ddinas Nashville, Tennessee, canolbwynt canu gwlad yn yr UDA.

Tua chyfnod y 1970au a'r 80au daeth canu gwlad yn boblogaidd ymysg cynulleidfaoedd yng Nghymru hefyd. Un o'r cyntaf i wneud ei farc yn y maes oedd Doreen Lewis, a ddisgrifiwyd fel 'Brenhines y Canu Gwlad Cymraeg'. Ar ôl cystadlu mewn Eisteddfodau'r Urdd a'r Ffermwyr Ifanc, rhyddhaodd Lewis recordiau cynnar ar label Cambrian cyn cynhyrchu ei record hir gyntaf, *Teimlad Cynnes*, ar label Tryfan (is-label Sain) yn 1979. Rhyddhaodd nifer o recordiau ar label Sain yn ystod yr 1980au a'r 90au cynnar, gan gynnwys *Galw Mae 'Nghalon* (1982), *Pa Mor Hir?* (1983) a *Rhowch imi Ganu Gwlad* (1993), gyda'r rhan helaeth o'i chaneuon yn rhai gwreiddiol.

Roedd cantorion protest megis **Dafydd Iwan** eisoes wedi dechrau mabwysiadu'r arddull canu gwlad mewn caneuon fel 'Gad Fi'n Llonydd' (1973) a 'Weithiau Bydd y Fflam' (1979), ond bu adfywiad pellach yn sgîl llwyddiant Doreen Lewis, ac fe ddaeth y syniad o ganu gwlad drwy'r iaith Gymraeg yn beth llawer mwy cyffredin erbyn yr 1980au a'r 90au.

Un o grwpiau mwyaf poblogaidd y cyfnod oedd Traed Wadin. Tra bod Lewis yn pwysleisio elfennau mwy telynegol a sentimental yr arddull, roedd sain mwy trydanol Traed Wadin yn arddangos parodrwydd i fentro i gyfeiriad roc gwladaidd (*country rock*). (Roedd grwpiau megis **Hergest** ac **Edward H Dafis**, o dan ddylanwad The Eagles, eisoes yn arbrofi gydag'r arddull yma yn rhai o'u caneuon.)

Ffurfiwyd Traed Wadin yn 1978 gyda Dylan Parry (llais a gitâr), gynt o'r grŵp poblogaidd o Ynys Môn, y Castaways, a Neville Jones (gitâr ddur). Yn dilyn poblogrwydd recordiau megis *Potel Fach o Win* a *Tro i'r Fro* ar label Sain yn 1978 ac 1980, rhyddhawyd dwy record hir, *Fory Heb Ei Gyffwrdd* (Sain, 1982) a *Mynd Fel Bom* (Sain, 1984). Yn ystod y 1990au aeth Dylan ati i ffurfio'r ddeuawd Dylan a Neil gyda'i fab, gan ryddhau tair record hir.

Yn ystod y 1990au bu adfywiad pellach yn y maes yng Nghymru o ganlyniad i boblogrwydd deuawdau megis Iona ac Andy, Dylan a Neil, Brenda Edwards, y brodyr Alun a Dafydd Jones o Broc Môr, ac yn bennaf oherwydd llwyddiant y ddeuawd o Tudweiliog ym Mhen Llŷn, **John ac Alun**. Yn sgîl llwyddiant Iona ac Andy a John ac Alun, cynhaliwyd gŵyl ganu gwlad *Gwlad y Gân* yn Llandudno am nifer o flynyddoedd yn theatr Venue Cymru, Llandudno, gan osod llwyfan teilwng i artistiaid canu gwlad yn yr iaith Gymraeg. Bu bandiau poblogaidd eraill megis Cajuns Denbo yn barod i fentro tu hwnt i'r sain generig Americanaidd i gynnwys rhythmau cajun a zydeco o ardal De Orllewin Louisiana.

Tua'r cyfnod yma roedd gwerthiant recordiau canu gwlad yn aml yn rhagori ar werthiant recordiau roc a phop yn y Gymraeg, ac fe glywid dylanwad yr arddull ar recordiau **Bryn Fôn** a **Steve Eaves**, yng nghaneuon y gantores boblogaidd Gwenda Owen, yn arddull acwsdig artistiaid megis **Gwyneth Glyn** a **The Gentle Good**, ac yng ngherddoriaeth **Cerys Matthews**. Bu'r gantores hynod boblogaidd o Gwm Gwendraeth, Gwenda Owen, hefyd yn mabwysiadu'r arddull canu gwlad mewn rhai caneuon o blith ei recordiau hir yn ystod yr 1990au (*Dagre'r Glaw*, *Teithio Nôl*, a *Neges y Gân*, oll ar label Fflach), weithiau mewn cyfuniad effeithiol â sain Geltaidd ei naws, fel yng nghân fuddugol cystadleuaeth **Cân i Gymru** 1995, 'Cân i'r Ynys Werdd'.

Parhaodd y genre i dderbyn sylw ar ddechrau'r ganrif newydd, gyda John ac Alun yn rhyddhau pedair record hir rhwng 2000–2010. Yn ystod y blynyddoedd diwethaf daeth to newydd o artistiaid i'r amlwg, gan gynnwys Wil Tân, Gethin Fôn a Glesni Fflur, ac yn fwyaf arbennig y Welsh Whisperer (gw. Cymru Fyw 2018).

Tra bod y syniad o briodoli ffenomen cwbl anghymreig, Eingl-Americanaidd i iaith a diwylliant Cymru yn anathema i Gymry pybyr y 'pethe', ni ellir gwadu poblogrwydd canu gwlad. Bu'n apelio'n fwyaf arbennig i Gymry cefn gwlad, gyda nifer o gefndir dosbarth gweithiol yn dilyn y gerddoriaeth. A chan fod dylanwad **cerddoriaeth werin**, Gwyddelig a Cheltaidd yn treiddio drwy'r arddull, ynghyd â thraddodiad yr **Emyn** a chanu cynulleidfaol, efallai nad yw'n syndod fod nifer o Gymry yn medru uniaethu gyda'r gerddoriaeth.

Roedd y syniad o 'hiraeth' – un sy'n ganolog i'r *psyche* Cymreig a'r Noson Lawen – yn cyseinio gyda'r arddull canu gwlad yn ogystal. Ond efallai mai'r prif elfen oedd y modd y gallai'r gerddoriaeth gysylltu gyda chymunedau lleol ar lawr gwlad. Fel dywed Andrew Walton (y Welsh Whisperer): 'mae'r geiriau am bynciau sy'n berthnasol i'r gynulleidfa ac mae'r gerddoriaeth hefyd yn llawer agosach at adre'.' Tra bod cymunedau cefn gwlad Cymraeg yn parhau i fodoli mae'n debyg y bydd canu gwlad i'w glywed yno hefyd.

Disgyddiaeth

Doreen Lewis, *Rhowch imi Ganu Gwlad* (Sain SCD2054, 1993)

Dylan a Neil / Traed Wadin, *Hen Wlad Llŷn* (Sain SCD2161, 1997)

Broc Môr, *Goleuadau Sir Fôn* (Sain SCD2325, 2001)

John ac Alun, *Y Goreuon / Best Of* (Sain SCD2456, 2004)

Iona ac Andy, *Y Ffordd* (Sain SCD2541, 2007)

Llyfryddiaeth

Pwyll ap Siôn, 'Canu Gwlad yng Nghefn Gwlad', *Barn* (Mehefin 1987) 42–3

Jocelyn R. Neal, 'Country Music', Grove Music Online (2012) <http://www.oxfordmusiconline.com>

Cymry Fyw, 'Canu gwlad: Y gerddoriaeth "danddaearol" newydd? (11 Ebrill 2018) <http://www.bbc.co.uk/cymrufyw/43698249>

Pwyll ap Siôn

Canu Penillion (gwreiddiau) (gw. hefyd **Cerdd Dant**)

Yn ei dechreuadau, roedd y gelfyddyd a adwaenir heddiw fel 'canu penillion' neu 'canu gyda'r tannau' yn wahanol iawn i'r hyn ydyw bellach. Yn ôl **Meredydd Evans** a **Phyllis Kinney**, roedd modd olrhain yr hen gelfyddyd yn ôl llawer canrif. Parhaodd y traddodiad o ganu cerddi beirdd Cymru yn ddi-dor ar hyd y canrifoedd, a byddai gan y telynor a'r datgeinydd bob amser safle pwysig yn llysoedd tywysogion Cymru.

Mae'r gelfyddyd erbyn hyn yn ddibynnol ar lunio gosodiad cerddorol canadwy ar bapur ymlaen llaw, ond nid felly'r oedd hi gyda 'gosodiadau'r datgeiniaid'. Yn hytrach, disgwylid i'r datgeinydd feddu'r ddawn i 'daro i mewn' pan genid unrhyw gainc gan y telynor, a hynny yn y man priodol, fel bod gair acennog olaf ei bennill yn cyd-daro â nodyn acennog olaf y gainc. Dyna oedd crefft y datgeinydd, ac ni chaniateid iddo ganu'r pennill gyda'i drwyn mewn copi. Yn hytrach roedd disgwyl iddo fod â stôr o benillion o wahanol hydau ar ei gof, a bod yn abl i ganu'r penillion hynny yn ôl y galw.

Hyn a roes fod i'r arferiad cystadleuol o 'ganu cylch', a ddiddanai wrandawyr mewn cartrefi, tafarndai a neuaddau slawer dydd. Rheolau syml y grefft hon oedd y byddai cystadleuwyr yn cyd-gyfarfod ac yn tynnu 'byrra docyn' i benderfynu ar drefn y canu. Yna byddai'r telynor yn dewis cainc ac yn chwarae unwaith trwyddi, cyn i'r cystadleuydd cyntaf ganu'r pennill a ddewisai ef. A bwrw ei fod wedi gorffen canu ei bennill yn daclus ar gord olaf y gainc, byddai rhaid i'r datgeinydd a'i dilynai ganu unrhyw bennill ond fod rhaid i'r pennill hwnnw fod o union yr un mesur â phennill y canwr blaenorol. Rhaid oedd iddo yntau orffen ei bennill ar gord olaf y gainc. O fethu gwneud hyn, ystyrid ei fod wedi methu, a gelwid y datgeinydd nesaf i gymryd ei le. Ac felly, un ar ôl y llall, byddai'r datgeiniaid yn canu a llwyddo neu'n canu a methu, hyd nes y byddai pawb ar wahân i'r buddugol wedi ei daflu allan o gylch y cantorion. Mae'n amlwg y byddai gan ddatgeiniaid gof aruthrol a fyddai'n eu galluogi i ganu penillion o wahanol hydau fel y bo'r galw. Cynhaliwyd gornest o'r math hwn mewn tafarn yn y Trallwng yn 1824, a bu'r cystadleuwyr yn canu am fwy nag awr a hanner o amser cyn i Thomas Edwards (1787–1866) o Gorwen guro Evan Evans (1784–1866) o Lawrybetws gan ddod â'r ornest i'w therfyn.

Yn **Eisteddfod** Genedlaethol Machynlleth yn 1937 cipiodd cerddor proffesiynol o ardal Llanelli, **Haydn Morris** (1891–1965), yr wobr gyntaf am lunio llawlyfr o osodiadau **cerdd dant**. Roedd y canlyniad yn dipyn o sioc i lawer cerddor cydnabyddedig ar y pryd a fu'n gyndyn i weld unrhyw rinwedd yng nghelfyddyd unigryw Gymreig cerdd dant.

Bu'r syniad o lunio gosodiadau parod yn cylchredeg ers cyhoeddi *Y Tant Aur* gan David Roberts, Telynor Mawddwy (1875–1956), yn 1911. Er mai copi o rai gosodiadau yr oedd ef ei hun yn cofio clywed eu canu gan werin-ddatgeiniaid Mawddwy a'r cyffiniau oedd cynnwys y llyfr hwn o 45 gosodiad, bu galw mawr amdano. Pan ddaeth y Parch. P. H. Lewis yn weinidog newydd yn ardal Dinas Mawddwy, ac yntau hefyd yn gerddor, soniodd wrth *Y Telynor* nad oedd y cyfalawon a welid yn fersiwn cyntaf *Y Tant Aur* yn dangos llawer o grefft, ac ychydig flynyddoedd yn ddiweddarach cydweithiodd gyda David Roberts i gyhoeddi *Cainc y Delyn* (Bermo, 1915), a oedd yn cynnwys cyfalawon llawer mwy cerddgar.

Yn y blynyddoedd ers cyhoeddi *Y Tant Aur* cyhoeddwyd llawer o lyfrynnau cyffelyb gan Dewi Mai o Feirion, Llyfni Huws, **Haydn Morris**, J. E. Jones ac eraill. Bu un peth arall a fu'n ysgogiad pendant i dwf diddordeb mewn canu gyda'r tannau, a hynny oedd sefydlu **Cymdeithas Cerdd Dant Cymru**, ynghyd â chyhoeddi *Allwedd y Tannau* bob blwyddyn, sef cylchgrawn blynyddol y Gymdeithas, lle cafwyd cyfle i drafod pob math o faterion a oedd yn ymwneud â cherdd dant.

Fodd bynnag, ym mlynyddoedd cynnar yr 20g. – trwy lawer o ymdrech ac yn nannedd cryn dipyn o wrthwynebiad – gwelwyd datblygiad pellach wrth i ambell un, megis Dewi Mai o Feirion, Caradog Puw, William H. Puw, Ioan Dwyryd, William Morris Williams, Watcyn o Feirion ac eraill a oedd yn gweld yr hen system o 'Ganu Cylch' braidd yn ddi-bwynt, fynd ati i lunio gosodiadau a fyddai'n felys i'r glust, a hefyd yn ystyrlon ac yn gymorth i ddehongli llawer o gerddi'r beirdd. Sylwodd y cyhoedd fod hwn yn ddatblygiad gwerthfawr, a daeth y grefft o osod a chanu **cerdd dant** yn llawer mwy derbyniol i glustiau Cymry cerddgar. Yn rhai o siroedd gogledd Cymru y gwelwyd yr arbrofion hyn yn digwydd, ond o dipyn i beth ymledodd y grefft o osod cerddi ar geinciau yn y dull hwn i rannau eraill o'r wlad.

Llyfryddiaeth
Aled Lloyd Davies, *Y Tant Aur* (Bermo, 2011)

Aled Lloyd Davies

Canu Plygain

Traddodiad o ganu **carolau** Nadolig sydd wedi para'n ddi-dor mewn un rhan o ganolbarth Cymru. Daw'r gair *plygain* o'r Lladin *pulli cantus*, sef 'caniad y ceiliog'. Hyd at tua hanner olaf y 18g. golygai wasanaeth crefyddol cynnar yn y bore, ond yn raddol daeth i olygu cyfarfod canu carolau ar unrhyw adeg o'r dydd o gwmpas y Nadolig a'r Hen Galan. Cynhelid y gwasanaeth yn eglwys y plwyf ond yn ddiweddarach dechreuodd y capeli Ymneilltuol eu cynnal, a cheir tystiolaeth hefyd am wasanaethau plygain mewn tai annedd ar un cyfnod.

Cadarnle'r traddodiad yw gogledd Sir Drefaldwyn, de Meirionnydd a de Sir Ddinbych: ardal sy'n ymestyn o Ddyffryn Ceiriog drwy Ddyffryn Tanat, Llanfyllin, Llanfihangel-yng-Ngwynfa, y Trallwng, Llanfair Caereinion, Dyffryn Banw, hyd at Fawddwy a Dyffryn Dyfi. Dyma'r unig ardal lle ceir rhwydwaith o wasanaethau plygain a phartïon plygain yn cefnogi'r naill a'r llall. Dyma'r unig ardal hefyd lle daliwyd i ganu'r carolau traddodiadol hynny sydd wedi hen

Y Garol Blygain 'Ar Gyfer Heddiw'r Bore'

ddiflannu o'r llyfrau **emynau** swyddogol. Roedd bri anarferol yn yr ardaloedd hyn ar gyfansoddi carolau ymhlith beirdd megis Huw Morus (Eos Ceiriog), Thomas Williams (Eos Gwynfa), Dafydd Cadwaladr ac eraill.

Tarddiad yr alawon yw **alawon gwerin** poblogaidd y dydd, fel y mae eu henwau yn tystio: 'Difyrrwch Gwŷr Caernarfon', 'Y Ceiliog Gwyn', 'Susan Lygatddu', 'Ffarwel Ned Puw', 'Trwsgwl Mawr', 'Cwplws Dau', 'Ffarwel Gwŷr Aberffraw'. Mae'n glir oddi wrth enwau eraill, megis '*Rochester March*', '*Greece and Troy*', '*King George's Delight*' a '*Belle Isle March*' fod amryw ohonynt wedi dod o Loegr – gyda'r porthmyn yn ôl pob tebyg. Roedd y mesurau newydd hyn yn aml yn hir a chymhleth, gan osod sialens newydd i'r beirdd, ond mae'r geiriau at ei gilydd yn hynod o grefftus, gyda llu o gyffyrddiadau cynganeddol a chyfeiriadau diwinyddol.

Roedd y traddodiad ar un adeg yn perthyn i Gymru gyfan. Ceir disgrifiadau o blygeiniau mewn ardaloedd megis Dinbych-y-pysgod (gyda gorymdaith yng ngolau cannwyll), Ceredigion, Dolgellau a Llangeinwen (lle cofnododd John Owen, Dwyran, amryw o garolau). Achlysuron cymdeithasol oedd y plygeiniau ac ymddengys fod llawer ohonynt yn bur afreolus ac yn gyfle i fechgyn ifanc a fro gael cryn hwyl, yn enwedig yn y gwasanaethau cyn dydd pan oedd pobl wedi bod ar eu traed yn diota ers oriau. Dyna un rheswm, fe gredir, pam iddynt yn raddol ddiflannu o weddill Cymru. Yng nghyffiniau Sir Drefaldwyn dros gyfnod o amser, symudwyd y gwasanaethau i'r min nos ac fe ymestynnwyd y tymor i tua chwech wythnos, datblygiad a olygai y gallai'r naill ardal gefnogi'r llall.

Trefn fyrfyfyr sydd i'r gwasanaeth plygain. Nid oes unrhyw raglen wedi ei gosod ymlaen llaw ac ni cheir unrhyw siarad rhwng datganiadau. Yn dilyn gwasanaeth byr, cyhoeddir bod 'y Blygain yn awr yn agored' a daw'r partïon (neu unigolion) ymlaen i ganu, yn ddigyfeiliant bob amser. Dynion oedd mwyafrif llethol y cyfranogwyr ar un adeg, a'r parti mwyaf poblogaidd oedd tri llais: alaw, tenor a bas. Un o hynodion y canu yw'r arddull: canu syml a dirodres gyda blas y pridd arno, **canu gwerin** yng ngwir ystyr y gair. Clywir y math hwn o ganu ar ei orau yng nghanu Triawd Fronheulog.

Tua diwedd yr 20g. a dechrau'r 21g. tyfodd diddordeb yn y canu plygain mewn ardaloedd y tu allan i'r cadarnle traddodiadol gan arwain at sefydlu gwasanaethau o'r newydd yn yr ardaloedd hynny.

Disgyddiaeth
Caneuon Plygain a Llofft Stabal (Sain SCD2389, 2003)

Arfon Gwilym

Canu Pop a Roc
(gw. **Poblogaidd, Cerddoriaeth**)

Canwr y Byd
(gw. **Cystadlaethau cerddorol**)

Carolau

Mae *Geiriadur Prifysgol Cymru* yn diffinio 'carol' fel '**dawns**; cân ysgafn lawen mewn mesur rhydd, yn enwedig y math a genid ar ŵyl i ganlyn dawnsio … cân grefyddol neu dduwiol, cân neu **emyn** o lawenydd, yn enwedig ynglŷn â'r Nadolig.' Rhydd y diffiniad hwn olwg ar yr amrywiaeth pwyslais hanesyddol sydd i'r gair. Erbyn heddiw, fe'i cysylltir yn bennaf â'r math o gân boblogaidd a genir i ddathlu'r Nadolig, ond y mae ei chefndir yn lletach na hynny a cheir nifer o enghreifftiau yn y traddodiad Cymraeg o garolau sy'n perthyn i dymhorau eraill yn y flwyddyn (e.e. carolau Mai a charolau Haf). Mae'r cysylltiad â'r ddawns yn bwysig oherwydd mae'n pwysleisio ysgafnder y garol fel cân mewn mesur rhydd a genir i ddathlu. Defnyddia **Gerallt Gymro** y gair Lladin *chorea* (dawns gorawl) i ddisgrifio dawnsio a chanu ar ŵyl y santes Eluned yn y 12g., ac mewn llawysgrif o'r 14g. cynghorir addolwyr i ganu emyn penodol wrth garola neu ddawnsio.

Roedd llawer o garolau'n gysylltiedig ag arferion gwerin nad oeddynt yn amlwg grefyddol er eu bod yn perthyn i hen wyliau'r saint. Cenid carolau Mai y tu allan i'r tai i ddathlu Calan Mai a chroesawu'r haf, a cheid dawnsio o gylch y fedwen Fai, y fedwen haf neu'r gangen haf. Yng ngogledd Cymru roedd arferion y gangen haf yn arbennig yn gyfle i orymdeithio'n lliwgar a chanu caneuon megis y 'Cadi ha'. Yn y de, cysylltid arferion y fedwen Ifan â Gŵyl Ifan (24 Mehefin). Roedd llawer o'r canu hwn hefyd yn gysylltiedig â'r ffair ac â'r ŵylmabsant, sef gŵyl sant yr eglwys leol lle'r oedd cyfle i rialtwch. Atgyfodwyd nifer o'r arferion hyn yn y cyfnod diweddar wrth i **Amgueddfa Werin Cymru** a Chymdeithas Ddawns Werin Cymru drefnu dathliadau Gŵyl Fai a Gŵyl Ifan.

Cymal Cyntaf y Garol 'O Deued Pob Cristion'

Mae'r canu gwaseila (gw. **Gwasael, Canu**) yn gysylltiedig â Gŵyl Fair y Canhwyllau ar 2 Chwefror – ceid arferion 'canu yn drws' yng ngogledd Cymru nid annhebyg i draddodiad y Fari Lwyd yn y de, gyda phenillion yn cael eu canu bob yn ail gan gwmni o'r tu mewn ac o'r tu allan. Cofnododd Richard Morris (1703–79) yn *Llawysgrif Richard Morris o Gerddi* ryw dri dwsin o garolau gwirod canu ac ateb, ac roedd caneuon gorchest hefyd yn rhan o arferion Gŵyl Fair y Canhwyllau (Parry-Williams, 1931).

Traddodiad Cymreig cyfoethog, sydd wedi magu poblogrwydd newydd ers chwarter olaf yr 20g., yw traddodiad y carolau **plygain**. Nododd Richard Morris ddwy garol blygain yn ei lawysgrif, ac roedd cyfansoddi carolau plygain yn rhan o draddodiad gwerin sawl ardal. Un o garolwyr mwyaf toreithiog Sir Fôn yn y 18g. oedd Richard Parry, Dyserth, y daeth nifer o'i garolau i feddiant John Owen (1856–1937), Dwyran, Môn, mewn dwy lawysgrif a ddiogelir yn Amgueddfa Werin Cymru (**Evans** a **Kinney**, 1993). Mae'r **llawysgrifau** hyn yn dyst i fywiogrwydd canu carolau ym Môn yn y 19g. Roedd y gwasanaeth plygain yn rhan boblogaidd o ddefod y Nadolig a cheir tystiolaeth o Ddolgellau yn 1785 am yr arfer o fynd i'r eglwys cyn y wawr ac aros yno tan wyth y bore i wrando ar garolau plygain. Parhaodd yr arfer drwy'r 19g. ond gyda mwy o bwyslais ar y gwasanaeth a chylch y plygain yn ddwy ran fel y'i dethlir heddiw. Mae'n ymddangos fod gwreiddiau'r plygain yn hen offeren Nadolig ganol nos yr Eglwys Babyddol, a bod y carolau'n cyfrif am barhad ei apêl. Yn ardal Ceinewydd, Ceredigion, y cofnodwyd yr hynaf mae'n debyg o blith y carolau Cymraeg traddodiadol, sef 'Ar fore Dydd Nadolig', a all fod â'i gwreiddiau yng nghanu plaengan y 15g.

Parhaodd llawer o'r arferion traddodiadol wedi'r Diwygiad Protestannaidd ac fe geir beirdd yr 17g. yn cyfansoddi carolau y gellid eu canu; dyna a geir, er enghraifft, yng nghasgliad Thomas Jones, *Carolau a Dyriau Duwiol* (1696). Parhaodd apêl carolau'r Ficer Prichard (1579?–1644), megis 'Awn i Fethlem' a 'Clywch adrodd mawr gariad', am ganrifoedd, ac fe'u cenid i alawon traddodiadol. Yr alaw fwyaf poblogaidd a hirhoedlog y cenid carolau plygain arni oedd 'Ffarwel Ned Puw', a daliwyd i arfer 'Gwêl yr Adeilad', sef alaw faled o Loegr yn wreiddiol ('*See the Building*'), fel alaw i garolau plygain yng Nghymru. Ceir sawl ffurf hefyd ar fesur 'Mentra Gwen'.

Rhoddwyd hwb i'r traddodiad plygain trwy'r gwaith recordio a wnaethpwyd gan **Roy Saer** yn Nyffryn Tanad yn yr 1960au, lle'r oedd traddodiad y carolau plygain wedi para'n ddi-dor. Ailboblogeiddiwyd llawer o'r carolau plygain a oedd wedi eu diogelu ym Maldwyn a datblygodd traddodiad newydd o wasanaethau plygain ar hyd a lled Cymru. Nodwedd bennaf llawer o'r carolau plygain yw eu meithder – maent yn aml yn ymdrin nid yn unig â geni Crist ond â'i farwolaeth a'i atgyfodiad hefyd, gan gwmpasu holl drefn y cadw o fewn un garol, mewn nifer fawr o benillion.

Yn ystod y 19g. gwelwyd symudiad tebyg i'r hyn a gafwyd yn Lloegr i gefnogi canu carolau Nadolig, wrth i'r Ŵyl ei hun ddenu mwy o sylw yn ystod oes Victoria. Lluniodd y cyfansoddwr **J. D. Jones** (1827–70) y casgliad *Caniadau Bethlehem* (1857), sy'n dibynnu ar hen donau traddodiadol, i geisio hybu'r arfer o wasanaeth plygain. Erbyn diwedd y 19g. ymledodd yr arfer o lunio carolau Nadolig gwreiddiol yn Gymraeg. Yn Aberaeron, byddai L. J. Roberts (1866–1931) a J. M. Howell (1855–1927) yn cyfansoddi carol newydd bob Nadolig ac yn ei chyhoeddi ar daflen. Byddai'r cyfansoddwr **Daniel Protheroe** yntau yn cyfansoddi carol Nadolig newydd i'w chyhoeddi ar ei gerdyn Nadolig blynyddol. Cyfansoddwyd y garol gyfarwydd 'O deued pob Cristion' yn wreiddiol gan Jane Ellis, Yr Wyddgrug, a'i chyhoeddi yn 1840; ond fe'i poblogeiddiwyd wrth iddi gael ei diogelu a'i throsglwyddo yn y traddodiad llafar. Erbyn yr 20g. daeth cyfansoddi carolau Nadolig yn arfer cyffredin, a chynhwyswyd mwy o garolau o fewn y casgliadau emynau enwadol. Cyhoeddwyd casgliadau o garolau, megis *Carolau Hen a Newydd* (1954), *Awn i Fethlem* (1983) ac *Wrth y Preseb* (1985) a gynhwysai amrywiaeth o gyfieithiadau o garolau Ewrop yn ogystal â chyfansoddiadau Cymraeg gwreiddiol.

Llyfryddiaeth

T. H. Parry-Williams (gol.), *Llawysgrif Richard Morris o Gerddi* (Caerdydd, 1931)

Meredydd Evans a Phyllis Kinney (gol.), *Hen Alawon: Carolau a Cherddi* (Cymeithas Alawon Gwerin Cymru, 1993)

Rhidian Griffiths

Catatonia
(gw. hefyd **Matthews, Cerys**)

Band roc poblogaidd o'r 1990au ac oes 'Cŵl Cymru' oedd Catatonia. Yr aelodau oedd Mark Roberts (gitâr, llais), **Cerys Matthews** (llais), Paul Jones (bas), Owen Powell (gitâr) ac Aled Richards (drymiau). Roedd Clancy Pegg (allweddellau) a Dafydd Ieuan (drymiau) yn aelodau gwreiddiol hefyd.

Yn 1992 cyfarfu Mark Roberts o fand **Y Cyrff** â Cerys Matthews yng Nghaerdydd ac aethant ati i gydgyfansoddi caneuon. Gyda chefnogaeth label recordiau Crai (is-label Recordiau Sain) a'r canwr **Geraint Jarman**, oedd ar y pryd yn gynhyrchydd y rhaglen deledu *Fideo 9* ar S4C, lansiwyd Catatonia a daeth Owen Powell (o'r Crumblowers), Paul Jones (o'r Cyrff) a'r drymiwr Aled Richards hefyd yn aelodau. Cafodd eu dwy sengl ar label Crai eu henwi fel senglau'r wythnos yn y *New Musical Express*, a chawsant sylw'r wasg Brydeinig gyda'u record hir gyntaf, *Way Beyond Blue* (Blanco y Negro, 1996), oedd hefyd yn cynnwys gwaith celf trawiadol gan yr arlunydd o Gymru, Elfyn Lewis.

Un o nodweddion canolog y recordiau a ryddhawyd gan Crai oedd yr elfen ddwyieithog. Yn sgil arwyddo cytundeb recordio gyda'r label Eingl-Americanaidd Blanco y Negro (is-label Warner Brothers), diflannodd yr elfennau Cymraeg a gwelwyd Catatonia yn dringo'r siartiau Prydeinig. Tua'r cyfnod pan arwyddodd y grŵp gyda chwmni Warner, ymadawodd dau o'r aelodau, sef Dafydd Ieuan, a ddaeth yn aelod o **Super Furry Animals**, a Clancy Pegg, a ddaeth yn aelod o Crac a'r **Tystion**.

Yn ystod eu cyfnod cynnar ar label Blanco y Negro roedd Catatonia yn cydymffurfio gyda sŵn pop annibynnol (*indie*) Prydeinig (*Britpop*): geiriau syml, gitarau'n tincian a llais anarferol, etheraidd Matthews.

Ar ôl rhyddhau *International Velvet* (Blanco y Negro, 1998) trodd eu sŵn yn galetach a daeth eu geiriau i adlewyrchu ehangder diwylliant poblogaidd yr oes. Er enghraifft, roedd un o'u senglau, 'Mulder and Scully', yn cyfeirio at raglen deledu boblogaidd ar y pryd, *The X-Files*, gan ddefnyddio'r goruwchnaturiol i gyfleu'r teimlad o syrthio mewn cariad. Er bod hyn bellach yn cysylltu'r record â chyfnod a aeth heibio, roedd cyfeirio at raglen deledu boblogaidd yn effeithiol o ran marchnata a hybu gwerthiant, ac fe hawliodd *International Velvet* safle rhif un y siartiau Prydeinig am sawl wythnos yn 1998.

Roedd poblogrwydd Catatonia yng nghyfnod *Britpop* yr 1990au hefyd yn cyd-fynd â'r ymgyrch o blaid datganoli yng Nghymru a Refferendwm lwyddiannus 1997. Roeddynt yn rhan o fomentwm ehangach, felly, ac yn amlygiad o'r ffaith fod diwylliant poblogaidd Cymreig yn adlewyrchu dyheadau gwleidyddol newydd o fewn y wlad. Roedd cân deitl *International Velvet*, gyda'r geiriau 'Every day when I wake up / I thank the Lord I'm Welsh' yn arwydd o'r deffroad, er o bosib ar yr un pryd yn barodi cellweirus ar gerdd y Parch. Eli Jenkins yn *Under Milk Wood* Dylan Thomas ('Every morning when I wake, / Dear Lord, a little prayer I make'). Beth bynnag am fwriad y gyfeiriadaeth, daeth y syniad o arddel Cymreictod echblyg mewn recordiau pop Eingl-Gymreig yn nodwedd o'r cyfnod ymysg grwpiau eraill hefyd, megis y **Stereophonics** a'r **Manic Street Preachers**.

Fodd bynnag, yn dilyn poblogrwydd *International Velvet* daeth y berthynas bersonol rhwng Mark Roberts a Cerys Matthews i ben. Cafodd eu halbwm nesaf, *Equally Cursed and Blessed* (Blanco y Negro 1999), lwyddiant yn y siartiau Prydeinig a chyrhaeddodd tair o'u senglau y 40 Uchaf. Ond roedd llwyddiant wedi troi'n faen tramgwydd i Catatonia ac ar ôl rhyddhau *Paper Scissors Stone* (Blanco y Negro 2001) chwalodd y grŵp. Ers hynny mae **Cerys Matthews** wedi parhau â'i gyrfa fel cantores unigol, awdur a chyflwynydd radio a theledu. Enillodd ei rhaglen wythnosol *Music* ar BBC 6 wobr Sony. Dyfarnwyd iddi hefyd wobr Dewi Sant (2014) a'r MBE (2014).

Disgyddiaeth

For Tinkerbell [EP] (Crai CD039L, 1993)
Hooked [EP] (Crai CD042B, 1994)
Way Beyond Blue (Blanco y Negro 0630-16305-2, 1996)
International Velvet (Blanco y Negro 3984-20834-2, 1998)
Equally Cursed and Blessed (Blanco y Negro 3984-27094-2, 1999)
Paper Scissors Stone (Blanco y Negro 8573-88848-2, 2001)

Casgliadau:

Catatonia 1993/1994 (Crai CD064, 1998)

Greatest Hits (Blanco y Negro, 0927-49193-2, 2002)

Llyfryddiaeth

David Owens, *Cerys, Catatonia and the Rise of Welsh Pop* (Llundain, 2000)

Sarah Hill

Celt

Band roc a sefydlwyd yn Rachub, ger Bethesda, yw Celt a hynny yn niwedd yr 1980au. Daeth criw o gerddorion lleol at ei gilydd, yn rhannol yn dilyn llwyddiant bandiau lleol megis **Maffia Mr Huws** rai blynyddoedd ynghynt a'r diddordeb mewn **canu pop** Cymraeg a ddaeth yn sgil sefydlu **gŵyl** Pesda Roc. Ymhlith yr aelodau gwreiddiol yr oedd Steven Bolton (llais), Barry 'Archie' Jones (gitâr a gitâr fas) ac Alwyn Jones (drymiau). Ychydig yn ddiweddarach, fe ymunodd y canwr Martin Beattie (cyn-aelod o'r grŵp lleol, Machlud), ac yn fuan fe ddatblygodd sain nodweddiadol y band – sef caneuon roc syml a baledi canadwy a gyfansoddwyd yn bennaf gan Barry Jones a roddai bwyslais ar asiad lleisiol arbennig Beattie a Bolton. Daeth Siôn Jones (gynt o Maffia Mr Huws) ar y gitâr flaen yn aelod pwysig maes o law, tra bod Huw Smith o'r grŵp Mojo yn cyfeilio ar yr allweddellau o dro i dro.

Rhyddhawyd record gyntaf y band, *Da Di'r Hogia*, yn 1989, a *Cynffon* yn 1991, ill dwy ar eu label eu hunain, gan ddod â sylw i'r band gyda chaneuon hwyliog megis 'Byw yn Braf yn Gibraltar'. Daeth sylw pellach iddynt yn dilyn eu hymddangosiad yng nghystadleuaeth **Cân i Gymru** 1993 gyda'r anthemig 'Dwi'n Amau Dim'. Er na fu'r gân yn fuddugol (cipiwyd y wobr gyntaf gan un o'r Brodyr Gregory), fe'i chwaraewyd yn gyson ar Radio Cymru.

Bu'r band yn perfformio'n rheolaidd ledled Cymru yn ystod y cyfnod, gan fagu dilyniant selog ymysg cynulleidfaoedd, ond bu'n rhaid disgwyl tan 1998 am eu halbwm llawn cyntaf. Recordiwyd *@.com* (Sain, 1998) yn stiwdio Brynderwen ger Bethesda a'i gymysgu gan Les Morrison yn Sain. Bu'r albwm yn llwyddiant, gan werthu rhai miloedd o gopïau. Ar sail caneuon grymus megis 'Rhwng Bethlehem a'r Groes', 'Dros Foroedd Gwyllt' a'r faled 'Un Wennol', daeth Celt yn un o grwpiau mwyaf poblogaidd yr 1990au. Dilynwyd *@.com* gydag EP yn cynnwys y gân 'Telegysyllta' (Sain, 2001), ond bu llai o weithgaredd gan y grŵp yn dilyn ymadawiad Martin Beattie.

Perfformiodd y band yng Ngŵyl y Faenol, Bangor, yn 2000 ac eto yn 2003. Rhyddhawyd casgliad o'u caneuon gorau, *Pwy **** Di Celt?*, ar Recordiau Howget yn 2006, ac albwm byw, *Cash Is King*, ar yr un label yn 2009.

Disgyddiaeth

@.com (Sain SCD2215, 1998)

'Telegysyllta' [sengl] (Sain SCD2305, 2001)

Cash Is King (Howget HOWGCD004, 2009)

Casgliadau:

Pwy **** Di Celt? (Howget HOWGCD001, 2006)

Craig Owen Jones a Pwyll ap Siôn

Cerddoriaeth Boblogaidd (gw. **Poblogaidd, Cerddoriaeth**)

Cerddoriaeth Draddodiadol (gw. **Gwerin, Canu a Cherddoriaeth Draddodiadol**)

Cerdd Dant, Corau

Rhywbeth a ddatblygodd yn ystod ail hanner yr 20g. yw'r côr cerdd dant. Ar hyd y canrifoedd, crefft yr unigolyn oedd canu gyda'r tannau, ond o tua'r 1930au ymlaen gwelwyd deuawdau, triawdau a phartïon. Cyflwynwyd cystadlaethau parti **cerdd dant** yn gymharol gynnar: yn yr Ŵyl Cerdd Dant gyntaf yn y Felinheli yn 1947, er enghraifft. Cam naturiol wedyn o hynny oedd ymddangosiad corau.

Nid oes, ac ni fu erioed, reol bendant i wahaniaethu rhwng 'parti' a 'chôr'. Ar gyfer 'parti', i ddibenion cystadleuaeth mewn **gŵyl** neu eisteddfod, nodir niferoedd penodol yn y rhestr testunau – 'hyd at 20 mewn nifer' yn amlach na pheidio (ar un adeg '16' oedd yn arferol). Mae cystadleuaeth y côr felly yn cynnwys unrhyw nifer uwch na'r ffigwr a nodir ar gyfer y parti. Gall nifer y cantorion amrywio'n fawr, ond o bryd i'w gilydd gwelwyd corau sylweddol mewn cystadlaethau, rhai'n cynnwys cymaint â 70 o aelodau. Ar gyfer cyngerdd agoriadol **Eisteddfod Genedlaethol** y Bala, 2009, ffurfiwyd côr o dros gant o leisiau meibion dan arweiniad Dan Puw, Côr y Cewri. **Corau merched** neu gorau dynion yw'r mwyafrif llethol o gorau a ffurfiwyd; eithriad mewn gwirionedd yw **corau cymysg**.

Mae'n wir dweud hefyd fod aml i gôr wedi ei sefydlu yn wreiddiol fel parti, a'u bod wedi symud o un categori i'r llall, yn syml oherwydd fod nifer yr aelodau wedi cynyddu gydag amser. Dyna a ddigwyddodd gydag un o'r corau cerdd dant enwocaf, Côr Godre'r Aran o ardal Llanuwchllyn – criw a ddaeth ynghyd yn wreiddiol ar gyfer Eisteddfod Genedlaethol Dolgellau, 1949, trwy ysgogiad teulu Tyddyn 'Ronnen, sef Einion Edwards a'i ddau nai, Geraint a **Trefor Edwards**. Yn ddiweddarach cymerwyd yr awenau gan Tom Jones.

Ymddangosodd cystadleuaeth 'Côr deulais neu fwy' (heb fod dan 16 mewn nifer) mor gynnar ag 1954, yng Ngŵyl Cerdd Dant Aberystwyth. Ond yn y cyfnod hwnnw nid oedd y gystadleuaeth yn ymddangos yn gyson bob blwyddyn; ambell i flwyddyn nid oedd neb yn cystadlu, ac yn gyffredinol peth cymharol brin oedd y côr cerdd dant. Ymhlith yr enwau sy'n ymddangos y mae Côr Godre'r Aran ei hun, Côr Cwm Eithin (Llangwm, dan arweiniad **Emrys Jones**), Parti'r Ffynnon (Treffynnon, dan arweiniad Morfudd Maesaleg) a Chôr Merched Prysor (Trawsfynydd, dan arweiniad Mrs L. E. Morris).

Yn ystod yr 1960au un o'r corau mwyaf llwyddiannus oedd Côr Pontrhydyfen, dan arweiniad Alwyn Samuel. Dyma hefyd gyfnod **Bois y Blacbord**, dan arweiniad Noel John, a aeth ymlaen i arwain Côr Telyn Teilo, côr prysur iawn yn yr 1970au. Y corau mwyaf amlwg yn y cyfnod hwn oedd Hogia'r Ddwylan (dan arweiniad **Menai Williams**, yna Ilid Anne Jones), Rhianedd Môn (dan arweiniad Bethan Bryn, yna Morfudd Maesaleg), Côr Gyfynys, Trawsfynydd (dan arweiniad L. E. Morris), Côr Caerdydd (dan arweiniad Lisa Erfyl), Côr Aelwyd Caerdydd (dan arweiniad Nan Elis) a Chôr Tannau Taf (dan arweiniad Carys Williams).

Mae'n debyg mai o ganol yr 1970au ymlaen y datblygodd 'oes aur' y corau cerdd dant, gyda nifer y corau ar gynnydd yn gyson, yn ogystal â niferoedd y cantorion o fewn y corau hynny (yng Ngŵyl Cerdd Dant y Bala, a gynhaliwyd ym Mhafiliwn Corwen yn 1984, daeth tri ar ddeg o gorau i gystadlu). Ymhlith y corau amlycaf o'r cyfnod hwnnw ymlaen y mae Côr Pantycelyn (Coleg Aberystwyth, arweinydd Gareth Mitford), Côr Merched Dyffryn Dulais (arweinydd Iris Thomas), Côr Cantre'r Gwaelod (Aberystwyth, arweinydd Bethan Bryn), Côr Penyberth (Pwllheli, arweinydd Nan Elis), Merched Uwchllyn (Llanuwchllyn, arweinydd Dafydd Roberts), Côr Merched Carmel (arweinydd Maureen Hughes), Côr Arianrhod (arweinydd Glesni

Jones), Merched y Garth (Pontypridd, arweinydd Alwena Roberts, yna Llinos Swain), Parti'r Ffin (Wrecsam, arweinydd Mair Carrington Roberts), Côr Llangwm (arweinydd Rhian Jones), Côr Ceinion Conwy (arweinydd Catherine Watkin), Merched Glyndŵr (Dyffryn Clwyd, arweinydd Leah Owen), Côr Prysor (Trawsfynydd), Côr Seiriol (Bangor, arweinydd Gwennant Pyrs), Côr Canna (Caerdydd, arweinydd Delyth Medi), Côr Gwrtheyrn (Pwllheli, arweinydd Alwena Roberts), Côr Lleisiau'r Nant (Dinbych, arweinydd Leah Owen) a Chôr Glanaethwy (arweinydd Cefin Roberts) (gw. hefyd **Arweinyddion**).

Disgyddiaeth

Côr Telyn Teilo, *Goreuon 1970–1991* (Sain SCD2093, 1995)

Côr Seiriol, *Côr Seiriol 2* (Sain SCD2106, 1995)

Côr Caerdydd, *Côr Caerdydd* (Sain SCD2118, 1995)

Côr Godre'r Aran, *Cwlwm Aur* (Sain SCD2231, 1999)

Côr Seiriol, *Goreuon Cerdd Dant* (Sain SCD2329, 2001)

Côr Pantycelyn, *Goreuon Cerdd Dant (Cyfrol 2)* (Sain SCD2448, 2004)

Côr Godre'r Aran, *Goreuon 1983–2003* (Sain SCD2659, 2012)

Sioned Webb

Cerdd Dant

Cerdd dant yw'r grefft o ganu geiriau ar gainc osodedig a chwaraeir ar delyn ac mae'n chwaer-grefft i gerdd dafod (crefft y bardd). Ystyrir bod cerdd dant neu **ganu penillion** yn ddull unigryw Gymreig o ganu, ac er mai crefft i unigolyn yn unig oedd hi ar hyd y canrifoedd, yn ystod yr 20g. gwelwyd cyfuniadau lleisiol yn datblygu, yn ddeuawdau, triawdau, pedwarawdau, partïon a chorau. Mewn eisteddfodau – cenedlaethol a lleol – y clywir y rhan fwyaf o gerdd dant yn y Gymru gyfoes.

Prif egwyddor cerdd dant fel y'i clywir heddiw yw bod cyfalaw yn cael ei 'gosod' ar eiriau (barddoniaeth ran amlaf, ond weithiau hefyd ryddiaith) ac yn cael ei datgan i gyfeiliant cainc benodol. Erbyn heddiw mae cryn 600 o geinciau i ddewis o'u plith, y mwyafrif llethol wedi eu cyfansoddi o'r newydd yn ystod yr 20g. a'r gweddill yn draddodiadol. Y delyn sy'n dechrau chwarae bob amser, cyn i'r datgeinydd 'daro i mewn' mewn man sy'n sicrhau bod y pennill a'r gainc yn diweddu gyda'i gilydd. Byddai'r 'hen' gantorion yn cyfansoddi eu cyfalaw yn fyrfyfyr ('gosod ar y pryd') ond bellach, yn ddieithriad bron, cyfansoddir y gyfalaw ymlaen llaw a'i dysgu.

Credir bod gwreiddiau aruchel i'r grefft, yn tarddu o'r traddodiad hynafol o ganu mawl i frenhinoedd, tywysogion ac uchelwyr, mor bell yn ôl â'r cyfnod Celtaidd. Gellir dychmygu y byddai'r farddoniaeth a genid i gyfeiliant **telyn** yn y canrifoedd cynnar hyn yn swnio'n bur wahanol i'r hyn a glywir heddiw, ond nid oes fawr o amheuaeth fod crefft yn bodoli a oedd yn cyfuno llais a thelyn. Credir bod y grefft honno yn llawer mwy arbenigol na cherdd dant y cyfnod presennol, gan mai'r un person ar un adeg oedd y bardd, y telynor a'r datgeiniad.

Mae peth tystiolaeth yn awgrymu y gallai ffurf ar ganu i gyfeiliant telyn fod yn boblogaidd ymhlith y werin bobl hefyd. Mewn un gerdd o'r 16g. ceir cyfeiriad at gyfeillion yn dod ynghyd: 'Cael **telyn rawn** a' chweirio / A phawb ar hwyl pennhyllio.' O'r un cyfnod y ceir y cwpled: 'Kawn rai yn Kany Tclyn / Kowydd Triban ac Englyn.'

Yn Statud Gruffydd ap Cynan (llawysgrif o tuag 1523) ceir disgrifiad o'r hyn a oedd yn ddisgwyliedig gan ddatgeiniad: 'A wedi hynny y dichon atkeiniad … dysgu i blethiadau oll a ffroviad kyffredin ai ostegion a thair ar ddec o brif geinciau ai gwybod yn iawn yn i partiau ac atkan i gywydd gida hwy' (Ac wedi hynny fe all datgeiniad … ddysgu'r holl blethiadau a'r profiad cyffredin, a'r tair brif gainc ar ddeg, a'u gwybod yn iawn yn eu holl rannau, a sut i ddatgan ei gywydd gyda nhw).

Ddwy ganrif yn ddiweddarach, ceir y disgrifiad hwn mewn llythyr a anfonwyd gan Lewis Morris yn 1738:

> It is a custom in most counties of North Wales (but better preserved in the mountainous parts of Merionethshire &c) to sing to the Harp certain British verses in rhyme (called pennills) upon various subjects. Three or four kinds of them they can adapt and sing to the measures of any of the tunes in use among them, either in common or triple times, making some parts of the tune a symphony … these Pennills that our Countrymen … this day sing to the Harp and Crwth, a method of singing perhaps peculiar to themselves.

Yn ei chyfrol ar y casglwr alawon **ffidil** John Thomas (canol y 18g.), dywed **Cass Meurig** fod **canu penillion** yn digwydd i gyfeiliant ffidil yn ogystal â thelyn – yn 'Null y De' a 'Dull y Gogledd' (Dull y De oedd dechrau canu yr un pryd â'r offeryn; Dull y Gogledd oedd aros am rai barrau cyn 'taro i mewn').

Un o Lanfair Talhaearn yng ngogledd-ddwyrain Cymru oedd John Jones, Talhaiarn (1810–69). Yn ei atgofion, ceir disgrifiad dadlennol (*c.*1828) o natur werinol y grefft o 'ganu gyda'r tannau':

> Pan oeddwn yn laslanc deunaw oed yr oeddwn yn ffond iawn o ganu gyda'r tannau. Fy nghynathro yn y gelfyddyd honno oedd Sam y Teiliwr, Efenechtyd. Yr oeddwn … yn y dafarn beunydd ben wedi bod nos. Yr oed Efenechtyd yr amser hwnnw yn nodedig am ei ddatgeiniaid, sef Sam y Teiliwr, Huw Huws y Gof, Pwll Glas, John Davies y Clochydd, a minnau hefyd. Yr oedd Sam y pryd hwnnw rhwng hanner cant a thrigain oed ac yn ddigri i'w ryfeddu. Ni wyddai lythyren ar lyfr, ond er hynny yr oedd ganddo lond trol o garolau, cerddi a phenillion wedi eu storio yn ei benglog …

Aiff ymlaen i ddyfynnu'r math o benillion yr oedd fwyaf hoff ohonynt, a hefyd y ceinciau y byddai'n canu arnynt, a daw'n amlwg mai'r dull 'hoffusaf' o ganu ganddo oedd y dull y cyfeirir ato heddiw fel 'canu croesacen'.

Yn wahanol iawn i heddiw, ymddengys mai hwyl a miri oedd cerdd dant i lawer iawn, a bod llawer o'r geiriau yn fras ac yn anweddus. Ond yn ôl un llygad-dyst yn **Eisteddfod** Madog 1852, roedd y miri hwnnw yn gallu mynd dros ben llestri:

> Yn y rhagolygon am ddigonedd o fir a bwyd, ac ychydig sylltau o arian hefyd, ymrestrai i'r gystadleuaeth hon bob math o faldorddwyr, gloddestwyr, **baledwyr**, pastynfeirdd, clerwyr, bolerwyr, diotwyr, meddwon – ysgubion y byd a sorod pob dim – fel y daeth yr hen ymarferiad a gwir Gymreig i warth a dirmyg, ac i gael edrych arno fel peth israddol ac annheilwng … yn Eisteddfod Madog yr oedd ysgrechfeydd, cabledd a rhegfeydd yr ymgeiswyr yn llawer mwy amlwg, yn eu hymosodiadau ar y naill a'r llall, nag ydoedd unrhyw gystadledd reolaidd a threfnus mewn datganu gyda'r tannau, a hynny er gwaethaf holl ymdrechion Talhaiarn (yr arweinydd ar y pryd) i'w cadw mewn trefn a dosbarth.

Canlyniad hyn, meddai, oedd i ganu penillion gael ei ddileu o raglen rhai **eisteddfodau** wedi hynny. Er enghraifft, yn Eisteddfod Genedlaethol Caernarfon ddeng mlynedd yn ddiweddarach, yn hytrach na chynnal cystadleuaeth, dewiswyd tri chanwr penillion 'o nodwedd parchus' i ddifyrru'r gynulleidfa.

Un o'r cystadlaethau mwyaf poblogaidd oedd Canu Cylch. Byddai'r cystadleuwyr i gyd yn sefyll yn un rhes ar y llwyfan. Y gamp oedd canu pennill yn fyrfyfyr ar fesur o ddewis y beirniad, heb rybudd ymlaen llaw: prawf llym ar allu i osod ar y pryd, ond mwy fyth o brawf ar y cof. Gallai'r gystadleuaeth fynd ymlaen am amser maith iawn. Penderfynwyd yn ffurfiol mewn cynhadledd yn 1934 ddileu'r math hwn o ganu cerdd dant.

Un o'r ffigyrau pwysicaf ym myd cerdd dant y 19g. oedd Idris Fychan (1825–87), crydd o Ddolgellau a enillodd wobr am ysgrifennu traethawd ar 'Hanes a Hynafiaeth Canu Gyda'r Tannau' yn Eisteddfod Genedlaethol Caer (1866). Mae ei osodiadau yn wahanol iawn i rai ein dyddiau ni: y cyfalawon yn dilyn nodau'r gainc neu'n cadw at yr un nodyn am sawl bar. Ar ddiwedd ei draethawd mae Idris Fychan yn rhestru 64 o brif ddatgeiniaid y cyfnod, rhestr sy'n dangos pwysigrwydd ardaloedd Mawddwy, Dolgellau, Penllyn, Edeyrnion, Uwchaled a Bro Hiraethog yn y traddodiad cerdd dant ar y pryd.

Cyfraniad mawr Dafydd Roberts, Telynor Mawddwy, oedd cyhoeddi llawlyfr cerdd dant yn 1911 o'r enw *Y Tant Aur*. Mae'r gwahaniaethau rhwng argraffiad cyntaf y llawlyfr hwn a'r ail yn arwyddocaol iawn, oherwydd iddo ddechrau rhoi mwy o bwyslais ar safon gerddorol y cyfalawon – pwyslais a gynyddodd wrth i'r ganrif fynd rhagddi.

Yn sgil y galw am reolau cydnabyddedig a'r angen am drefn, sefydlwyd **Cymdeithas Cerdd Dant Cymru** yn 1934. Roedd un o'r prif ysgogwyr, Dewi Mai o Feirion, yn frwd o blaid gwella safonau cerddorol y grefft, ond nid pawb oedd yn cytuno. Yn ei llyfr *Cwpwrdd Nansi*, meddai **Nansi Richards** (Telynores Maldwyn), 'clywais rai o'r hen osodwyr yn dweud … pan o'wn i'n blentyn, "Pan aiff **canu penillion** i ddwylo cerddorion, mi fydd yn Ta-Ta arno!"' Un o benderfyniadau cyntaf y cynhadledd a alwyd yn y Bala oedd dileu cystadleuaeth Canu Cylch, prif lwyfan y grefft fyrfyfyr.

Ar ddechrau'r ganrif, crefft i unigolion yn unig oedd cerdd dant. Roedd y gosodiadau yn rhai digon undonog a diddychymyg gyda llawer o gamacennu a phethau y byddid yn ddiweddarach yn eu hystyried yn feiau. Drwy gydol y ganrif cafwyd gwared â'r beiau hyn a bu cryn broffesiynoli ar yr holl faes. Dechreuwyd ffurfio deuawdau a phartïon bychain. Mentrwyd ymhellach i faes triawdau a phedwarawdau, ac yna, o'r 1970au ymlaen, ymddangosodd corau cerdd dant am y tro cyntaf.

Law yn llaw â'r cynnydd hwn, bu ambell i ymgais hefyd i ymestyn ffiniau cerdd dant, i arbrofi ac i ddatblygu. Un o'r rhai a gafodd fwyaf o argraff oedd Gareth Mitford Williams (1950–82), brodor o Fôn a ddaeth yn hyfforddwr ar Gôr Cerdd Dant Neuadd

Pantycelyn, Aberystwyth, ar ddechrau'r 1980au. Gyda'i osodiadau newydd a beiddgar sbardunodd drafodaeth frwd, ac er iddo farw'n ifanc, gwnaeth ei farc a chreu esiampl i eraill.

Bu newidiadau mawr yn natur cerdd dant yn ystod yr 20g. – newidiadau llesol ar y cyfan, er y gellid dadlau, gyda pheth cyfiawnhad, fod hynny wedi digwydd ar draul yr hen elfen werinol, hwyliog, fyrfyfyr. Ond goroesodd y grefft ac mae lle parchus iddi o fewn diwylliant y genedl.

Arfon Gwilym

Cerddorfa Genedlaethol Gymreig y BBC (gw. **Cerddorfeydd, Corau, Cerddorfeydd Ieuenctid ac Ensemblau**)

Cerddorfeydd, Corau, Cerddorfeydd Ieuenctid ac Ensemblau

Cerddorfa Genedlaethol Gymreig y BBC

Un o brif fwriadau'r Cyngor Cerdd Cenedlaethol dan gadeiryddiaeth **Henry Walford Davies** yn gynnar yn yr 1920au oedd ffurfio cerddorfa genedlaethol. Ni lwyddwyd i wneud hynny hyd nes i Walford Davies ddod yn aelod o bwyllgor cerdd ymgynghorol y BBC yn 1925. Erbyn 1928 cafwyd cerddorfa fechan o 16 chwaraewr yng Nghaerdydd ac erbyn Rhagfyr 1935 cafwyd digon o ddatblygiad i gyfiawnhau teitl newydd, Cerddorfa Gymreig y BBC.

Fel llawer o weithgarwch y BBC rhoddwyd cynlluniau'r Gerddorfa o'r neilltu yn ystod yr Ail Ryfel Byd, ond ar ôl y rhyfel aethpwyd ati i'w hatgyfodi. Gyda dyfodiad y Third Programme (Radio 3 yn ddiweddarach) gwelwyd cyfle am ddyfodol mwy diogel. **Mansel Thomas** oedd **arweinydd** y Gerddorfa ar ei newydd wedd, gyda 31 chwaraewr. (Roedd 37 ohonynt erbyn 1956 a 44 erbyn 1960, niferoedd tipyn llai na'r hyn a geid yn Llundain.) Cefnogwyd cyfansoddwyr Cymru, rhai fel **David Wynne**, **Daniel Jones**, **Grace Williams** a'r **Alun Hoddinott** ifanc. Dirprwy **Mansel Thomas** oedd **Arwel Hughes**, a fu'n arweinydd cynorthwyol tan 1950.

Arweinydd y Gerddorfa o 1950 hyd 1965 oedd Rae Jenkins (1903–85) (gw. **Arweinyddion**), gŵr a gafodd brentisiaeth gerddorol ymarferol iawn yn theatrau Llundain. Pan benodwyd William Glock yn bennaeth cerdd y BBC yn 1959, un o'i brif amcanion oedd hybu moderniaeth ar lefel Ewropeaidd ac yn sgil hynny dibrisiwyd anghenion a buddiannau cenedlaethol Cymru. Oherwydd fod Glock yn dwyn pwysau penodwyd John Carewe yn arweinydd i olynu Rae Jenkins a bu yn y swydd o 1966 hyd 1971. Roedd adeiladu canolfan newydd i'r BBC yn Llandaf yn 1967 o fantais i'r Gerddorfa gan ei galluogi i symud o Heol Siarl i gartref mwy pwrpasol yn Stiwdio 1, Llandaf, gyda lle i gynulleidfa o 200.

Ym Medi 1967 sefydlodd y BBC y sianeli radio sy'n bod hyd heddiw, gyda Radio 3 yn cymryd lle'r Third Programme. Y canlyniad oedd i'r Gerddorfa gael ei defnyddio fwyfwy at ddibenion Radio 3 ar draul ei chyfraniad i'r gwasanaeth Cymreig. Yn yr 1970au bu'r Gerddorfa'n ddiwyd yn teithio o gwmpas Cymru ond prin oedd y mannau addas i berfformio gweithiau cerddorfaol. Hyd yn oed yng Nghaerdydd nid oedd lleoliadau fel Eglwys Gadeiriol Llandaf, Neuadd y Ddinas, Stiwdio 1 neu'r Theatr Newydd yn bodloni. Ond gyda dyfodiad Neuadd Dewi Sant yn 1982 gwelwyd datblygiad cyffrous a fyddai'n diwallu anghenion cerddorion a chynulleidfaoedd. Yno gallai'r Gerddorfa berfformio i gynulleidfa o 2,000 a llwyddwyd i sefydlu'r Neuadd fel cartref teilwng iddi.

Bu'r cerddor o Ganada, Boris Brott, yn brif arweinydd o 1972 hyd 1978 ac yn 1979 fe'i holynwyd gan Bryden Thomson (1928–1991). Roedd Thomson yn benodiad poblogaidd. Fe'i dilynwyd yntau gan Erich Bergel (1930–1998), a oedd yn enedigol o Rwmania ac a oedd wedi ennill edmygedd neb llai na Herbert von Karajan. Roedd y swyddogion gweithredol, Arnold Lewis a Huw Tregelles Williams, yn awyddus i gyfoethogi a dwysáu profiadau artistig y chwaraewyr a'u cynulleidfaoedd trwy ddenu mwy o **arweinyddion** gwadd o fri rhyngwladol. O edrych ar gyngherddau tymor 1986/7, er enghraifft, gwelir enwau Andrew Davies, Colin Davis, Charles Groves, James Loughran, Jukka-Pekka Saraste ac, am amser byr cyn i'w yrfa gyrraedd yr uchelfannau rhyngwladol, Mariss Jansons.

Pan benodwyd Mervyn Williams yn bennaeth cerddoriaeth a diwylliant, pwysleisiwyd yr arlwy ar gyfer teledu. Ef a gychwynnodd gystadleuaeth **BBC Canwr y Byd** Caerdydd yn 1983 gyda chefnogaeth rheolwr y BBC yng Nghymru, Geraint Stanley Jones, a oedd yn frwd iawn dros gerddoriaeth ac

am weld presenoldeb grymus gan y Gerddorfa ar deledu'r rhwydwaith Prydeinig. Er bod penodiad Tadaaki Otaka yn brif arweinydd yn 1987 yn groes i ddymuniad y BBC yn Llundain, bu ei gyfnod yn llwyddiant mawr gan iddo ddatblygu *rapport* da iawn gyda'r chwaraewyr mewn perfformiadau o ansawdd uchel.

Ers dechrau'r 1980au bu'n fwriad i'r Gerddorfa deithio mwy yn Ewrop (yn enwedig o gofio bod Cerddorfa Symffoni'r BBC wedi bod yn teithio'n gyson yno ers yr 1930au). Gwelwyd ymweliadau â Dwyrain yr Almaen (â Leipzig Gewandhaus, er enghraifft) ac â Leningrad. Canmolwyd cyfnod Richard Hickox fel prif arweinydd (2000–6) ac i'w ddilyn ef daeth Thierry Fischer (2006–12) a Thomas Søndergård (2012–). Cafwyd ysgogiad pwysig i'r Gerddorfa yn 2009 pan adeiladwyd Neuadd Hoddinott, un o neuaddau ymarfer mwyaf soffistigedig Ewrop gyda 349 o seddi, sy'n estyniad i Ganolfan y Mileniwm. Yn ei gyngherddau yn Neuadd Hoddinott bu cyfraniad Jac van Steen fel prif arweinydd gwadd (2006–13) yn bwysig ac ar ddiwedd 2015 apwyntiwyd Xian Zhang yn brif arweinydd gwadd y Gerddorfa. Hi yw'r fenyw gyntaf i gael swydd gyffelyb gyda'r BBC.

Corws Cenedlaethol Cymreig y BBC

Anghyson fu hanes canu **corawl** dan nawdd y BBC o 1928 hyd at ganol yr 1970au. Cafwyd y BBC Repertory Choir yn 1928; wedyn Cantorion Cymreig y BBC o 1936 ymlaen; dim gweithgarwch yn ystod yr Ail Ryfel Byd; adfywiad dan gyfarwyddyd **Arwel Hughes** yn 1947; wedyn Wythawd rhannol broffesiynol, a'r Glendower Singers dan arweinyddiaeth **Mansel Thomas** o tua chanol yr 1950au ymlaen. Tyfodd y côr – eithaf niferus ei rif – yn ystod yr 1970au ac erbyn 1983 credid bod angen newid cyfeiriad artistig. Daeth adfywiad yn sgil penodi John Hugh Thomas yn gôr-feistr i Gorws Cenedlaethol Cymreig y BBC, côr amatur ar newydd wedd gyda thua 60 aelod. Y bwriad oedd ymgyrraedd at y safon uchaf posibl gan fod gofyn i'r côr berfformio ar lefel broffesiynol gyda'r Gerddorfa (gw. hefyd **Arweinyddion**).

Ers 1999 cyfarwyddwr cerdd y Corws yw Adrian Partington, a oedd eisoes yn gofalu am Gôr Coleg Brenhinol Cerdd a Drama Cymru. Cymerodd ef y cyfle i gynnwys aelodau o Gôr y Coleg yng Nghorws y BBC gan sicrhau sain ifanc, ffres iddo, ac mae'r Corws erbyn hyn yn cael ei ystyried fel y côr ieuengaf o'r corau mawr Prydeinig. Mae enw da iddo am ei berfformiadau bob blwyddyn yng nghyfres Proms y BBC; ymhlith uchafbwyntiau'r Proms fu'r Noson Gyntaf yn 2015 gyda pherfformiad o *Belshazzar's Feast* Walton, yn ogystal â pherfformiadau o *Symffoni Gothig* Havergal Brian yn 2011 ac *Offeren* Leonard Bernstein yn 2012.

Cerddorfeydd a Grwpiau Ieuenctid Cenedlaethol

Yn dilyn ymdrechion arloesol **Walford Davies** a Chyngor Cenedlaethol Cerddoriaeth Cymru yn yr 1920au a'r 1930au i ledaenu chwarae offerynnau cerddorfaol yn yr ysgolion, paratowyd y ffordd tuag at sefydlu Cerddorfa Genedlaethol Ieuenctid Cymru. Digwyddodd hyn yn bennaf oherwydd dycnwch yr **addysgwr** cerddorol, Irwyn Walters (1902–92).

Gwahoddwyd Clarence Raybould i fod yn **arweinydd** cyntaf ac i'w ddilyn ef cafwyd gwasanaeth sawl arweinydd nodedig, fel Arthur Davison (1967–1990), Elgar Howarth (1991–5), Christopher Adey (1996–2002) ac Owain Arwel Hughes (2003–10). Arweiniwyd ar ôl hyn am gyfnodau byr gan Takuo Yuasa, Carlo Rizzi, Grant Llewellyn, Paul Daniel a Jac van Steen. Mae gan y Gerddorfa 115 aelod a chânt amrywiaeth o brofiadau cerddorol gwerthfawr, er enghraifft y cyfle i gyd-berfformio mewn sefyllfa broffesiynol gyda **Cherddorfa Symffoni Gymreig y BBC**.

Tra caiff y Gerddorfa Ieuenctid (ynghyd â Dawns Genedlaethol Ieuenctid Cymru a Theatr Genedlaethol Ieuenctid Cymru) ei rheoli gan Gyd-bwyllgor Addysg Cymru (CBAC) (gw. **Diwylliant a'r Diwydiant Cerddoriaeth**), mae Corau Cenedlaethol Ieuenctid Cymru, Cerddorfa Bres Genedlaethol Ieuenctid Cymru, Cerddorfa Chwyth Genedlaethol Ieuenctid Cymru a Jazz Cenedlaethol Ieuenctid yn dod o dan adain Tŷ Cerdd. Mae aelodau'r Côr Ieuenctid rhwng 16 a 21 oed. Fe'i sefydlwyd yn 1985 gyda **George Guest** yn arweinydd, a dewiswyd 46 canwr allan o'r 150 a glywelwyd i roi'r cyngerdd cyntaf yn **Eisteddfod** Genedlaethol y Rhyl yr un flwyddyn (un o'r aelodau cyntaf oedd llywydd presennol y Côr, **Bryn Terfel**).

Oherwydd natur symffonig y Gerddorfa Ieuenctid, bychan yw'r nifer o chwaraewyr chwyth a phres y gellir eu cynnwys ynddi. Felly mae Cerddorfa Chwyth Genedlaethol Ieuenctid Cymru a Band Pres Cenedlaethol Ieuenctid Cymru yn cyflawni rôl bwysig yn diwallu anghenion cerddorol ehangach gan gynnig llwyfan i lawer o offerynwyr nad ydynt yn aelodau o'r Gerddorfa Genedlaethol. Mae'r

Gerddorfa Bres yn batrwm o sut mae cynnal hen draddodiad – mae hanes anrhydeddus i fandiau pres yng Nghymru – mewn dull effeithiol a chreadigol gyda llygad ar y dyfodol. Ers ei ffurfio yn 1982 dan arweiniad Edward Gregson, mae'r Gerddorfa hon, sy'n cynnwys 60 o aelodau, wedi ffynnu. Mae llawer o'i chyn-aelodau wedi dod yn amlwg yn broffesiynol gyda phrif fandiau a cherddorfeydd Prydain, ac mae'n gwneud llawer i hybu cyfansoddwyr o Gymru a thu hwnt trwy gomisiynu darnau newydd.

Yn ddiweddar rhoddwyd y pwyslais ar gomisiynu cyfansoddwyr ifanc trwy gynnal cystadleuaeth Cyfansoddwyr Ifanc Tŷ Cerdd. Menter arall ddefnyddiol yn 2015 fu sefydlu'r Band Hyfforddi ar gyfer offerynwyr 16 mlwydd oed ac iau. *Ensemble* arall cysylltiedig â'r Gerddorfa Bres yw Pres Symffonig Cenedlaethol Ieuenctid Cymru, sy'n cynnwys chwaraewyr sydd naill ai'n aelodau neu'n gyn-aelodau o gerddorfeydd eraill cenedlaethol ieuenctid Cymru. Oherwydd safon uchel yr *ensemble* hwn, cafodd y Pres Symffonig yr anrhydedd o chwarae yn agoriad dau o adeiladau mwyaf eiconig Cymru, Canolfan y Mileniwm a'r Senedd.

Mae'r grŵp arloesol Band Jazz Cenedlaethol Ieuenctid Cymru yn rhoi cyfle i gerddorion **jazz** ifanc talentog ddatblygu eu sgiliau byrfyfyr a'u sgiliau *ensemble* dan gyfarwyddyd arbenigwyr jazz gorau Prydain. Mae'r 30 aelod yn perfformio arlwy amrywiol sy'n cynnwys swing a ffefrynnau'r siartiau cyfoes. Dan arweinyddiaeth y trwmpedwr Percy Pursglove mae aelodau'r Band wedi gwella'u dealltwriaeth o wahanol arddulliau a chonfensiynau'r byd jazz.

Sinfonia Cymru

Chwaraewyr proffesiynol ifanc yw aelodau'r Gerddorfa arloesol hon a gychwynnwyd yn 1996 gan yr **arweinydd** Gareth Jones, sy'n dal yn brif arweinydd y Gerddorfa. Hon yw'r unig gerddorfa o'i math sy'n cael ei hariannu gan refeniw Cyngor Celfyddydau Cymru. Mae nifer fawr iawn o brif unawdwyr Ewrop wedi perfformio gyda hi, gan gynnwys **Bryn Terfel**, **Dennis O'Neill**, Carlo Rizzi, **Rebecca Evans**, **Catrin Finch**, **Llŷr Williams**, Simon Keenlyside, Joseph Calleja, **Gwyn Hughes Jones**, Jean Phillipe Collard, Peter Donohoe, **Paul Watkins**, Michael Collins a Chloë Hanslip. Mewn cydweithrediad â chynllun ysgoloriaeth Professional Pathway Coleg Brenhinol Cerdd a Drama Cymru a'r Young Classical Artists Trust, mae'n hybu posibiliadau proffesiynol y genhedlaeth nesaf o offerynwyr cerddorfaol proffesiynol. Yn 2013 dechreuwyd menter Curate i gryfhau'r gefnogaeth i dalentau newydd sydd â'u bryd ar gynnig syniadau artistig beiddgar, mwy anghyffredin o bosibl.

Roedd 2014 yn flwyddyn eithriadol o brysur i'r Gerddorfa gan iddi roi 44 cyngerdd i fwy na 13,000 o bobl. Hefyd, yn 2015 cymerwyd y cyfle i ehangu'r gweithgarwch er mwyn perfformio, gyda Rachel Podger, mwy o weithiau o gyfnod y Barôc. Deil y chwaraewyr i berfformio *repertoire* eang yn gyson ledled Cymru, yn enwedig yng Nghanolfan Glan yr Afon yng Nghasnewydd.

Ensemble Cymru

Cafodd Ensemble Cymru ei sefydlu yn 2001 a bu'n gweithio'n ddyfal er mwyn hyrwyddo cerddoriaeth yng nghymunedau gogledd Cymru. Ers y dechrau y bwriad fu cynhyrchu cerddoriaeth siambr ar gyfer llcisiau ac offerynnau mewn ystod eang o weithgarwch ar gyfer neuaddau cyngerdd, gweithgarwch sy'n aml wedi'i anelu at blant a theuluoedd. Cynhelir tua chant o ddigwyddiadau bob blwyddyn. Felly, cenhadaeth yr Ensemble yw addysgu, ysbrydoli a chyfoethogi bywydau pobl o bob oedran ar draws Cymru ac yn enwedig yn y gogledd. Bu'n ddyfeisgar yn diwallu anghenion a meithrinwyd rhyngweithio effeithiol mewn ysgolion a chanolfannau celfyddydol. Bu cysylltiad agos gyda llawer o sefydliadau eraill ac ers 2015 y mae wedi cynnig hyfforddiant a chyngor i berfformwyr ifanc trwy fenter newydd, yr Academi Cerddoriaeth Siambr. Oherwydd ei ddyfalbarhad cydnabuwyd yr Ensemble gan Gyngor Celfyddydau Cymru am bwysigrwydd ei waith strategol. Bu'r Ensemble ar restr fer Gwobr y Gymdeithas Frenhinol Ffilharmonig yn 2006 ac anrhydeddwyd y sylfaenydd, Peryn Clement-Evans, yn 2008 am ei gyfraniad i gerddoriaeth yng Nghymru.

Richard Elfyn Jones

Cerddoriaeth Gynnar
(gw. **Cynnar, Cerddoriaeth**)

Cerddoriaeth Offerynnol
(gw. **Ffurfiau Offerynnol**)

Ceri, Ifor (gw. **Jenkins, John**)

Cernyw, Dylan (g.1970)

Un o delynorion amlycaf a phrysuraf Cymru. Ganed yn Llandudno. Derbyniodd ei addysg yn Ysgol Y Creuddyn, Llandudno.

Wedi derbyn hyfforddiant gan delynorion megis Gwennant Pyrs, Dafydd Huw a Robin James Jones, bu'n fuddugol yn **Eisteddfodau** Cenedlaethol 1989, 1991 ac 1994, ynghyd â bod yn enillydd yn yr Ŵyl Gerdd Dant yn 1992. Bu'n cyfeilio i nifer fawr o gorau a chantorion amlycaf Cymru mewn cyngherddau ledled y wlad, gan gynnwys **Katherine Jenkins** a **Rhydian Roberts**.

Rhyddhaodd record hir eponymaidd ar label Sain yn 2000, gan ei dilyn gyda dwy arall yn 2004 a 2011. Yn 2006 ffurfiodd y ddeuawd Piantel gyda'r pianydd **Annette Bryn Parri**, ac fe ryddhaodd y ddau dair record hir, gan gynnwys un i ddathlu deng mlynedd o berfformio cyson yn 2016.

Disgyddiaeth
Dylan Cernyw (Sain SCD2267, 2000)
Hirddydd Haf (Sain SCD2441, 2004)
Cartref (Sain SCD2665 2012)

gyda Piantel:
O'r Galon (Sain SCD2590, 2008)
Un Enaid (Sain SCD2644, 2012)
Piantel – Dathlu Deg (Sain SCD2757, 2016)

Chiswell, Huw (g.1961)

Canwr a chyfansoddwr a ddaeth i amlygrwydd yn ystod yr 1980au. Ganed yng Nghwmtawe a'i fagu ym mhentref Godre'r-graig. Fe gafodd ei addysg yn Ysgol Gyfun Ystalyfera a Phrifysgolion Aberystwyth ac Abertawe, gan raddio'n y Gymraeg. Bu'n aelod o'r grwpiau pync a thon newydd Y **Trwynau Coch** a Crach yn ystod yr 1980au cynnar, gan ddod yn fuddugol yng nghystadleuaeth cân serch **Eisteddfod** Ryng-golegol 1981.

Daeth i sylw cenedlaethol am y tro cyntaf ar ôl ennill Cystadleuaeth **Cân i Gymru** yn 1984 gyda'r gân 'Y Cwm'. **Geraint Griffiths** oedd y perfformiwr ond roedd Chiswell yntau'n ganwr talentog ac yn bianydd galluog, ac yn fuan wedi llwyddiant 'Y Cwm' dechreuodd recordio a pherfformio ei ganeuon ei hun. Derbyniodd lwyddiant pellach yn 1985 pan gyfansoddodd y gân anthemig 'Dwylo Dros y Môr', er mwyn codi arian at Apêl Newyn Ethiopia. Cyd-ganodd nifer helaeth o gantorion a pherfformwyr Cymraeg adnabyddus ar y record, gan gynnwys **Dafydd Iwan**, **Geraint Jarman**, Linda Griffiths a **Caryl Parry Jones**. Amcangyfrifir bod 22,000 o gopïau o'r record wedi'u gwerthu gan gyfrannu'n sylweddol at y swm o chwarter miliwn a godwyd. Flwyddyn yn ddiweddarach, rhyddhaodd Chiswell ei record hir unigol gyntaf, *Rhywbeth o'i Le* (Sain, 1986). Profai yr ystod eang o ganeuon ar y record – o'r gân deitl, a oedd yn sôn am farwolaeth milwr Cymraeg yng Ngogledd Iwerddon, i'r gân ddigri 'Parti'r Ysbrydion' – allu Chiswell i symud yn naturiol o'r llon i'r lleddf.

Fel cyfansoddwr, mae Chiswell yn meddu ar y ddawn i gyfansoddi alawon cryf a chofiadwy. Nodweddir nifer o'i ganeuon gorau gan bwnio piano egnïol, cyfeiliant offerynnau pres a llais llawn teimlad ac argyhoeddiad. Clywir ystod eang o ddylanwadau ynddynt – o Tom Waits i Billy Joel – ond bod Chiswell yn gweld y byd a'i bethe trwy sbienddrych Cymreig. Defnyddiodd ei gefndir yng Nghwm Tawe yn gynfas i nifer o'i ganeuon mwyaf dirdynnol, o'r gân deyrnged 'Y Cwm' a 'Rhywbeth o'i Le' i 'Nos Sul yn Baglan Bay', sy'n ymdrin ag alltudiaeth oddi yno, a 'Gadael Abertawe' sy'n cyfeirio at ei fagwraeth grefyddol. Mae ei ganeuon yn aml yn seiliedig ar brofiadau personol, hunangofiannol, megis 'Tadcu', neu'n ymdrin â themâu megis edifeirwch a hunanymholi.

Bu bwlch o bedair blynedd cyn i Chiswell ryddhau ei drydedd record hir, *Cameo Man* (1993), ar label annibynnol, ac yna seibiant o ddeng mlynedd cyn y bedwaredd, *Dere Nawr* (Sain, 2003), a gynhyrchwyd gan Richard Dunn (un o Gynganeddwyr **Geraint Jarman**) yn ei stiwdio yng Nghaerdydd. Parhau i ddarlunio storïau yn ei ganeuon a wnâi Chiswell, gyda'r pwyslais o bryd i'w gilydd ar enwau a lleoliadau ei fro ei hun, yn ddramatig yn y gân 'Gadael Abertawe', yn fwy hiraethus yn y gân 'Gyrru Nôl'. Rhyddhawyd y casgliad *Goreuon* gan Sain yn 2005, ac yn 2008 ei bumed record hir *Neges Dawel* (Sain), a recordiwyd hefyd yn stiwdio Dunn.

Bu ef a'i fand yn perfformio'n rheolaidd ar S4C, ond fe wnaeth yrfa iddo'i hun hefyd yn y **cyfryngau** fel cynhyrchydd, cyfarwyddwr a chyflwynydd yn ogystal ag actor. Cafodd ei gastio fel yr hwlcyn o Sbaenwr, Carlos, yn y ffilm *Ibiza, Ibiza!* (HTV, 1986) gan gyd-serennu gydag Emyr Wyn (Rhisiart) a **Caryl Parry Jones** (Glenys), y pâr dosbarth-canol Cymraeg. Bu'n gyfrifol hefyd am gyfres o raglenni dychanol ac agos at yr asgwrn a ddarlledwyd o'r Eisteddfod Genedlaethol o dan y teitl *Swigs*. Darlledwyd yr olaf a'r seithfed yn y gyfres o Eisteddfod Genedlaethol Llanelwedd yn 1993. Yn fwy diweddar bu'n feirniad

ar y gyfres *Wawffactor* yn 2005, ynghyd â bod yn gyflwynydd teledu ar *Noson Chis a Meinir* (Cwmni Da, 2007–8).

Disgyddiaeth
Rhywbeth o'i Le (Sain C996, 1986)
Rhywun yn Gadael (Sain 1429M, 1989)
Cameo Man ([di-enw] 1993)
Dere Nawr (Sain SCD2365, 2003)
Goreuon (Sain SCD2478, 2005)
Neges Dawel (Sain SCD2565, 2008)

Hefin Wyn a Pwyll ap Siôn

Childs, Euros (g.1975)
(gw. hefyd Gorky's Zygotic Mynci)

Cerddor o dde Sir Benfro a chyn-aelod o **Gorky's Zygotic Mynci** a ddaeth i amlygrwydd fel artist unigol yn ystod blynyddoedd olaf y grŵp. Mireiniodd ei grefft fel cyfansoddwr caneuon yn sgil yr arweiniad artistig a roddodd i'r Gorky's, a hynny ers ei gyfnod fel disgybl yn Ysgol Bro Myrddin, Caerfyrddin. Bu'n aelod o'r grŵp o'r cychwyn cyntaf ar ddechrau'r 1990au hyd at 2006 pan chwalodd y Gorky's. Roedd ei rieni hefyd yn gerddorion ac yn arbenigo mewn chwarae **offerynnau** canoloesol.

Bu Childs yn arbrofi â phrosiectau unigol ers 2005, gyda'i sengl 'Donkey Island' yn cael ei rhyddhau ar label Wichita y flwyddyn honno. Fel cerddor byw, bu'n cydweithio'n agos â'i gyfaill o'r Gorky's, Peter Richardson, a'r canwr-gyfansoddwr **Alun Tan Lan**. Erbyn chwalu'r grŵp, yr oedd eisoes yn gweithio ar ei albwm unigol cyntaf, *Chops* (Wichita, 2006), gwaith hynod liwgar ac eclectig oedd yn arddangos dylanwadau yn amrywio o Captain Beefheart a Henry Cow i ganu gwlad a synth pop *lo-fi* o'r 1980au, ond gydag elfen delynegol amlwg yn treiddio drwy'r cyfan. Dilynwyd *Chops* flwyddyn yn ddiweddarach gan ail albwm cwbl Gymraeg, *Bore Da* (Wichita, 2007) ynghyd â'r albwm mwy masnachol, *Miracle Inn* (Wichita, 2007). Gweithiodd dramor hefyd, gan recordio un albwm dros chwe diwrnod yn Nashville a derbyn cymorth gan gerddorion lleol ar *Cheer Gone* (Wichita, 2007).

Dangosodd Childs ysbryd hynod arloesol wrth ryddhau ei albwm *Son of Euro Child* (National Elf Records, 2009) am ddim i'w lawrlwytho ar y **rhyngrwyd**. Wrt i'r cyfrwng hwnnw dyfu'n allweddol, roedd ambell i fand, gan gynnwys Radiohead, eisoes wedi rhyddhau eu cynnyrch yn y modd hwn, megis *In Rainbows* (2007). Dengys hyn barodrwydd Childs i ymaddasu ac ymwneud â datblygiadau technolegol a chyfryngol newydd er mwyn hyrwyddo'i gerddoriaeth.

Rhoddodd Tom Pinnock o'r *New Musical Express* adolygiad gwych iddo am ei albwm *Situation Comedy* (National Elf Records, 2013), gan ddisgrifio'r gân olaf arni, yr epig, freuddwydiol 'Trick of the Mind' fel 'o bosib cân brydferthaf Childs' (Pinnock 2013). Roedd Childs yn parhau i ddefnyddio'r swrealaeth arbrofol a glywid yn ei waith gyda'r Gorky's ac sy'n awgrymu bod deunydd yr albwm yr un mor llwyddiannus â'r hyn a gynhyrchodd gyda'r grŵp. Er hyn, nid yw Childs wedi cael yr un math o lwyddiant masnachol fel artist unigol.

Nid artist sy'n fodlon dilyn confensiwn yw Euros Childs ac mae ei ganeuon a'i eiriau yn adlewyrchu hyn. Ar brydiau, mae ei weledigaethau yn seicedelig eu natur, gyda'i felodïau bachog a syml, yn ogystal â'i gerddoriaeth ddychmygus, yn atseinio cyfnod *Britpop* a 'Cool Cymru'. Daeth Childs yn arwr i aelodau o'i genhedlaeth, megis y digrifwr a'r cyflwynydd radio o Gaerfyrddin, Elis James a'r gantores, **Cate Le Bon**. Y mae, felly, yn un o gerddorion dwyieithog pwysicaf ei genhedlaeth.

Disgyddiaeth

Chops (Wichita WEBB094, 2006)
Bore Da (Wichita WEBB121, 2007)
The Miracle Inn (Wichita WEBB123, 2007)
Cheer Gone (Wichita WEBB179, 2008)
Son of Euro Child (National Elf NE001, 2009)
Face Dripping (National Elf NE002, 2010)
Ends (National Elf NE003, 2011)
Summer Special (National Elf NE005, 2012)
Situation Comedy (National Elf NE007, 2013)
Eilaaig (National Elf NE008, 2014)
Sweetheart (National Elf NE009, 2015)

Llyfryddiaeth

Tom Pinnock, adolygiad o 'Euros Childs – *Situation Comedy*', *New Musical Express*, 21 Hydref 2013, <http://www.nme.com/reviews/euros-childs/14872> cyrchwyd 21/4/16

Gethin Griffiths

Church, Charlotte (g.1986)

Ganed y gantores Charlotte Church (Charlotte Maria Reed oedd ei henw gwreiddiol) yn Llandaf, Caerdydd. Mynychodd ei gwersi canu cynharaf gyda Louise Ryan yn y Rhath, a chyn iddi ennill llwyddiant masnachol fel soprano ifanc arferai fynychu a chystadlu mewn **eisteddfodau** yn ardal Bryste. Derbyniodd ysgoloriaeth gan Ysgol Gadeiriol Llandaf yn ddeng mlwydd oed cyn symud ymlaen i Ysgol Howell's, Llandaf, yn 1998.

Wedi ymddangosiadau ar y **rhaglenni teledu** *This Morning* a *The Big Big Talent Show* yn 1997, arwyddodd gytundeb gyda chwmni Sony i ryddhau cyfres o recordiadau a oedd yn croesi'r ffin rhwng cerddoriaeth glasurol a cherddoriaeth boblogaidd. Daeth yr albwm llwyddiannus *Voice of an Angel* (Sony, 1998) i'r brig yn y siartiau trawsgroesi clasurol ym Mhrydain, a daeth yn uchel yn y siartiau rhyngwladol hefyd. Perfformiodd Church o flaen y Frenhines (ar achlysur agor Cynulliad Cenedlaethol Cymru), y Pab a'r Arlywydd Bill Clinton.

Aeth ymlaen i ryddhau'r albwm *Charlotte Church* (Sony, 1999) a oedd yn gasgliad o ariâu, **emyn-donau** ac alawon **gwerin** poblogaidd, tra canolbwyntiai ei thrydydd albwm, *Dream a Dream* (Sony, 2000), ar **garolau** Nadolig. Rhyddhawyd *Enchantment* flwyddyn yn ddiweddarach, sef detholiad o ganeuon allan o sioeau cerdd, a gwnaeth y gantores ymddangosiad yn ffilm Ron Howard, *A Beautiful Mind* (2001), gan gyfrannu at y trac sain yn ogystal. Cyhoeddodd y gantores ei hunangofiant cyntaf yr un flwyddyn. Aeth i gyfeiriad **canu pop** gyda'r albwm *Tissues & Issues* (Sony, 2005), a oedd yn cwblhau ei chytundeb gyda'r cwmni. Fodd bynnag, adolygiadau cymysg a dderbyniodd gyda rhai'n dadlau nad oedd ei llais a'i chefndir clasurol yn addas ar gyfer *genres* cerddoriaeth bop. Wedi'r lansiad cyrhaeddodd yr albwm y pumed safle yn y siartiau pop Prydeinig.

Am gyfnod, bu'r *tabloids* yn fwy parod i roi sylw i fywyd personol Church na'i gallu cerddorol, gyda storïau yn ymddangos yn aml ynglŷn â'i bywyd carwriaethol gyda'r chwaraewr rygbi Gavin Henson, ei bywyd cymdeithasol (ynghyd â phroblemau gorddefnydd o alcohol), ei hachosion llys yn erbyn y papur newydd *News of the World* a'r ffaith iddi roi tystiolaeth i ymchwiliad Leveson i safonau'r wasg yn sgil y sgandal hacio ffonau. Bu'r sylw yn fodd i'w chadw yn sylw'r cyhoedd, fodd bynnag. Daeth yn gyflwynwraig teledu gan ymddangos ar y gyfres sioe sgwrsio boblogaidd *The Charlotte Church Show* ar Sianel 4, a ddarlledwyd rhwng 2006 a 2008.

Yn 2010 rhyddhawyd *Back to Scratch* (Dooby 2010), casgliad sy'n dangos newid arddulliadol trwy ymgais at fwy o aeddfedrwydd cerddorol. Yn sgil yr albwm hwn daeth y gantores yn fwy annibynnol ar y **cwmnïau recordio**, fel y gwelir mewn cyfres o recordiadau EP roc amgen ganddi a ryddhawyd ar label Alligator Wine: *One* (2012), *Two* (2013), *Three* (2013) a *Four* (2014).

Yn 26 mlwydd oed, penderfynodd newid ei llwybr cerddorol. Aeth ati i ymarfer yn garej ei thŷ gyda band o gerddorion lleol, gan berfformio o flaen cynulleidfaoedd llai nag o'r blaen, mewn clybiau a **gwyliau** roc. Nododd mewn cyfweliad i gylchgrawn *Golwg* ei bod yn dymuno ysgrifennu 'caneuon emosiynol sy'n wir yn golygu rhywbeth i bobl ac sy'n greadigol ac arloesol' (gw. Thomas 2012). Yn ei chyfansoddiadau ei hun cana am ei phrofiadau gyda'r wasg, megis yn y gân ddychanol 'Mr The News' (2012), sy'n cyfeirio at Rupert Murdoch; yn eironig ddigon fe berfformiodd ym mhriodas Murdoch yn 1999.

Yn fwy diweddar bu'n cymryd rhan amlwg mewn ymgyrchoedd yn erbyn mesurau llymder y Llywodraeth Geidwadol (2015) ac mewn gweithgareddau sefydliadau amgylcheddol megis Greenpeace. Fel yn achos nifer o gerddorion a brofodd boblogrwydd cenedlaethol yn ystod eu hieuenctid cynnar (fel **Aled Jones**), bu'r broses o ymryddhau o'r label 'plentyn â dawn anghyffredin' yn un anodd i Church, ond bu'r llwyddiant a ddaeth i'w rhan yn sgil hynny yn brawf ei bod yn fwy na 'seren unnos'.

Disgyddiaeth

Voice of an Angel (Sony SK60957, 1998)
Charlotte Church (Sony SK89003, 1999)
Dream a Dream (Sony SK89459, 2000)
Enchantment (Sony SK89710, 2001)
Tissues & Issues (Sony 5203462, 2005)
Back to Scratch (Dooby DOOBY001, 2010)
One [EP] (Alligator Wine AWR001, 2012)
Two [EP] (Alligator Wine AWR002, 2013)
Three [EP] (Alligator Wine AWR003, 2013)
Four [EP] (Alligator Wine AWR004, 2014)

Llyfryddiaeth

Charlotte Church, *Voice of an Angel: My Life (So Far)* (Efrog Newydd, 2001)
Barbara Ellen, 'Charlotte Church: "People think all I do is go out"', *The Observer* (22 Mai 2005)
Charlotte Church, *Keep Smiling* (Llundain, 2007)
Fraser McAlpine, 'Charlotte Church: Back to Scratch Review (2010)' <http://www.bbc.co.uk/music/reviews/fzx2>
Barry Thomas, 'Prosiect Personol Charlotte', *Golwg* 25/6 (11 Hydref 2012), 12–13
Nick Duerden, '"This one's for Mr Murdoch": How Charlotte Church fought back against the media', *The Independent* (21 Hydref 2012)
Elizabeth Day, 'Charlotte Church: "After Leveson, the façade fell away. I became Aware"', *The Observer* (24 Chwefror 2013) <http://www.theguardian.com/music/2013/feb/24/charlotte-church-leveson-changed-outlook>

Tristian Evans

Cilmeri

Grŵp gwerin a sefydlwyd yn 1978 ac a wnaeth ei ymddangosiad cyntaf yng Nghlwb Gwerin Dolgellau yng Ngwesty Dolserau ym mis Rhagfyr y flwyddyn honno. Roedd ymddangosiad y grŵp yn adlewyrchu'r diddordeb newydd yn y traddodiad gwerin ar y pryd. Nid cyd-ddigwyddiad yw mai yn 1978 hefyd y sefydlwyd **Gŵyl** Werin Dolgellau, a arweiniodd yn y pen draw at Sesiwn Fawr Dolgellau.

Pedair blynedd yn unig y bu'r grŵp yn weithgar, ond cawsant ddylanwad pendant ar amryw o grwpiau ac unigolion a ddaeth ar eu holau, a daliodd amryw o'r aelodau i berfformio fel unigolion neu gyda grwpiau newydd ac i chwarae rhan allweddol yn natblygiad y byd gwerin yng Nghymru yn y degawdau dilynol.

Yr aelodau gwreiddiol oedd Huw Roberts (**ffidil**), Tudur Huws Jones (banjo, mandolin, *bouzouki* a phib), Elwyn Rowlands (gitâr a llais), Robin Llwyd ab Owain (mandolin a llais), Gwenan Griffiths (**telyn**) ac Ywain Myfyr (*bodhran* ac organ geg). Roedd tri o'r aelodau – Tudur Huws Jones, Huw Roberts ac Ywain Myfyr – wedi bod yn fyfyrwyr yng Ngholeg y Drindod, Caerfyrddin, ac yn ystod eu cyfnod yno bu Tudur a Huw hefyd yn aelodau o'r grŵp Odyn Galch gyda'u cyd-fyfyrwyr Tudur Morgan a Gareth Gravelle.

Yn 1980 rhyddhawyd eu halbwm cyntaf, eponymaidd (Sain, 1980), gyda gwaith celf trawiadol gan John Jenkins – y cenedlaetholwr a fu yng ngharchar am ran helaeth o'r 1970au – ar y clawr. Yn haf 1980 gadawodd Robin Llwyd ab Owain a Gwenan Griffiths ac ymunodd Iwan Roberts (gitâr, mandolin a *bouzouki*) – un o aelodau gwreiddiol **Mynediad am Ddim** – a Dan Morris (llais, ffidil a chrwth). Yn 1981 aeth y grŵp ymlaen i ryddhau ail record hir, *Henffych Well* (Sain, 1982), a gafodd dderbyniad gwresog yng Nghymru a thu hwnt.

Yn haf 1982 penderfynwyd dirwyn y grŵp i ben. Aeth Tudur Huws Jones a Huw Roberts ymlaen i ffurfio'r grŵp Pedwar yn y Bar; datblygodd Tudur Morgan fel perfformiwr unigol a bu Huw Roberts yn amlwg fel arweinydd Dawnswyr Bro Cefni a chyda Clera, y Gymdeithas Offerynnau Traddodiadol. Rai blynyddoedd yn ddiweddarach ymunodd Dan Morris â'r grŵp **Gwerinos** a bu'n hynod o ddylanwadol fel tiwtor ac arweinydd sesiynau gwerin anffurfiol (a sefydlydd y Bandarall). Ymunodd Ywain Myfyr hefyd â Gwerinos a bu'n amlwg fel un o brif hyrwyddwyr y byd gwerin yng Nghymru ac un o sefydlwyr Canolfan Tŷ Siamas yn Nolgellau.

Disgyddiaeth
Cilmeri (Sain 1168M, 1980)
Henffych Well (Sain 1236M, 1982)

Arfon Gwilym

Clasurol a Chelfyddydol, Cerddoriaeth

Defnyddir y term 'cerddoriaeth gelfyddydol' mewn perthynas â'r hyn sy'n cael ei ddisgrifio gan yr ysgolhaig Philip Tagg fel 'triongl acsiomatig', gyda dwy gornel arall y triongl yn cynnwys **canu gwerin** a **cherddoriaeth boblogaidd** (Tagg 1982, 41). Gan amlaf golyga'r term 'cerddoriaeth gelfyddydol' y traddodiad 'clasurol' yn ei ystyr ehangaf, sef cerddoriaeth wedi ei chyfansoddi 'ar bapur' gan unigolyn (y 'cyfansoddwr') yn hytrach na cherddoriaeth wedi'i throsglwyddo ar lafar neu drwy gyfrwng byrfyfyr, neu gerddoriaeth wedi'i chyfansoddi a'i recordio ar y cyd, fel yn achos y rhan fwyaf o gerddoriaeth **werin**, **jazz** neu **ganu pop a roc**.

Cyn 1800
I raddau gellir olrhain hanes cerddoriaeth gelfyddydol yng Nghymru mewn perthynas â dyfodiad 'y cyfansoddwr' a'r newidiadau a fu mewn arddull a *genre* dros y canrifoedd, er bod datblygiadau a newidiadau yn yr arfer o berfformio a gwerthfawrogi cerddoriaeth wedi bod yn bwysig hefyd, wrth gwrs. Gellir deall y prinder cyfansoddwyr yng Nghymru cyn 1800 – ac, yn wir, absenoldeb unrhyw draddodiad cerddorol 'celfyddydol' amlwg – yng nghyd-destun datblygiadau hanesyddol, cymdeithasol a chelfyddydol y wlad.

Roedd Cymru'n annibynnol rhwng oddeutu'r 7g. hyd at goncwest Edward I, Brenin Lloegr, yn 1282. Economi amaethyddol oedd yn ardaloedd gwledig Cymru, yn arbennig yn rhanbarthau'r gogledd-orllewin, y canolbarth a'r de-orllewin. Cyn y 18g. bu Deddf Uno 1536, a chyfieithiad William Morgan o'r Beibl i'r Gymraeg yn 1588, yn ddigwyddiadau hanesyddol o bwys, y naill yn cysylltu'r genedl yn

ddiymwad â threfn weinyddol a chyfreithiol Lloegr, a'r llall yn anuniongyrchol yn gyfrifol am ddiogelu parhad yr iaith Gymraeg a'i goroesiad hyd at yr 21g. Effeithiodd y Diwygiad Methodistaidd yn ystod y 18g. ar arferion crefyddol Cymru a chafodd y Chwyldro Diwydiannol yn ystod y 19g. ddylanwad pellgyrhaeddol ar drefn gymdeithasol a diwylliannol ardaloedd y cymoedd a rhanbarthau mwy poblog y de-ddwyrain a'r gogledd-ddwyrain.

Tra oedd y syniad o fynegi'n greadigol hunaniaeth Gymraeg a Chymreig yn parhau i fod yn bwysig i nifer o feirdd, llenorion a cherddorion ar hyd y canrifoedd – weithiau mewn perthynas â rhyw fath o synwyrusrwydd Celtaidd – nid oedd o hyd yn gorwedd yn esmwyth gyda datblygiadau mewn cerddoriaeth gelfyddydol rhwng yr 17g. a'r 19g. O gyfnod y Baróc (1600–1750) ymlaen, rhoddwyd mwy o bwyslais ar greu iaith ryngwladol a thrawsffiniol (er mai iaith Awstro-Almaenaidd oedd hi yn y bôn), a chyfrifid cenedligrwydd yn gyfystyr â phlwyfoldeb ac ysbryd mewnblyg. Dim ond gyda dyfodiad cerddoriaeth genedlaethol ar ddiwedd y 19g., gyda'i phwyslais newydd ar ffurfiau cynhenid a'r traddodiad gwerin, y daeth hi'n bosibl i gyfansoddwyr o Gymru ddod o hyd i dir canol rhwng yr hyn a oedd yn lleol a'r hyn a ystyrid yn rhyngwladol.

Yn wahanol i'r traddodiad barddol yng Nghymru, a sefydlodd arferion clir yn fuan iawn yn ei hanes, ni ddatblygodd traddodiad cerddorol celfyddydol Cymru yn yr un modd. Mae un o'r disgrifiadau cynharaf o gerddoriaeth i'w weld yn *Descriptio Kambriae* **Gerallt Gymro** (Giraldus Cambrensis; *c.*1146–1223), lle mae'n dweud ei bod hi'n arferol i'r Cymry ganu, 'nid [mewn] unsain … ond mewn mwy nag un rhan, gan ddefnyddio llawer modd a chwmpasran a gwahanol alawon' (yn Weller 1997, 53). Er na allwn fod yn gwbl sicr o'i ystyr, daw'n amlwg o'r disgrifiad mai canu lleisiol oedd yn bwysig, canu oedd i'w glywed mewn mwy nag un llais – hynny yw, mewn cynghanedd gerddorol. Roedd yna fath o 'ganu polyffonig byrfyfyr' yma hefyd, wedi ei seilio ar alawon penodol (57). Nid yw'r disgrifiad yn annhebyg i'r math o gerddoriaeth a berthynai i ysgol Notre Dame ym Mharis ar y pryd, megis motetau Léonin (*c.*1135–1209) a Pérotin (*c.*1160–1225), er ei bod yn anodd sefydlu i ba raddau y byddai'r dylanwad cyfandirol wedi treiddio cyn belled â Chymru.

Yn sicr, roedd canu lleisiol yn bwysig yn ystod y cyfnod cynnar, a pharhaodd fel hyn am rai canrifoedd a hynny o bosibl oherwydd ei fod yn atgyfnerthu'r cysylltiad rhwng y traddodiad geiriol a barddol, a hefyd oherwydd fod y traddodiad gwerin a cherddoriaeth grefyddol fel ei gilydd yn dibynnu ar eiriau. Ond roedd hyn yn wir y tu hwnt i Gymru hefyd. Fodd bynnag, ystyrid cerdd a 'cherdd-oriaeth' – geiriau cyfnewidiol ar y dechrau – yn ddwy ochr i'r un geiniog, ac mae'r ymadrodd 'canu'r beirdd' yn pwysleisio'r cysylltiad rhwng y ddau. Nid oedd gan gerddoriaeth statws fel celfyddyd annibynnol, absoliwt tan ddiwedd yr Oesoedd Canol. Gwasanaethai, yn hytrach, fel llawforwyn i'r mynegiant barddol.

Yn hytrach na datblygu'n gynhenid oddi mewn i Gymru, felly, dylanwadau o'r tu allan a fu'n gyfrifol am ddatblygiad cerddoriaeth 'gelfyddydol'. Daeth yn gyntaf trwy arferion crefyddol yr Oesoedd Canol a'r Dadeni, gyda'r defnydd ymysg rhai o eglwysi Cymru o drefn litwrgïaidd Sarum, Caersallog. Erbyn teyrnasiad y Tuduriaid (1485–1603) aeth nifer o Gymry i Lundain oherwydd cysylltiadau agos gyda'r goron, gan wasanaethu mewn sefydliadau megis y Capel Brenhinol. O ganlyniad daeth cyfansoddwyr megis yr organydd **Philip ap Rhys** (*fl.*1530) yn hyddysg yn arddull bolyffonig Seisnig yr 16g., ac yn ddiweddarach **Thomas Tomkins** (1572–1656), y cyfansoddwr cyntaf o Gymru y goroesodd corff o weithiau pwysig o'i eiddo. Ond eithriadau oedd y rhain a bu'n rhaid aros hyd ddechrau'r 19g. cyn dyfodiad enwau nodedig yn y maes.

1800–1900

Ni ddatblygodd cenedlaethau newydd o gyfansoddwyr yng Nghymru yn dilyn y Diwygiad Protestannaidd. Daeth canu cynulleidfaol yn boblogaidd yn sgil y Diwygiad Methodistaidd yng nghanol y 18g., ac yn raddol datblygodd cronfa o donau yn sgil poblogrwydd gwaith **emynwyr** Cymreig. Daeth cymanfaoedd canu yn bwysig yn ystod y cyfnod, gan gyflwyno nifer o Gymry i gyfansoddwyr rhyngwladol o bwys megis Bach, Handel a Mendelssohn, a fu'n ddylanwad ar genhedlaeth o gyfansoddwyr Cymreig. Yn ei lyfryn *Cerddoriaeth yng Nghymru* (1945), dywed **Idris Lewis** mai telynorion a fu'n gweithio yn Llundain yn ystod y 18g. oedd cyfansoddwyr celfyddydol cyntaf Cymru, rhai megis **John Parry** (Parri Ddall; *c.*1710–82), **Edward Jones** (Bardd y Brenin; 1752–1824) a **John Parry** (Bardd Alaw; 1776–1851) (Lewis 1945).

Gwelwyd datblygiad ym maes cerddoriaeth amatur yn ystod y 19g., gyda nifer fawr o gorau cymysg yn cael eu sefydlu er mwyn cystadlu mewn **eisteddfodau** neu gystadlaethau **corawl** mawreddog

mewn mannau megis y Crystal Palace yn Llundain. Yn dilyn hyn gwelwyd y genhedlaeth gyntaf o gyfansoddwyr yn mabwysiadu ffurfiau ac arddulliau clasurol. Un a oedd yn pontio rhwng y genhedlaeth flaenorol o delynorion-gyfansoddwyr a'r to newydd oedd **John Thomas** (Pencerdd Gwalia; 1826–1913), a gyfansoddodd y gantata Gymraeg gyntaf, o'r enw *Llewelyn*, ar gyfer **Eisteddfod** Genedlaethol Abertawe yn 1863. Ychydig flynyddoedd cyn hynny, sef yn 1855, cyhoeddodd Edward Stephen (Tanymarian; 1822–85) yr **oratorio** gyntaf yn y Gymraeg, *Ystorm Tiberias* (cafwyd argraffiad diwygiedig yn 1886), a dilynwyd hyn gan yr **opera** gyntaf, sef *Blodwen* (1874) gan **Joseph Parry** (1841–1903). Ymestynnodd cerddoriaeth amatur hefyd i faes **cerddoriaeth offerynnol**, yn arbennig wedi i deulu Crawshay sefydlu Band Cyfarthfa yn 1838.

Erbyn diwedd y ganrif daeth yn arfer perfformio **cantatas** ac oratorios gan gyfansoddwyr megis **David Jenkins** (1848–1915) a **Joseph Parry** yn yr Eisteddfod Genedlaethol a hynny gyda chorws mawr i gyfeiliant cerddorfa lawn. Er bod cerddoriaeth leisiol a chorawl yn parhau i fod yn bwysig, roedd defnydd o ffurfiau 'tramor' megis symffonïau, agorawdau a *concerti* yn arwydd pellach o ddylanwad cerddoriaeth gelfyddydol o'r tu hwnt i'r ffin. Ond efelychiadau o arddulliau hen ffasiwn oedd nifer o'r gweithiau hyn, ac yn ôl **Idris Lewis** nid oedd operâu Parry yn 'ddim ond dynwarediadau tila o Rossini, a gweithiau cynnar Verdi' (Lewis 1945, 35).

Er hyn, gellir deall ymdrechion cyfansoddwyr Cymru yn ystod ail hanner y 19g. fel paratoad ar gyfer cerddoriaeth gelfyddydol yr 20g. Mae llyfr Frederic Griffith, *Notable Welsh Musicians*, a gyhoeddwyd yn 1896, yn tynnu sylw at genhedlaeth newydd bwysig o gyfansoddwyr a ymddangosodd yn ystod y cyfnod (gw. Davies 1968). Derbyniodd nifer ohonynt **addysg** gerddorol freintiedig y tu hwnt i Glawdd Offa fodd bynnag. O'r naw cyfansoddwr nodedig yn *Notable Welsh Musicians*, graddiodd **David Jenkins** gyda MusB o Gaergrawnt cyn dod yn Athro ym Mhrifysgol Aberystwyth, graddiodd Charles Lloyd gyda BMus o Rydychen ac roedd yn arholwr gyda'r Coleg Cerdd Brenhinol, tra oedd **Joseph Parry** wedi astudio yn yr Academi Gerdd Frenhinol am dair blynedd gyda Sterndale Bennett cyn dod yn Ddoethor mewn cerddoriaeth yng Nghaergrawnt ac yna'n Athro cerddoriaeth yn Aberystwyth. Roedd hyn yn arwydd pellach nad oedd traddodiad o gerddoriaeth gelfyddydol wedi ei wreiddio yng Nghymru, ond roedd yna awydd ymysg rhai o enwau nodedig y cyfnod i ledaenu cenadwri cerddoriaeth gelfyddydol oddi mewn i ffiniau'r wlad.

1900–1945

Bu marwolaeth **Joseph Parry** yn 1903 yn drobwynt yn hanes cerddoriaeth gelfyddydol. Bu'r cyfnod yn un o drawsnewid o draddodiad amatur y 19g. i un o broffesiynoldeb erbyn canol yr 20g. Parhaodd nifer o gyfansoddwyr i elwa o **addysg** a phrofiadau y tu hwnt i'r ffin, yn eu plith y gyfansoddwraig **Morfydd Llwyn Owen** (1891–1918), a astudiodd yn yr Academi Frenhinol yn Llundain. Ond roedd diddordeb Owen yn nhraddodiad gwerin Cymru – un a ddatblygodd yn sgil ei gwaith gyda'r casglwr gwerin pwysig, **Ruth Herbert Lewis** (1871–1946) – yn arwydd o'r awydd newydd ymysg cyfansoddwyr y cyfnod i graffu ymhellach ar eu hetifeddiaeth gerddorol gynhenid.

Daeth y symudiad tuag at broffesiynoli cerddoriaeth yn rhannol yn sgil ei statws newydd ym myd **addysg** yng Nghymru, gyda Phrifysgol Cymru, erbyn troad yr 20g., yn cynnig graddau yn y pwnc, sefyllfa a atgyfnerthwyd gan benodiad **Walford Davies** (1869–1941) i gadair gerdd Gregynog yn Aberystwyth yn 1919. Aeth Davies ati hefyd, trwy Gyngor Cerddoriaeth y Brifysgol, i sefydlu cerddorfa genedlaethol i Gymru, ac yn 1928 cafwyd cyngerdd gyda cherddorfa o 70 o chwaraewyr o dan arweiniad Henry Wood yn neuadd y ddinas Caerdydd, cyngerdd a ddarlledwyd gan y BBC. Fodd bynnag, bu'n rhaid dirwyn y gerddorfa i ben yn 1931 oherwydd diffyg nawdd cyhoeddus. Pan roddwyd statws darlledu rhanbarthol i Gymru yn 1936, gyda chymorth y BBC ffurfiwyd *ensemble* a ddaeth yn gnewyllyn **Cerddorfa Genedlaethol Gymreig y BBC** sy'n bodoli hyd heddiw. Yn ystod y cyfnod bu nifer o gyfansoddwyr yn gynhyrchiol ym maes cerddoriaeth leisiol ac offerynnol, rhai megis **David de Lloyd** (1883–1948), J. R. Heath (1887–1950), **Cyril Jenkins** (1889–1978), **T. Hopkin Evans** (1879–1940) a W. Bradwen Jones (1892–1970). Fodd bynnag, **D. Vaughan Thomas** (1873–1934) yw'r unig un o'r genhedlaeth hon y clywir ei gerddoriaeth yn gymharol reolaidd hyd heddiw.

Fel yn wir ar draws Ewrop a thu hwnt, bu diwedd yr Ail Ryfel Byd yn drobwynt arall yn natblygiad cerddoriaeth gelfyddydol yng Nghymru. Yn 1946 ffurfiwyd Opera Cenedlaethol Cymru gan y canwr a'r cyfansoddwr Evan Idloes Owen (1894–1954), a dechreuodd Cerddorfa Ieuenctid Cymru, o dan Clarence Raybould (1886–1972), fraenaru'r

tir ar gyfer cenedlaethau newydd o offerynwyr a chyfansoddwyr. Yn 1947 sefydlwyd **Eisteddfod** Ryngwladol Llangollen gan yr ysgolor a'r cyfansoddwr **W. S. Gwynn Williams**, ac yn 1948 cychwynnodd **Gŵyl** Abertawe yn Neuadd y Brangwyn. Abertawe oedd cartref **Daniel Jones** (1912–93), un o nifer o gyfansoddwyr talentog proffesiynol a adfywiodd fywyd cerddorol y wlad yn ystod yr 1940au a'r 1950au cynnar. Un arall oedd **Grace Williams** (1906–77), a dderbyniodd gryn gefnogaeth gan ddau gyfansoddwr a oedd yn gweithio gyda'r BBC ar y pryd, **Mansel Thomas** (1909–86) ac **Arwel Hughes** (1909–88). Profodd y ddau lwyddiant yn bennaf fel cyfansoddwyr caneuon byrion, ac roedd hyn yn wir hefyd am **Meirion Williams** (1901–76) a **Dilys Elwyn-Edwards** (1918–2012), ac mae eu caneuon gorau yn debygol o barhau tra pery'r iaith Gymraeg. Erbyn yr 1950au roedd Thomas a Hughes yn sianelu eu hegni i gyfeiriad cenhedlaeth newydd o gyfansoddwyr, yn eu mysg **Alun Hoddinott** (1929–2008) a **William Mathias** (1934–92), y ddau gyfansoddwr cyntaf o Gymru i dderbyn llwyddiant a chydnabyddiaeth ar lefel ryngwladol.

1945–2000

Astudiodd **Hoddinott** yng Ngholeg y Brifysgol, Caerdydd, ond hefyd yn breifat yn Llundain gydag Arthur Benjamin (1893–1960), arwydd efallai o'r angen i fynd y tu allan i Gymru am arweiniad ac arbenigaeth yn y maes. Ymelwodd Hoddinott o'r cysylltiadau a wnaeth gyda chyfansoddwyr a pherfformwyr dylanwadol yn Lloegr, fel Benjamin Britten a Peter Pears, a chyda **gwyliau** cerddoriaeth megis Cheltenham. Yn yr un modd, graddiodd **Mathias** o un o golegau Cymru (y tro hwn Aberystwyth) ac yna derbyn arweiniad gan y cyfansoddwr Lennox Berkeley (1903–89) yn yr Academi Gerdd Frenhinol cyn dychwelyd drachefn i Gymru. Dilynodd nifer yr un patrwm am flynyddoedd i ddod, gyda **Gareth Glyn** (g.1951) yn astudio yng Ngholeg Merton yn Rhydychen, tra aeth **Geraint Lewis** (g.1958) i Goleg Sant Ioan yng Nghaergrawnt. Clywir yn arbennig yng ngherddoriaeth gorawl Lewis (megis *The Souls of the Righteous*) ddylanwad y traddodiad **corawl** Seisnig y bu'n dyst iddo tra oedd yn fyfyriwr ac ar ôl hynny.

Yn 1954 sefydlwyd yr **Urdd er Hyrwyddo Cerddoriaeth Cymru** gan John Edwards (1905–66) er mwyn cynyddu perfformiadau o gerddoriaeth newydd. Hyd at 2009 cyhoeddodd gyfnodolyn gwerthfawr, *Cerddoriaeth Cymru/Welsh Music*. Bu'r

Urdd yn gefnogol iawn i waith y cyfansoddwr **David Wynne** (1900–83) ynghyd â'i ddisgyblion **Robert Smith** (1924–99) a **Mervyn Burtch** (1929–2015). Erbyn diwedd yr 1950au sefydlodd y Cyngor Prydeinig bwyllgor Cymreig ac ymhen amser trodd hwn yn Gyngor Celfyddydau Cymru gan ddod yn annibynnol ar Lundain; erbyn 1994 roedd ganddo ei siarter ei hun. Bu'n gyfrwng i hyrwyddo cerddoriaeth Gymreig, yn bennaf trwy gomisiynu dros 1,000 o weithiau newydd, rhyddhau recordiadau a sicrhau perfformiadau yng Nghymru o ddarnau newydd gan gyfansoddwyr Cymreig a hynny trwy gyfrwng cerddorfeydd Prydeinig a rhai o'r tu hwnt i Brydain. Rhoddodd hefyd gefnogaeth i wyliau cerdd Abergwaun, Bro Morgannwg, Caerdydd, **Gregynog**, Llandaf, Llanelwy a Thyddewi, ac yn 1973 daeth i gytundeb â'r BBC er mwyn ymestyn **Cerddorfa Gymreig y BBC** yn un symffonig lawn. Gwireddwyd hyn erbyn 1987, ac yn 1995 fe'i hailenwyd yn Gerddorfa Genedlaethol Gymreig y BBC. Yn 1974 hefyd daeth Opera Cenedlaethol Cymru yn gorff proffesiynol gyda chorws a cherddorfa lawn-amser. Fyth ers hynny daeth iddo lwyddiant fel un o gwmnïau opera gorau'r byd.

Trawsffurfiwyd **addysg** cerddoriaeth wedi cyfnod yr Ail Ryfel Byd yn ogystal. Sefydlwyd y Coleg Cerdd a Drama yng Nghaerdydd yn 1949, a daeth yn un o bump *conservatoire* ar draws Prydain yn 2002. Parhaodd yr adrannau cerddoriaeth ym Mangor a Chaerdydd i ehangu a datblygu yn dilyn dyddiau Mathias a Hoddinott fel penaethiaid, gyda chyfansoddi yn derbyn pwyslais amlwg yng nghwricwlwm y ddau le. A hithau wedi ei llenwi rhwng 1950 ac 1983 gan y cyfansoddwr **Ian Parrott** (1916–2012), ac yna gan David Wulstan (1937–2017), y cerddoregydd a'r arbenigwr mewn cerddoriaeth o gyfnod y Tuduriaid, ni lanwyd Cadair Gregynog yn Aberystwyth ar ôl 1989, y flwyddyn pan gaewyd yr adran gerdd i fyfyrwyr llawn-amser. Yn 1976 sefydlwyd Canolfan Hysbysrwydd Cerddoriaeth Cymru ar y cyd rhwng **Prifysgol** Caerdydd a Chyngor Celfyddydau Cymru er mwyn hel ynghyd archif o gerddoriaeth Gymreig. Daeth y Ganolfan i ben dros dro yn 1997, ond yn 2004 fe'i hailsefydlwyd o dan yr enw Tŷ Cerdd ar y cyd â Ffederasiwn Cerddoriaeth Amatur Cymru yng Nghanolfan y Mileniwm, Caerdydd. Cafodd nifer o lawysgrifau'r archif gartref yn y **Llyfrgell Genedlaethol** yn Aberystwyth. Bu sefydlu Celfyddydau Cenedlaethol Ieuenctid Cymru yn 2000 yn fodd i warchod a datblygu talent newydd yng Nghymru ar gyfer y dyfodol. Erbyn heddiw mae'n cynnwys **Band Pres**, Côr a Cherddorfa Ieuenctid, Cwmni Theatr a Dawns, Ensemble **Jazz** a Band Chwyth.

Yn ystod yr 1960au astudiodd nifer o'r genhedlaeth newydd o gyfansoddwyr Cymreig gyda Hoddinott a Mathias, gan ymelwa o'u hymwybyddiaeth o gerddoriaeth gyfoes Ewropeaidd a'u dealltwriaeth o arddulliau modern ac *avant-garde*. Yn eu mysg yr oedd **Jeffrey Lewis** (g.1942), **Richard Elfyn Jones** (g.1944), Howard Rees (g.1945) a John Hopkins (g.1949), ond efallai mai **John Metcalf** (g.1946) yw'r unig un sydd wedi datblygu arddull nodweddiadol gan osod pwyslais ar alawon estynedig a harmonïau 'nodau gwyn' y piano. Treuliodd **Rhian Samuel** (g.1944) a **Hilary Tann** (g.1947) ill dwy gyfnodau yn Unol Daleithiau America (UDA) (gyda Tann yn parhau i fyw yno), ac er bod testunau eu cyfansoddiadau o bryd i'w gilydd yn cyfeirio at hanesion, chwedlau neu storïau Cymreig, nid yw'r dylanwad yn treiddio trwy'r arddull gerddorol. Yn achos Tann mae ei hiaith eclectig yn cynnwys cerddoriaeth Japaneaidd gynhenid y bu'n ei hastudio wrth dreulio cyfnod yn Kyoto yn ystod yr 1980au. Cyfansoddwr arall a oedd â chysylltiadau cryf gyda Chymru am gyfnod oedd Bernard Rands (g.1934), a fu'n Athro cyfansoddi ym Mhrifysgol Bangor yn y cyfnod 1960–5, cyn ymgartrefu yn UDA yn 1975. Enillodd wobr glodfawr Pulitzer yn 1984.

Aeth un o ffigyrau mwyaf unigryw Cymru, sef **John Cale** (g.1942), hefyd i gyfeiriad America. Ar ôl astudio yng Ngholeg Goldsmiths, Llundain, aeth draw i Efrog Newydd a dod yn rhan o'r byd arbrofol yno trwy berfformio'n gyntaf fel rhan o *ensemble* y cyfansoddwr minimalaidd La Monte Young (g.1935), y Theatre of Eternal Music, cyn dod yn aelod o'r **grŵp pop** amgen y Velvet Underground. Datblygodd yrfa lwyddiannus fel artist unawdol, cyfansoddwr a chynhyrchydd nifer o recordiau pop o'r 1970au ymlaen. Dengys gyrfa Cale fod y ffin rhwng cerddoriaeth gelfyddydol a chanu poblogaidd yn fwy niwlog erbyn yr 1960au, yn arbennig mewn dinas megis Efrog Newydd, a gwelwyd hynny yn ddiweddarach yng Nghymru hefyd.

Astudiodd **Karl Jenkins** (g.1944) yng Nghaerdydd gydag Alun Hoddinott cyn mynd i gyfeiriad **jazz** a roc blaengar ar ddiwedd yr 1960au a dechrau'r 1970au fel sacsoffonydd ac oböydd grwpiau roc arbrofol megis Nucleus a Soft Machine. Daeth i fri yn ddiweddarach fel cyfansoddwr y gân symffonig boblogaidd *Adiemus: Songs of Sanctuary* (1995), a gyfunai rythmau Affricanaidd gyda seiniau a harmonïau Celtaidd, ac yn ddiweddarach ei Offeren Heddwch, *The Armed Man* (2001), a ddyfynnai allan o'r gân Ffrengig ganoloesol 'L'homme armé'. Yn ddiweddarach bu Charlie Barber (g.1949) yn datblygu arddull eclectig a blethai ddylanwadau anorllewinol, megis cerddoriaeth o Affrica ac ynysoedd y Bali gyda chyffyrddiadau minimalaidd a jazz, yn bennaf trwy ei waith gyda Sound Affairs.

Manteisiodd cyfansoddwyr megis Jeffrey Lewis (g.1942) a **Lyn Davies** (g.1955) ar y cyfle newydd a ddaeth i'w rhan yn ystod yr 1970au i dderbyn profiadau cerddorol y tu hwnt i Gymru. Astudiodd y naill gyda György Ligeti (1923–2006) a Karlheinz Stockhausen (1928–2007) yn Darmstadt, ac yna Bogusław Schaeffer (g.1929) yn Krakow yng Ngwlad Pwyl, tra bu i'r llall hefyd dreulio cyfnod yn Krakow yn astudio gyda Schaeffer, Krzysztof Penderecki (g.1933) a Marek Stachowski (1936–2004). O ganlyniad ymglywir â'r duedd ymysg cyfansoddwyr Pwylaidd y cyfnod i gyfuno elfennau o gyfresiaeth, neo-glasuraeth a thechnegau hap a damwain yng nghyfansoddiadau cynnar y ddau.

O blith y cyfansoddwyr a ymgartrefodd yng Nghymru yn ystod yr 1980au a'r 1990au, y rhai mwyaf i wneud eu marc oedd **John Hardy** (g.1952) ac **Andrew Lewis** (g.1963), y naill yn bennaeth cyfansoddi yng Ngholeg Cerdd a Drama Caerdydd ac yn un o gyfansoddwyr ffilm mwyaf llwyddiannus Cymru, a'r llall yn Athro ym Mhrifysgol Bangor ac yn arbenigwr mewn cyfansoddi acwsmatig. Yn fuan wedi ei benodi'n ddarlithydd cyfansoddi ym Mhrifysgol Bangor yn 1993, sefydlodd Lewis Electroacoustic Wales, gyda'r bwriad o ymestyn a datblygu cyfansoddi ac ymchwil yn y maes. Mae ymgorffori elfennau Cymraeg a Chymreig yn bwysig yn yr achos hwn hefyd, gyda Lewis ei hun yn mabwysiadu syniad y seinlun (neu *soundscape*), fel ymestyniad o dirlun, yn fan cychwyn ar gyfer nifer o'i gyfansoddiadau gan gynnwys *Four Anglesey Beaches* (1999–2003) a *Cân* (1998), lle gwelir dyhead i geisio mynd y tu hwnt i ddelwedd y 'cerdyn post' at realiti dyfnach Cymreictod, gan gyfuno'r seiniau ystrydebol a gysylltir gyda Chymru – telynau, **corau meibion**, alawon traddodiadol a phregethu 'tân a brwmstan' – gyda rhai llai cyfarwydd, megis y **pibgorn** a seiniau naturiol ac amgylcheddol y wlad.

Daeth Dylan Thomas yn ysbrydoliaeth ar gyfer *Fern Hill* (2014), cyfansoddiad effeithiol ar gyfer cerddorfa a synau electroneg a gafodd ei berfformio am y tro cyntaf gan Gerddorfa Genedlaethol Gymreig y BBC dan arweiniad Grant Llewellyn, gyda Lewis yn addasu,

trawsffurfio a chyfuno recordiad o'r bardd yn darllen ei gerdd enwog gyda lliwiau offerynnol.

Gwelwyd cyfraniad pwysig i'r byd ffilm yn ogystal yng nghyfansoddiadau rhai o'r genhedlaeth iau, gan gynnwys **John Rea** (g.1964), **Ceiri Torjussen** (g.1976) – a fu'n byw ac yn gweithio yng Nghaliffornia ers diwedd yr 1990au – ac **Owain Llwyd** (g.1984), darlithydd ym maes cyfansoddi cerddoriaeth ffilm a'r **cyfryngau** gyda'r Coleg Cymraeg Cenedlaethol ym Mhrifysgol Bangor. Astudiodd Torjussen ym Mhrifysgol Efrog, adran flaengar a fu'n hyrwyddo cerddoriaeth gyfoes a'r *avant-garde* yn dilyn penodi'r cerddoregwr a'r cyfansoddwr Wilfrid Mellers yno yn 1964. Un o gyfoeswyr Torjussen oedd **Paul Mealor** (g.1975). Fodd bynnag, gyda Torjussen yn troi'i olygon tuag Unol Daleithiau America, aeth Mealor i'r cyfeiriad arall, gan astudio gyda'r cyfansoddwr dylanwadol o Ddenmarc, Hans Abrahamsen (g.1952). Roedd ei arddull gynnar yn fwy cromatig, ond daeth mwy o lwyddiant i'w ran ar ôl iddo fabwysiadu arddull donyddol echblyg, fel yn ei fotet *Ubi Caritas et Amor*, a berfformiwyd yn seremoni briodasol y Tywysog William a Kate Middleton yn 2011.

Gyda'r syniad o genedligrwydd Cymreig yn newid yn wleidyddol, yn gymdeithasol a diwylliannol yn ystod ail hanner yr 20g. gwelwyd rhai cyfansoddwyr yn archwilio traddodiadau cynhenid mewn modd mwy amlwg, megis **Gareth Glyn** (g.1951) a Dalwyn Henshall (g.1957). Bu arddull donyddol estynedig y ddau yn fodd iddynt dynnu ar y traddodiad gwerin o bryd i'w gilydd, neu gyfeirio at hanesion a chwedlau Cymreig. Parhaodd ymroddiad Prifysgol Bangor i gyfansoddi ers dyddiau Mathias fel pennaeth. Wedi ymddeoliad **John Hywel** (g.1941) yn 1991 – y cyfansoddwr a'r **arweinydd** a fu'n bennaeth rhwng cyfnod Mathias wrth y llyw ac apwyntiad **John Harper** fel Athro a phennaeth yn 1991 – penodwyd **Pwyll ap Siôn** (g.1968) yn ddarlithydd mewn cyfansoddi, ac yn ddiweddarach **Guto Puw** (g.1971). Yn dilyn llwyddiant Puw gyda *Reservoirs* (2002) – ei gomisiwn cyntaf i Gerddorfa Genedlaethol Gymreig y BBC – fe'i gwnaed yn gyfansoddwr preswyl y gerddorfa yn 2006. Mae hunaniaeth Gymreig gref yn perthyn i nifer o weithiau'r ddau gyfansoddwr, er bod hynny'n fwy o ran testun nag o ran arddull gerddorol. Mae Pwyll ap Siôn, er enghraifft, yn hoff o ddefnyddio dyfyniadau mewn arddull ôl-finimalaidd, tra mae dylanwadau technegau ôl-gyfresol cyfansoddwyr megis Abrahamsen a Per Nørgård (g.1932) ar waith Puw. Mae *Gwales* (1995) gan ap Siôn, ac *…onyt agoraf y drws…* (2007) gan Puw yn ddau waith sy'n cyfeirio at ddigwyddiadau allan o chwedlau'r Mabinogion.

Efallai fod 'clytwaith' yn air addas i ddisgrifio'r cyfnod mwyaf diweddar yn hanes cerddoriaeth gelfyddydol yng Nghymru, gyda lluosogrwydd arddulliol ac amlddiwylliannol, ynghyd â'r defnydd o ddulliau amlgyfryngol, yn nodweddiadol o waith nifer o'r genhedlaeth newydd o gyfansoddwyr. Mae'r ddeuoliaeth rhwng y lleol a'r rhyngwladol, rhwng adlewyrchu traddodiadau cynhenid Gymreig a derbyn dylanwadau o'r tu allan, yn parhau i liwio gwaith nifer o gyfansoddwyr. Mae'r elfennau 'benthyg' yn rhan o'r clytwaith, ac mae ceisio diffinio beth sy'n 'Gymreig' erbyn hyn yn profi'n fwyfwy anodd.

Ni fyddai Mathias wedi cyfansoddi ei *Concerto i'r Delyn* heb ymwybyddiaeth gref o'r traddodiad gwerin, ond roedd ei feistrolaeth o'r iaith gyfoes Ewropeaidd (Bartók, Hindemith, Rawsthorne, Berkeley a'r Tippett cynnar) yn hynod bwysig hefyd. Fodd bynnag, chwarter canrif yn ddiweddarach, ac yn *Adiemus* **Karl Jenkins**, mae'r elfen 'leol' wedi troi'n fath o arddull werin ryngwladol sy'n benthyca o wahanol draddodiadau (megis canu Affricanaidd neu gospel) heb falio llawer am gwestiynau'n ymwneud â dilysrwydd neu gywirdeb y defnydd.

Cred rhai fod marwolaeth Hoddinott yn 2008, un a fu'n ffigwr mor amlwg yn ystod ail hanner yr 20g., wedi bod yn drobwynt yn hanes diweddar cerddoriaeth yng Nghymru hefyd. Dywed **Geraint Lewis** fod ei lwyddiant cyhoeddus wedi hyrddio bywyd cerddorol Cymru i lwybr gwahanol a rhoi iddo ddimensiwn newydd. Llwyddodd Hoddinott i gynnal y ddelwedd o fod yn gyfansoddwr Cymreig, ond eto heb fod yn efelychiadol gaeth i unrhyw arddull genedlaethol. Efallai, gyda dyfodiad yr 21g., fod cerddoriaeth gelfyddydol yng Nghymru o'r diwedd wedi cyrraedd ei llawn oed.

Llyfryddiaeth

F. Griffith, *Notable Welsh Musicians of Today* (Llundain, 2/1896)

J. Graham, *A Century of Welsh Music* (Llundain, 1923)

R. E. Roberts, 'Welsh Music in the Tudor Period', *Transactions of the Honourable Society of Cymmrodorion* (1925–6), 1–24

J. Lumley Davies, 'The Contribution of Welshmen to Music', *Transactions of the Honourable Society of Cymmrodorion* (1929–30), 38–113

P. Crossley-Holland, 'Secular Homophonic Music in Wales in the Middle Ages', *Music & Letters*, xxiii (1942), 135–62

I. Lewis, *Cerddoriaeth yng Nghymru* (Lerpwl, 1945)

P. Crossley-Holland (gol.), *Music in Wales* (Llundain, 1948)

A. F. L. Thomas, 'Random Notes on Contemporary Welsh Music', *The Chesterian*, xxi (1956–7), 115–19

D. Jones, *Music in Wales* (Caerdydd, 1961)

E. Cleaver, *Gwŷr y gân* (Llandybïe, 1964)

O. T. Edwards, 'Music in Wales', yn R. Brinley Jones (gol.), *Anatomy of Wales* (Caerdydd, 1972), 107–26

E. Warkov, 'Modern Composers' Use of Welsh Texts: Some Points of View', *Welsh Music*, v/10 (1975–8), 31–41

R. Bohana, 'Music', yn M. Stephens (gol.), *The Arts in Wales 1950–75* (Caerdydd, 1979), 5–25

M. Boyd, 'Welsh Composers', yn M. Stephens (gol.), *The Arts in Wales 1950–75* (Caerdydd, 1979), 27–50

Philip Tagg, 'Analysing Popular Music: Theory, Method and Practice', *Popular Music*, 2 (1982), 37–67

D. R. A. Evans, 'A Short History of the Music and Musicians of St. David's Cathedral, 1230–1883', *Welsh Music/Cerddoriaeth Cymru*, 7/8 (1984–5), 50–66

G. Lewis, '"Welsh" Music', *Welsh Music/Cerddoriaeth Cymru*, 7/2 (1982–3), 6–19

R. Fawkes, *Welsh National Opera* (Llundain, 1986)

I. Cheverton, 'Cathedral Music in Wales during the Latter Part of the Seventeenth Century', *Welsh Music/Cerddoriaeth Cymru*, 8/1 (1986–7), 6–17

O. T. Edwards, 'A Fourteenth-Century Welsh Sarum Antiphonal, NLW MS 20541', *Journal of the Plainsong and Medieval Music Society*, x (1987), 15–21

G. Lewis, 'Praise the Lord! We are a Musical Nation', yn D. Cole (gol.), *The New Wales* (Caerdydd, 1990), 123–40

D. I. Allsobrook, *Music for Wales: Walford Davies and the National Council of Music* (Caerdydd, 1992)

L. Davies, 'Cwmni opera Cymru', *Taliesin*, lxxxiii (1993), 86–93

D. R. A. Evans, 'The Powell Collection of Music Manuscripts', *Current Musicology*, 52 (1993), 64–72

J. Davies, *Broadcasting and the BBC in Wales* (Caerdydd, 1994)

D. I. Allsobrook and B. B. James, *First in the World: The Story of the National Youth Orchestra of Wales* (Caerdydd, 1995)

D. R. A. Evans, 'Recent Discoveries at Aberystwyth: Welsh Music Manuscripts in the Music Department Archive', *Current Musicology*, 59 (1995), 101–15

S. Webb, *The Music of Wales* (Pen-y-Groes, 1996)

D. Galliver, *The Seatons of Margam and Port Talbot: Church Music in South Wales, 1870–1950* (Adelaide, 1997)

P. Weller, 'Gerald of Wales's View of Music' / 'Golwg Gerallt Gymro ar Gerddoriaeth', *Welsh Music History / Hanes Cerddoriaeth Cymru*, 2 (1997), 1–64

G. Williams, *Valleys of Song: Music and Welsh Society, 1840–1914* (Caerdydd, 1998)

P. ap Siôn, 'Cenedligrwydd a'r Cyfansoddwr Cymreig', *Hanes Cerddoriaeth Cymru*, 5 (2007), 265–84

Pwyll ap Siôn, Geraint Lewis a Lyn Davies

Clements, Charles (1898–1983)

Ganed Charles Henry Clements yn Aberystwyth yn 1898. Cymraes oedd ei fam ond hanai ei dad o Ddyfnaint. Bu'r tad a'r mab yn aelodau o gôr Eglwys Trinity ar y Buarth. Ymadawodd ag Ysgol Ardwyn yn gynnar oherwydd ei iechyd simsan a chael swydd fel pianydd yn sinema'r Palladium yn y dref. Cymerodd wersi ar y piano a'r organ a chyrraedd safon ddigon uchel i ennill yr ARCO a'r FRCO, gyda'r marciau uchaf y ddau dro, cyn cyrraedd ei ugain oed. Cyfyng fu ei orwelion cerddorol nes iddo gael ei ysbrydoli gan rai offerynwyr alltud o Wlad Belg a oedd wedi cael lloches yn Aberystwyth yn ystod y rhyfel, a daeth i werthfawrogi'n arbennig gerddoriaeth César Franck, Debussy a Ravel.

Er ei fod yn gwbl ddiuchelgais, daeth Charles Clements i chwarae rhan flaenllaw ym mywyd cerddorol ei dref enedigol. Yn 1917 fe'i penodwyd yn organydd Eglwys Seilo lle cyfarwyddodd adeiladu organ newydd yn 1934. Pan ddymchwelwyd yr eglwys yn 1995 cludwyd yr organ i Eglwys Gadeiriol Freetown, Sierra Leone. Deuai pobl o bob rhan o Gymru i wasanaethau'r Sul yn Seilo er mwyn clywed Charles Clements wrth yr organ. Yn 1919 cawsai ei benodi'n gynorthwy-ydd i Athro cerdd Coleg y Brifysgol, **Henry Walford Davies**, a dod yn aelod o driawd piano'r coleg.

Ar ôl ennill BMus yn 1924 cafodd ei benodi'n ddarlithydd yn 1926 ac yn uwch-ddarlithydd yn 1954. Ef oedd pennaeth gweithredol yr adran rhwng 1948 ac 1950. Erbyn iddo ymddeol yn 1963 roedd wedi cwblhau 44 o flynyddoedd yng ngwasanaeth adran gerdd Aberystwyth a dylanwadu'n aruthrol ar gannoedd o gerddorion ifanc. O ganol yr 1920au bu'n ddarlledwr cyson fel datgeinydd ar y piano a'r organ, fel cyfeilydd ac fel **arweinydd** Côr Madrigal y coleg, a ffurfiwyd ganddo yn 1931 ac a ddaeth yn enwog ledled Cymru a thu hwnt trwy gyfrwng recordiau ac yn arbennig y radio. Lluniodd nifer o drefniannau **corawl**, o Bach i **alawon gwerin** Cymreig, ond roedd yn gyndyn i'w cyhoeddi.

Gyda'i allu dihafal i ddarllen a thrawsgyweirio ar yr olwg gyntaf y gweithiau mwyaf dyrys, ymledodd ei enw fel cyfeilydd o'r safon uchaf un, a bu'n cyfeilio i nifer o unawdwyr lleisiol ac offerynnol rhyngwladol a ddenwyd i berfformio yn Aberystwyth, yn eu plith y feiolinydd Jelly d'Aranyi, y tenor Luigi Infantino a'r ddwy soprano Joan Hammond a Gwyneth Jones. Prin fod yr MBE a dderbyniodd yn gydnabyddiaeth deilwng o'i gyfraniad i fywyd cerddorol Aberystwyth, lle cymerwyd ei athrylith braidd yn ganiataol, na Chymru o ran hynny, a bu farw'n 84 oed mewn ysbyty yng Nghaerfyrddin.

Gareth Williams

Conwy, Siôn (c.1545–1606)

Cofir am Siôn Conwy III oherwydd ei gyfieithiad i'r Gymraeg o draethawd Lladin hir ar gerddoriaeth a ysgrifennwyd gan y dyneiddiwr o Rydychen, John Case (c.1539–1600), sy'n cael ei adnabod yn Gymraeg fel 'Klod Kerdd Dafod'. Er nad oes cofnod o sut y cafodd Conwy ei addysgu, roedd yn amlwg yn ŵr dysgedig. Uchelwr ydoedd ac aelod o deulu Bodrhyddan ger Rhuddlan, tirfeddianwyr cefnog, a bu'n Uchel-Siryf Sir y Fflint yn 1584–5 ac yn 1599–1600.

Roedd hefyd yn gynheiliad brwd i'r traddodiad barddol canoloesol hwyr, ac yn un o'r deuddeg uchelwr a lofnododd ddeiseb i Arglwydd Lywydd Cyngor y Gororau yn gofyn am drydedd eisteddfod yng Nghaerwys yn 1594 – cynllun adfywio na fu iddo ddwyn ffrwyth, ysywaeth. Mae'n debyg i'w waith ar 'Klod Kerdd Dafod' gymryd blynyddoedd lawer iddo: cwblhawyd y cyfieithiad rywbryd rhwng 1588 ac 1601, a'i ddilyn gan ymgais lawn mor uchelgeisiol i drosi gwaith Leonard Wright, *A Summons for Sleepers* (1589), i'r Gymraeg.

Teitl testun gwreiddiol John Case, sy'n rhyw 13,500 o eiriau, yw *Apologia Musica* ('O Blaid Cerddoriaeth'), ac fe'i cyhoeddwyd yn 1588. Dilynodd Conwy strwythur a chynnwys y gwaith hwnnw'n weddol agos, gan hepgor y cyflwyniadau rhagarweiniol yn unig, ac mae dwy ffynhonnell wedi goroesi: cedwir y testun cyflawn (sy'n dwyn y teitl 'Klod Kerdd Dafod') yn Llsgr. Hafod 24 Llyfrgell Ganolog Caerdydd (fe'i copïwyd gan John Jones, Gellilyfdy, yn 1609), a chopïwyd y pedair pennod gyntaf yn unig i MS Additional 14989 y Llyfrgell Brydeinig – mae'n ddigon posibl mai Conwy ei hun a'u copïodd.

Ond mae'r gwaith yn llawer mwy na chyfieithiad pur. Mae'r cynnwys yn hynod ddifyr (er ei fod yn anodd ei ddilyn), ac er mai cymharol isel yw safon y Gymraeg lenyddol, cyflwynodd Conwy gyfieithiadau hynod o dermau cerddorol ac ychwanegu nifer o esboniadau idiosyncratig; addaswyd rhai darnau i weddu i'w ddealltwriaeth ei hun. Er enghraifft, cyfieitha Conwy derm Case, *musica figuralis* (sy'n awgrymu cerddoriaeth bolyffonig gymhleth), fel 'cerdd ossidedic' ('cerdd osodedig'), a chaiff *harmonia* (harmoni) ei gyfleu fel 'lleossogrwydd' ('lluosogrwydd'). Diddorol iawn yw addasiad Conwy o restr wreiddiol Case o 'Angli', neu gyfansoddwyr mawr o Saeson a oedd bryd hynny'n dal yn fyw. Ni wnaeth Conwy unrhyw ymdrech i ehangu'r rhestr hon i gynnwys Cymry, ond ychwanegodd un ffigur lleol y mae'n rhaid ei fod yn ei adnabod – y Robert Stephenson lled anadnabyddus, organydd eglwys gadeiriol Caer o 1571, y mae'n ei alw'n 'Stifynsyn'.

Llyfryddiaeth

D. Gwenallt Jones, 'Clod Cerdd Dafod', *Llên Cymru*, 1 (1950–51), 186–7

Emyr Gwynne Jones, 'Conwy neu Conway (Teulu), Botryddan, Sir y Fflint', *Y Bywgraffiadur Cymraeg*, gol. J. E. Lloyd & R. T. Jenkins (Llundain, 1959; fersiwn newydd arlein (LlGC, 2009) <http://yba.llgc.org.uk/cy>

G. Jones, 'Siôn Conwy III a'i Waith', *Bulletin of the Board of Celtic Studies*, 22 (1966), 16–30

Sally Harper, *Music in Welsh Culture before 1650* (Aldershot, 2007)

Sally Harper

Corau Cymysg

Er bod gweithgarwch corawl i'w gael ym mlynyddoedd cynnar y 19g. mewn sawl rhan o Gymru, gyda phrysurdeb neilltuol yn yr 1830au ac 1840au yng nghapeli Merthyr a'r cylch, i'r Mudiad **Dirwest**, ac Undebau Dirwest fel Gwent a Morgannwg (1854), a chylchwyliau Dirwestwyr Eryri (1866) ac Ardudwy (1868), y mae'r diolch am blannu gwreiddiau cydganu corawl cymysg yng Nghymru.

Sefydlodd William Griffiths (Ifander; 1830–1910) gyfres o wyliau canu dirwestol ar hyd Cwm Tawe ac yn 1862 daeth y rhain ynghyd i ffurfio Cymdeithas Gorawl Dyffryn Tawe. Roeddynt yn rhifo dros 300 a pherfformiwyd y *Messiah* ym Mhant-teg, Ystalyfera, gyda chyfeiliant cerddorfa. Credir mai dyma un o'r troeon cyntaf i'r gwaith cyfan gael ei glywed yng Nghymru, a dyma gychwyn y syniad o'r 'côr mawr'.

Yr awydd i gystadlu a fyddai'n gyfrifol am ddwyn y mwyafrif o gorau Cymru i sylw'r genedl – er mwyn cystadlu y ffurfiodd Ifander ei gôr ef yn wreiddiol – ond ffieiddio at gystadleuaeth a wnâi O. O. Roberts (1847–1926) o Dalsarnau, sef **arweinydd**

Cymdeithas Gorawl Idris o 1872 hyd 1926: digonol iddo ef oedd dysgu ei gôr i berfformio'n flynyddol oratorios y meistri. Enwocach oedd Caradog (Griffith Rhys Jones; 1834–97), arweinydd Côr Undebol Deheudir Cymru, neu'r South Wales Choral Union, a enillodd ddwywaith yn olynol ym mhencampwriaethau corawl y Palas Grisial yn Llundain yn 1872 ac 1873. O'r dosbarth gweithiol y deuai'r 350–450 o aelodau a berthynai i'r Côr Mawr a gellir dweud mai symbol oedd Côr Caradog o'r Gymru ddiwydiannol.

Yn sgil twf aruthrol y diwydiant glo o'r 1870au y daeth canu corawl Cwm Rhondda i amlygrwydd. Bu dynion dŵad fel M. O. Jones o Ddeiniolen, Eos Cynlais o Ystradgynlais a Taliesin Hopkins o Aberpennar yn arwain yn eu tro Gôr Unedig Treherbert, Côr Ffilharmonig y Rhondda, a Chôr Cymer-Porth, a buont i gyd yn bencampwyr eisteddfodol. Camp corau Dr Roland Rogers o Fangor a John Price o Rymni oedd ennill prif wobr gorawl yr **Eisteddfod** Genedlaethol sawl gwaith, tair ohonynt yn olynol. Cafodd Rogers lwyddiant nodedig gydag Undeb Corawl Eryri neu Gôr Undebol y Penrhyn fel y'i gelwid, gan gipio'r wobr yn Eisteddfodau Cenedlaethol Dinbych 1882, Caerdydd 1883 a Lerpwl 1884, a rhannu'r wobr gyda chôr Huddersfield yn Eisteddfod Genedlaethol Llundain yn 1887. Sais uniaith oedd Rogers ac yn yr ymarferion byddai'n cyfathrebu â'i gantorion uniaith Gymraeg trwy gyfieithydd. John Price oedd arweinydd Côr Unedig Rhymni a fu'n fuddugol bump o weithiau yn yr Eisteddfod Genedlaethol, deirgwaith yn olynol rhwng 1893 ac 1895. Dod at ei gilydd er mwyn cystadlu a wnâi'r corau undebol hyn, a phrin oedd y cyngherddau a roddent, ar wahân i'r ymarfer olaf cyn cystadleuaeth fawr pan oedd mynediad trwy docyn yn unig.

Tra oedd côr-feistri corau undebol fel R. C. Jenkins, Llanelli (1848–1913) a John Williams, Caernarfon (1856–1917), yn adnabyddus yn genedlaethol, y tanllyd Dan Davies (1859–1930) o Ddowlais oedd ffigwr mwyaf carismataidd y byd corawl ar ddiwedd y 19g. Am ddeng mlynedd ar ôl cael ei ffurfio yn 1881, roedd y Dowlais Harmonic Society o dan arweiniad Dan Davies yn un o gorau mwyaf llwyddiannus Cymru. Yn 1893 cymerodd Dan Davies awenau Gôr Ffilharmonig Merthyr a bu'n fuddugol eto gyda'r côr hwn, ond cafodd ei feirniadu'n hallt gan gerddorion o Loegr am ei ddull gorddramatig o arwain, a phan fethodd ei gôr â dod i'r brig am yr ail waith yn olynol yn Eisteddfod

Genedlaethol Casnewydd yn 1897, ffromodd Dan Davies yn gyhoeddus.

Ymgymerodd yr athrylithgar Harry Evans (1873–1914) ag arweinyddiaeth côr Dowlais ar ôl i Dan Davies gefnu arnynt yn 1897, a chwe mlynedd yn ddiweddarach enillodd y brif gystadleuaeth gorawl gyda chôr cymysg unedig Merthyr a Dowlais yn Eisteddfod Genedlaethol Llanelli 1903. Y flwyddyn honno derbyniodd wahoddiad i gymryd awenau Undeb Corawl Cymry Lerpwl a gyda'r côr hwnnw cyflwynodd weithiau mawr heriol, o'r *Dioddefaint yn ôl Sant Mathew* (Bach) a *Faust* (Berlioz) i'r perfformiadau cyntaf o 'symffonïau corawl' uchelgeisiol a digyfeiliant Granville Bantock.

Chwarelwr gydol ei oes oedd Cadwaladr Roberts (1854–1914) y gofynnwyd iddo yn 1872 i arwain côr capel yn Nhanygrisiau. O'r côr hwn y tyfodd Côr Tanygrisiau a oedd yn enillydd eisteddfodol cyson, gan gynnwys Eisteddfod Genedlaethol Llandudno 1896. Fe'i dewiswyd yn arweinydd ar gôr Eisteddfod Genedlaethol Ffestiniog 1898 pan berfformiwyd *Ystorm Tiberias* gan Edward Stephen (Tanymarian), y tro cyntaf i'r Eisteddfod glywed fersiwn diwygiedig **Emlyn Evans** o'r **oratorio** Gymraeg gyntaf hon gyda chyfeiliant cerddorfa.

Tra bu corau Aman, yn arbennig Côr Brynaman 'Teddy' Evans a Chymdeithas Gorawl Rhydaman Gwilym R. Jones, yn dra llewyrchus cyn ac ar ôl y Rhyfel Byd Cyntaf – adlewyrchiad o gynnydd diwydiannol sydyn Cwm Aman ers yr 1890au – daeth Côr Mawr Ystalyfera yn destun siarad ledled Cymru o 1926 hyd at doriad y rhyfel yn 1939. Organydd a chôr-feistr eglwys Pant-teg, Ystalyfera, oedd William David Clee (1883–1946) FRCO, ac enillodd enwogrwydd gyda chôr a ddenai ei aelodau o gylch eang yng Nghwm Tawe. Fe'i hadwaenid fel Côr Mawr Ystalyfera ar bwys ei faint (roedd 340 ar y llwyfan yn Eisteddfod Genedlaethol Abertawe 1926) a'i lwyddiant eisteddfodol. Ar ôl iddynt ennill bum gwaith rhwng 1928 ac 1934, gofynnodd pwyllgor Eisteddfod Genedlaethol Caernarfon 1935 iddynt beidio â chystadlu, felly bu côr Clee yn cynnal un o gyngherddau'r nos yno. Roedd gan Clee brofiad o gyfarwyddo perfformiadau o operâu ac efallai i hyn ddylanwadu ar ei agwedd at ganu corawl. Bu cryn feirniadu yn 1936 ar gôr Clee am greu effeithiau trwy orbwysleisio mewn dull annerbyniol, ac er iddynt gystadlu ar ôl hynny roedd eu dyddiau o oruchafiaeth ar ben.

Pan gipiodd Ystalyfera'r wobr gyntaf yn Eisteddfod Genedlaethol Llanelli 1930, un marc yn unig a'u

gwahanai oddi wrth gôr cymysg Pontarddulais a'u curodd yn 1932. Arweinydd Pontarddulais oedd T. Haydn Thomas (1899–2006), nai i'r cerddor **D. Vaughan Thomas**, ac wedi'r Ail Ryfel Byd daeth Côr Pontarddulais i chwarae rhan amlwg yng **Ngŵyl** Gerddorol Flynyddol Abertawe pan ddeuai cerddorion amlwg fel John Barbirolli ac Adrian Boult i arwain gweithiau corawl a oedd wedi cael eu paratoi i'w perfformio gan gôr T. Haydn Thomas. Y tu allan i Gymru bu Wyn Morris (1929–2010) o Lanelli, mab i'r cerddor **Haydn Morris**, yn arweinydd y Gymdeithas Gorawl Frenhinol (Royal Choral Society) o 1968 hyd 1970, a Chymdeithas Gorawl Huddersfield o 1969 hyd 1974, a bu **George Guest** o Fangor yn gôr-feistr o 1951 hyd 1991 ar Gôr Coleg Sant Ioan yng Nghaergrawnt lle llwyddodd i greu sain a oedd, ym marn nifer o arbenigwyr ar y canu corawl, yn fwy 'cyfandirol' (ac efallai Gymreig) nag eiddo côr enwog Coleg y Brenin.

O'r 1960au gwelwyd cyfnod newydd yn gwawrio, gyda thwf sefydliadau fel BBC Cymru a chynnydd dinas Caerdydd. Daeth cenhedlaeth newydd o gorau cymysg i'r amlwg yng nghyffiniau Caerdydd fel Côr Aelwyd Caerdydd, Cantorion Ardwyn, y Côr Poliffonig a Chôr Godre'r Garth; yn y gorllewin roedd Côr Bach Abertawe a Chôr Dyfed yn weithgar; ac yn y gogledd-ddwyrain gosodwyd safon dra uchel gan Gantorion Cynwrig. Trosglwyddwyd y baton yn fwy diweddar i genhedlaeth newydd eto o gorau cymysg o bob rhan o Gymru fel Côr Eifionydd, Cantorion Teifi, Cywair, Côr y Wiber, Côr Ysgol Glanaethwy, ac yn y brifddinas Côr Caerdydd, CF1 a Chôrdydd.

Ar ddechrau'r 21g., er bod corau undebol a chymdeithasau corawl yn dal mewn bod yn y cadarnleoedd traddodiadol, i'r corau newydd y mae'r diolch am gyflwyno *repertoire* newydd, ffres, a dulliau perfformio sydd wedi trawsnewid canu corawl cymysg yng Nghymru.

Gareth Williams

Corau Ieuenctid a Phlant

Byrhoedlog yw natur corau ieuenctid a phlant o reidrwydd; mae newid parhaus yn eu haelodaeth wrth i'r cantorion symud ymlaen i gorau hŷn neu wrth i'r corau eu hunain ambell dro ailffurfio i fod yn gorau oedolion. **Arweinyddion** dawnus ac ymroddgar sydd, yn aml, yn peri eu bod yn llwyddo i oroesi ac ailffurfio. Mae corau o'r fath yn allweddol, nid yn unig er mwyn cynnig profiadau cerddorol i ieuenctid a chynnal eu diddordeb mewn cerddoriaeth ond hefyd i greu *repertoire* newydd trwy gomisiynu gweithiau arbennig. Maent hefyd yn adnodd pwysig i gynnal a chadw diwylliant ieuenctid yn gyffredinol ac yn fodd i ddwyn pobl ifanc at ei gilydd mewn ardaloedd gwledig a phoblog.

Mae'r capeli a'r Ysgol Sul wedi chwarae rhan yr un mor flaenllaw â'r ysgolion wrth fagu corau o aelodau ifanc, yn enwedig wrth ganu caneuon Cymraeg. Ceir lluniau mewn **archifau** o Gôr Plant Capel Nazareth (MC), Penrhyndeudraeth, yn 1888, a Chôr Plant Tywyn yn 1885. Ceir llun o ferched Ysgol Ramadeg Merched y Bala yn yr 1920au a gwyddys fod Llewela Roberts, Llandderfel, wedi arwain **corau merched** yno. Roedd bri hefyd ar gorau plant yn ardal Cerrigydrudion yn yr 1950au dan arweiniad Ellen Ellis ac ar Gôr Genethod y Cilgwyn, Dyffryn Nantlle, o dan arweinyddiaeth James Thomas yn yr un degawd.

Bu **Eisteddfod** Ryngwladol Llangollen yn sefydliad pwysig yn natblygiad corau ieuenctid yng Nghymru. Enillwyd y gystadleuaeth i gorau plant yn Llangollen gan Ysgol Ramadeg Caernarfon yn 1954 a chan Gôr Plant Cydweithredol y Rhondda yn 1955. Côr arall llwyddiannus o Gymru a ddaeth i'r brig yn Llangollen oedd Côr Ysgol Dewi Sant, Wrecsam, dan arweiniad Jean Stanley Jones. O dan ei chyfarwyddyd hi bu'r côr yn fuddugol yno bump o weithiau i gyd, ac yn sgil hynny cawsant gyfle i deithio'n helaeth drwy wledydd Prydain ac Ewrop yn yr 1970au a'r 1980au.

Bu Eisteddfod yr Urdd hefyd yn ddylanwad amlwg ar dwf corau ieuenctid yn ei blynyddoedd cynnar ac mae'n parhau i feithrin corau newydd. Gwelwyd llun o barti canu neu gerdd dant Adran yr Urdd, Treuddyn, yng nghylchgrawn *Cymru'r Plant* yn 1922. Corau eraill ddaeth i amlygrwydd yn yr 1950au a'r 1960au oedd côr Adran Carrog, ger Corwen, Côr Llanbrynmair, Côr Ysgol Gynradd y Bala a Chôr Ysgol Gymraeg Aberystwyth. Ymhlith aelwydydd eraill a fu'n dra llwyddiannus mewn cystadlaethau corau, corau gwerin a chaneuon actol yr oedd Aelwyd Llanuwchllyn (1956), Aelwyd Caerdydd (1958), Aelwyd Machynlleth (1952), Aelwyd Ffostrasol (1969) ac Aelwyd Penllys, Powys (1963). Daeth corau aelwydydd megis Chwilog, Llangwm a Bro Ddyfi hefyd i amlygrwydd yn yr 1970au cyn i gnwd newydd o gorau aelwydydd colegau Cymru ymddangos ym mlynyddoedd olaf yr 20g. ac yn nechrau'r 21g.; yn eu plith yr oedd Aelwyd John Morris-Jones,

Bangor (dan arweiniad **Wyn Thomas**), Y Drindod, Caerfyrddin, CF1 (Caerdydd) ac Aelwyd Pantycelyn (Aberystwyth). Mae'r duedd hon yn parhau, gyda chorau newydd megis Côr Aelwyd y Waun Ddyfal, Caerdydd (dan arweiniad Huw Foulkes), yn cael ei sefydlu yn 2006. Mae Mudiad y Ffermwyr Ifanc yng Nghymru hefyd yn allweddol yn natblygiad corau ieuenctid, gyda Chôr Gore Glas, Machynlleth, sy'n cynnwys nifer o gyn-aelodau o'r mudiad, yn ddim ond un enghraifft o blith llawer.

Cam pwysig arall yn hanes corau ieuenctid yng Nghymru fu sefydlu Côr Cenedlaethol Ieuenctid Cymru a'r Côr Hyfforddi gan Ffederasiwn Cerddoriaeth Amatur Cymru yn 1984, gyda'u haelodau yn cynnwys cantorion 16–25 mlwydd oed o Gymru benbaladr a'u llwyddiant yn adlewyrchiad o weithgaredd y corau ieuenctid sirol. Aelodau o dde Cymru a'r gogledd-ddwyrain oedd nifer fawr o'r cantorion yn y blynyddoedd cynnar, gyda rhai o siroedd Caerfyrddin a Cheredigion yn ymuno'n ddiweddarach. Erbyn dechrau'r 21g. roedd aelodaeth y côr yn fwy cytbwys yn ddaearyddol, gyda chynrychiolaeth o bob rhan o Gymru. Mae *repertoire* y côr wedi bod yn allweddol i gomisiynu gweithiau newydd gan gyfansoddwyr o Gymru, **Mervyn Burtch** (1929–2015) a **John Hardy** (g.1952) yn eu plith. Sefydlwyd y Côr Hyfforddi (ar gyfer cantorion 13–16 mlwydd oed) yn 2005, a chynhelir clyweliad blynyddol i'r rhai sy'n dymuno canu yn y ddau gôr. Ymhlith y cyn-arweinwyr y mae **George Guest**, Gregory Rose, John Hugh Thomas a Ralph Allwood, ac mae'r côr wedi perfformio yng **Ngŵyl** y Proms yn Neuadd Albert, Llundain, ac wedi cynnal cyngherddau ledled Ewrop.

Yn ogystal â gweithgareddau corawl yn y siroedd, roedd ambell i ysgol unigol yn rhyddhau record ac yn dod i'r brig mewn **gwyliau** ac **eisteddfodau**. Roedd Côr Ysgol Mynyddbach, Abertawe, yn flaenllaw yng nghyfnod yr 1970au dan arweiniad **Eric Jones**. Cafodd record Côr Ysgol Glan Clwyd o garolau Nadolig dan gyfarwyddyd Gilmor Griffiths dderbyniad gwresog yn 1975 a chydweithiodd Côr Ysgol Gyfun Llangefni, Ynys Môn (dan arweiniad Mary S. Jones), gyda'r tenor **Trebor Edwards** yn nechrau'r 1980au ar y record *Ychydig Hedd* (Sain, 1982). Aeth Mary S. Jones a rhai o aelodau'r côr yn eu blaenau i sefydlu Côr Adlais.

Yn yr un modd, bu disgyblion Ysgol Glan Clwyd rai blynyddoedd yn ddiweddarach yn aelodau o Gôr y Glannau (dan arweiniad Gwen a **Rhys Jones**). Fel côr ieuenctid hefyd y cychwynnodd Côr Rhuthun yn 1980 dan arweiniad Morfydd Vaughan Evans ac mae'n parhau heddiw dan arweiniad **Robat Arwyn**, yntau'n gyfansoddwr sydd wedi ymateb i ddyhead corau ieuenctid am *repertoire* newydd, fel yn y gwaith *Sychwn Ddagrau* (2012). Bu caneuon o sioeau cerdd Cwmni Theatr Maldwyn yn boblogaidd hefyd, megis 'Eryr Pengwern' (Linda Gittins/Derec Williams/Penri Roberts).

Gyda sefydlu Ysgol Glanaethwy ym Mangor yn 1990, buan y daeth eu corau hwythau i sylw cenedlaethol a rhyngwladol, yn cael eu harwain gan sefydlwyr yr ysgol, Cefin a Rhian Roberts. Mae gan yr ysgol bellach dri chôr ar gyfer gwahanol oedrannau, gyda llawer o aelodau'n symud ymlaen o un i'r llall. Ymhlith eu llwyddiannau y mae cipio teitl Côr yr Ŵyl yn yr Eisteddfod Genedlaethol, dod i'r brig yng ngwyliau Musica Mundi yn yr Eidal ac yn Hwngari, a chael gwahoddiad i gystadlu mewn gŵyl gorawl yn China yn 2010. Buont hefyd yn rhan o gôr cyfun *Proms* Prydain a chafodd aelodau'r côr eu gwneud yn Llysgenhadon Eisteddfod Llangollen yn 2009. Yn y gystadleuaeth deledu *Last Choir Standing* (BBC, 2008) daethant yn ail, ac yna'n drydydd yn *Britain's Got Talent* (ITV, 2015). Côr arall o Gymru a ddaeth i'r brig yn *Last Choir Standing* yn yr un flwyddyn oedd Only Men Aloud dan arweiniad **Tim Rhys-Evans**. Yn 2010 sefydlodd Rhys-Evans côr o fechgyn yn eu harddegau o gymoedd y de o'r enw Only Boys Aloud, ac fe ddaethant yn drydydd yn *Britain's Got Talent* yn 2012. Y flwyddyn honno hefyd gwelwyd Only Kids Aloud, côr sy'n cynnwys plant o bob cwr o Gymru, yn perfformio am y tro cyntaf.

Sefydlwyd Ysgol Gerdd Ceredigion yn 1993. Fel yn Ysgol Glanaethwy, mae dyfodiad aelodau newydd bob blwyddyn yn symbylu'r aelodau hŷn i ymffurfio'n gorau newydd. Un o'r rhain yw Cywair, enillwyr cystadleuaeth Côr y Byd yn Eisteddfod Llangollen, 2005, a ddaeth hefyd i'r brig yng nghystadleuaeth Côr Cymru ar S4C yn 2007 a 2011. Enillodd y Côr Iau y gystadleuaeth derfynol hefyd yn 2003 a 2009. Mae Islwyn Evans, y sylfaenydd, wedi hyfforddi cannoedd o blant drwy rengoedd y côr gan gynnig iddynt brofiadau ar lwyfannau ledled y byd, yn cynnwys Ewrop ac Unol Daleithiau America. Corau eraill a ddaeth i sylw'r cyhoedd yn sgil y gystadleuaeth oedd Côr y Cwm o ardal y Rhondda, Côr Heol y March o ardal Caerdydd a'r Fro, a Chôr Ieuenctid Môn.

Disgyddiaeth

Côr Ysgol Glanaethwy, *Yn Dathlu Deg* (Sain SCD2234, 1999)

Côr Adlais, *Dipyn Bach Mwy o…* (Sain SCD2164, 2000)

Cwmni Theatr Maldwyn, *Y Mab Darogan/5 Diwrnod o Ryddid* (Sain SCD2286, 2000)

Côr Rhuthun [et al.], *Atgof o'r Sêr* (Sain SCD2339, 2002)

Cwmni Theatr Maldwyn, *Ann!* (Sain SCD2446, 2004)

Cor Aelwyd CF1, *CF1* (Sain SCD2518, 2006)

Only Men Aloud, Ysgol Glanaethwy [et al.], *The Last Choir Standing* (BBC Rhino Records WMTV092, 2008)

Côr Ysgol Glanaethwy, *O Fortuna* (Sain SCD2597, 2008)

Corau Glanaethwy & Da Capo, *Rhapsodi* (Sain SCD2605, 2009)

Only Men Aloud, *Band of Brothers* (Universal 2712706, 2009)

———, *Live from Wales* (Denon COZ17785, 2010)

———, *In Festive Mood* (OMA OMACD1, 2011)

Cor Aelwyd CF1, *Con Spirito* (Sain SCD2620, 2011)

Cor Rhuthun, *Bytholwyrdd (Goreuon 30 mlynedd: 1981–2011)* (Sain SCD2671, 2011)

Côr Gore Glas a Chôr Aelwyd Bro Ddyfi, *Unwn Mewn Cân* (Sain SCD2666, 2012)

Only Boys Aloud, *The Christmas Edition* (Sony [dim rhif catalog], 2012)

Côr Cenedlaethol Ieuenctid Cymru, *Poulenc, Duruflé et al.* (BBC MM384, 2015)

Sioned Webb

Corau Merched

Gellir dweud bod corau merched yng Nghymru wedi bodoli dan gysgod y **corau meibion** a'r **corau cymysg** yn y gorffennol ond eu bod wedi ennill eu plwyf erbyn diwedd yr 20g. Cysylltir canu y llu corau meibion yng Nghymru yn aml gyda'r ardaloedd poblog a diwydiannol, tra mae'r corau merched yn fwy gwasgaredig ac yn llai niferus. Teg yw dweud hefyd fod corau merched – yn enwedig yng ngogledd Cymru – yn tueddu i gael eu cysylltu gyda math penodol o ganu, megis **cerdd dant** a chanu gwerin. Yn ddi-os, cyfrannodd adeiladu capeli ar hyd a lled Cymru yn sylweddol i'r twf yn y diwylliant corawl. Yn Hendy-gwyn ar Daf yn 1873 roedd adeiladu capel newydd y Tabernacl wedi esgor ar nifer o gorau newydd yn y gymdogaeth, yn eu mysg gôr merched. Erbyn 1897 roedd Côr Merched Brenhinol Cymru wedi'i sefydlu, yn cael ei arwain gan **Clara Novello Davies** (1861–1943), a theithiodd y merched trwy wledydd Prydain a thramor yn cynnal cyngherddau. Mae llun ar gael hefyd o'r 19g. o Gôr Merched Aberhonddu mewn gwisg Gymreig.

Gwelwyd mwy o gorau merched yng Nghymru yn yr 20g. a chwaraeodd yr **Eisteddfod** Genedlaethol ran allweddol yn y datblygiad hwn. Yr ail ddylanwad o bwys oedd sefydlu Cymdeithas Corau Merched Cymru yn nes at ddiwedd y ganrif, gyda Chôr Merched Cefn Hengoed (a sefydlwyd yn 1947) yn un o'i sylfaenwyr. Sefydlwyd y gymdeithas hon yn bennaf i ddod â chorau llai eu maint at ei gilydd a chorau merched o dde Cymru, yn bennaf, oedd yr aelodau. Clywyd Côr Merched Cymreig Brenhinol Pontypridd, a adwaenid fel Côr Madam Muriel Jones, yn perfformio i Ddug a Duges Caint yng Nghaerdydd yn 1937.

Enillwyd y brif wobr i gorau merched yn Eisteddfod Ryngwladol gyntaf Llangollen yn 1947 gan Gymdeithas Gorawl Merched Penarth, ac yn Eisteddfod Genedlaethol Llanrwst yn 1951 bu Côr Merched Llanberis yn fuddugol yn y brif gystadleuaeth i gorau merched. Enillodd Côr Merched Aelwyd Llanuwchllyn y brif wobr i gorau aelwydydd yn 1956 o dan eu harweinydd Emrys Bennett Owen (1911–88), a fu hefyd, yn ddiweddarach, yn arwain Côr Gwerin y Gader (Dolgellau). Sefydlwyd y côr hwnnw yn 1972 a pharhaodd am yn agos at ddeng mlynedd ar hugain.

Gwelwyd nifer o gorau merched llai eu maint yn yr ardaloedd diwydiannol – rhai ohonynt wedi esblygu o gorau cymysg neu wedi torri'n rhydd oddi wrthynt, eraill yn cynnwys perthnasau i aelodau'r **corau meibion**. Dechreuodd côr merched presennol Coro Cantabile fel parti merched yn 1959 dan arweiniad Dorothy Adams Jeremiah, cyn-drefnydd cerdd Sir Fynwy. Roedd Côr Merched Caerffili, a adwaenid hefyd fel Cantorion Margaret Roach, wedi'i sefydlu yn 1966 gyda'r cyfeilydd, Jean Davies, yn cyfeilio i Gôr Meibion Orffews Caerffili yn ogystal. Mae Côr Excelsior Merched Abertawe heddiw wedi esblygu o'r hen Gôr Merched Abertawe a sefydlwyd yn yr 20g. ac mae nifer o gorau eraill o'r un anian wedi datblygu neu wedi'u trawsnewid o'u ffurf wreiddiol.

Dechreuwyd ar gyfnod hynod lewyrchus yn hanes corau merched yng Nghymru yn sgil sefydlu Côr Merched Hafren gan Jayne Davies, Y Drenewydd, yn 1968. O dan ei chyfarwyddyd hi canwyd *repertoire* o safon uwch ac amrywiol, gan gynnwys ei threfniannau o ganeuon gwerin, a manteisiwyd ar gwmnïau recordio i hybu a marchnata'r deunydd. Yn dilyn eu llwyddiant ddwywaith yn olynol yn Eisteddfod Ryngwladol Llangollen (1977 ac 1978), gwelwyd twf mawr mewn corau merched, a oedd yn amrywiol o ran niferoedd. Rhyddhaodd Côr Telyn Teilo, o ardal Llandeilo, dair record yn y cyfnod hwn o dan eu harweinydd Noel John. Sefydlwyd Côr Merched Penydarren yn 1978, côr bychan o Ferthyr Tudful

a ganai mewn cyngherddau lleol yn bennaf. Yn yr un flwyddyn sefydlwyd Cantorion Sirenian Singers yn ardal Wrecsam fel côr merched o dan arweiniad Jean Stanley Jones. Aeth y côr hwn rhagddo i ennill bri yn genedlaethol a rhyngwladol, gan gomisiynu a chanu deunydd newydd gan gyfansoddwyr cyfoes megis **Alun Hoddinott**, **William Mathias** a Brian Hughes. Yn dilyn eu llwyddiant yng **Ngŵyl** Gorawl Ryngwladol Bartók yn Hwngari yn 1990, ailsefydlwyd y côr fel côr cymysg. Sefydlwyd Côr Merched Edeyrnion o ardal Corwen a'r Bala dan arweiniad Manon Easter Lewis yn 1979. Ymhlith eu llwyddiannau roedd ennill un ar ddeg o weithiau yn yr Eisteddfod Genedlaethol a chipio'r cwpan arian yng Ngŵyl Gerdd Verona yn yr Eidal yn 1992.

Prin yw'r corau merched a sefydlwyd yn yr 1980au sydd wedi denu sylw cenedlaethol. Un eithriad oedd Côr Merched Glyndŵr dan arweiniad Leah Owen, a fu'n **canu gwerin** yn ogystal â cherdd dant. Un arall a ddaeth i sylw'r cyhoedd oedd Côr Telynau Tywi dan arweiniad y delynores a'r gantores Meinir Lloyd o Gaerfyrddin, côr a barhaodd am bymtheng mlynedd. Yn 1984 sefydlwyd Côr Merched Ynysybwl, a ymunodd ag eraill i ganu dan ambarél Cymdeithas Corau Merched Cymru.

Bu'r 1990au yn gyfnod ffyniannus o'i gymharu â'r cyfnod blaenorol a gellir dweud bod yr Eisteddfod Genedlaethol eto wedi chwarae rhan flaenllaw yn y datblygiadau. Yn 1991, a hwythau wedi bod yn barti canu ers wyth mlynedd, sefydlwyd Côr Seiriol o ardal Bangor ac Ynys Môn fel côr cerdd dant i gystadlu yn Eisteddfod Genedlaethol yr Wyddgrug. Datblygodd y côr yn ddiweddarach i fod yn gôr merched sy'n canu mewn amrywiaeth o arddulliau. Maent wedi teithio'n helaeth gan ddod i'r brig mewn sawl maes ac wedi rhyddhau dau gryno-ddisg ynghyd ag un ar y cyd â Cherddorfa Genedlaethol y BBC i waith comisiwn gan y cyfansoddwr **Karl Jenkins** (Sain, 2004). Dan arweiniad Gwennant Pyrs, maent wedi datblygu'r grefft o **ganu penillion** ond hefyd wedi comisiynu gweithiau gan gyfansoddwyr megis **Gareth Glyn**. Dair blynedd yn ddiweddarach, yn 1994, sefydlwyd Côr Canna i gystadlu yn Eisteddfod Genedlaethol Nedd a'r Cyffiniau dan arweiniad Delyth Medi Lloyd; daethant hwythau bellach yn enw adnabyddus ar ein prif lwyfannau cenedlaethol. Fel Côr Seiriol, mae eu *repertoire* yn cofleidio gwahanol arddulliau.

Ar ddechrau'r mileniwm newydd cododd corau merched newydd ar hyd a lled Cymru. Roedd nifer o'r corau hyn, eto, yn canu mewn amrywiol arddulliau ac mae'r hyblygrwydd hwn yn nodweddiadol o gorau merched y chwarter canrif diwethaf. Sefydlwyd Côr Persain yn 2000 gan grŵp dethol o ferched o ardal Tŷ-croes, ger Rhydaman. Sefydlwyd Corisma ym mhentref Cwm-ann, ger Llanbedr Pont Steffan, gan Carys Lewis a Sian Roberts Jones yn 2006 a Chantorion y Phoenix yn 2010 gan ddeugain o ferched o sawl cwm yn ne Cymru. Côr sylweddol ei faint yw Lleisiau'r Nant, **côr cerdd dant** yn bennaf, dan arweiniad Leah Owen eto, a fu'n fuddugol yn Eisteddfod Wrecsam 2011 yng nghategori'r corau merched.

Yn 2003 gwelwyd am y tro cyntaf gystadleuaeth deledu *Côr Cymru* (Cwmni Rondo) ar S4C gyda chategorïau ar gyfer gwahanol gorau. Y cystadleuwyr yng nghategori'r merched y flwyddyn honno oedd Côr Canna, Côr Eryri o ardal Llanrug, Lleisiau'r Cwm, Rhydaman, a Chôr Seiriol. Yn 2005 Lleisiau'r Cwm oedd yn fuddugol, dan eu harweinydd Catrin Hughes. Mae'r gystadleuaeth wedi parhau i ddenu corau newydd. Yn 2013 enillwyd y categori corau merched gan Gôr y Wiber, dan arweiniad Angharad Thomas, côr o ardal Castellnewydd Emlyn. Y côr hwn hefyd a enillodd y gystadleuaeth derfynol – y tro cyntaf i ferched gipio prif wobr y gystadleuaeth (gw. hefyd **Arweinyddion**).

Disgyddiaeth

Côr Merched Hafren, *Adlais y Glyn* (Sain 1990)
Côr Seiriol, *Côr Seiriol* (Sain SCD2035, 1993)
Côr Telyn Teilo, *Goreuon 1970–91* (Sain SCD2093, 1995)
Côr Seiriol, *Côr Seiriol 2* (Sain SCD2106, 1995)
Côr Telynau Tywi, *Côr Telynau Tywi* (Sain SCD2133, 1996)
Côr Merched Canna, *Canna* (Sain SCD2261, 2000)
Côr Seiriol a Cherddorfa Genedlaethol y BBC, *Cantus Triquetrus* [gan Karl Jenkins] (Sain SCD2404, 2004)
Cantorion Sirenian Singers, *Christus Natus* (Sain SCD2564, 2007)
Côr Merched y Rhos, *O'r Galon* (Sain SCD2602, 2011)
Côr Merched Corisma, *Cico Sodle* (Talent Cymru Tal029CD, 2015)

Sioned Webb

Corau Meibion

Bu dynion yn cydganu yng Nghymru, mewn eglwysi a mynachlogydd ac yn y dafarn, ers yr Oesoedd Canol. Ond daeth bri arbennig ar y côr meibion yn sgil diwydiannu a thwf pentrefi diwydiannol yn ail hanner y 19g., ac mae'n parhau hyd heddiw.

O'r 1860au, er mwyn amrywio'r arlwy mewn cyngherddau, gwelid adran y dynion o gorau cymysg yn canu darnau a oedd wedi'u trefnu neu eu hysgrifennu ar gyfer meibion yn unig; bu cystadleuaeth yn **Eisteddfod** Genedlaethol Abertawe 1863 'ar gyfer dynion o gorau cymysg', ac mae digon o dystiolaeth mai ffurfio adran o'r fath a wnaed gan gorau adnabyddus Dyffryn Tawe, Aberdâr a Dowlais. Erbyn yr 1870au roedd corau meibion annibynnol yn frith, yng Nghaernarfon (Côr Engedi) ac mewn ardaloedd diwydiannol fel Blaenau Ffestiniog a chymoedd y de lle'r oedd dynion ifanc yn heidio i gael gwaith, ac yn awyddus am adloniant. Un o'r ffyrdd o gael hynny oedd trwy gydganu gyda chymdogion a chydweithwyr yn y pwll a'r chwarel, y rheilffyrdd a'r dociau.

Yn chwarter olaf y ganrif, gyda chynnydd aruthrol yn y boblogaeth yn sgil datblygiad dramatig y diwydiant glo, daeth corau meibion y Rhondda i amlygrwydd mewn cyngherddau ac eisteddfodau. Un o'r corau cyntaf i wneud eu marc oedd y Rhondda Glee Society a ffurfiwyd yn 1877. Canig hwyliog ysgafn i ddim mwy na llond llaw o ddynion oedd y *glee* Saesneg, a bu partïon ychydig yn fwy o ryw ugain o ddynion yn bod yng Nghymru er yr 1850au, ond cyn hir byddai cytganau cyffrous **Joseph Parry** a darnau cyhyrog o'r cyfandir yn fwy at ddant y Cymry. Gyda'u datganiad o 'Pererinion' Parry cipiodd y Gleemen yr wobr gyntaf yn Eisteddfod Ffair y Byd yn Chicago yn 1893.

Eu gelynion mawr oedd côr meibion Treorci a ffurfiwyd yn 1885, a bu'r ddau gôr yn ffraeo hyd at ymladd ambell waith. Ar sail eu buddugoliaeth hwythau yn Eisteddfod Genedlaethol Llanelli yn 1895 gwysiwyd Treorci i ganu o flaen y Frenhines Victoria yn Windsor, dair blynedd cyn i'r Gleemen gael gwahoddiad tebyg. Ymwelodd côr Treorci ag Unol Daleithiau America yn 1906, ac aethant ar daith o 30,000 o filltiroedd o gwmpas y byd yn 1908–9; roedd y Gleemen eisoes wedi ymweld â Chymry alltud Pennsylfania yn 1889. Erbyn troad y ganrif, felly, roedd nodweddion traddodiad corau meibion Cymru wedi eu creu: yr hoffter o ddarnau cyffrous a datganiad grymus ohonynt, aelodau a oedd yn ddieithriad o'r dosbarth gweithiol ac yn rhifo hanner cant neu fwy mewn nifer; nawdd brenhinol; y cyfle i deithio; cystadlu ffyrnig gyda chefnogwyr niferus, brwd a oedd yn eu dilyn fel petaent yn dimau ffwtbol – a gamblo ar y canlyniad hefyd.

Erbyn diwedd y 19g. roedd gan bron bob pentref a oedd â phoblogaeth o ychydig filoedd gôr meibion, yn arbennig yng nghymoedd poblog y de lle'r oedd llwyddiant y côr yn destun balchder bro ac yn fodd i ddiffinio'i hunaniaeth. Ymhlith y corau mwyaf enwog yr oedd Dowlais o dan Harry Evans, yr oedd eu sain goeth a'u disgyblaeth gerddorol yn eu galluogi i gael y gorau hyd yn oed ar oreuon Lloegr fel Côr Orpheus Manceinion a drechwyd ganddynt yn Eisteddfod Genedlaethol Lerpwl yn 1900.

Côr nodedig arall oedd Pontycymer, a gafodd fuddugoliaeth dros ddeg o gorau eraill mewn cystadleuaeth chwedlonol a barodd am bump awr o flaen torf o 20,000 yn Eisteddfod Genedlaethol Abertawe yn 1891. 'Pererinion' Joseph Parry, ynghyd â 'Dinistr Gaza' gan y Ffrancwr L. de Rillé (roedd ei 'Martyrs of the Arena' eisoes yn ffefryn), oedd y darnau prawf, yr union ddarnau cynhyrfus a oedd wrth fodd cantorion Cymreig a'u cynulleidfaoedd, ac roedd cyfansoddwyr fel Parry a'i ddisgyblion T. Maldwyn Price, **Daniel Protheroe** a D. Christmas Williams yn feistri ar y grefft o gyfuno'r cyffrous a'r ymbilgar. Yn hynny o beth dilynent esiampl Ffrancwyr fel de Rillé, Gounod ('Cytgan y Milwyr' o *Faust*, 'Wrth Afonydd Babilon') ac Adolphe Adam ('Comrades in Arms') a oedd yn ysbrydoliaeth iddynt. Gall sawl côr sy'n dal i ganu'r cytganau hyn olrhain eu gwreiddiau i'r cyfnod 1880–1914, corau fel Treorci, Dowlais, y Dyfnant (1895) yn ardal Abertawe, ac ym Mlaenau Gwent corau Beaufort (1897) a Thredegar (1909).

Yng ngogledd Cymru, er na welwyd diwydiannu ar yr un raddfa, ceir yr un cysylltiad rhwng y côr, y pwll a'r chwarel. Ardal o weithgarwch cerddorol neilltuol oedd honno o gwmpas pentref glofaol Rhosllannerchrugog; yno, yn 1892, penderfynodd dynion côr cymysg y Rhos ffurfio parti meibion ar wahân. Roedd pentrefi chwarelyddol Gwynedd hwythau yn enwog am eu corau meibion, gyda chôr y Moelwyn (1891) ym Mlaenau Ffestiniog yn tynnu ei aelodau o chwarel yr Oakeley. Llwch y chwarel, meddid, oedd yn gyfrifol am sain goeth baswyr y gogledd, a llwch glo am denoriaid mwy telynegol y de.

Bu'r Moelwyn yn diddanu aelodau'r teulu brenhinol ar eu hymweliad â gogledd Cymru yn 1907, a buont ar daith yn Unol Daleithiau America yn 1910 ac 1911. Yn yr ail safle ar ôl côr Gleemen y Rhondda yn Eisteddfod Chicago yn 1893 roedd chwarelwyr y Penrhyn o Fethesda, côr a ffurfiwyd yn unig swydd i gystadlu yno, er iddo ddod i ben yn fuan wedi hynny, ailffurfio yn 1934 a pharhau hyd heddiw.

Roedd y blynyddoedd rhwng y ddau ryfel byd yn gyfnod o ddirwasgiad economaidd a diweithdra enbyd

mewn rhannau o Gymru gyda bron hanner miliwn o bobl yn ymfudo. Caeodd pyllau a gweithfeydd ac aeth corau Treorci a Dowlais i'r gwellt. Prin oedd y cyfle i deithio'r byd yn awr; tra bu saith côr o Gymru ar daith yn Unol Daleithiau America yn 1910, yr unig un i ddilyn yn ôl eu traed yn awr oedd y Welsh Imperial Singers, dyrnaid o gantorion dethol o dan arweiniad Ffestyn Davies, a fu yno sawl gwaith rhwng 1926 ac 1939. Ond roedd y patrwm yn amrywio. Yn union fel y gallai'r Gleemen ymarfer ddwywaith y dydd cyn ennill Eisteddfod Ffair y Byd yn 1893 oherwydd streic yn y maes glo, ffurfiwyd côr mawr Williamstown yn y Rhondda yn ystod anghydfod 1910–11. Mewn amgylchiadau tebyg y daeth côr Cwmbach ger Aberdâr i fod yn 1921, a chôr Pendyrus yn y Rhondda Fach yn 1924. Serch hynny, cyn bo hir byddai 80% o gantorion Pendyrus yn ddi-waith.

Nid oedd effeithiau'r Dirwasgiad gynddrwg yn y gorllewin a'r gogledd. Fel y cychwynnodd Côr Mawr cymysg Ystalyfera ar gyfnod euraid o 1926, y mwyaf llwyddiannus ymysg y corau gwrywaidd oedd corau meibion Abertawe (o dan Llew Bowen ac yna Ivor Owen) a Threforys Unedig, fel y'i gelwid cyn iddo hollti yn 1935 pan ffurfiwyd yr Orpheus o dan Ivor Sims, eu harweinydd hyd at ei farwolaeth yn 1961.

Daliai gornestau'r Eisteddfod Genedlaethol i fod yn achlysuron dramatig a chyffrous, gyda'r corau mawr yn rhifo dros gant o aelodau a'r torfeydd a heidiai i'w clywed yn rhifo ugain mil. Er mai corau'r de oedd y prif atyniad nid oedd corau'r gogledd, er eu bod yn llai o ran maint, ar ei hôl hi. Ffurfiwyd côr o chwarelwyr a ffermwyr yn Nyffryn Nantlle yn 1932 o dan y chwedlonol C. H. Leonard, côr Llangwm gan amaethwyr yn Sir Ddinbych yr un flwyddyn, a chôr Trelawnyd, Sir y Fflint, yn 1933. Roedd gwreiddiau'r corau hyn ym mhartïon y ganrif flaenorol ond ffurfio, ymddatod ac ail-greu fu eu hanes, fel y Penrhyn.

Gyda dyfodiad heddwch yn 1945 ac adfywiad diwydiannol, daeth tro ar fyd yn hanes y corau meibion. Lle'r oedd yr Eisteddfod Genedlaethol, yn yr 1930au, wedi bod yn cynnal cystadlaethau ar gyfer corau'r di-waith a'r Cymry alltud, yn awr cafwyd rhai yn benodol ar gyfer gweithfeydd unigol, a daeth Eisteddfod y Glowyr ym Mhorth-cawl bob Hydref yn ddyddiad pwysig yn y calendr corawl. Tra bu i Orpheus Treforys a'u sain melfedaidd, coeth, barhau â'u llwyddiant yn y cyfnod cyn y rhyfel trwy ennill yn yr Eisteddfod Genedlaethol bedair gwaith o'r bron yn 1946–9, y symbol grymusaf o'r hinsawdd newydd oedd atgyfodiad côr meibion Treorci yn

1946 o dan John Haydn Davies, a fu'n eu harwain hyd 1969. Nid yn unig buont bron yn ddiguro gydol yr 1950au a'r 1960au ond cyrhaeddwyd, yn eu gwaith nhw, safon newydd yng nghanu corau meibion Cymru, a gwelwyd ymestyn y *repertoire* traddodiadol i gynnwys alawon Almaenig, motetau a gweithiau newydd gan gyfansoddwyr cyfoes fel **Mansel Thomas**.

Troediodd Glynne Jones, **arweinydd** Pendyrus rhwng 1962 a'i farwolaeth yn 2000, ymhellach ar hyd y llwybr hwn. Er ei fod yn arddel yr **emynau** poblogaidd a'r 'Amen' ddisgwyliedig, cefnodd Arglwydd Pendyrus, fel y'i gelwid, ar y llwyfan eisteddfodol i ganolbwyntio ar gerddoriaeth o'r 16g. a'r 17g. a gweithiau newydd, dieithr i'r glust gan gyfansoddwyr fel **David Wynne** ac **Alun Hoddinott**. Gan gorau meibion y Rhos, o dan arweiniad Aled Phillips, a Rhisga (1970), yn ardal Casnewydd, o dan Martin Hodson y cafwyd y *repertoire* mwyaf anturus erbyn dechrau'r 21g.

Ar wahân i'r corau meibion mawr enwog fel Treorci, Y Rhos, Pendyrus a Threforys, mae'r mwyafrif o gorau meibion sy'n bodoli heddiw yn dyddio o'r 1960au neu wedi hynny. Yn y degawd hwnnw atgyfnerthwyd yr her i gorau mawr y de o gyfeiriad Rhosllannerchrugog (o dan arweiniad Colin Jones erbyn hynny) a'r Brythoniaid o Flaenau Ffestiniog a ffurfiwyd gan Meirion Jones yn 1964. Gan adlewyrchu eto'r cyswllt hanesyddol â diwydiant trwm, ffurfiwyd côr ym Mrymbo ger Wrecsam yn 1955, gyda'i aelodau'n dod o byllau'r Hafod a'r Bers.

Erbyn yr 1960au roedd cwmni Ferodo yn cyflogi dros 500 o weithwyr yng Nghaernarfon a dyna gnewyllyn côr meibion y dref honno pan ffurfiwyd ef yn 1967. Ond corau o ardaloedd gwledig oedd rhai Froncysyllte (1947), Penybontfawr (1951), Bro Dysynni (1967) a Bro Glyndŵr (1973). Felly hefyd Gôr Godre'r Aran, o lannau cerddgar Llyn Tegid, a sefydlwyd gan Tom Jones, Llanuwchllyn, yn 1951 fel parti **cerdd dant** ond a drowyd gan Eirian Owen yn gôr meibion o'r radd flaenaf a fedrai herio goreuon y byd yn Eisteddfod Ryngwladol Llangollen lle nad yw corau meibion Cymru yn gyffredinol wedi cael fawr o lwyddiant.

Gwahanol eto oedd cefndir corau Môn fel Hogia'r Ddwylan (1966) a'r Traeth (1969) ynghyd â'r ddau gôr arfordirol y Maelgwn o Gyffordd Llandudno (1970) a Cholwyn (1972). Yn y de hefyd nid y diwydiannau trymion bellach oedd cefndir corau meibion fel Talgarth, Cas-gwent, Hendy-gwyn,

Blaen-porth, Dinbych-y-pysgod na'r Bont-faen. Serch hynny, gweithwyr alcam a dur oedd sylfaen corau meibion Pontarddulais (1962) a Llanelli (1969), dau gôr amryddawn, cyffrous eu sain sydd wedi ennill llawryfon lluosog yn Eisteddfod y Glowyr, **gwyliau** Pontrhydfendigaid ac Aberteifi, ac yn arbennig yn yr Eisteddfod Genedlaethol.

Ar ddechrau'r 21g. mae *repertoire* sydd yn ei hanfod yn geidwadol bellach hefyd yn cynnwys caneuon pop ac eitemau o'r theatr gerdd. Deil y corau meibion i ffynnu yn eu cadarnleoedd hanesyddol fel y Rhondda, o gwmpas Abertawe ac yn y gogledd-ddwyrain, ond daeth corau newydd i'r amlwg hefyd megis Ar Ôl Tri a Bechgyn Ysgol Gerdd Ceredigion, Hogia'r Ddwylan, Bois y Castell o Ddyffryn Tywi a chorau meibion Taf a Bro Taf o Gaerdydd. Mae gan glybiau rygbi fel Treforys eu corau meibion, a cheir hefyd grwpiau o gantorion hoyw (e.e. y South Wales Gay Men's Chorus).

Y llwyddiant mwyaf ysgubol yw hanes Only Men Aloud gyda'u trefniannau cymhleth a'u coreograffi slic, enillwyr y gystadleuaeth deledu *Last Choir Standing* yn 2008. Un arall o greadigaethau sylfaenydd Only Men Aloud, yr egnïol **Tim Rhys-Evans**, yw Only Boys Aloud a ffurfiwyd ar gyfer Eisteddfod Genedlaethol Blaenau Gwent a Blaenau'r Cymoedd yn 2010: 150 o fechgyn yn eu harddegau o gymoedd difreintiedig Morgannwg – prawf fod traddodiad y côr meibion yno, fel mewn sawl man arall yng Nghymru, yn dal yn fyw (gw. hefyd **Arweinyddion**).

Llyfryddiaeth

G. Williams, *Valleys of Song: Music and Society in Wales, 1840–1914* (Caerdydd, 2003)
— —, *Do You Hear the People Sing? The Male Voice Choirs of Wales* (Llandysul, 2015)

Gareth Williams

Corau Telyn

Dyddia'r côr **telyn** proffesiynol Cymreig cyntaf yn ôl i'r 19g. pan oedd y **Cambrian Minstrels**, grŵp o ddeg cerddor o deulu **John Roberts** (Telynor Cymru), yn perfformio ar hyd a lled y wlad. Rhoddodd eu perfformiad gerbron y Frenhines Victoria ym mhlasty Palé, Llandderfel, statws cenedlaethol iddynt fel *ensemble* Cymreig yn ogystal â chydnabyddiaeth fel prif gôr telynau'r cyfnod yng Nghymru.

Ar droad yr 20g. gwelwyd cnewyllyn o gorau **telynau teires** ym Mhlasty Llanofer, yn bennaf o ganlyniad i nawdd a chefnogaeth **Augusta Hall** (Arglwyddes Llanofer) i'r traddodiadau Cymreig. Yn dilyn ei marwolaeth yn 1896, ymgymerodd ei merch, yr Arglwyddes Augusta Herbert, â'r gwaith o gefnogi a datblygu'r diwylliant Cymraeg a chanlyniad ei hanogaeth oedd perfformiad côr telynau teires Llanofer yn **Eisteddfod** Genedlaethol Y Fenni yn 1913. Dyma berfformiad olaf y côr hwn dan arweiniad y delynores Suzanna Berrington Gryffudd Richards fodd bynnag, ac yn ystod yr 20g. dirywio fu hanes y corau telynau a berfformiai'n rheolaidd yng Nghymru. Fel yn achos y **Cambrian Minstrels**, cerddorion a thelynorion o'r un teulu a ffurfiai'r mwyafrif o gorau telyn Cymreig yn y cyfnod hwn. Wrth i'r delyn deires golli ei bri yn ystod yr 20g., diflannodd y corau telynau teires ymron yn gyfan gwbl ac fe'u disodlwyd gan gorau telyn bedal *Grecian*.

Ym Meddgelert yn yr 1930au, penderfynodd Edith Evans (Telynores Eryri) ffurfio côr telyn, ac fe'u hadwaenid fel Côr Telyn Eryri. Cynhaliwyd eu cyngerdd cyntaf y tu allan i'r 'Bedd' yng Nghricieth a daethant yn hynod boblogaidd drwy'r wlad. Yn eu hanterth, roeddent yn cael eu cydnabod fel ensemblau offerynnol gorau Cymru. Yn ogystal â diddanu eu cynulleidfaoedd fel côr telynau, arferent **ganu penillion**, adrodd, canu unawdau a deuawdau telyn yn ogystal â dadlau ac ymgomio. Magwyd Edith Evans yn sŵn **canu gwerin** a chanu penillion, a bu'n gweithio'n ddiwyd i gadw'r traddodiadau hyn yn fyw. Roedd yn ddisgybl ac yn gyfeilles agos i **Nansi Richards** (Telynores Maldwyn), a fu'n cyd-chwarae gyda Chôr Telynau Eryri mewn dros 2,000 o gyngherddau. Yn ogystal â pherfformio'n lleol, teithiodd y côr i rai o brif drefi Lloegr, gan gynnwys Llundain, Lerpwl, Manceinion, Caerllion a Rhydychen.

Ni welwyd yr un côr telynau teires ar lwyfan yr Eisteddfod Genedlaethol, fodd bynnag, tan 2004 pan berfformiodd Rhes Ganol, grŵp o chwe thelynor, sef **Robin Huw Bowen**, Rhiain Bebb, Eleri Turner, Huw Roberts, Wynn Thomas a'i fab, Steffan Thomas. Mae'r côr wedi teithio ar hyd a lled gogledd Cymru yn perfformio ac yn cynnal gweithdai, yn ogystal â recordio albwm o gerddoriaeth telyn dan y teitl *Yn y Gwaed*.

Erbyn diwedd yr 20g. a dechrau'r 21g. roedd corau ac ensemblau telyn wedi dechrau adennill eu poblogrwydd yng Nghymru. Yn ogystal â phartïon a chorau telyn ieuenctid ar lefel sirol a chenedlaethol, ceir perfformiadau a recordiadau o gerddoriaeth gan gorau telyn megis Côr Telyn Teilo, Côr Telyn Bro Ystwyth a Chôr Telyn CGWM (Canolfan Gerdd William Mathias, Caernarfon).

Yn 2007, daeth cant o delynau ynghyd yng Nghanolfan Mileniwm Cymru i lansio'r wythfed Symposiwm Ewropeaidd ar gyfer y delyn a gafodd ei gynnal yng Nghaerdydd y flwyddyn honno. Torrwyd record fyd-eang ar gyfer y cynulliad mwyaf o delynau yn perfformio gyda'i gilydd ar un safle.

Gwawr Jones

Corawl, Cerddoriaeth (gw. **Corau Cymysg; Corau Ieuenctid a Phlant; Corau Merched; Corau Meibion; Arweinyddion Corawl**)

Cornicyll (gw. **Pibgorn a Pibgod**)

Cothi, Shân (g.1965)

Cantores glasurol a phoblogaidd a enillodd ei phlwyf ym myd y Theatr Gerdd yn Llundain; bu hefyd yn gyflwynydd teledu a radio (yn Gymraeg a Saesneg) ac yn actores gyda'r fwyaf amryddawn o'i chenhedlaeth.

Fe'i ganed ym mhentref Ffarmers, yng ngogledd Sir Gaerfyrddin. Graddiodd mewn cerddoriaeth a drama yng Ngholeg **Prifysgol** Cymru, Aberystwyth, gan dderbyn hyfforddiant lleisiol gan Ken a Christine Reynolds, yna'i chymwyso fel athrawes, a bu'n dysgu am rai blynyddoedd yn Ysgol Uwchradd Caereinion ac Ysgol Gyfun Ystalyfera. Bu'n cystadlu'n gyson yn yr **Eisteddfod** Genedlaethol cyn troi'n gantores broffesiynol yn fuan wedi iddi ennill y Rhuban Glas yn Eisteddfod Genedlaethol Bro Colwyn yn 1995. Bu hefyd yn aelod o'r grŵp lleisiol benywaidd poblogaidd Cwlwm, a ryddhaodd ddwy gryno-ddisg ar label Sain yn ystod yr 1990au.

Bu'r cyfuniad o reddf gerddorol naturiol a thechneg gadarn yn fodd i Shân Cothi ymgodymu â *repertoire* cerddorol tra eang. Mae wedi perfformio ym meysydd **oratorio**, **opera**, theatr gerdd a **cherddoriaeth boblogaidd**, a bydd yn aml yn canu **caneuon traddodiadol** Cymreig. Ymddangosodd mewn nifer o'r prif neuaddau cyngerdd, yn eu plith Canolfan y Mileniwm yng Nghaerdydd, Theatr ei Mawrhydi a Neuadd Albert yn Llundain a'r Kowloon Shanghai Hotel yn Hong Kong, ynghyd â chanu gyda **Bryn Terfel** yng **Ngŵyl** y Faenol yn 2008.

Mae ei gyrfa deledu wedi cwmpasu dwy gyfres ar S4C rhwng 1998 ac 1999, ac enillodd wobr BAFTA ynghyd ag enwebiad ar gyfer un o wobrau Montreux. Un o'i phortreadau mwyaf llwyddiannus oedd rhan Carlotta yn *The Phantom of the Opera* Andrew Lloyd Webber, a hynny dros gyfnod o flwyddyn a hanner yn y West End. Hi hefyd oedd Davina Roberts yng nghyfres ddrama S4C *Con Passionate* (Apollo, 2005–8), cyfres a enillodd wobrau BAFTA a gwobr gyntaf yng ngwobrau y Rose d'Or. Yn ddiweddarach bu'n gyd-gyflwynydd y gyfres *Bro* ar S4C (Telesgop, 2009–12). Daeth ei brwdfrydedd heintus a'i hiwmor parod yn gyfarwydd iawn i gynulleidfaoedd yng Nghymru, er iddi brofi tristwch yn ei bywyd personol yn 2007 pan gollodd ei chymar Huw Justin Smith, gitarydd bas i'r **grŵp roc** Tigertailz, wythnosau'n unig wedi iddynt briodi.

Cydnabuwyd aml ddoniau Shân Cothi gan nifer, gan gynnwys y canwr **Bryn Terfel**, a ddywedodd am ei record unawdol *Passione*: 'Cothi yr Eisteddfodwraig; Cothi y berfformwraig sioe gerdd; Cothi y cyflwynydd teledu; Cothi yr actores, ac yn olaf, ond nid yn lleiaf, Cothi yr artist recordio. Pluen arall yn ei chap!'

Disgyddiaeth

Gyda Cwlwm:
Cwlwm − Carolau'r Byd (Sain SCD2051, 1993)
Cwlwm − Heddiw 'Fory (Sain SCD2078, 1996)

Fel unawdydd:
Passione (Sain SCD2520, 2005)

Llyfryddiaeth

en.wikipedia.org/wiki/shan-cothi
www.bbc.co.uk/wales/justthe job/takeitfromme
www.welshicons.org.uk/html/shan_cothi
Nodiadau rhaglen *The Phantom of the Opera* (Llundain, 1998–9)

Lyn Davies

Cowbois Rhos Botwnnog

Ffurfiwyd Cowbois Rhos Botwnnog (neu Cowbois) yn Rhos Botwnnog, Llŷn, yn 2006 gan dri brawd, Iwan (prif lais, gitâr), Aled (llais, gitâr fas) a Dafydd Hughes (drymiau). Mae eu cerddoriaeth yn dwyn llawer o nodweddion *alt-country*, er gwaethaf dylanwadau o'r byd **roc** ar rai o'u recordiadau. Maent yn un o fandiau Cymraeg mwyaf proffesiynol a llwyddiannus y cyfnod diweddar.

Ar ôl i Aled Hughes sefydlu label newydd, Sbrigyn Ymborth, gyda dau ffrind yn 2006, rhyddhawyd albwm cyntaf y Cowbois, *Dawns y Trychfilod*, yn 2007 a gynhyrchwyd gan Dylan Roberts (Dyl Mei), gynt o **Pep Le Pew** a'r **Genod Droog**. Aeth yr albwm i rif un yn siart C2 ac fe gafodd adolygiadau brwd. Yr un flwyddyn, cipiodd y Cowbois wobr Band Newydd Gorau yng Ngwobrau Roc a Phop BBC Radio Cymru, yn ogystal â gwneud argraff wrth berfformio droeon yn yr **Eisteddfod** Genedlaethol yn yr Wyddgrug. Dilynwyd *Dawns y Trychfilod* gan sengl ar y cyd gyda'r gantores **Gwyneth Glyn** o'r enw *Paid â Deud* (Sbrigyn Ymborth, 2008), a oedd yn drefniant o alaw werin Gymraeg o'r un enw.

Yn 2008 ymunodd y gitarydd Llŷr Pari, gynt o'r band Jen Jeniro, ac ychydig flynyddoedd yn ddiweddarach rhyddhawyd eu hail albwm, *Dyddiau Du, Dyddiau Gwyn* (Sbrigyn Ymborth, 2010), a gynhyrchwyd y tro hwn gan David Wrench. Roedd yr albwm yn llwyddiannus, a derbyniodd wobr Albwm y Flwyddyn gan gylchgrawn *Y Selar*, wrth ei hyrwyddo yn ystod 2011 ymddangosodd y band yng **Ngŵyl** Sŵn yng Nghaerdydd, Gŵyl y Dyn Gwyrdd ym Mrycheiniog ac fel prif fand yn yr Eisteddfod Genedlaethol yn Wrecsam.

Canmolwyd yr albwm *Draw Dros y Mynydd* (Sbrigyn Ymborth, 2012) gan amryw o sylwebwyr, gan gynnwys DJ BBC Radio 6, Tom Robinson, a chyrhaeddodd y rhestr fer ar gyfer Gwobr Cerddoriaeth Cymru. Yn fwy diweddar, mae'r band wedi arbrofi gyda chanu yn Saesneg, gyda'u fersiwn o'r gân draddodiadol Americanaidd 'Fall On My Knees' yn denu sylw yn y wasg gerddorol Saesneg. Ar ôl saib o'r stiwdio, rhyddhawyd eu halbwm *IV* yn 2016, fe'n gwelwyd yn rhoi mwy o amlygrwydd i synau'r syntheseisydd wrth iddynt barhau i arbrofi gyda'u math arbennig eu hunain o roc-gwerin. Cafwyd cyfraniadau gan Branwen Williams (llais, piano ac organ) o'r grŵp Siddi, ac Euron Jones ar y gitâr ddur bedal, a fu'n aelodau ers 2010.

Disgyddiaeth

Dawns y Trychfilod (Sbrigyn Ymborth SY01, 2007)
[gyda Gwyneth Glyn] 'Paid â Deud' [sengl] (Sbrigyn Ymborth, 2008)
Dyddiau Du, Dyddiau Gwyn (Sbrigyn Ymborth SY09, 2010)
Draw Dros y Mynydd (Sbrigyn Ymborth SY014, 2012)
IV (Sbrigyn Ymborth SY024, 2016)

Craig Owen Jones

Crasdant

Un o grwpiau gwerin offerynnol mwyaf blaenllaw Cymru ers yr 1990au. Yr aelodau gwreiddiol oedd **Robin Huw Bowen (telyn deires), Stephen Rees (ffidil** ac acordion, un a fu'n aelod o **Ar Log** ac yn perfformio'n gyson gyda'r gantores **Siân James**), Andy McLauchlin (ffliwt a **phibgorn**) a Huw Williams (gitâr a stepio/clocsio). Daeth Chris Bain (ffidil) yn aelod maes o law hefyd.

Bu Robin Huw Bowen, Stephen Rees a Huw Williams yn cynnal gwaith ymchwil i draddodiadau gwerin Cymru. O ganlyniad, mae nifer o alawon y grŵp yn perthyn i gasgliadau o'r 19g.

Ynghyd ag Andy McLauchlin, roedd Robin Huw Bowen a Stephen Rees ymhlith aelodau gwreiddiol Cymdeithas Offerynnau Traddodiadol Cymru a sefydlwyd yn 1996 (fe'i hailenwyd yn Clera yn 2003) ac a fu'n fodd i hybu diddordeb yn y maes gan esgor ddeng mlynedd yn ddiweddarach ar gerddorfa werin Y **Glerorfa**. Bu Huw Williams yn brif ddehonglwr y traddodiad stepio (neu glocsio) yng Nghymru am flynyddoedd, gan gyhoeddi llyfr ar y pwnc. Bu hefyd yn adnabyddus fel canwr, cyfansoddwr caneuon ac aelod o'r ddeuawd werin Huw a Tony Williams.

Er gwaethaf pwysigrwydd y delyn deires i sain Crasdant, cryfder y grŵp yw eu gallu i asio fel *ensemble* ac i gynnig dehongliadau safonol, chwaethus a graenus o **alawon gwerin** o Gymru a thu hwnt, megis riliau, jigs, *polkas* neu alawon **dawns** a chân. Er enghraifft, mae 'Polca Eldra' oddi ar eu hail record hir, *Nos Sadwrn Bach* (Sain, 2002), yn seiliedig ar alaw a ddysgodd Robin Huw Bowen gan ei athrawes, y delynores Eldra Jarman (1917–2000), yr olaf i gynrychioli'r traddodiad telynorion sipsi yng Nghymru. Clywir yn nhrefniant Robin Huw Bowen gyfuniadau o alawon megis 'Girl With the Blue Dress On' ynghyd â *polka* gan Walter Bulwer o Norfolk, prawf pellach o'r cysylltiadau a fodolai rhwng y gwahanol draddodiadau (gw. Burgess).

Rhyddhawyd tair record hir ganddynt, i gyd ar label Sain. Clywir yn arddull Crasdant yr awydd i fynd yn ôl at wreiddiau'r traddodiad gwerin a hynny'n rhannol fel ymateb i'r duedd erbyn canol yr 1990au ymysg grwpiau'r cyfnod un ai i symud tuag at sain fwy masnachol roc-gwerin (fel yn achos Ar Log), neu i gyfosod y traddodiad gydag arddulliau eraill (**Bob Delyn a'r Ebillion**).

Disgyddiaeth

Cerddoriaeth Draddodiadol Gymreig (Sain SCD2220, 1999)
Nos Sadwrn Bach (Sain SCD2306, 2001)
Dwndwr (Sain SCD2487, 2005)

Llyfryddiaeth

Adolygiad Paul Burgess o *Nos Sadwrn Bach* yn <http://www.folkmusic.net/htmfiles/webrevs/scd2306.htm>

Pwyll ap Siôn

Cravos, Steffan (gw. Tystion)

Crawford, Kizzy (g.1996)

Cantores, gitarydd a chyfansoddwraig Gymraeg o dras Barbadaidd sy'n hanu o Ferthyr Tudful yw Kizzy Meriel Crawford. Mae'n canu yn Gymraeg a Saesneg.

Daeth i amlygrwydd yn ifanc iawn wedi iddi ennill gwobr Arts Connect yn 2012. Yn sgil hyn cafodd gyfle i weithio gyda'r gantores Amy Wadge a rhyddhau record sengl, *The Starling* (Sonig 2013). Yn fuan wedyn daeth yr EP *Temporary Zone* (See Monkey Do Monkey, 2013). Bu'n rhyddhau cynnyrch Cymraeg hefyd, gan gynnwys y gân 'Enfys yn y Glaw' (2013) a 'Y Ddrudwy' (2014). Enillodd gystadleuaeth Brwydr y Bandiau yn **Eisteddfod** Genedlaethol Dinbych a'r Cyffiniau yn 2013, gan sicrhau perfformiad ar Faes B yn ogystal â gwobr ariannol o £1,000.

Daeth llwyddiant pellach i'w rhan gyda'r sengl 'Golden Brown'/'Brown Euraidd'. Bu'n perfformio'n rheolaidd mewn **gwyliau** cerdd yng Nghymru a thu hwnt, megis Glastonbury, **Gŵyl** y Dyn Gwyrdd, Gŵyl Rhif 6, Gŵyl Jazz Cheltenham a WOMEX. Roedd hefyd yn un o'r artistiaid cyntaf i gael eu derbyn ar gynllun Gorwelion y BBC. Perfformiodd ar y cyd gyda'r **Manic Street Preachers** yn stadiwm clwb pêl-droed Caerdydd wrth groesawu'r tîm pêl-droed cenedlaethol adref ar ôl eu llwyddiant yng nghystadleuaeth Ewro 2016.

Mae ei doniau fel cantores, gitarydd a chyfansoddwraig yn amlwg yn ei chaneuon a hynny mewn cydbwysedd hynod effeithiol. Ymglywir â dylanwadau *soul*, amgen, gwerin a **jazz** yn ei gwaith, ac yn 2016 bu'n gweithio ac yn teithio gyda'r pianydd jazz amryddawn Gwilym Simcock fel rhan o'r prosiect *Birdsong/Cân yr Adar*.

Disgyddiaeth

'The Starling' [sengl] (Sonig, 2013)
Temporary Zone [EP] (See Monkey Do Monkey, 2013)
'Golden Brown' (2014)
'Shout Out'/'Yr Alwad' (2015)
'Pili Pala' (2015)

Pwyll ap Siôn

Crefyddol, Cerddoriaeth

Ychydig o dystiolaeth a adawyd inni am natur cerddoriaeth grefyddol Gymreig cyn y Goresgyniad Normanaidd yn yr 11g., ond mae'n debygol fod llyfrau litwrgïaidd i'w cael yn y clasau mwyaf, megis Llanilltud Fawr, Tyddewi a Llanbadarn Fawr, a byddai'r rhain yn cynnwys y Sallwyr a thestun yr Offeren ymhlith pethau eraill. Er nad oes lle i gredu bod llyfrau o'r fath yn cynnwys nodiant cerddorol, ceir peth tystiolaeth i awgrymu bod rhannau o'r litwrgi, gan gynnwys **emynau**, yn cael eu canu yn y cyfnod hwnnw, ac mae rhai cerddi Cymraeg cynnar, megis rhai o'r cerddi a gopïwyd i Lyfr Du Caerfyrddin, yn dwyn nodweddion emynau, er na ellir dweud yn hyderus eu bod wedi eu defnyddio at bwrpasau litwrgaidd.

Dan ddylanwad y Normaniaid, fodd bynnag, daeth yr eglwys yng Nghymru yn gynyddol yn rhan o batrwm litwrgïaidd Gorllewin Ewrop, a daeth mynachod â'u llyfrau litwrgïaidd gyda hwy wrth iddynt sefydlu mynachdai newydd yn enw'r urddau Ewropeaidd. Roedd y tai Sistersaidd a sefydlwyd yng Nghymru o'r 12g. ymlaen yn ganolfannau pwysig o ran cynhyrchu llyfrau litwrgïaidd. Ceir ambell awgrym prin fod arferion canu yn rhai o'r tai Sistersaidd Cymreig yn cynnwys rhywfaint o ganu polyffonig, ond tybir eu bod at ei gilydd yn cadw at y patrwm cyffredinol a geid gan yr urdd ym mhob man ar draws Ewrop. Ceir tystiolaeth hefyd gan **Gerallt Gymro** o ganu *cantilenae* (caneuon gyda chytgan) yn yr eglwys a thu allan iddi, yn ogystal â'i ddisgrifiad o ganu'r Cymry mewn mwy nag un llais, er nad yw hynny'n benodol eglwysig ei gyd destun.

Yn y cenedlaethau wedi'r Goresgyniad Edwardaidd yn niwedd y 13g. symudwyd arferion eglwysig Cymreig yn nes at arferion Lloegr a gweddill gwledydd cred, a symudwyd yn raddol at fabwysiadu Defod Caersallog yn eglwysi Cymru. Dyma'r patrwm a welir yn gyffredinol yn y ddau lyfr cerdd eglwysig Cymreig sydd wedi goroesi o'r Oesoedd Canol, sef Antiffonari Pen-pont ac Esgoblyfr Bangor, y ddau yn perthyn i'r 14g. Mae Antiffonari Pen-pont yn cynnwys rhai nodweddion unigryw, yn enwedig gwasanaeth odledig i anrhydeddu Dewi Sant, ac mae'n bosibl mai ardal Aberhonddu, o fewn i esgobaeth Tyddewi, oedd ei darddiad gwreiddiol.

Defnyddiwyd Esgoblyfr Bangor, a gysylltir yn benodol ag Anian Sais a fu'n esgob o 1309 hyd 1328, gan esgobion Bangor o'r 14g. ymlaen. Nid yw ei gynnwys yn arbennig Gymreig, ac awgryma fod arferion eglwysig yng Nghymru erbyn y 14g. yn cydymffurfio ag arferion Lloegr. Gwyddys, fodd bynnag, fod y sefydliadau eglwysig yng Nghymru, yn enwedig yr eglwysi cadeiriol, yn cynnal bywyd cerddorol yn ystod yr Oesoedd Canol diweddar. Yn Nhyddewi ceid ficeri corawl o'r 13g. ymlaen, a cheir tystiolaeth lenyddol yn y ganrif ddilynol i safon cerddoriaeth leisiol Tyddewi, yn ogystal â rhagoriaeth yr organ a'r clychau. Ceid rhywfaint o ddarpariaeth gerddorol mewn eglwysi plwyf hefyd.

Wedi'r Diwygiad Protestannaidd yn yr 16g. parhaodd llawer o gerddoriaeth eglwysig yng Nghymru i ddilyn patrymau yr Eglwys Anglicanaidd yn Lloegr. Roedd Tyddewi, er enghraifft, yn cynnal traddodiad cerddorol trwy gydol yr 16g. ac i mewn i'r 17g., ac yno y treuliodd y cyfansoddwr Tuduraidd **Thomas Tomkins** (1572–1656) ei flynyddoedd cynnar cyn mynd i Gaerloyw. Ond yn sgil y Diwygiad hefyd datblygwyd patrymau mwy cynulleidfaol, er i'r newid hwnnw gyrraedd Cymru yn hwyrach na gwledydd eraill. Cyhoeddwyd yr emynau cynharaf at ddefnydd cynulleidfaoedd, sef y Salmau ar fydr ac odl, gan **Edmwnd Prys** yn 1621, ac fe'u gosodwyd i salmdonau a godwyd o ffynonellau Albanaidd, Seisnig a chyfandirol.

Defnyddiwyd y salmau cân hyn yn helaeth yn eglwysi Cymru – er bod amrywiaeth yr acenion ym mydryddiadau coeth Prys yn creu anhawster i gynulleidfaoedd ar brydiau – ac fe'u hailargraffwyd sawl gwaith yn yr 17g. a'r 18g., heb y tonau gan amlaf. Mae'n bosibl hefyd fod canu ar rai o benillion Rhys Prichard (1579?–1644), ficer Llanymddyfri yn yr 17g., a geisiodd gyfleu gwirioneddau'r ffydd yn iaith penillion gwerin, ac yng ngorllewin Cymru yn bennaf cafwyd traddodiad o benillion crefyddol poblogaidd, '**halsingod**', y byddai pobl yn eu canu y tu mewn a'r tu allan i'r eglwys yn yr 17g. a dechrau'r 18g. Ond er i'r Ymneilltuwyr gyfansoddi emynau yn y cyfnod hwn, y Diwygiad Methodistaidd yn ei ail gyfnod o 1762 ymlaen a roddodd wir hwb i ddatblygiad canu emynau yng Nghymru. Gosodwyd emynau a gyfansoddwyd gan William Williams, Pantycelyn, ac eraill i donau a fenthyciwyd o Loegr, gan gynnwys alawon seciwlar poblogaidd megis 'Lovely Peggy' a 'God Save the King', ond roedd cynulleidfaoedd hefyd yn mabwysiadu tonau **baled** cynhenid Gymreig at bwrpas addoli ac yn ffurfio'u halawon cynulleidfaol eu hunain a argraffwyd yn ddiweddarach mewn casgliadau megis *Peroriaeth Hyfryd* gan John Parry (1837), *Caniadau y Cyssegr* gan John Roberts (1839) a *Caniadau Seion* gan Richard Mills (1840).

Roedd penodi Henry Mills (1757–1820) o Lanidloes yn arolygwr cerdd i'r cynulleidfaoedd Methodistaidd yng nghanolbarth Cymru yn yr 1780au yn arwydd o ymdrech i godi safon canu. Anogwyd Mills i ymweld â chynulleidfaoedd i'w haddysgu yn egwyddorion cerddoriaeth, ac yn ystod yr 1820au a'r 1830au ffurfiwyd cymdeithasau cerdd lleol mewn sawl man yng Nghymru, megis yn y Bala, Aberystwyth a Bethesda, i hybu canu mewn mwy nag un llais ac i feithrin dealltwriaeth o elfennau cerddoriaeth.

Daeth Aberystwyth yn enwog am safon ei chanu cynulleidfaol dan arweiniad Edward Edwards (1816–98), Pencerdd Ceredigion. Ymddangosodd gwerslyfrau cerddorol a chasgliadau o donau. Y casgliad Cymraeg cyntaf i'w argraffu ar dir Cymru oedd *Mawl yr Arglwydd* gan John Ellis yn 1816, a chyrhaeddodd cyhoeddi gwerslyfrau ei benllanw gydag ymddangosiad *Gramadeg Cerddoriaeth* John Mills yn 1838, cyfrol a'i sefydlodd ei hun yn waith hanfodol i **addysg** gerddorol. Gwelwyd cyfansoddwyr o Gymry yn cyhoeddi tonau o'u gwaith mewn cyfnodolion, a lluniwyd nifer o gasgliadau amrywiol o donau, gan gynnwys *Casgliad o Donau* (1843) gan John Ambrose Lloyd, a gynhwysai nifer o donau y cyfansoddwr ei hun. Gellir dweud mai yn ystod y 19g. y daeth cerddoriaeth eglwysig, neu yn bennaf gerddoriaeth capel, yn brif fynegiant anian gerddorol Cymru.

Rhoddodd y mudiad dirwest hwb pellach i ganu cynulleidfaol (gw. **Emynau**). O'i sefydlu yn 1854 bu Undeb **Corawl** Dirwestol Gwent a Morgannwg yn trefnu **gwyliau** blynyddol lle byddai corau unedig yn canu cytganau ac emyn-donau. Yn 1859 cyhoeddodd **Ieuan Gwyllt** (John Roberts; 1822–77) y *Llyfr Tonau Cynulleidfaol* a darparu corff o donau safonol, llai blodeuog na thonau'r genhedlaeth o'r blaen, ac wedi'u cynganeddu'n syml a diaddurn. Profodd y llyfr yn boblogaidd, ac roedd yr arfer o gydgyfarfod i ganu tonau allan ohono yn sylfaen dda i ddatblygiad y gymanfa ganu. Er bod cymanfaoedd cerddorol wedi eu cynnal yn yr 1840au, cafwyd dechreuad newydd wedi 1859 gyda mwy o bwyslais ar ddysgu tonau newydd.

Deuai llawer o gynnwys y *Llyfr Tonau Cynulleidfaol* o ffynonellau y tu allan i Gymru, ond cynhwysai hefyd donau Cymreig wedi eu trefnu o'r newydd, ac o'r 1860au ymlaen cyhoeddwyd mwy o donau gwreiddiol gan genhedlaeth newydd o gyfansoddwyr Cymreig. Casgliad pwysig arall a ymddangosodd yn y cyfnod hwn oedd *Llyfr Tonau ac Emynau* (1868)

gan **J. D. Jones** (1827–70) ac Edward Stephen (Tanymarian; 1822–85). Er mai menter breifat oedd y casgliad, daeth yn boblogaidd ymhlith yr Annibynwyr, fel yr oedd y Methodistiaid Calfinaidd yn defnyddio'r *Llyfr Tonau Cynulleidfaol*. Cafwyd *Ychwanegiad* i'r *Llyfr Tonau Cynulleidfaol* yn 1870 ac *Ail Lyfr Tonau ac Emynau*, o waith Tanymarian yn unig, yn 1879.

O 1862 ymlaen cyhoeddwyd cerddoriaeth yn nodiant y **tonic sol-ffa**, cyfundrefn a gefnogwyd yn arbennig gan Eleazar Roberts (1825–1912) ac **Ieuan Gwyllt**, a galluogwyd cynulleidfaoedd i ddarllen cerddoriaeth yn fwy rhugl a chadarnhau'r arfer o ganu yn y pedwar llais. Digyfeiliant oedd y rhan fwyaf o ganu'r capel o hyd, er bod mwy o ddefnydd o offerynnau yn yr Eglwys Anglicanaidd. Wrth i'r gymanfa ganu ddod yn fwy poblogaidd o'r 1870au ymlaen byddai cyfansoddwyr lleol yn llunio tonau i'w canu mewn gwyliau a oedd yn tyfu'n fwy a mwy enwadol, ac erbyn diwedd y 19g. roedd gan bob enwad ei lyfr emynau ac adlewyrchai ei draddodiadau a'i arferion. Byddai'r cynulleidfaoedd mawr, mwyaf blaengar, yn cynnwys **anthemau** a salmau yn eu gwasanaethau i atgyfnerthu'r emyn traddodiadol, ac o'r 1890au ymlaen daeth yr organ yn offeryn mwy cyffredin yn y capeli.

Erbyn diwedd y 19g. roedd y gwahanol enwadau wedi cyhoeddi casgliadau swyddogol o donau ac emynau at ddefnydd eu cynulleidfaoedd i ddisodli'r casgliadau o emynau a'r casgliadau o donau a gynhyrchwyd gan unigolion. Cyhoeddodd Cymanfa Bedyddwyr Arfon eu *Llawlyfr Moliant* yn 1880; fe'i mabwysiadwyd gan gynulleidfaoedd y Bedyddwyr yn gyffredinol a daeth yn sail i argraffiadau pellach o'r *Llawlyfr Moliant* fel llyfr swyddogol yr enwad. Cyhoeddodd yr Eglwys Anglicanaidd *Hymnau yr Eglwys*, dan olygyddiaeth Elis Wyn o Wyrfai, yn 1892, ac argraffiad gyda thonau yn 1893, ac *Emyniadur yr Eglwys yng Nghymru*, dan olygyddiaeth Daniel Lewis Lloyd, Esgob Bangor, yn 1898. Cyhoeddodd yr Annibynwyr eu *Caniedydd Cynulleidfaol* yn 1895, a'r Methodistiaid Calfinaidd eu *Hymnau a Thônau* yn 1897. Ymddangosodd *Llyfr Tonau ac Emynau y Wesleyaid* yn 1904.

Trwy gyfrwng y casgliadau hyn a'r rhai a'u dilynodd yn yr 20g. sefydlwyd patrymau o ganu cynulleidfaol enwadol, gydag emynau a thonau (a threfniannau ohonynt) a berthynai i bob enwad yn unigol yn ogystal â bod yn etifeddiaeth gyffredin i bawb. Cafodd y Cymry enw am eu canu grymus, a allai fod yn orfoleddus ond hefyd yn emosiynol.

Byddai cyfansoddwyr Cymreig hefyd yn cyfansoddi mewn patrymau traddodiadol eglwysig, gan greu gosodiadau i'r Magnificat, y Nunc Dimittis a'r Te Deum, er mai prin oedd y defnydd ar y rhain ymhlith y cynulleidfaoedd Ymneilltuol, ac eithrio mewn cymanfaoedd canu.

Amrywiai arferion ac arddull canu o ardal i ardal, ond am ran helaeth o'r 20g. parhaodd cymanfaoedd canu yn eu bri ac adlewyrchwyd hyn i raddau ym moliant y Sul. Adolygwyd ac ychwanegwyd at lyfrau emynau enwadol gan bob un o'r enwadau Ymneilltuol a chan yr Eglwys yng Nghymru. Wedi cynnal y Gymanfa Ganu Genedlaethol gyntaf yn rhan o **Eisteddfod** Genedlaethol Aberystwyth yn 1916, magodd y gymanfa statws eiconaidd yn symbol o Gymreictod, yn enwedig mewn gwyliau cenedlaethol ac mewn cyfarfodydd o Gymry alltud, a daethpwyd i synied am ganu emynau yn arfer naturiol ble bynnag y mae Cymry'n heidio at ei gilydd, mewn clybiau a thafarndai ac ar gae rygbi yn ogystal ag yn y capel a'r eglwys.

Mae'r tonau ac emynau newydd a gyfansoddwyd yn ystod yr 20g. wedi tueddu i ddilyn patrymau sefydlog heb lawer o arbrofi, ac mae'r lleihad yn nifer cynulleidfaoedd wedi tanseilio'r traddodiad cryf o ganu pedwar llais. Roedd cyhoeddi llyfr emynau cydenwadol, *Caneuon Ffydd*, yn 2001 ar y naill law yn gofadail i'r traddodiad clasurol ac ar y llaw arall yn arwydd o hyder ym mharhad yr arfer o ganu cynulleidfaol, er bod lle i amau a yw adnoddau cynulleidfaoedd erbyn hyn yn ddigonol i gynnal y traddodiad cyfoethog o ganu mewn cynghanedd a ddatblygodd yng Nghymru yn y 19g. a'r 20g.

Prin yw'r darnau cyfansoddedig gan gerddorion o Gymry cyn y 19g., ond o hynny ymlaen sianelwyd llawer o egni cerddorol cyfansoddwyr Cymreig i gyfansoddiadau a oedd yn perthyn i wasanaethau capel ac eglwys a chymanfa, sef llwyfannau naturiol cerddoriaeth Gymreig ar y pryd. Daeth yr **anthem** yn gyfrwng mynegiant i nifer ohonynt, megis John Ambrose Lloyd (1815–74), John Thomas (1839–1921) a **D. Emlyn Evans** (1843–1913), a chyfrifir *Teyrnasoedd y Ddaear* o waith Lloyd, a wobrwywyd yn Eisteddfod Bethesda yn 1852, yn un o'r enghreifftiau mwyaf llwyddiannus o arddull y cyfnod. Edward Stephen (Tanymarian) sy'n cael y clod am lunio'r **oratorio** Gymraeg gyntaf i'w chyhoeddi, sef *Ystorm Tiberias* (1855). Amrwd oedd safon gweithiau felly o'u cymharu â gweithiau Ewropeaidd, a phan ddatblygodd canu corawl Cymru yn ail hanner y 19g. cafodd corau

fwy o flas ar gyfanweithiau Handel a Mendelssohn nag ar waith cyfansoddwyr Cymreig, er i rai o blith cenhedlaeth iau na Thanymarian, megis **Joseph Parry** (1841–1903) a **David Jenkins** (1848–1915), arbrofi gyda ffurfiau'r oratorio a'r gantata gysgredig gyda rhyw fesur o lwyddiant, ond heb ennill derbyniad parhaol. Cadwodd y ffurfiau llai eu poblogrwydd ymhell i'r 20g.: er i lai o **anthemau** a chytganau cysegredig newydd gael eu cyfansoddi, daliai corau i ganu anthemau poblogaidd megis 'Efe a ddaw' gan Tom Price (1857–1925), *Dyn a aned o wraig* gan D. Christmas Williams (1871–1926) ac *Yr Arglwydd yw fy mugail* gan Caradog Roberts (1878–1935).

Yn yr 20g., er i ddylanwad sefydliadau Cristnogol edwino, gwelwyd llunio cyfanweithiau mwy uchelgeisiol a gorffenedig o natur grefyddol gan gyfansoddwyr proffesiynol a oedd yn deall gofynion cerddorfa yn ogystal â chôr. Nid fel cyfansoddwyr cerddoriaeth grefyddol y meddylir am y cyfansoddwyr hyn yn bennaf, ond dangosodd nifer ohonynt ddiddordeb mewn cerddoriaeth o'r fath. Cymerodd **Arwel Hughes** ran o destun yr offeren yn sail i'w waith corawl poblogaidd, *Gweddi* (1944); lluniodd **oratorio**, *Dewi Sant*, ar gyfer **Gŵyl** Prydain yn 1951 a pherfformiwyd ei waith corawl *Pantycelyn*, sy'n defnyddio emynau'r Pêr-ganiedydd, yn Eisteddfod Genedlaethol Abertawe yn 1964. Cyfansoddodd **Mansel Thomas** nifer o **anthemau** a gosodiad o'r *Requiem* (1978). Seiliodd **Daniel Jones** ei gantata *The Country Beyond the Stars* (1958) ar destunau o waith y bardd cyfriniol o'r 17g., Henry Vaughan, ac yn 1963 lluniodd oratorio, *Saint Peter*, yn seiliedig ar fywyd yr Apostol Pedr. Yn ei *Missa Cambrensis* uchelgeisiol, a berfformiwyd am y tro cyntaf yn 1971, aeth **Grace Williams** y tu hwnt i ffiniau arferol yr offeren i lunio gwaith eang ei amgyffrediad ysbrydol.

Parhâi cyfansoddwyr o genhedlaeth iau i lunio gweithiau crefyddol mewn arddull gyfoes: ysgrifennodd **William Mathias** lawer o fewn y traddodiad corawl Anglicanaidd, gan gynnwys ei gantata cynnar *Sant Teilo* (1963), ei *Missa Brevis* (1973), ei *Missa Aedis Christi* er cof am William Walton a fu farw yn 1983 a'i **anthem** adnabyddus *Let the people praise Thee, O God* (1981). Yn yr un modd ceir gan **Alun Hoddinott** oratorio, *Job* (1962), a gosodiad o'r *Te Deum* (1981), ond hefyd waith yn seiliedig ar eiriau'r Pêr-ganiedydd, *Emynau Pantycelyn* (1989).

Gallai themâu cysegredig fod yn sail i weithiau cerddorfaol: yr emyn-dôn draddodiadol Gymreig

'Braint' a ddewiswyd yn thema ganolog i'r *Severn Bridge Variations*, gwaith cerddorol amlsymudiad hollol seciwlar ei gyd-destun, a luniwyd gan chwech o gyfansoddwyr ar y cyd i nodi agor y Bont Hafren gyntaf yn 1966. Defnyddiodd **Ian Parrott** yntau batrymau cerddoriaeth werin yn ei *Offeren yn arddull canu gwerin* (1974), a gyfansoddwyd at ddefnydd eglwysig yn benodol. Ond nid mewn capeli ac eglwysi bob amser y byddai gweithiau fel hyn yn cael eu perfformio, ac nid oeddynt o anghenraid yn dilyn ffurfiau eglwysig rheolaidd.

Mae gweithiau fel hyn a'u tebyg, megis offeren **Karl Jenkins** *The Armed Man: A Mass for Peace* (1999) a'i *Cantata Memoria* (2016), er cof am drychineb Aberfan 1966, yn perthyn i'r neuadd gyngerdd lawn cymaint ag i'r cysegr, ac yn adlewyrchu newid nid yn unig ym mhatrwm cerddoriaeth grefyddol ond hefyd yn y ddealltwriaeth o gyd-destun y gerddoriaeth honno, nad yw'n dibynnu ar ffurfiau nac adeiladau eglwysig i brofi ei dilysrwydd.

Rhidian Griffiths

Crossley-Holland, Peter
(1916–2001)

Arloeswr ym maes astudiaethau'r 20g. o **gerddoriaeth gynnar** Cymru, cyfansoddwr, **ysgolhaig**, ethnogerddoregwr ac ymchwilydd ym myd chwedl a llên gwerin. Bu'n ymhél â cherddoriaeth Cymru – yn enwedig **cerddoriaeth gynnar** a **thraddodiadol** y wlad – dros gyfnod o drigain mlynedd.

Fe'i ganed yn Llundain ac yn dilyn cyfnod yn astudio ffisioleg yng Ngholeg Sant Ioan, Rhydychen, a cherddoriaeth yn y Coleg Cerdd Brenhinol yn Llundain gan gynnwys cyfansoddi a cherddorfaeth gyda John Ireland (1879–1962), graddiodd mewn cerddoriaeth (BMus) o Rydychen yn 1943. Bu'n gweithio ym Mae Colwyn am gyfnod (1942) cyn dechrau ei yrfa fel cynhyrchydd gyda'r BBC yn paratoi rhaglenni ar gyfer y *Third Programme* rhwng 1948 ac 1963 (yr orsaf a ddaeth yn ddiweddarach yn Radio 3). Yn dilyn cyfres o benodiadau academaidd ym mhrifysgolion Illinois (1966) a Hawaii (1968–9), fe'i dyrchafwyd yn Athro ethnogerddoreg ym Mhrifysgol California, Los Angeles (1969–1983), lle treuliodd weddill ei yrfa yn darlithio, cyfarwyddo myfyrwyr ac yn ymchwilio. Wedi ymddeol o'i waith yn yr Unol Daleithiau, dychwelodd i Henllan, Dyffryn Teifi hyd ei farwolaeth yn 85 mlwydd oed.

Cyhoeddodd un ar bymtheg o astudiaethau o gerddoriaeth a Chymru ac fe'u rhennir yn dri phrif fath: (1) Arolygon cyffredinol gan gynnwys ei *Music in Wales* (1948) a'r ddwy erthygl ar Gymru ym mhumed a chweched argraffiad *Grove's Dictionary of Music* (gol. Blom, 1954) ac argraffiad Sadie o'r *New Grove Dictionary of Music & Musicians* (gol. Sadie, 1980); (2) Astudiaethau systematig gan gynnwys y ddwy astudiaeth o lawysgrif **Robert ap Huw** (1942 ac 1998) a'i archwiliad 'The Tonal Limits of Welsh Folk Song' (1968); (3) Astudiaethau cymharol, ieithegol, yn eu plith *Telyn Teirtu* (1997), astudiaeth gymharol o chwedloniaeth, cerddoriaeth ac ystyr.

Yn ei gyhoeddiadau Cymreig, gellir olrhain ei ddatblygiad a ehangder ei ddiddordebau. Er enghraifft, yn ei erthygl ar hanes cerddoriaeth yng Nghymru ar gyfer *Grove* (1954) rhoddir pwyslais ar chwedl a'r traddodiad barddol. Pwyslais ethnogerddoregol cadarn a geir yn ei erthygl ar gyfer *New Grove* (1980). Rhwng 1948 ac 1952 roedd yn ysgrifennu llawer am gerddoriaeth a metaffiseg, cerddoriaeth a'r cosmos, a cherddoriaeth a myth. Disodlwyd ei waith ar gerddoriaeth werin Cymru gan gyfraniad helaeth **ysgolheigion** eraill (e.e. **Phyllis Kinney**, **Roy Saer** a **Meredydd Evans**), ond ni ddylid tanbrisio pwysigrwydd ei astudiaeth systematig o batrymau traw yng ngherddoriaeth draddodiadol Cymru (1968) – gwaith sy'n adlewyrchu ei astudiaeth ehangach o raddfeydd, moddau a thonyddiaeth cerddoriaeth fyd-eang, ac o gerddoriaeth a'r cosmos.

Yng nghanol yr 1990au cyhoeddodd ddwy astudiaeth sydd â ffocws penodol – *Telyn Teirtu*, sy'n astudiaeth o ffynhonnell ac ystyr y darn am Delyn Teirtu yn y Mabinogion, a *The Composers of the Robert ap Huw Manuscript*, sy'n ystyried lleoliad a dyddiadau'r cyfansoddwyr a gynrychiolir yn llawysgrif y telynor o Landegfan, Ynys Môn. Mewn gwahanol ffyrdd, maent ill dwy yn cyfannu'r cylch yn ôl at ei waith cynnar ar chwedloniaeth, cerddoriaeth gynnar Cymru a llawysgrif Robert ap Huw. Ceir cyswllt yn ei gyhoeddiadau rhwng ei athroniaeth ef ei hun am gerddoriaeth a diwylliant a natur sylfaenol cerddoriaeth a diwylliant Cymru.

Fel awdur ac ysgolhaig, roedd ei olwg ar y byd yn anghronolegol ac yn drawsddiwylliannol – gwelir bod technegau a dulliau deallus o feddwl o unrhyw oes neu leoliad yn fodelau dilys iddo. Yn yr un modd, ystyriodd y berthynas rhwng defodau, traddodiadau ac ysbrydolrwydd lleol a phenodol a gwerthoedd dynol a realiti oesol. Cydblethodd yr hanesyddol, y creadigol a'r ysbrydol a phob un yn dod â dyn yn nes at ei adnabod ei hun. Bu'n gweithio ar astudiaeth gynhwysfawr ond anghyhoeddedig o gerddoriaeth a chyfeiriadau cerddorol mewn llên gwerin Geltaidd. Trwy gyfrwng ei ymchwil, dangosodd fod cerddoriaeth yng Nghymru cyn 1650 yn benodol, ar wahân i siant yr Eglwys, fel pe bai'n sefyll ar wahân i *repertoire* prif-ffrwd y Gorllewin. Ni cheir yma ychwaith ganon o weithiau wedi'i seilio ar ddilyniant o gyfansoddwyr penodol a **llawysgrifau** dyddiedig. Yn wir, yn nhyb Crossley-Holland, ychydig iawn o gerddoriaeth sydd wedi ei chadw.

Credai hefyd fod cefndir cymdeithasol ac ystyr ddiwylliannol cerddoriaeth mor arwyddocaol, ac o bosib yn fwy arwyddocaol, na ffynonellau cerddorol ar glawr a chyfansoddwyr penodol. Sylwodd yn ogystal ar y cysylltiadau hanfodol rhwng llenyddiaeth a myth a cherddoriaeth yng Nghymru yn yr Oesoedd Canol, gan weld hynny'n gyfrwng i ddeall ystyr cerddoriaeth yn y diwylliant Cymreig. Wedi astudio Llawysgrif Robert ap Huw, amlygodd bwysigrwydd y ffynhonnell hon trwy ddatguddio estheteg a thechnegau cerddorol sydd ar wahân i brosesau cyfansoddi Gorllewinol prif-ffrwd cyn 1650. Iddo ef, roedd y llawysgrif yn ffynhonnell greiddiol ar gyfer deall cerddoriaeth yng Nghymru cyn 1650, ac yn bennaf oll ar gyfer deall **cerdd dant**.

Ar hyd ei yrfa, cododd Crossley-Holland broffil astudiaethau cerddoriaeth Cymru trwy ysgrifennu mewn cylchgrawn cerddoriaeth prif-ffrwd a thrwy ddarlledu ar sianel radio genedlaethol. Dangosodd y gallai'r cyfryw astudiaethau Cymreig sefyll ochr yn ochr ag astudiaethau ethnogerddoregol cyfartal ymhlith y diwylliannau Celtaidd.

Llyfryddiaeth

Peter Crossley-Holland, 'Secular Homphonic Music in Wales in the Middle Ages', *Music and Letters*, 23 (1942), 135–62

———, *Music in Wales* (gol.) (Caerdydd a Llundain, 1948)

———, 'The Tonal Limits of Welsh Folk Song', *Cylchgrawn Cymdeithas Alawon Gwerin Cymru*, V (1968), 46–73

———, *Telyn Teirtu: Myth and Magic in Medieval Wales* (Bangor, 1997)

———, *The Composers of the Robert ap Huw Manuscript: The Evidence for Identity, Dating and Locality* (Bangor, 1997)

John Harper

Crwth

Ym maes **organoleg**, *crwth*, sy'n gytras â'r Wyddeleg *crot, cruit*, yw'r enw Cymraeg am lyra (*lyre*) a oedd, o tua'r 11g.–12g., wedi datblygu'n offeryn bwa.

Benthyciad o'r Gymraeg i Saesneg Canol yw *crouthe, crowd(e)*, a gofnodir o'r 12g. hwyr ymlaen. Goroesodd tri chrwth o'r 18g., sef Crwth y Foelas (1742), a gedwir yn Sain Ffagan, **Amgueddfa Werin Cymru**, Caerdydd (gw. Ffig. 1, isod), un arall yn Amgueddfa ac Oriel Gelf Warrington ac un yn **Llyfrgell Genedlaethol Cymru** yn Aberystwyth.

Mae angen pwyll wrth fesur gwerth y dystiolaeth mewn ffynonellau darluniadol ac ysgrifenedig. Gan fod sianeli masnach ac eglwysig yn cysylltu gwledydd Ewrop, nid yw darluniadau gweledol o anghenraid yn adlewyrchu arferion lleol. Problem arall yw bod y derminoleg yn amwys ar hyd yr oesoedd, nid yn unig mewn cyfieithiadau o destunau Lladin, ond hefyd o fewn yr ieithoedd brodorol. Er enghraifft, pan fyddai offeryn newydd yn dod yn boblogaidd ar draul hen offeryn, gallai'r hen enw gwreiddiol gael ei fabwysiadu'n enw ar yr offeryn newydd.

Gallai enw generig gael ei arfer am **offerynnau** a oedd yn rhannu nodwedd arbennig megis offeryn bwa, er enghraifft 'ffidler a chrwth trithant' sy'n un o'r 'pedair ofergerdd' (LlGC, llsgr. Llansteffan 55 (1579)). Y tebyg yw bod Siôn Dafydd Rhys yma yn golygu *rebec*, offeryn a gysylltid â cherddoriaeth ddawns ac a oedd, erbyn ail hanner yr 16g., wedi ei ddiorseddu gan y feiolin yn y llys brenhinol. Defnyddiwyd enw generig weithiau am nad oedd yr awdur yn gyfarwydd ag union natur offeryn penodol, neu'n cael ei gamarwain gan wybodaeth aneglur mewn geiriaduron. Rhaid hefyd ystyried ychwanegiadau at hen destunau, neu addasiadau cyfoes a wnaed i destunau megis testunau cyfraith Hywel Dda, Gramadegau'r Penceirddiaid a Statud Gruffudd ap Cynan. Mae'n bosibl fod rhai o'r newidiadau hyn yn deillio o gymhellion gwleidyddol, er enghraifft, er mwyn pwysleisio cyfreithlondeb y gyfundrefn gerdd dafod a cherdd dant yng Nghymru yn sgil y deddfu a fu yn erbyn cerddorion crwydrol neu ddidrwydded gan yr awdurdodau gwladol yn Llundain.

Datganai'r beirdd Celtaidd yng Ngâl eu canu mawl a dychan i gyfeiliant 'offeryn tebyg i lyra' yn ôl Diodorus Siculus (1g. CC) ac yn ddiweddar darganfuwyd ger Paule yn Côtes-d'Armor, Llydaw, gerflun carreg o'r un cyfnod yn fras sy'n darlunio ffigwr sy'n dal lyra. Daw'r cofnod cynharaf o'r enw Brythonig brodorol mewn cerdd o'r 6g. gan Venantius Fortunatus ('Romanusque lyra, plaudat tibi barbarus harpa, / Graecus Achilliaca, crotta Britanna canat'). Darganfuwyd sawl lyra Eingl-Sacsonaidd (*hearpe*) mewn cloddfeydd (ceir astudiaethau trylwyr

Ffig. 1: Crwth y Foelas, a gedwir yn Amgueddfa Werin Cymru, Sain Ffagan, Caerdydd (Hawlfraint Amgueddfa Genedlaethol Cymru, Sain Ffagan)

yn y maes gan Graeme Lawson) a gellir eu cymharu â lluniau mewn dwy lawysgrif o'r 8g., sef Sallwyr Vespasian yn y Llyfrgell Brydeinig (Cotton Vespasian A.1, fol. 30v) a chopi o *In Salmos* gan Cassiodorus (Eglwys Gadeiriol Durham, llsgr. B.II.30, fol. 81v), llawysgrif a luniwyd yn Northumbria. Ceir cerfiadau cerrig o offerynnau llinynnol yn Iwerddon, yr Alban a gogledd Lloegr. Ond er bod cerfiadau o delyn daironglog yn dyddio o tua'r 8g.–10g. i'w gweld yn ne'r Alban, erys tarddle a hanes cynnar y cyfryw delyn daironglog yn bur aneglur. Fodd bynnag, ymddengys fod yr offeryn 'newydd' hwn wedi diorseddu'r lyra fel offeryn y Brenin Dafydd (y Salmydd) mewn celf erbyn yr 11g. Gwelir hyn, er enghraifft, yn Sallwyr Winchcombe *c.*1025–50 (Llyfrgell Prifysgol Caergrawnt, llsgr. Ff. I.23, fol. 4v), sef yr union gyfnod y trosglwyddwyd enw'r offeryn traddodiadol – harp, *cruit* – i'r un newydd yn Lloegr, yr Alban ac Iwerddon. Mae'r ffaith na ddigwyddodd hynny yng Nghymru yn arwydd efallai o statws parhaol y lyra yn hytrach na'r offeryn newydd, am gyfnod beth bynnag, a bod yr enw wedi'i sefydlogi erbyn i'r 'delyn' daironglog godi i statws uwch na'r hen offeryn ac i'r cyfreithiau gael eu croniclo.

Yng Nghanolbarth Asia tua'r 9g. y dechreuodd yr arfer o ddefnyddio bwa ar offeryn llinynnol ac yna ymledu i'r byd Bysantaidd-Arabaidd. Ymledodd y *rabab* siâp peran, ynghyd â'r dechneg chwarae (sef dal *a gamba* a newid traw y tannau o'r ochr â'r ewinedd), i Sbaen Fosarabaidd erbyn y 10g. ac i Ffrainc a'r Almaen

erbyn yr 11g., ac arbrofwyd gyda'r bwa ar offerynnau brodorol. Ar lyrâu gogledd Ewrop mabwysiadwyd y dechneg Arabaidd, a welir hyd heddiw ar lyrâu Llychlynnaidd, y *talharpa, jouhikantele*.

Yng ngorllewin Ewrop, fodd bynnag, newidiwyd safle dal y *rabab* (y daethpwyd i'w alw'n *rebec* yn Ffrangeg, Saesneg Canol hwyr a Chymraeg) i un *a braccio* a'r un dull o fyseddu ar y gwddf/byseddfwrdd i newid traw'r tannau ag a arferid ar offerynnau brodorol a chanddynt wddf. Dyma'r dechneg a fabwysiadwyd ar y crwth. Er i'r *rebec* – ac yna, o'r 13g., y **ffidil** ganoloesol – ddod yn gynyddol boblogaidd yn Lloegr yn ystod yr Oesoedd Canol, roedd y crwth yn dal yn ffefryn yn llysoedd Edward I a II. Mae'n arwyddocaol hefyd fod dros hanner y **crythorion** (*croutheres, crouderes*) a enwir yn y llyfrau cyfrifon yn dod o Gymru a'r Gororau. Ynghyd â sêl Roger Wade (gw. Ffig. 2), ceir dwy lawysgrif o'r cyfnod hwn sy'n darlunio *minstrel* yn chwarae crwth.

Er bod offerynnau eraill yn cael eu harfer yng Nghymru, fel y tystia'r beirdd, y delyn a'r crwth yn unig a gydnabyddid gan y gyfundrefn farddol. Roedd statws proffesiynol y gwŷr wrth gerdd yn ddibynnol ar nawdd, ond tua diwedd yr 16g., wrth i'r uchelwyr goleddu'r math o adloniant cerddorol ac offerynnau a oedd yn ffasiynol yn llys Elizabeth ac ymseisnigo fwyfwy, dirwyn i ben a wnaeth yr arfer o noddi'r beirdd.

Offeryn cymharol newydd o'r Eidal oedd y feiolin pan gyflogodd Harri VIII chwe ffidler (y term yma yn cyfeirio at *consort* o offerynnau o'r un teulu) fel cerddorion llys yn 1540 ac roedd sain gref, lachar y **ffidil** yn ddelfrydol ar gyfer yr alawon dawns newydd. Perthynai'r crwth i draddodiad cerddorol yr oes o'r blaen a naturiol ddigon oedd i'r ffidil ei ddiorseddu. Mae'n bosibl iawn fod nifer o'r crythorion wedi troi eu llaw at un o'r offerynnau poblogaidd er mwyn cadw eu statws. Er bod haen is o grythorion yn dal i dderbyn nawdd gan haen gymdeithasol gyfatebol, anallu'r crwth i gystadlu â phoblogrwydd cynyddol y ffidil a oedd yn gyfrifol am ei ddiflaniad erbyn tua dechrau'r 19g. Cafodd gryn sylw gan hynafiaethwyr yn y 18g. Yn y 19g. bu dadl ymhlith organolegwyr ynglŷn â tharddiad y bwa – dadl *Crwth* v *India* a esgorodd ar lond cae o gopïau sydd ar wasgar mewn gwahanol **amgueddfeydd** (gw. hefyd **organoleg**).

Yn wahanol i offerynnau bwa canoloesol eraill, prin iawn yw darluniadau o'r crwth, yn enwedig mewn cyd-destun Cymreig. Ond, o ystyried bod y tri chrwth a oroesodd yn dyddio o'r 18g. yn amrywio ychydig mewn cynllun a chymesuredd, mae'r ddau ddyluniad mwyaf dibynadwy – sêl Roger Wade Crowder (1316), Y Llyfrgell Brydeinig, Sêl lxxxvii, 44 (Ffig. 2, sêl Roger Wade Croudere) a cherfiad o delynor a chrythor Cymreig ar gwpwrdd Cotehele (1524–50), nawr yn Cotehele House, Cernyw (Ffig. 3, Cotehele) – yn cydweddu o ran cymesuredd ac mae'r cerfiad hynod fanwl yn ymdebygu'n rhyfeddol o ran cynllun. Mae'n amlwg fod y cerfiwr yn ymwybodol iawn o statws a swyddogaeth y ddau offeryn yn y gymdeithas Gymreig ac ategir hyn gan y beirdd y mae eu marwnadau i grythorion a thelynorion, ynghyd â chywyddau gofyn, yn ffynhonnell wybodaeth bwysig am yr offerynnau ac am gerdd dant yn yr 16g.

Yr arfer oedd cafnu corff yr offeryn, gan gynnwys y gwddf (wedi'i gerfio'n denau yn y cefn) allan o un bloc o bren masarn gan ychwanegu seinfwrdd o bren pîn. Er mwyn ysgafnhau rhan uchaf yr offeryn byddai cefn y cynhaliwr tannau yn cael ei gafnu ynghyd ag ochr fewnol y breichiau. Yn ddiweddar canfuwyd bod rhan o'r gwddf yn ogystal ar grythau'r 18g. wedi cael ei chafnu cyn gosod byseddfwrdd.

Fel y gwelir ar nifer o ddarluniau o lyrâu clasurol, gogwydda'r breichiau ymlaen, gan gadw tannau'r crwth yn gyfochrog â'r seinfwrdd. Rhedir y tannau trwy dyllau uwchlaw'r gwddf a'u cysylltu â'r ebillion yn y cefn. Un nodwedd gyffredin rhwng y darluniad o grwth gan Daines Barrington c.1770, *Archaeologia,* III (1775), pl. VII (gw. Ffig. 4, Barrington), a chrythau Roger Wade a Cotehele yw pont wastad; un arall yw bod un o'r coesau'n ymestyn i mewn i dwll sain gan weithredu o bosibl fel postyn sain. Gorwedd y bont ar letraws yn yr enghreifftiau o'r 18g.

Mae dangos nifer tannau, gan gynnwys drôns, yn arbennig o anodd mewn cerfiadau. Tra na ellir dod i gasgliadau pendant ynglŷn â'r dyluniadau cyn yr 16g., mae'r cywyddau gofyn crwth yn cadarnhau mai crwth chwe thant oedd offeryn y crythor swyddogol. Ceir gwybodaeth werthfawr mewn cywydd gan fardd anhysbys yn gofyn crwth gan Robert Rheinallt dros Edward Grythor o Iâl:

Ei ffrismal★ a ddyfalwn	★ *prif dannau*
A thri sydd i wneuthur sŵn:	
Crasdant,★ cywirdant★ fal cynt	★ *uchaf* ★ *canol*
A'u bwrdnau'n bêr 'danynt …	
Lle i'r fawd yw'r llorf★ a'i was.	★ *isaf*

Cydwedda hyn â'r wybodaeth yn y traethodau **cerdd dant** a llawysgrif **Robert ap Huw**, a hefyd â'r hyn a gofnodwyd yn y 18g. (gw. Ffig 4).

Er mwyn hwyluso gwaith y bawd yn plycio'r ddau dant isaf wrth fyseddu, cynhelir y crwth â gwregys/ *strap* (arfer sydd eto yn deillio'n ôl o'r 18g. i'r 16g. ac, o bosibl, i ddechrau'r 14g.).

Ni phallodd y diddordeb yn y crwth trwy'r 20g., ond rhaid diolch i Robert Evans am ei ymroddiad yn darganfod o'r newydd gerddoriaeth a thechnegau cerdd dannau trwy ei ymchwil fanwl ac ymarferol ar y testunau, gan gynnwys llawysgrif **Robert ap Huw**. Trwy ei ymdrechion ef llwyddwyd i ail-greu byd sain crwth yr Oesoedd Canol ac ategwyd ei waith ymhellach gan **Cass Meurig** gyda'i gwaith ar gerddoriaeth ffidleriaid y 18g.

Bethan Miles

Crythorion

Mae statws cerddor ynghlwm â'i statws cymdeithasol a swyddogaeth gerddorol ei offeryn. Tystia dogfennau tir, cofnodion llys, ewyllysiau a dogfennau eraill yng Nghymru a Lloegr o'r 13g. ymlaen i statws cymdeithasol uchel rhai crythorion gan gynnwys *Huhcdreth Cruth(eur)* a enwir yn 1226 yn un o'r tystion lleyg i siartr gan Gruffudd ap Llywelyn, tywysog Gwynedd, yn rhoi tir i fynachlog Ystrad Marchell. Aseswyd gwerth tir crythores ddienw ym mhlwyf Cynwyd, un o bedwar o grythorion a oedd yn dal tir ym Meirionnydd yn 1292–3, yn 22[a hanner]d. Nid pob crythor a oedd mor gyfoethog â Roger Wade, a fenthycodd £120 rywbryd cyn 1316 i Warin de L'Isle, ceidwad Castell Windsor (gw. **Crwth**, Ffig. 2). Ond tra oedd y crwth yn cael ei ffafrio yn llysoedd Edward I, II a III gallai crythorion ennill arian go dda, fel y tystia cofnodion y llys. Adeg rhyfel byddai crythorion, fel gweision brenhinol eraill, yn gwasanaethu fel saethyddion neu wŷr arfog.

Fodd bynnag, oni fyddent yn perthyn i urdd crefft (*guild*) neu'n derbyn nawdd swyddogol, gallai bywyd fel cerddor fod yn helbulus: bu Lleucu Grythores o flaen Siambr y Sêr yn Nyffryn Clwyd droeon yn 1381, pryd y'i disgrifiwyd hi, ynghyd ag Alice Grythores a dau grythor arall, fel 'common wasters'. Fel mewn nifer o lysoedd, gan gynnwys rhai crefyddol, câi pob 'ofer glerwr' groeso yn llys Robert ap Maredudd, yn ôl tystiolaeth mewn cerdd gan Rhys Goch Eryri. Ond, wrth gwrs, nid oedd y gwŷr wrth gerdd bob amser yn cymeradwyo hynny gan eu bod hwythau yn gorfod gwarchod eu nawdd yn ogystal â chyfiawnhau i'r awdurdodau eu statws fel cerddorion proffesiynol.

Ffig. 2: Sêl Roger Wade Croudere (Hawlfraint Y Llyfrgell Brydeinig)

Ffig. 3: Cotehele (Hawlfraint Ymddiriedolaeth Genedlaethol Cymru ac Amgueddfa Genedlaethol Cymru)

Trosglwyddid y grefft cerdd dannau ar lafar gan bencerdd i'w ddisgybl, ond nid tan oes y Dyneiddwyr yn yr 16g. y ceisiwyd gosod rhywfaint o'r wybodaeth berthnasol ar glawr. Er mai cymhelliad gwleidyddol oedd i **Eisteddfodau** Caerwys a'u 'Statud Gruffudd ap Cynan' ffug-hanesyddol, ceir yn y testun hwn wybodaeth werthfawr am ofynion y gwahanol raddau. Er bod telynorion a chrythorion yn rhannu'r un *repertoire* ar y cyfan, efallai ei fod yn arwyddocaol fod un o'r **llawysgrifau** sy'n cynnwys rhestrau o deitlau *repertoire* (LlGC 17116B, fol. 62r–62v) yn nodi darnau gwahanol ar gyfer y pedair 'cadair' a'r pedair 'colofn', sef dau o'r *genres* mwyaf anodd yn dechnegol.

Er bod crythorion a thelynorion yn cydchwarae cerddoriaeth ddawns ar adegau gyda phibyddion, adlewyrchir y berthynas glos rhwng cerdd dafod a cherdd dant ym marddoniaeth Beirdd yr Uchelwyr. Gellir crynhoi hyn efallai drwy roi dwy enghraifft – un o ail hanner y 14g. ac un arall o tua chanol yr 16g., y naill o safbwynt bardd a'r llall o safbwynt crythor.

Mae Gruffudd Fychan yn dechrau ei gywydd i ofyn am delyn gan Rhisiart ap Syr Rhosier Pilstwn o Emral ym Maelor Saesneg gan ddal ar bwysigrwydd cydblethu **cerdd dant** a cherdd dafod. Gwneir hynny mewn cyfres o gymariaethau ac yna:

> Beth, ddifyr felenbleth ddyn,
> A dalai wawd heb delyn?
> Ba ddelw gellir, wir warant,
> Ganu'n deg onid gan dant?
> Cenais, pan ryglyddais glod,
> Cywydd sengl, cuddiais anglod.

Tybed a yw ei ddewis o'r gair 'cywydd' yn hytrach nag 'awdl' yma yn arwyddocaol?

Ceir cywydd gan fardd anhysbys yn gofyn crwth dros Edward Grythor o Iâl gan Robert Rheinallt:

> Mên a threbl a wnaeth Robert,
> Tiwniau pur o'r tannau pert;
> Naws rhwydd, er dim nis rhoddai
> Ar sydd, os cywydd nis câi.

Fodd bynnag, roedd y berthynas glos honno wedi gwanhau erbyn traean olaf y ganrif ac mae marwnad Siôn Tudur i'r Gwŷr wrth Gerdd a oedd yn eu blodau *c.*1523–80, sy'n enwi pedwar prydydd, deg telynor a saith crythor, gan gynnwys Robert Rheinallt, fel pe bai'n farwnad i'r gyfundrefn draddodiadol.

Mae'n amlwg fod Robert – ac yntau'n fab, o bosibl, i Rheinallt Grythor, athro cerdd crwth – yn grythor medrus iawn. Apwyntiwyd ef a Tomas Glyn Delynor yn 'Welsh minstrels' ym mintai y King's Musik yn 1537 a dengys y cyfrifon brenhinol i Robert wasanaethu fel cerddor a milwr tan o leiaf 1553:

> I Ffrainc, a'i ddwyeuainc oedd dda,
> Ydd âi fo â'i ddau fwa:
> Bwa'r miwsig, berw maswedd,
> A bwa hir lle ni bai hedd.

Nid anghyffredin oedd gweld mab yn dilyn yr un alwedigaeth â'i dad: gellid cymharu Ieuan Penmon, a gadarnhawyd yn bencerdd yn ail Eisteddfod Caerwys, a'i fab Lewys Penmon yr oedd ganddo gysylltiad agos â theulu Salusbury, Lleweni, ar droad y ganrif hyd o leiaf 1606. Enwir Siôn (Delynor) a'i frawd Robert ap Rhys Gutyn ymhlith y gwŷr wrth gerdd a farwnadwyd gan Siôn Tudur; roedd Robert, 'pencerdd difost ar osteg', yn ŵr cyfoethog a barnu wrth ei ewyllys (1571); ac mae'n bosibl mai crythor oedd mab i frawd arall, Robert ap Dafydd ap Rhys Gutyn, gan i Robert gymynu ei '*best crowthe*' iddo.

Cynhwysir Bedo a Thomas a'u tad Madog Grythor yn y rhestr o athrawon cerdd crwth a geir yn llsgr. Gwysaney 28 (1560au), a thystia Gruffudd ap Ieuan ap Llywelyn Fychan yn ei gywydd mawl iddo fod Madog yn grythor arbennig. Disgrifia'r un bardd begwn arall y grefft yn ei gywydd dros Archddiacon Caerfyrddin i Siôn ap Dafydd Llwyd i ofyn am Wil Hwysgin: 'Gofyn gŵr, ac ofn ei gael!' Perthyn y cywydd hwn i ddychan a thynnu coes defodol y cyff clêr a welid mewn neithiorau a 'stompiau' anffurfiol, cyfeillgar yn nhai'r bonedd. Ceir nifer o gerddi am grythorion, megis ffug-farwnad Siôn Tudur i Robin Clidro, a oedd, fel Wil Hwysgin, yn perthyn i'r haen is o grythorion, ac yna'r gyfres o englynion ymryson gan Morys Powel i Edward Sirc lle ceir y cymeriad geiriol 'Sirc' yn clymu pob llinell yn y saith englyn cyntaf, er enghraifft 'Sirc fagabownd, hel hownd hyll …'

Er bod telynorion yn dal i gael eu cyflogi gan rai o deuluoedd y bonedd, roedd y cysylltiad â cherdd dafod fwy neu lai wedi darfod erbyn ail chwarter yr 17g. Dichon fod rhai o'r crythorion cyfundrefnol wedi cymryd at un o'r **offerynnau** ffasiynol megis y feiol ond perthyn i haen is yr oedd Siôn ab Ifan Grythor, y priodolir iddo chwe charol gan gynnwys 'Carol yn amser rhyfel' (1625):

> Yr wyf finne'n hen grythor yn cadw'r un ordor,
> Yn dyfod bob tymor i'ch tryblu;

Yng ngolwg yr awdurdodau, ystyrid crythor fel 'common fiddler' – ac mae'n bosibl iawn mai ffawd debyg i Leucu Grythores yn ôl yn y 14g. a wynebai'r crythorion pe deuent o flaen llys barn. Un o'r anffodusion hynny a ymddangosodd gerbron y Sesiwn Fawr yn Sir Benfro yn 1620 oedd y crythor Dai Celer (*Keler*), Pebidiog. Enwir ef a Huw Martin, Cilgwyn, yng nghywydd marwnad Tomos, y Crythwr Llwyd o Gilgerran, sef yr olaf o grythorion yr ardal. Ynghyd ag enwau alawon fel 'nutmeg a sinsir' ceir:

> Stwffwl Clwyd stiff oedd ei glog, (?cainc ystwffwl)
> A'r ach bennaf yr Ychen Bannog;

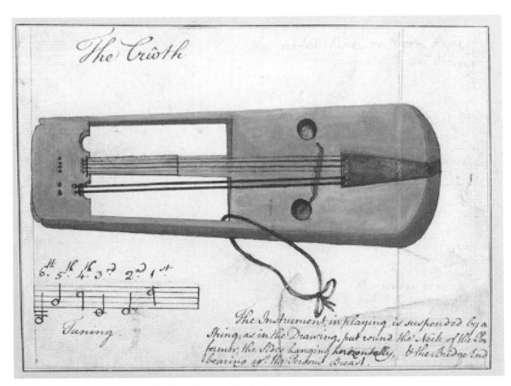

Ffig. 4: Barrington, *Archaeologia*, III (1775), pl. VII), ynghyd â'r *tuning*

Yn ei *Parochialia*, ceir nodyn gan Edward Lhuyd am grythor o Landrillo, Meirionnydd: 'Davydh Rowland hen Grythwr [bu farw 1684] a arvere bob syl y pask brydnhawn y pask i ben kraig Dhinam i ranny yr ych gwyn. Yna y kane fo gaink yr ychen bannog a'r holl hen Geinkie yr rhain a vyant varw gidag ev'. Tybed ai parhad, neu o leiaf adlais, o'r hen arfer a ddisgrifiwyd yng ngramadeg Gruffydd Robert (1567) a chan y sawl a luniodd adroddiad ar 'The state of North Wales towchinge religion' ar gyfer Cyngor y Gororau (gw. Williams 1949) a geir yma?

Ymhlith y rhestrau teitlau *repertoire* cerdd dant ceir nifer sy'n crybwyll chwedlau megis 'caniad y twrch trwyth', 'caniad y cor a'r gores' a 'caniad adar llwchgwin'. Mewn llythyr at Meredydd Lloyd yn 1655, dyry Robert Vaughan hanes ddau griffun Drudwas ab Tryffin 'in memory whereof there is a lesson to be played upon the *crowde*, the which I have often heard played, which was made then, called *Caniad Adar Llwchgwin*' (gw. Williams 1818, 311).

Mae'n drueni na chofnododd Bob Owen ('Hanes y Delyn yng Nghymru', Bangor, llawysgrifau 8154–8161, 521–5) na Meredith Morris ('De Fidiculis', AWC, llawysgrif 2054/1, 85) ffynonellau eu rhestrau o grythorion a gwneuthurwyr/addaswyr crwth o'r 17g. Rhaid bod yn wyliadwrus iawn cyn derbyn tystiolaeth fel hyn: bu 'Crowther' yn gyfenw ers rai canrifoedd, ac fe all fod Bob Owen wedi Cymreigio'r term 'ffidler' fel 'grythor'. Yn sicr, fel y tystir gan y tiwnio a nodir gan **William Bingley** yn 1798 (Williams a Deighton 1800, 532), byddai rhai o leiaf o'r crythorion wedi addasu eu crythau i diwniad feiolin (fesul pump) ac eraill wedi troi at y feiolin (ac efallai wedi cadw'r hen enw).

Llyfryddiaeth

E. Williams a J. Deighton (gol.), *William Bingley: A Tour Round North Wales Performed During the Summer of 1798* (Caergrawnt, 1800)

E. Williams (gol.), *The Cambrian Register Vol. III* (Llundain, 1818)

Ifor Williams, *Hen Chwedlau* (Caerdydd, 1949)

Bethan Miles

'Cwm Rhondda'

Hwyrach mai 'Cwm Rhondda' ('*Bread of Heaven*') yw'r enwocaf a'r fwyaf adnabyddus o holl **emyn-donau** Cymru.

Fe'i cyfansoddwyd gan John Hughes (1873–1932), brodor o Ddowlais a symudodd yn flwydd oed i Lanilltud Faerdref ger Pontypridd lle bu am weddill ei oes. Yn ddeuddeg oed dechreuodd weithio fel dryswr (y bachgen a oedd yn agor a chau drysau'r pwll) yng nglofa Celynnog, a chodi i fod yn glerc ym mhwll y Great Western yn Nhrehopcyn ger Pontypridd. Bu'n arweinydd y gân yn ei gapel yn Llanilltud Faerdref, a gwnaeth enw iddo'i hun yn lleol fel cyfansoddwr ac **arweinydd corawl**.

Cyfansoddodd John Hughes dros ddeg ar hugain o emyn-donau, er mai dim ond 'Cwm Rhondda' a gydiodd. Erys ansicrwydd ynglŷn â'r union flwyddyn y'i hysgrifennwyd: cred rhai mai yn 1905, yng ngwres Diwygiad 1904–5, y'i lluniwyd. Nid yw hynny'n amhosibl er mai'r gred gyffredin erbyn hyn yw mai yng nghymanfa ganu flynyddol Capel Rhondda, Trehopcyn, y'i canwyd yn gynulleidfaol am y tro cyntaf, ar ddydd Sul, 1 Tachwedd 1907, efallai ar achlysur agor organ newydd y capel gan T. D. Edwards, awdur yr emyn-dôn 'Rhydygroes'. 'Rhondda' oedd yr enw a roddodd John Hughes ar ei dôn yn wreiddiol, ar ôl y capel y'i hysgrifennwyd hi ar ei gyfer, ond fe'i newidiodd i 'Cwm Rhondda' wedi i'r cerddor Harry Evans, yntau'n frodor o Ddowlais, dynnu ei sylw at y ffaith fod tôn o'r enw 'Rhondda' eisoes mewn bod (o waith M. O. Jones, Treherbert), ac o dan yr enw newydd y daeth tôn Hughes yn fyd-enwog.

Mae copi o'r dôn yn llawysgrif y cyfansoddwr yn dangos mai yng nghyweirnod A fwyaf y'i hysgrifennwyd ac yn y cywair hwnnw yr ymddangosodd mewn print yn y blynyddoedd cynnar, ond yn Ab fwyaf y'i cenir heddiw, ar eiriau Ann Griffiths 'Wele'n sefyll rhwng y myrtwydd'. Myn rhai fod cerddediad militaraidd y dôn a'r bas esgynnol ar wrthdro olaf cord y seithfed ar y llywydd yn y bumed linell, yn ei gwneud hi'n anaddas ar gyfer geiriau cyfriniol Ann, a bod emyn William Williams, Pantycelyn, 'Arglwydd, arwain trwy'r anialwch', yn gweddu'n well iddi (gw. Luff 1990, 223–4). Trosiad y Parchedig Peter Williams, a oedd yn gyfoeswr i Bantycelyn ond heb fod yn perthyn iddo, sef '*Guide me O thou Great Jehovah*' (neu '*Redeemer*'), a ddaeth â'r dôn a'r geiriau i sylw'r byd. Daethpwyd i'w chanu ar bron pob achlysur cyhoeddus yng Nghymru, gan filwyr o Gymru yn ffosydd y Rhyfel Byd Cyntaf a chefnogwyr rygbi adeg gemau rhyngwladol.

Parodd poblogrwydd anghyffredin y dôn a'i chysylltiadau â'r maes chwarae i olygyddion llyfrau emynau'r prif enwadau, ac eithrio'r Bedyddwyr, enwad y cyfansoddwr ei hun, ei gwrthod (er iddi gael ei chynnwys yn *Perlau Moliant* yr Undodiaid yn

Cytgan yr emyn-dôn 'Cwm Rhondda'

1928), ac nid tan adeg cyhoeddi *Caniedydd yr Ifanc* (1980), *Atodiad Llyfr Emynau a Thonau y Methodistiaid Calfinaidd a Wesleaidd* (1985) ac yna *Caneuon Ffydd* (2001) y rhoddwyd iddi ei lle haeddiannol. Mae trefniant TTBB **Arwel Hughes** yn ffefryn gan **gorau meibion**. Mae plac coffa i John Hughes i'w weld ar y tŷ yn Nhon-teg, Llanilltud Faerdref, lle'r oedd yn byw pan gyfansoddodd 'Cwm Rhondda', a cheir un hefyd yng Nghapel Rhondda, Trehopcyn, lle y'i canwyd am y tro cyntaf.

Llyfryddiaeth
Alan Luff, *Welsh Hymns and Their Tunes* (Llundain, 1990)

Gareth Williams

Cwmnïau cyhoeddi cerddoriaeth

Diwydiant ar raddfa fechan oedd cyhoeddi cerddoriaeth yng Nghymru ar y dechrau. Roedd yr ymdrechion cynharaf, megis gwerslyfr John Williams (Siôn Singer), *Cyfaill mewn Llogell* (1797), a argraffwyd gan John Daniel yng Nghaerfyrddin, yn bodloni ar ysgrifennu nodau â llaw ar erwydd wedi ei phrintio. Y gerddoriaeth gyntaf i'w hargraffu ar dir a daear Cymru oedd casgliad John Ellis o **anthemau** ac **emyn-donau**, *Mawl yr Arglwydd*, a argraffwyd gan Ishmael Dafydd yn Nhrefriw yn 1816, ac fe'i dilynwyd gan ramadegau cerdd a ymddangosodd yn yr 1820au a'r 1830au, megis *Grisiau Cerdd Arwest* gan John Ryland Harris (1823) a *Y Caniedydd Crefyddol* gan William Owen (1828).

Erbyn canol y 19g. gwelwyd datblygiad yn y grefft o argraffu cerddoriaeth yng ngwaith argraffwyr megis Griffith Jones, Y Bala, a Robert Jones, Bethesda, a oedd yn defnyddio teip cerddorol i osod darnau cymharol fyr. Cyhoeddwyd anthemau John Ambrose Lloyd yn y dull hwn. Y cyntaf i fentro cyhoeddi unawdau oedd Isaac Clarke (1824–75), Rhuthun:

wedi iddo fynd yn fethdalwr prynwyd ei stoc gan Hughes a'i Fab. Yn yr un cyfnod bu Thomas Gee yn cyhoeddi cerddoriaeth a chylchgrawn, *Greal y Corau*, a oedd yn cynnwys darnau **corawl** i ddiwallu anghenion y mudiad corawl newydd. Y cwmni hwn hefyd fu'n gyfrifol am gyhoeddi'r casgliad anenwadol o emynau a thonau, *Caniadau y Cyssegr a'r Teulu* (1878, gydag argraffiad diwygiedig yn 1889).

Er mai yn yr 1820au y sylfaenwyd cwmni Hughes a'i Fab yn Wrecsam, yn yr 1860au y daethant i amlygrwydd fel cyhoeddwyr cerddoriaeth, trwy bwrcasu cyhoeddiadau Isaac Clarke a thrwy feddiannu a chyhoeddi *Y Cerddor Cymreig* a *Llyfr Tonau Cynulleidfaol* **Ieuan Gwyllt** (John Roberts; 1822–77). Parhaodd *Y Cerddor Cymreig* tan ddiwedd 1873 a bu'r cwmni hefyd yn gyfrifol am gyhoeddi *Cerddor y Tonic Sol-ffa* (1869–74) a *Y Cerddor Sol-ffa* (1881–6). Roedd y teitlau hyn yn cynnwys atodiadau cerddorol o ranganau ac **anthemau** a werthwyd ar wahân ac a barhaodd yn rhan o gatalog Hughes ymhell wedi tranc y cylchgronau. Yn chwarter olaf y 19g. ac yn hanner cyntaf yr 20g. bu Hughes yn gyfrifol am gyhoeddi nifer fawr o unawdau a darnau corawl gan gyfansoddwyr Cymreig.

Gelwid Hughes a'i Fab yn 'Novello Cymru', ond roedd cwmni Novello yn Llundain yn gyfrifol am gyhoeddi'r argraffiadau rhad o **oratorios** a gweithiau corawl eraill. Roeddynt hefyd yn cyhoeddi rhai gweithiau corawl gyda geiriau Cymraeg, er enghraifft rhai o gantatas J. S. Bach, ac yn cyhoeddi argraffiadau **sol-ffa** o weithiau corawl. Cyhoeddwyd llu o argraffiadau sol-ffa (gan gynnwys rhai gyda geiriau Cymraeg) gan Wasg Curwen yn Plaistow, Essex.

Yn chwarter olaf y 19g. roedd llawer o argraffwyr Cymreig yn cyhoeddi cerddoriaeth gan gyfansoddwyr o Gymru i ddiwallu anghenion **eisteddfod** a chyngerdd. Meddai rhai ar y gallu i gysodi'r hen nodiant, a bu'r cysodwr profiadol Benjamin Morris Williams (1832–1903) yn gweithio i gwmnïau Gee, Hughes a'i Fab ac Isaac Jones, Treherbert. Roedd Richard Mills (1840–1903) hefyd yn gysodwr gyda Hughes a'i Fab. Ond ar gyfer gweithiau mwy cymhleth, byddai cyhoeddwyr Cymru yn defnyddio gwasanaeth engrafio cwmnïau arbenigol y tu allan i Gymru, megis Bayley and Ferguson, Lowe and Brydone, C. G. Röder ac eraill.

Ymhlith yr argraffwyr a ddatblygodd yn gyhoeddwyr cerddoriaeth yr oedd cwmni Lewis Jones (Jane ac Elisabeth Jones wedyn), Llannerch-y-medd; Benjamin Parry, Abertawe; D. L. Jones (Cynalaw), Llansawel ac Aberteifi; a J. R. Lewis, Caerfyrddin. Roedd eraill, megis E. D. Williams (y North Wales Music Co., Bangor) a D. Trehearn, Y Rhyl, yn cyplysu cyhoeddi gyda chadw siop. Byddai llawer o gyfansoddwyr, gan gynnwys **Joseph Parry**, hefyd yn cyhoeddi eu gwaith eu hunain yn y cyfnod cyn y Rhyfel Byd Cyntaf, er mwyn manteisio i'r eithaf ar yr elw o'r gwerthiant. Aeth nifer o'r cwmnïau bach hyn yn eiddo i Hughes a'i Fab ac i Snell wedi'r Rhyfel Byd Cyntaf.

Sefydlodd David John Snell (1880–1957) fusnes gwerthu cerddoriaeth yn Abertawe yn 1900 ond yn 1910 y dechreuodd fel cyhoeddwr pan brynodd stoc a hawlfreintiau Benjamin Parry, a fuasai'n cyhoeddi cerddoriaeth yn Abertawe er 1878. O gyfnod y Rhyfel Byd Cyntaf ymlaen ychwanegodd at ei gatalog trwy bwrcasu stoc a hawlfreintiau nifer o gwmnïau cyhoeddi bychan a chyfansoddwyr a fuasai'n cyhoeddi eu gwaith eu hunain. Ond er bod cyfran uchel o'i gynnyrch yn 'ail-law', bu hefyd yn gyfrifol am gyhoeddi nifer o weithiau newydd (lleisiol yn bennaf) gan gyfansoddwyr megis W. Bradwen Jones, **Idris Lewis**, **Meirion Williams** a **David Wynne**. Daeth gwaith cyhoeddi'r cwmni i ben yn gynnar yn yr 1960au, ond cadwyd siop yn Abertawe tan 1971. Yn 1982, ailffurfiwyd y cwmni i werthu eitemau o'r stoc ac i adargraffu'r darnau mwyaf poblogaidd.

Bu **W. S. Gwynn Williams** yn olygydd ar staff Hughes a'i Fab am nifer o flynyddoedd ac yn delio â chyhoeddiadau cerddorol yn ogystal â golygu'r cylchgrawn *Y Cerddor Newydd* (1922–9). Yna yn 1937, sefydlodd Gwmni Cyhoeddi Gwynn a chyhoeddi cerddoriaeth leisiol ac offerynnol gan gerddorion Cymreig, yn ogystal â chasgliadau a threfniannau o **alawon gwerin** Cymreig. Cyhoeddodd hefyd lawer o ddarnau lleisiol Ewropeaidd a chomisiynu geiriau Cymraeg newydd iddynt. Wedi marw

Gwynn Williams yn 1978 symudodd y cwmni dan berchenogaeth newydd i Ben-y-groes, Arfon, a pharhau i gyhoeddi gweithiau newydd gan gyfansoddwyr cyfoes megis **Dilys Elwyn-Edwards**, **Gareth Glyn** a **Pwyll ap Siôn**.

Mae Cwmni Sain, a sefydlwyd yn 1969 i gynhyrchu recordiau, hefyd yn argraffu cerddoriaeth brintiedig, gan gynnwys trefniannau corawl a llyfrau o ganeuon. Yn 1992 ffurfiwyd Cwmni Curiad i hybu cyfansoddiadau newydd gan gyfansoddwyr o Gymru yn bennaf, ac mae'r cwmni wedi cyhoeddi amrywiaeth o waith cyfoes gan **Robat Arwyn**, **Mervyn Burtch**, **Gareth Glyn**, Brian Hughes, **John Metcalf** a chyfansoddwyr eraill, yn ogystal â threfniannau o weithiau Ewropeaidd, caneuon i blant a deunyddiau **addysgol**.

Rhidian Griffiths

Cwmnïau Opera (gw. **Opera**)

Cwmnïau Recordio yng Nghymru (gw. hefyd **Delysé, Cwmni Recordio**)

Cafodd y label recordiau Cymreig cyntaf, Qualiton, ei sefydlu ym Mhontardawe yn 1954. Roedd ei berchennog, John Edwards (1905–66), yn frodor o Wauncaegurwen a oedd wedi ennill ysgoloriaeth i astudio yn y Coleg Cerdd Brenhinol, Llundain, yn 1924. Yn ystod ei gyfnod yno daeth yn ymwybodol o'r diffyg cyfleoedd recordio ar gyfer cyfansoddwyr a cherddorion Cymreig, a'r diffyg ymwybyddiaeth o'u gweithiau y tu hwnt i Gymru. Edwards fu'n gyfrifol hefyd am sefydlu'r **Urdd Er Hyrwyddo Cerddoriaeth Cymru** yn 1955.

Yn wir, rhan o genhadaeth oes Edwards i hyrwyddo cerddoriaeth Gymreig oedd sefydlu Qualiton ar y cyd â'i wraig, Olwen, a Douglas Rosser, peiriannydd sain o Gastell-nedd yr oedd wedi'i gyfarfod yn 1946. Ar y dechrau, defnyddiwyd fan fel stiwdio symudol. Gwasgwyd recordiau cyntaf Qualiton mewn ffatrïoedd yn Lloegr, ond yn 1958 sefydlwyd ffatri ym Mhontardawe. Tua'r cyfnod hwn, bu Qualiton yn gyfrifol am ryddhau recordiadau gan gorau meibion, recordiadau o areithiau a hyd yn oed sylwebaethau ar gemau rygbi pwysig gan Cliff Morgan.

Er bod Qualiton wedi mynegi diddordeb mewn cynhyrchu recordiau 'pop' mor gynnar ag 1959, penderfynodd John Edwards sefydlu label arall, Welsh

Teldisc, yn 1962, ac arloesodd y label hwn yn y maes. Welsh Teldisc a ryddhaodd y rhan fwyaf o recordiau artistiaid pop Cymreig o ddechrau hyd at ganol yr 1960au, yn eu plith Helen Wyn Jones a **Dafydd Iwan**. Bu farw John Edwards yn 1966 a daeth ei weddw, Olwen, yn gyfarwyddwr y busnesau. Hi oedd wrth y llyw pan gafodd y sengl roc Gymraeg gyntaf, 'Maes B' gan **Y Blew**, ei rhyddhau yn hwyr yn 1967 ar Qualiton, ond gwerthwyd y label i Decca yn fuan wedyn, ac fe gafodd offer y ffatri wasgu ym Mhontardawe ei symud i Lundain.

Erbyn 1968, fodd bynnag, roedd nifer o labeli eraill wedi ymddangos er mwyn ateb y galw am recordiau pop, gan gynnwys rhai Cymraeg. Cafodd Recordiau'r Dryw ei sefydlu tua 1964 gan Dennis Rees, a thua diwedd 1967 sefydlwyd Recordiau Cambrian gan Josiah Jones, a oedd cyn hynny wedi gweithio gyda Qualiton a Welsh Teldisc. Cydnabuwyd y cynnydd hwn mewn gweithgaredd gan *Y Cymro*, a aeth ati i gyhoeddi siart wythnosol o recordiau pop, y Deg Uchaf, o Hydref 1967 ymlaen.

Parhaodd y twf hwn yn 1969, pan sefydlwyd tri label newydd. Rhyddhaodd Recordiadau'r Ddraig, label a oedd wedi'i leoli yn Lerpwl gyda D. Ben Rees (g.1937) yn gyfarwyddwr, ei record gyntaf yn ystod haf 1969, a sefydlwyd Recordiau Tŷ ar y Graig tua'r un pryd. Fodd bynnag, y datblygiad pwysicaf yn ystod y cyfnod oedd dyfodiad Recordiau Sain. Sefydlwyd y cwmni yn 1969 gan **Dafydd Iwan** a **Huw Jones**, yng Nghaerdydd i ddechrau, cyn adleoli yn Llandwrog flwyddyn yn ddiweddarach. Bu llwyddiant masnachol sengl gyntaf y cwmni, 'Dŵr' gan Huw Jones, yn fodd i'w gosod ar seiliau ariannol cadarn o'r cychwyn cyntaf.

Yr amcan oedd darparu llwyfan ehangach ar gyfer artistiaid newydd a chyfoes. Erbyn 1970 roedd rhai, yn enwedig ymhlith y genhedlaeth iau, yn gweld y labeli hŷn fel cynhyrchwyr cerddoriaeth bop hen-ffasiwn, ac yn wir, ysgrifennodd Huw Jones y flwyddyn honno fod gan Sain fwriad i farchnata eu recordiau i bobl ifanc – recordiau gan artistiaid megis **Meic Stevens** – a oedd eisoes wedi dechrau arbrofi mewn arddulliau cerddorol a oedd yn debycach o apelio at yr ieuenctid, megis cerddoriaeth roc.

Roedd y farchnad hon yn seiliedig ar senglau a recordiau EP pedair cân ar y cyfan ac araf iawn oedd ymddangosiad recordiau hir. Serch hynny, erbyn 1972 gellir dweud bod y diwydiant recordio trwy gyfrwng yr iaith Gymraeg wedi'i sefydlu; yn wir, yn ôl adroddiad a gyhoeddwyd y flwyddyn honno, roedd

recordiau Cambrian wedi gwerthu cynifer â 25,000 o gopïau o sengl gan Iris Williams – llwyddiant ysgubol i ddiwydiant mor fach. Fodd bynnag, daeth newid yng nghanol yr 1970au.

Effeithiwyd ar y diwydiant yng Nghymru, fel yn Lloegr, gan yr argyfwng olew (cododd prisiau feinyl o ganlyniad i hyn) ynghyd â dirwasgiad 1973–5. Mae data ar werthiant yn ystod y cyfnod hwn oddi fewn i'r diwydiant recordiau yng Nghymru yn brin, ond os oes unrhyw arwyddocâd i symudiadau recordiau yn Neg Uchaf *Y Cymro*, bu newid go ddramatig yn y diwydiant yng Nghymru. Yn ystod chwe mis cyntaf 1972 roedd Cambrian a Sain (ac i raddau llai Recordiau'r Dryw) yn gyfrifol am y rhan fwyaf o'r recordiau i ymddangos yn y siart, ond erbyn 1974 roedd Teldisc wedi rhoi'r gorau i ryddhau recordiau, roedd Cambrian wedi lleihau ei weithgaredd, ac roedd Sain wedi ennill dros 80% o'r farchnad, gan greu cymhareb grynodedd (*ratio of concentration*) uchel iawn, o'i chymharu â chymhareb grynodedd isel yn ystod 1969–71 (am fwy ynglŷn â hyn mewn perthynas â'r byd pop Eingl-Americanaidd, gw. Longhurst 1995, 27–50; gw. hefyd Wallis a Malm 1983, 82–85).

Cwmni Sain fu'n gyfrifol am y rhan fwyaf o recordiau pop am weddill y degawd, ac roedd perchnogion y label yn awyddus i godi lefel proffesiynoldeb ei recordiau. I'r perwyl hwn, agorwyd stiwdio 8-trac yn 1975 a stiwdio 24-trac yn 1980 yn Llandwrog ger Caernarfon. Fodd bynnag, erbyn troad yr 1980au, roedd y chwyldro pync wedi arwain at sefydlu nifer o labeli 'DIY' gan fandiau Cymraeg yn dilyn y model 'pync-roc', megis Recordiau Coch (Y **Trwynau Coch**), Recordiau Fflach (**Ail Symudiad**) a Recordiau Anhrefn (**Anhrefn**). Mewn gwirionedd, roedd neb llai na'r ddeuawd boblogaidd **Tony ac Aloma** wedi arwain y ffordd yn y cyswllt hwn wrth sefydlu eu label eu hunain, Gwawr, yn 1974 ar batrwm busnes cydweithredol gan roi gwarant o gyfran fwy o'r elw o bob record i'r artist. Yn eironig ddigon, yn sgil ymddangosiad pync, dilynodd llawer eu hesiampl.

Ar yr un pryd, datblygodd sîn danddaearol fach ond egnïol yng nghanol yr 1980au, gyda mân-labeli megis Ofn, Lola, Legless a Madryn, ac – yn ddiweddarach, yn yr 1990au – Fitamin Un, R-Bennig, Neud Nid Deud ac Oggum yn rhyddhau cerddoriaeth arbrofol ac *avant-garde* o bob math gan gynnwys *hip-hop*, *techno* ac arddulliau eraill. Cafodd twf y gerddoriaeth amgen hon effaith ar ddelwedd Sain gan beri i'r label gael ei ystyried gan rai fel un hen-ffasiwn, canol y ffordd. Ateb Sain i hyn oedd sefydlu is-label ar gyfer cerddoriaeth bop, Crai, yn 1988; bu'r label hwn yn gyfrifol am ryddhau recordiau gan grwpiau mor amrywiol ag **Anweledig**, **Bryn Fôn**, **Bob Delyn a'r Ebillion**, Gwacamoli, Maharishi, Topper a U Thant yn ystod yr 1990au. Yn 1988 hefyd y sefydlwyd Ankst, label a fyddai'n cael effaith aruthrol ar y sîn roc Gymraeg gan ryddhau recordiau gan fandiau blaengar fel **Datblygu**, **Ffa Coffi Pawb**, Ectogram a **Melys**. Bu Gwynfryn Cymunedol, a sefydlwyd yn Waunfawr ger Caernarfon, hefyd yn gynhyrchiol rhwng 2002 a 2010, gan ryddhau recordiau gan **Meinir Gwilym**, Quidest, y ddeuawd canu gwlad Dylan a Neil, a **Brigyn**, ymysg eraill.

Erbyn dechrau degawd cyntaf yr 21g. roedd y tirlun wedi newid unwaith eto yn sgil crebachiad y byd canu cyfoes Cymraeg ddiwedd yr 1990au ond, ar yr un pryd, roedd lleihad yng nghostau offer recordio, dyblygu disgiau, lawrlwytho a gwerthiant recordiau ar-lein yn golygu ei bod yn haws sefydlu label annibynnol. Sefydlwyd nifer o labeli newydd proffesiynol eu hagwedd yn ystod y degawd, gan gynnwys Dockrad, Peski a Slacyr; a chrëwyd label Cymraeg, Ciwdod, gan y Sefydliad Cerddoriaeth Gymreig yn 2004 er mwyn rhyddhau senglau cyntaf bandiau newydd. Heddiw mae labeli megis Sbrigyn Ymborth (sy'n rhyddhau recordiau **Cowbois Rhos Botwnnog**), I Ka Ching, ac is-label diweddaraf Sain, Copa, yn parhau i roi cyfleoedd i fandiau o'r fath.

Llyfryddiaeth

Roger Wallis a Krister Malm, 'Sain Cymru: The Role of the Welsh Phonographic Industry in the Development of a Welsh Language Pop/Rock/Folk Scene', *Popular Music*, 3 (1983), 77–105

Brian Longhurst, *Popular Music and Society* (Caergrawnt, 1995)

Craig Owen Jones

Cwndid

Math o garol werinol boblogaidd yw'r cwndid, a geir yn bennaf ym Morgannwg a Gwent, ond hefyd yn Sir Gaerfyrddin, rhwng yr 16g. a'r 18g. Credir bod y gair yn tarddu o'r Saesneg *condut* ac o'r Lladin *conductus*, sef cân a genid gan yr offeiriad wrth orymdeithio at yr allor. Mae'n ymddangos mai tebyg oedd amcan y cwndid i amcan yr halsing (gw. **Halsingod**), sef dysgu gwersi crefyddol a moeswersi i'r werin bobl, yn aml trwy fydryddu damhegion a darnau ysgrythurol eraill. Mae nifer o

gwndidau wedi goroesi y gellir eu tadogi ar feirdd penodol, megis Llywelyn Siôn (1540–1615?) o Drelales ac Edward Dafydd o Fargam (*c*.1600–78?), yr olaf o feirdd yr hen draddodiad barddol ym Morgannwg.

Ymhlith awduron cwndidau yn y 18g. y mae Edward Evan (1716/17–98) a Lewis Hopkin (*c*.1708–71). Ceir yn y penillion ddarlun o fyd caled, meddiannol a chystadleuol a gondemnir yn hallt, a sonnir am y bygythiad i fywyd y tlawd trwy newyn, afiechyd a marwolaeth. Maent yn adlewyrchu ceidwadaeth y meddwl poblogaidd yn enwedig mewn cyfnod o newid yn yr 16g. a'r 17g., ond adlewyrchir y traddodiad Protestannaidd newydd ynddynt hefyd, yn benodol yn y pwyslais ar fydryddu darnau o'r ysgrythur. Cyfansoddwyd llawer ohonynt fel **carolau** Nadolig ac ar gyfer **gwyliau** eglwysig eraill, ond ceir rhai cwndidau sy'n ganeuon serch.

Er ei bod yn amlwg mai ar gyfer eu datganu y bwriadwyd llawer o'r cwndidau, ni ellir dweud i sicrwydd pa alawon a ddefnyddid i'w canu. Nid oes dystiolaeth iddynt gael eu canu mewn eglwysi, ond gellir tybio iddynt gael eu gosod ar alawon **baledi** poblogaidd y cyfnod.

Llyfryddiaeth

G. J. Williams, *Traddodiad Llenyddol Morgannwg* (Caerdydd, 1948)

Ceri W. Lewis, 'The Literary History of Glamorgan from 1550 to 1770', yn Glanmor Williams (gol.), *Glamorgan County History* [cyf. 4, *Early modern Glamorgan*] (Caerdydd, 1974), 535–639

Rhidian Griffiths

Cyhoeddiadau Printiedig

Nid yng Nghymru y cyhoeddwyd y gerddoriaeth Gymreig gyntaf i'w hargraffu, ond yn Llundain, yn rhan o'r casgliad o salmau mydryddol gan **Edmwnd Prys**, *Llyfr y Psalmau*, a argraffwyd yn 1621 gan Thomas Purfoot. Roedd yr un peth yn wir am y casgliadau o alawon Cymreig a ymddangosodd yn niwedd y 18g. o law **John Parry** (Rhiwabon) ac **Edward Jones** (Bardd y Brenin). Y cyntaf i argraffu cerddoriaeth yng Nghymru oedd Ishmael Dafydd, Trefriw, a gyhoeddodd gasgliad John Ellis (1760–1839) o donau ac **anthemau**, *Mawl yr Arglwydd*, yn 1816, er mai yn Llundain mae'n debyg yr engrafiwyd y platiau cerdd. Dros y degawdau dilynol, tyfodd patrwm o gyhoeddiadau cerddorol Cymreig, er mai araf oedd y twf tan wedi canol y

19g. Rhwng tua 1820 ac 1860 gellir adnabod tri dosbarth o gyhoeddiad: **gramadegau** cerddorol, yn amlinellu egwyddorion cerddoriaeth, a gynhwysai enghreifftiau cerddorol; casgliadau o donau ac anthemau, a gynhwysai weithiau ragarweiniad ar elfennau cerddoriaeth; a chasgliadau o alawon cenedlaethol.

Perthyn y rhan fwyaf o gyhoeddiadau'r trydydd dosbarth i'r cyhoeddiadau 'estron' – fe'u cynhyrchwyd yn Llundain ar gyfer cynulleidfa freintiedig ac eithrio'r ddau gasgliad arloesol o **alawon gwerin**, *Ancient National Airs of Gwent and Morganwg* (1844) gan **Maria Jane Williams** a argraffwyd yn Llanymddyfri gan William Rees, a *Y Caniedydd Cymreig* (1845) gan **Ieuan Ddu (John Thomas**; 1795–1871), a argraffwyd ym Merthyr Tudful gan David Jones. Mwy Cymreig eu naws a'u tarddiad oedd y gramadegau cerddorol megis *Grisiau cerdd arwest* (1823) gan Ieuan Ddu o Lan Tawy (John Ryland Harris, 1802–23), a argraffwyd yn Abertawe gan Joseph Harris (Gomer); *Y caniedydd crefyddol* (1828) gan William Owen (1788–1838), a argraffwyd yng Nghaer gan John Parry, a *Gramadeg cerddoriaeth* (1838 a sawl argraffiad wedyn) gan John Mills (1812–73), a argraffwyd yn Llanidloes gan John Mendus Jones.

Yn yr un modd, mae naws frodorol i'r casgliadau tonau *Peroriaeth hyfryd* (1837) gan John Parry, a argraffwyd yng Nghaer; *Caniadau y cyssegr* (1839) gan John Roberts, a argraffwyd yn Ninbych gan Thomas Gee yr hynaf; sawl casgliad a argraffwyd yn Llanidloes, megis *Caniadau Seion* (1840) a *Yr arweinydd cerddorol* (1842–45) gan Richard Mills; *Y salmydd eglwysig* (1847) gan John Mills; *Y salmydd cenedlaethol* (1846), *Ceinion cerddoriaeth* (1852) a *Gemau cerddoriaeth* (1854) gan Hafrenydd (Thomas Williams; 1807–94); a *Telyn Seion* gan Rosser Beynon (1811–76), a argraffwyd ym Merthyr yn 1848.

Awgryma'r llif hwn o gyhoeddiadau fod y farchnad gerddorol yn tyfu; ond trodd y llif yn llanw wedi 1860, am fwy nag un rheswm. Y rheswm pennaf oedd fod twf aruthrol mewn gweithgarwch cerddorol ar ffurf canu **corawl** a chynulleidfaol a mwy o alw am ddeunydd cerddorol, yn gyfrolau ac yn daflenni, galw a ddiwallwyd gan nifer o gyhoeddwyr Cymreig a fu'n weithgar yn ail hanner y 19g. a dechrau'r 20g. Ond roedd hefyd ffactorau allanol. Tyfodd y system reilffordd mewn modd dramatig rhwng 1840 ac 1870, a'i gwnaeth yn rhwyddach i ddosbarthu cyhoeddiadau i wahanol ganolfannau.

Erbyn 1861 hefyd diddymwyd y dreth olaf ar bapur, a daeth yn haws i gyhoeddi cerddoriaeth a chylchgronau cerddorol am brisiau a oedd o fewn cyrraedd cynulleidfa ehangach. Rhwng 1861 ac 1939 ymddangosodd pedwar ar ddeg o gylchgronau cerddorol Cymraeg, a'r rhan fwyaf ohonynt yn cynnwys atodiadau o ddarnau o gerddoriaeth. Yn sgil poblogrwydd y gymanfa ganu o'r 1870au yn arbennig, cynhyrchwyd llu o lyfrynnau o **emynau** a thonau a gwerthwyd miloedd o gopïau o anthemau poblogaidd. Yn yr un cyfnod, tyfodd yr eisteddfod mewn poblogrwydd ar raddfa leol a chenedlaethol, ac mor ddiweddar â'r 1930au ceir y cyhoeddwr D. J. Snell, Abertawe, yn cynnig gwobrau i bwyllgorau eisteddfodol a ddewisai eu darnau prawf o'i gatalog ef o gerddoriaeth Gymreig.

Yn ystod y 19g. a dechrau'r 20g. roedd nifer o gyhoeddwyr yn cysodi cerddoriaeth gan ddefnyddio ffontiau o deip cerddorol, techneg a oedd o fewn eu cyrraedd ar gyfer darnau byrion. Dyma a wnâi Robert Jones, Bethesda, er enghraifft, cyhoeddwr argraffiad cyntaf anthem John Ambrose Lloyd, *Teyrnasoedd y ddaear*. Bu'r cysodwr cerddoriaeth Benjamin Morris Williams (1832–1903) yn gweithio i Thomas Gee ac i Isaac Jones, Treherbert, a bu Richard Mills (1840–1903) yn gysodwr cerdd i Hughes a'i Fab. Ond gan fod cyhoeddwyr Cymru yn gwmnïau bach at ei gilydd – hyd yn oed yng nghwmni mawr Hughes a'i Fab un rhan oedd cerddoriaeth o raglen gyhoeddi fwy o lawer – ni allent gadw'r sgiliau arbenigol hyn o fewn eu tai cyhoeddi eu hunain. O ddiwedd y 19g. daethant i ddibynnu'n gynyddol ar wasanaeth engrafwyr proffesiynol cwmnïau megis Augener yn Llundain a Bayley and Ferguson yn Glasgow: ni bu erioed draddodiad o engrafio cerddoriaeth yng Nghymru.

Parhaodd y patrwm o gyhoeddi a sefydlwyd yn rhan olaf y 19g. i mewn i hanner cyntaf yr 20g., ond gwelwyd safonau'n codi, yn enwedig dan ddylanwad y Cyngor Cerdd Cenedlaethol a ffurfiwyd yn 1919, ac a hybodd gyhoeddi gweithiau newydd gan y to iau o gyfansoddwyr Cymreig a chyfieithiadau i'r Gymraeg o ddarnau yn y traddodiad Ewropeaidd. Cyflawnwyd gwaith tebyg gan Gwmni Cyhoeddi Gwynn o 1937 ymlaen.

Cyhoeddwyd cryn amrywiaeth o gerddoriaeth gan gyhoeddwyr Cymreig, yn unawdau, llyfrau emynau a llyfrau canu, darnau corawl ac weithiau ddarnau mwy sylweddol megis *Dewi Sant* (1961) a *Pantycelyn* (1964) o waith **Arwel Hughes** gan Wasg Prifysgol Cymru. Cyhoeddodd Snell un o ganeuon cynnar **David Wynne** – *Go, lovely rose/O rosyn, dos* (1949). Eto i gyd, gan dai cyhoeddi Seisnig y cyhoeddwyd nifer o gyfanweithiau a chyfansoddiadau eraill cyfansoddwyr yr 20g. – gan Wasg Prifysgol Rhydychen yn achos llawer o weithiau **Grace Williams**, **William Mathias** ac **Alun Hoddinott**, gan Novello (e.e. *The Country Beyond the Stars* gan **Daniel Jones**) a Curwen (e.e. *The Black Ram* gan **Ian Parrott**).

Erbyn yr 1960au gwelid llai o gyhoeddi cerddoriaeth Gymreig wrth i'r gweisg a fu'n gyfrifol grebachu neu ddarfod yn llwyr, ond cafwyd gwynt newydd i hwyliau'r byd cyhoeddi yn negawd olaf yr 20g. trwy waith Curiad a Gwynn yn arbennig. Gwnaed cysodi ac argraffu cerddoriaeth yn haws trwy dechnegau cyfrifiadurol, a gwelwyd erbyn degawd cyntaf yr 21g. gyhoeddwyr yn ymaddasu i'r byd digidol trwy gynnig cerddoriaeth i'w lawrlwytho yn hytrach nag ar ffurf brintiedig draddodiadol.

Rhidian Griffiths

Cymdeithas Alawon Gwerin Cymru

Sefydlwyd Cymdeithas Alawon Gwerin Cymru yn **Eisteddfod** Genedlaethol Caernarfon 1906, mewn cyfarfod a noddwyd gan Gymdeithas y Cymmrodorion. Yn y cyfarfod hwnnw, gwneud y gwaith paratoi a gosod y sylfeini oedd y nod ac ni sefydlwyd y gymdeithas yn ffurfiol am ddwy flynedd arall, mewn cyfarfod cyffredinol yn Eisteddfod Genedlaethol Llangollen 1908.

Roedd sefydlu'r gymdeithas yn rhan o'r ymchwydd gwladgarol yng Nghymru tua diwedd y 19g. a throad y ganrif: awydd cyffredinol i greu sefydliadau cenedlaethol Cymreig o bob math. Dyma'r cyfnod y sefydlwyd **Prifysgol** Cymru, **Amgueddfa Genedlaethol Cymru** a **Llyfrgell Genedlaethol Cymru**, ac roedd amryw o arloeswyr y sefydliadau hyn hefyd yn rhan o sefydlu'r Gymdeithas Alawon Gwerin. Ysgogiad arall mwy amlwg oedd sefydlu dwy gymdeithas debyg yn Lloegr (1898) ac Iwerddon (1904).

Daeth y penderfyniad i fwrw ati i sefydlu'r gymdeithas Gymreig mewn cyfarfod lle'r oedd dau Wyddel wedi annerch ar bwnc **canu gwerin**: Syr Harry Reichel (prifathro Coleg Prifysgol Gogledd Cymru, Bangor) a'r cerddor Alfred Perceval Graves, un o sefydlwyr y cymdeithasau Gwyddelig a Seisnig. Y ffigurau amlwg eraill ar y pryd oedd Syr William Preece (y peiriannydd a'r arloeswr yn nyddiau cynnar y teleffon), Vincent Evans (Ysgrifennydd y Cymmrodorion) a dau arall o Goleg Prifysgol Gogledd Cymru, Bangor, Dr **J. Lloyd Williams** (darlithydd mewn botaneg) ac **L. D. Jones** (Llew Tegid), prif weinyddwr y gymdeithas yn y dyddiau cynnar. Cafwyd cymorth hefyd yn y cyfnod hwn gan arweinwyr Cymdeithas Alawon Gwerin Lloegr, Cecil Sharp, Lucy Broadwood ac Annie Gilchrist.

Hynod o barchus a sefydliadol oedd y gymdeithas yn ei chyfnod cynnar. Ymhlith yr enwau a benodwyd i lunio cyfansoddiad a rheolau y mae dau 'syr', dau ynad heddwch a dau Aelod Seneddol, gan gynnwys Lloyd George ei hun. Saesneg oedd iaith y cofnodion yn y blynyddoedd cynnar, a Saesneg oedd iaith cylchgrawn y gymdeithas pan ymddangosodd gyntaf yn 1909 (ar wahân i eiriau'r caneuon a gofnodir).

Roedd nod y gymdeithas yn glir o'r dechrau: casglu a diogelu caneuon gwerin, **baledi** ac alawon Cymreig, a'u cyhoeddi fel y gwelid yn ddoeth. Er bod nifer o gasgliadau pwysig o ganeuon ac alawon wedi ymddangos yn ystod y 19g. gan rai fel **John Jenkins** (Ifor Ceri), **Maria Jane Williams**, **John Thomas** (Ieuan Ddu), **Owain Alaw** a Nicholas Bennett, roedd hi'n amlwg fod gwaith enfawr i'w wneud i gofnodi caneuon llafar gwlad cyn iddi fynd yn rhy hwyr. Ni allai arloeswyr y gymdeithas beidio â bod yn ymwybodol iawn o'r cefndir: yr erlid mawr a fu yn enw crefydd ar yr hen ddiwylliant gwerin yn ei gyfanrwydd, yn ogystal â'r cyfnewidiadau cymdeithasol enfawr a welwyd yn ystod y 19g. Buasai J. Lloyd Williams ei hun, pan oedd yn fachgen ifanc, yn dyst i dröedigaeth ysbrydol ei dad, canwr gwerin poblogaidd yn nhafarn yr Union, Llanrwst yn yr 1850au, ond un a gefnodd ar y cyfan yn dilyn ei dröedigaeth, gan losgi ei holl lyfrau canu a gwahardd ei fab hyd yn oed rhag chwibanu ar ddydd Sul.

Yn ogystal â bod yn ddarlithydd, roedd J. Lloyd Williams hefyd yn Gyfarwyddwr Cerdd yng Ngholeg Bangor. Sefydlodd gymdeithas o fyfyrwyr o'r enw Y Canorion ac yn ystod gwyliau'r coleg byddai'r aelodau yn ymweld â chantorion yn eu hardaloedd i gofnodi caneuon. Nid gwaith hawdd oedd hwn, gyda chysgod Diwygiad 1904–05 yn drwm ar y wlad a'r hen ragfarnau yn dal yn fyw. Ond dros y degawdau nesaf bu amryw o bobl wrthi'n casglu – pobl fel **Ruth Herbert Lewis**, Dr **Mary Davies**, **Grace Gwyneddon Davies**, Soley Thomas a **Jennie Williams**. O fewn ychydig flynyddoedd, roedd cannoedd o ganeuon wedi'u cofnodi, amryw wedi'u recordio (ar roliau ffonograff), ac erbyn 1918 roedd gan y gymdeithas gryn 400 o aelodau.

O ganlyniad i'r brwdfrydedd dechreuol, y

cyngherddau a'r darlithoedd cyson a hefyd y
casgliadau o ganeuon a gyhoeddwyd, derbyniwyd
canu gwerin yn raddol i mewn i'r gyfundrefn
eisteddfodol. Roedd y gymdeithas yn anelu hefyd
at gyhoeddi cylchgrawn blynyddol, sef *Cylchgrawn
Cymdeithas Alawon Gwerin Cymru*. Yr anhawster oedd
cynnal y momentwm cynnar.

Cafodd yr Ail Ryfel Byd gryn effaith ar weithgarwch
y gymdeithas, yn ogystal â'r ffaith fod yr arweinwyr
yn heneiddio. Erbyn 1947 roedd y rhan fwyaf o'r
to cynnar wedi'u colli a bu raid creu pwyllgor
gwaith cwbl newydd, gydag Emrys Cleaver yn
drysorydd a **W. S. Gwynn Williams** yn olygydd y
cylchgrawn (buasai'n ysgrifennydd er 1934). Y ddau
yma yn bennaf a gadwodd y gymdeithas i fynd am
yr ugain mlynedd nesaf. Ymddangosodd dwy gyfrol
o ganeuon yn 1961 ac 1963: *Caneuon Traddodiadol y
Cymry*; sefydlwyd **gŵyl** werin, ac yn 1963 y Cwrs
Penwythnos – cwrs a gynhaliwyd yn ddi-dor ers
hynny. Dwy arall a fu'n gonglfaen i'r gymdeithas
oedd Frances Môn Jones a Buddug Lloyd Roberts,
a benodwyd yn ysgrifennydd yn 1977 ac a ddaliodd
ati am ddeng mlynedd ar hugain.

Ar ddechrau'r 1960au, penodwyd **D. Roy
Saer** yn swyddog yn Adran Bywyd Diwylliannol
Amgueddfa Werin Cymru, Sain Ffagan, penodiad
a arweiniodd at gyswllt agos rhwng y Gymdeithas a'r
Amgueddfa o hynny ymlaen. Golygodd y cyswllt hwn
fod adnoddau proffesiynol ar gael i ymchwilio ac i
recordio cannoedd o ganeuon a sgyrsiau. Enghraifft
nodedig o hyn yw'r gwaith a wnaed i gofnodi'r **canu
plygain** yn Nyffryn Tanat a'r recordiadau a ddaeth
â'r holl faes i sylw gweddill Cymru.

Ymdaflodd Roy Saer a ffigurau amlwg eraill fel
Meredydd Evans, **Phyllis Kinney**, Daniel Huws,
Rhidian Griffiths a Rhiannon Ifans i'r gwaith
ymchwilio a chyhoeddi. Gwnaed gwaith arloesol
hefyd gan **Wyn Thomas** yn Adran Gerddoriaeth
Prifysgol Bangor: lluniodd lyfryddiaeth gyflawn o'r
maes, *Cerddoriaeth Draddodiadol yng Nghymru*, cyfrol
hanfodol ar gyfer unrhyw ymchwilydd (Thomas
1996).

Pwysigrwydd y Gymdeithas Alawon Gwerin yw
iddi, er gwaethaf pob anhawster, lwyddo i ddiogelu
talp enfawr o ddiwylliant cerddorol Cymru – agwedd
o'r diwylliant Cymraeg a fyddai'n anhraethol dlotach
oni bai am y gwaith a wnaed. Yr her sy'n wynebu
caredigion y gân werin Gymraeg yn yr 21g. yw
sut i hyrwyddo'r caneuon hyn mewn sefyllfa gwbl
wahanol i'r cyfnod a esgorodd arnynt yn y lle cyntaf.
Mae apêl y caneuon yn oesol ac yn ddigyfnewid, a'r

gobaith yw y bydd pob cenhedlaeth yn eu canu yn y
dull symlaf posibl ymhell i'r dyfodol – gan unigolyn yn
ddigyfeiliant. Ond bydd eraill yn siŵr o'u dehongli yn
ôl ffasiwn yr oes. Heb y gwaith ymchwil a chofnodi,
fodd bynnag, ni fyddai'n bosibl i genhedlaeth newydd
droi'r cofnodion yn ganeuon byw unwaith eto.

Llyfryddiaeth

Wyn Thomas, Cerddoriaeth Draddodiadol yng Nghymru:
    llyfryddiaeth (Dinbych, 1996)

Arfon Gwilym

Cymdeithas Cerdd Dant Cymru

Sefydlwyd Cymdeithas Cerdd Dant Cymru mewn
cynhadledd genedlaethol yn y Bala yn 1934: cyfnod
pan oedd diddordeb mawr yn y grefft, ond pan
oedd hefyd lawer o ansicrwydd ynglŷn â'r rheolau.
Ar ddechrau'r 20g., un o'r ffigurau amlycaf yn y
byd **cerdd dant** oedd Dafydd Roberts, Telynor
Mawddwy (1879–1956), gŵr a gafodd ei drwytho
yn nhraddodiad cerdd dant ardal Mawddwy.
Treuliodd gyfnod allweddol ym Mhlas Llanofer,
lle meistrolodd y grefft o ganu'r delyn deires. Ei
gyfraniad pwysicaf oedd cyhoeddi llawlyfr cerdd
dant yn 1911 o'r enw *Y Tant Aur*.

Fel gwaith Idris Fychan ryw chwarter canrif
ynghynt, roedd *Y Tant Aur* yn adlewyrchu gosodiadau
syml y cyfnod. Gwerthwyd rhai miloedd o'r argraffiad
cyntaf, a bu raid i gwmni Snell gyhoeddi ail argraffiad
bum mlynedd yn ddiweddarach. Ond roedd yr
ail argraffiad hwn mewn gwirionedd yn fersiwn
gwahanol iawn. Y datblygiad mwyaf amlwg yw'r
ymdrech a wnaed i greu cyfalawon mwy cerddorol.
Roedd Telynor Mawddwy ei hun, yn ei ragair i'r
argraffiad cyntaf, wedi dyfynnu beirniadaeth y cerddor
D. Emlyn Evans (1843–1913) o bobl cerdd dant:
'Perygl mawr datganwyr yw adrodd eu penillion ar
ryw ychydig o seiniau, megis y cyweirnod neu y
pumed, a thrwy hynny wneud y datganiad yn gaeth
ac undonnog [*sic*]' (yn Roberts 1911). Cymerodd
Dafydd Roberts y feirniadaeth hon at ei galon.

Roedd y newidiadau a wnaed rhwng argraffiad
cyntaf ac ail argraffiad *Y Tant Aur* yn cynrychioli
trobwynt allweddol yn hanes y grefft. Agorwyd y
drws i gyfalawon llawer mwy cerddorol – rhywbeth
a arweiniodd yn uniongyrchol at y pwyslais newydd
hwn mewn cerdd dant am weddill yr 20g.

Ffigwr arall dylanwadol oedd y telynor dall, David
Francis (1865–1929). I'w gartref ef ym Mlaenau
Ffestiniog y cyrchai amryw o bobl i ddysgu'r grefft.

Yn eu plith yr oedd J. E. Jones, Maentwrog, awdur y gyfrol o ysgrifau *Swyn y Tannau* (1936) ac un o ddatgeinwyr gorau'r cyfnod. Un arall oedd David Roberts (Dewi Mai o Feirion; 1883–1956) – gŵr a dyfodd i fod yn un o enwau mwyaf allweddol byd cerdd dant yr 20g. Yn ei golofn wythnosol yn *Y Cymro* a'r *Brython* yn yr 1930au, gwyntyllodd lu o gwestiynau yr oedd, yn ei dyb ef, daer angen eu hateb. Ysgogodd hyn lythyru brwd a chyson yn y wasg, a chanlyniad hynny yn y pen draw oedd galw'r cynhadledd i sefydlu'r Gymdeithas Cerdd Dant yn y Bala.

Yn 1934, lluniodd Dewi Mai restr o ddatgeiniaid cerdd dant a oedd yn arfer y grefft mewn gwahanol rannau o Gymru: cyfanswm rhyfeddol o 210. Ond os oedd bri amlwg ar y grefft, ymddengys fod cryn lawer o ddadlau ac anghytuno ynglŷn â sut i osod gwahanol fesurau barddonol, pa geinciau a oedd yn addas ac yn y blaen. I rai, efallai nad oedd hyn o dragwyddol bwys, ond gan fod cystadlu mewn **eisteddfodau** yn rhan amlwg o'r gweithgarwch, roedd y pwysau am reolau pendant yn cynyddu'n gyson. Yr angen hwnnw yn bennaf a arweiniodd at sefydlu'r Gymdeithas yn 1934. Ond mewn gwirionedd, ni chafodd yr holl reolau eu pennu'n derfynol hyd at yr 1960au. Cwynai rhai ar y pryd fod y rheolau newydd yn fwy tebygol o fygu canu gyda'r tannau yn hytrach na'i hyrwyddo, ond y brif effaith yn y pen draw oedd dileu ansicrwydd a chreu trefn o ganol yr anhrefn.

Roedd materion eraill hefyd yn peri pryder. Testun cryn anfodlonrwydd oedd bod y cystadlaethau cerdd dant i gyd yn Eisteddfod Genedlaethol Wrecsam 1933 wedi'u gosod yn un o'r pebyll ymylol. Cwynai ambell un arall am ddirywiad mewn safonau o'i gymharu â'r dyddiau a fu. Roedd galw cyson hefyd am wella safonau cerddorol y grefft.

Yn ei lyfr *Hud a Hanes Cerdd Dannau* mae **Aled Lloyd Davies** yn nodi 1947, y flwyddyn y cynhaliwyd yr Ŵyl Cerdd Dant gyntaf yn y Felinheli, fel dechrau cyfnod o adfywiad gwirioneddol, gan ddweud, '[o'r] dyddiad hwnnw y gwelwyd y Gymdeithas yn datblygu, yn tyfu mewn aelodaeth a dylanwad ac yn ehangu gorwelion ei diddordeb' (Davies 1984). Erbyn dechrau'r 1980au roedd gan y Gymdeithas 850 o aelodau, ac roedd cyhoeddi *Llawlyfr Gosod* Aled Lloyd Davies ei hun yn 1983 yn ddigwyddiad o bwys: y llawlyfr cerdd dant mwyaf manwl a gyhoeddwyd erioed yn hanes y grefft.

Tyfu a datblygu fu hanes cerdd dant drwy gydol yr 20g. Ar ddechrau'r ganrif, er mor frwd oedd ymdrechion yr unigolion a oedd yn ymhel â'r grefft,

roedd y cyfan yn amatur a digyswllt. Dim ond yn raddol y newidiodd hynny, ac roedd sefydlu'r Gymdeithas yn gwbl allweddol yn y broses. Pan gyflwynwyd y gystadleuaeth **côr** cerdd dant yn yr 1970au, a phan dyfodd y gystadleuaeth honno mewn poblogrwydd, esgorodd ar y cyfnod mwyaf llewyrchus erioed o ran nifer cystadleuwyr a chynulleidfaoedd. Gydag S4C a Radio Cymru yn darlledu'r Ŵyl Cerdd Dant yn flynyddol, datblygodd yr ŵyl yn gyson yn ei maint a'i phroffesiynoldeb, ac o'r 1990au ymlaen dechreuodd y Gymdeithas dalu cyflog rhan-amser i drefnydd, Dewi Jones. **Gŵyl** undydd yw'r Ŵyl Cerdd Dant a gynhelir ym mis Tachwedd bob blwyddyn, bob yn ail yn y de a'r gogledd, gyda phwyllgor gwaith lleol yn trefnu dan arweiniad y trefnydd canolog.

Mae'r Gymdeithas yn cyhoeddi cylchgrawn, *Allwedd y Tannau,* bob mis Awst, ac yn cynnal gwefan fywiog gyda chyfarwyddiadau gosod cerdd dant. Trefnir cwrs preswyl bob blwyddyn ar gyfer gosodwyr a hefyd i hyfforddi cyfeilyddion. Rheolir y Gymdeithas gan bwyllgor gwaith gyda chnewyllyn o ddeunaw aelod, traean ohonynt yn cael eu newid drwy etholiad yn flynyddol. Mae gan y Gymdeithas Swyddog Gweinyddol, Trefnydd yr Ŵyl ynghyd â deg ar hugain o delynau sy'n cael eu llogi i bobl ifanc sy'n awyddus i ddysgu chwarae, gyda swyddog yn gyfrifol amdanynt.

Llyfryddiaeth

Dafydd Roberts, *Y Tant Aur* (Bermo, 1911)
J. E. Jones, *Swyn y Tannau* (Meirionydd, 1936)
Aled Lloyd Davies, *Cerdd Dant: Llawlyfr Gosod* (Gwynedd, 1983)
———, *Hud a Hanes Cerdd Dannau* (Y Bala, 1984)

Arfon Gwilym

Cymdeithas Cerddoriaeth Cymru

Cafodd yr Urdd er Hyrwyddo Cerddoriaeth Cymru – Cymdeithas Cerddoriaeth Cymru bellach – ei sefydlu yn 1955 gan John Edwards (1905–66) o Bontardawe. Yn wyneb y diffyg neuaddau cyngerdd, credai Edwards, a ddaeth yn ddiweddarach yn berchennog ar y label recordiau Qualiton, mai'r unig ffordd i hybu ymwybyddiaeth o waith gan gyfansoddwyr newydd yng Nghymru a thu hwnt oedd drwy ryddhau recordiadau o'r gwaith hwnnw.

Roedd ychydig o weithiau cyfansoddwyr Cymreig cyfoes o'r cyfnod, megis **Grace Williams** (1906–77), **Arwel Hughes** (1909–88) a **Daniel Jones** (1912–93) wedi eu recordio ddiwedd yr 1940au gan Gymdeithas Cerddoriaeth Recordedig Cymru (Welsh Recorded Music Society) a'u rhyddhau gan Gwmni Decca o 1949 ymlaen er mwyn eu gwneud yn hysbys i gynulleidfa ehangach. Yn 1955, sefydlodd Edwards yr Urdd er Hyrwyddo Cerddoriaeth Gymreig i weithio tuag at yr un amcan. Comisiynodd yr Urdd Alun Hoddinott i ysgrifennu ei *Symffoni Rhif 1* ar gyfer perfformiad cyntaf yn **Eisteddfod** Genedlaethol Pwllheli yn Awst 1955, a chyfansoddodd **David Wynne** ei *Symffoni Rhif 2* o dan nawdd yr Urdd ar gyfer Eisteddfod y flwyddyn ddilynol yn Aberdâr.

Gweithiodd John Edwards, ac ysgrifennydd yr Urdd, Roger Jones, yn ddi-baid i ymestyn ymwybyddiaeth o waith yr Urdd yn yr 1950au a'r 1960au. Aethant ati i ddwyn perswâd ar y BBC i ddarlledu gweithiau gan gyfansoddwyr Cymreig, cyhoeddi catalogau o gerddoriaeth gyfoes o Gymru a dechrau cyfnodolyn dwyieithog, *Cerddoriaeth Cymru/Welsh Music*, yn 1959. Buont hefyd yn trefnu cyngresau blynyddol yng Ngregynog tan 1974.

I heddiw mae'r Gymdeithas yn noddi pum gwobr, gan gynnwys Tlws y Cerddor (a roddir yn ystod yr Eisteddfod Genedlaethol) a Gwobr Goffa John Edwards, am wasanaeth i gerddoriaeth Cymru. Y cyntaf i'w hennill oedd Alun Hoddinott, ac ers hynny cyfansoddwyr megis **Grace Williams** (1966), **Ian Parrott** (1977), **Mansel Thomas** (1983) a **John Metcalf** (1995), ynghyd â nifer o berfformwyr ac **arweinyddion**. Cynhelir rhwydwaith rhyngwladol o gynrychiolwyr i hybu cerddoriaeth Gymreig y tu hwnt i Gymru er 2003. Mae cyfraniad y Gymdeithas i fywyd cerddorol y genedl yn parhau'n un hollbwysig.

Craig Owen Jones

Cymdeithas Ddawns Werin Cymru (gw. **Gwerin, Dawnswyr**)

Cymdeithas Emynau Cymru

Mewn darlith ar 'Emynwyr Bro Morgannwg' yn **Eisteddfod** Genedlaethol Pen-y-bont ar Ogwr, 1948, crybwyllodd Elfed y posibilrwydd o ffurfio cymdeithas emynau i Gymru, ar lun cymdeithasau tebyg ar gyfer Unol Daleithiau America a Chanada (a ffurfiwyd yn 1922) ac ar gyfer Prydain Fawr ac Iwerddon (a ffurfiwyd yn 1936). Ni sefydlwyd cymdeithas benodol ar y

pryd, ac ymddiriedwyd y gwaith o astudio'r emyn Cymraeg a'i lyfryddiaeth i'r Gymdeithas Lyfryddol Gymreig. Ffurfiwyd Cymdeithas Emynau Cymru yn Eisteddfod Genedlaethol y Bala ar 10 Awst 1967, a'i nod yw hyrwyddo diddordeb ym mhob agwedd ar emynyddiaeth Cymru. Ei phrif amcanion yw dwyn pobl ynghyd i ddarlithiau ac ysgolion undydd i ddysgu ac i drafod gwahanol agweddau ar emynyddiaeth Cymru; casglu a diogelu defnyddiau; hyrwyddo astudio **emynau** ac **emyn-donau**; cyhoeddi ffrwyth ymchwil yn y maes; a chysylltu â chymdeithasau emynau mewn gwledydd eraill.

Ers 1968, mae'r Gymdeithas wedi cyhoeddi Bwletin o astudiaethau emynyddol, ac ers 2001 Gylchlythyr blynyddol yn ychwanegol at y Bwletin. Ceir ôl-rifynnau'r Bwletin ar wefan Cylchgronau Cymru ac ôl-rifynnau'r Cylchlythyr ar wefan y Gymdeithas ei hun (http://www.emynau.org). Mae'r Gymdeithas yn cynnal darlith flynyddol yn yr Eisteddfod Genedlaethol, a chyhoeddwyd y mwyafrif o'r darlithiau hyn yn y *Bwletin*. Er 1986 cynhaliwyd hefyd Ysgol Undydd flynyddol gyda phapurau a sesiynau trafod.

Erbyn hyn cyhoeddodd y Gymdeithas sawl cyfrol o ysgrifau ac emynau gan wahanol awduron. Mae'n cydweithio â Chymdeithas Emynau Prydain Fawr ac Iwerddon ac fe'i cynrychiolwyd yng nghynadleddau cydwladol yr Internationale Arbeitsgemeinschaft für Hymnologie (IAH).

Rhidian Griffiths

Cymdeithasau ac Ysgolion Cerdd

Sefydlwyd nifer o gymdeithasau Cymraeg yn Llundain yn ystod y 18g. a'r 19g gyda'r nod o gynnig noddfa i Gymry gwlatgar a drigai yno ac i ddiwylliant Cymreig yn fwy cyffredinol. Sefydlwyd Anrhydeddus Gymdeithas y Cymmrodorion yn 1751 gan Richard Morris, o deulu amryddawn Morrisiaid Môn. Bu'r Cymmrodorion yn gefnogol i gerddoriaeth Cymru, gan gyflogi telynorion megis **John Parry** (Parry Ddall) ac Ifan Wiliam i ddarparu adloniant cerddorol yn eu cyfarfodydd. Ystyriai John Parry y cyfarfodydd hyn yn gyfle i'r Cymry glywed ac ailgydio yn eu cerddoriaeth frodorol a chawsant eu disgrifio fel 'the reign of song, hilarity and good fellowship' (Jenkins a Ramage 1951, 163).

Cymdeithas arall a gyfrannai at ddadeni diwylliannol y cyfnod oedd Cymdeithas y Gwyneddigion a sefydlwyd yn 1770 gan Owain Myfyr a Robin Ddu yr

Ail o Fôn. Un o gyfraniadau mawr y Gwyneddigion oedd hyrwyddo'r gwaith o gyhoeddi llenyddiaeth Gymraeg yr oesoedd a fu, sef *Barddoniaeth Dafydd ab Gwilym* (1789), *The Heroic Elegies and Other Pieces of Llywarch Hen* (1792), *The Myvyrian Archaiology of Wales* (1801–7) a chylchgrawn hynafiaethol *Y Greal* (1805–7). Yn wahanol i'r Cymmrodorion, dyma gymdeithas a oedd yn ymroi mwy i ddifyrrwch diwylliannol a byddai canu'r delyn a chanu penillion yn rhan greiddiol o'r cyfarfodydd. Erbyn troad y 19g. tyfodd y Gwyneddigion yn un o'r cymdeithasau mwyaf poblogaidd ymysg Cymry Llundain y dydd. Cyflawnent waith ysgolheigaidd di-ail dros ddiwylliant, llenyddiaeth, cerddoriaeth a barddoniaeth Gymraeg (Williams 1935, 15) a'r amod wrth ymaelodi oedd y gallu i siarad Cymraeg a hoffter o ganu, neu o leiaf hoffter o wrando ar farddoniaeth yn cael ei chanu i gyfeiliant **telyn**.

Ymaelododd **Edward Jones** (Bardd y Brenin) â'r Gwyneddigion yn 1783 (Williams 1935) ac yn ddiweddarach, yn 1819, penodwyd **John Parry** (Bardd Alaw) yn llywydd y gymdeithas. Hyrwyddent y traddodiad **canu gwerin** trwy gyfrwng yr **eisteddfodau** a noddid ganddynt. Cynhaliwyd Eisteddfodau'r Gwyneddigion rhwng 1789 ac 1795 (**Kinney** 2011, 164) a ffrwyth un o gystadlaethau eu heisteddfod gyntaf yn y Bala oedd *Musical and Poetical Relicks of the Welsh Bards* (1794). Yr awdur, Edward Jones, a gynigiodd dlws am 'y casgliad gorau o benillion telyn' (Williams 1936, 94; Ramage yn Morgan 1966, 205) a'r clerigwr Gwallter Mechain a ddaeth i'r brig.

Yn 1794 sefydlwyd cangen gyntaf Cymdeithas y Cymreigyddion yn Llundain gan John Jones (Jac Glan-y-gors) a Thomas Roberts (Llwyn'rhudol) a'i hamcan oedd diogelu'r Gymraeg a chynnig man cyfarfod i Gymry'r brifddinas i ddadlau ynghylch materion gwleidyddol. Cynhalient eu heisteddfodau lleol eu hunain (Ramage yn Morgan 1966, 155) ac yn 1810 penderfynwyd gwahodd telynorion a chantorion i'w cylch (Jenkins a Ramage 1951, 131). Daeth eu gweithgarwch i ben yn 1855. Fodd bynnag, sefydlwyd dwy gymdeithas a ymddiddorai'n arbennig mewn canu gyda'r delyn yn Llundain, sef Y Canorion ac Undeb Cymry. Sefydlwyd y naill gan Bardd Alaw yn 1820 a'r llall yn 1823, a bwriad y ddwy oedd hybu cerddoriaeth y delyn. Cyfarfyddent mewn tafarndai i gydganu a pherfformio alawon Cymreig.

Cymdeithas arall a hyrwyddai gerddoriaeth draddodiadol Cymru oedd Cymreigyddion y Fenni a sefydlwyd ar 22 Tachwedd 1833 (gw. Gregory 1950, 97; Thomas 1978, 1; Stephens 1997, 141), gyda Thomas Price (Carnhuanawc), **Augusta Hall** (Arglwyddes Llanofer), y Foneddiges Elizabeth Brown Greenly (Llwydlas) a John Jones (Tegid) ymysg ei haelodau mwyaf blaenllaw. Cynhaliwyd deg eisteddfod rhwng 1834 ac 1853 a chynnyrch un o gystadlaethau eisteddfod 1838 oedd *Ancient National Airs of Gwent and Morganwg* (1844) gan **Maria Jane Williams**, sef y casgliad cyhoeddedig cyntaf o gerddoriaeth werin Gymreig (Huws 1973–4, 93). O ganlyniad, rhoddodd y gymdeithas hon 'wasanaeth gwerthfawr i lên a cherddoriaeth Cymru' (Gregory 1954, 37). Erbyn i'r gymdeithas ddod i ben ar 14 Ionawr 1854, cafwyd cartref newydd i feithrin llên a diwylliant Cymru gyda gwaith y cymdeithasau taleithiol a'r hen bersoniaid llengar.

Llyfryddiaeth

G. J. Williams, 'Eisteddfodau'r Gwyneddigion', *Y Llenor*, XIV (1935), 11–22

——, 'Eisteddfodau'r Gwyneddigion II', *Y Llenor*, XV (1936), 88–96

Mair Gregory, 'Cymdeithas Cymreigyddion y Fenni', *Llên Cymru*, I/2 (1950), 97–112

R. T. Jenkins and H. Ramage, *A History of the Honourable Society of Cymmrodorion, and of the Gwyneddigion and Cymreigyddion Societies (1751–1951)* (Llundain, 1951)

Mair Gregory, 'Cymdeithas Cymreigyddion y Fenni II', *Llên Cymru*, III/1 (1954), 32–42

Helen Ramage, 'Yr Eisteddfod', yn Dyfnallt Morgan (gol.), *Gwŷr Llên y Ddeunawfed Ganrif a'u Cefndir* (Llandybïe, 1966 [1977]), 198–206

D. Huws, 'Ancient National Airs of Gwent and Morgannwg', *Cerddoriaeth Cymru/Welsh Music*, 4/5 (Gaeaf, 1973–4), 93

Mair Elvet Thomas, *Afiaith yng Ngwent* (Caerdydd, 1978)

M. Stephens (gol.), *Cydymaith i Lenyddiaeth Cymru* (Caerdydd, 1997)

Phyllis Kinney, *Welsh Traditional Music* (Caerdydd, 2011)

Leila Salisbury

Cynnar, Cerddoriaeth

Mae hanes cerddoriaeth gynnar Cymru yn llawer cyfoethocach nag y mae pobl yn dueddol o sylweddoli. Mae'r cofnod hwn yn ymwneud â chyfnod yr Oesoedd Canol a'r cyfnod modern cynnar hyd at tua 1650 ac fe'i rhennir yn dair rhan: (1) y gerddoriaeth farddol frodorol, **cerdd dant**; (2) cerddoriaeth ar gyfer addoli yn yr eglwys Gristnogol; a (3) cerddoriaeth sy'n dangos dylanwad Seisnig.

Er mai cymharol brin yw'r ffynonellau sydd wedi goroesi yng Nghymru o gerddoriaeth gynnar â nodiant confensiynol, nid yw hynny'n golygu mai tlawd oedd diwylliant cerddorol Cymru. Parhaodd traddodiad llafar yn llawer hirach yma nag mewn rhannau eraill o Brydain, a chafodd y llyfrau hynny a fodolai (yn arbennig y rhai hynny a oedd yn gysylltiedig â'r Eglwys) eu difa'n fwriadol weithiau, yn enwedig yn ystod diwygiadau Protestannaidd yr 16g. Fodd bynnag, gellir casglu llawer am gerddoriaeth yng Nghymru o ffynonellau eraill – barddoniaeth, ysgrifennu hanesyddol a damcaniaethol, llechresi, statudau, cyfrifon a gohebiaeth, ac mae cryn dipyn o'r deunydd hwn yn tystio i ddiwylliant cerddorol bywiog ac amrywiol.

Repertoire barddol cerdd dant

Cerdd dant ('crefft y tant') yw'r gerddoriaeth fwyaf penodol 'Gymreig' y gwyddys iddi fodoli yng nghyfnod yr Oesoedd Canol a'r cyfnod modern cynnar. Mae iddi arwyddocâd rhyngwladol am mai dyma un o'r *repertoires* olaf yn y byd gorllewinol o gerddoriaeth wedi'i thraddodi'n llafar (ac yn glywedol). Roedd cerdd dant yn gerddoriaeth gelfyddydol o statws uchel ar gyfer **offerynnau** llinynnol – yn arbennig y **delyn** a'r **crwth** (offeryn bwa yn debyg i'r lyra). Câi ci chysylltu'n glòs â noddwyr o blith yr uchelwyr, ac roedd yn bartner hanfodol i farddoniaeth gaeth soffistigedig, neu *ganu caeth*. Chwaraeai cantorion cerdd dant ran bwysig yn y gymdeithas, ac roeddynt yn perthyn i urdd farddol a ddilynai gorff o reolau a oedd wedi'u diffinio'n glir.

Roedd Beirdd y Tywysogion, hyd at yr amser y collodd Cymru ei hannibyniaeth yn 1284, yn arfer y traddodiad, er eu bod ar y cyfan yn gysylltiedig ag un llys tywysogaidd, yn wahanol i Feirdd yr Uchelwyr yn ddiweddarach, a dueddai i symud rhwng cartrefi'r uchelwyr. Er na wyddom lawer am eu *repertoire* cerddorol cysylltiedig, mae awdl o tua 1213 gan Llywarch ap Llywelyn yn sôn am ganmol Llywelyn ab Iorwerth, tywysog Gwynedd, 'can folawd â thafawd a thant'. Cawn syniad o rôl tri math ar gerddor o fardd mewn disgrifiad yng Nghyfraith Hywel Dda. Roedd y *bardd teulu* yn un o'r 24 o swyddogion y llys a oedd hefyd yn teithio gyda'r osgordd, tra oedd y *pencerdd* (a ddisgrifir mewn un ffynhonnell fel 'bardd gwedi enillo cadair') yn swyddog ychwanegol o'r llys ac yn ymwelydd cyson a chanddo'i gasgliad ei hun o ganeuon. Câi ei dalu i hyfforddi'r *cerddor* (clerwr dan brentisiaeth o statws is). Gallai tywysog gydnabod statws a gwasanaeth pencerdd drwy roi **telyn** iddo, er bod dau gopi cynnar o'r Gyfraith yn enwi rhoddion

eraill posibl, sef y **crwth** neu'r pibau, a daeth y tri offeryn hyn gyda'i gilydd i ymgorffori cerddoriaeth Cymru hyd at y 14g. o leiaf.

Yn ei gofnod o'i deithiau yn *Topographia Hibernica* (*c*.1200), nododd **Gerallt Gymro** yn benodol fod y Cymry'n defnyddio'r offerynnau hyn (yn wahanol i'r Gwyddelod, a ddefnyddiai'n unig y delyn a'r timpán – offeryn anghofiedig bellach – a'r Albanwyr, a ddefnyddiai'r delyn, y crwth a'r timpán). Mae dau ddisgrifiad (*c*.1330) sy'n edrych yn ôl ar y wledd fawr a gynhaliodd yr Arglwydd Rhys yn Aberteifi yn 1176 (a adwaenir weithiau fel yr eisteddfod gyntaf) hefyd yn honni bod telynorion, **crythorion** a phibyddion yn cystadlu yn erbyn ei gilydd.

Yn ôl pob tebyg, roedd traddodiadau Cymru ac Iwerddon yn cydblethu'n glòs yn y cyfnod cynnar hwn. Mae testun barddol lled hanesyddol sy'n dwyn y teitl *Cadwedigaeth Cerdd Dannau* (a ysgrifennwyd gyntaf yng nghanol yr 16g., ond sy'n amlwg yn tynnu ar ddysg gynharach) yn honni i gyngor o gerddorion o Gymru ac Iwerddon gyfarfod yng 'Nglyn Achlach' (Glendalough, Swydd Wicklow) ar ddechrau'r 12g. o dan awdurdod 'Mwrthan Wyddyl' (Muirchertach Ua Briain, uchel frenin Iwerddon, m.1119). Prif dasg y cyngor oedd dosbarthu 24 mesur cerdd dant a'u cadw'n ddilys. Patrymau cordiol syml yn ailadrodd oedd y mesurau, patrymau a ffurfiai'r seilwaith i gyfran helaeth o'r corff o gerddoriaeth cerdd dant ac a oedd yn bartner strwythurol naturiol i fesurau barddol cerdd dafod.

Fe'u copïwyd i nifer o lawysgrifau o tua 1500 ymlaen, yn cynnwys tabl nodiant **telyn Robert ap Huw** tua 1613 (gw. isod), ac yn sicr mae rhai o'u teitlau yn awgrymu tarddiad Gwyddelig (e.e. 'mak y mwn hir'; 'karsi'). Mae ffynonellau eraill yn awgrymu y byddai cerddorion yn croesi Môr Iwerddon. Credir bod Gruffudd ap Cynan (*c*.1055–1137), Brenin Gwynedd a aned yn Iwerddon, wedi dod â cherddorion Gwyddelig i Gymru, a **Gellan** Pencerdd – gyda'i enw Gwyddelig – a fu farw ym Mrwydr Aberllleiniog, Ynys Môn, yn 1094, oedd telynor-fardd Gruffudd ei hun.

Gyda diwedd teyrnasiad tywysogion Cymru yn 1282 daeth tro ar fyd i grefftwyr barddol, a oedd bellach yn gorfod teithio o amgylch tai eu noddwyr o uchelwyr, arfer a elwid yn 'clera'. Parhaodd llawer o Feirdd yr Uchelwyr i gyfeilio iddynt eu hunain ar y delyn a ddefnydient derminoleg gerddorol yn eu barddoniaeth yn aml: mae Dafydd ap Gwilym (*fl*.1330–50) yn 'Y Gainc' yn ei ddisgrifio'i hun yn llunio cerdd wrth y delyn. Yn y 14g. gwelwyd hefyd fesur newydd a phoblogaidd iawn, sef y cywydd, mesur y cafodd ei barau o linellau saith sill mewn odl effaith uniongyrchol, o bosibl ar arddull a strwythur cerdd dant. Roedd offerynnau yn rhan bwysig o'r traddodiad, ac mae 'Cywydd Moliant i'r **Delyn Rawn** a Dychan i'r Delyn Ledr' gan Iolo Goch (*c*.1325–*c*.1398) yn rhoi disgrifiad manwl o delyn y traddodiad barddol, **telyn** o statws uchel a chanddi ffrâm bren a thannau o rawn (blew ceffyl), a thelyn yr oedd Iolo yn ei hystyried yn llawer gwell na'r math newydd o delyn gyda'i gorchudd lledr a'i thannau coludd.

Yr **eisteddfod** oedd y prif ddull o reoli arferion barddol, a cheisiai hefyd amddiffyn crefftwyr proffesiynol (*gwŷr wrth gerdd*) rhag diddanwyr amatur crwydrol (*vacabundi*). Mae deunydd cysylltiedig wedi goroesi o dair eisteddfod fawr a dylanwadol iawn, eisteddfodau a noddwyd ill tair gan uchelwyr. Nid yw'r gyntaf, a gynhaliwyd yng Nghaerfyrddin tua 1452, yn datgelu rhyw lawer am arferion cerddorol yr oes, er mai yma yr adolygwyd 24 mesur barddol cerdd dafod, ac mae'n bosibl mai hyn a ysgogodd cyfundrefnu'r mesurau cerddorol fel grŵp swyddogol o 24. Gwyddys llawer mwy am hinsawdd gerddorol y ddwy eisteddfod a gynhaliwyd yn nhref fechan Caerwys, Sir y Fflint, yn 1523 ac 1567, diolch i'r ddogfen farddol fanwl a elwir yn 'Statud Gruffudd ap Cynan', a luniwyd ar gyfer y digwyddiad yn 1523 ac a adolygwyd yn 1567. Mae'r Statud yn honni iddi dynnu'n uniongyrchol ar arferion a sefydlwyd mewn eisteddfod a lywyddodd Gruffudd ap Cynan ei hun: mae'n amlwg nad oes sail i hyn ond mae'r ddogfen, serch hynny, yn ymgorffori traddodiadau hir.

Mae'r Statud yn cynnwys nid yn unig reoliadau ymarferol, fel taliadau i feirdd a rôl y *datgeiniad* (gw. y cofnod hwnnw), ond mae hefyd yn manylu ar *repertoire*. Byddai cerddorion a beirdd yn dringo drwy'r un categorïau prentisiaeth, gan fynd o fod yn *ddisgybl ysbâs* (y prentis dros dro heb radd), i fod yn *ddisgybl disgyblaidd* (prentis dan hyfforddiant), ac yn *ddisgybl pencerdd* (prentis meistr) i *bencerdd* (meistr y grefft). Gallai telynorion hefyd, yn y pen draw, gymhwyso yn *athrawon* (meistr hyfforddwyr). Er mwyn datblygu roedd yn rhaid i gerddorion barddol feistroli gwahanol *genres*, yn cynnwys nifer penodol o *ganiadau, gostegion* a *chlymau cytgerdd* (mae enghreifftiau o'r rhain wedi goroesi yn llyfr Robert ap Huw). Câi buddugwyr yr eisteddfod eu gwobrwyo ag *ariandlws* a gâi ei arddangos fel bathodyn ar yr ysgwydd, ac mae'r ariandlws telyn a enillodd Dai Nanklyn yn 1523 wedi goroesi hyd heddiw: fe'i rhoddwyd gan ben teulu'r

Mostyniaid, un o bum comisiynydd yr eisteddfod.

Er nad yw'r Statud yn mynnu bod angen gallu darllen cerddoriaeth, ymddengys i nodiant gael ei greu yn benodol ar gyfer cerdd dant tua 1560, efallai am fod y broses gyfansoddi yn mynd yn gynyddol gymhleth. Mae tri deg tri o ddarnau gyda nodiant wedi goroesi yng nghasgliad Robert ap Huw. Mae'n bosibl fod y nodiant yn arbennig o ddefnyddiol i athrawon wrth hyfforddi prentisiaid: mae adran gyfan o lyfr Robert ap Huw (a gopïwyd, yn ôl pob golwg, o lawysgrif goll o eiddo'r athro **telyn Wiliam Penllyn**, *fl*.1550–70) yn canolbwyntio ar yr ymarferion technegol ailadroddus o'r enw *clymau cytgerdd*, ar sail y 24 mesur. Byrhoedlog oedd y nodiant, mae'n debyg, er iddo barhau o ddiddordeb i haneswyr a hynafiaethwyr am nifer o flynyddoedd, ac mae'n dal i gyfareddu perfformwyr a cherddolegwyr modern. Yn anffodus, roedd y traddodiad barddol ei hun yn dirywio erbyn 1600 wrth iddo ddod o dan bwysau enbyd gan y drefn gymdeithasol newydd (gw. yr adran Dylanwad Seisnig: cerddoriaeth yn y Gymru Fodern Gynnar, isod), a rhoddwyd y gorau i gynlluniau am drydedd eisteddfod yn 1594.

Cerddoriaeth eglwysig yng Nghymru'r Oesoedd Canol

Lladin oedd iaith y litwrgi yng Nghymru hyd at y Diwygiad, ond prin yw'r dystiolaeth o draddodiad cerddorol ar wahân. Yn wir, roedd yr eglwys yng Nghymru yn yr Oesoedd Canol yn gwbl glwm wrth y cyd-destun rhyngwladol, ac roedd wedi dechrau cydymffurfio'n glòs â'i chymdogion yn Lloegr ac Ewrop ers y 13g. o leiaf. Fel mewn lleoedd eraill, y ffurf amrywiol ar Ddefod Rhufain o'r enw 'Arfer Caersallog', a gyfundrefnwyd yn Eglwys Gadeiriol Caersallog ar ddechrau'r 12g., a oedd yn dominyddu, ac fe'i mabwysiadwyd yn gyflym mewn eglwysi ar draws rhannau helaeth o Loegr, Cymru, yr Alban ac Iwerddon. Roedd dyfodiad Arfer Caersallog i Gymru yn ganlyniad anochel i'r awdurdod ehangach yr oedd diwygwyr Eingl-Normanaidd yn ei wthio, a daeth yn orfodol i'r rhan fwyaf o eglwysi seciwlar yng Nghymru. Mae statudau Eglwys Gadeiriol Tyddewi yn dangos iddo gael ei gyflwyno yno yn raddol o 1224, ac mae'r ffaith iddo ddominyddu yma ac mewn lleoedd eraill yn esbonio pam nad oes dim yn y rhan fwyaf o'r ffynonellau sydd wedi goroesi sy'n anarferol neu'n anghyffredin.

Dim ond dau lyfr litwrgïaidd o Gymru sydd wedi goroesi (a'u cynnwys i gyd yn Lladin) sydd â nodiant cerddorol sylweddol. Mae Llyfr Esgobol Bangor (c.1310–20), sydd wedi'i addurno'n goeth, yn cael ei gysylltu â'r Esgob Anian II o Fangor, er i'r llyfr gael ei lunio mewn ysgrifdy yn Nwyrain Anglia, ac er nad oes iddo ddim cynnwys amlwg 'Gymreig'. Ar y llaw arall, mae Antiffonari Penpont, a luniwyd ychydig yn ddiweddarach, ac a ddefnyddiwyd o bosibl yn eglwys Ioan Efengylydd, Aberhonddu, yn cynnwys Gwasanaeth i Ddewi Sant, gwasanaeth unigryw mewn odl sy'n cynnwys antiffonau, atebiadau, **emynau** a gweddïau i'w defnyddio ar 1 Mawrth ac achlysuron eraill. Fodd bynnag, mae llawer o'r gerddoriaeth ynddo wedi'i benthyg yn uniongyrchol o Wasanaeth Caersallog Sant Tomos a luniwyd yn gynharach (ac a gopïwyd gan nifer), ac mae ei destunau yn dilyn patrymau safonol o fesurau ac odlau a oedd yn gyffredin mewn gwasanaethau ar odl ar draws Ewrop yn yr Oesoedd Canol.

Mae cerddoriaeth Llyfr Esgobol Bangor hefyd yn gyson ag Arfer Caersallog, ond – am ei fod yn fath llawer mwy prin o lyfr, ar gyfer esgob – mae'n cynnwys rhai eitemau gyda nodiant na cheir mohonynt yn yr un llyfr gwasanaeth arall sydd wedi goroesi. Ar y cyfan, nid yw'r llond llaw o lyfrau litwrgïaidd eraill sy'n gysylltiedig â Chymru yn cynnwys unrhyw nodiant cerddorol o gwbl, er bod testunau unigryw yn anrhydeddu Sant Cadog, Sant Teilo, Sant Dyfrig (Dubricius) a Santes Gwenfrewi wedi goroesi hyd heddiw, ac mae'n bosibl fod alawon wedi'u cysylltu â'r rhain hefyd.

Mae'n debygol fod unrhyw ddarpariaeth gerddorol sylweddol (yn cynnwys polyffoni corawl ac organ) yn yr eglwys yng Nghymru ar ddiwedd yr Oesoedd Canol wedi'i chyfyngu i grŵp bychan iawn o sefydliadau. Y pennaf o'r rhain oedd Eglwys Gadeiriol Tyddewi, a sylfaenwyd, yn ôl pob tebyg, fel rhyw fath o glas mynachaidd, ond a ail-luniwyd ar ffurf Eingl-Normanaidd yn fuan wedi'r Goncwest. Ehangwyd ei darpariaeth gerddorol yn sylweddol tua 1365 gyda choleg siantri cyfagos yr Esgob Adam Houghton, sef Coleg y Santes Fair, a sylfaenwyd yn rhannol fel ateb i safon isel y litwrgi yn yr eglwys. Roedd prinder o offeiriaid lleol a fedrai ganu'n dda, a golygai hynny fod angen dod ag offeiriaid i mewn o Loegr, rhywbeth a gostiai'n fawr.

Lluniodd Houghton gasgliad hir o statudau ar gyfer Coleg y Santes Fair yn 1372, sy'n awgrymu bod addoli'r Forwyn Fair yn rhan amlwg o'r drefn ddyddiol. Byddai'r ddau fachgen o'r Coleg yn ymuno â phedwar aelod côr yr eglwys ar ddydd Sul ac ar ddyddiau **gŵyl** pwysig, ac erbyn tua 1500 roedd nifer y bechgyn wedi cynyddu i wyth. Erbyn hyn, un o'u

dyletswyddau pwysig oedd ymgynnull o flaen y groes ar y groglen ar ddiwedd pob dydd i ganu antiffon (neu 'anthem') i Iesu, 'Nunc Christe te petimus'.

Canodd Ieuan ap Rhydderch (c.1390–1470), yr uchelwr o fardd a addysgwyd yn Rhydychen, glodydd yr organ a'r côr yn Nhyddewi rai blynyddoedd ynghynt mewn cywydd a anerchai Dewi Sant, ac mae cyfrifon Tyddewi o'r 1490au yn cyfeirio at organ ac organydd a oedd hefyd yn feistr y côr. Yn ystod esgobyddiaeth Edward Vaughan (1509–22) y cyfansoddwr John Norman oedd yn y swydd hon. Bu Norman gynt yn gantor yn y tŷ Awstinaidd cefnog Llanthony Secunda, ger Caerloyw. Mae'n ddigon posibl i antiffon Cwmplin polyffonig Norman, 'Miserere mihi', sydd wedi goroesi hyd heddiw, gael ei ysgrifennu ar gyfer Tyddewi, er bod Norman wedi symud i Lundain erbyn 1521. Roedd meistr ar wahân i'r plant erbyn 1549, pan nododd comisiynwyr y siantri daliad o £10 i Lewis Morres; talwyd yr un swm hefyd i 'feistr y côr', heb ei enwi, yn 1557–8 'ar gyfer cadw'r organau a dysgu'r coryddion' (*for keeping of the organs and teaching of the choristers*').

Cyflawnwyd cynllun uchelgeisiol arall ar gyfer coleg siantri, a sylfaenwyd gan yr Esgob Thomas Bek, yn Llangadog rywbryd cyn 1283, ond fe'i symudwyd yn fuan wedi hynny i Abergwili (Caerfyrddin). Fel coleg y Santes Fair yn Nhyddewi, ei brif bwrpas oedd eiriolaeth ddyddiol reolaidd, y tro hwn ar ran y brenin, ei sylfaenydd a'r holl ffyddloniaid ymadawedig. Fe'i hailsylfaenwyd yn ddiweddarach fel Coleg yr Iesu yn Aberhonddu yn 1542, a olygodd drosglwyddo yn eu cyfanrwydd 'ganonau, prebendariaid, coryddion, organyddion a gweinidogion eraill … yn ogystal â'r llyfrau, urddwisgoedd, organau a'r offer a'r addurniadau eraill' ('*canons, prebendaries, quiriesters, organistes and the other mynisters … together with the books, vestiments, organes and other the implements and ornamentes*').

Mae llai o ddogfennaeth wedi goroesi o eglwysi cadeiriol eraill Cymru, er bod Dafydd ap Gwilym (fl.1330–50) a Gruffydd Grug (fl.c.1340–80) ill dau wedi canu clodydd yr offeryn ym Mangor, a bod yr offeiriad o Fôn, Dafydd Trefor (m.1528?), yn ddiweddarach wedi disgrifio'i sain swynol a safon cantorion yr eglwys gadeiriol. Yn yr un modd, dathlodd Iolo Goch ganu polyffoni yn Llanelwy tua 1400, a chanodd Guto'r Glyn (c.1435–c.1493) glodydd yr organ a'r gymuned ddysgedig yn eglwys blwyf Croesoswallt. Mae taliadau i gerddorion ac organyddion hefyd wedi'u cofnodi mewn eglwysi plwyf yng Nghaerdydd, Abertawe, Aberhonddu a Threfaldwyn, ac mae cist goeth yr organ (*c*.1540) wedi goroesi hyd heddiw yn eglwys San Steffan, Pencraig (Powys). Erbyn dechrau'r 17g. honnwyd mai'r organ yn eglwys blwyf Sant Silin yn Wrecsam oedd yr orau yng Nghymru, er na soniodd y beirdd erioed amdani.

Roedd llawer o gerddorion eglwysig cynnar Cymru yn weithgar y tu allan i Gymru. Yn eu plith yr oedd Robert Jones, **Siôn Gwynedd** a **John Lloyd**, a enwyd bob un mewn rhestr o 'ymarferwyr' cyfansoddi rhagorol a luniwyd gan Thomas Morley yn 1597. Roedd **Philip ap Rhys** (m.1566) yn rhy hen i ymddangos yma, er ei fod yn rhan o'r gymuned Gymreig fawr yn Llundain yn oes y Tuduriaid. O'i waith sydd wedi goroesi, y saith darn i'r organ (yn cynnwys eitemau ar gyfer offeren i'r organ) yw'r gerddoriaeth llawfwrdd gynharaf sydd ar gael y mae modd ei phriodoli i gyfansoddwr o dras Gymreig; mae rhywfaint o dystiolaeth hyd yn oed y gallai'r casgliad y maent yn rhan ohono fod â pheth cysylltiad â Thyddewi.

Dylanwad Seisnig: cerddoriaeth yn y Gymru Fodern Gynnar

Gyda Deddfau Uno 1536 ac 1542 tynnwyd Cymru yn rhan o deyrnas gyfunol gyda Lloegr, teyrnas a chanddi un canolbwynt, a sbardunodd hynny gyfnod o newid cymdeithasol mawr. Croesodd llawer o Gymry cefnog y ffin i gael **addysg** yn y **Prifysgolion** neu yn Ysbytai'r Brawdlys, gan ddychwelyd adref wedi magu hoffterau Seisnig amlwg. Câi eraill eu denu at destunau cerddorol dysgedig, fel yr uchelwr o Sir y Fflint, Sioned Conway (gw. **Conwy, Siôn**), a gyfieithodd *Apologia Musices* (1588), y testun Lladin hir gan y dyneiddiwr o Rydychen, John Case, o dan y teitl 'Klod kerdd dafod'.

Fodd bynnag, parhaodd teuluoedd tirfeddianwyr i gynnig nawdd traddodiadol i feirdd, ac mae hinsawdd ddiwylliannol Lleweni ger Dinbych, cartref teulu Salusbury, yn un o'r enghreifftiau gorau o'r ddeuoliaeth hon. Roedd John Salusbury (1566/7–1612), a urddwyd yn farchog gan Elizabeth yn 1601, yn ŵr llys pwerus ac yn fân fardd a dreuliai lawer o amser yn Llundain, ond byddai, serch hynny, yn croesawu'r beirdd i Leweni pan fyddai gartref dros y Nadolig.

Mae rhestr o 80 o deitlau alawon o Leweni, a gopïwyd tua 1595, yn cynnig sampl gynrychioliadol o adloniant Seisnig nodweddiadol y cartref hwn: mae'n cynnwys alawon **baledi** a dawns, darnau

unawd i'r liwt ac alawon theatr diweddar. Dim ond un teitl, 'Seedanen' (*Sidanen*), sydd â chysylltiadau Cymreig; mae'r alaw ei hun wedi'i cholli, er ei bod yn gysylltiedig â dau destun baled (un yn Saesneg, un yn Gymraeg) sy'n dathlu tras Gymreig y Frenhines Elizabeth. Mae arwyddion o ddeuoliaeth ddiwylliannol o'r fath mewn sawl lle, ac mae'n rhaid fod hynny wedi cael effaith ar gerddorion. Un o'r telynorion y gwyddom iddo ymweld â Lleweni yn yr 1590au oedd Thomas ap Richard, yr un Thomas Richards, yn ôl pob tebyg, ag a gyflogwyd gan Syr Edward Stradling o Sain Dunwyd yn 1584. Roedd galw mawr am Richards nid yn unig fel telynor barddol, ond hefyd am ei ddoniau ar 'offeryn a chanddo dannau gwifr' ('*stringed with wyar strings*', yn ôl llythyr gan Stradling at Richards, sy'n dyddio o'r un flwyddyn) – **telyn** Wyddelig mae'n debyg, a fyddai'n dod yn boblogaidd cyn hir yn y llys yn Lloegr. Roedd telynau o wahanol fathau yn dod yn fwyfwy poblogaidd yng nghartrefi Cymru, ac mae'n annhebygol mai telynor barddol traddodiadol oedd y telynor teulu a gyflogwyd gan Syr William Aubrey o Lantrithyd yn yr 1620au a'r 1630au.

Roedd llawer o gartrefi yn berchen ar **offerynnau**. Yn 1592 roedd firdsinalau, sacbytiau, cornetau, recorderau ac oboau i'w cael yng Nghastell Caeriw, cartref Syr John Perrot; roedd llyfrau canu yn y capel hefyd. Byddai teulu Wynn o Wydir hefyd yn dod â feiolau, liwtiau a thrwmpedau o Loegr rai blynyddoedd yn ddiweddarach, yn aml ar gyfer aelodau iau o'r teulu. Câi pwysigrwydd **addysg** gerddorol i ferched ei bwysleisio hefyd, ac yn 1621 cyflogwyd dyn ifanc o Gaersallog am ddeunaw mis i ddysgu'r feiol fas, firdsinalau a '*pricksonges by the booke*' (h.y. sut i ddarllen nodiant cerddorol) i ferched Bryncir, ger Porthmadog.

Mae'n glir y byddai cartrefi mwyaf Cymru yn mwynhau adloniant dramatig, weithiau wrth ddathlu priodasau neu ddigwyddiadau eraill, gan ddefnyddio talentau lleol yn aml. Mae dau ddarn yn Saesneg o waith masg o Leweni wedi goroesi o'r 1580au, a rhai blynyddoedd yn ddiweddarach ysgrifennodd Syr Thomas Salusbury o Leweni (1612–43) dri masg. Perfformiwyd dau o'r rhain yng nghastell y Waun, cartref ewythr Thomas, Syr Thomas Myddleton (1586–1666); mae testun 1634 (er, yn anffodus, heb gerddoriaeth) yn cynnwys pedair cân i Orpheus a chylch o bedair dawns.

Roedd y ddarpariaeth gerddorol yn y Waun hefyd yn nodedig mewn ffyrdd eraill. Yn yr 1630au adnewyddodd Myddleton gapel y castell, gan ffurfio ar yr un pryd ei sefydliad **corawl** bychan ei hun. Benthyciwyd cantorion dan gyfarwyddyd yr organydd William Deane o eglwys blwyf Wrecsam, ac yn 1632 comisiynwyd y saer organau sefydledig o Lundain, John Burward, i adeiladu organ (mae'r contract ar ei chyfer yn dal i fodoli heddiw). Mae set o lyfrau rhan o'r Waun wedi goroesi hyd heddiw, ac yn cynnwys *repertoire* y capel, a gynhwysai **anthemau** a gwasanaethau (rhai gan Deane ei hun) y gallai unrhyw sefydliad corawl bychan cyffelyb yn Lloegr yn y cyfnod hwnnw fod wedi'u canu.

Er bod llai o dystiolaeth am y gerddoriaeth a ganwyd ac a chwaraewyd mewn cylchoedd cymdeithasol is, yn sicr roedd digon ohoni. (Trafodir dyfodiad salmyddiaeth fydryddol gynulleidfaol, gan gynnwys y deuddeg alaw a gynhwyswyd yn sallwyr **Edmwnd Prys** yn 1621, yn yr erthygl **Crefyddol, Cerddoriaeth**.) Mewn cyd-destun mwy gwledig, câi diddanwyr poblogaidd, yn eu plith **ffidlwyr**, **crythorion**, pibyddion a thabyrddwyr, eu cyhuddo yn fynych gan reithgorau Cymru ar ddiwedd yr 16g. a dechrau'r 17g. am ddarfu ar yr heddwch, yn aml am iddynt ganu caneuon a oedd yn cynnwys awgrymiadau enllibus neu am chwarae yn ystod oriau gwasanaethau eglwys. Roedd eu cerddoriaeth yn amlwg yn llai dyrchafedig na cherdd dant y crefftwyr barddol traddodiadol, ond roedd yn sicr yn rhan amlwg o'r tirlun cerddorol ar y pryd.

Llyfryddiaeth

Gwyn Thomas, *Eisteddfodau Caerwys* (Caerdydd, 1968)

Osian Ellis, *Hanes y delyn yng Nghymru* (Caerdydd, 1980)

John Harper, 'Ailolwg ar Philip ap Rhys a'i Gerddoriaeth Organ Litwrgïaidd', *Hanes Cerddoriaeth Cymru*, 2 (1997), 126–72

Philip Weller, 'Golwg Gerallt Gymro ar Gerddoriaeth', *Hanes Cerddoriaeth Cymru*, 2 (1997), 1–64

Meredydd Evans, 'Canu Cymru yn yr unfed ganrif ar bymtheg', *Cof Cenedl*, 13 (1998), 33–67

Sally Harper (gol.) *Astudiaethau Robert ap Huw*, *Hanes Cerddoriaeth Cymru*, 3 (2000)

———, 'Tunes for a Welsh Psalter: Edmwnd Prys's Llyfr y Salmau', *Studia Celtica*, 37 (2003), 221–67

———, 'Datblygiad cerdd dant yng Nghymru yn yr Oesoedd Canol', *Cof Cenedl*, 19 (2004), 1–35

———, *Music in Welsh Culture before 1650* (Aldershot, 2007)

———, 'Dafydd ap Gwilym, Bardd a Cherddor'/Dafydd ap Gwilym, Poet and Musician', <http://www.dafyddapgwilym.net/> (Prifysgol Abertawe, 2007)

———, 'Canu'r "Songes of the Doeinges of their Auncestors": Agweddau ar Draddodiadau Cerddorol Cymru a Lloegr', *Llên Cymru*, 31 (2008), 104–117

———, 'Musical Imagery in the Poetry of Guto'r Glyn', 'Gwalch Cywyddau Gwŷr': *Essays on Guto'r Glyn and Fifteenth-Century Wales*, gol. Dylan Foster Evans, Barry J. Lewis & Ann Parry Owen (Aberystwyth, 2013), 177–202

Sally Harper

Cyrff, Y

Grŵp roc o ardal Llanrwst, Dyffryn Conwy oedd Y Cyrff a fu'n weithgar fel band o 1984–92. O dan ddylanwad Toni Schiavone, athro daearyddiaeth yn Ysgol Dyffryn Conwy, penderfynodd Mark Roberts ffurfio grŵp gyda rhai o'i gyfoedion. Dechreuodd Y Cyrff berfformio yn yr ysgol fel grŵp a oedd yn chwarae fersiynau Cymraeg o ganeuon The Clash (grŵp a fu'n ddylanwad mawr arnynt). Yr aelodau gwreiddiol oedd Mark Roberts (prif leisydd, gitâr), Barry Cawley (gitâr fas) a Dylan Huws (drymiau). Ymunodd Paul Jones yn ddiweddarach ar y gitâr fas gyda Cawley'n symud i'r gitâr flaen, ac fe ymunodd Mark Kendall fel drymiwr pan ymadawodd Dylan Huws er mwyn ymuno â'r grŵp pync Cymraeg, **Anhrefn**.

Yn dilyn nifer o berfformiadau ar hyd a lled gogledd Cymru yn 1984–5, daeth y grŵp i sylw cylch ehangach o Gymry o ganlyniad i'w hymddangosiad ar yr LP amlgyfrannog o ganeuon sîn 'tanddaearol' fyrlymus y cyfnod *Cam o'r Tywyllwch* (Anhrefn, 1985) gyda'r caneuon 'Lebanon' a 'Tic Toc'. Er na chawsant sylw teilwng gan y **cyfryngau** Cymraeg yn ystod eu cyfnod cynnar, roedd ymateb beirniadol ffafriol i'w cerddoriaeth amrwd, amgen a chyfwynebiadol, ynghyd â'r geiriau a oedd yn wleidyddol o ran natur ond heb fod yn amlwg genedlaetholgar.

Rhyddhawyd EP chwe chân o'r enw *Y Testament Newydd* (Sain) yn 1986, ac roedd yn flwyddyn nodedig iddynt am reswm arall hefyd. O ganlyniad i waith **Rhys Mwyn** yn hyrwyddo grwpiau Cymraeg y tu hwnt i Gymru, a'r sylw a roddodd y troellwr disgiau Radio 1, John Peel, i'r cerddorion hynny, derbyniodd Y Cyrff wahoddiad i chwarae mewn gig Cymraeg yn y Fulham Greyhound, Llundain, ym mis Ebrill 1986. Fel grŵp 'tanddaearol' rhoddwyd sylw iddynt y tu hwnt i ffiniau Cymru o'r dechrau. Parhaodd yr apêl ryngwladol hon wrth iddynt berfformio yng Ngwlad Pwyl yn 1988. Darlledwyd eu taith yno ar raglen gyntaf *Fideo 9* ym mis Mai y flwyddyn honno. Ynghyd â grwpiau fel Anhrefn, a oedd yn perfformio yn yr Almaen, ac Ewrop yn gyffredinol, roedd Y Cyrff yn nodweddu cyfnod o lwyddiant i gerddoriaeth Gymreig ar dir mawr Ewrop.

Erbyn rhyddhau eu sengl *Hwyl Fawr Heulwen/ Pethau Achlysurol* (Ankst, 1990) roedd arddull a sain y band wedi merwino rhywfaint a'u caneuon yn fwy poblogaidd. Lledaenodd eu hapêl ymhellach o ganlyniad. Recordiwyd eu halbwm olaf *Llawenydd Heb Ddiwedd* (Ankst, 1991) yn Stiwdio Les, Bethesda, ac ym marn nifer dyma un o recordiau mwyaf arwyddocaol hanes **canu pop** Cymraeg erioed. Cafodd un o'u caneuon enwocaf, 'Cymru, Lloegr, a Llanrwst', ei rhyddhau ar *Yr Atgyfodi* (1989), EP chwe chân ar eu label eu hunain. Yn wir, yn nhyb rhai, daeth y gân – gyda theitl y gân yn perthyn i ymadrodd lleol sy'n dyddio o gyfnod Llywelyn ap Gruffudd – yn anthem i genhedlaeth gyfan o Gymry Cymraeg.

Ynghyd â'u dawn i gyfansoddi caneuon trawiadol, bachog, bu geiriau Y Cyrff (a ysgrifennwyd gan eu prif leisydd, Mark Roberts) yn destun sylw academaidd. Gan gyfeirio at y gair *llyfraith* o'r llinell 'ailysgrifennwn y llyfraith' yn y gân 'Llawenydd heb Ddiwedd', dywedodd Damian Walford Davies mewn erthygl ar eiriau caneuon pop Cymraeg: 'Cywesgir dau air, dau syniad yn un. Wrth i'r gân ruthro i'w diwedd, ymddengys fod dau air yn uno'n sydyn yn afiaith y cyflymdra, dan bwysau'r odlau anorfod. Bethir term newydd yn y fan a'r lle [ac mae'n] fathiad beiddgar ... caiff "llyfrau" a "chyfraith" eu ffiwsio'n un ... [yr un] yw'r ddau air fan hyn, ac mae'r undod yn awgrymu awdurdod a hynafiaeth y "llyfrau cyfraith" Cymraeg – holl bwysau sefydliadol yr ysgrifenedig, y codedig, yr hyn sy'n cael ei dderbyn fel "Cyfraith"' (Davies 1996, 202–3).

Yn ystod eu hymgyrch i hyrwyddo'r record ar daith yn Tsiecoslofacia yn 1992, cyhoeddodd y grŵp eu bod am ddod i ben a hynny wedi wyth mlynedd o berfformio. Fyth ers i Mark Roberts gyfarfod **Cerys Matthews** yn 1991, roedd hi â'i bryd ar greu cerddoriaeth a apeliai y tu hwnt i Gymru. Dyma a sbardunodd ffurfio **Catatonia**, grŵp a ddaeth i nodweddu cyfnod o symud oddi wrth gerddoriaeth Gymraeg. Yn eironig, roedd llwyddiant **cerddoriaeth boblogaidd** Gymraeg yn hwb i gerddorion fel Mark Roberts a **Gruff Rhys** droi at y Saesneg fel cyfrwng i'w cerddoriaeth (gw. er enghraifft, ap Siôn 1996, 24). Yn nhyb rhai, fel Simon Brooks, roedd hyn o ganlyniad i anallu cerddorion o'r fath i wneud bywoliaeth ar sail cerddoriaeth Gymraeg yn unig (Brooks 1998).

Er eu bod erbyn heddiw yn cael eu cydnabod fel un o'r grwpiau pwysicaf a mwyaf dylanwadol yn hanes cerddoriaeth boblogaidd Gymraeg, roedd Y Cyrff yn grŵp a oedd ar yr ymylon yn ddiwylliannol ac yn nodweddu cyfnod o newid mawr yn niwylliant yr ieuenctid. Ynghyd â grwpiau fel Anhrefn, **Ffa Coffi Pawb**, Tynal Tywyll a'r Crumblowers, roedd eu gwelidigaeth amgen ynghylch dyfodol y diwylliant Cymraeg yn un arloesol, a chred un o sylfaenwyr cwmni recordiau Ankst, Emyr Glyn Williams, na fu grŵp cystal erioed wedyn. Yn 2006, penderfynodd Mark Roberts a Paul Jones ryddhau albwm ar label Rasal o'r enw *Oes*. Eu henw y tro hwn oedd Y Ffyrc, sef anagram o 'Cyrff'. Er i'r albwm a'r ailffurfio dderbyn sylw ar y pryd, ni ryddhawyd cynnyrch ganddynt wedyn.

Disgyddiaeth

'Pum Munud'/'Trwy'r Cymylau' [sengl] (SUS01, 1986)
Y Testament Newydd (Sain 1419P, 1987)
Y Cyrff [EP] (DNA 01, 1989)
Yr Atgyfodi (1989)
'Hwyl Fawr Heulwen'/'Pethau Achlysurol' [sengl] (Ankst 009, 1990)
Llawenydd Heb Ddiwedd (Ankst 016, 1991)

Casgliadau:
Mae Ddoe yn Ddoe... (Ankst 030, 1992)
Atalnod Llawn (Rasal CD012, 2005)

Llyfryddiaeth

Damian Walford Davies, '"Ailysgrifennwn y Llyfraith": Barddoniaeth y Canu Pop', *Hanes Cerddoriaeth Cymru*, 1 (1996), 180–205
Pwyll ap Siôn, 'Cerdd Dant, Cerdd Dafod a'r Cyfryw Anifeiliaid Blewog', *Barn*, 404 (Medi, 1996), 24–25
Simon Brooks, *Diwylliant Poblogaidd a'r Gymraeg* (Cyfres y Cynulliad) (Talybont, 1998)
Hefin Wyn, *Ble Wyt Ti Rhwng?* (Talybont, 2006)

Gethin Griffiths a Pwyll ap Siôn

Cystadlaethau Cerddorol

BBC Canwr y Byd

Un o ddyrnaid dethol o gystadlaethau canu rhyngwladol sydd i'w cael ac un sy'n dwyn cryn sylw i Gymru. Fe'i cynhelir bob yn ail flwyddyn yn y brifddinas a'r trefnwyr yw BBC Cymru ar y cyd ag Opera Cenedlaethol Cymru a Chyngor y Ddinas. Syniad J. Mervyn Williams (1935–2009), pan oedd yn bennaeth cerdd BBC Cymru, oedd y gystadleuaeth, a gynhaliwyd am y tro cyntaf yn 1983, ac Anna Williams a fu'n gweinyddu'r digwyddiad o'r cychwyn. Yr enillydd cyntaf oedd Karita Mattila (g.1960), soprano o'r Ffindir sydd bellach yn un o gantorion mwyaf adnabyddus y byd.

Bydd rhai cannoedd o gantorion o bob cwr o'r byd yn ymgeisio am le yn y rowndiau terfynol a gynhelir yn Neuadd Dewi Sant (Caerdydd), yn dilyn clyweliadau mewn gwahanol leoliadau ar hyd a lled y byd. Fel arfer, enillydd cystadleuaeth Canwr Ifanc Cymru sy'n cynrychioli'r famwlad. Noddwr cyntaf y gystadleuaeth oedd Joan Sutherland (1926–2010), ac fe'i holynwyd gan Kiri Te Kanawa (g.1944). Ceir darllediadau ar deledu gan BBC 4 a BBC Wales TV, ac ar radio gan BBC Radio 3 ynghyd â BBC Radio Cymru a Radio Wales.

Yn 1989, dechreuwyd cyflwyno Gwobr Lieder, a ailenwyd yn Wobr y Gân yn 2001. O 2003, daeth y wobr hon yn gystadleuaeth ar wahân o dan yr enw BBC Canwr y Byd Caerdydd – Gwobr Rosenblatt am Ddatganiad o Ganeuon; yn ddiweddarach newidiwyd yr enw i BBC Canwr y Byd Caerdydd – Gwobr Caneuon y Byd. Yn 2001, enillwyd y ddwy wobr gan y tenor o Rwmania, Marios Brenciu (g.1973), ac ymhlith enillwyr y brif wobr y mae Nicole Cabell (2005), Shen Yang (2007) a Jamie Barton (2013).

Roedd yr ymgiprys yng nghystadleuaeth 1989 rhwng y **Bryn Terfel** ifanc a'r bariton o Siberia, Dimitri Hvorostovsky (1962–2017), gyda'r naill yn ennill y Wobr Lieder a'r llall yn cipio'r brif wobr yn hynod o gofiadwy. Cafodd y ddau yrfaoedd hynod lewyrchus wedi hynny er mai'r Cymro a fwynhaodd yr ystod fwyaf eang o waith o safbwynt *repertoire*. Ymhlith y beirniaid bu rhai o'r cantorion a'r cerddorion gorau, yn eu plith Syr **Geraint Evans**, Carlo Bergonzi, Marilyn Horne, Anne Evans, Gwyneth Jones a Gundula Janowitz. Mae ennill y gystadleuaeth yn sicr yn hwb mawr i yrfa canwr ifanc ar drothwy gyrfa ryngwladol, ond mae'r broses o gystadlu ynddi ei hun yn cynnig cyfle i gantorion droedio un o'r llwyfannau pwysicaf o'i fath yn y byd cerdd cyfoes.

Llyfryddiaeth
cy.wikipedia.org/wiki/BBC_Canwr_y_Byd_Caerdydd
www.bbc.co.uk/programmes/po1c4fsn

Lyn Davies

D

Dafydd, Fflur (g.1978)

Cerddor, cyfansoddwraig a nofelydd o Gaerfyrddin yw Fflur Dafydd. Yn ferch i'r bardd adnabyddus Menna Elfyn, fe'i magwyd yn Llandysul gan dderbyn ei haddysg yn Ysgol Dyffryn Teifi ac yna ym Mhrifysgol Aberystwyth, lle graddiodd mewn Saesneg. Cipiodd y Fedal Lenyddiaeth yn **Eisteddfod** yr Urdd, Llanbedr Pont Steffan yn 1999.

Dechreuodd ei gyrfa gerddorol fel pianydd a lleisydd gyda'r Panics, a ffurfiwyd yn 2001. Rhyddhaodd y band EP o'r enw *Pethau Rhyfedd* yn 2004 ar label Recordiau Awen. Flwyddyn yn ddiweddarach, gyda'r band wedi dod i ben, recordiodd Fflur Dafydd ei halbwm gyntaf, *Coch Am Weddill Fy Oes* (Recordiau Kissan, 2005). Roedd y band (o'r enw Y Barf) a ffurfiwyd i gyfeilio i'w chaneuon yn cynnwys Rhys James (gitâr, gynt o'r Mattoidz), Iestyn Jones (gitâr fas), Jon Bradford Jones (drymiau) ac Iwan Evans (allweddellau a sacsoffon) fel aelodau sefydlog. Gyda'r band yn ei le, ymddangosodd Fflur Dafydd ar sesiwn C2 Radio Cymru, a rhyddhawyd y sengl 'Helsinki' ar label Rasal a gafodd gryn sylw cadarnhaol. Adlewyrcha'r gân ddiddordeb Fflur a'r band mewn archwilio arddulliau **roc a phop** megis ffync a *soul*, ac fe'i dilynwyd gan *Un Ffordd Mas* (Rasal, 2007).

Rhoddwyd cryn glod a sylw hefyd i *Byd Bach* (Rasal, 2009), albwm cysyniadol sy'n olrhain hanes taith mewn car ar hyd yr A470 ac ardaloedd eraill yng Nghymru. Daeth y thema o fannau penodol a lleoliadau yn ysbrydoliaeth i gylch o ganeuon safonol a oedd yn gyfuniad effeithiol o eiriau a chynnwys cerddorol, gyda'r pwyslais yn symud o gyfeiriad ffync i roc operataidd, motown at ganeuon mwy acwstig eu naws. Enwebwyd *Byd Bach* ar gyfer gwobr Albwm y Flwyddyn yng Ngwobrau Roc a Phop BBC Cymru ac yn 2010 derbyniodd Fflur Dafydd Wobr Roc a Phop BBC Cymru fel Artist Benywaidd y Flwyddyn.

Dilynwyd *Byd Bach* gan *Ffydd Gobaith Cariad* yn 2012, albwm personol a hunangofiannol. Mae hi'n adnabyddus hefyd fel nofelydd; enillodd ei nofel *Y Llyfrgell* (2010) Wobr Goffa Daniel Owen yn yr Eisteddfod Genedlaethol ac mae'r nofel bellach wedi'i throi'n ffilm. Yn wir, mae'r cyfuniad o grefftwaith geiriol a cherddorol yn un o gryfderau pennaf caneuon Fflur Dafydd.

Disgyddiaeth

Coch Am Weddill Fy Oes (Kissan CD006, 2005)
Un Ffordd Mas (Rasal CD020, 2007)
Byd Bach (Rasal CD031, 2009)
Ffydd Gobaith Cariad (Rasal CD036, 2012)

Craig Owen Jones a Pwyll ap Siôn

'Dafydd y Garreg Wen'

Ar un adeg bu dadlau ynglŷn â dilysrwydd Cymreig y gân bruddglwyfus hon, pa un ai yn yr Alban neu hyd yn oed yn Rwsia yr oedd ei gwreiddiau. Ond yng nghasgliad **Edward Jones**, *Musical and Poetical Relicks of the Welsh Bards* (1784), yr ymddangosodd am y tro cyntaf, a dywedir yno mai telynor o'r enw Dafydd sy'n ei chanu ar ei wely angau. Mae'n debyg mai person go iawn, Dafydd Owen (*c.*1711–41), a adwaenid wrth enw ei gartref, Y Garreg Wen, Ynyscynhaearn, ger Porthmadog, oedd y telynor hwnnw. Lluniodd y bardd Ceiriog (John Ceiriog Hughes) eiriau i'r alaw pan gyhoeddwyd hi gan **Brinley Richards** yn ei *Songs of Wales* (1873): 'Cariwch medd Dafydd fy nhelyn i mi, / Ceisiaf cyn marw roi tôn arni hi; / Codwch fy nwylo i gyrraedd y tant, / Duw a'ch bendithio, fy ngweddw a'm plant.' Ond hyd y gwyddom, gŵr dibriod oedd Dafydd Owen.

Gareth Williams

Brawddeg agoriadol yr alaw enwog 'Dafydd y Garreg Wen'

Datblygu

Band roc amgen oedd Datblygu a ffurfiwyd yn Aberteifi yn 1982 gan David R. Edwards (llais) a T. Wyn Davies (allweddellau); ymunodd Pat[ricia] Morgan (gitâr fas ac offerynnau eraill) â'r grŵp yn 1984. Bu Datblygu yn ddylanwad aruthrol ar genhedlaeth o gerddorion ifanc o'r 1980au ymlaen.

Ar ôl cyfnod hir o gerddoriaeth bop-roc Gymraeg brif-ffrwd ar label Sain, yn dilyn y symudiad pync fe wawriodd cyfnod o labeli annibynnol a cherddoriaeth yn null y don newydd (*new wave*) Eingl-Americanaidd. Yn ystod y cyfnod hwn roedd Datblygu yn creu cerddoriaeth unigryw y tu hwnt i sylw'r cyfryngau pop a roc Cymraeg. Roeddynt yn herio cerddoriaeth gyfredol yn hytrach na'i chofleidio.

Drwy gyfrwng ei eiriau, roedd David R. Edwards yn rhoi llais i realiti bywyd cefn gwlad Cymru yn oes Thatcher ac yn defnyddio'r iaith Gymraeg nid fel symbol gobaith ac etifeddiaeth ond fel mynegiant o'r ymylon. Gyda syntheseisyddion a pheiriant drymiau, yn gerddorol roedd Datblygu yn agosach at bop cyfoes Lloegr na phop Cymru, gyda dylanwadau grwpiau fel Cabaret Voltaire a Joy Division yn amlwg ar ganeuon megis 'Y Teimlad', a recordiwyd yn ddiweddarach gan y **Super Furry Animals**.

Cyfnod mwyaf creadigol y band oedd rhwng 1988 ac 1990, pan ryddhawyd dwy record hir *Wyau* (Anhrefn, 1988) a *Pyst* (Ofn, 1990), gyda'r naill yn cynnwys caneuon rhythmig ac egnïol megis 'Cristion yn y Kibbutz' a '**Dafydd Iwan** yn y Glaw', tra bod y llall yn fwy tywyll a phesimistaidd, fel yn y gân 'Nos Da Scum'. Erbyn rhyddhau *Libertino* (Ankst, 1993) roedd y grŵp wedi symud i gyfeiriad ychydig yn fwy masnachol, er fod testunau nifer o'r caneuon yn parhau i fod yn wrthsefydliadol (e.e. 'Dim Deddf, Dim Eiddo'). Cydnabuwyd gallu geiriol Edwards pan gyhoeddwyd cyfrol o'i farddoniaeth, *Al, Mae'n Urdd Camp* (Lolfa, 1992) fel rhan o gyfres y Beirdd Answyddogol.

Oherwydd eu hagwedd wrthsefydliadol, ni chafodd Datblygu eu derbyn gan y cyfryngau Cymraeg, ar wahân i'r rhaglen fideo *Fideo 9* gyda **Geraint Jarman** yn gynhyrchydd, a rhaglen radio Nia Melville 'Heno Bydd yr Adar yn Canu'. Y tu hwnt i Gymru, rhoddodd John Peel, troellwr recordiau BBC Radio 1, gefnogaeth gyson iddynt ac i sŵn newydd roc Cymraeg ac fe recordiodd y grŵp nifer o sesiynau ar gyfer ei raglen. Chwalodd y grŵp yn 1995. Yn 2012 aildaniwyd diddordeb ynddynt a hithau'n ddeng mlynedd ar hugain ers eu sefydlu. Dechreuodd David Edwards a Pat Morgan recordio caneuon newydd, ac yn 2015 roedd croeso brwd i'w hailymddangosiad ar y llwyfan yng Nghanolfan Mileniwm Cymru ar gyfer **Gŵyl** CAM.

Disgyddiaeth

Amheuon Corfforol [casét] (Neon 008, 1982)

Trosglwyddo'r Gwirionedd [casét] (Neon 009, 1983)

Fi Du [casét] (Neon 012, 1984)

Caneuon Serch i Bobl Serchog [casét] (Neon 015, 1984)

'Y Teimlad' a 'Nefoedd – Putain Prydain', ar *Cam o'r Tywyllwch* (Anhrefn 002, 1985)

'Hollol , Hollol, Hollol'/'Cyn Symud i Ddim', ar *Gadael yr Ugeinfed Ganrif* (Anhrefn 004, 1985)

Hwgr-grawth-og [EP] (Anhrefn 008, 1986)

Wyau (Anhrefn 014, 1988)

Pyst (Ofn 12, 1990)

Blwch Tymer Tymor [Casét] (Ankst 021, 1991)

Llwybr Llaethog v Tŷ Gwydr v DJ DRE (Ankst 025, 1991)

Peel Sessions (Ankst 027, 1992)

Libertino (Ankst 037, 1993)

'Cân y Mynach Modern' [sengl] (Ankst 121, 2008)

Darluniau Ogof o'r Unfed Ganrif ar Hugain [EP] (Ankst 132, 2012)

Erbyn Hyn (Ankst 136, 2013)

Llyfryddiaeth

David R. Edwards, *Al, Mae'n Urdd Camp* (Talybont, 1992)

———, *Atgofion Hen Wanc* (Talybont, 2009)

Sarah Hill

Datgeiniad

Llefarydd barddoniaeth oedd y datgeiniad neu'r datgeinydd, a fyddai weithiau'n cyfeilio iddo'i hun ag offeryn neu o bosibl â ffon. Cyfeirir ato'n gyntaf ymhlith trioedd olaf dau fersiwn diweddar o ramadeg y beirdd: mae fersiwn *Llyfr Coch Hergest* (a gopïwyd rhwng 1382 ac 1410) yn nodi mai 'damwein yw kaffael datkeinyat a datkano kerd yn gwbyl megys y kano y prydydd', a fersiwn arall ychydig yn fwy diweddar yn nodi ymhellach: 'Tri pheth a vrddassant gerd: ehudrwydd ac ehofynder parabyl ac ethrylith y datkeinad, ac awdurdawt y prydyd, a chyuarwydyt ar gerddwryaeth yn barnu'.

Roedd llefaru clir yn hanfodol i'r datgeiniad, ynghyd â dychymyg addas ac (o bosibl) afael ar fesurau **cerdd dant**, er bod y datgan mewn llawer achos ymhell o fod yn gywir, fel y noda'r dyfyniad uchod. Serch hynny, roedd swyddogaeth hanfodol i'r datgeiniad proffesiynol, ac mae'r bardd Guto'r Glyn (*c*.1435–*c*.1493) yn dathlu huodledd y datgeiniad Rhys Bwtling, a ddisgrifir ganddo fel 'mab huotlaf'.

Mae ffynonellau diweddarach yn honni bod Rhys yn dod o Brestatyn ac mai ef oedd datgeiniad buddugol eisteddfod Caerfyrddin *c.*1452: copïwyd rhai o'i alawon neu 'brifgeinciau' tybiedig hefyd (gw. isod) mewn llawysgrif o ddechrau'r 17g.

Ymhelaethir mewn dull llawer mwy trefnus ar y disgrifiadau cynnar o'r datgeiniad yn Statud Gruffudd ap Cynan, y gyfres enwog o reolau barddol a gysylltir ag eisteddfod gyntaf Caerwys, 1523 (er eu bod, mae'n debyg, yn rhoi trefn ffurfiol ar agweddau ar arferion llawer cynharach). Mae'r rheolau hyn yn dal i gynnal y rhaniad clir rhwng y datgeiniad a'r bardd o ran statws a chyfrifoldeb. Y prif wahaniaeth yw bod y datgeiniad yn canu rhywbeth sydd eisoes yn bodoli, a'r bardd, neu'r 'gwnaethuriadwr', yn creu rhywbeth gwreiddiol, 'y peth niwnaethbwyd erioed'.

Mae gofynion y gwahanol fersiynau o'r Statud yn amrywio cryn dipyn, ond mae'n amlwg fod rhai datgeiniaid yn llawer mwy medrus nag eraill. Mae un fersiwn cynnar a gopïwyd gan y bardd William Llŷn (1534/5–80) yn pennu dwy lefel o ddatgeiniad. I ennill grôt, roedd angen i'r datgeiniad wasanaethu fel gwas i'r bardd a chynnig medrau sylfaenol yn ymwneud â cherdd dafod. Roedd y rhain yn cynnwys darllen a deall Cymraeg; dosbarthu a datgan englyn, cywydd ac awdl, a rhoi gwybod i'r prydydd am unrhyw wallau yn ei waith. Dylai hefyd wybod sut i gyfansoddi englyn.

I ennill grôt arall, roedd rhaid iddo ddeall elfennau **cerdd dant** yn ogystal â cherdd dafod. Roedd rhaid iddo ddysgu'r holl 'blethiadau' (chwe dull gwahanol o daro'r tannau), 'profiad' cyffredin, y 'gostegion' (grŵp o bedwar darn) a'r tri ar ddeg o 'brifgeinciau'. Roedd angen iddo wybod hefyd sut i gyflwyno cywydd ar y ceinciau hynny. Yn ychwanegol at hyn oll, mae'r fersiwn yn y Llyfrgell Brydeinig (BL Additional 15038) yn disgwyl iddo allu canu'r delyn a'i chyweirio ('kanv telyn ai chwerio') a 'gwybod kwlwm a chaniad'.

Ar y dechrau, roedd y Statud yn gwahardd datgeiniaid yn benodol rhag symud i fyny drwy'r gyfres o raddau a oedd ar gael i feirdd a cherddorion, ac yn eu rhwystro rhag mynd o amgylch ar eu pennau eu hunain. Roedd disgwyl iddynt hefyd weithredu fel gweision personol i'r prydydd y byddent yn teithio yn ei gwmni (roedd eu dyletswyddau weithiau'n cynnwys gosod y bwrdd a cherfio pob math o aderyn); byddai rhai'n gwasanaethu fel arwyddfeirdd yn ogystal, gyda chyfrifoldeb am olrhain llinach y noddwr. Fodd bynnag, yn y fersiwn o'r Statud sydd wedi goroesi yn llawysgrif Peniarth 158 yn y **Llyfrgell**

Genedlaethol, mae'r datgeiniad yn cael safle uwch, ochr yn ochr â'r bardd, y **telynor** a'r **crythor**, fel ymarferwr un o'r pedair 'kerdd raddol' (celfyddydau graddedig): gallai bellach gymhwyso'n 'ddisgybl ysbas' neu'n 'ddisgybl disgyblaidd'.

Mae'n arbennig o arwyddocaol fod y Statud yn mynnu bod y datgeiniad yn gwybod y tair ar ddeg (weithiau pedair ar ddeg) o brifgeinciau 'ar delyn ne grwth' a gwybod sut i'w datgan (eu 'canu hwy ai dafod'). Mae'r fersiwn yn MS Additional 15038 y Llyfrgell Brydeinig fel petai'n bur fanwl ynghylch sut y câi'r rhain eu defnyddio: 'Datgeiniad a ddyle wybod … 14 o brif geinkeu ar danne a datgan kowydd gida hwy'. Nid oes dim wedi goroesi o'r prifgeinciau ar wahân i'w teitlau, sy'n digwydd gyntaf fel dwy restr ar wahân yn Llawysgrif Peniarth 126 (*c.*1500). Mae'r un teitlau'n digwydd ynghyd ag amryfal ychwanegiadau mewn sawl rhestr ddiweddarach, lle cânt eu priodoli bron yn ddieithriad i'r cerddorion Cadwgan a Chyhelyn.

Mae'n ddigon posibl nad oeddynt yn ddim mwy na fformiwlâu byr a gâi eu hailadrodd ar delyn neu grwth, a'u defnyddio i bob pwrpas i gadw 'curiad' rheolaidd y pennill, gan alluogi'r datgeiniad i ddod â'i batrymau geiriol yn fyw. Roedd angen offeryn ar gyfer y math hwn o gyfeiliant, er bod un fersiwn diweddar o Statud Gruffudd ap Cynan yn cyfeirio at ddosbarth is o lefarwyr a elwid yn 'ddatgeiniaid pen pastwn', a gyfeiliai iddynt eu hunain â dim mwy na ffon braff. Mae'r grŵp perfformio Datgeiniaeth sy'n cael ei hyfforddi gan Peter Greenhill wedi arbrofi'n llwyddiannus iawn yn ddiweddar â'r math hwn o gyfeilio â phastwn.

Llyfryddiaeth
Gwyn Thomas, *Eisteddfodau Caerwys* (Caerdydd, 1968)

Meredydd Evans, 'Canu Cymru yn yr unfed ganrif ar bymtheg', *Cof Cenedl*, 13 (1998), 33–67

Sally Harper, *Music in Welsh Culture before 1650: A Study of the Principal Sources* (Aldershot, 2007)

Sally Harper, 'Dafydd ap Gwilym, Bardd a Cherddor'/ Dafydd ap Gwilym, Poet and Musician', <http://www.dafyddapgwilym.net/> (Prifysgol Abertawe, 2007)

Sally Harper

Davies, Aled Lloyd (g.1930)

Datgeinydd a hyfforddwr **cerdd dant**, awdur, arbenigwr ar y grefft o 'osod' y gyfalaw ac un o brif ladmeryddion cerdd dant yn yr 20g. Fe'i ganed yn Nhŷ'r Ysgol, Brithdir, ger Dolgellau. Roedd ei dad yn brifathro'r ysgol yno ac yn rhoi llawer o sylw i farddoniaeth, hanes a daearyddiaeth, tri maes a fu'n ddylanwad arhosol arno. Canodd Aled Lloyd Davies osodiadau 'benthyg' wedi'u codi o'r llyfr *Y Tant Aur* (1911) gan Dafydd Roberts, telynor dall Dinas Mawddwy, hyd nes iddo ddechrau gosod y gyfalaw ei hun ar y ceinciau maes o law. Derbyniodd weddill ei addysg yn Ysgol Tŷ Tan Domen, Y Bala, a Choleg **Prifysgol** Cymru, Aberystwyth, lle graddiodd mewn daearyddiaeth.

Ni fu fawr o gyfle iddo ymhél â cherdd dant yn ystod ei gyfnod o ddwy flynedd yn adran addysg y fyddin, ond y flwyddyn ganlynol, ac yntau'n dysgu ym Mhenbedw, dechreuodd hyfforddi parti o ferched o Aelwyd yr Urdd, Penbedw, a dychwelodd ei awch am y grefft. Ar ôl cael ei benodi'n athro yn Ysgol Brynhyfryd, Rhuthun, yn 1955 bu'n hyfforddi'r ieuenctid gan ennill llu o wobrau yn y **gwyliau** cenedlaethol. Yn ystod y cyfnod hwn hefyd, yn 1956, y sefydlodd y parti Meibion Menlli, a fu'n fuddugol sawl gwaith yn yr **Eisteddfod** Genedlaethol ac a gynhaliodd dros 500 o gyngherddau cyn rhoi'r gorau iddi yn 2004.

Daliodd Aled Lloyd Davies i ddysgu weddill ei yrfa, gan gael ei benodi yn brifathro Ysgol Maes Garmon, Yr Wyddgrug, maes o law; ymddeolodd yn 1985 ar ôl ugain mlynedd yno. Derbyniodd raddau MA a PhD (Prifysgol Bangor) am ei ymchwil i hanes cerdd dant a daeth yn gymrawd o'r Eisteddfod Genedlaethol yn 2004 am ei gyfraniad i'r sefydliad.

Yn ystod ei gyfnod yn Ysgol Maes Garmon, bu'n cydweithio'n agos gyda'r cerddor **Rhys Jones** (1927–2015) gan lunio chwe sgript ar gyfer sioeau cerdd a geiriau ar gyfer caneuon unigol. Ffrwyth llafur y ddau oedd perfformiadau o'r sioeau ym Mhafiliwn Corwen ac mewn **Eisteddfodau** Cenedlaethol, megis *Ciliwch Rhag Olwen* (1972) a *Ffantasmagoria* (1975). Rhyddhaodd y ddau hefyd ddwy gyfrol o ganeuon yn fwy diweddar: *Digon i Mi* (Gwynn, 2004) a *Razzamatazz*, caneuon i blant a phobl ifanc (Gwynn, 2007).

Ymhlith ei gyhoeddiadau pwysicaf fel awdur ar gerdd dant y mae'r ddwy gyfrol dan y teitl *Canrif o Gân*, sy'n olrhain datblygiad y grefft ym Meirionnydd, Dinbych a'r Fflint 1881–1998 (Cyf. 1, 1999) ac ym Môn, Arfon, Llŷn ac Eifionydd, Maldwyn, y De-Orllewin, Cwm Tawe a'r De-Ddwyrain (Cyf. 2, 2000); *Cerdd Dant: Llawlyfr Gosod* (1983); a thraethawd hir ar ddatblygiad cerdd dant. Dau o'i gyhoeddiadau eraill yw *Canu'r werin yng Ngogledd-ddwyrain Cymru* (Darlith Goffa **Amy Parry-Williams**, 1998) a *Pwyso ar y Giât* (Gwasg y Bwthyn, 2008).

Rhyddhaodd hefyd nifer o recordiau a chryno-ddisgiau fel unawdydd a chyda Meibion Menlli, yn eu plith *Hen Win* (Sain, 1978), *Gwin Hen a Newydd: Wyth canrif o gân ar Gerdd Dant* (Sain, 1999), a *Cyn Cau'r Drws* (Sain, 2007), casgliad o hen draciau Aled Lloyd Davies gyda Meibion Menlli.

Llyfryddiaeth
Aled Lloyd Davies, *Cerdd Dant: Llawlyfr Gosod* (Caernarfon, 1983)

———, *Hud a Hanes Cerdd Dannau* (Y Bala, 1984)

———, 'Agweddau ar Gelfyddyd Cerdd Dant' (traethawd MA Prifysgol Bangor, 1985)

———, 'Agweddau Pellach o Ddatblygiad Cerdd Dant' (traethawd PhD Prifysgol Bangor, 1994)

———, *Canu'r Werin yng Ngogledd-Ddwyrain Cymru* (Aberystwyth, 1998)

———, *Canrif o Gân* (Llangwm, 1999)

———, *Pwyso ar y Giât* (Caernarfon, 2008)

Sioned Webb

Davies, Bryan (1934–2011)

Ganed y cyfeilydd a'r cyfansoddwr Bryan Davies i deulu glofaol yng Nglyn Rhedynog (Ferndale) yn y Rhondda Fach, ac yno y bu'n byw ar hyd ei oes. Fe'i haddysgwyd yn yr ysgol ramadeg leol lle sylwyd yn gynnar ar ei ddawn gerddorol a bu'n canu'r piano ar y radio yn bedair ar ddeg oed. Fe'i haddysgwyd ymhellach yng Ngholeg Cerdd a Drama'r Castell, Caerdydd (y Coleg Brenhinol Cerdd a Drama yn ddiweddarach), ac yng ngholeg hyfforddi athrawon Bretton Hall yng ngogledd Lloegr. Bu'n dysgu yn Llundain am gyfnod cyn dychwelyd i'r Rhondda lle bu'n athro ysgol am weddill ei yrfa. Ar wahanol adegau bu'n astudio gyda chyfansoddwyr a phianyddion amlwg fel Ralph Vaughan Williams, Aram Khachaturian, Vlado Perlemuter ac Aaron Copland.

Wedi iddo ymddeol fel athro fe'i penodwyd i staff y Coleg Cerdd a Drama yng Nghaerdydd fel hyfforddwr llais a phiano a bu'n cyfeilio mewn dosbarthiadau meistr i unawdwyr rhyngwladol fel Brigitte Fassbaender, Raphael Wallfisch a Wen Zhou Li. Cydnabuwyd ei allu fel cyfeilydd o'r safon uchaf oll gan gantorion amlycaf Cymru, yn eu plith Gwyneth Jones, **Stuart Burrows**, **Bryn Terfel**, **Rebecca Evans**, **Gwyn Hughes Jones** a Jason Howard. Fe'i disgrifiwyd gan Rebecca Evans fel 'Rachmaninov y Rhondda'.

Roedd galw mynych am ei wasanaeth fel cyfeilydd a beirniad mewn **eisteddfodau** a **gwyliau** cerdd ledled

Cymru. Ac yntau bob amser yn barod ei gymwynas, prin fod côr yng Nghymru, a chôr meibion yn arbennig, na fu Bryan Davies yn cyfeilio iddo ar ryw adeg, ac roedd cysylltiad agos rhyngddo a **chorau meibion** Treorci a Phendyrus a Chôr Meibion De Cymru. Caent hwythau fwynhad arbennig o sawl trefniant o'i eiddo fel ei osodiad hynod effeithiol o **emyn-dôn** fawreddog J. Morgan Nicholas, 'Bryn Myrddin', a'r gân Iddewig, *Hava Nagila*.

Yn ogystal â'i feistrolaeth dechnegol lwyr ar y piano, roedd ganddo allu arbennig wrth gyfeilio i addurno'n chwaethus ac ymhelaethu ar y cyfeiliant ffurfiol i gytgan opera gyda deunydd o'r rhannau cerddorfaol nes ei fod, yng ngeiriau **arweinydd** côr meibion Treorci, John Cynan Jones, yn 'fand un-dyn'. Mae'r nodiadau a ysgrifennodd ar gyfer cloriau cryno-ddisgiau labeli Chandos a Deutsche Grammophon yn tystio ymhellach i helaethrwydd ei wybodaeth gerddorol. Cyfrifir y gŵr diymhongar hwn o Gwm Rhondda a fu farw ar 2 Ebrill 2011 yn un o bianyddion disgleiriaf Cymru.

Llyfryddiaeth

Gareth Williams, 'Brian Davies: Pianist described as "the Rachmaninov of the Rhondda",' *Independent,* 5 Gorffennaf 2011

Gareth Williams

Davies, Clara Novello (1861–1943)

Côr-feistres a hyfforddwraig llais a aned yng Nghaerdydd, yn ferch i Jacob a Margaret Davies. Fe'i henwyd ar ôl y gantores Eidalaidd, Clara Anastasia Novello (1818–1908), merch Vincent Novello, y cyhoeddwr cerddoriaeth. Cafodd ei haddysg gerddorol gan ei thad, Dr Frost, Frederick Atkins a Dr Charles Williams a oedd yn organydd yn Eglwys Gadeiriol Llandaf. Erbyn iddi gyrraedd ei harddegau roedd wedi ei sefydlu'i hun fel athrawes biano a llais yng Nghaerdydd.

Sefydlodd gôr merched yng Nghaerdydd yn 1883 a enillodd statws rhyngwladol yn dilyn eu llwyddiant yn **Eisteddfod** Ffair y Byd, Chicago, yn 1893 wrth ganu *Yr Arglwydd yw fy Mugail* (Schubert) a *Spanish Gypsy* (Lassen). Ar ôl taith o amgylch America dychwelodd y côr i Gymru a derbyn gorchymyn brenhinol i ganu yn Osborne House gerbron y Frenhines Victoria yn 1894. Rhoddwyd sêl bendith y Frenhines arnynt, a chawsant eu hadnabod wedi hynny fel 'The *Royal* Welsh Ladies' Choir'; y côr cyntaf erioed i hawlio'r teitl hwnnw. Bu'r côr yn teithio ar hyd a lled y byd,

gan ennill cydnabyddiaeth nodedig i Clara Novello Davies fel **arweinyddes**. Cafodd glod arbennig yn Arddangosfa Paris, 1900, pan gyflwynwyd y Médaille de Mérite iddi gan lywodraeth Ffrainc.

Priodolwyd llwyddiant y côr i'w sain gyfoethog, unigryw; sain a ddatblygodd o ganlyniad i ddulliau a thechnegau lleisiol newydd a fireiniwyd ganddi yn ystod ei gyrfa. Canolbwyntiai'r technegau ar y berthynas rhwng y llengig ac ansawdd y llais wrth siarad a chanu fel ei gilydd. Bu'n cydweithio gyda meddygon y cyfnod i archwilio budd meddygol ei dulliau trwy arbrofi ar gleifion a ddioddefai o glefydon yr ysgyfaint. Yn 1928, cyhoeddodd lyfr a eglurai'r dulliau hyn dan y teitl *You Can Sing*, gan ei gyflwyno i'w mab, **Ivor Novello**. Bu'n hyfforddi disgyblion o bedwar ban byd, a rhannodd ei hamser rhwng ei chartrefi a'i stiwdios yng Nghaerdydd, Bryste a Llundain cyn symud am gyfnod i Efrog Newydd, lle sefydlodd gôr cymysg, The Novello Davies Artist Choir.

Bu'n weithgar dros ben yn codi arian ar gyfer elusennau amrywiol yn ystod y ddau ryfel byd, gan gynnwys yr *hut fund*, sef arian ar gyfer cabanau lle cynhelid cyngherddau ac adloniant, yn ogystal â sefydlu cronfa a anfonai offerynnau cerdd o bob math at y milwyr i godi'u calonnau mewn cyfnodau anodd. Roedd yn frwd dros hybu cerddoriaeth fel cyfrwng i iacháu'r corff a'r meddwl, a bu'n gweithio'n ddiflino i hyrwyddo'r athroniaeth hon drwy gydol ei gyrfa.

Cyfansoddodd nifer o ganeuon poblogaidd, gan gynnwys *Friend!* (1905) a *Mother!* (1911). Cyhoeddodd ei hunangofiant yn 1940 dan y teitl *The Life I Have Loved*. Bu farw ar 7 Chwefror 1943, ac amlosgwyd ei chorff ym mynwent Golders Green yn Llundain.

Llyfryddiaeth

Clara Novello Davies, *The Life I Have Loved* (Llundain, 1940)

Gwawr Jones, 'The Mighty Mam: Clara Novello Davies a byd cerddoriaeth broffesiynol yng Nghymru' (traethawd PhD Prifysgol Bangor, 2015)

Gwawr Jones

Davies, David Ivor
(gw. Novello, Ivor)

Davies, E. T. (1878–1969)

Cerddor, cyfansoddwr ac **addysgwr** oedd Evan Thomas Davies, ac un a fu'n allweddol yn sefydlu cerddoriaeth fel maes astudio yng Ngholeg **Prifysgol** Gogledd Cymru, Bangor, yn ystod hanner cyntaf yr 20g. Fe'i ganed ym Mhontmorlais ger Merthyr Tudful ond fe'i magwyd yn Nowlais lle'r oedd ei deulu yn flaenllaw yng ngweithgarwch cerddorol y gymuned leol. Canai ei dad yr organ yng Nghapel Hermon ac ystyrid ei fam, a berthynai i linach y cerddor a'r cyfeilydd **R. S. Hughes** (Aberystwyth a Bethesda), yn gantores ddawnus.

Er mai fel cyfansoddwr yr unawd *Ynys y Plant* (a wobrwywyd yn **Eisteddfod** Genedlaethol Llundain, 1909) y cofir am E. T. Davies, gwnaeth gyfraniad amlwg i fyd caniadaeth y cysegr a chanu'r organ yng Nghymru ei ddydd. Llwyddodd i ymelwa o gyfoeth y traddodiad cerddorol ym Merthyr a'r cyffiniau, a'r profiadau cynnar hyn yn un o drefi mwyaf poblog a cherddorol y cyfnod a gyfeiriodd ei yrfa am weddill ei oes. Wedi iddo ennill cymhwyster FRCO ac wrth i'r bri ar adeiladu organau pib mewn capeli Ymneilltuol gynyddu, fe'i gwahoddwyd i roi datganiadau a pherfformiadau i'w sefydlu ledled Cymru.

Fe'i penodwyd yn Gyfarwyddwr Cerdd amser llawn cyntaf Coleg Prifysgol Gogledd Cymru, Bangor, yn 1920, i olynu Harry Evans (ei gyn-athro o Ddowlais) a Caradog Roberts (Rhosllannerchrugog). Bu'n cydweithio gyda **Henry Walford Davies** (Athro a phennaeth yr adran gerdd ym Mhrifysgol Cymru, Aberystwyth) i wireddu cynlluniau'r Cyngor Cerdd Cenedlaethol gyda nawdd a chefnogaeth Gwendoline a Margaret Davies, Gregynog. Sefydlodd driawd llinynnol ym Mangor (ar batrwm ensemblau tebyg ym mhrifysgolion Aberystwyth a Chaerdydd) a sicrhaodd le haeddiannol i **gerddoriaeth offerynnol** fel rhan o'r maes llafur. Trwy gydol ei flynyddoedd ym Mangor pwysleisiodd werth perfformiadau byw o gerddoriaeth a hyn a fu'n gychwyn i'r gyfres gyngherddau wythnosol a sefydlwyd yno bryd hynny.

Yn 1935 gwahoddodd Arnold **Dolmetsch** i'r brifysgol i draddodi cyfres o ddarlithoedd ar gerddoriaeth Llawysgrif **Robert ap Huw** (*Musica*, Llyfrgell Brydeinig, MS. Additional 14905) a fu'n sail i sefydlu **The Early Welsh Music Society** a gyhoeddodd gasgliad o recordiadau masnachol o berfformiadau Mabel Dolmetsch a thrawsgrifiadau o rai adrannau o'r cynnwys cerddorol yn 1936. Bu'r digwyddiad yn gyfrwng i ddwyn cryn sylw i

gerddoriaeth gynnar Cymru ar dudalennau *The Musical Times* a *The Consort* ac yn y man, ymhlith **cerddoregwyr** blaenllaw Ewrop y dydd. Er nad oedd E. T. Davies yn gyfansoddwr toreithiog, lluniodd ddeunaw o weithiau unawdol ar gyfer y piano, darnau **corawl** sy'n seiliedig ar alawon traddodiadol Cymru (e.e. trefniant o 'Modryb Neli' a 'Suo Gân') a gweithiau siambr sy'n adlewyrchu nodweddion Cymreig (e.e. *Hobed o Hilion* i driawd offerynnol).

Golygodd fersiwn Cymraeg o'r *Dioddefaint yn ôl Sant Matthew* (J. S. Bach), cyfrannodd i gyfrol Sydney Northcote *Caneuon Cenedlaethol Cymru* (1959) a derbyniodd sawl comisiwn gan y BBC. Lluniodd rai **emyn-donau** adnabyddus (e.e. 'Pontmorlais' a 'Glastonbury Thorn') a chydweithiodd gyda **J. Lloyd Williams** (golygydd *Cylchgrawn Cymdeithas Alawon Gwerin Cymru*) i ddwyn credinedd i'r maes ymhlith cerddorion proffesiynol ei gyfnod.

Llyfryddiaeth

'In Memoriam: E. T. Davies', *Cerddoriaeth Cymru*, III/6 (1970), 2–10

Frank Price Jones, 'E. T. Davies', *Y Bangoriad*, 2/10, Mawrth (1970), 63–4

A. Tudno Williams, *E. T. Davies – Arloeswr Cerdd* (Dinbych, 1981)

Wyn Thomas, 'The Early Welsh Music Society', *Barn*, 338 (1991), 32–5

Wyn Thomas

Davies, Ffrangcon (1855–1918)

Bu'n rhaid i lawer o gantorion Cymreig symud i Lundain er mwyn gallu gwneud bywoliaeth, ac un a wnaeth hyn oedd y bariton hwn o Fethesda.

Astudiodd David Thomas Ffrangcon Davies yn Rhydychen ac er iddo gael trafferthion tra oedd yno graddiodd yn 1881. Dychwelodd i Gymru a bu'n giwrad yn Llanaelhaearn a Chonwy. Yn y cyfamser llwyddodd i ddatblygu ei ddoniau cerddorol ac ar ôl derbyn curadaeth yn Llundain, buan y cafodd ei dderbyn i'r cylchoedd cyngherddol yn y ddinas honno. Ymunodd â Chwmni Opera Carl Rosa a chafodd gyfleoedd i ganu yn Unol Daleithiau America a'r Almaen.

Bu'n dysgu yn Berlin am gyfnod a châi ei gydnabod fel athro llais da, cymaint felly nes iddo gael swydd yn 1904 fel Athro llais yn yr Academi Gerdd Frenhinol. Yn 1905 ysgrifennodd lyfr dylanwadol, *The Singing of the Future*.

Richard Elfyn Jones

Davies, Gareth Glyn
(gw. **Glyn, Gareth**)

Davies, Grace Gwyneddon
(1879–1944)

Ganed y gasglwraig alawon **canu gwerin** Grace Roberts (Grace Davies yn ddiweddarach) yng nghymdogaeth Anfield, Lerpwl (gw. Thomas 1999).

Yn dilyn hyfforddiant fel pianyddes yn yr Academi Gerdd Frenhinol yn Llundain a chyfnod fel cantores yn Ffrainc a'r Eidal, daeth i berfformio yn un o gyngherddau **Eisteddfod** Genedlaethol Cymru, Caernarfon, 1906, ac i gyfrannu i gyfarfod y Cymmrodorion yn Neuadd y Sir, lle canodd drefniant o waith Arthur Somervell o'r alaw Gymreig, 'Cnot y Coed'. Bu'r profiad eisteddfodol hwnnw yn symbyliad iddi ddilyn trywydd newydd yn ei gyrfa gan fod nifer o Gymry blaenllaw'r gogledd yn bresennol (gan gynnwys ei darpar ŵr, Robert Gwyneddon Davies) ac unigolion a oedd yn awyddus i ddiogelu'r canu brodorol a esgeuluswyd yn y 19g. ac a oedd yn prysur ddiflannu o'r tir.

Erbyn Prifwyl Llangollen, 1908, roedd **Cymdeithas Alawon Gwerin Cymru** wedi'i sefydlu a Grace Gwyneddon Davies yn aelod blaenllaw o'r pwyllgor gwaith. Yn 1911 dechreuodd hi a'i gŵr gyfrannu'n gyhoeddus i fywyd y Gymdeithas drwy draddodi darlithoedd ar faes canu gwerin yn nalgylch Caernarfon ac ar hyd gogledd Cymru. 'Robin' a fyddai'n traethu a Grace yn darparu'r enghreifftiau priodol ar gân.

Hwyliodd y ddau hefyd i Iwerddon i ddarlithio ar faes caneuon gwerin yng Nghymru i gynulleidfa yng Ngholeg y Drindod, Dulyn, a phan ymwelodd y cwpl ag Unol Daleithiau America a Chanada flynyddoedd yn ddiweddarach, ystyrid hynny'n gam allweddol ymlaen yn hanes a datblygiad Cymdeithas Alawon Gwerin Cymru am nad oedd neb erioed cyn hynny wedi mentro mor bell er budd cerddoriaeth werin y genedl. Sail i gyflwyniadau a darlithoedd cyhoeddus Robert a Grace Gwyneddon Davies oedd eu profiad uniongyrchol, o 1913 ymlaen, ym myd casglu a chofnodi alawon Cymreig (Davies 1923, 95).

Oherwydd eu cysylltiadau teuluol ag Ynys Môn troesant i gyfeiriad Dwyran i chwilio am ddeunydd cerddorol. I fferm Tyddyn-y-gwynt (Dwyran) ac at Owen Parry, un o denantiaid y fro, yr aeth Grace

Gwyneddon Davies yn gyntaf a chael stôr o ganeuon swynol ganddo. Yn eu plith casglwyd deunydd y llofft stabl a chaneuon gweision fferm yr ynys. Pan ymddangosodd ei chyfrol gyntaf o *Alawon Gwerin Môn* yn 1914 cafwyd ynddi drefniannau syml o saith alaw Gymreig ar gyfer llais a chyfeiliant piano ac yn eu plith, cofnodwyd caneuon fel 'Cob Malltraeth', 'Y Gelynen', 'Cwyn Mam-y-'nghyfraith' a 'Titrwm, tatrwm' (Davies 1914). Erbyn 1924, roedd ail gasgliad *Alawon Gwerin Môn* wedi ymddangos o'r wasg a'r gyfrol hon hefyd yn gofnod o ganu Owen Parry ac eithrio un eitem, sef fersiwn o 'Lisa Lân' a gafwyd gan ei ferch, Margaret (Maggie) Jones, ar fferm Talybont, Dwyran (Davies 1924).

Pan ymddangosodd rhai o drefniannau Grace Gwyneddon Davies ar restr testunau'r Eisteddfod Genedlaethol am y tro cyntaf yn 1918, ailsefydlwyd y cyswllt agos a fu rhyngddi a'r Brifwyl – cyswllt uniongyrchol a barhaodd am gyfnod o bum mlynedd ar hugain. Bu'n feirniad swyddogol yn adran y canu gwerin rhwng 1921 ac 1933 ac yn rhannu ei chyfrifoldebau â **Mary Davies** a Philip Thomas, yn ogystal â **David de Lloyd** a **W. S. Gwynn Williams**. Fel cantores a cherddor ymarferol, sylweddolai bwysigrwydd cefnogi'r gwaith casglu yn ogystal ag **ysgolheictod** y mudiad canu gwerin, ond yn sail i hyn oll, roedd rhaid perfformio'r alawon ac ymestyn eu cylchrediad er mwyn eu cynnal a'u diogelu.

Llyfryddiaeth
Grace Gwyneddon Davies, *Alawon Gwerin Môn* (Caernarfon, 1914)

Robert Gwyneddon Davies, 'The Collecting of Anglesey Folk Songs', *Anglesey Antiquarian and Field Club: Transactions*, Cyf. 1923 (Llangefni, 1923), 95

Grace Gwyneddon Davies, *Ail Gasgliad o Alawon Gwerin Môn: A Second Collection of Folk Songs from Anglesey* (Wrecsam, 1924)

Wyn Thomas, *Meistres Graianfryn a cherddoriaeth frodorol yng Nghymru* (Aberystwyth, 1999)

Wyn Thomas

Davies, Henry Walford (1869–1941)
Arweinydd, cyfansoddwr, organydd, gweinyddwr cerddorol ac **addysgwr** a fu'n dal llawer o swyddi cerddorol yng Nghymru ac yn Llundain. Fe'i ganed yng Nghroesoswallt, ond yng Nghapel Sant Siôr, Windsor, y dechreuodd ei addysg gerddorol o ddifrif, wedi iddo gael ei anfon yno yn gôr-fachgen yn ddeuddeg oed. Yno, daeth Walter Parratt,

organydd a chôr-feistr ac un o gerddorion blaenllaw Llundain bryd hynny, yn gyfaill iddo.

Yn 1890 astudiodd gyfansoddi fel disgybl yn y Coleg Cerdd Brenhinol gyda Hubert Parry (1848–1918) a Charles Stanford (1852–1924). Dyfarnwyd iddo MusB Caergrawnt yn 1891, ar ôl methu y flwyddyn flaenorol. Yn 1895, penodwyd Walford Davies, drwy ddylanwad Parratt (a oedd yn Athro'r Organ yn y Coleg Brenhinol) mae'n debyg, yn athro gwrthbwynt yno. Ymddiswyddodd yn 1903 oherwydd ei fod wedi crynhoi cymaint o waith arall, gan gynnwys bod yn organydd a chôr-feistr yn Eglwys Sant Siôr, Kensington, ac yn y Temple Church (swydd y bu ynddi am ugain mlynedd). Bu hefyd yn arwain Côr Bach ac yn 1917 fe'i gwnaed yn Gyfarwyddwr Cerdd cyntaf y Llu Awyr Brenhinol, a oedd newydd ei sefydlu. Yr **ymdeithgan** a gyfansoddodd i fand y llu, *The March Past of the Royal Air Force* (y sgôr gan Dyson), yw'r gwaith o'i eiddo sydd wedi parhau'n boblogaidd hiraf.

Yn 1919, daeth yr un pryd yn Gyfarwyddwr Cerdd **Prifysgol** Cymru (yr unig un i ddal y swydd honno) ac yn Athro Cerddoriaeth yng Ngholeg Prifysgol Cymru Aberystwyth. Fel Cyfarwyddwr Cerdd Prifysgol Cymru roedd ei gylch gwaith yn eang, sef hyrwyddo cerddoriaeth ym mhob un o'r colegau, ac ef oedd prif hyrwyddwr sefydlu'r adran ym Mangor. Bu hefyd yn goruchwylio Cyngor Cerddoriaeth Cenedlaethol Cymru, a oedd yn gyfrifol am ymestyn a chydlynu'r gwaith o ddatblygu cerddoriaeth Cymru drwy gyfuno ymdrechion y Brifysgol â gwaith Bwrdd Canol Cymru a'r **Eisteddfod** Genedlaethol. Fe'i gwnaed yn farchog yn 1922.

Cafodd personoliaeth garismataidd Walford Davies, ei egni a oedd i bob golwg yn ddi-ball, a'i allu rhyfeddol i gyfathrebu, ddylanwad enfawr yng Nghymru ac yn enwedig yn Aberystwyth, lle bathodd ei ddywediad enwog, 'Mae Cymru'n wlad dairieithog: mae hi'n siarad Cymraeg, Saesneg a Cherddoriaeth, ond y fwyaf o'r rhai hyn yw Cerddoriaeth.' Roedd ei gyngherddau a'i wyliau cerdd yn ddigwyddiadau rhyfeddol, llawn i'r ymylon o bobl y dref a myfyrwyr.

Yn 1924 fe'i penodwyd yn Athro Gresham Cerddoriaeth yn Llundain, ac yn sgil hynny gadawodd Gymru yn 1926. Yn 1927 fe'i gwnaed yn organydd a chôr-feistr yng Nghapel Sant Siôr, Windsor. Roedd yn gynghorydd i'r BBC yn ei ddyddiau cynnar, ac yn 1934 olynodd Elgar fel Meistr Cerddoriaeth y Brenin. Erbyn hynny, am ei ddarllediadau rheolaidd ar werthfawrogi a dadansoddi cerddoriaeth yr oedd yn fwyaf adnabyddus. Roedd ei raglenni'n cynnwys *Music and the Ordinary Listener* (1926–9), cyfres o ddarllediadau i blant yn ystod y rhyfel (1939–41) ac *Everyman's Music* (1940–41). Ef oedd y cyntaf ac un o'r rhai mwyaf effeithiol i ddefnyddio darlledu at y diben hwn. Mae ei lyfr, *The Pursuit of Music* (1935), yn rhoi cipolwg inni ar yr agwedd hon ar ei waith.

Mae ei weithiau wedi eu catalogio gan H. C. Colles, un o'i ddisgyblion a golygydd y trydydd a'r pedwerydd argraffiad o *Grove's Dictionary of Music and Musicians*. Mae'n rhestr sylweddol, ond ar wahân i *The March Past of the Royal Air Force* a gosodiad o 'O Little Town of Bethlehem', y mwyaf hirhoedlog o gyfansoddiadau Walford Davies yw ei **anthemau** Anglicanaidd gan gynnwys gosodiad o *Let us Now Praise Famous Men*, a nifer o finiaturau fel *Solemn Melody* (1908). Y tri gwaith o'i eiddo sydd wedi eu canmol fwyaf yw'r **cantatas** *Three Jovial Huntsmen* (1902) a *Song of St Francis* (1912), a'r **oratorio** *Everyman* (1904). Mae'r rhan fwyaf o'r gweithiau eraill wedi mynd yn lled angof, ond mae rhai **ysgolheigion** wedi nodi bod ei gylchoedd o ganeuon yn teilyngu llawer mwy o sylw. Bu Hubert Parry, ei brif athro yn y Coleg Brenhinol, a Brahms, a cdmygai'n fawr ac a gyfarfu yn Ischl yn 1896, yn ddylanwadau mawr ar ei arddull cyfansoddi.

Roedd yn anorfod y byddai personoliaeth garismataidd Walford Davies a'i boblogrwydd mawr yn peri bod rhai yn barod iawn i'w ddifrïo. Roedd llawer yng Nghymru yn meddwl ei fod yn troi'r dŵr i'w felin ei hun ac mai uchelgais personol a oedd yn ei gymell yn bennaf. Yn ddiau roedd yn gorfod rhannu ei amser rhwng nifer o ddiddordebau a chyfrifoldebau ac i raddau roedd hynny'n golygu dewis a dethol y dyletswyddau a ddeuai â mwyaf o sylw a chyhoeddusrwydd iddo.

Roedd yn hysbys fod ei ddarlithydd (cynorthwy-ydd) yn Aberystwyth, y **David de Lloyd** dawnus a chydwybodol, yn ysgwyddo llawer o'r baich y dylai Walford Davies fod wedi'i rannu: bu croeso cynnes i benodi de Lloyd i olynu Davies yn Aberystwyth. Roedd llawer yn teimlo hefyd fod ei benodi i swydd genedlaethol ym Mhrifysgol Cymru a'r cyfan a ddeuai yn sgil hynny, ac yntau'r un pryd yn Athro yn un o golegau'r Brifysgol, yn creu gwrthdaro rhwng buddiannau. Ar y llaw arall, roedd yn sicr yn ŵr o statws cerddorol aruthrol a chanddo yrfa ddisglair a oedd wedi'i neilltuo'n rhannol i gerddoriaeth Cymru. Nid oes fawr o amheuaeth na roddodd ei bresenoldeb ym Mhrifysgol Cymru am y saith mlynedd wedi diwedd y Rhyfel Mawr hwb pwysig i fywyd cerddorol y genedl. Cadwodd ei le ar Gyngor Cerddoriaeth Cenedlaethol Cymru hyd ei farwolaeth (yn Wrington, Bryste) ac roedd yn adnabyddus am ei gysylltiad â'r wlad.

Llyfryddiaeth

H. C. Colles, *Walford Davies: a Biography* (Llundain, 1942)

D. I. Allsobrook, *Music for Wales: Walford Davies and the National Council of Music 1918–1941* (Caerdydd, 1992)

Trevor Herbert

Davies, J. Ffos (1882–1931)

Brodor o Flaenffos, Pren-gwyn ger Llandysul oedd John Ffos Davies; casglwr a chofnodwr **caneuon gwerin** Ceredigion. Wedi cyfnod fel myfyriwr dan ofal yr Athro **Henry Walford Davies** (1869–1941) yn adran gerdd **Prifysgol** Cymru, Aberystwyth, fe'i penodwyd yn athro mewn ysgol gynradd yn Oakengates, Swydd Amwythig, cyn iddo ddychwelyd i swydd debyg yn ysgol Cilcennin. Oherwydd anawsterau ariannol yn ystod ei gyfnod yn y brifysgol, ni lwyddodd i sicrhau gradd mewn cerddoriaeth ond yr oedd er hynny yn gerddor amlochrog a dawnus a fu'n weithgar yn y maes drwy gydol ei oes.

Bu'n filwr yn y Rhyfel Mawr ac fe'i clwyfwyd yn bur ddifrifol yn ystod y gyflafan. Roedd yn ŵr diwylliedig a gynhaliai ysgolion nos ar gyfer gweision fferm y gymdogaeth; roedd hefyd yn ganwr tenor ac yn sylfaenydd côr eisteddfodol yn Felin-fach yn yr 1920au. Cychwynnodd ar ei waith fel casglwr **alawon gwerin** ymhlith ei ddisgyblion yn nalgylch Cribyn cyn troi at drigolion yr ardal yn fwy cyffredinol gan gynnwys Dafydd Jones (Maesymeillion) a Thomas Herbert (Cribyn) a ganodd rai o'r caneuon hynaf iddo. Ymhlith ei alawon gwelir 'Y March Glas', 'Cân y Lleuen', 'Cân y trên' a 'Cân ffarwel i ferched Llanwenog', ond cofnododd hefyd rai caneuon Americanaidd a ddaeth yn boblogaidd yn Sir Aberteifi yr adeg honno, gan gynnwys 'Twll bach y clo', 'Y llong na ddychwelodd yn ôl', 'Barf a Locsen' a 'Yr Hogen goch'.

Yn ei **lawysgrifau**, sydd ar gadw yn **Amgueddfa Werin Cymru**, Sain Ffagan, gwelir iddo nodi ei ganeuon mewn **sol-ffa** ac fe'u dosbarthwyd yn ofalus yn ôl eu swyddogaeth (e.e. caneuon serch, caneuon gwaith, **baledi** ac ati). Cyhoeddwyd ei gasgliad o ganeuon brodorol dan y teitl *Forty Welsh Traditional Tunes* yn 1929 gan Gymdeithas Hynafiaethau Ceredigion ar gais David Thomas,

Arolygydd ei Mawrhydi, a sylweddolodd werth yr hyn a gyflawnodd Ffos Davies yn ei gynefin. D. Rees Davies (Cledlyn; 1875–1964), bardd ac ysgolfeistr yng Nghwrtnewydd, a fu'n gyfrifol am olygu a safoni'r geiriau (lluniodd yntau rai penillion newydd ar gyfer y caneuon yn ogystal) a **David de Lloyd** a fu'n gyfrifol am olygu'r gerddoriaeth.

Daw'r caneuon o sawl ffynhonnell lafar gan gynnwys y llofft stabl (lle'r oeddynt yn gyfrwng diddanwch gweision fferm), **baledi** storïol, caneuon efail y gof a chaneuon neithior. Er mor arwyddocaol yw'r casgliad cyhoeddedig yn hanes diwylliannol canolbarth Cymru, gwelir bod y deunydd gwreiddiol wedi'i addasu a'i dacluso gryn dipyn cyn ei ddwyn i sylw'r cyhoedd. O ganlyniad collwyd naws ac arddull anffurfiol caneuon J. Ffos Davies, ond diogelwyd y fersiynau gwreiddiol i'r sawl sy'n ymddiddori yn y maes.

Llyfryddiaeth

David de Lloyd, *Forty Welsh Traditional Tunes – arranged for two voices and piano* (Llundain, 1929)

'J. Ffos Davies', *Clonc* (Papur Bro Llanbedr Pont Steffan a'r gymdogaeth), 1 (Awst, 1984)

Meinir Angharad Jones, 'J. Ffos Davies, casglydd caneuon gwerin Ceredigion' (traethawd BA Coleg Cerdd a Drama Cymru, Caerdydd, 1992)

Wyn Thomas

Davies, J. Glyn (1870–1953)

Awdur, ysgolhaig, casglwr, bardd, cofnodwr a chyfansoddwr caneuon oedd John Glyn Davies. Brodor o Lerpwl ydoedd ac aelod o deulu Cymreig a oedd yn ddisgynyddion i Angharad James, Dolwyddelan (1677–1749) a'r Parch. John Jones, Tal-y-sarn (1797–1857).

Yn dilyn prentisiaeth mewn swyddfa llongau hwylio (Rathbone Bros., Lerpwl) ymfudodd am gyfnod i Seland Newydd i gloddio am aur. Fel un o sylfaenwyr Cymdeithas Gymraeg Auckland, rhoddodd bwys mawr ar gerddoriaeth Cymru a thraddodiad y delyn yng ngweithgaredd ei gyd-Gymry alltud cyn dychwelyd i Aberystwyth a dechrau'r gwaith o sefydlu Llyfrgell Gymraeg yno (**Llyfrgell Genedlaethol Cymru** yn ddiweddarach).

Yn 1907, trwy wahoddiad Kuno Meyer, cafodd ei benodi'n ddarlithydd yn Adran Gelteg **Prifysgol** Lerpwl, a bu'n allweddol yn sefydlu Adran Gymraeg yn y sefydliad hwnnw ac ym Mhrifysgol Dulyn. Canai'r **delyn**, y piano a'r **ffidil**, ac ymddiddorai yn y sipsiwn Cymreig (teulu Abram Wood; gw.

Woodiaid, Teulu'r) ynghyd â'u cyfraniad neilltuol i fyd cerddoriaeth, **offerynnau traddodiadol** a **dawns** yng Nghymru'r 19g. Yn ystod ei deithiau darlithio a'i fordeithiau cyson taniwyd ei ddiddordeb mewn caneuon sianti a chaneuon môr. Ei blant, fodd bynnag, a'i hysgogodd i gyfansoddi caneuon. Teimlai fod bwlch mawr ym myd caneuon Cymraeg ar gyfer yr ifanc ac anfarwolwyd enwau ei ferched yn un o'i ganeuon:

Gwen a Mair ac Elin
Yn bwyta lot o bwdin;
A Benja bach yn mynd o'i go',
A chrïo'n anghyffredin.

Pen Llŷn ac ardaloedd Morfa Nefyn ac Edern yn benodol a fu'n sail i Gymreictod J. Glyn Davies. Yno, yn ystod ei wyliau haf fel plentyn ac fel oedolyn, y cyfoethogwyd ei fedr ar yr iaith ac yr ehangwyd ar ei brofiad o'r môr. Yn Llŷn y clywodd ei sianti gyntaf a'r alawon hynny fu'n ysbrydoliaeth i'w gasgliadau – *Cerddi Huw Puw* (1922), *Cerddi Portinllaen* (1936) a *Cerddi Edern* (1955). Cyfrannodd hefyd fel ymchwilydd i fyd **cerdd dant** yng Nghymru er nad oedd yn ddatgeinydd nac yn osodwr. Yn hytrach, cyhoeddodd erthyglau o safbwynt un a werthfawrogai'r traddodiad a bu'n olrhain twf a datblygiad y grefft yng ngoleuni'r dystiolaeth a geir yn **llawysgrifau** Lewis Morris o Fôn.

Ei gyfarfyddiad ag Edward Wood yng Ngwesty'r Plas Coch, Y Bala (*c.*1892) yn ogystal ag arbenigedd ei gyd-ddarlithydd yn Lerpwl, John Sampson (1862–1931), fodd bynnag a enynnodd ei ddiddordeb yng ngallu cerddorol y Sipsiwn Cymreig. Trwy gyfrwng ei ohebiaeth gydag aelodau o'i teulu, a'i ymweliadau cyson â'u gwersylloedd, daeth i werthfawrogi mwy am arferion y Romani a dyfnhawyd ei ddealltwriaeth o'r traddodiad brodorol Cymreig yn ei grynswth.

Er mor amrywiol fu ei allbwn, fel cyfansoddwr caneuon i blant y daeth i amlygrwydd. Cyhoeddodd dair cyfrol odidog o ganeuon rhwng 1922 ac 1936 sy'n gyfuniad o weithiau gwreiddiol i gyfeiliant syml y piano (e.e. 'Mam, ga i ffliwt?'), addasiadau o alawon a cheinciau Cymreig, megis 'Fflat Huw Puw' (gw. 'Y Dydd cyntaf o Awst' yng nghyfrol **John Parry**, *The Welsh Harper* (1839)) ac alawon morwrio (e.e. 'Tŷ a gardd') o Ddenmarc, Llydaw, Lloegr, yr Almaen a'r Unol Daleithiau.

Ymledodd poblogrwydd ei waith a'i ganeuon ar aelwydydd Cymru oherwydd eu defnydd mewn ysgolion cynradd ac ar lwyfannau **eisteddfodol** a chyngherddau. Ar brydiau, ystyriwyd rhai ohonynt yn

ganeuon ac **alawon gwerin** yn llinach y traddodiad llafar Cymreig, ond rhaid cofio mai cynnyrch cerddor, cyfansoddwr a threfnydd cerddoriaeth ydynt ac mai eu naws gofiadwy, eu halawon canadwy a'u geiriau syml fu'n gyfrwng i'w poblogeiddio yng Nghymru'r 20g. a'r 21g.

Llyfryddiaeth

J. Glyn Davies, *Cerddi Huw Puw* (Caerdydd, 1922)
———, *Cerddi Robin Goch* (Llundain, 1935)
———, *Cerddi Portinllaen* (Llundain, 1936)
———, 'Rhamant y Môr', *Lleufer,* V/2 (Haf, 1949), 55–63
———, *Cerddi Edern a cherddi eraill* (Lerpwl, 1955)
Hettie Glyn Davies, *Hanes Bywyd John Glyn Davies* (Lerpwl, 1965)
Iorwerth C. Peate, 'John Glyn Davies: Agweddau ar ei bersonoliaeth', *Taliesin,* 25 (Rhagfyr, 1972), 50–55
J. Glyn Davies, *Fflat Huw Puw a Cherddi Eraill* (Llandysul, 1992)
Delyth G. Morgans, 'J. Glyn Davies a chaneuon Huw Puw' (traethawd BA Cerddoriaeth Prifysgol Bangor, 2000)
Cledwyn Jones, *Mi wisga'i gap pig gloyw: John Glyn Davies, 1870–1953: shantis, caneuon plant a cherddi Edern* (Caernarfon, 2003)

Delyth G. Morgans Phillips

Davies, Lyn (g.1956)

Cerddor, **addysgwr** a chyfansoddwr sydd wedi cyfrannu i amryfal feysydd diwylliannol yng Nghymru. Cafodd ei eni yn Llangadog a derbyniodd ei addysg ym Mhrifysgol Aberystwyth ac yna yng Ngholeg Worcester, Rhydychen. Derbyniodd PhD o Brifysgol Cymru yn 1983. Bu hefyd yn astudio am gyfnod yn yr Academi Gerdd yn Krakow yng Ngwlad Pwyl. Cwblhaodd draethawd ar waith y cyfansoddwr modern Peter Maxwell Davies (1934–2016) a bu'n gweithio hefyd fel unawdydd bariton.

Dychwelodd i'w gynefin yn Sir Gaerfyrddin gan ddod yn diwtor sir yno i Adran Efrydiau Allanol **Prifysgol** Aberystwyth. Symudodd am gyfnod wedyn i Gyngor Celfyddydau Cymru fel uwch-swyddog cerddoriaeth cyn mynd yn bennaeth astudiaethau llais i Goleg Brenhinol Cerdd a Drama Cymru yn 1999. Bu yno hyd ei ymddeoliad o'r swydd yn 2010. Yn dilyn hyn bu'n arholwr dros sawl cyfandir i Goleg Cerdd y Drindod. Gweithiodd yn ddygn ym maes cerddoriaeth Gymreig gan ysgrifennu hanes cyffredinol cerddoriaeth yng Nghymru a chan weithio hefyd ar lyfr am y cyfansoddwr **Daniel Jones**.

Yn weithgar fel cyfansoddwr, pianydd a chyfeilydd, bu hefyd yn sylwebydd blaenllaw ar faterion cerddorol ar radio a theledu, ac ef oedd cadeirydd pwyllgor gwaith **Eisteddfod** Genedlaethol Dinefwr yn 1996. Mae'n byw yn y Dalar Wen, Llangadog (tŷ a adeiladwyd yn wreiddiol gan y gwleidydd Gwynfor Evans), gyda'i wraig, y ddarlledwraig Elinor Jones.

Geraint Lewis

Davies, Mary (1855–1930)

Un o Gymry Llundain canol y 19g. oedd Mary Davies (Mair Mynorydd) (The Welsh Folk Song Society, 1934). Deuai o deulu cerddorol, a'i thad William Davies (Mynorydd) yn godwr canu yng Nghapel Nassau Street yn Soho, Llundain.

Yn dilyn anogaeth **Brinley Richards** (Cerddor Towy) a **John Thomas** (Pencerdd Gwalia), cafodd yrfa lwyddiannus fel cantores broffesiynol ym myd yr **oratorio**, y cymdeithasau a'r **gwyliau** cerdd a'r *music halls*. Er iddi berfformio yn yr **Eisteddfod** Genedlaethol o bryd i'w gilydd ac yng **Ngŵyl** Gerdd Harlech (1873), nid oedd ganddi nemor ddim diddordeb yn y traddodiadau brodorol Cymreig yn ei blynyddoedd cynnar. Yn hytrach, gweithiau gan Berlioz, Sterndale Bennett, Arthur Sullivan a'u tebyg a aeth â'i bryd.

Wedi iddi symud i Fangor yn 1888 a phriodi William Cadwaladr Davies (1849–1904), Cofrestrydd cyntaf Coleg **Prifysgol** Gogledd Cymru, cychwynnodd cyfnod newydd yn ei hanes pan adawodd gweithgaredd cymdeithas Y Canorion (1905) a'r gwaith cychwynnol o gywain alawon traddodiadol gan aelodau **Cymdeithas Alawon Gwerin Cymru** (1906) eu hôl ar ei diddordebau am weddill ei hoes (gw. Morris 1990, 5–28; Saer 2006).

Fel un o gasglyddion cynharaf alawon brodorol Cymreig y cofir amdani ac yr oedd ymhlith y cyntaf o Gymry'r cyfnod i ddefnyddio'r *phonograph* i'r diben hwnnw. Wrth deithio yng Nghymru a throi ymysg cylchoedd Cymreig Llundain y dydd, llwyddodd i gofnodi caneuon fel 'Wrth fynd efo Deio i Dywyn', 'Dacw nghariad i lawr yn y berllan' a 'Y ddau farch'. Dyma lle gwelwyd Mary Davies yn arloesi a'i dylanwad hi fu'r ysgogiad i nifer o wragedd eraill, gan gynnwys y Fonesig **Ruth Herbert Lewis**, Jennie Williams (Ruggles-Gates) ac Amy Preece, fentro i'r maes.

Bu'n ysgrifennydd Cymdeithas Alawon Gwerin Cymru ac yn gymorth mawr i **J. Lloyd Williams** fel golygydd *Cylchgrawn* y Gymdeithas. Ffrwyth cydweithio rhyngddi hi a'r cerddor W. Hubert Davies yw'r casgliad *Welsh Folk Songs/Caneuon Gwerin Cymru* (ar gyfer llais a chyfeiliant piano) a gyhoeddwyd yn 1919 (gw. Keen 2004, 3–21; Davies 1914). Ymddangosodd ail gyfrol yn 1946, sy'n cynnwys trefniannau o 'Blewyn glas', 'Yr hen ŵr mwyn' ac ati (Davies 1946).

Anrhydeddwyd Mary Davies â gradd DMus (Prifysgol Cymru) am ei chyfraniad nodedig i gerddoriaeth Cymru'r cyfnod ond yn enwedig am ei hymdrechion ym myd yr alaw werin. Fel un o selogion Cymdeithas Alawon Gwerin Cymru bu'n feirniad yn yr Eisteddfod Genedlaethol hyd ddiwedd ei hoes a chwaraeodd ran allweddol yn annog y Brifwyl i ymestyn rhai o'r cystadlaethau hynny. Yn yr un modd, bu'n weithgar a dylanwadol yn hanes **Amgueddfa Genedlaethol Cymru** (Caerdydd) a **Llyfrgell Genedlaethol Cymru** (Aberystwyth). Sicrhaodd benodiad y cyfansoddwr **E. T. Davies** i swydd pennaeth yr adran gerdd ym Mangor a mynnodd weld parhad i'r gwerthoedd Cymreig yng ngweithgarwch cerddorol yr adran, er nad i'r un graddau â'r hyn a gafwyd yno dan gyfarwyddyd J. Lloyd Williams. Ni welodd Cymdeithas Alawon Gwerin Cymru yr un gweithiwr tebyg iddi yn ystod blynyddoedd cynnar ei sefydlu. Bu Mary Davies yn arweinydd doeth ar adeg ddigon anodd yn hanes y Gymdeithas. Bu ei gweithgarwch yn fodd i ddenu cefnogaeth a hygrededd i'r maes; trwy hynny, ac yn arbennig drwy ei hamlochredd a'i gallu i wireddu breuddwydion, gwnaeth wir gymwynas â'r byd cerddorol Cymreig.

Llyfryddiaeth

W. Hubert Davies, *Welsh Folk Songs/Caneuon Gwerin Cymru* (Wrexham, 1914)

The Welsh Folk Song Society, *Dr. Mary Davies: in memoriam* (Wrexham, 1934)

W. Hubert Davies, *Caneuon Gwerin Cymru – Ail gasgliad* (Caerdydd, 1946)

John Morris, 'Y Canorion a'r casglu cynnar', *Canu Gwerin*, 13 (1990), 5–28

Wyn Thomas, 'Mary Davies – *grand dame* yr alaw werin yng Nghymru', *Canu Gwerin*, 20 (1997), 28–42

D. Roy Saer, *Cymdeithas Alawon Gwerin Cymru: canrif gron* (2006)

Wyn Thomas

Davies, Rhian

Ganed Rhian Davies yn Sir Drefaldwyn. Wedi derbyn hyfforddiant fel cantores aeth ymlaen i astudio yng

Ngholeg **Prifysgol** Cymru, Aberystwyth, Coleg yr Iesu, Rhydychen a Phrifysgol Bangor lle cwblhaodd ei ddoethuriaeth. Bu'n gymrawd ym Mhrifysgol Indiana yn Bloomington am gyfnod ynghyd â gweithio yng Nghanolfan Ymchwil Dyniaethau Harry Ransom ym Mhrifysgol Texas yn Austin, a Llyfrgell Genedlaethol Awstralia, Canberra.

Mae ei gwaith ymchwil yn canolbwyntio ar ddeunyddiau cerddorol mewn casgliadau cyhoeddus a phreifat. Mae ei darganfyddiadau wedi esgor ar nifer o berfformiadau modern am y tro cyntaf a rhai perfformiadau cyntaf byd-eang yn Ynysoedd Prydain, Unol Daleithiau America, Canada ac Awstralia, a phriodolir ei hymchwil i adferiad llawer o gyfansoddwyr i'r storfa, yn arbennig **Morfydd Llwyn Owen**, testun traethawd ymchwil ei doethuriaeth a'r llyfr bywgraffiadol *Never So Pure A Sight* (Llandysul, 1994). Mae hi wedi sgriptio a chynhyrchu rhaglenni dogfen ar nifer o sianelau teledu ac wedi ymddangos ar raglenni radio megis Classic FM, BBC Radio 3 a Radio Cymru. Ers 2006 bu'n Gyfarwyddwr Artistig **Gŵyl Gregynog**, gŵyl gerddoriaeth glasurol hynaf Cymru.

Davies, Richard
(**Mynyddog**; 1833–77)

Bardd a datgeinydd a hanai o blwyf Llanbryn-mair, Sir Drefaldwyn. Addysgwyd Mynyddog yn ysgol yr Hen Gapel yn Llanbryn-mair a dechreuodd farddoni a chystadlu'n ifanc. Cymerodd ei ffugenw o fryn Newydd Fynyddog yn ymyl ei gartref.

Dechreuodd ennill ei fara menyn fel datgeinydd, gan deithio i Lundain i glywed cantorion enwog y dydd, a byddai'n perfformio i gyfeiliant harmoniwm bychan, yn canu ei ganeuon ei hun, ar ddull yr hyn a elwid yn 'dopicaliaid' yn ddiweddarach. Roedd yn boblogaidd iawn fel arweinydd **eisteddfodau**. Cyhoeddwyd ei gerddi mewn nifer o gyfrolau: *Caneuon Mynyddog* (1866), *Yr Ail Gynnyg* (1870), *Y Trydydd Cynnyg* (1877) a chyfrol arall, *Pedwerydd Llyfr Mynyddog*, yn 1882, wedi ei farw.

O safbwynt cerddoriaeth, gorwedd pwysigrwydd Mynyddog yn y llu o eiriau a luniodd i ganeuon poblogaidd a gweithiau eraill ei gyfnod. Ef a greodd libreto'r **opera** *Blodwen* gan **Joseph Parry**, a berfformiwyd gyntaf yn 1878. Ef hefyd a luniodd y geiriau Cymraeg i rangan enwog Joseph Parry, *Myfanwy*. Ymhlith ei ganeuon ceir 'Gwnewch bopeth yn Gymraeg', 'Dewch i America', 'Wyres fach Ned Puw', 'Dyma'r dyn a aiff â hi', 'Pistyll y llan'; 'Cartref' (i gerddoriaeth W. Trevor Evans); 'Baner ein gwlad', 'Cydgan y morwyr' a 'Mae Cymru'n barod' (i gerddoriaeth Joseph Parry); 'Y fam a'i baban' (i gerddoriaeth **John Thomas** (Pencerdd Gwalia)); 'Bedd Llewelyn' (i gerddoriaeth **D. Emlyn Evans**); 'Galwad y tywysog' (i gerddoriaeth John Henry).

At hynny, ef a ysgrifennodd eiriau Requiem gynulleidfaol Joseph Parry er cof am **Ieuan Gwyllt**, *Wylun! wylun!* (1877). Cyfieithodd nifer o ganeuon Saesneg ac Americanaidd megis 'Rhwyfa dy gwch dy hun' ('*Paddle your own canoe*'), a lluniodd geiriau ar alawon poblogaidd megis 'Dacw'r bwthyn gwyn y'm ganwyd' i '*Just before the battle, mother*' a 'Gwenno fwyn' i '*Nelly Bly*', a'u perfformio ei hun.

Cydweithiodd â **D. Emlyn Evans** ar ganeuon ac ar **gantatas**, yr opereta *Y Tylwyth Teg* a 'Caneuon y Gwynfydau', a chyfansoddodd Evans **anthem** er cof amdano, *Pa fodd y cwympodd y cedyrn* (1878). Cafwyd anthem hefyd gan **R. S. Hughes**, 'Gorphwysgan' (1878), er cof amdano ef, Ieuan Gwyllt a John Griffith (Y Gohebydd). Priododd Mynyddog ag Ann Elizabeth Francis o'r Rhyl yn 1871. Wedi ei farw ailbriododd hi yn 1878 â D. Emlyn Evans.

Llyfryddiaeth

T. R. Roberts (Asaph), *Mynyddog: ei fywyd a'i waith* (Dinbych, 1909)

Rhidian Griffiths

Davies, Ryan (1937–77)

Ganed yr actor a'r diddanwr poblogaidd amryddawn, Ryan Davies, yng Nglanaman, Sir Gaerfyrddin, ac fe'i magwyd yno ac yn ddiweddarach yn Llanfyllin. Ar ôl treulio dwy flynedd yn yr RAF cafodd ei hyfforddi'n athro yn y Coleg Normal, Bangor, cyn mynychu'r Central School of Speech and Drama yn Llundain.

Yn ystod yr 1960au bu'n athro am chwe mlynedd mewn ysgol uwchradd yn Croydon. Yr un pryd, roedd yn dechrau dod yn wyneb cyfarwydd yn sgil ei berfformiadau aml yn yr **Eisteddfod** Genedlaethol ac mewn **rhaglenni teledu** ar gyfer y BBC a TWW. Yn 1961 priododd ferch y bu'n agos ati ers dyddiau plentyndod, Irene Williams, a gadawodd y byd dysgu yn 1966 er mwyn canolbwyntio ar wneud gyrfa iddo'i hun ym maes adloniant.

Ymddangosodd Ryan Davies am y tro cyntaf fel actor proffesiynol ar lwyfan yn Eisteddfod Genedlaethol Aberafan yn 1966, a hynny yn y ddrama *Pros Kairon* gan Huw Lloyd Edwards (1916–75).

Ddwy flynedd yn ddiweddarach cafodd y brif ran yn *Y Drwmwr*, y ddrama deledu gyntaf yn y Gymraeg i gael ei darlledu gydag is-deitlau.

Fodd bynnag, yn sgil ei bartneriaeth gyda'r actor a'r cyflwynydd Ronnie Williams (1939–97) o Gefneithin y daeth yn wirioneddol adnabyddus, partneriaeth sydd wedi'i chymharu â'r digrifwyr Morecambe and Wise yn Saesneg. *Ryan a Ronnie*, a ddangoswyd ar y BBC o 1967 ymlaen – gweledigaeth **Meredydd Evans**, pennaeth adloniant ysgafn BBC Cymru ar y pryd – oedd y gyfres gomedi fwyaf poblogaidd erioed ar deledu Cymraeg. Bu fersiwn Saesneg ohoni ar rwydwaith y BBC rhwng 1971 ac 1973. Yr un bartneriaeth a welwyd mewn cyfres fer o'r enw *The Good Old Days* a wnaed yn Blackpool. Yn yr 1970au, Ryan Davies oedd yn portreadu'r deheuwr 'Fe' yn y gomedi sefyllfa dra phoblogaidd *Fo a Fe*, ochr yn ochr â Guto Roberts a chwaraeai'r gogleddwr.

Roedd gan Ryan Davies yrfa ar wahân i hyn hefyd, fel pianydd, cyfansoddwr a diddanwr ar ei liwt ei hun, ac ymhlith ei ganeuon – llawer ohonynt yn boblogaidd o hyd – y mae 'Ceiliog y Gwynt', 'Nadolig Pwy a Ŵyr' a 'Blodwen a Mary'. Yr oedd hefyd yn canu'r delyn, ac mae recordiad cofiadwy a digrif ohono'n canu **cerdd dant** gan gyfeilio iddo'i hun wrth sôn am hanes Madog yn hwylio i America, i'r gainc 'Llwyn Onn'. Er mai caneuon generig ysgafn o'r cyfnod sy'n perthyn i'w allbwn, roedd ganddo'r gallu i gyfathrebu mewn arddull ddwys a phwerus hefyd, fel mae'r gân 'Pan fo'r Nos yn Hir' yn ei brofi. Recordiwyd un o'i gyngherddau i'w ryddhau ar record a bu mynd mawr ar *Ryan at the Rank*, sef clwb nos y Top Rank yn Abertawe. Yn 1971 ef oedd yr Ail Lais yn y ffilm *Under Milk Wood*, yng nghwmni Richard Burton (Y Llais Cyntaf), Peter O'Toole ac Elizabeth Taylor.

Bu Ryan a Ronnie mewn pantomeimiau gyda'i gilydd yn Theatr y Grand, Abertawe, ond yn y man penderfynasant ddirwyn eu partneriaeth i ben. Yn 1975 ymddangosodd Ryan mewn pantomeim, *Mother Goose*, heb Ronnie. Yn 1976 fe'i gwelwyd ar lwyfan yng nghomedi *The Sunshine Boys* a dwy ddrama Gymreig, *Welsh Not* a *Merthyr Riots*. Y flwyddyn ganlynol actiodd yn y pantomeim *Jack and the Beanstalk* a wedyn yn *Babes in the Wood*. Roedd y gyfres deledu *Ryan* yn gyfle iddo gyfuno ei ddawn gerddorol a'i ddawn gomedi, a chyflwynodd raglen deyrnged i Saunders Lewis ar HTV, *A Necessary Figure*. Ar y radio roedd ganddo ran yn y ddrama *The Breakers* a chwaraeodd ran twrist Americanaidd

yn rhaglen deledu BBC Cymru *How Green Was My Father*.

Dim ond 40 oed oedd Ryan Davies pan fu farw'n sydyn yn ninas Buffalo, yn yr Unol Daleithiau, ar 22 Ebrill 1977. Yn ei farwolaeth, collodd Cymru'r 20g. un o'i thalentau disgleiriaf.

Disgyddiaeth
'Nadolig? pwy a ŵyr!' [sengl] (Dryw 1108, 1971)
Ryan at the Rank (Black Mountain BM2, 1975)
Ryan at the Rank Vol. 2 (Black Mountain BM47, 1980)
Ffrindiau Ryan (Sain SCD2634, 2010)

Llyfryddiaeth
Rhydderch Jones, *Ryan: A Biography* (Talybont, 2003)

Jon Gower a Sarah Hill

Davies, William (1859–1907)

Ganed William Davies yn Rhosllannerchrugog a derbyniodd ei addysg gynnar gan Hugh Griffith a Richard Mills. Roedd ei lais tenor persain wedi dwyn sylw'r cyfansoddwr **Joseph Parry** (1841–1903), a'i denodd i Goleg **Prifysgol** Cymru, Aberystwyth, i astudio. Ymsefydlodd am gyfnod ar Ynys Môn a bu'n athro yn Llangefni o 1880 ymlaen. Yn 1884 fe'i penodwyd yn gantor ym Mangor. Yn Llangefni y cychwynnodd gyfansoddi unawdau a fyddai'n dod yn fwyfwy poblogaidd ac y'u cenir hyd heddiw, fel 'Pistyll y Llan', 'Y Banerwr', 'Yr Ornest', 'Chwifiwn Faner' a 'Llwybr yr Wyddfa'. Yn **Eisteddfodau** Cenedlaethol Lerpwl, Llundain a Wrecsam enillodd wobrau am gyfansoddi a diau mai ei gân enwocaf yw 'O Na Byddai'n Haf o Hyd', unawd a genir gan brif gantorion Cymru ar hyd a lled y byd.

Fodd bynnag, datblygodd ei yrfa fel canwr ymhellach a bu'n canu tenor yng nghorau Coleg Magdalen, Rhydychen, ac yn y pen draw Eglwys Gadeiriol St Paul, Llundain. Priododd Clara Leighton, a oedd yn soprano gyda Chwmni Opera Carl Rosa. Bu farw ar 30 Ionawr 1907 a chafodd ei gladdu ym mynwent Abney Park, Llundain.

Mae ffresni melodaidd ei waith gorau yn nodwedd amlwg o'i arddull, sy'n ymdebygu i *lieder* Franz Schubert yn ei naturioldeb. Mae'r ysgrifennu ar gyfer y piano, fel yng ngwaith ei gyfoeswr **R. S. Hughes** (1855–93), yn idiomatig er nad yw'n ystrydebu'n gerddorol fel ag y gwna Hughes o bryd i'w gilydd. Roedd yn sicr yn deall y llais a gallai saernïo caneuon yn wych ar brydiau. Mae'n glod iddo fod cantorion o'r radd flaenaf yn parhau i berfformio'i waith dros ganrif ar ôl ei farw.

Llyfryddiaeth
www./http:llyba.llgc.org.uk
Y Cerddor (Mai, 1897); ysgrif goffa (Mawrth 1907)

Lyn Davies

Dawnsio Gwerin (Arferion)
(gw. **Gwerin, Arferion Dawnsio**)

Dawnswyr
(gw. **Gwerin, Dawnswyr**)

De Lloyd, David (1883–1948)

Cyfansoddwr ac athro **prifysgol**. Ganed David John De Lloyd yn Sgiwen, Sir Forgannwg, yn fab i asiant yswiriant, ac am gyfran helaeth o'i flynyddoedd cynnar bu'r teulu'n symud o le i le, cyn ymsefydlu maes o law ym Mhenparcau, Aberystwyth.

Amlygodd de Lloyd ddawn gerddorol ryfeddol yn blentyn. Yn 1894, cyfarfu â John Spencer Curwen, hyrwyddwr y drefn nodiant sol-ffa, pan oedd Curwen yn ymweld â Chaerfyrddin ar gyfer un o gynadleddau'r Gymdeithas **Tonic Sol-ffa**. Yn sgil y cyfarfyddiad, bu de Lloyd yng nghwmni Curwen ar daith o gwmpas y Deyrnas Unedig, gan ysgwyddo'r cyfrifoldeb am arddangos cymwysiadau mwy cymhleth y drefn nodiant sol-ffa. Ar ôl dychwelyd i Gymru enillodd ysgoloriaeth i Goleg Prifysgol Cymru Aberystwyth, i astudio hanes. Cafodd radd BA yn 1903, ond ddwy flynedd yn ddiweddarach ef oedd y cyntaf i raddio o Brifysgol Cymru â gradd BMus. Barnwyd bod ei ddawn mor eithriadol nes dyfarnu iddo ysgoloriaeth dysteb gyhoeddus i fynd yn ei flaen i astudio yn Leipzig.

Ar ôl dychwelyd o'r Almaen bu'n dysgu mewn ysgolion yn Llundain a Llanelli, ac enillodd ddwy radd gerddoriaeth arall, gan gynnwys DMus o Brifysgol Dulyn. Yn 1919 fe'i penodwyd yn ddarlithydd yng Ngholeg Prifysgol Cymru Aberystwyth. Cyrhaeddodd yno bron yr un pryd ag y penodwyd **Walford Davies** i'r Gadair Gerddoriaeth. Roeddynt yn gymeriadau gwahanol iawn i'w gilydd. Roedd Walford Davies yn lliwgar a charismataidd, a llawer o'i amser yn cael ei lyncu gan ymrwymiadau allanol, gan gynnwys bod yn Gyfarwyddwr Cerddoriaeth Prifysgol Cymru ac yn Gadeirydd Cyngor Cerddoriaeth Cymru. Roedd de Lloyd, ar y llaw arall, yn dawelach a mwy encilgar wrth natur ond yn ymroi'n gydwybodol i'w ddyletswyddau. Ceir yr argraff mai ef a oedd

yn ysgwyddo llawer o'r baich o redeg yr adran a'i chyngherddau cyhoeddus yn llyfn ac nid oedd yn syndod mai ef a olynodd Walford Davies fel Athro yn 1926.

Roedd yn ergyd greulon i'r brifysgol pan fu farw de Lloyd, a oedd wedi gweithio mor ddiwyd ac effeithiol yno, a hynny ar ddiwrnod ei ymddeoliad. Roedd wedi dwyn clod a bri i'r coleg, wedi bod yn hynod weithgar fel **arweinydd** corau a grwpiau offerynnol ac wedi bod wrth galon bywyd cerddorol Aberystwyth am ddeng mlynedd ar hugain, yn ogystal â gwasanaethu'n ddiflino fel beirniad mewn **eisteddfodau** ar hyd a lled y wlad.

Prin y perfformir ei gyfansoddiadau niferus bellach. Yn eu plith y mae **opera**, *Gwenllian* (1924); *Tir na n'Og*, cân delynegol i eiriau gan T. Gwynn Jones; **cantata**, *Gwlad fy Nhadau*; a sawl **emyndôn**. Roedd yn drefnydd cerddoriaeth hefyd a chyhoeddodd argraffiad o *Forty Welsh Traditional Tunes*, a ymddangosodd yn y *Transactions of the Cardiganshire Antiquarian Society* yn 1929.

Trevor Herbert

Delysé, Cwmni Recordio

Sefydlwyd y Delysé Recording Company, Llundain, ar 28 Gorffennaf 1954 gan Isabella Wallich, *née* Valli (1916–2000), nith y cynhyrchydd recordiau arloesol a blaenllaw, Fred W. Gaisberg (1873–1951). Fe'i cynghorwyd ganddo i recordio cerddoriaeth yr oedd y cwmnïau mawr yn ei hesgeuluso. Yn 1952, a hithau'n rheolwr cerddorfa dros dro i Gerddorfa'r Philharmonia (dan arweiniad Herbert von Karajan) ar eu taith Ewropeaidd gyntaf wedi'r rhyfel, cyfarfu ag **Osian Ellis** a David Ffrangcon Thomas a'u clywed yn siarad am draddodiad barddol a cherddorol Cymru. Dyna pryd y penderfynodd mai cerddoriaeth Gymreig a gâi'r lle blaenllaw ar ei label recordiau newydd.

Welsh Folk Music (E.C. 3133) oedd ei chynhyrchiad cyntaf, disg hir 7" 33$\frac{1}{3}$ rpm a recordiwyd ym mis Gorffennaf 1954 yn y Conway Hall, Red Lion Square, Llundain, ac arni roedd Ellis a Ffrangcon Thomas yn perfformio detholiad o drefniannau Ellis o **ganeuon gwerin**, gan gynnwys pedwar gosodiad **cerdd dant** i'r delyn a'r llais. Ar ail ddisg, *Songs of Wales*, perfformiai Brychan Powell gydag adran linynnau Cerddorfa Cymru, a oedd newydd ei ffurfio. Recordiwyd Powell hefyd mewn gweithiau operatig a chyda Chôr Ieuenctid Cymry Llundain dan arweiniad Kenneth Thomas ac i gyfeiliant Cyril Anthony (organ). Naws ysgafnach oedd i recordiau gan y tenor David Hughes, band a chôr y Gwarchodlu Cymreig, a dwy ddisg 7″ EP boblogaidd iawn o raglen TWW *The Land of Song*, gydag Ivor Emmanuel a nifer o blant.

Ymhlith artistiaid eraill yr oedd Côr Godre'r Aran; Côr Meibion y Rhos; **Geraint Evans** (a recordiwyd yn Eglwys Gadeiriol Llandaf yn 1961 gyda Cherddorfa Gymreig y BBC); The Shelly Singers, The Lyrian Singers a'r Glendower Singers, y cyfan dan arweiniad **Mansel Thomas** (1909–86); ac, yn 1962, **Meredydd Evans** gydag Wythawd Tryfan, Maria Korchinska (telyn) a **Phyllis Kinney**.

Ar 3 Mai 1963 recordiwyd Cymanfa Ganu yn Neuadd Albert gyda Terry James (**arweinydd**), Cyril Anthony (organ), ac Emyr Jones yn darllen drwy bob **emyn** cyn iddo gael ei ganu. Y canlyniad oedd *A Nation Sings – Five Thousand Voices*. Recordiwyd ail ddisg yn 1965. Dechreuwyd ar gyfnod hir o gydweithio â Wyn Morris (1929–2010) yn 1966 gyda'i recordiad o'r cylch o ganeuon symffonig *Des Knaben Wunderhorn* gan Gustav Mahler, gyda Janet Baker, Geraint Evans a Cherddorfa Ffilharmonig Llundain.

Roedd parch ac enw da yn perthyn i gynnyrch Delysé oherwydd ei broffesiynoldeb, ei arloesedd, ei *repertoire* ac ansawdd ei cynhyrchu. Roedd ymrwymiad y cwmni i Gymru a'i cherddoriaeth yn amlwg, ac am flynyddoedd lawer bu ganddo stondin ar faes yr **Eisteddfod** Genedlaethol. Bu gan y cwmni gysylltiad byrhoedlog â Pye Records rhwng 1969 ac 1971 ac wedi hynny gwnaed rhagor o recordiadau o Mahler gyda Wyn Morris, gan gynnwys ei Nawfed Symffoni yn 1978, ond daeth y cwmni i ben i bob pwrpas pan gyhoeddwyd ei arianwyr yn fethdalwyr yn 1979, er y bu nifer bychan o brosiectau wedi hynny. Rhyddhawyd sawl eitem o gatalog Delysé yn ddiweddarach dan drwydded gan MSD, Collins, Pickwick, Carlton Classics a Decca, ac mae nifer wedi ymddangos hefyd ar label Sain.

Llyfryddiaeth

Isabella Wallich, *Recording My Life…* (Llundain, 2001)

David R. Jones

Diliau, Y

Grŵp **pop**-gwerin a oedd yn boblogaidd yn yr 1960au a'r 1970au. Ffurfiwyd y grŵp yn 1964. Roedd yr aelodau gwreiddiol, sef Meleri Evans (llais

a gitâr), Mair Robbins (*née* Davies, llais) a Lynwen Jones (llais a gitâr), yn gyn-ddisgyblion yn Ysgol Pantycelyn, Llanymddyfri, gyda Meleri Evans yn ferch i'r gwleidydd a'r cenedlaetholwr Gwynfor Evans.

Daeth llwyddiant cynnar i'r grŵp yng nghystadleuaeth cân bop **Eisteddfod** Genedlaethol yr Urdd, Porthmadog, yn 1964, gyda'r gân 'Wil'. Yn dilyn hyn rhyddhaodd y grŵp ddwy EP ar label Qualiton o'r enw *Caneuon y Diliau* a *Dwli ar y Diliau*. Ymunodd Gaynor John, gynt o'r Cwennod, â'r grŵp pan adawodd Lynwen yn 1968, a bu hyn yn ddechrau ar gyfnod mwyaf cynhyrchiol Y Diliau.

Rhwng 1968 ac 1973 bu'r grŵp yn perfformio'n gyson ledled Cymru, yn ymddangos ar raglenni teledu megis *Disc a Dawn*, *Hob y Deri Dando*, rhaglen werin BBC Cymru *In Session*, ynghyd â rhyddhau pum EP ac un record sengl. Bu *Rho Dy Law* (Dryw, 1970) yn hynod boblogaidd gan dderbyn adolygiadau ffafriol, ac fe'i dilynwyd gan *Daeth Dei yn ôl* (Dryw, 1970). Yn sgil eu poblogrwydd yng Nghymru, gwahoddwyd y grŵp i gynrychioli'r wlad yn yr Ŵyl Geltaidd Ryngwladol yn Brest, Llydaw. Darlledwyd eu cân 'Rho Dy Law' ar radio Llydaw, a daeth y grŵp i sylw'r canwr gwerin adnabyddus Alan Stivell.

Nodweddion y grŵp oedd eu gallu i ganu mewn harmoni clos, persain, gyda geirio clir – nodweddion a oedd yn cael eu cyfri'n bwysig i ganu ysgafn gwerin Cymraeg y cyfnod. Roedd eu caneuon yn osgoi sentimentalrwydd gan amrywio o addasiadau **Meredydd Evans** o ganeuon Americanaidd i osodiadau o eiriau beirdd Cymraeg megis R. Williams Parry i rythmau Jamaicaidd.

Parhaodd y grŵp i berfformio yn yr 1970au, gan ryddhau'r record hir *Tân Neu Haf* ar label Gwerin yn 1979. Fodd bynnag, erbyn canol yr 1970au daeth sain Y Diliau i gynrychioli arddull geidwadol, ganol-y-ffordd o'i chymharu â grwpiau seicedelig megis **Y Bara Menyn** a'r **Tebot Piws**. Cydnabuwyd Y Diliau yn y *Western Mail* fel un o grwpiau **canu gwerin** ysgafn Cymraeg mwyaf poblogaidd y cyfnod (Hignet 1971, 4), a bu'n syndod i nifer nad aeth unrhyw un o'u recordiau i ben siart 'Deg Uchaf' *Y Cymro*.

Disgyddiaeth

Caneuon y Diliau [EP] (Qualiton QEP4043, [1966])
Dwli ar y Diliau [EP] (Qualiton QEP4051, [1966])
Ambell Dro [EP] (Cambrian CEP436, 1969)
Rho Dy Law [EP] (Dryw WRE1081, 1970)
Daeth Dei yn ôl [EP] (Dryw WRE1096, 1970)
Rebel [EP] (Dryw WSP2007, 1971)

'72 [EP] (Dryw WRE1121, 1972)

Blas ar y Diliau [EP] (Sain 35, 1973)

Tân Neu Haf (Gwerin SYWM216, 1979)

Llyfryddiaeth

Margaret Hignet, 'In Our Style', *Western Mail*, 18 Ionawr 1971, 4

Pwyll ap Siôn

Dirwest, Canu

Datblygodd y mudiad dirwest yn Unol Daleithiau America yn yr 1820au ac ymledu i Brydain ac i Gymru yn yr 1830au. Erbyn diwedd y degawd hwnnw roedd cymdeithasau dirwestol yn cael eu sefydlu, gan ddechrau yn siroedd Fflint a Dinbych. Magodd y mudiad ddylanwad mawr yng Nghymru a chynhyrchu llenyddiaeth a gweithgarwch diwylliannol a fu'n boblogaidd iawn. Ffurfiwyd cymdeithasau ym mhob rhan o'r wlad a bu'r Gobeithlu ('Band of Hope') yn arf grymus i **addysgu** plant yn ffyrdd dirwest. Datblygodd y pwyslais ar ganu yn gynnar yn hanes y mudiad am fod canu'n cynnig gweithgarwch diwylliannol penodol a gadwai bobl rhag y tafarnau; roedd hefyd yn gyfrwng i fynegi egwyddorion creiddiol dirwest, sef hunanddisgyblaeth ac ymatal rhag y ddiod gadarn.

Cysylltid canu â gorymdeithio, a datblygodd yr **ymdeithgan** ddirwestol yn rhan nodweddiadol o ganu dirwest. Ddydd Nadolig 1837 aeth gorymdaith ddirwestol o Ddowlais i Bontmorlais dan ganu, gyda chorau dirwest pentrefi cyfagos yn ymuno. Cynhaliodd Undeb Corawl Dirwestol Gwent a Morgannwg ci gylchwyl gyntaf yn 1854, a byddai'n cynnal **gŵyl** flynyddol lle byddai corau'n perfformio'n unigol a chyda'i gilydd a lle byddai darlithiau ar rinweddau dirwest yn gymysg â'r canu. Roedd dros 900 o gantorion yn bresennol yn yr ŵyl a gynhaliwyd ym Merthyr yn 1866. Disgwylid i holl aelodau'r corau fod wedi llofnodi'r adduned i beidio â chyffwrdd â'r ddiod gadarn cyn cael cymryd rhan yn yr ŵyl. Sefydlwyd Undebau Dirwest yn Eryri yn 1866 ac Ardudwy yn 1868, a byddai'r rhain yn cynnal **gwyliau** tebyg. Ffurfiwyd Cymdeithas Gorawl Ddirwestol Dyffryn Tawe yn 1862 a bu'n ddylanwad pwerus o blaid datblygiad canu **corawl** yn ogystal â hybu'r mudiad dirwest.

Cynhyrchodd y mudiad dirwest doreth o lenyddiaeth a oedd yn amrywiol ei safon ond yn boblogaidd iawn dros gyfnod maith, gan gynnwys cylchgronau a llyfrau canu. Er bod tôn llawer o'r llenyddiaeth yn ymddangos yn eithafol, dylid cofio bod lladmeryddion dirwest yn sensitif iawn i effeithiau cymdeithasol drwg goryfed, a'i ddylanwad andwyol ar y bywyd teuluol a oedd mor uchel ei barch yn oes Victoria. Dywedwyd yn 1852 fod cerddoriaeth yn 'llawforwyn dda' i'r diwygiad dirwestol, ac yn gynnar yn oes y mudiad gwelwyd cyhoeddi casgliadau o **emynau** a thonau pwrpasol. Nodweddion arferol y rhain oedd amcanion moeswersol y geiriau a bywiogrwydd sionc y dôn, a fyddai'n fynych yn addas i'w canu wrth orymdeithio. Sonnid yn aml am y ddiod fel 'y gelyn' a 'Babilon', ac anogid y cantorion i wneud pob ymdrech i orchfygu'r naill a dymchwel y llall.

Ymddangosodd casgliadau o ganeuon dirwest mor gynnar â'r 1840au: *Y Caniedydd Dirwestol* gan Richard Mills, Llanidloes, tua 1840; *Hymnau Dirwestol* dan nawdd Côr Cerddorol Cymdeithas Ddirwestol Merthyr Tydfil yn 1844; ac *Y Canor Dirwestol* gan D. T. Williams (Tydfylyn), a argraffwyd yn Llanidloes yn 1845. Sefydlwyd cylchgrawn *Telyn y Plant* gan Thomas Levi ac **Ieuan Gwyllt** (John Roberts; 1822–77) yn 1859 a pharhaodd hyd 1861; cynhwysai emynau a chytganau dirwestol, a pharhawyd i gyhoeddi'r rhain yn *Trysorfa y Plant* a sefydlwyd yn 1862.

Daliwyd ati i gyhoeddi am gyfnod maith: Owen Williams (1877–1956), Eglwys-bach, oedd yn gyfrifol am y casgliad dwyieithog *Telyn Dirwest*, a wobrwywyd yn **Eisteddfod** Gadeiriol Llanrwst yn 1909 ac a gyhoeddwyd gan Undeb Dirwestol Merched Gogledd Cymru. Ceid hefyd gytganau a darnau corawl dirwestol: roedd yr **ymdeithgan** ddirwestol *The Fall of Bacchus* gan C. Meudwy Davies (1855–1916) yn ddarn prawf yn Eisteddfod Genedlaethol Llanelli, 1895, ac fe'i canwyd eto mewn gŵyl ddirwestol yn y Palas Grisial yn Llundain yn 1896. Mae llawer o emynau Ira D. Sankey a ddaeth yn boblogaidd yng Nghymru yn dilyn ymgyrchoedd efengylaidd Sankey a Moody, a thrwy gyfieithiadau **Ieuan Gwyllt** yn y casgliad *Swn y Juwbili* (1874–8), yn ymwneud â themâu tebyg.

Roedd y mudiad dirwest yn ei anterth yn y blynyddoedd cyn y Rhyfel Byd Cyntaf, ond parhaodd y dylanwadau a'r arferion dirwestol tan wedi'r Ail Ryfel, gydag undebau dirwest a gobeithluoedd yn dal i gyfarfod ac yn dal i ganu. Cyhoeddodd Cymanfa Ddirwestol Gwynedd gyfres o lyfrynnau o dan y teitl *Murmur y Llanw* rhwng 1920 ac 1948, ac ymddangosodd casgliad *Telyn y Wawr* o dan nawdd

I bob un sydd ffydd - lon Dan ei fa - ner Ef, Mae gan Ie - su go - ron Fry yn Nheyr - nas Nef.

Cytgan yr emyn-dôn 'Rachie' gan Caradog Roberts

Undeb Dirwest Gwynedd yn 1950. Gwelir yr emyn dirwestol 'Urdd y gloyw ddŵr' gan Nantlais (William Nantlais Williams), i gerddoriaeth gan Matthew W. Davies, yn *Llyfr Emynau a Thonau'r Plant* (1947), a'r geiriau 'Ymlaen ni awn, dan ganu 'nghyd' o waith Tegidon (John Phillips; 1810–77), sy'n sôn am gael y 'gelyn meddwdod dan ein traed', yn *Y Caniedydd* (1960).

Ond o'r 1950au ymlaen roedd agweddau cymdeithas yn newid, a rhoddid llai o bwyslais ar ddirwest a mwy ar gymedroldeb. Yn naturiol ddigon arweiniodd hyn at lai o ddiddordeb mewn emynau a chytganau dirwestol. Mae'n eironig fod yr emyn dirwest enwocaf un, 'I bob un sydd ffyddlon', geiriau Ap Hefin (Henry Lloyd; 1870–1946) i'r dôn 'Rachie' gan Caradog Roberts, yn cael lle bellach mewn casgliadau o ganeuon yfed.

Rhidian Griffiths

Diwylliant a'r Diwydiant Cerddoriaeth

Arferai Syr Ifor Williams bwysleisio mai ystyr 'diwylliant' yw di-wylltio, hynny yw, tynnu pobl o'u gwylltineb naturiol a'u gwareiddio. Er bod cerddoriaeth yn rhan o fywyd cyntefig llwythau ym mhob man, gellir hefyd ddweud iddi fod â rhan fawr ym mhob cyfnod a phob cenedl yn y broses o ddatblygu cymdeithas. Yn sgil hynny, bu gan gerddoriaeth gyswllt agos â'r mudiadau a'r sefydliadau sy'n ffurfio'r hyn a elwir yn aml yn ddiwydiant cerddoriaeth, sef y pethau hynny sy'n cynnal bywyd cerddorol cenedl. Yng Nghymru yn arbennig, mae'n sicr fod cerddoriaeth wedi cyfrannu at ddatblygiad meddwl ac arferion trigolion y wlad ar wahanol gyfnodau a hefyd wedi dylanwadu ar gelfyddydau eraill o bwys, barddoniaeth yn enwedig. Ond dylid cofio hefyd fod profiad y Cymry o gerddoriaeth ymhell o fod yn gyfyngedig i'r hyn y gellir ei galw'n gerddoriaeth frodorol, a bod dylanwadau allanol, Ewropeaidd ac Americanaidd yn arbennig, wedi effeithio ar ddiwylliant cerddorol y genedl.

Dim ond i ryw raddau y gellir ystyried diwylliant cerddorol yr Oesoedd Canol yn ddiwylliant torfol. Byddai cywyddau'n cael eu datgan i'w noddwyr i gyfeiliant **telyn** ond mae'n debyg mai unigolion oedd prif gantorion ac offerynwyr y cyfnod fel arfer, er y gwyddys fod yr arfer o gydganu a chyd-ddatgan yn bodoli. Diddorol yw nodi bod **Edmwnd Prys** yn 1621, wrth gyflwyno i'r Cymry yr arfer o gydganu mewn cynulleidfa eglwysig, yn mynegi amheuaeth a allai mwy nag un llais ganu cywydd, er enghraifft. Serch hynny, roedd y broses o wrando ynddi'i hun yn broses o ymddiwyllio, ac felly hefyd yn yr eglwys lle clywid canu gwasanaethau. Wedi'r Dadeni parhaodd yr arferion unigol ond gwelir hefyd fwy o ymdrech i greu diwylliant cerddorol torfol, er enghraifft drwy hybu dawnsio a chanu yn y plastai fel yn Lleweni, Castell Gwydir a Chastell y Waun. Erbyn y 18g. datblygodd arferion canu cynulleidfaol yn yr eglwysi a gwyddys fod cryn weithgarwch dawnsio traddodiadol yn y ffeiriau a'r gwylmabsantau.

Ond nid hyd y 19g., mae'n debyg, y gellir sôn am ddiwydiant cerddoriaeth fel y cyfryw lle'r oedd unigolion yn ennill bywoliaeth trwy gyfrwng dysgu, perfformio a chyfansoddi cerddoriaeth: cyn hynny, unigolion hwnt ac yma fyddai'n cyfrannu **addysg** gerddorol, er enghraifft y telynorion a'r ffidlwyr a drosglwyddai alawon ar lafar yn bennaf. Y 19g. hefyd oedd y cyfnod pan ddatblygodd canu torfol ffurfiol, trwy waith cymdeithasau a chorau, ac y dechreuwyd datblygu'r traddodiad cerddorfaol Cymreig. Golygai hyn fod mwy o gyfleoedd i bobl ymddiwyllio trwy gymryd rhan mewn cerddoriaeth a thrwy wrando a gwerthfawrogi. Yn chwarter olaf y 19g. yn ogystal y dechreuwyd sôn am Gymru yn genedl gerddorol ('Gwlad y gân') ac y dechreuwyd ffurfioli'r bywyd cerddorol trwy gymdeithasau lleol a sefydliadau. Gellir awgrymu felly mai proses o dyfu'n ddiwylliannol a gafwyd, lle cynyddai cyfleoedd i bobl gymryd rhan mewn gweithgareddau diwylliannol a lle tyfai cynulleidfaoedd trwy helaethu'r dulliau o gyfathrebu diwylliannol.

Eisteddfodau

Sefydliad llenyddol oedd yr eisteddfod yn ei hanfod. Pwyslais pennaf yr eisteddfodau cynnar − o dan nawdd yr Arglwydd Rhys yn Aberteifi yn 1176, yng Nghaerfyrddin tuag 1451 ac yng Nghaerwys yn 1523 ac 1567 − oedd trafod a threfnu'r alwedigaeth farddol, er bod elfennau a chystadlaethau cerddorol yn cael lle ynddynt hefyd. Yn yr un modd, cyfarfodydd i feirdd, yn aml mewn tafarndai, oedd eisteddfodau'r 18g., a phan sefydlodd **Iolo Morganwg** yr Orsedd yn 1792, urdd i feirdd ydoedd. Yn y 19g. fodd bynnag, gwelir yr eisteddfod yn esblygu i fod yn ŵyl ddiwylliannol ehangach ei rhychwant. Yn eisteddfodau'r Fenni o dan nawdd **Augusta Hall** (Arglwyddes Llanofer), er enghraifft, rhoddwyd sylw i **offerynnau** traddodiadol (e.e. y delyn deires) a gwobrwywyd casgliadau o gerddoriaeth ddraddodiadol (e.e. gwaith **Maria Jane Williams**, Aberpergwm).

Yn Eisteddfodau Cenedlaethol yr 1860au dechreuodd y mudiad **corawl** ddylanwadu mwy ar fywyd y genedl, a gellir yn rhesymol o hynny ymlaen ystyried yr Eisteddfod Genedlaethol yn ŵyl gerddorol yn ogystal â llenyddol, cymaint felly nes bod y beirdd yn cwyno ar adegau fod cerddoriaeth yn hawlio gormod o le. Ond yr Eisteddfod Genedlaethol oedd un o brif lwyfannau'r diwylliant cerddorol newydd a esblygodd yn ail hanner y 19g., sef diwylliant canu corawl yn bennaf, ond diwylliant offerynnol yn ogystal. Erbyn yr 1920au byddai'n arferiad i gael cerddorfa i gyfeilio i'r corau yn y brif gystadleuaeth gorawl, corau a rifai yn aml dros 300 o leisiau. Datblygodd cyngherddau'r Eisteddfod hefyd yn llwyfan i weithiau corawl ar raddfa fawr, ac yn y cyfnod wedi'r Rhyfel Byd Cyntaf gwelwyd dylanwad cynyddol Y Cyngor Cerdd Cenedlaethol (a ffurfiwyd yn 1919 yn sgil Comisiwn Haldane) ar safonau cerddorol. Arweiniodd **T. Hopkin Evans** *The Apostles* gan Elgar yn Eisteddfod Genedlaethol Corwen yn 1919 a *Mass of Life* gan Delius yn Eisteddfod Genedlaethol Wrecsam 1933, ac yn 1934 cafwyd perfformiad o *Belshazzar's Feast* gan Walton, a oedd yn waith newydd ar y pryd, yn Eisteddfod Genedlaethol Castell-nedd. Yn Eisteddfod Caerdydd 1938 llwyfannwyd yr *Offeren yn B leiaf* gan Bach a'r *Requiem Almaenaidd* gan Brahms. Serch hynny, dim ond yn raddol y llwyddwyd i gefnu ar yr ysbryd cystadleuol eiddigus a di-ras a ddifwynai eisteddfodau diwedd y 19g. a dechrau'r 20g.

Wedi gweithredu'r rheol Gymraeg yn ei llawnder o Eisteddfod Genedlaethol Caerffili (1950) ymlaen, daeth yr Eisteddfod Genedlaethol yn llwyfan i ddatganiadau o weithiau **clasurol** yn y Gymraeg, a chyfoethogwyd y diwylliant eisteddfodol, a diwylliant cerddorol Cymru, gan gyfieithiadau o unawdau a chyfanweithiau gan lenorion megis T. H. Parry-Williams, Thomas Parry, Stephen J. Williams a Dyfnallt Morgan. Erbyn diwedd yr 20g. roedd yr Eisteddfod yn darparu tlysau ar gyfer **cerddoriaeth offerynnol** a Thlws y Cerddor i gyfansoddwyr, gan ledu cyfleoedd cerddorol yn ehangach. Cafwyd mwy o amrywiaeth mewn cystadlaethau, gan gynnwys dod â cherddoriaeth ysgafnach y llwyfan a'r sioe gerdd i fyd cystadlu eisteddfodol.

Gwelwyd effaith y datblygiadau hyn ar eisteddfodau eraill hefyd. Sefydlwyd Eisteddfod Genedlaethol Urdd Gobaith Cymru yn 1929 i ddarparu cyfleoedd cystadlu i blant ysgol yn bennaf, a bu hyn yn gyfrwng i ddyfnhau profiadau cerddorol cenedlaethau o blant wrth iddynt ddysgu darnau lleisiol ac offerynnol. Am fod yr un bobl yn aml yn cystadlu mewn eisteddfodau lleol gellir dweud i Gymru gyfan elwa ar y datblygiadau diwylliannol hyn. Yn yr un modd, daeth sefydlu Eisteddfod Gydwladol Llangollen yn 1947 â llawer o gerddoriaeth frodorol o wledydd eraill i glyw a gwerthfawrogiad y Cymry, er y gellid dadlau mai cymharol gyfyng oedd dylanwad hyn ar gerddoriaeth Gymreig yn gyffredinol.

Cyhoeddi

Yn eu tro roedd y datblygiadau hyn yn hwb i gyhoeddwyr i argraffu mwy o gerddoriaeth a fyddai ar gael i'w defnyddio mewn **eisteddfodau**. Yn ystod ail hanner y 19g. bu twf aruthrol mewn gweithgarwch cyhoeddi yng Nghymru, er mai gwaith cyfansoddwyr Cymreig, ac nid clasuron Ewrop, oedd yn cael ei gyhoeddi, ac nid oedd y cynnyrch bob amser o safon uchel.

Serch hynny, roedd y ffaith fod cerddoriaeth Gymreig ar gael yn hwb nid yn unig i gystadlu a pherfformio ond hefyd i gyfansoddi, ac yn raddol cododd safon y cynnyrch, yn enwedig o law cyfansoddwyr a gawsai **addysg** gerddorol, Caradog Roberts, **E. T. Davies** ac **Idris Lewis** er enghraifft. Yn yr 1930au pan oedd eisteddfodau lleol yn lluosog ac yn boblogaidd, byddai D. J. Snell, Abertawe, yn cynnig gostyngiad arbennig i bwyllgorau eisteddfodol a fyddai'n dewis eu darnau gosod o'i gatalog ef, er mai digon cyffredin oedd safon rhai o'r darnau a gyhoeddai.

Daeth tro pendant ar fyd yn sgil gweithgarwch Y

Cyngor Cerdd Cenedlaethol a hybodd gerddoriaeth Gymreig newydd ac argraffiadau yn yr iaith Gymraeg o glasuron o'r traddodiad Ewropeaidd, a oedd yn fodd i ledu gorwelion cerddorol y Cymry. Ond wedi'r Ail Ryfel Byd, daeth cyhoeddi masnachol yn fwy anodd, ac er i Gymru ddatblygu traddodiad symffonig trwy waith **Daniel Jones**, **Grace Williams** a **David Wynne**, nid yng Nghymru y cyhoeddwyd eu gwaith os cyhoeddwyd ef o gwbl. Eto i gyd, erbyn diwedd yr 20g. cadarnhawyd yr agwedd hon ar ddiwylliant cerddorol trwy waith cyhoeddwyr megis Curiad a ofalodd fod cyfleoedd newydd i gyfansoddwyr Cymreig.

Sefydliadau

Roedd llawer o weithgarwch diwylliannol cerddorol Cymru yn y 19g. wedi ei ganoli ar gapeli ac eglwysi, a'u hysgoldai a'u neuaddau hwy oedd neuaddau cyngerdd y cyfnod. Perfformiwyd **cantatas** ac **oratorios** ar y llwyfannau hyn ac roedd brwdfrydedd lleol yn amlwg, gyda sawl perfformiad mewn gwahanol ganolfannau o fewn un ardal mewn amser byr. Cyn yr Ail Ryfel Byd, roedd hyn yn fynegiant amlwg o ddiwylliant cerddorol lleol. Ond yn yr 20g. hefyd gwelwyd datblygu neuaddau cyhoeddus amlbwrpas a ddaeth yn neuaddau cyngerdd ac a roddodd i boblogaeth Cymru gyfleoedd diwylliannol ychwanegol a mwy o ofod i glywed perfformiadau gan gerddorfeydd a chwmnïau proffesiynol.

Agorwyd Neuadd Prichard Jones ym Mhrifysgol Bangor a Neuadd Brangwyn yn Abertawe, a defnyddiwyd y ddwy yn helaeth ar gyfer perfformiadau cerddorfaol a chorawl. Yn ddiweddarach yn y ganrif codwyd y safon yn uwch fyth trwy Ganolfan y Celfyddydau a Theatr y Werin yn Aberystwyth (1972), a Neuadd Dewi Sant (1982) a Chanolfan y Mileniwm yng Nghaerdydd (2004), yr ail yn rhoi llwyfan teilwng i gwmni Opera Cenedlaethol Cymru, a sefydlwyd gan Idloes Owen yn 1943 ac a ddatblygodd wedi'r Ail Ryfel Byd i fod yn un o brif gynheiliaid y diwylliant cerddorol rhyngwladol yng Nghymru.

Mae Opera Cenedlaethol Cymru yn enghraifft dda o blethu'r diwylliant amatur a'r diwylliant proffesiynol gan mai yn y diwylliant amatur y gwreiddiwyd y cwmni, a'i gorws yn arbennig, tan 1973. Gwnaeth y cwmni hefyd ddefnydd helaeth o theatrau yn Llandudno, Abertawe a Chaerdydd ar hyd y blynyddoedd i geisio dwyn traddodiad operataidd Ewrop gerbron cynulleidfa ehangach. Ychwanegwyd Neuadd Hoddinott yn gartref newydd i **Gerddorfa**

Genedlaethol Gymreig y BBC yng Nghanolfan y Mileniwm yn 2009, gan ychwanegu eto fyth at yr amrywiaeth o lwyfannau cerddorol o safon broffesiynol. Bu cefnogaeth Cyngor y Celfyddydau o 1967 hyd 1994 a Chyngor Celfyddydau Cymru fel elusen annibynnol o 1994 ymlaen, i rannu cyllid i fentrau celfyddydol Cymreig, yn gwbl allweddol i'r holl ddatblygiadau hyn.

Addysg

Gellir dweud i ddatblygiadau'r 20g. ddechrau symud y diwylliant cerddorol yng Nghymru o dir cyfan gwbl amatur i dir proffesiynol, datblygiad a ragwelwyd yn ymdrechion unigolion megis **Joseph Parry**, David Evans a Caradog Roberts i ennill doethuriaethau mewn cerddoriaeth yng Nghaergrawnt a Rhydychen. Roedd cymdeithasau cerdd lleol, yn gorau ac (yn llai aml) yn gerddorfeydd, yn cynnig cyfleoedd i unigolion i ddatblygu eu doniau perfformio, a chafodd rhai o'r rheini gyfle i droi eu diddordeb yn yrfa broffesiynol trwy gefnogaeth ariannol eu hardal leol. Bu'r Cyngor Cerdd Cenedlaethol yn hyrwyddo **cerddoriaeth offerynnol** a **gwyliau corawl** a cherddorfaol, i gynnwys perfformiadau o gyfanweithiau megis y *Dioddefaint yn ôl Sant Mathew* gan J. S. Bach yng **Ngŵyl** Harlech, a chyfres o wyliau'r Tri Chwm rhwng 1930 ac 1939, a ymdrechodd i oresgyn effeithiau enbyd dirwasgiad economaidd trwy hybu gweithgarwch diwylliannol a denu artistiaid o fri i berfformio yng nghymoedd y de.

Sefydlwyd Cadair Gregynog mewn Cerddoriaeth yn Aberystwyth yn 1919 a chafodd Bangor Gyfarwyddwr Cerdd i'r Brifysgol yn 1914. Cawsai Caerdydd Gadair mewn Cerddoriaeth yn 1908. Roedd yr adrannau cerdd yn y **prifysgolion**, a'r Coleg Cerdd a Drama yng Nghaerdydd a sefydlwyd wedi'r Ail Ryfel Byd, yn feithrinfa i gerddorion ac athrawon cerddoriaeth a gododd safonau cerddoriaeth yn ysgolion Cymru, datblygiad a welwyd yn dwyn ffrwyth yn sefydlu Cerddorfa Genedlaethol Ieuenctid Cymru, Band Pres Cenedlaethol Ieuenctid Cymru a Chôr Cenedlaethol Ieuenctid Cymru. Cynigiai'r rhain gyfleoedd i ieuenctid disglair a dyfai'n athrawon eu hunain neu yn berfformwyr proffesiynol. Datblygiad tebyg oedd sefydlu Ysgol Gerdd Ceredigion ac Ysgol Glanaethwy (Bangor), gyda phwyslais ar berfformio.

Datblygodd hefyd bwyslais ar ddiogelu etifeddiaeth diwylliant cerddorol Cymru trwy sefydlu **llyfrgelloedd** ac **amgueddfeydd**, yn bennaf trwy Lyfrgell Genedlaethol Cymru ac **Amgueddfa**

Genedlaethol Cymru a sefydlwyd yn 1907 a'r Amgueddfa Werin a sefydlwyd yn 1948. Daeth y sefydliadau hyn maes o law yn gartref i dreftadaeth ddogfennol cerddoriaeth Cymru a chasgliadau gwerthfawr o **offerynnau** cerdd, a dod yn ddrych cyhoeddus i'r diwylliant cerddorol.

Cafodd y Cyngor Cerdd hefyd ddylanwad gwerthfawr ar safon y gerddoriaeth a gyhoeddid yng Nghymru. Cydweithiodd â Gwasg Prifysgol Rhydychen a Gwasg Prifysgol Cymru i gynhyrchu darnau a chasgliadau a gynhwysai waith gwreiddiol cerddorion Cymreig proffesiynol a deunydd Cymreig traddodiadol. Cynhaliwyd hyn yn arbennig gan gwmnïau cyhoeddi cerddoriaeth megis Snell a Hughes a'i Fab ond yn benodol gan Wasg Prifysgol Cymru a chwmni Curiad.

Y Cyfryngau

Gellid dadlau mai'r dylanwad pennaf ar ddiwylliant cerddorol yn yr 20g. a dechrau'r 21g. oedd darlledu. Cafwyd y darlledu cyhoeddus cyntaf o stiwdio'r BBC yng Nghaerdydd yn 1923 mewn rhaglen a gynhwysai ddatganiad gan y bariton Mostyn Thomas o'r gân '**Dafydd y Garreg Wen**'. Bu cerddoriaeth yn rhan greiddiol o ddarlledu o'r cychwyn, a dylanwadodd hyn ar ddiwylliant y gwrandawyr, gan fod yr arlwy yn cynnwys **cerddoriaeth glasurol**, **cerddoriaeth draddodiadol** a cherddoriaeth ysgafn a **phoblogaidd**. Roedd cyfle i gynulleidfaoedd mewn ardaloedd anghysbell – nad oeddynt o fewn cyrraedd canolfannau poblog nac yn mynychu cyngherddau – glywed artistiaid proffesiynol.

Yn 1935, crëwyd Rhanbarth Cymru y BBC fel rhanbarth ar wahân, a phenodwyd **Idris Lewis** yn Gyfarwyddwr Cerdd. Bu'r BBC o hynny allan yn noddwr cyson i gerddoriaeth Gymreig o bob math, a datblygodd Cerddorfa Gymreig y BBC i fod yn **Gerddorfa Genedlaethol y BBC** yng Nghymru, prif gerddorfa symffonig y genedl. Ond pwysig iawn hefyd oedd y darlledu cyson ar gerddoriaeth ysgafn a thraddodiadol trwy gyfrwng nosweithiau llawen a chyfresi i blant. O'r 1950au ymlaen ychwanegwyd cyfrwng teledu i'r ddarpariaeth a daeth darlledu cyngherddau a sioeau – eto i gynulleidfaoedd nad oeddynt bob amser â'r modd na'r cyfle i'w gweld yn fyw – yn ddylanwad pellach ar ddiwylliant cerddorol y Cymry.

Roedd y datblygiadau hyn yn cydgerdded â thwf y diwydiant recordiau. Dechreuodd recordio masnachol yng Nghymru tuag 1899 ond cwmnïau Llundeinig fu'n bennaf gyfrifol am recordio cerddoriaeth Gymreig ac artistiaid Cymreig hyd ganol yr 20g. Cafwyd ymdrech arbennig i gyhoeddi mwy trwy lafur y Welsh Recorded Music Society yn y blynyddoedd wedi'r Ail Ryfel Byd, a gyhoeddodd (gyda chefnogaeth cwmni Decca) nifer o recordiadau gan y tenor **David Lloyd** a chaneuon gwerin gan **Amy Parry-Williams** a **Meredydd Evans**. Yn y blynyddoedd dilynol daeth **cwmnïau recordio** Cymreig i'r amlwg, gan gynnwys Qualiton, Welsh Teldisc, Cambrian, a'r mwyaf llwyddiannus a hirhoedlog (a lyncodd rai o'r labeli blaenorol), Sain, sydd wedi sbarduno nifer o labeli eraill a'i is-labeli ei hun. Gyda thwf dulliau electronig, gwelwyd labeli Cymreig yn ymateb i her y cryno-ddisg a cherddoriaeth ddigidol sydd ar gael mor eang ar gyfrifiaduron a ffonau symudol (gw. **Rhyngrwyd, Cerddoriaeth a'r**). A chyda'r newid sylfaenol hwn ym mhatrymau gwrando a gwerthfawrogi cerddoriaeth, gellir dweud bod diwylliant cerddorol yr 21g. wedi dod yn ddiwylliant torfol yn wir.

Rhidian Griffiths

Dolmetsch, Arnold (1858–1940) a Dolmetsch, Mabel (1874–1963)

Arbenigwyr ar gerddoriaeth gynnar. Ganed Arnold Dolmetsch yn Le Mans, Ffrainc, i deulu cerddorol, ac astudiodd waith coed a saernïo'r piano gyda'i dad ac adeiladu organau gyda'i daid. Yn y Conservatoire Royal de Bruxelles, astudiodd y **ffidil** o dan Henri Vieuxtemps (1820–81) a gwrthbwynt gyda Ferdinand Kufferath (1818–96). Yno, am y tro cyntaf, y daeth ar draws cerddorion yn canu **offerynnau** cynnar.

Yn 1883 symudodd i Lundain gyda'i wraig Marie a'i ferch Hélène, a chofrestru yn y Coleg Cerdd Brenhinol lle bu'n dilyn ei ddiddordeb mewn **cerddoriaeth gynnar**. Fe'i penodwyd yn athro ffidil rhan-amser yng Ngholeg Dulwich. Yn 1889 fe'i hysgogwyd gan ddarganfyddiad annisgwyl yn yr Amgueddfa Brydeinig o gerddoriaeth Seisnig gynnar ar gyfer y feiol i astudio'r **offerynnau** hynny a'u cerddoriaeth. Rhoddodd berfformiadau gyda Hélène (*viola da gamba*), a'i ail wraig a'i gyn-chwaer yng nghyfraith, Elodie (harpsicord) – weithiau ar y cyd â'r Elizabethan Stage Society. Pan nad oedd yr offerynnau gwreiddiol mewn cyflwr i'w defnyddio, dechreuodd lunio copïau ohonynt, yn fwyaf enwog, **pibgyrn**.

Bu'n cydweithio â Chickering and Sons, Boston,

Massachusetts (1905–11) i gynhyrchu claficordiau, ac yna'n gweithio yn ffatri bianos Gaveau ym Mharis (1911–14). Dychwelodd i Loegr ac ymgartrefu yn Jesses, Haselmere, Surrey, lle ysgrifennodd *The Interpretation of the Music of the Sixteenth and Seventeenth Centuries* (1915) a ddaeth yn gyfrol gydnabyddedig ar y pwnc. Yn 1925, sefydlodd ŵyl gerddoriaeth gynnar flynyddol yn y pentref. Sefydlodd y Dolmetsch Foundation yn 1928 a'r cylchgrawn *The Consort* yn 1929. Ymhlith ei liaws o fyfyrwyr (ym myd llunio **offerynnau**, perfformio, neu astudiaethau **cerddoriaeth gynnar**) yr oedd Mabel Johnston (a briododd yn 1903) a Dr Llewelyn Wyn Griffith (1890–1977), a anogodd Dolmetsch i astudio llawysgrif **Robert ap Huw** yn nechrau'r 1930au.

Er nad ef oedd y cyntaf (na'r olaf) i gynnig dehongliad o dabl nodiant ap Huw, roedd Dolmetsch yn grediniol fod ei ddehongliad ef, a gwblhawyd erbyn dechrau Ionawr 1935, yn rhagori – gwrthodai gasgliadau **John Thomas** (Pencerdd Gwalia), Barthélémon, Burney a Margaret Glyn. Yn ddiweddarach y mis hwnnw (gyda Mabel Dolmetsch yn perfformio naw enghraifft ar delyn fechan) anerchodd Gymdeithas y Cymmrodorion yn Llundain, yna daeth i Gaerdydd ac, ar 16 Mawrth, i Fangor i roi darlith i'r Gymdeithas Garedigion Cerdd o dan nawdd y Bangor Musical Club (gan ganu'r **crwth** o bryd i'w gilydd), gyda Mabel Dolmetsch yn canu rhannau o'r llawysgrif ar delynau a luniwyd gan ei gŵr. Cychwynnai'r rhaglen â 'Gosteg yr Halen' a 'Gosteg Dafydd Athraw'.

Yn y cyfarfod hwn yr anogodd Dolmetsch sefydlu cymdeithas neu fudiad i astudio'r **llawysgrif** a'i hofferynnau, gan gynnwys recordio perfformiadau gramoffon o'r gerddoriaeth ganddo ef ei hun a'i gydweithwyr. Arweiniodd hyn at sefydlu'r Early Welsh Music Society yn 1936, ac at gyhoeddi dan nawdd y gymdeithas honno rannau o ddehongliad Dolmetsch gyda Mabel Dolmetsch yn chwarae'r delyn 'farddol'. Yr enghreifftiau oedd 'Caniad Llywelyn ap Ifan ap y Gof', 'Caniad Marwnad Ifan ap y Gof', 'Profiad yr Eos' a nodau cyntaf 'Caniad Bach ar y Go Gywair'.

Llyfryddiaeth

Robert Donnington, *The Work and Ideas of Arnold Dolmetsch: The Renaissance of Early Music* (Haslemere, 1932)

Margaret Campbell, *Dolmetsch: the man and his work* (Washington, 1975)

Wyn Thomas, 'The Early Welsh Music Society', *Barn*, 338 (Mawrth, 1991), 32–37

David R. Jones

Dovaston, John Freeman Milward (1782–1854)

Bardd, naturiaethwr a cherddor amatur. Fe'i ganed yn The Nursery, Twyford, West Felton, Swydd Amwythig, a'i addysgu yn Ysgol Ramadeg Croesoswallt a Choleg Crist, Rhydychen (1801–4). Er nad oedd wedi cael unrhyw addysg gerddorol ffurfiol, ymddiddorodd mewn cerddoriaeth er pan oedd yn blentyn, ac yn Rhydychen daeth yn gyfeillgar â'r Dr William Crotch (1775–1847). Gyda'i ganiatâd ef, a than ei gyfarwyddyd, aeth ati i drawsgrifio detholiad o alawon o'r 'copïau dilysaf oll', er na nodir ei ffynonellau. Ymddangosodd casgliad Crotch ei hun, *Specimens of Various Styles of Music*, yn 1806–7.

Graddiodd Dovaston yn y gyfraith ond rhoddodd y gorau i'r yrfa honno yn 1808 pan etifeddodd stad y teulu. Rhyddhaodd hyn ef i farddoni, ei ddiddordeb mawr arall, a gosododd nifer o'i benillion ei hun i alawon Cymreig; gosodiadau yw'r rhain nad ydynt o anghenraid yn gyfieithiadau gan nad oedd gan Dovaston, fel y cyfaddefai ei hun, 'fawr o fedr' yn y Gymraeg. Un haf, ac yntau'n ymweld â chyfaill, William Turner, ym Mhen-y-bryn ger Abaty Glyn y Groes, Llangollen, cyfarfu â'r cerddor a'r athro o Sais, John Charles Clifton (1781–1841) a oedd yn ymweld â Chymru o Ddulyn (lle'r oedd yn byw ac yn addysgu ar y pryd). Cynigiwyd bod y ddau'n cydweithio ac y byddai Clifton yn darparu'r cydgordio a'r trefniannau i nifer o'r alawon hynny yr oedd Dovaston wedi gosod ei benillion iddynt.

Dechreuodd y gwaith ar y gyfrol gyntaf yn 1816 ac fe'i cyhoeddwyd yn Nulyn y flwyddyn ganlynol dan y teitl *A Selection of British Melodies*. Mae'n cynnwys pedair ar ddeg o alawon (deg ohonynt yn rhai Cymreig) y gosodwyd cerddi Saesneg Dovaston arnynt. Mae ail ran *British Melodies*, a gyhoeddwyd yn Llundain yn 1820, yn cynnwys geiriau Saesneg wedi'u gosod i ddeuddeg alaw, a saith ohonynt yn ddigamsyniol Gymreig. O'r pump arall, mae 'Cease your Funning' yn amrywiad ar 'Llwyn Onn', a nodir am 'Reged' mai alaw o Cumbria ydyw. Yn rhagarweiniad i'r ail ran ceir hefyd bum trefniant o alawon ar gyfer dau berfformiwr ar un piano; mae pedair o'r rhain yn alawon Cymreig, sef **'Dafydd y Garreg Wen'**, 'Mwynen Conwy', 'Dyvyrwch Gwyr Dyvi' ac 'Erddigan Caer Waen'.

Ymddangosodd y penillion Saesneg a geir yn y cyfrolau hyn yn ddiweddarach, heb gerddoriaeth, fel y chwe cherdd ar hugain gyntaf yn *British Melodies*, rhan o flodeugerdd a gyhoeddwyd yn 1825 o gerddi Dovaston. Mae ei gerdd gynharach, 'Fitz-Gwarine: A Ballad of the Welsh Border' (1812), yn cynnwys penillion a osodwyd i nifer o alawon Cymreig: 'Llwyn Onn', 'Gorhoffed Gwŷr Harlech' a 'Merch Megan', ond ni cheir cerddoriaeth a chyfeiria Dovaston y darllenwyr at gyfrol **Edward Jones**, *Relicks of the Welsh Bards* a 'chasgliad Parry'. Mae eraill o'i amryfal benillion yn defnyddio'r alawon 'Bodlondeb', 'Hafod', 'Marwnad Telyn Hoel', 'Morfa Rhuddlan', 'Rhyfelgyrch Cadpen Morgan' a 'Toriad y Dydd'.

Cyhoeddwyd anerchiadau Dovaston ar alawon cenedlaethol y byd, ac alawon cenedlaethol Lloegr, Iwerddon, yr Alban a Chymru fel dwy o'i 'Three Popular Lectures; one on Natural History, and two on National Melody' (1839) ond ni chynhwysir enghreifftiau cerddorol argraffedig. Roedd hefyd yn naturiaethwr brwd a gwnaeth ddarganfyddiadau gwerthfawr wrth wneud gwaith maes mewn ornitholeg. Ymhlith ei gyfeillion lawer yr oedd yr ysgythrwr nodedig Thomas Bewick (1753–1828). Bu farw, yn ddibriod, ar 8 Awst 1854.

David R. Jones

Duffy (g.1984)

Ganed y gantores Duffy (neu Aimée Ann Duffy i roi ei henw llawn) ym Mangor ar 23 Mehefin 1984. Cafodd ei magu yn Nefyn ac yn ddiweddarach yn Nhreletert ger Abergwaun. Ar ôl dychwelyd am gyfnod i Lŷn bu'n astudio yng Ngholeg Meirion Dwyfor ac yna ym Mhrifysgol Caer, cyn cychwyn ar ei gyrfa gerddorol fel cantores.

Yn 2003 ymddangosodd fel cystadleuydd ar y gyfres gerddorol *Wawffactor* ar S4C gan gipio'r ail safle (Lisa Pedrick oedd yn fuddugol). Yn dilyn ei llwyddiant ar y rhaglen rhyddhaodd yr EP *Aimée Duffy* (2004) ar label Awen. Derbyniodd yr EP glod gan y **cyfryngau** Cymraeg gan ddod i'r brig ar un o siartiau C2 yn 2008. Ar ôl symud i Lundain a chael ei chyflwyno i unigolion blaenllaw fel Jeanette Lee o recordiau Rough Trade, awgrymwyd y dylai fabwysiadu cerddoriaeth *soul* fel ei phrif *genre*. Yn dilyn hynny arwyddwyd Duffy gan label A&M Records a chafodd gyfle i recordio ei halbwm cyntaf, *Rockferry* (A&M, 2008).

Bu llwyddiant *Rockferry* yn gwbl syfrdanol. Gwerthodd 180,000 o gopïau yn ystod yr wythnos ar ôl cael ei ryddhau, ac arhosodd ar frig y siartiau am fis. Bu'r gwerthiant yn bennaf o ganlyniad i boblogrwydd y sengl 'Mercy' a ryddhawyd fis yn gynharach na'r albwm, gan fynd yn syth i frig siartiau senglau Prydain. Enwebwyd y sengl ar gyfer un o wobrau Grammy'r flwyddyn honno, ac mae'r gân wedi cael ei defnyddio droeon ers hynny ar gyfer **rhaglenni teledu** megis *ER, Gray's Anatomy* a *Smallville*. 'Mercy' oedd y gân gyntaf gan gantores Gymreig i gyrraedd brig y siartiau Prydeinig ers 'Total Eclipse of the Heart' gan **Bonnie Tyler** bum mlynedd ar hugain ynghynt. Hyrwyddodd Duffy ei halbwm ymhellach drwy gyfrwng perfformiadau amrywiol ar raglenni fel *Later with Jools Holland*. Daeth llwyddiant iddi yn yr Unol Daleithiau hefyd gydag ymddangosiadau ar raglenni megis *Late Night with Conan O'Brien*.

Dilynwyd *Rockferry* ddwy flynedd yn ddiweddarach gan ei hail albwm, *Endlessly* (A&M, 2010), ond ni chafodd yr un llwyddiant â *Rockferry*. Rhyddhawyd un sengl, 'Well Well Well', a gyrhaeddodd rif 41 yn y siartiau Prydeinig. Ers hynny, ymddangosodd y gantores mewn ffilmiau a hysbysebion teledu amrywiol wrth iddi gymryd seibiant o'i gyrfa gerddorol. Ymddangosodd yn y ffilm Gymraeg, *Patagonia* (Rainy Day Films, 2010) a ryddhawyd erbyn gŵyl ffilmiau ryngwladol Seattle ym mis Mehefin y flwyddyn honno. Ymddangosodd hefyd yn ffilm Brian Helgeland, *Legend* (StudioCanal, 2015), gan gyfrannu dwy gân at y trac sain.

Disgrifir *genre* cerddorol Duffy fel *blue-eyed soul* ac mae *Rockferry* yn cael ei gydnabod fel un o albymau pwysicaf y *genre* yn negawd cyntaf yr 21g. Cymharwyd ei llais â chantoresau megis Dusty Springfield (1939–99) a'i chyfoeswraig Amy Winehouse (1983–2011). Ynghyd ag Adele, Gabriella Cilmi ac Estelle, y mae Duffy yn nodweddu cyfnod o amlygrwydd i ferched ifainc fel artistiaid unigol ym Mhrydain a thu hwnt.

Disgyddiaeth
Aimée Duffy (Awen CD212, 2004)
Rockferry (A&M 179009-0, 2008)
Endlessly (A&M 2757411-70 , 2010)

Gethin Griffiths

Dyniadon Ynfyd Hirfelyn Tesog, Y

Awgryma'r enw fod y grŵp **pop** hwn o fyfyrwyr Coleg y Brifysgol Caerdydd o leiaf yn wahanol os nad yn wallgof wahanol (mae'r enw yn cynnwys ymadroddion allan o farwnad enwog Gruffudd ab yr Ynad Coch i Lywelyn ap Gruffudd a *Gwledigaethau* *y Bardd Cwsg* o waith Ellis Wynne). Yn anffodus, dim ond dwy record fer a ryddhawyd gan y grŵp, ond roedd y rhain yn brawf o'u hathrylith gerddorol a'u doniolwch diarhebol. Daeth y chwe aelod i amlygrwydd trwy ennill y gystadleuaeth gân bop yn **Eisteddfod** Ryng-golegol 1970 a rhyddhawyd eu record gyntaf eponymaidd yr un flwyddyn, a'r ail, o'r enw *Celwydd*, ddwy flynedd yn ddiweddarach (Sain, 1972). Er bod llun saith o aelodau ar glawr y record gyntaf, dim ond enwau chwe aelod a nodir.

Yr aelodau oedd Bili Evans, Dewi Tomos, Gruff Miles, Eric Dafydd, Dai Meicel a Cenfin Evans. Roedd Gareth 'Nerw' Jones a Morus Elfryn yn aelodau achlysurol. Ymhlith yr offerynnau a chwaraeid yr oedd **ffidil**, trwmped, fiola, gitâr a *cello*. Gwisgai'r aelodau hefyd gotiau llaes du a dici-bôs ar y llwyfan. Ymhlith eu caneuon yr oedd 'Sawl C sydd yng Nghricieth?', 'Orang Utang o Ruthun' a 'Sleeping Bag Asbestos fy Nain'. Roedd 'O Gwmwl Gwyn' a 'Dyddiau Fu' yn gyfieithiadau o ganeuon y Beatles. Roedd 'Gast' yn gân serch, a 'Dicsi'r Clustie' – trefniant o 'Mack the Knife' allan o *Threepenny Opera* Bertolt Brecht a Kurt Weill o 1929, a ddaeth yn boblogaidd yn dilyn recordiad Bobby Darin ohoni yn 1959 – yn cyfeirio at blisman cudd nodedig yn y cyfnod a arweiniai at yr Arwisgo yn 1969.

Ni fyddai'n ddim i Gruff Miles, angor y grŵp, gyhoeddi ar lwyfan eu bod am ganu cân benodol gyda'r teitl mwyaf rhyfedd ac yna cyhoeddi nad oedd y gân honno mewn gwirionedd wedi'i chyfansoddi eto. Gwelir natur hiwmor y Dyniadon o ddarllen rhan o froliant y record gyntaf:

> Digwyddodd y D.Y.H.T. yn nhrydydd chwarter yr ugeinfed ganrif, ac yn barod maent yn saff o'u lle yn oriel pileri ac arloeswyr diwylliant cyfoethog ein Gwareiddiad Gorllewinol annwyl, ac yn cydgerdded â mawrion fel Ysbaddaden, Spartacus, Mab y Bryniau, Mr Wimpi ac eraill (h.y. Y Tebot Piws). Er hynny, mawr yw eu dyled. (Sain, 1970)

Pylu fu hanes y grŵp wrth i'r aelodau wasgaru wedi dyddiau coleg a phan fu farw Gruff Miles mewn damwain ffordd yn 1974 bu'n ddiwedd y grŵp hefyd.

Yn eu dydd, cynigiodd y Dyniadon adloniant amgen i'r hyn a gynigid gan yr 'Hogia' a'r 'Bois' yn eu gwisgoedd confensiynol. Daethant â dogn o ffresni i fyd canu cyfoes trwy gyfrwng eu hiwmor honco bost. Nid oedd grŵp Cymraeg tebyg iddynt, heblaw am y **Tebot Piws**, o ran hiwmor ac ymarweddiad ar lwyfan, ac fe ellir gweld eu dylanwad ar nifer o grwpiau ac artistiaid, megis **Geraint Løvgreen** a'r Enw Da (a ganai fersiwn o 'Dicsi'r Clustie' yn eu perfformiadau byw) a **Gwibdaith Hen Frân**. O safbwynt cerddoriaeth, rhaid fyddai dwyn cymhariaeth â bandiau fel y Bonzo Dog Doo-Dah Band neu'r Pigsty Hill Light Orchestra.

Disgyddiaeth

Y Dyniadon Ynfyd Hirfelyn Tesog [EP] (Sain 10, 1970)
Celwydd [EP] (Sain 23, 1972)

Hefin Wyn

Dd

Ddu, Ieuan (gw. **Thomas, John**)

E

Eaves, Steve (g.1952)

Canwr-gyfansoddwr a bardd blaenllaw yn hanes **canu pop** Cymraeg o ganol yr 1980au ymlaen. Ganed Steve Eaves yn Stoke-on-Trent. Bu'n byw a gweithio ar hyd a lled gogledd Cymru am gyfnod cyn symud i gyffiniau Bangor ar ddiwedd yr 1960au. Yn ystod yr 1970au bu'n perfformio mewn clybiau gwerin yn ardal Caer, Wrecsam a Crewe tra'n gweithio fel labrwr. Mentrodd i fyd addysg uwch gan astudio Cymraeg a Ffrangeg ym Mhrifysgol Cymru, Llanbedr Pont Steffan, ac yna symudodd i Lydaw.

Fel yn hanes **Geraint Jarman**, daeth i amlygrwydd cynnar fel bardd yn hytrach na cherddor, gan gyhoeddi cyfrol o farddoniaeth o'r enw *Noethni* (Gwasg Gwynedd, 1983). Bu'n olygydd ar gasgliad arwyddocaol o eiriau caneuon pop Cymraeg o'r cyfnod, *Y Trên Olaf Adref* (Y Lolfa, 1984), a gwelir pwyslais ar gyfuno geiriau meddylgar gydag arddulliau megis y *blues* a roc yn ei ganeuon o'r cychwyn cyntaf. Erbyn iddo gyhoeddi ei ail gyfrol, *Jazz yn y Nos* (Y Lolfa, 1986), roedd Steve Eaves eisoes wedi sefydlu ei grŵp Steve Eaves a'i Driawd, a oedd yn cynnwys dau o gyn-aelodau'r grŵp Doctor, Elwyn Williams (gitâr) a'r prifardd Iwan Llwyd (gitâr fas). Bu'r ddau yn aelodau parhaol am gyfnod o dros ugain mlynedd, gydag Elwyn Williams yn aml yn cyd-gynhyrchu a chyd-drefnu caneuon Steve Eaves. Richard Wyn Jones (drymiau) oedd aelod parhaol olaf y Triawd yn ystod cyfnod yr 1980au a'r 90au.

Roedd themâu caneuon cynnar Steve Eaves yn aml yn ymdrin â bywyd a chymeriadau o'r dosbarth gweithiol, er enghraifft 'Hogiau Cyffredin' a 'Traws Cambria' o'i ail record hir, *Cyfalaf a Chyfaddawd* (Sain, 1985). Yn ogystal, rhoddai rhai o'r caneuon cynnar bwyslais amlwg ar egwyddorion sosialaeth a chomiwnyddiaeth, gan eu plethu yn aml â sylwebaeth ddi-flewyn-ar-dafod ar destunau gwleidyddol yn ymwneud â Chymru a thu hwnt, megis 'Ché Guevara' o'r CD amlgyfrannog *O'r Gad!* (Ankst, 1991). Daeth caneuon megis 'Nigger Boi John Boi

Cymro' o'r casét *Sbectol Dywyll* (1989) a 'Gorllewin Béal Feirste' o *Tir Neb* (Cymdeithas yr Iaith, 1990) i sylw'r cyhoedd oherwydd eu testunau dadleuol amlwg – yr olaf o ganlyniad i'r ffaith fod llais un o wleidyddion Sinn Féin, Máirtín Ó Muilleoir, i'w glywed ar y gân, a hynny er gwaethaf gwaharddiad gan Lywodraeth Dorïaidd San Steffan ar y pryd ar ddarlledu lleisiau aelodau'r blaid honno.

Awgryma **Sarah Hill** fod grym ac arwyddocâd caneuon Steve Eaves yn y ffaith ei fod wedi mabwysiadu elfennau o ideoleg y canu protest Cymraeg, er na chafodd ei fagu yn y Fro Gymraeg (Hill 2007, 90). Mae'n debyg mai cyd-ddigwyddiad oedd hyn, fodd bynnag: ers ei arddegau, roedd y canwr wedi mynychu cyfarfodydd y Blaid Gomiwnyddol a'r ymgyrch wrth-apartheid, ynghyd â phrotestiadau gwrth-niwclear, ac felly sefydlwyd ei ddaliadau gwleidyddol a chymdeithasol ymhell cyn iddo fod yn ymwybodol o'r canu protest Cymraeg.

Gwelwyd newid pwyslais ar ddechrau'r 1990au gyda'i ganeuon yn ymdrin â themâu mwy personol, ysbrydol ac athronyddol, megis 'Rhywbeth Amdani' a 'Grymoedd Anweledig' o'r record hir *Croendenau* (Ankst, 1992). Ymwthiodd elfennau telynegol i'r arddull gerddorol, er fod yr elfennau hyn i'w clywed yn rhai o'r caneuon cynnar hefyd. Efallai fod y newid arddull yn rhannol o ganlyniad i gyfraniadau cerddorion dawnus megis Jackie Williams (llais) a Dafydd Dafis (llais a sacsoffon). (Mae llais Jackie Williams i'w glywed ar bob record ers *Sbectol Dywyll*.) Roedd llais merch Steve Eaves, **Lleuwen Steffan**, i'w glywed hefyd ar yr albwm.

Gwelir dylanwadau Taoaeth ar eiriau rhai o ganeuon *Y Canol Llonydd Distaw* (Ankst, 1996), ynghyd ag arddulliau **jazz** a gospel, ac ar 'Garej Lôn Glan Môr' clywir llais y bardd a gitarydd bas y grŵp, Iwan Llwyd, yn darllen yn dyner un o gerddi Steve Eaves i gyfeiliant hwylbrennau cychod yn siglo'n ysgafn yn y nos.

Rhwng 1989 ac 1996 recordiodd y canwr yn bennaf yn Stiwdio Les, Bethesda, gyda'r cerddor a'r cynhyrchydd amryddawn Les Morrison, ond recordiwyd yr albwm *Iawn* (Sain, 1999) ar beiriant recordio digidol symudol. Parhaodd Steve Eaves i gynhyrchu recordiau o safon uchel yn negawd cyntaf y ganrif newydd gyda *Moelyci* (Sain, 2007). Disgrifia Toni Schiavone *Moelyci* fel 'record ... sydd yn cyfleu teimladau, angerdd a chariad ac yn gwneud hynny mewn ffordd hollol ddidwyll a gonest' (Schiavone 2011) – disgrifiad a fyddai'n gwbl addas ar gyfer holl ganeuon Steve Eaves ar hyd y blynyddoedd.

Disgyddiaeth

¡Viva la Revolución Galesa! (Stiwdio'r Felin, 1984)
Cyfalaf a Chyfaddawd (Sain 1341M/C941, 1985)
Sbectol Dywyll (SE01, 1989)
Plant Pobl Eraill (Ankst 014, 1990)
Tir Neb (Steve Eaves/Cymdeithas yr Iaith, 1990)
Croendenau (Ankst 028, 1992)
Y Canol Llonydd Distaw (Ankst 067, 1996)
Iawn (Sain SCD 2218, 1999)
Moelyci (Sain SCD2517, 2007)

Casgliad:
Ffoaduriaid (Sain SCD2633, 2011)

Llyfryddiaeth

Steve Eaves, *Noethni* (Caernarfon, 1983)
―――― (gol.), *Y Trên Olaf Adref* (Talybont, 1984)
――――, *Jazz yn y Nos* (Talybont, 1986)
Sarah Hill, *'Blerwytirhwng?' The Place of Welsh Pop Music* (Aldershot, 2007)
Tony Schiavone, nodiadau clawr ar gyfer y CD *Ffoaduriaid* (Sain, 2011)

Pwyll ap Siôn

Edward H Dafis

Torrwyd cwys newydd yn hanes adloniant Cymraeg pan drawyd nodau 'Cân y Stiwdants' gan Edward H Dafis (neu 'Edward H' fel y'u gelwir gan nifer) ym Mhafiliwn Corwen yn ystod **Eisteddfod Genedlaethol Rhuthun** yn 1973. Noson draddodiadol yn gyfuniad o gyngerdd a noson lawen wedi'i threfnu gan Gymdeithas yr Iaith oedd Tafodau Tân. Y disgwyl oedd y byddai'r gynulleidfa, yn ôl yr arfer, yn gwrando ar ei heistedd ar yr amrywiaeth o artistiaid. Ond pan glywyd y synau trydanol, buan y cododd nifer o'r gwrandawyr i ddawnsio yn yr ale. Ganed **canu roc** cynhenid Gymraeg am fod Edward H yn canu caneuon gwreiddiol i gyfeiliant gitarau trydan yn hytrach na chyfieithiadau fel y gwnaed gan rai o'r grwpiau blaenorol.

Fe ddisgrifiodd Roger Wallis a Krister Malm y digwyddiad fel 'ymwahaniad symbolaidd' rhwng y traddodiad acwstig a'r un newydd 'trydanol' yng Nghymru (Wallis a Malm 1983, 94), tra bod **Sarah Hill** yn datgan ei fod yr un mor arwyddocaol yng nghyd-destun diwylliant Cymru â phenderfyniad Bob Dylan i gefnu ar y gitâr acwstig yng **Ngŵyl** Jazz Newport yn y diwylliant Eingl-Americanaidd yn 1965 (Hill 2007, 78). Achoswyd cynnwrf gan griw o fechgyn a gredai yn yr hyn a dyfodd yn adnod i ieuenctid y cyfnod, sef 'Gwnewch Bopeth yn Gymraeg'.

Aelodau gwreiddiol y grŵp oedd Hefin Elis (gitâr flaen ac allweddellau), ynghyd â'i gyfaill o Bont-rhyd-y-fen, John Griffiths (gitâr fas), Dewi 'Pws' Morris o Dre-boeth, Abertawe (gitarydd a lleisydd) a Charli Britton o Gaerdydd (drymiau). Roedd gan Charli Britton brofiad o chwarae mewn grwpiau megis Y Cyffro ac roedd Hefin Elis wedi bod yn ymwneud â grwpiau coleg ym Mhrifysgol Aberystwyth megis Y Datguddiad, Y Chwyldro a Y Nhw. Bu Dewi Pws yn aelod o'r **Tebot Piws** a bu John Griffiths yn aelod o grwpiau Saesneg yn ei gynefin. Cyn sefydlu'r grŵp, arferai Hefin Elis gyfrannu colofn i'r *Faner* o dan y ffugenw Edward H Dafis, a oedd yn ymdrin â'r **canu pop** Cymraeg yn ddi-flewyn-ar-dafod. Roedd hyd yn oed yn feirniadol ohono'i hun fel cerddor a daeth Dewi Pws hefyd o dan ei lach. Ond yr oedd yn gwbl ddidwyll y dylai ieuenctid Cymru gael yr un profiad a'r un cynnwrf yn eu hiaith eu hunain â phan fyddent yn gwrando ar grwpiau Saesneg.

Rhyddhawyd EP cyntaf y band ar label Sain yn 1973, a oedd yn cynnwys trefniant o'r alaw werin 'Ffarwél i Langyfelach Lon' ynghyd â'r gân roc 'Gwrandewch'. Yn fuan wedi hynny, ymunodd Cleif Prendelyn (Clive Harpwood) o'r **grŵp gwerin**-roc adferol Ac Eraill – un arall o fechgyn Cwm Afan – fel lleisydd a chyfansoddwr. Roedd y gyntaf o dair record hir a ryddhawyd rhwng 1974 ac 1976, *Hen Ffordd Gymreig o Fyw* (Sain, 1974), yn dilyn patrwm tebyg wrth gyfuno trefniannau gwerin fel 'Pontypridd' gydag anthemau roc trwm megis 'Tŷ Haf' a 'Pishyn'.

Llwyddodd y grŵp i gynnig profiad newydd, cyffrous o adloniant cyfoes i ieuenctid Cymru, gyda nifer fawr yn gwisgo macynon gwddf coch fel arwydd o'u teyrngarwch i'r grŵp. Ond nid adloniant oedd unig fwriad y band. Roedd negeseuon gwladgarol yn perthyn i'w caneuon hefyd, gyda 'Yn y Fro', 'Tŷ Haf' a 'Derwen Gam' yn adlewyrchu berw gwleidyddol Cymreig y cyfnod, tra bod 'Mr Duw' yn gân delynegol drawiadol ynglŷn â hunanamheuaeth grefyddol.

Dilynwyd *Hen Ffordd Gymreig o Fyw* gyda *Ffordd*

Newydd Eingl-Americanaidd Grêt o Fyw (Sain, 1975) a *'Sneb yn Becso Dam* (Sain, 1976), yr olaf yn alegori fodern ar stori'r mab afradlon yn ffurf record gysyniad am hanes merch o'r enw Lisa Pant Ddu. Erbyn y cyfnod hwnnw, clywid ystod eang o arddulliau yng nghaneuon y grŵp, o'r arddull werin-roc, i *reggae*, ffync a roc trwm. Rhoddodd Edward H y gorau i berfformio ym mis Medi 1976 mewn cyngerdd ffarwél gofiadwy ym Mhafiliwn Corwen, ac yn 1977 cyhoeddwyd cyfrol yn olrhain gyrfa'r grŵp, *Doedd Neb yn Becso Dam*. Fodd bynnag, ailffurfiodd y grŵp yn 1978 gan ryddhau un record sengl a dwy record hir arall – *Yn Erbyn y Ffactore* (Sain, 1979) a *Plant y Fflam* (Sain, 1980) – cyn tewi yn 1981.

Roedd *Yn Erbyn y Ffactore* yn cynnwys y gân roc trwm anthemig 'Breuddwyd Roc a Rôl' a'r faled boblogaidd 'Ysbryd y Nos', tra bod *Plant y Fflam* yn record gysyniad fwy chwedlonol a rhithiol ei naws na *'Sneb yn Becso Dam*. Dyfarnwyd Gwobr Arbennig Sgrech i'r grŵp yn 1980. Yn y cyfamser, aeth Dewi Pws ymlaen i ffurfio Mochyn 'Apus gyda chyn-aelod Hywel Ffiaidd, y canwr theatrig Dyfed Thomas, a'r gitaryddion **Tich Gwilym** a Dafydd Pierce, tra'r aeth Hefin Elis a Cleif Harpwood i fyd y **cyfryngau** fel cynhyrchwyr **rhaglenni teledu**.

Ail-ffurfiodd y grŵp yn 1996 ar gyfer cyfres o gyngherddau yn Stiwdio Barcud, Caernarfon, a ddarlledwyd yn ddiweddarach ar S4C, ac yna ar gyfer perfformiad yng Ngŵyl y Faenol yn 2001. Yn 2005, cyhoeddwyd casgliad cyflawn o'u caneuon o dan yr enw *Edward H – Mewn Bocs* (Sain, 2005). Yn 2011, aeth aelodau'r band, ac eithrio Dewi Pws, ati i berfformio o dan yr enw 'H a'r Band'. Daeth y band at ci gilydd am y tro olaf i berfformio ar faes Eisteddfod Genedlaethol Sir Ddinbych ar 9 Awst 2013 o flaen cynulleidfa o oddeutu 7,000.

Disgyddiaeth

Edward H Dafis [EP] (Sain S38, 1973)
Hen Ffordd Gymreig o Fyw (Sain 1016, 1974)
Ffordd Newydd Eingl-Americanaidd Grêt o Fyw (Sain 1034, 1975)
'Dyma'r Urdd' [sengl] (Sain S61, 1976)
'Singl Tragwyddol' [sengl] (Sain S63, 1976)
'Sneb yn Becso Dam (Sain 1053, 1976)
'Uffern ar y Ddaear'/'VC10' [sengl] (Sain 67S, 1978)
Yn Erbyn y Ffactore (Sain 1144M, 1979)
Plant y Fflam (Sain C796, 1980)
Gig Olaf Edward H Dafis (Sain DVD137, 2013)

Casgliadau:

Breuddwyd Roc a Rôl – 20 o'r caneuon gorau (1974–1980) (Sain SCD8027, 2001)

Edward H – Mewn Bocs (yr holl draciau ar 6 CD) (Sain SCD2428, 2005)

Llyfryddiaeth

Hefin Wyn, *Doedd Neb yn Becso Dam* (Penygroes, 1977)
Roger Wallis a Krister Malm, 'Sain Cymru: The Role of the Welsh Phonographic Industry in the Development of a Welsh Language Pop/Rock/Folk Scene', *Popular Music*, 3 (1983), 77–105
Sarah Hill, *'Blerwytirhwng?' The Place of Welsh Pop Music* (Aldershot, 2007)

Hefin Wyn

Edwards, Trebor (g.1939)

Un o gantorion mwyaf poblogaidd a llwyddiannus Cymru yn ystod chwarter olaf yr 20g. Fe'i ganed yn Ninbych a bu'n ffermio ar hyd ei oes yn ardal Betws Gwerful Goch ger Corwen. Er mai amaethyddiaeth oedd prif gynhaliaeth y teulu, roedd i gerddoriaeth le pwysig ar yr aelwyd, ac roedd ei daid – a fu'n ffermio ym Mhen Bryniau, Betws Gwerful Goch – yn berchen ar lais bariton cryf.

Yn ystod yr 1970au cynnar bu Trebor Edwards yn canu mewn cyngherddau gyda Hogiau Clwyd a Lleisiau'r Alwen, gan gymryd rhan mewn cystadlaethau radio a theledu megis *Sêr y Siroedd*, *Dewch i'r Llwyfan*, *Dyma Gyfle* ac *Opportunity Knocks*. Yn yr ail gyfres o *Dyma Gyfle* yn 1971 canodd 'Holy City', gan ddod yn gydradd gyntaf mewn cystadleuaeth a ddeuai â chantorion o bob rhan o ogledd Cymru i berfformio o flaen torf o dros fil ym Mhafiliwn Corwen.

Yn dilyn ei lwyddiant ar *Dyma Gyfle*, cynyddodd y galw am ei lais tenor persain. Roedd Trebor Edwards yn hunanddysgedig ar y cyfan ac yn ganwr naturiol wrth reddf ond datblygodd dechneg leisiol drwy dderbyn hyfforddiant gyda'r **arweinyddes** a'r gyfeilyddes Manon Easter Lewis, **Gwilym Gwalchmai Jones** (1921–70) a fu'n darlithio yn y Coleg Cerdd Brenhinol ym Manceinion (ac yn ddiweddarach yng Ngholeg Cerdd Brenhinol y Gogledd) a'r tenor Rowland Jones (1912–78) a fu'n canu am flynyddoedd gyda chwmni Sadler's Wells, Llundain. Bu'r pianydd **Annette Bryn Parri** hefyd yn gyfeilydd iddo am gyfnod gan gynorthwyo gyda'r gwaith o drefnu caneuon.

Yn fuan yn ei yrfa, penderfynodd Trebor Edwards mai gwell fyddai canu mewn cyngherddau a nosweithiau llawen yn hytrach na chystadlu mewn **eisteddfodau**. Dechreuodd ei yrfa recordio yn 1973 gyda dwy EP ar label Tŷ ar y Graig, is-gwmni Sain.

Bu gwerthiant calonogol i'w recordiau cynnar, megis *Dyma Fy Nghân* (Sain, 1976) a *Cân y Bugail* (Sain, 1978), gyda ''Rhen Shep' – cyfieithiad a wnaed gan **Edward Morus Jones** pan oedd ond yn bedair ar ddeg oed – yn ffefryn ar *Dyma Fy Nghân*.

Daeth llwyddiant ysgubol i ran Trebor Edwards ar ôl recordio'r gân 'Un Dydd ar y Tro', trefniant o'r gân 'One Day at a Time, Sweet Jesus' gan Marijohn Wilkins a Kris Kristofferson a recordiwyd yn wreiddiol gan Marilyn Sellars yn 1974. Roedd y gân yn hynod o addas i ansawdd sain a chwmpas ei lais. O fewn rhai misoedd o'i ryddhau gwerthodd yr albwm o'r un enw 24,000 o gopïau gan wneud y canwr yn un o'r artistiaid mwyaf llwyddiannus erioed yn yr iaith Gymraeg. Rhyddhawyd *Ychydig Hedd* yn 1982 ac yna *Gwelaf dy Wên* yn 1984, recordiau a oedd yn cynnwys trefniannau o ganeuon gan artistiaid megis **Ryan Davies**, **Caryl Parry Jones**, **Robat Arwyn** a Linda Gittins, ynghyd â nifer o **emynau** Cymraeg.

Roedd 'Ychydig Hedd' yn drefniant o 'Ein bißchen Frieden' gan Ralph Siegel a Bernd Meinunger, cân a enillodd gystadleuaeth yr Eurovision i Nicole o'r Almaen yn 1982. Ar gyfer y fersiwn Cymraeg, ymunodd disgyblion Ysgol Uwchradd Llangefni o dan Mary S. Jones gyda Trebor Edwards, ac er na fu'n gymaint o lwyddiant ag 'Un Dydd ar y Tro', gwerthodd y record ymhell dros 10,000 o gopïau.

Rhwng 1976 a 2008 rhyddhaodd y canwr bymtheg o recordiau, ynghyd ag ambell record yn Saesneg, megis *Presenting Trebor Edwards* (Sain, 1983). Ar sail gwerthiant ei recordiau, derbyniodd Trebor Edwards bum disg aur. Fodd bynnag, o ganlyniad i boblogrwydd digyffelyb ei recordiau bu rhai adolygwyr yn feirniadol o'r dewis diantur o *repertoire* a'r ddibyniaeth ar brydiau ar ganeuon sentimental megis 'Capel y Wlad' a 'Croesffordd y Llan'. Ond yn ôl y cerddor **Rhys Jones**, roedd ei ganeuon yn llenwi bwlch amlwg ac arwyddocaol iawn ym maes adloniant Cymraeg:

> [does] dim dadl … fod Trebor [Edwards] wedi ennill ei le yng nghalonnau'r rhan fwyaf ohonom ni. Mae'n anodd dirnad weithiau beth yn union yw'r gyfrinach … [un] o'm gofidiau i yw mai ychydig iawn, iawn o'n cantorion cyfoes sy'n anelu at gerddoriaeth 'canol y ffordd', hynny yw at chwaeth y rhan fwyaf o'r boblogaeth. A dyma gyfrinach Trebor ddwedwn i. (Edwards a Pritchard 2008, 144–5)

Dywedodd awdur cofiant Trebor Edwards, Elfyn Pritchard, mai cyfrinach ei lwyddiant oedd y ffaith ei fod yn rhoi'r un parch a sylw i bawb wrth ganu, ac yn sicr roedd naturioldeb a diffuantrwydd ei ganeuon yn dod â'r gynulleidfa'n nes ato.

Erbyn 1994, roedd recordiau Trebor Edwards ar label Sain wedi gwerthu dros 100,000 o gopïau, ac ers hynny mae'r cyfanswm wedi cyrraedd ymhell dros 200,000. Bu hyn yn fodd i gwmni Sain ddatblygu *repertoire* estynedig o artistiaid a *genres* trwy ryddhau cynnyrch **roc, pop** a **gwerin** mwy amgen ac arbrofol, neu'n wir ambell record glasurol nad oedd yn debygol o werthu mwy na rhai cannoedd. Fel y dywedodd rheolwr Sain, **Dafydd Iwan**:

> Mae record gan Trebor Edwards yn gwerthu cymaint ddengwaith â goreuon y recordiau roc Cymraeg. Mae Côr Meibion da neu record o oreuon **Cerdd Dant** Cymru yn gwerthu cymaint deirgwaith â'r grwpiau roc mwyaf poblogaidd. I raddau helaeth iawn, Trebor Edwards a **Chorau Meibion** sy'n cynnal recordiau roc Cymraeg. (Wyn 2002, 378)

Parhaodd Trebor Edwards i ganu yn ystod yr 1990au, gan ymddangos ar nifer o raglenni teledu megis *Cais am Gân*, *Trebor*, *Taro Tant* a *Noson Lawen*, ynghyd â theithio'r byd yn perfformio mewn cyngherddau ac achlysuron amrywiol a chan ddifyrru môr-deithwyr ar longau pleser. Fe'i hetholwyd yn llywydd Sioe Frenhinol Cymru yn 2008.

Disgyddiaeth

Ave Maria [EP] (Tŷ ar y Graig TAG245, 1973)
Duw Ŵyr [EP] (Tŷ ar y Graig TAG249, 1974)
Dyma Fy Nghân (Sain 1048D, 1976)
Cân y Bugail (Sain 1113D, 1978)
Un Dydd ar y Tro (Sain 1193D, 1980)
Ychydig Hedd (Sain C860, 1982)
Gwelaf dy Wên (Sain 1313D, 1984)
Diolch (Sain 1387D, 1986)
Edrych Ymlaen (Sain C696, 1990)
Ceidwad Byd (Sain SCD2061, 1993)
Ffefrynnau Newydd (Sain SCD2183, 1998)
Sicrwydd Bendigaid (Sain SCD2530, 2008)
Ceidwad Byd (Sain SCD2061, 1993)

Casgliadau:
Presenting Trebor Edwards (Sain 1280D, 1983)
Goreuon Trebor (Sain SCD9031, 1988)
The Very Best of Trebor Edwards (Sain SCD2169, 1997)
Trebor ar ei Orau (Sain SCD2377, 2007)

Llyfryddiaeth

Hefin Wyn, *Be Bop a Lula'r Delyn Aur* (Talybont, 2002)
Trebor Edwards ac Elfyn Pritchard, *Un Dydd ar y Tro* (Talybont, 2008)

Pwyll ap Siôn

Edwards, Trefor (1928–2003)

Datgeinydd, hyfforddwr a beirniad yn y byd **cerdd dant** a llefaru; gŵr a oedd yn meddu ar lais eithriadol. Hanai o Lanuwchllyn, pentref cyfoethog ei ddiwylliant fel yr ardal yn gyffredinol, a bu'n weithgar yn negawdau cynnar **Cymdeithas Cerdd Dant Cymru**. Un o 'deulu'r siop' ydoedd: aeth ati gyda'i frawd Geraint, ei chwaer Heulwen (telynores) a'i ewythr Einion Edwards Tyddyn 'Ronnen, i sefydlu Côr Godre'r Aran yn niwedd yr 1940au.

Graddiodd mewn Cymraeg yng Ngholeg **Prifysgol** Cymru, Aberystwyth, cyn mynd yn athro i Ysgol Pen-y-gelli, Coed-poeth. Yn ddiweddarach bu'n bennaeth yr adran Gymraeg yn Ysgol Uwchradd Llanfair Caereinion ac yna yn Ysgol y Berwyn, Y Bala. Safodd fel ymgeisydd seneddol dros Blaid Cymru ym Maldwyn yn 1966 ac roedd yn gynghorydd sir dros ardal Penllyn yn yr 1980au.

Bu'n llywydd ar **Gymdeithas Cerdd Dant Cymru** yn yr 1960au a bu'n olygydd ci chylchgrawn, *Allwedd y Tannau*, ac yn aelod o'i phwyllgor gwaith am rai blynyddoedd. Enillodd sawl gwobr yn yr **Eisteddfod** Genedlaethol yn y cystadlaethau cerdd dant a llefaru. Adlewyrchiad o berthynas agos y ddwy grefft yn ei olwg ef oedd y record *Cwlwm Cain* (Gwerin, 1979): cyflwyniadau o farddoniaeth gynnar Cymru yn ogystal â goreuon beirdd y cyfnod diweddar. Un o'i gyflwyniadau mwyaf cofiadwy yw cerdd Cynan, 'Yr Eira ar y Coed', ar y gainc 'Bro Derfel' gan **Menai Williams**. Ei chwaer, Heulwen Roberts, a oedd yn cyfeilio iddo a byddai ei wraig, Mair, yn cydweithio ag ef ar y gosodiadau.

Bu'n hyfforddi sawl unigolyn a pharti cerdd dant. Ef a sefydlodd Barti Meibion Llafar yn ardal y Parc – parti llwyddiannus ym myd cerdd dant a chanu gwerin yn yr 1970au a'r 1980au. Fe'i derbyniwyd i'r Orsedd yn 1965 ac yna fe'i dyrchafwyd i'r Wisg Wen yn 1999 fel cydnabyddiaeth o'i wasanaeth i'r diwylliant traddodiadol Cymreig ac i'r Eisteddfod yn arbennig.

Disgyddiaeth

Cwlwm Cain (Gwerin SYWD214, 1979)
Casgliad o Oreuon Trefor Edwards (Sain SCD2439, 2004)

Sioned Webb

Eisteddfod, Cerddoriaeth a'r

Arferir olrhain dechreuadau'r eisteddfod yng Nghymru i'r wledd fawr a gynhaliwyd yng nghastell Aberteifi yn 1176. Yn ôl cofnod *Brut y Tywysogyon*, trefnodd yr Arglwydd Rhys ap Gruffudd 'ddeuryw ymryson', un rhwng beirdd a phrydyddion ac un arall 'rhwng telynorion a chrythorion a phibyddion'. Mae'n debyg felly fod y wledd fawr, a oedd yn dilyn patrymau'r gwledydd Celtaidd eraill yn ogystal â'r *puy* Normanaidd, yn cynnig cyfle i gerddorion o bob rhan o Gymru a'r gwledydd Celtaidd gystadlu yn erbyn ei gilydd. Er nad eisteddfod yn yr ystyr fodern oedd cyfarfod 1176, mae'n fan cychwyn i hanes yr ŵyl nodweddiadol Gymreig a ddethlir ar sawl lefel, o'r genedlaethol i'r leol, yn yr 21g.; ac mae'n eglur fod i gerddoriaeth ei lle ynddi.

Ceir cofnod am eisteddfodau yn y 15g. a'r 16g., a'u nod o warchod y traddodiadau mawl, gan gynnwys y telynorion a'r datgeiniaid – yng Nghaerfyrddin tuag 1452, ac yng Nghaerwys yn 1523 ac 1567. Llenyddol oedd pwyslais yr eisteddfodau neu'r cyfarfodydd cystadleuol a gynhelid fel arfer mewn tafarndai yn y 18g., ond yn 1789, dan arweiniad Thomas Jones, Corwen, a chyda chefnogaeth Cymdeithas y Gwyneddigion, Llundain, sefydlwyd patrwm o gystadlu agored mewn eisteddfod a gynhaliwyd yn y Bala, a dyma wreiddyn yr eisteddfod fel y gwyddom amdani heddiw. O 1819 hyd 1834 cafwyd cyfres o eisteddfodau rhanbarthol dan arweiniad yr 'hen bersoniaid llengar', offeiriaid Anglicanaidd a ymddiddorai'n ddwfn mewn traddodiadau Cymreig, a'r eisteddfodau hyn a ddechreuodd roi mwy o le i gerddoriaeth, trwy gystadlaethau i gantorion ac offerynwyr traddodiadol a thrwy gyngherddau lle clywid talentau estron. Dyma ddechrau'r frwydr rhwng y traddodiadol Gymreig a'r celfyddydol Seisnig ym myd cerddoriaeth yr eisteddfod, brwydr a oedd i barhau ymhell i'r 20g.

Rhoddwyd lle anrhydeddus i gerddoriaeth Gymreig yn yr eisteddfodau a gynhaliwyd dan nawdd **Augusta Hall** (Arglwyddes Llanofer; 1802–96), a Chymreigyddion y Fenni, rhwng 1835 ac 1853. Gwobrwywyd telynorion a ganai'r **delyn deires** draddodiadol a chynhaliwyd cystadlaethau ysgrifenedig yn ymwneud â'r traddodiad Cymreig. Dyfarnwyd yr wobr gyntaf yn 1837 i **Maria Jane Williams** (1795–1873) o Aberpergwm am gasgliad o **alawon gwerin** Cymreig a'r ail wobr i **John Thomas** (Ieuan Ddu; 1795–1871). Cyhoeddwyd y ddau gasgliad: *Ancient National Airs of Gwent and Morganwg* Maria Jane Williams yn 1844 a *The Cambrian Minstrel/Y Caniedydd Cymreig* Ieuan Ddu yn 1845. Ond mynd dan gwmwl fyddai tynged cerddoriaeth Gymreig draddodiadol ym myd yr eisteddfod am flynyddoedd wedi hynny, gyda thwf canu corawl a dyfodiad y delyn bedal, a ddaeth yn symbol o gerddoriaeth Gymreig.

Yr Eisteddfod Genedlaethol

Roedd datblygiad y mudiad eisteddfodol ar raddfa genedlaethol yn cydoesi â'r twf mewn canu cynulleidfaol a chorawl yng Nghymru. Dan ddylanwad Cymry a gododd i amlygrwydd cerddorol yn Llundain, yn enwedig **Brinley Richards** (1817–85), athro piano yn y Coleg Cerdd Brenhinol, a **John Thomas** (Pencerdd Gwalia; 1826–1913), telynor a hyrwyddodd y delyn bedal ar draul y deires ac a benodwyd yn delynor i'r teulu brenhinol, dechreuwyd arddel safonau cyngherddol Ewropeaidd.

Pan gynhaliwyd Eisteddfod Genedlaethol yng Nghaerfyrddin yn 1867 mynnodd **Brinley Richards** gael artistiaid o Lundain i berfformio yn y cyngherddau, er mai cymysg iawn oedd ymateb y gynulleidfa iddynt. Yr Eisteddfod a roddodd lwyfan i berfformiadau o *Messiah* Handel, yng Nghaer yn 1866 ac yn Rhuthun yn 1868, gan helpu i wneud y gwaith hwnnw yn drysor cenedlaethol a'i gyfansoddwr yn Gymro er anrhydedd. Daeth cyngherddau'r Eisteddfod hefyd yn fodd i roi llwyfan i weithiau gan gyfansoddwyr Cymreig a gomisiynwyd gan yr Eisteddfod ei hun, megis *Llewelyn* gan Bencerdd Gwalia yn Abertawe (1863) a *Saul of Tarsus* gan **Joseph Parry** yn y Rhyl (1892), a sefydlwyd arfer o gasglu cantorion ardal at ei gilydd i ffurfio Côr yr Eisteddfod. Eto i gyd, ni fyddai eisteddfodwyr bob amser yn ymateb yn dda i'r hyn a ystyrient yn uchel-ael ac yn ddieithr.

Wedi'r Rhyfel Byd Cyntaf ceisiodd y Cyngor Cerdd Cenedlaethol dan arweiniad **Walford Davies** (1869–1941) ddod â phrofiadau cerddorol newydd i gynulleidfaoedd Cymru, ond gwrandawiad anfoneddigaidd tu hwnt a gafodd perfformiad o'r *Dioddefaint yn ôl Sant Mathew* gan Bach yn Eisteddfod Genedlaethol yr Wyddgrug yn 1923. Serch hynny, bu dylanwad y Cyngor Cerdd yn llesol, oherwydd erbyn yr 1930au cafwyd perfformiadau uchelgeisiol gan gorau lleol. Arweiniodd Matthew W. Davies (1882–1947) Gôr Eisteddfod Castell-nedd (1934) mewn perfformiad o *Belshazzar's Feast* gan William Walton, a oedd yn waith newydd ar y pryd, wedi'i gyhoeddi dair blynedd ynghynt; perfformiodd Côr Eisteddfod Caerdydd 1938 yr Offeren yn B Leiaf gan Bach yn ogystal â *Requiem* Brahms a gweithiau eraill; yn 1939 cafwyd perfformiad gan gôr Eisteddfod Dinbych o **oratorio** Edward Elgar, *The Apostles*, dan arweiniad **T. Hopkin Evans** (1879–1940). Wedi

i'r rheol Gymraeg ddod i rym yn 1950 sefydlwyd patrwm o baratoi geiriau Cymraeg i gyfanweithiau Ewropeaidd a'u perfformio'n llwyddiannus. Mae'r traddodiad o godi Côr yr Eisteddfod o blith cantorion bro'r Eisteddfod yn parhau, er nad yw'r gweithiau a genir bellach mor uchelgeisiol.

Gŵyl gystadleuol yw eisteddfod yn ei hanfod, fodd bynnag, ac erbyn diwedd y 19g. **cystadlaethau cerddorol** oedd uchaf yng ngweithgarwch yr Eisteddfod, a'r beirdd yn aml yn cwyno nad oedd digon o le nac amser i bethau llenyddol. O'r 1870au ymlaen byddai gornestau **corau meibion** a **chorau cymysg** yn destun rifalri lleol, a chystadlaethau unawdol yn denu nifer dda o gystadleuwyr.

Eto i gyd, roedd Seisnigrwydd y cystadlaethau hyn, o'r cyfnod Fictoraidd hyd at yr Ail Ryfel Byd, yn creu tyndra. Cafodd nifer o gorau amlwg o Loegr lwyddiant ar draul corau Cymru, a deuai beirniaid o'r tu hwnt i Glawdd Offa, er bod y rheini yn aml yn bobl o fri cerddorol, megis y cyfansoddwr Samuel Coleridge-Taylor, yr organydd Walter Parratt, a'r **arweinydd** Richard Terry. Ond bu'r cystadlaethau hyn hefyd yn gyfle i gorau Cymreig ddisgleirio, yn enwedig y corau o'r ardaloedd diwydiannol megis Dowlais, Merthyr, Rhymni a Rhondda yn y de, a'r Penrhyn a Rhosllannerchrugog yn y gogledd.

Y gornestau **corawl** a ddenai'r tyrfaoedd i'r ŵyl. Rhwng 1928 ac 1934 bu Côr Ystalyfera yn fuddugol yn y brif gystadleuaeth gorawl bum gwaith; cafodd Côr Meibion Treorci lwyddiant tebyg gyda saith buddugoliaeth rhwng 1952 ac 1964. Enillodd Côr Orpheus Treforys y brif gystadleuaeth i gorau meibion bedair gwaith yn olynol rhwng 1946 ac 1949 ac eto yn 1955 ac 1960; cyflwynir Tlws Coffa Ivor E. Sims (1897–1961), eu harweinydd yn y cystadlaethau hynny, i arweinydd y côr meibion buddugol heddiw.

Bu'r Eisteddfod hefyd yn llwyfan i ddatblygu nifer fawr o gorau merched llwyddiannus, megis Côr Merched Hafren o ardal y Drenewydd, dan arweiniad Jayne Davies. Er i'r gornestau hyn borthi ysbryd cystadleuol a allai fod yn afiach ar adegau, eto roeddynt yn hwb i weithgarwch cerddorol ac yn rhoi nod i'r corau. Erbyn ail hanner yr 20g. roedd nifer y corau yn tueddu i leihau am nad oedd canu corawl yn gymaint o atyniad ac am fod y corau eu hunain yn rhoi eu bryd ar recordio a theithiau tramor yn hytrach na chystadlu eisteddfodol; ond daeth corau newydd i'r amlwg, a sawl un, megis côr cymysg Godre'r Garth a chorau meibion Trelawnyd, Caernarfon a'r Traeth, yn parhau yn driw i'r Genedlaethol.

Ym myd yr unawd bu'r Eisteddfod yn gyfle i arddangos ystod eang o ddoniau lleisiol ac ar brydiau yn fan cychwyn i yrfa broffesiynol. Dyfarnwyd y Rhuban Glas lleisiol am y tro cyntaf yn 1943, er cof am y tenor David Ellis (1873–1941), a oedd ei hun wedi ennill cystadleuaeth yr unawd tenor yn y Genedlaethol dair gwaith, yn 1900, 1904 ac 1907, ac ymhlith yr enillwyr dros y blynyddoedd ceir enwau cantorion adnabyddus, rhai ohonynt, megis **Stuart Burrows** (1959) a **Rhys Meirion** (1996) wedi mwynhau gyrfa broffesiynol yn sgil eu llwyddiant.

Dyfernir Gwobr Goffa Osborne Roberts, er cof am y cyfansoddwr T. Osborne Roberts (1879–1948), i'r unawdydd buddugol o dan 25 oed; ac Ysgoloriaeth W. Towyn Roberts, a sefydlwyd yn 1982 er cof am y gantores Violet Jones, i unawdydd ifanc addawol sydd am ddatblygu gyrfa. O safbwynt cerddorol, un o'r datblygiadau mwyaf cyffrous dros y blynyddoedd yw'r cystadlaethau offerynnol, lle gwelwyd safonau'n codi'n gyson, a hynny'n gwbl briodol i'r wlad a sefydlodd y Gerddorfa Ieuenctid Genedlaethol gyntaf yn y byd yn 1946, cerddorfa a fu'n perfformio'n gyson yng nghyngherddau'r Eisteddfod. Erbyn heddiw mae'r Eisteddfod yn cynnig tair Rhuban Glas offerynnol i gystadleuwyr o wahanol oedran, ynghyd ag ysgoloriaethau sy'n rhoi cyfle i'r offerynwyr barhau â'u hastudiaethau.

Yn ogystal â meithrin **cerddoriaeth glasurol** mae'r Eisteddfod Genedlaethol yn llwyfan i gerddoriaeth werin a chystadlaethau **cerdd dant**. Sefydlwyd cystadlaethau gan **Gymdeithas Alawon Gwerin Cymru** cyn y Rhyfel Byd Cyntaf – i gasglu a nodi **alawon gwerin** anghyhoeddedig ac i berfformio alawon gwerin. Ers 1955 dyfernir Tlws Coffa'r Fonesig Herbert Lewis i'r prif unawdydd **canu gwerin**. Bu sefydlu **Cymdeithas Cerdd Dant Cymru** yn 1934 yn fodd i hybu diddordeb newydd yn hen grefft **canu penillion** a alltudiwyd ymron o'r Eisteddfod yn yr 1860au ond a ddaeth erbyn diwedd yr 20g. yn ganolog i'r Eisteddfod, gyda chystadlaethau nid yn unig i unawdwyr, ond i ddeuawdau, triawdau, partïon a **chorau cerdd dant**; a gwelwyd llawer iawn o ddatblygu ar yr hen grefft. Ceisiwyd hefyd gefnogi cerddoriaeth werin offerynnol trwy gynnig cystadlaethau ar y **delyn deires** ac **offerynnau** eraill, a hynny ar faes yr Eisteddfod yn ogystal ag ar y prif lwyfan. Yn negawdau olaf yr 20g. sefydlwyd cystadlaethau **canu pop** a **chanu roc**, a daeth y gystadleuaeth unawd allan o sioe gerdd i adlewyrchu poblogrwydd cynyddol y cyfrwng hwnnw.

Ceisiwyd meithrin traddodiad Cymreig o gyfansoddi trwy gynnal cystadlaethau cyfansoddi; cyfrannodd yr Eisteddfod yn arwyddocaol at ddatblygiad traddodiad o'r fath, ac nid cerddoriaeth leisiol yn unig. Dechreuwyd hyn yn yr 1860au, pan gynhyrchwyd **cantatas** gan **John Owen**, 'Owain Alaw' (1821–83) a darnau corawl gan **Joseph Parry** (1841–1903), John Thomas (1839–1921), David Lewis (1828–1908) a **D. Emlyn Evans** (1843–1913), er enghraifft. Mor gynnar ag 1885 (Aberdâr), pan nad oedd llawer o sôn am gerddoriaeth offerynnol glasurol yng Nghymru, dyfarnwyd gwobr i **J. T. Rees** (1857–1949) am bedwarawd llinynnol. Ysywaeth, cymharol ychydig o weithiau arobryn yr Eisteddfod a gyhoeddwyd, ac aeth cyfran dda ohonynt yn angof. Ond cafodd yr Eisteddfod ran bwysig yn ystod y cyfnod wedi 1945 yn y gwaith o gomisiynu gweithiau gyda chefnogaeth Cyngor Celfyddydau Cymru a'r BBC, a chynigiwyd llwyfan yr Eisteddfod ar gyfer perfformio gweithiau o'r fath: yn Eisteddfod Genedlaethol Ystradgynlais, 1954, y clywyd am y tro cyntaf Bedwaredd Symffoni **Daniel Jones** (1912–93), er cof am ei gyfaill Dylan Thomas. Ac ers 1990 mae cystadleuaeth Tlws y Cerddor wedi cydnabod cyfansoddwyr ar yr un tir ag enillwyr prif ddlysau eraill yr Eisteddfod.

Eisteddfod yr Urdd

Cynhaliwyd Eisteddfod Genedlaethol Urdd Gobaith Cymru am y tro cyntaf yng Nghorwen yn 1929. O'r dechrau cafwyd **cystadlaethau cerddorol** ynddi, yn adlewyrchu'r patrwm traddodiadol o unawdau, partïon, corau a chystadlaethau offerynnol.

Dros y blynyddoedd gwelwyd datblygu cystadlaethau newydd megis canu ysgafn a **chanu roc**, a bu hyn yn hwb i ddatblygiad cystadlaethau tebyg yn yr Eisteddfod Genedlaethol ac mewn eisteddfodau eraill, gan mai'r Urdd yn aml a fu'n arloesi yn y meysydd hyn. Mae strwythur eisteddfodau'r Urdd – lleol, sirol a chenedlaethol – yn sicrhau safon uchel yn y cystadlu gan mai buddugwyr o blith buddugwyr sy'n cystadlu yn yr eisteddfod genedlaethol flynyddol. Mae gan yr Urdd ei phatrwm hithau o ddlysau arbennig sy'n anrhydeddu cerddorion pwysig ddoe a heddiw.

Cynigir Medal Goffa **Grace Williams** yn y brif gystadleuaeth gyfansoddi, ac mae'r **cystadlaethau cerddorol** yn cyfrannu at Gystadleuaeth Ysgoloriaeth Urdd Gobaith Cymru **Bryn Terfel**, sy'n hybu addewid bendant ym maes perfformio ac yn cydnabod enw un o'r cystadleuwyr disgleiriaf a gododd trwy rengoedd yr Urdd erioed. Bu'r Urdd hefyd yn flaengar o ran cystadlaethau offerynnol gan ddatblygu patrwm o gystadlaethau *ensemble* a cherddoriaeth greadigol.

Eisteddfodau Lleol

Er bod tuedd i feddwl am y mudiad eisteddfodol yn nhermau gweithgarwch cenedlaethol, cyd-dyfodd yr Eisteddfod Genedlaethol o'r 1860au ymlaen gyda'r mudiad eisteddfodol lleol. Mae'r nifer o eisteddfodau lleol a gynhaliwyd yn rheolaidd ac yn achlysurol trwy Gymru gyfan y tu hwnt i gyfrif, ond pan ffurfiwyd Cymdeithas Eisteddfodau Cymru yn 1998 i geisio cydlynu a chefnogi ymdrechion yr eisteddfodau hyn, cyfrifwyd bod tua 120 ohonynt yn dal i gael eu cynnal yn rheolaidd.

Mewn rhai ardaloedd bu'r traddodiad yn hir ac yn anrhydeddus: mae Eisteddfod Gadeiriol Swyddffynnon, Ceredigion, yn cael ei chynnal yn flynyddol ers 1875; sefydlwyd eraill, megis Eisteddfod y Cymoedd yng Nghwm Rhymni, yn ddiweddar (2006). Gellir synied am Eisteddfodau Teulu James, Pantyfedwen, sy'n cael eu cynnal ym Mhontrhydfendigaid, Llanbedr Pont Steffan ac Aberteifi, fel etifeddion yr hen eisteddfodau rhanbarthol. Yn y rhain i gyd ceir patrwm o gystadlaethau cerddorol lle rhoddir cyfle i unawdwyr lleisiol ac offerynnol yn ogystal â phartïon a chorau.

Mae rhai cystadlaethau sefydlog mewn eisteddfodau lleol wedi eu mabwysiadu hefyd gan yr Eisteddfod Genedlaethol, megis cystadleuaeth canu **emyn** neu gystadleuaeth yr 'Hen Ganiadau'. I lawer o gystadleuwyr o bob oed cynigia'r eisteddfod leol gyfle i ymarfer darnau prawf eisteddfodau'r Urdd a'r Eisteddfod Genedlaethol. Yn hynny o beth mae'n cyflawni un o swyddogaethau gwerthfawrocaf pob eisteddfod, sef symbylu ac ysgogi gwaith a gweithgarwch cerddorol.

Dylid nodi yn ogystal fod y traddodiad eisteddfodol wedi rhoi hwb i gyhoeddi cerddoriaeth Gymreig. Yn hanner cyntaf yr 20g. byddai'r cyhoeddwr D. J. Snell, Abertawe, yn cynnig telerau arbennig i bwyllgorau eisteddfod a fyddai'n dewis eu darnau prawf o'i gatalog ef. Yn yr un cyfnod hysbysebai Stanley Jones, Casnewydd, ei siop dan yr enw 'Eisteddfod Music Warehouse', ac mae'n sicr fod pob tŷ cyhoeddi wedi elwa o weithgarwch eisteddfodol ar bob lefel. Yr enghraifft fwyaf nodedig yw gweithgarwch Cwmni Cyhoeddi Gwynn o 1937 ymlaen: defnyddiwyd llawer o ddarnau'r wasg hon mewn cystadlaethau

yn Eisteddfod Ryngwladol Llangollen a llu o eisteddfodau eraill.

Rhidian Griffiths

Eliffant

Grŵp roc oedd Eliffant a fu'n cyfuno clindarddach gitarau a chaneuon llawn melodïau yn hytrach nag apelio'n unig at bendolcwyr yn ysgwyd cen o'u gwallt. Roedd **Geraint Griffiths** – lleisydd a phrif angor y grŵp fel cyfansoddwr a gitarydd – yn aelod o'r grŵp ffync byrhoedlog Injaroc. Hanai o Bontrhyd-y-fen a bu'n aelod o grwpiau roc yn Llundain yn ogystal ag yn aelod gwadd o **Edward H Dafis** pan oeddent yn recordio yn y stiwdio.

Hanai'r aelodau eraill o siroedd y gorllewin. Bu John Davies (gitâr flaen), Clive Richards (gitâr fas) a Colin Owen (drymiau) yn aelodau o'r grŵp Chwys. Bu'r grŵp hwnnw'n boblogaidd am gyfnod wrth i'r lleisydd, Sulwyn Rees, dynnu sylw trwy arddangos doniau'r siewmon. Dechreuodd Eliffant berfformio yn 1978 gan ddenu haid o ddilynwyr ffyddlon. Ymunodd Euros Lewis i chwarae'r allweddellau er mwyn cyflenwi sain y band. Cynhaliwyd y perfformiad cyntaf yn Neuadd Goffa Pontyberem ym mis Mai y flwyddyn honno a dychwelodd y band i Gwm Gwendraeth droeon yn ystod eu bodolaeth.

Yn ystod y blynyddoedd cynnar perfformiai Eliffant ym mhob cwr o Gymru, yn y colegau ac yn y canolfannau a oedd yn adnabyddus am gynnal gigs Cymraeg, o Blas Coch ar Ynys Môn i'r Top Rank yng Nghaerdydd. Rhyddhaodd y band ddau albwm ar label Sain, *M.O.M* (Sain, 1979) a *Gwin y Gwan* (Sain, 1980). Cyfeiria teitl y cyntaf at ddywediad cyfarwydd ymhlith ieuenctid siroedd y gorllewin ('mas o 'ma') gan danlinellu ymgais y grŵp i uniaethu â'u cynulleidfa. Cyfeiria teitl yr ail albwm at un o allforion enwocaf Iwerddon, Guinness. Arferai'r bechgyn alw mewn tafarn ym mhentref Crymych ar eu ffordd i ymarfer mewn neuadd gyfagos. O'r arfer hwnnw y deilliodd y gân gyfarwydd 'Cowbois Crymych'. Rhai o'r caneuon eraill a gydiodd yn y gynulleidfa Gymraeg oedd 'W Capten', 'Nôl ar y Stryd' a 'Nôl i Gairo' wrth i lais cadarn Geraint Griffiths ei morio hi.

Cafodd Eliffant eu dewis yn fand roc gorau'r flwyddyn yn 1979 gan ddarllenwyr y cylchgrawn *Sgrech*. Ymunodd Gordon Jones i chwarae'r drymiau yn 1981. Rhyddhawyd dwy record fer ar label M.A.C.Y.M. (Mudiad Adloniant Cymraeg Ieuenctid

Môn) ac ar label Llef, label y band ei hun. Y caneuon ar y naill oedd 'Seren'/ 'Lisa Lân' ac ar y llall clywyd 'Ti yw'r unig un'/'Tywyllwch'. Daeth y band i ben yn 1983. Trodd Geraint Griffiths at yrfa fel canwr unigol gan gyhoeddi nifer o albymau. Trodd ei law at actio a chyfunodd ei ddoniau yn y sioe gerdd *Teilwng yw'r Oen*, sef addasiad o *Young Messiah* a ddarlledwyd ar S4C. Er i'r aelodau ddod ynghyd ar gyfer dau berfformiad yng Ngheredigion yn 1994, parhau â'u gyrfaoedd y tu hwnt i'r byd cerddorol fu eu hanes.

Disgyddiaeth

M.O.M (Sain 1130M, 1979)

Gwin y Gwan (Sain 1184M, 1980)

'Ti yw'r unig un'/'Tywyllwch' [sengl] (Llef, 1983)

Hefin Wyn

Ellis, Annie (Cwrt Mawr) (1873–1942)

Un a wnaeth gyfraniad pwysig i fyd **canu gwerin** yng Nghymru fel casglwraig ac fel un a ysbrydolodd eraill i ymddiddori yn y maes. Perthynai Annie Ellis (Annie Davies cyn iddi briodi), fferm Cwrt Mawr, Llangeitho, i linach Fethodistaidd David Charles (Caerfyrddin) ar ochr ei thad a llinach y Parch Peter Williams, y diwinydd a'r esboniwr, ar ochr ei mam. Fe'i haddysgwyd yng Ngholeg **Prifysgol** Cymru, Aberystwyth, ond ar brydiau ymwelai â Llundain lle cafodd flas ar fywyd cymdeithasol lliwgar Cymry'r ddinas. Am gyfnod, ymgartrefodd yng nghapel Charing Cross lle cynhaliwyd ymrysonau, **eisteddfodau** a chyngherddau dan arweiniad y gantores **Mary Davies** (Mair Mynorydd).

Ym mis Medi 1908 ymaelododd â **Chymdeithas Alawon Gwerin Cymru** ac o ganlyniad, daeth ymdrechion Y Canorion yng Ngholeg Prifysgol Gogledd Cymru, Bangor, a'r arfer o gywain alawon traddodiadol yng nghefn gwlad yn fwy cyfarwydd iddi. Yn ogystal, bu dylanwad uniongyrchol ei brawd, John Humphreys Davies (1871–1926), a'i ddiddordeb ef ym myd casglu **llawysgrifau**, hanes llenyddiaeth Gymraeg a thraddodiad y **baledi**, yn gyfrwng i'w chyfeirio i faes canu gwerin y genedl. Fel un o gyfeillion a chymwynaswyr Coleg Prifysgol Cymru, Aberystwyth, gwahoddwyd Annie Ellis i fynychu achlysuron Cymreig y myfyrwyr a hyn (ynghyd â darlith gyhoeddus Dr Mary Davies yn Ionawr 1910) a roes fod i'r datblygiadau yn hanes Cymdeithas Alawon Gwerin Cymru yn y canolbarth ac a fu'n sbardun i weithgarwch ymarferol yn y maes ymysg trigolion Aberystwyth a'r cylch. Gwelwyd ôl ei dylanwad ac o ganlyniad tyfodd canu traddodiadol Cymru yn fwy amlwg a phoblogaidd yng nghyngherddau wythnosol 'y Coleg ger y lli'.

Sefydlwyd triawdau a phedwarawdau ymhlith y myfyrwyr yn bennaf i berfformio trefniannau lleisiol o ganeuon brodorol yn seremonïau a chyfarfodydd cyhoeddus Aberystwyth, a daeth eisteddfod flynyddol y Brifysgol, ynghyd â chystadlaethau canu alaw werin a chreu casgliad o alawon traddodiadol anghyhoeddedig, yn arwydd o'r diddordeb cynyddol yn y maes. Dora Rowlands (**Dora Herbert Jones** yn ddiweddarach) oedd cantores amlycaf Canorion y Brifysgol yn y cyfnod rhwng 1910 ac 1913, ymgorfforiad o'r adfywiad canu gwerin a oedd ar droed yng Nghymru'r adeg honno, gyda'i dehongliadau o alawon fel 'Doli', 'Yr Hen Erddygan' a 'Gwcw Fach' yn fodd i danio'r diddordeb ymhlith y myfyrwyr eraill. Ar gais Annie Ellis, perfformiwyd detholiad o'r chwaraegan *Aelwyd Angharad* gan **J. Lloyd Williams** yn y dref (1911) ond uchafbwynt gweithgaredd cerddorol Y Canorion oedd ymweliad pedwar o fyfyrwyr Aberystwyth â Pharis i berfformio **alawon gwerin** Cymreig dan gyfarwyddyd Madame **Lucie Barbier** (athrawes leisiol y Coleg).

Fel prif gynrychiolydd Cymdeithas Alawon Gwerin Cymru yn y canolbarth a *chaperone* i'r diddanwyr ifanc, teithiodd Annie Ellis yn eu cwmni'n ogystal. Yn yr un modd, bu'n ysbrydoli'r gwaith o gasglu alawon brodorol ymysg trigolion tref Aberystwyth ac yn ardaloedd diarffordd Ceredigion (Tregaron, Llandysul, Pen-uwch a'r cyffiniau) a hithau'n ddolen gyswllt bwysig rhwng casglyddion profiadol y maes (fel y Fonesig **Ruth Herbert Lewis**) a'r gymdogaeth y gwyddai gymaint amdani. Enwogrwydd Annie Ellis, fel gwraig un o gyn-wleidyddion Rhyddfrydol amlycaf ei gyfnod, a'i chyfeillgarwch â rhai o weinidogion Anghydffurfiol blaenllaw'r genedl, fu'r dylanwad pennaf ar gymeriadau ardal Llandysul. Er na chyhoeddodd Annie Ellis gasgliad personol o ganeuon brodorol, mae ei **llawysgrifau**, sydd ar gadw yn **Llyfrgell Genedlaethol Cymru**, yn tystio iddi ymdrechu i gofnodi swp ohonynt (yn y Gymraeg ac yn Saesneg) mewn **sol–ffa** a hen nodiant.

Fel un o is-lywyddion y Gymdeithas Alawon Gwerin roedd yn ymwybodol o bwysigrwydd lledaenu enw da'r Gymdeithas, denu aelodau newydd a sicrhau mwy o gasglyddion ifanc brwdfrydig a fyddai'n barod i gywain alawon traddodiadol mewn gwahanol ardaloedd o Gymru a'u dwyn i sylw J. Lloyd Williams. Gobaith Annie Ellis oedd y deuai cynnyrch y casglyddion hynny yn ddeunydd i'w gyhoeddi ar dudalennau *Cylchgrawn Cymdeithas Alawon Gwerin Cymru* ac y byddai'n gyfrwng i ymestyn *repertoire* ac ehangu gorwelion myfyrwyr ac aelodau staff y Coleg.

O safbwynt cerddorol, ymddangosodd droeon yng nghyfarfodydd y Gymdeithas i adrodd hanes ei phrofiad yn casglu yn y canolbarth a phwysleisio'r angen mawr am weithwyr pellach yn y maes. Cafodd gyfle droeon i werthfawrogi dawn **Morfydd Llwyn Owen** fel cantores, cyfeilyddes a chyfansoddwraig, a bu'n hael ei chefnogaeth i **Leila Megàne** cyn iddi adael Cymru i astudio ym Mharis. Un o gymwynaswyr y byd cerdd yng Nghymru'r 20g. oedd Annie Ellis – gweithiodd yn dawel a dirwgnach er budd y traddodiad a chyfoethogodd brofiadau cenedlaethau o fyfyrwyr a ddaeth dan ei gofal.

Llyfryddiaeth

T. I. Ellis, *Thomas Edward Ellis – Cofiant* (Lerpwl, 1948)

Gwenan Gibbard, *Brenhines Powys – Dora Herbert Jones a byd yr alaw werin* (Llanrwst, 2003)

Wyn Thomas, 'Annie Ellis Cwrt Mawr, Canorion Aberystwyth a chanu traddodiadol Cymru', *Gwerddon*, 2 (Hydref, 2007), 51–86 <www.gwerddon.org>

Wyn Thomas

Ellis, Osian (g.1928)

Un o **delynorion** gorau ei genhedlaeth, athro, **canwr penillion**, trefnydd a chyfansoddwr. Ganed Osian Gwynn Ellis yn Ffynnongroyw, Sir y Fflint, a'i fagu yn Sir Ddinbych mewn teulu hyddysg yng ngherddoriaeth a diwylliant Cymru. Yn ddeg oed, dechreuodd astudio'r delyn gydag Alwena Roberts, Telynores Iâl (1899–1981), ac yna gyda Gwendolen Mason (1883–1977) yn yr Academi Gerdd Frenhinol; ef a olynodd Mason yn Athro'r delyn yn yr Academi (1959–89).

Darlledodd gyntaf yn 1947, a dechrau ar yrfa recordio nodedig yn 1949 gyda'r Welsh Recorded Music Society. Aeth rhagddo i recordio ar gyfer llu o labeli eraill megis Decca, **Delysé**, Lyrita, Meridian, Philips, Sain ac Unicorn-Kanchana gan gwmpasu *repertoire* eang, o **ganeuon traddodiadol** Cymru i **gerddoriaeth gelfyddydol** y cyfnod Clasurol a Rhamantaidd i ddeunydd o'r 20g.; o ran cerddoriaeth gyfoes, roedd y recordiadau'n cynnwys comisiynau, cyflwyniadau a pherfformiadau cyntaf.

Enillodd ei ddisg o *concerti* Handel yn 1960 (i L'Oiseau-Lyre) gyda Philomusica Llundain, dan arweiniad Granville Jones, yr enwog *Grand Prix du Disque*, a chafodd ei recordiad yn 1962 o Gerddoriaeth Siambr Ffrengig (ac yn arbennig *Introduction & Allegro* Ravel) gydag *ensemble* Melos (yr ymunodd â hwy yn 1954) gymeradwyaeth eang gan y beirniaid. Yn 1964, derbyniodd y Wobr Ryngwladol i Unawdwyr a ddyfernir gan banel rhyngwladol i'r 'offerynnwr unigol mwyaf eithriadol o unrhyw wlad'.

Yn ystod yr 1950au, yr 1960au a'r 1970au teithiodd y byd fel unawdydd a chyda sawl *ensemble* gan gynnwys y Philharmonia a Cherddorfa Symffoni Llundain (y bu'n Brif Delynor iddi o 1961 hyd 1994). Gweithiodd hefyd gyda Hugh Griffith, Richard Burton, Dame Edith Evans a Dame Peggy Ashcroft.

Bu cydweithio ffrwythlon rhyngddo ef a Benjamin Britten (1913–76), cydweithio a ddechreuodd yn 1960 gydag *A Midsummer Night's Dream* op. 64 ac a barhaodd gyda gweithiau fel y *War Requiem* op. 66 (1962), *Curlew River* op. 71 (1964), *The Burning Fiery Furnace* op. 77 (1966) a *The Prodigal Son* op. 81 (1968). Ellis a gomisiynodd *Suite* Britten i delyn unigol op. 83 (1969) gan roi'r perfformiad cyntaf o'r gwaith yng **Ngŵyl** Aldeburgh y flwyddyn honno. Arweiniodd ei berfformiad ar gyfer y Fam Frenhines yn 1976 (gyda Peter Pears) o waith Britten, *A Birthday Hansel*, at sawl ymweliad â'r Royal Lodge, Windsor.

Ymhlith y cyfansoddwyr eraill a ysgrifennodd ar ei gyfer y mae **David Wynne** (1900–83); **Alun Hoddinott** (1929–2008); Jørgen Jersild (1913–2004) – a gyflwynwyd i Ellis gan Britten; **William Mathias** (1934–92); Malcolm Arnold (1921–2006); Gian Carlo Menotti (1911–2007); William Schuman (1910–92); Robin Holloway (g.1943) a **Rhian Samuel** (g.1944). Ymhlith gweithiau gwreiddiol Osian Ellis y mae'r *St Asaph Canticles* (1988) a *Diversions* ar gyfer dwy delyn (1990).

Arweiniodd cyfnod o ymchwil yng Ngregynog at ei lyfr, *The Story of the Harp in Wales* (Gwasg Prifysgol Cymru, 1991), ac mae wedi cyhoeddi erthyglau ar lawysgrif **Robert ap Huw** ac ar **John Parry** (Rhiwabon). Yn 1947 fe'i penodwyd yn aelod o bwyllgor gwaith **Cymdeithas Alawon Gwerin Cymru** a bu'n un o'r is-lywyddion er *c.*1969; mae hefyd yn aelod o **Gymdeithas Cerdd Dant Cymru**. Ymhlith yr anrhydeddau niferus a ddaeth i'w ran y mae CBE (1971), DMus er anrhydedd (Prifysgol Cymru, 1970), FRAM (1960) a Chymrodoriaeth **Prifysgol** Bangor. Mae ei waith digymar gyda rhai o gerddorion mwyaf yr 20g. wedi cyfoethogi *repertoire* y delyn yn sylweddol. Ymhlith ei ddisgyblion y mae **Elinor Bennett**.

Disgyddiaeth

George Frideric Handel, *Lute and Harp Concerto in B flat major* [etc.] (L'Oiseau-Lyre QL50181, 1960)

Benjamin Britten, *A Birthday Hansel* (Decca SXL6788, 1976)

Maurice Ravel, *Introduction and Allegro* [etc.] (Decca 414 063-1, 1985)

William Mathias, *Harp Concerto* [etc.] (Lyrita SRCD325, 1995)

Llyfryddiaeth

Osian Ellis, 'Welsh Music: History and Fancy', *Transactions of the Honourable Society of Cymmrodorion*, Session 1972–73 (Llundain, 1973), 73–94

———, 'Ap Huw: Untying the Knot', *Soundings*, 6 (1977), 67–87

———, 'Ap Huw, Robert', *The New Grove Dictionary of Music and Musicians* gol. Stanley Sadie (Llundain, 1980), 1, 501–2

———, *The Story of the Harp in Wales* (Caerdydd, 1991 [1980])

David R. Jones

Elwyn-Edwards, Dilys (1918–2012)

Un o brif gyfansoddwyr caneuon Cymru yn ystod yr 20g. Tra oedd yn ddisgybl yn Ysgol Dr Williams yn ei thref enedigol, Dolgellau, dangosodd ddiddordeb brwd mewn cerddoriaeth a barddoniaeth gan ddechrau cyfansoddi caneuon yn gynnar a defnyddio'i doniau fel cantores a phianydd i amlygu ei thalent greadigol.

Enillodd ysgoloriaeth i Goleg Girton, Caergrawnt (cryn gamp mewn cyfnod pan nad oedd i ferched hawliau cyfartal yn y brifysgol honno), ond dewisodd yn hytrach dderbyn Ysgoloriaeth **Joseph Parry** i Brifysgol Caerdydd. Er iddi gael y cwrs yno yn sych a diddychymyg, digwyddodd dau beth yng Nghaerdydd a oedd i newid cwrs ei bywyd, sef iddi ddarganfod cerddoriaeth Herbert Howells (1892–1983) (wrth ganu ei waith yn y côr) a chyfarfod ei darpar ŵr, un o Gymry Llundain oedd â'i fryd ar y weinidogaeth, David Elwyn Edwards.

Wedi cyfnod yn ôl yn Ysgol Dr Williams yn dysgu, enillodd ysgoloriaeth bellach i'r Coleg Cerdd Brenhinol yn Llundain yn ystod yr 1950au cynnar lle gwireddodd freuddwyd trwy astudio am dair blynedd gyda Herbert Howells ei hun. Yn ystod y cyfnod hwn roedd yn byw yn Rhydychen lle'r oedd Elwyn yn astudio yng Ngholeg Mansfield.

Roedd Howells yn enwog, fel athro, am ei allu i ddarganfod rhuddin personol ei ddisgyblion ac yna i'w galluogi i ddatblygu ar hyd llwybr a oedd

yn gydnaws â'u greddf gynhenid. Yn achos Dilys Elwyn-Edwards canolbwyntiodd ei sylw ar ei thalent delynegol naturiol gan ddadansoddi tarddle ei harddull yn iaith foddawl gyfrin cyfansoddwyr Seisnig megis Delius, Vaughan Williams, Gustav Holst a **Peter Warlock**; sylwodd hefyd fod elfen Geltaidd yn perthyn i nifer o'r tueddiadau hyn er nad oeddynt â'u gwreiddiau o gwbl mewn unrhyw draddodiad neu **ganu gwerin**.

Camp Dilys wrth aeddfedu oedd perffeithio iaith gerddorol ystwyth a chanadwy a oedd yn glir a chain ei mynegiant ond yn deillio hefyd o gyfoeth y traddodiad *lieder* 'clasurol' Almaenig, fel y'i hamlygwyd yng ngwaith Franz Schubert a Robert Schumann, a'r *chanson* Ffrengig yng nghaneuon Gabriel Fauré, Maurice Ravel a Claude Debussy. Ffefryn arall ganddi oedd Edvard Grieg, ac roedd cyfrolau caneuon y cyfansoddwyr hyn yn aml i'w canfod yn agored ar biano Dilys. Llwyddodd i greu arddull glasurol Gymreig yn ei chaneuon, un a ddeilliai'n uniongyrchol o'i hymateb greddfol i batrwm yr iaith yn y farddoniaeth a oedd agosaf at ei chalon.

Wedi ymgartrefu yng Nghaernarfon, lle'r oedd Elwyn yn weinidog gyda'r Presbyteriaid yng nghapel Castle Square (a hithau'n wraig gweinidog anghonfensiynol iawn), bu Dilys am gyfnod yn athrawes gerddoriaeth yn Ysgol Syr Hugh Owen ac wedyn yn diwtor piano yn y Coleg Normal, Bangor, a hefyd yn y Brifysgol yno.

Dechreuodd gyhoeddi casgliadau o ganeuon a rhan-ganeuon **corawl** tua diwedd yr 1950au a daeth nifer o'r rhain yn glasuron, megis *Chwe Chân i Blant* (I. D. Hooson, 1962) a *Caneuon y Tri Aderyn* (R. Williams Parry, 1962). Erys 'Mae hiraeth yn y môr' o'r casgliad hwn ymhlith y caneuon Cymraeg perffeithiaf a'r mwyaf poblogaidd a gyfansoddwyd erioed, er y byddai Dilys bob amser yn mynnu mai dim ond o dan berswâd y dramodydd John Gwilym Jones y'i cyfansoddodd gan ei bod hi ei hun yn amau y gellid gosod soned yn llwyddiannus.

Daeth rhai caneuon o blith ei chasgliadau diweddarach hefyd yn glasuron, megis 'Hydref' i eiriau T. Gwynn Jones o'r cylch *Caneuon y Tymhorau*, ac o 1983 ymlaen cyfansoddodd yn helaeth eto ar gyfer corau, gan gynnwys nifer o ddarnau cysegredig. Roedd yn dibynnu'n llwyr ar farn a chefnogaeth Elwyn ar bob mater barddonol ac wrth ymwneud â geiriau, ac yn dilyn ei farwolaeth yn 2003 rhoddodd y gorau i gyfansoddi'n gyfan gwbl.

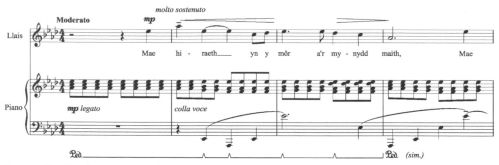

Bar 1–4 o 'Mae Hiraeth yn y Môr' gan Dilys Elwyn-Edwards (© Cwmni Cyhoeddi Gwynn)

Wrth ganolbwyntio ar ei phriod feysydd ym myd cerddoriaeth leisiol a chorawl gellid dweud i Dilys adnabod yn reddfol ei rhychwant fel cyfansoddwr. Nid oedd yn chwennych bri fel symffonydd neu'n feistr **ffurfiau offerynnol** ar raddfa fawr, ond yn rhinwedd ei chyfraniad dethol a deheuig gellir proffwydo y bydd ei henw yn para'n fyw pan fydd enwau cyfansoddwyr eraill llawer mwy uchelgeisiol o bosibl wedi hen fynd yn angof.

Llyfryddiaeth

D. Elwyn-Edwards a P. Kinney, 'Songwriter to Singer', *Cerddoriaeth Cymru*, 6/4 (1980), 7–13

G. Lewis, 'Caneuon y Tri Aderyn', *Cerddoriaeth Cymru*, 8/6 (1987), 26–9

S. Fuller a N. LeFanu, 'Reclaiming the Muse', *Contemporary Music Review*, xi (1994)

Geraint Lewis

Emlyn, Endaf (g.1944)

Canwr a chyfansoddwr pwysig a dylanwadol yn hanes **canu pop** Cymraeg, yn arbennig yn ystod yr 1970au a'r 1980au cynnar. Cafodd ei eni ym Mangor a'i fagu ym Mhwllheli. Cafodd flas cynnar ar ganu roc a rôl wrth wrando ar orsaf radio y Forces Network. Derbyniodd hyfforddiant clasurol, gan chwarae'r **ffidil** yng Ngherddorfa Genedlaethol Ieuenctid Cymru yn ystod yr 1960au cynnar ar yr un pryd â cherddorion megis **John Cale** a **Karl Jenkins**.

Ar ddiwedd yr 1960au daeth Endaf Emlyn yn gyflwynydd **rhaglenni teledu** gyda chwmni HTV gan barhau i ddatblygu ei yrfa fel canwr pop. Ymddangosodd ei dair record gyntaf yn Saesneg ar ôl iddo arwyddo cytundeb gyda label Tony Hatch yn Llundain, M&M. Aeth i stiwdio Abbey Road i recordio 'Paper Chains'/'Madryn' (Parlophone, 1971), a ddilynwyd gan 'All My Life'/'Cherry Lill'

(Parlophone, 1972) a 'Starshine'/'Where Were You?' (Parlophone, 1973).

Erbyn i'r olaf o'r senglau hyn ymddangos, fodd bynnag, roedd Endaf Emlyn eisoes wedi troi at ganu yn Gymraeg. Roedd ei record hir gyntaf, *Hiraeth* (Dryw, 1973), yn gyfuniad o'r traddodiadol a'r modern, o'r alaw werin 'Lisa Lân' ac arddull **jazz** 'Glaw' i **roc** gwladaidd 'Hogia Ynys Môn' a'r faled boblogaidd 'Madryn' sy'n arwydd o ddylanwad Elton John. Michael Parker oedd y cynhyrchydd, un a fu'n gysylltiedig â recordiau Endaf Emlyn ers y dechrau, a pharhaodd y ddau i gydweithio ar y record hir nesaf, *Salem* (Sain, 1974). Ystyrir *Salem*, sy'n seiliedig ar storïau cymeriadau a bortreadir yn llun enwog Curnow Vosper (1866–1942), megis Siân Owen Ty'n y Fawnog ac Ifan Edward Lloyd, yn garreg filltir yn hanes canu pop Cymraeg. Dyma'r albwm 'cysyniad' (*concept album*) cyntaf o'i fath yn Gymraeg, ac er mai technoleg ddigon sylfaenol a chyntefig a ddefnyddiwyd i'w recordio, perthynai crefft a chreadigrwydd amlwg i'r caneuon eu hunain.

Parhaodd Endaf Emlyn i ddatblygu'r record gysyniad gyda *Syrffio Mewn Cariad* (Sain, 1976), trwy gymryd cymeriad o lun *Salem* fel man cychwyn ar gyfer stori sy'n ei dywys i bedwar ban byd. Adlewyrchir hyn yn y dylanwadau Eingl-Americanaidd sydd i'w clywed, gan gynnwys arddulliau megis **soul** a ffync. Er gwaethaf poblogrwydd y gân 'Macrall Wedi Ffrïo', ni fu'r record yn gymaint o lwyddiant â *Salem*, ac aeth pum mlynedd heibio cyn i'r canwr ryddhau ei record hir nesaf.

Yn y cyfamser bu'n aelod o Injaroc, y 'supergroup' Cymraeg cyntaf a grëwyd pan ddaeth cyn-aelodau **Edward H Dafis** a Sidan ynghyd â'r canwr **Geraint Griffiths** at ei gilydd (fel Emlyn, aeth Griffiths ymlaen i ffurfio'i grŵp ei hun sef **Eliffant**, yn ogystal â rhyddhau nifer o recordiau hir ar ei liwt ei hun). Rhyddhaodd Injaroc un record hir, *Halen y Ddaear*

(Sain, 1977), gydag Endaf Emlyn yn cyfrannu'r gân 'Swllt a Naw', ond byrhoedlog fu'r grŵp.

Aeth Endaf Emlyn ati i ffurfio'r grŵp ffync Jîp gyda'r gitarydd **Myfyr Isaac** (un o gyn-aelodau'r **band roc** trwm **Budgie**), John Gwyn ar y gitâr fas (cyn-aelod o Brân), ynghyd â dau a oedd yn aelodau o grŵp **Geraint Jarman** – Richard Dunn (allweddellau) ac Arran Ahmun (drymiau). Ymdriniai unig record hir Jîp, *Genod Oer* (Gwerin, 1980), â themâu dinesig, fel y gân ffync 'Halfway', ynghyd â thestunau tabŵ, megis y gân deitl.

Roedd clawr *Genod Oer* yn cyfeirio at record hir *Can't Buy a Thrill* (1972) gan y band **jazz**-roc o America, Steely Dan, ac amlygwyd y dylanwadau hyn ar record unigol olaf Endaf Emlyn o'r cyfnod yma, sef *Dawnsionara* (Sain, 1981). Dan ofal y peiriannydd Simon Tassano a'r cynhyrchydd **Myfyr Isaac**, a oedd hefyd yn chwarae gitâr ar y record, gydag Ahmun ar y drymiau a'r amryddawn **Pino Palladino** ar y gitâr fas, roedd *Dawnsionara* yn torri tir newydd o ran safon y cynhyrchu, ynghyd â chrefft, cymhlethdod a soffistigeiddrwydd caneuon megis 'Saff yn y Fro' a 'Rola'.

Fodd bynnag, digon llugoer fu ymateb rhai elfennau o'r **cyfryngau** Cymraeg i *Dawnsionara*, er i'r record dderbyn sylw y tu hwnt i Gymru, yn Sweden. Yn ystod y degawd nesaf trodd Endaf Emlyn ei sylw at waith cyfarwyddo ffilm a theledu, gan gynnwys y ffilmiau *Un Nos Ola Leuad* (1991), *Gadael Lenin* (1992) a'r *Mapiwr* (1995). Er na fu'n perfformio'n gyson ar lwyfannau Cymru ers dyddiau Jîp ar ddiwedd yr 1970au, gwnaeth ymddangosiad yn Sesiwn Fawr Dolgellau yn 2008, gan ganu nifer o ganeuon oddi ar *Salem*, ac aeth yn ôl i'r stiwdio yn 2009 i recordio'r albwm *Deuwedd* (Sain, 2009). Yn 2014, darlledwyd rhaglen ddogfen ar S4C gan gwmni teledu Acme yn olrhain hanes *Salem*, ddeugain mlynedd ar ôl rhyddhau'r record.

Disgyddiaeth

Hiraeth (Dryw WRL537, 1973)
Salem (Sain 1012M, 1974)
Syrffio (Mewn Cariad) (Sain C551, 1976)
Dawnsionara (Sain 1206M, 1981)
Deuwedd (Sain SCD2603, 2009)

Casgliad:
[gyda Injaroc] *Dilyn y Graen* (Sain SCD2287, 2001)
[gyda Jîp] *Halen y Ddaear* (Sain C594, 1977)
Genod Oer (Gwerin SYWM220, 1980)

Pwyll ap Siôn

Emyn (gw. **Emyn-donau**; **Emyn-donau** (Cyfansoddwyr); **Emynwyr**)

Emyn-donau

Mae'r emyn-donau a geir yng nghasgliad **Edmwnd Prys** o salmau mydryddol, *Llyfr y Salmau* (1621), yn alawon un llais; gwelir y rhan fwyaf ohonynt mewn casgliadau eraill yn Lloegr, yr Alban ac ar gyfandir Ewrop. Gellir dweud i'r traddodiad Cymreig o gyfansoddi emyn-donau ddechrau yn 1770 pan ymddangosodd tonau digon amrwd Evan Williams (Ifan Wiliam) yn y *Llyfr Gweddi Gyffredin*, ond nid oes un o'r rhain wedi parhau mewn arferiad. Yn ystod y 18g. benthyciodd y diwygwyr Methodistaidd, a William Williams 'Pantycelyn' yn arbennig, donau Seisnig o ffynonellau crefyddol a seciwlar, a defnyddio ambell alaw draddodiadol Gymreig, megis 'Dewch i'r frwydr' o gasgliad **Edward Jones** (Bardd y Brenin), *Musical and Poetical Relicks of the Welsh Bards* (1794), a'r fersiwn cyfatebol yn y modd lleiaf, y rhoddwyd iddi'r enw 'Iorddonen'/'Jordan'. Gall fod y defnydd o'r alaw faled Gymreig 'Can mlynedd i nawr' (sef yr emyn-dôn 'Joanna' neu 'St Denio') ar gyfer canu emynau yn dyddio o ddiwedd y 18g., gan iddi gael ei chyhoeddi fel emyn-dôn mewn casgliad Saesneg tuag 1800: arwydd yw hyn mae'n debyg, o'r traffig mewn alawon yn ôl ac ymlaen rhwng Cymru a Lloegr.

Mae'n anodd dweud ymhle y tarddodd rhai o'r alawon a blwyfodd yng Nghymru, ond ceir enghreifftiau sy'n ymddangos mewn ffynonellau Seisnig, megis 'Clod' ('Ffigysbren') a 'Cyfamod' ('Hen Ddarbi'). Ceir amrywiaeth o donau yng nghasgliadau Owen Williams o Fôn, *Brenhinol Ganiadau Sion* (1817–21), ac mae'n debyg fod nifer ohonynt o darddiad Cymreig, er bod yno hefyd donau a fewnforiwyd o Loegr. Yn y tri chasgliad arloesol *Peroriaeth Hyfryd* (1837) gan John Parry, Caer, *Caniadau y Cyssegr* (1839) gan John Roberts, Henllan, a *Caniadau Seion* (1840) gan Richard Mills gwelir nifer dda o donau y gellir bod yn bur sicr eu bod yn Gymreig eu tarddiad ac yn cylchredeg ymhlith cynulleidfaoedd y cyfnod.

Awgrym o'u cefndir gwerin yw eu bod, fel **alawon gwerin**, yn bodoli mewn fersiynau gwahanol mewn gwahanol ardaloedd. Yr un alaw yw 'Llangollen' yng nghasgliad John Roberts â 'Drefnewydd' yng nghasgliad Richard Mills, ond mae eu rhythm a'u hamseriad yn gwbl wahanol: daeth yr alaw'n adnabyddus yn ddiweddarach dan yr enw 'Lledrod'. Yn y casgliadau hyn hefyd y gwelir nifer o'r tonau traddodiadol a ddisgrifir mewn ffynonellau diweddarach fel 'alawon Cymreig'. Maent yn syml ond yn gadarn eu gwead ac yn aml yn dilyn patrwm AABA. Mae rhai ohonynt, megis 'Diniweidrwydd' neu 'Y Seren Ddydd', hefyd wedi eu cofnodi fel tonau **baled** yn y traddodiad seciwlar.

Dilynwyd y patrwm hwn gan gyfansoddwyr cynnar: gwaith Robert Williams (1782–1818) o Lanfechell yw'r emyn-dôn 'Llanfair', ond mae'n dilyn ffurf draddodiadol; ac mewn cenhedlaeth ddiweddarach ceir **J. D. Jones** (1827–70) yn llunio'i emyn-dôn 'Gwalchmai' ar yr un patrwm. Y symlrwydd diymdrech hwn a apeliodd at Ralph Vaughan Williams a'i arwain i gynnwys nifer o emyn-donau Cymreig yn y casgliad dylanwadol *The English Hymnal* (1906). Datblygwyd y patrwm ymhellach gan gyfansoddwyr megis J. Ambrose Lloyd (1815–74) yn ei emyn-dôn 'Eifionydd' a **Joseph Parry** (1841–1903) yn ei emyn-dôn 'Aberystwyth', sy'n dangos crefft a chynghanedd mwy soffistigedig.

Rhidian Griffiths

Emyn-donau (Cyfansoddwyr)

Roedd y mwyafrif o'r emyn-donau a gyhoeddwyd i gyd-fynd â salmau mydryddol **Edmwnd Prys** yn 1621 yn tarddu o ffynonellau Seisnig ac Ewropeaidd, ac nid hyd nes y cyhoeddwyd argraffiad 1770 o'r *Llyfr Gweddi Gyffredin* y gwelwyd ymgais gan Gymro, sef y telynor Evan Williams (Ifan Wiliam neu Ifan Delynor), i lunio emyn-donau gwreiddiol. Erbyn hynny, fodd bynnag, roedd yr arfer o ganu cynulleidfaol yn ymledu, yn bennaf o dan ddylanwad y Methodistiaid. Defnyddiodd Williams Pantycelyn alawon o Loegr ar gyfer llawer o'i emynau, ond gwyddys iddo hefyd fabwysiadu ambell dôn Gymreig draddodiadol, megis 'Dewch i'r frwydr'.

Anhysbys yw cyfansoddwyr nifer o'r tonau Cymreig sy'n ymddangos yn y casgliadau arloesol *Peroriaeth Hyfryd* gan John Parry, Caer (1837), *Caniadau y Cyssegr* gan John Roberts, Henllan (1839) a *Caniadau Seion* gan Richard Mills (1840), ond gellir amau eu bod wedi eu creu o fewn y cynulleidfaoedd a'u harferai neu wedi eu benthyca o darddellau seciwlar a'u haddasu i'r cysegr. Llwyddwyd yn ddiweddarach i briodoli ambell un ohonynt i gyfansoddwr – gwyddys, er enghraifft,

mai Robert Williams (1782–1818), Llanfechell, yw awdur 'Llanfair' ('Bethel' yw ei henw yn *Peroriaeth Hyfryd*). Cyfansoddwyr amatur oedd y rhain yn bennaf: gwaith gwehydd o'r Bala, Rowland Hugh Prichard (1811–87), yw'r dôn 'Hyfrydol' a dyfodd yn un o donau mwyaf poblogaidd y traddodiad cynulleidfaol.

Gyda thwf a datblygiad canu cynulleidfaol cododd cenhedlaeth newydd o gyfansoddwyr a luniodd emyn-donau a oedd i barhau'n ddefnyddiol ymhlith cynulleidfaoedd am ganrif a mwy. Un o'r rhai mwyaf llwyddiannus oedd John Ambrose Lloyd (1815–74), cerddor hunanaddysgedig a gyhoeddodd gasgliad o'i donau ei hun yn 1843 ac a olygodd y casgliad *Aberth Moliant* (1873). Fe'i dilynwyd gan Edward Stephen (Tanymarian; 1822–85) a John Roberts (**Ieuan Gwyllt**; 1822–77), a gyhoeddodd *Llyfr Tonau Cynulleidfaol* yn 1859. Wrth i gasgliadau tonau amlhau, rhoddwyd llwyfan i gyfansoddwyr eraill, rhai ohonynt, megis **D. Emlyn Evans** (1843–1913) a **David Jenkins** (1848–1915), eu hunain yn olygyddion casgliadau yn ogystal â bod yn awduron tonau unigol.

Yng ngwaith **Joseph Parry** (1841–1903) gwelir llawer o'r naturioldeb Cymreig wedi ei dymheru ag **addysg**, gan fod Parry wedi astudio yn yr Academi Gerdd Frenhinol yn Llundain. Yn negawdau olaf y 19g. a hanner cyntaf yr 20g. roedd poblogrwydd y gymanfa ganu yn rhoi cyfle i lu o gyfansoddwyr lleol gael cyhoeddi eu gwaith mewn rhaglenni cymanfa.

O gyfnod Edward Stephen (Tanymarian) ac **Ieuan Gwyllt** ymlaen rhoddwyd pwyslais cynyddol ar grefft a chywirdeb, ac erbyn yr 20g. roedd to o gyfansoddwyr **prifysgol** a weithiai mewn nifer o ffurfiau cerddorol ond a oedd hefyd yn cyfansoddi emyn-donau ac yn golygu casgliadau, megis David Evans (1874–1948) ac **E. T. Davies** (1878–1969). Mae'n debyg mai Caradog Roberts (1878–1935), a oedd yntau wedi ennill DMus Rhydychen, oedd y mwyaf cynhyrchiol a llwyddiannus o gyfansoddwyr emyn-donau ei genhedlaeth. Eto i gyd, roedd nifer o emyn-donau mwyaf poblogaidd yr 20g. yn waith rhai nad oeddynt yn gerddorion proffesiynol, John Hughes ('**Cwm Rhondda**'), W. Penfro Rowlands ('Blaenwern') ac M. Eddie Evans ('Pantyfedwen') yn eu plith.

Rhidian Griffiths

Emynwyr

Cyn y Diwygiad Protestannaidd roedd yr emyn yng Nghymru yn rhan o ddiwylliant Catholig cyfandir Ewrop, a Lladin yn bennaf oedd iaith emynau. Mae'n debyg mai'r ymgais gyntaf o bwys i lunio emynau Cymraeg at ddefnydd cynulleidfa oedd mydryddiad **Edmwnd Prys** (1544–1623), Archddiacon Meirionnydd, o'r holl salmau, casgliad a gyhoeddwyd gyntaf, ynghyd â deuddeg alaw, yn gymar i'r *Llyfr Gweddi Gyffredin* yn 1621.

Cafwyd sawl argraffiad pellach o'r **salmau cân** hyn ac fe'u defnyddiwyd yn helaeth yn yr eglwysi. Ceir rhai emynau o waith Piwritaniaid ac eraill yn yr 17g., megis cyfieithiad Rowland Fychan, Caer-gai o'r emyn Lladin, *Veni sancte spiritus*, a gweithiau gan Morgan Llwyd. Ond yn sgil y Diwygiad Efengylaidd yn y 18g. y blodeuodd yr emyn Cymraeg, a'r ganrif honno a gynhyrchodd sêr disgleiriaf emynyddiaeth yng Nghymru, sef Dafydd Jones (1711–77), Caeo; Morgan Rhys (1716–79), Llanfynydd; William Williams (1717–91), Pantycelyn; Dafydd Wiliam (1720/1–94), Llandeilo Fach; John Thomas, Rhaeadr Gwy (1730–1804?); ac Ann Griffiths (1776–1805), Dolwar Fach, Llanfihangel yng Ngwynfa. Nodweddir emynau'r awduron hyn a'u tebyg gan angerdd efengylaidd ac yn achos Ann Griffiths yn arbennig gan fesur helaeth o gyfriniaeth. Cyfrifir Williams Pantycelyn nid yn unig yn emynydd o'r radd flaenaf ond hefyd yn fardd o bwys yn y traddodiad rhamantaidd.

Yn ystod y 19g., gellir dweud i'r emyn dyfu'n fwy ffurfiol ei natur a'i fynegiant, a dechreuodd gwaith emynwyr ymddangos mewn casgliadau cyfansawdd at ddefnydd cynulleidfaoedd yn hytrach nag mewn casgliadau o waith un emynydd yn unig. I'r ganrif hon y perthyn Ieuan Glan Geirionydd (Evan Evans; 1795–1855), Eben Fardd (Ebenezer Thomas; 1802–63) a Gwilym Hiraethog (William Rees, 1802–83), awdur un o emynau gorau'r Gymraeg, 'Dyma gariad fel y moroedd'. Roedd y rhain hefyd yn llenorion galluog. O ail hanner y 19g. ymlaen canfyddir newid pwyslais, a daw'r emyn i adlewyrchu llai o'r profiad angerddol personol o Dduw a mwy o brofiad cynulleidfaol, mewn oes pan oedd y capeli'n tyfu'n fwy niferus ac yn fwy ffurfiol eu naws a'u haddoliad.

Canfyddir elfennau o bwyslais cymdeithasol yn ogystal â phrofiad personol yng ngwaith Elfed (Howell Elvet Lewis; 1860–1953) a J. T. Job (1867–1938), tra mae gwaith Nantlais (W. Nantlais Williams; 1874–1959) yn parhau yn y traddodiad efengylaidd.

Gellir dweud i lawer o emynwyr diweddarach ddilyn y patrymau hyn, a cheir nifer o emynau o'r 20g. sy'n adleisio themâu ac ieithwedd cyfnodau cynharach. Ond yn yr 20g. hefyd, rhoddwyd pwyslais cynyddol ar grefft a gloywder mynegiant – dyma a welir yng ngwaith W. Rhys Nicholas (1914–96), y mwyaf toreithiog o emynwyr y cyfnod diweddar.

Nid yw gwaith emynwyr Cymru yn gyfyngedig i lyfrau, cylchgronau, casgliadau o emynau a rhaglenni cymanfaoedd canu. Cyplyswyd geiriau emynwyr â darnau o **gerddoriaeth glasurol**, a cheir unawdau a darnau **corawl** gan gyfansoddwyr Cymreig sydd yn gosod geiriau emynwyr, er enghraifft yr unawd *O Fab y Dyn* gan **Meirion Williams** i eiriau George Rees (1873–1950), a'r trefniannau i gorau meibion, *Laudamus* ('Bryn Calfaria') gan **Daniel Protheroe** a *Deus Salutis* ('Llef') a *Christus Redemptor* ('Hyfrydol') gan **Mansel Thomas**.

Rhidian Griffiths

Eos Cymru (gw. **Wynne, Sarah Edith**)

Eryr Wen

Yn ystod yr 1980au cynnar daeth *genre* roc trwm yn fwyfwy poblogaidd yn y sîn yng Nghymru gyda grwpiau fel Brân a Shwn ar ddiwedd yr 1970au yn braenaru'r tir ar gyfer bandiau megis Crys, Rhiannon Tomos a'r Band, Hywel Ffiaidd a'r Diawled ar ddechrau'r 1980au. Fe wnaeth hyd yn oed Delwyn Siôn, a fu'n aelod o'r grŵp roc-gwladaidd **Hergest** yn ystod yr 1970au, ffurfio'r grŵp roc caled Omega, gan ryddhau'r sengl boblogaidd 'Nansi' a record hir eponymaidd ar label Sain yn 1983 cyn dod i ben. (Roedd aelodau'r band yn cynnwys y talentog Len Jones ar y gitâr flaen, Graham Land ar y drymiau a Gorwel Owen ar yr allweddellau.)

O bosib mewn ymateb i agwedd ac arddull y bandiau hyn, datblygodd *genre* o ganu pop ysgafnach a mwy melodig ei naws a ddangosai ddylanwad y don newydd (*new wave*) yn Lloegr. Roedd **Ail Symudiad** a'r grŵp *ska* y Ficar yn ganolog i'r adfywiad yma ynghyd â Chwarter i Un, Angylion Stanli, Rocyn a Doctor.

Perthynai Eryr Wen i'r symudiad yma. Ffurfiodd y band yn 1980. Roedd yr aelodaeth yn eithaf hyblyg (gyda rhai yn gyn-ddisgyblion o Ysgol Ramadeg Caerfyrddin), ond yn cynnwys ar wahanol adegau: Andrew 'Pwmps' Davies (drymiau), Paul 'Tubbs' Davies (drymiau), Geraint Evans (gitâr a llais), Ioan

'Iogi' Hefin (trwmped), Euros Jones (llais), Llion Jones (gitâr), Dewi Rhisiart (gitâr fas), Aled Siôn (gitâr fas, llais) a Nigel Williams (llais). Bu Wyn Jones o Ail Symudiad hefyd yn chwarae'r gitâr fas ar sawl achlysur.

Rhyddhaodd y grŵp gyfres o senglau ar eu label eu hunain (Calimero) cyn recordio albwm ar label Sain yn 1987. Erbyn hynny roedd y band wedi cael llwyddiant yng nghystadleuaeth **Cân i Gymru** yn 1987 gyda'r gân 'Gloria Tyrd Adre', a fu hefyd yn fuddugol yn yr **Ŵyl** Ban-Geltaidd yn Iwerddon. Fel yn achos nifer o ganeuon y grŵp, megis 'Dyffryn Tywi' a 'Siop Ddillad Bala', rhoddai 'Gloria Tyrd Adre' sylw i'r elfen felodig uwchben patrymau cordiol bachog, gyda'r ddeialog gerddorol yn cael ei rhannu rhwng y llais a thrwmped Ioan Hefin.

Disgrifiodd Hefin Wyn sain y band fel un 'lân, hafaidd, ffwrdd-â-hi … gyda phinsied helaeth o hiwmor' (Wyn 2006. 58), ond roedd dimensiwn gwleidyddol, mwy difrifol hefyd yn perthyn i rai caneuon, megis 'Llais Cilmeri' a 'Heno Heno', gyda Llion Jones yn cyfrannu'r geiriau ar gyfer nifer ohonynt. Ailffurfiodd y grŵp am un noson yn Hydref 2016 i berfformio yn Neuadd Bronwydd, Caerfyrddin er mwyn codi arian ar gyfer elusen y diweddar Andrew Davies, drymiwr y band.

Disgyddiaeth

'Efo Mi' [ar EP yn cynnwys caneuon gan Y Ficar, Malcolm Neon, Diawled] (Fflach 004, 1982)
'Dyffryn Tywi' [sengl] (Fflach AS008, 1982)
'Siop Dillad Bala' [sengl] (Recordiau Calimero RC001, 1983)
'Hwre' [sengl] (Recordiau Calimero RC002, 1984)
'Cenhedlaeth Goll' [sengl] (Recordiau Calimero RC003, 1985)
Manamanamwnci (Sain 1401M, 1987)
'Cydio'n Dynn', Cân i Gymru '90 (Sain C434A, 1990)

Llyfryddiaeth

Hefin Wyn, *Ble Wyt Ti Rhwng?* (Talybont, 2006)

Pwyll ap Siôn

Evans, Alun (**Alun Tan Lan**; g.1974)

Canwr, gitarydd a chyfansoddwr caneuon acwstig a gwerinol eu naws yn bennaf. Fe'i ganed ym Mhandy Tudur ger Llanrwst. Yn ei arddegau cynnar bu'n aelod o nifer o grwpiau ysgol megis y band pync Dail Te Pawb a Boff Frank Bough, gan chwarae'r gitâr fas. Ond daeth i sylw yn bennaf fel canwr a gitarydd acwstig unigol a hynny i raddau yn nhraddodiad **Meic Stevens**.

Clywir y sain acwstig hon ar ei albwm unigol cyntaf, *Aderyn Papur* (Rasal, 2004), a recordiodd ar ôl cyfnod yn byw yn Iwerddon. Perthyn naws werinol, ymlaciol i sain gyffredinol y record, gyda chyfraniadau pwysig i'w clywed gan y chwaraewr **ffidil** gwerin-jazz amryddawn Billy Thompson ar nifer o'r caneuon (er enghraifft 'Plant y Tonnau' a 'Clown'). Dengys y record hoffter Alun Tan Lan o ysgrifennu traciau offerynnol, ond er ei sain werinol ni cheir arni engreifftiau na threfniannau o **alawon gwerin**. Yn hytrach, clywir trefniant acwstig arni o gân **roc** gan **Y Cyrff**, 'Pethau Achlysurol' (cynhyrchwyd y record gan Mark Roberts, cyn-aelod o'r Cyrff a **Catatonia**, ar y cyd â Toni Schiavone).

Dilynwyd *Aderyn Papur* flwyddyn yn ddiweddarach gan ail albwm unigol o'r enw *Y Distawrwydd* (Rasal, 2005), a oedd yn debyg o ran sain a chynhyrchiad ond a oedd yn ymdrin â pherthynas y canwr gyda'r amgylchfyd naturiol o'i gwmpas, megis yn 'Heulwen Haf', 'Glaw' ac 'Eira'. Roedd arno hefyd drefniant effeithiol o un o ganeuon **Meic Stevens**, 'Cwm y Pren Helyg'.

Yn sgil llwyddiant y ddwy record, derbyniodd Alun Tan Lan wobr prif leisydd a phrif gyfansoddwr y flwyddyn yn seremoni Gwobrau Roc a Phop Radio Cymru yn 2005. Yn ystod yr un flwyddyn aeth hefyd ar daith yn cefnogi canwr y **Super Furry Animals**, **Gruff Rhys** – edmygwr mawr o *Aderyn Papur* – a bu'n cydweithio gydag **Euros Childs**, gynt o **Gorky's Zygotic Mynci**.

Rhyddhaodd *Yr Aflonydd* ar label Aderyn Papur yn 2007 ac yna albwm dwbl o'r enw *Cymylau* ar wefan Soundcloud yn 2012, gyda chyfraniadau arno gan nifer o artistiaid megis Gruffudd ab Arwel a'r cerddor/cynhyrchydd David Wrench, gynt o'r band Nid Madagascar. Bu Alun Tan Lan hefyd yn gitarydd blaen i'r grŵp offerynnol poblogaidd Y Niwl, ac yn hyrwyddo dysgu chwarae'r *ukulele*, gan gynnal dosbarthiadau nos i'r diben hwnnw yn ardal Dyffryn Conwy a thu hwnt.

Ynghyd ag artistiaid megis Gwilym Morys, **Gareth Bonello (The Gentle Good)**, **Gwyneth Glyn** a **Lleuwen Steffan**, cynrychiola Alun Tan Lan genhedlaeth o gantorion sydd wedi ailddehongli'r traddodiad 'gwerin' Cymraeg trwy fynd yn ôl at sylfeini'r grefft o gyfansoddi, gan symleiddio'r trefniannau, y technegau recordio a chynhyrchu, a hynny er mwyn pwysleisio hanfod y gân a'i geiriau.

Disgyddiaeth

Aderyn Papur (Rasal CD001, 2004)

Y Distawrwydd (Rasal CD010, 2005)

Yr Aflonydd (Aderyn Papur ADERYN 001, 2007)

Cymylau (soundcloud.com, 2012)

Pwyll ap Siôn

Evans, David (1943–2013)

Darlithydd a **cherddoregydd** a fu ar wahanol adegau mewn gyrfa academaidd hir ac amrywiol yn dysgu ym mhob un o adrannau cerdd **Prifysgol** Cymru: Caerdydd, Aberystwyth a Bangor.

Ganed David Richmond Arnold Evans yn Llanelli ar 21 Chwefror 1943. Datblygodd ddiddordeb mewn cerddoriaeth pan yn ifanc, gan ddysgu'r Corn Ffrengig. Bu'n aelod o Gerddorfa Ieuenctid Cymru ar ddiwedd yr 1950au pan oedd cerddorion ifanc megis **John Cale** a **Karl Jenkins** hefyd yn aelodau. Aeth ymlaen i astudio cerddoriaeth yng Ngholeg Prifysgol Cymru, Caerdydd, yn ystod y cyfnod pan oedd **Alun Hoddinott** yn bennaeth, cyn cychwyn ar yrfa academaidd a barhaodd am dros 40 mlynedd.

Fel ysgolhaig, roedd ei ddiddordebau yn ymestyn o gerddoriaeth y dadeni hwyr fel **Thomas Tomkins** (1572–1656) ac Adrian Batten (c.1591–c.1637), at gerddoriaeth y 19g., yn arbennig Felix Mendelssohn (1809–47). Roedd yn awdurdod ar lawysgrifau a rhanlyfrau o gerddoriaeth o'r 17g. a gofnodwyd yng Nghastell y Waun. Daeth yn ddarlithydd (ac yn ddiweddarach yn uwch-ddarlithydd) yng Ngholeg Prifysgol Cymru Bangor yn 1990, a bu yno hyd at ei ymddeoliad yn 2009. Roedd cerddoriaeth ymarferol yn hynod bwysig iddo ac roedd yn **arweinydd corawl** medrus. Esgorodd ei waith ar gerddoriaeth Castell y Waun ar recordiad yn 2009 gan gantorion y Brabant Ensemble o dan arweinyddiaeth Stephen Rice.

Disgyddiaeth

Music from the Chirk Castle Part-Books (Hyperion CDA67695, 2009)

Chris Collins a Graeme Cotterill

Evans, David Emlyn (1843–1913)

Ganed David Emlyn Evans ar 21 Medi 1843 ar fferm Penralltwen ger Tre-wen yn ardal Castellnewydd Emlyn a bu farw yn Ebrill 1913. Fe'i claddwyd yn Eglwys Llandyfrïog. Roedd yn un o'r ffigyrau mwyaf blaenllaw ym myd cerddoriaeth Gymreig

rhwng 1870 a'r Rhyfel Byd Cyntaf. Yn ystod ei yrfa bu'n gyfansoddwr, yn feirniad, yn **arweinydd**, yn olygydd, yn hanesydd ac yn newyddiadurwr. Ar wahân i rai gwersi achlysurol gyda John Roberts (**Ieuan Gwyllt**) yn 1858, roedd yn hunanaddysgedig mewn cerddoriaeth ac wedi'i drwytho'i hun mewn llyfrau **gramadeg cerddorol** fel *Gramadeg Cerddoriaeth* John Mills a *Ceinion Cerddoriaeth* Thomas Williams (Hafrenydd).

Yn 1858 gadawodd ei fro enedigol am y de lle bu'n gweithio mewn siop ddillad ym Mhen-y-bont ar Ogwr. Yno daeth yn gyfarwydd â phrysurdeb cerddorol Morgannwg, cyngherddau ac **eisteddfodau** di-ri, yr **anthemau** a'r **oratorios** a genid ynddynt, a chafodd y cyfle i ddilyn darlithoedd gan Ieuan Gwyllt ac eraill. Dechreuodd gyfansoddi, arwain a chanu'n gyhoeddus hefyd fel un a feddai ar lais tenor da. Bu'n gweithio fel trafaeliwr masnachol dros gwmni dillad a bu'n byw mewn sawl man yng Nghymru ac ar y Gororau gan gynnwys Cheltenham, y Drenewydd, Amwythig, Henffordd a Chemaes. Yn y pentref hwnnw yn Sir Drefaldwyn y treuliodd ugain mlynedd olaf ei fywyd a hynny ym Mron-y-gân, cyn-gartref y bardd **Richard Davies** (Mynyddog) yr oedd Emlyn Evans wedi priodi ei weddw. Erbyn hynny roedd yn wael ei iechyd, yn dioddef o boenau corfforol enbyd ac yn cael haint ar yr ysgyfaint yn rheolaidd.

Oherwydd ei wendid corfforol fe'i rhwystrwyd rhag dod yn arweinydd cynulleidfaol llwyddiannus ond cyfrannodd yn sylweddol at ganiadaeth y cysegr. Roedd yn olygydd diwyd casgliadau o **emynau** a thonau ac yn gyd-olygydd *Y Salmydd* (1892), *Y Caniedydd Cynulleidfaol* (1895), *Caniedydd yr Ysgol Sul* (1899) a *Llyfr Tonau ac Emynau'r Wesleaid* (1904). Roedd yn gyfansoddwr cynhyrchiol mewn sawl cyfrwng, ac ymhlith ei weithiau y mae 2 **gantata** i gyfeiliant cerddorfa, 24 **anthem**, 36 o ranganau, a 39 o unawdau a deuawdau a threfniannau o ganeuon ac hen alawon.

Honnir mai ei unawd *Bedd Llywelyn*, cyflwynedig i Eos Morlais (Robert Rees) a'i canodd ledled Cymru ac Unol Daleithiau America, oedd y gân gyngerdd Gymraeg gyntaf. Ei emyn-donau cynulleidfaol yn unig sydd wedi sefyll prawf amser, fodd bynnag, ac fel Ieuan Gwyllt roedd ganddo farn bendant am yr hyn y dylai emyn-dôn fod: parchai Ieuan ac Ambrose Lloyd yn uwch na **Joseph Parry**. O'r 80 emyn-dôn a gyfansoddodd, deil 'Trewen' ac 'Eirinwg' eu gafael o hyd.

Mae'n werth nodi tri gwaith **corawl** gweddol hir o'i eiddo'n ogystal, sef *Y Tylwyth Teg* (opereta),

Y Caethgludiad (oratorio) a'i drefniant ar gyfer cerddorfa lawn o'r **oratorio** Gymraeg gyntaf, *Ystorm Tiberias* gan Edward Stephen (Tanymarian). Ef hefyd oedd un o'r rhai cyntaf i drefnu alawon Cymreig i leisiau merched, a diolch iddo ef a datganiadau côr merched enwog Madam **Clara Novello Davies**, ffurfiwyd **corau merched** drwy Gymru ac maent yn boblogaidd hyd heddiw.

Roedd yn gyd-olygydd sawl cyfnodolyn: *Y Gerddorfa* (1872–81), *Cronicl y Cerddor* (1880–83) a'r mwyaf hirhoedlog, *Y Cerddor* (o 1889 hyd at ei farwolaeth). Cyd-olygai'r cylchgrawn dylanwadol *Y Cerddor* gyda **David Jenkins** (1848–1915), gan dderbyn cymorth gan William Morgan Roberts (1853–1923). Eu bwriad oedd creu cyfnodolyn a fyddai'n hybu diddordeb ym maes astudio cerddoriaeth ac yn cyfrannu at ffyniant y genedl Gymreig. Cafwyd ynddo erthyglau, gwersi cerddorol, bywgraffiadau, adolygiadau a beirniadaethau, ac ymdriniwyd â datblygiadau cerddorol yn lleol ac yn rhyngwladol (gw. Morgans 2002).

Cyfrannai hefyd yn gyson ar faterion cerddorol yng Nghymru i bapurau fel y *Cardiff Times* a'r *South Wales Weekly News*. Roedd yn ysgrifennwr medrus yn Gymraeg a Saesneg fel ei gilydd. Pwysleisiai'r angen am lenyddiaeth feirniadol ddeallus i gefnogi astudiaethau ar **hanes ac ysgolheictod cerddoriaeth**, ac ymchwiliai'n drylwyr i hanes cyfansoddwyr a'u gweithiau o fewn *genres* penodol. Roedd yn gyson awyddus i ddiwygio safonau a dyrchafu chwaeth yr **Eisteddfod** Genedlaethol lle y'i gwelid yn beirniadu'n aml, yn llym a miniog yn y ddwy iaith. Yn wir, yn 1908 cyflwynwyd rhodd iddo fel cydnabyddiaeth o'i gyfraniad sylweddol i gerddoriaeth yng Nghymru, o dan nawdd yr Orsedd a Chymdeithas yr Eisteddfod Genedlaethol.

Yn ôl **David Jenkins**, 'yr oedd yn gyfaill ffyddlon ond yn elyn peryglus' (Jenkins 1913, 51), er nad oedd ei farn bob amser yn sicr: teimlai fod Elgar wedi ei organmol, ac er gwaethaf ei awydd i weld ei gyd-genedl yn ymryddhau o hualau Handel a Haydn, doedd ganddo fawr ddim i'w ddweud wrth yr un cyfansoddwr ar ôl ei hoff gyfansoddwr, Felix Mendelssohn. Hwyrach mai Emlyn Evans oedd yr olaf o blith carfan o gerddorion hunanaddysgedig Cymreig a oedd yn weithgar yn y 19g., ac ar wahân i'w safonau uchel a'i amynedd prin, ei nodweddion arbennig oedd ei amlochredd, ei ddiwydrwydd a'i ddyfalbarhad diflino wrth greu a hyrwyddo cerddoriaeth yng Nghymru yn y 30 mlynedd cyn y Rhyfel Byd Cyntaf.

Llyfryddiaeth

'Testimonial to Mr. Emlyn Evans', *The Musical Herald*, 719 (1 Chwefror 1908), 51

David Jenkins, *Y Cerddor* (Mai, 1913), 51

E. Keri Evans, *Cofiant D. Emlyn Evans* (Lerpwl, 1919)

Owain Edwards ac A.F. Leighton Thomas, 'Evans, David Emlyn', *New Grove Dictionary of Music and Musicians*, gol. Stanley Sadie (Llundain, 2001)

Delyth Morgans, 'Y Cerddor: Cyfnodolyn y Werin', *Hanes Cerddoriaeth Cymru*, 5 (2002), 105–119

Gwawr Jones

Evans, David Pugh (1866–97)

Cyfansoddwr a aned mewn ffermdy o'r enw Llainwen ym mhlwyf Cynwyl Elfed, Sir Gaerfyrddin oedd David Pugh Evans. Fe'i codwyd ar aelwyd gerddorol a phan aeth i weithio mewn siop ddillad yn Llanelli ymunodd â chôr capel Seion a oedd o dan arweinyddiaeth y cerddor adnabyddus R. C. Jenkins. Bu hefyd yn mynychu dosbarthiadau nos yn y dref, lle dysgai **sol-ffa** gan D. W. Lewis a chynghanedd gan **Joseph Parry**. Yn 1887 enillodd ysgoloriaeth i astudio'r llais yn y Coleg Cerdd Brehinol yn Llundain lle bu am bedair blynedd cyn ymgartrefu yn Abertawe fel athro cerdd.

Roedd yn denor swynol nes i afiechyd amharu ar ei lais, a chyfansoddodd nifer o unawdau. Yn eu plith roedd 'Brad Dynrafon' a 'Tyrd Olau Mwyn', ond ystyriai Evans ei hun mai'r orau ohonynt oedd ei gân gyntaf oll, 'Yr Hen Gerddor' (1893), er cof am y tenor Eos Morlais (Robert Rees). Nodweddir hon gan gyfeiliant diddorol sydd fel petai'n annibynnol ar y llais. Mae trefniant TTBB estynedig y cyfansoddwr o'r **emyn-dôn** 'Y Delyn Aur' ('Dechrau canu, dechrau canmol') yn ffefryn gan **gorau meibion** o hyd. Bu farw ar 3 Chwefror 1897, cyn cyrraedd ei 31 oed.

Gareth Williams

Evans, Geraint (1922–92)

Ganed y canwr **opera** Syr Geraint Llewellyn Evans yng Nghilfynydd ger Pontypridd. Wedi gadael yr ysgol yn 14 oed gweithiodd fel addurnwr ffenestri mewn siop ddillad ym Mhontypridd tra oedd yn derbyn gwersi canu gan Idloes Owen. Ar ddechrau'r Ail Ryfel Byd ymunodd â'r Awyrlu ac yn ddiweddarach cafodd wersi yn Hamburg gyda'r baswr Theo Herrmann (1902–77). Astudiodd yng Ngholeg Cerdd y Guildhall yn Llundain gyda Walter Hyde ac yng Ngenefa gyda Fernando Carpi

(1876–1959), un o athrawon llais mwyaf y cyfnod. Gwnaeth Evans ei *début* yn Covent Garden yn 1948 (ac yno hefyd y rhoddodd ei berfformiad olaf ym mis Mehefin 1984).

Yn ystod ei yrfa ddisglair perfformiodd dros saith deg o rannau ym mhrif dai opera'r byd. Portreadodd Figaro yn *Le nozze di Figaro* (Priodas Figaro) Mozart dros bum cant o weithiau o 1949 ymlaen, gan gynnwys perfformiad yn La Scala, Milan, yn 1960 – y canwr Prydeinig cyntaf i ganu yno yn y cyfnod ar ôl y rhyfel. Canodd hefyd yn y Staatsoper yn Fienna yn 1957 ac yn Glyndebourne y flwyddyn honno portreadodd Falstaff yn yr opera o'r un enw gan Verdi am y tro cyntaf. Roedd cymeriad Falstaff yn agos iawn at galon Evans ac yn rôl yr ymgymerodd â hi o dan gyfarwyddyd Franco Zeffirelli yn Covent Garden ac yna yn y Metropolitan yn Efrog Newydd yn 1964.

Ymhlith y cymeriadau eraill a bortreadwyd ganddo yr oedd Beckmesser yn *Die Meistersinger* Wagner, Don Pizarro yn *Fidelio* Beethoven, Leporello yn *Don Giovanni* Mozart a'r gwrtharwr eponymaidd yn opera Berg, *Wozzeck*. Yn wir, Geraint Evans oedd un o'r rhai cyntaf i berfformio'r rôl anodd hon yn y cyfnod wedi'r rhyfel a hynny gyda chywirdeb cerddorol a dramatig perffaith.

Meddai ar lais hynod gyfoethog o gwmpawd eang a hyblyg er nad oedd rhannau uchel baritonaidd yn bosibl iddo. Bu ei berfformiad fel Rigoletto yn opera Verdi yn fethiant yn Covent Garden yn 1964 gan fod *tessitura* y rhan yn rhy gyson uchel iddo. Fodd bynnag, llwyddiant ysgubol oedd mwyafrif ei ymddangosiadau ar lwyfan. Roedd yn actor naturiol ac argyhoeddiadol, un a ddefnyddiai ei egni anarferol i'r eithaf.

Canodd mewn nifer o berfformiadau cyntaf gan gynnwys *Pilgrim's Progress* gan Vaughan Williams (1951), *Billy Budd* Benjamin Britten (cyfansoddodd Britten gymeriad Budd gydag Evans mewn golwg ond roedd y rhan yn uchel iddo ac ymddangosodd fel Mr Flint, ac yn ddiweddarach fel Claggart), *Troilus and Cressida* (1954) William Walton, a *The Beach of Falesá* (1974) a *Murder the Magician* (1976) gan ei gyfaill y cyfansoddwr Cymreig, **Alun Hoddinott**.

Clywir ei lais ar ei orau mewn nifer o recordiadau, yn eu plith *Falstaff* (gyda Georg Solti yn arwain), *Figaro* (o dan arweiniad Klemperer a Barenboim), *Così fan Tutte* (Klemperer), *Peter Grimes* (o dan gyfarwyddyd y cyfansoddwr), *Wozzeck* (gyda Karl Böhm yn arwain), ynghyd â thair opera Gilbert a Sullivan i gwmni EMI o dan arweiniad Syr Malcolm Sargent.

Yn dilyn ei ymddeoliad bu'n cyfarwyddo operâu, yn bennaf yn Unol Daleithiau America, a bu hefyd yn cynnal nifer o ddosbarthiadau meistr a recordiwyd gan y BBC rhwng 1968 ac 1984. Yn wir, bu'n fawr ei gymwynas i gantorion ifanc yn arbennig, gan hybu gyrfa nifer helaeth o gantorion proffesiynol. Derbyniodd raddau Doethuriaeth er anrhydedd o brifysgolion Cymru a Rhydychen (ymhlith eraill); roedd yn Gymrawd o'r rhan fwyaf o'r *conservatoires* ym Mhrydain, a derbyniodd Fedal Cymdeithas y Cymmrodorion yn 1984. Cafodd ei urddo'n Farchog yn 1969 ac ymddangosodd hunangofiant ganddo yn 1984. Bu hefyd yn Uchel Siryf Dyfed ac yn gadeirydd diflino ar Goleg Brenhinol Cerdd a Drama Cymru.

Disgyddiaeth

Verdi, *Falstaff* [cymeriad Falstaff; arweinydd Georg Solti] (RCA Victor SRE5509/11, 1964)

Mahler, *Des Knaben Wunderhorn* [gyda Janet Baker; arweinydd Wyn Morris] (Delysé Records DS6077, 1966)

Mozart, *Le Nozze di Figaro* [cymeriad Figaro; arweinydd Daniel Barenboim] (His Master's Voice, SLS995, 1977)

Mozart, *Così fan tutte* [cymeriad Guglielmo; arweinydd Otto Klemperer] (EMI Classics CMS 7 63845 2, 1991)

Gwefannau

www.bbc.co.uk/wales/music/sites/geraintevans
www.independent.co.uk/news/people/obituary-sir-geraint-evans

Llyfryddiaeth

Peter Ustinov, *Dear Me* (Llundain, 1978)
Geraint Evans, *A Knight at the Opera* (Llundain, 1984)
Peter Conrad, *A Song of Love and Death: The Meaning of Opera* (Llundain, 1987)

Lyn Davies

Evans, Meredydd (1919–2015)

Un o'r ffigyrau amlycaf a mwyaf dylanwadol yn hanes, diwylliant, **ysgolheictod** a cherddoriaeth Cymru a'r Gymraeg yn ystod ail hanner yr 20g. Ganed Meredydd Evans (neu Merêd i bawb a oedd yn ei adnabod) yn Llanegryn, Sir Feirionnydd. Cafodd ei fagu a'i addysgu yn Nhanygrisiau a Blaenau Ffestiniog. Aeth i'r Central School yn y Blaenau ar ôl methu'r ysgoloriaeth i'r County School, ond bu'n rhaid iddo adael yn 15 oed i weithio yn y Co-op. Yn 21 oed cychwynnodd ar gwrs hyfforddiant ym Mhrifysgol Bangor er mwyn dod yn weinidog. Fodd bynnag, newidiodd gyfeiriad hanner ffordd trwy'r cwrs er mwyn astudio athroniaeth, ac enillodd radd dosbarth cyntaf yn 1945.

Tra oedd ym Mangor ffurfiodd **Triawd y Coleg** gyda Robin Williams a Cledwyn Jones, a parhaodd ei ddiddordeb mewn **cerddoriaeth draddodiadol**

a **chanu phoblogaidd** Cymraeg trwy gydol ei
oes. Dechreuodd ymddangos ar raglenni Sam Jones
ar y BBC, a rhwng 1941 ac 1947 cwblhaodd dros
400 o ddarllediadau radio, gan gynnwys y gyfres
Noson Lawen. Cyfarfu â **Phyllis Kinney** yn haf
1947, a phriododd y ddau yn Ebrill 1948. Ganed
eu hunig blentyn, Eluned, yn 1949. Bu Merêd
yn dysgu am gyfnod yng Ngholeg Harlech, ac
yna bu'n gweithio yn swyddfa papur wythnosol *Y
Cymro* yng Nghroesoswallt, cyn symud yn 1952 i
Unol Daleithiau America, lle cychwynnodd ar radd
PhD mewn athroniaeth ym Mhrifysgol Princeton.
Rhyddhaodd yr LP *Welsh Folk Songs* (Folkways Moe
Asch, 1954), a ddewiswyd yn un o recordiau gorau'r
flwyddyn gan y *New York Times*.

Wedi derbyn ei ddoethuriaeth bu Merêd yn dysgu
athroniaeth ym Mhrifysgol Boston rhwng 1955 ac
1958 cyn derbyn swydd yn adran efrydiau allanol
Prifysgol Bangor yn 1960. Am y tair blynedd
nesaf bu'n darlithio ar draws Cymru. Teithiai'n
rheolaidd i Gaerdydd i ymddangos ar raglenni
megis *Gwlad y Gân* a rhyddhaodd LP, *A Concert
of Welsh Songs* (**Delysé**, 1962). Fe'i penodwyd yn
bennaeth adloniant ysgafn BBC (Teledu) Cymru
yn 1963, a symudodd i Gaerdydd. Rhwng 1963
ac 1973 bu'n gyfrifol am nifer o raglenni adloniant
y BBC, megis *Hob y Deri Dando*, *Ryan a Ronnie* a
Fo a Fe. Sefydlodd *Y Dinesydd* yn 1970, y cyntaf
o'r papurau bro.

Gadawodd y BBC yn 1973 gan dderbyn swydd
yn adran efrydiau allanol Prifysgol Caerdydd.
Recordiodd yr LP *Merêd* (Sain, 1975) a bu'n gadeirydd
Cymdeithas Alawon Gwerin Cymru rhwng 1980
ac 1983. Yn ystod y cyfnod hwn cyhoeddodd ef
a Phyllis ddwy gyfrol bwysig o **alawon gwerin**,
Canu'r Cymry (1984) a *Canu'r Cymry II* (1987). Yn
1985, yn dilyn ymddeoliad Merêd, symudodd y ddau
i fyw'n barhaol i'w tŷ mewn llecyn nefolaidd yng
Nghwmystwyth. Parhaodd Merêd yn hynod weithgar
gan gyflwyno cyfres ar hanes y Beibl ar S4C yn 1988,
ymhlith prosiectau eraill. Cyhoeddwyd detholiad o
ysgrifau ganddo (o'r enw *Merêd*) dan olygyddiaeth
Geraint Jenkins ac Ann Ffrancon (Gomer, 1994), ac
yn fwy diweddar gyfres o ysgrifau i'w anrhydeddu
ef a Phyllis a olygwyd gan **Sally Harper** a **Wyn
Thomas**, *Cynheiliaid y Gân* (Gwasg Prifysgol Cymru,
2007).

Bu cyfraniad Merêd yn amlwg mewn nifer o
feysydd, ond efallai mai ym myd **canu gwerin** y
gadawodd ei farc pennaf. Ef fyddai'r cyntaf i gydnabod
dylanwad **J. Lloyd Williams** (1854–1945) ar ei waith

ymchwil. Bu papurau Lloyd Williams yn y **Llyfrgell
Genedlaethol** yn faes toreithiog i Merêd a Phyllis,
ond aeth eu hymchwil gryn dipyn ymhellach na
hynny. Buont yn cloddio yn llawysgrifau **Ifor Ceri**
ac yn llyfrau **John Parry** (Parry Ddall), **Edward
Jones** (Bardd y Brenin) a **John Parry** (Bardd Alaw)
ynghyd â ffynonellau eraill di-ri. Ymchwilwyr fel
Merêd a Phyllis oedd yn profi gwerth **Llyfrgell
Genedlaethol** gan mor helaeth a dwfn eu defnydd
ohoni a'i chasgliadau amrywiol.

Yn ystod y blynyddoedd diwethaf dygodd eu
hymdrechion ffrwyth mewn dau lyfr nodedig. Enw
Phyllis sydd ar y gyfrol bwysig *Welsh Traditional Music*
(Gwasg Prifysgol Cymru, 2011), ond roedd Merêd yn
gysgod iddi. Yn yr un modd bu hi'n ei gynorthwyo
yntau i lunio *Hela'r Hen Ganeuon* (Talybont, 2009),
sef arolwg o hanes casglu caneuon gwerin Cymraeg
o ddyddiau **Iolo Morganwg** hyd at weithgarwch
Cymdeithas Alawon Gwerin Cymru yn yr 20g.

Dros gyfnod o ddeugain mlynedd gwelwyd
enwau Merêd a Phyllis yn britho tudalennau
cylchgrawn y Gymdeithas, *Canu Gwerin*, fel
awduron erthyglau, nodiadau a theyrngedau.
Buont hefyd yn gyfrifol am amryw o gyfrolau
a gyhoeddwyd gan y Gymdeithas, yn eu mysg
Caneuon Gwerin i Blant (1981), y ddwy gyfrol *Canu'r
Cymry* a enwyd eisoes (1984 ac 1987), a *Hen Alawon:
Carolau a Cherddi* (1993). Cyhoeddwyd yn ogystal y
darlithoedd a draddodwyd gan y ddau yn eu tro yng
nghyfres Darlithiau Coffa **Amy Parry-Williams**,
Canu Jim Cro gan Merêd yn 1990 ac *O Lafar i Lyfr*
gan Phyllis yn 1995.

Nid cyhoeddiadau sych mo'r rhain, ond llyfrau,
ysgrifau, darlithoedd a golygiadau bywiog yn tynnu
sylw at ganeuon anghyhoeddedig, yn olrhain hanes
hwiangerddi a phenillion, yn esbonio ymadroddion
tywyll yn y corff o ganu gwerin Cymraeg, yn profi'n
gadarn mai yn 1906 y sylfaenwyd y Gymdeithas ac
nid yn 1908 fel yr arferid meddwl. Trwy'r cyfan
pwysleisiai Merêd natur Gymraeg a Chymreig y
canu gwerin.

Arloesodd yn ei ieuenctid trwy gyflwyno
caneuon gwerin Cymraeg i gynulleidfaoedd yn yr
Unol Daleithiau, ac ni phallodd y brwdfrydedd a'r
awydd i ganu. Ac yntau'n gyfuniad anghyffredin o
berfformiwr ac ymchwilydd, roedd ei wybodaeth a'i
werthfawrogiad o'r caneuon yn ennyn edmygedd.
Fe'i gwelid ar ei orau yng nghyfarfodydd a
chynadleddau'r Gymdeithas, yn annerch, yn
cwestiynu ac yn trafod. Pan ddeuai'r amser i ganu
byddai yn ei hwyliau ac wrth ei fodd yng nghwmni'r

hen a'r ifanc, yn ymgorfforiad o'r hyn ddylai canu gwerin fod.

Parhaodd ei ddiddordeb mewn cwestiynau moesol, diwinyddol a metaffisegol ar hyd ei oes. Roedd yn genedlaetholwr i'r carn a gweithredodd droeon ar ran Cymdeithas yr Iaith. Bu'n gefnogwr brwd i Adran Athronyddol Urdd Graddedigion Prifysgol Cymru ac yn ymgyrchydd tanbaid dros sefydlu athroniaeth fel pwnc yn y Coleg Cymraeg Cenedlaethol.

Soniodd llawer am Merêd fel gŵr o egwyddor gadarn; ond roedd hefyd yn hynod hael a goddefgar. Arwydd o'i haelioni oedd ei barodrwydd i drosglwyddo i'r Gymdeithas Alawon Gwerin holl freindaliadau Hela'r Hen Ganeuon. Bydd y gwaith a gyflawnodd Merêd a Phyllis yn sylfaen i waith eraill yn y maes tra pery'r diddordeb mewn canu gwerin yng Nghymru. Derbyniodd Merêd nifer fawr o anrhydeddau yn ystod ei oes, gan gynnwys cael ei wneud yn gymrawd anrhydeddus o Amgueddfa Sain Ffagan (1975), Prifysgol Aberystwyth (1992) a Phrifysgol Bangor (1997).

Mae'r cofnod uchod yn seiliedig ar goffâd i Meredydd Evans yn Barn *yn Ebrill 2015.*

Llyfryddiaeth
Eluned Evans (gol.) a Rocet Arwel Jones, *Merêd: Dyn ar Dân* (Talybont, 2016)
'Meredydd Evans', erthygl goffa yn *Barn*, 627 (Ebrill, 2015), 20–24

Rhidian Griffiths, Ann Ffrancon, Geraint Jenkins a Pwyll ap Siôn

Evans, Rebecca (g.1963)

Ganed y soprano a'r gantores **opera** Rebecca Evans ym Mhont-rhyd-y-fen, ger Castell-nedd. Fe'i magwyd ar aelwyd gerddorol – roedd ei mam yn aelod o gwmni opera **Ivor Novello** ynghyd â chwmni opera ysgafn D'Oyly Carte, a sefydlwyd yn Llundain i lwyfannu gweithiau Gilbert a Sullivan.

Cafodd ei haddysg uwchradd yn Ysgol Gyfun Cefn Saeson, tra'n derbyn gwersi canu gan Jason Shute (a oedd hefyd yn gysylltiedig â D'Oyly Carte). Wedi gadael yr ysgol aeth ymlaen i ddatblygu gyrfa fel nyrs yn Ysbyty Treforys gan berfformio yn achlysurol fel unawdydd gyda chorau lleol. Aeth ar daith fel unawdydd i Ffrainc yn 1987 ac i Ganada yn 1989 gyda Chôr Meibion Treforys. Yn dilyn cyngor gan **Bryn Terfel**, ymgeisiodd am le fel myfyrwraig yn Ysgol Cerddoriaeth a Drama Guildhall, a derbyniodd

ysgoloriaeth i astudio yno gyda Laura Sarti yn 1987. Parhaodd i weithio fel nyrs yn ysbytai Llundain ar benwythnosau er mwyn ariannu ei hastudiaethau cerddorol.

Gwnaeth ei hymddangosiad cyntaf gydag Opera Cenedlaethol Cymru ym Medi 1991 trwy ddirprwyo ar gyfer rôl Ilia yn *Idomeneo* Mozart, ac erbyn hyn fe'i hystyrir yn un o gantorion mwyaf blaenllaw'r cwmni. Dyma gychwyn ar gyfnod o gydweithio gyda'r **arweinydd** adnabyddus Syr Charles Mackerras (1925–2010) a ddilynwyd yn ddiweddarach gan gyfres o operatau Gilbert a Sullivan rhwng 1993 ac 1995; canodd brif rannau soprano yn *The Pirates of Penzance* (Telarc, 1993), *H.M.S. Pinafore* (Telarc, 1994) a *Trial by Jury* (Telarc, 1995).

Yn 2007 derbyniodd ran Gretel yn opera Humperdinck *Hansel & Gretel*, gan gydweithio unwaith yn rhagor gyda Mackerras (Chandos, 2007), a dyfarnwyd gwobr Grammy i'r cynhyrchiad flwyddyn yn ddiweddarach. Yn ychwanegol i'w chyfraniad sylweddol i opera yng Nghymru a Lloegr, bydd yn ymddangos yn rheolaidd ar lwyfannau rhyngwladol. Yn Ewrop, mae wedi perfformio yn nhai opera Munich, Berlin a'r Iseldiroedd; yn Unol Daleithiau America fe'i gwelir ar lwyfan Opera Metropolitan yn Efrog Newydd ac yn nhai opera Chicago a San Francisco.

Wrth iddi ganu gweithiau Puccini, canmolwyd ei pherfformiad o rôl Mimi yng nghynhyrchiad Opera Cenedlaethol Cymru o *La Bohème* yn y wasg gerddorol gan Rian Evans am ei 'gyfoeth o fanylder emosiynol' (Evans 2006). Bum mlynedd yn ddiweddarach derbyniodd rôl Liù yn *Turandot* 'gan ddod â gwirionedd emosiynol i hunanaberth y gaethferch yn y pen draw' yn ôl Rian Evans eto (Evans 2011).

Disgyddiaeth
Gilbert & Sullivan, *The Pirates of Penzance* (Telarc CD80353, 1993)
Gilbert & Sullivan, *H.M.S. Pinafore* (Telarc CD80374, 1994)
Gilbert & Sullivan, *Trial by Jury* (Telarc CD80404, 1995)
Engelbert Humperdinck, *Hansel & Gretel* (Chandos CHAN 3143, 2007)

Llyfryddiaeth
Andrew Stewart, 'Evans above', *Opera Now* (Tachwedd, 1993), 20–22
Alun Guy, *Cantorion o Fri: Ar Lwyfan y Byd* (Llandysul, 2005)
Hugh Canning, '*Ariodante*', *Opera Magazine* (Awst, 2006), 976

Rian Evans, 'La Bohème', *Opera Magazine* (Tachwedd, 2006), 1367–8

Hugh Canning, 'Rebecca Evans', *Opera Magazine* (Mai, 2011), 501–9

Rian Evans, 'Turandot', *Opera Magazine* (Awst, 2011), 972

Tristian Evans

Evans, T. Hopkin (1879–1940)

Cyfansoddwr, **arweinydd corawl** a beirniad a aned yn Resolfen, Cwm-nedd. Honnir yn aml ei fod yn gefnder i David Evans (1874–1948) o'r un pentref, a ddaeth yn Athro Cerdd yng Ngholeg **Prifysgol** Caerdydd, ond nid oeddynt yn perthyn. Gadawodd Hopkin Evans yr ysgol yn ddeuddeg oed a dechrau gweithio gyda'i dad yn y pwll glo yng Nglyncorrwg, yr ochr arall i'r mynydd. Sylwyd ar ei allu cerddorol a threfnwyd iddo gael hyfforddiant yng Nghaerdydd, Birmingham ac yna, pan oedd yn un ar hugain oed, yn Llundain. Rhwng 1903 ac 1909 bu'n organydd capel yn Resolfen lle ffurfiodd gôr cymysg ac ennill yr wobr gyntaf yn yr ail gystadleuaeth gorawl yn Eisteddfod Genedlaethol Aberpennar yn 1905; enillodd wobrau am gyfansoddi yn y cyfnod hwn hefyd.

Symudodd i Gastell-nedd a chafodd ei benodi yn 1910 yn organydd Capel Saesneg London Road ac yn arweinydd côr cymysg y dref. Gyda'r côr hwn, perfformiodd weithiau heriol cyfoes fel *Breuddwyd Gerontius* (Elgar) yn 1912, ac *Omar Khayyam* (Granville Bantock) y flwyddyn ganlynol. Bu'n organydd i'r Côr Cenedlaethol Cymreig yn y *Festival of Empire* yn Llundain yn 1911, ac ef oedd cyfarwyddwr **Gŵyl** Gerddorol Deheudir Cymru a gynhelid yn y blynyddoedd yn union cyn ac wedi'r Rhyfel Mawr (1913, 1914, 1918 ac 1919) a lle perfformiwyd gweithiau mawr corawl a cherddorfaol. Yn 1919 derbyniodd wahoddiad i fod yn arweinydd Undeb Corawl Cymry Lerpwl (Liverpool Welsh Choral Union) i ddilyn yr enwog Harry Evans a fu farw yn 1914, ac enillodd gydnabyddiaeth gyhoeddus pan ddiolchwyd iddo'n bersonol gan Frederick Delius ar ôl arwain *Mass of Life* y cyfansoddwr hwnnw yn Eisteddfod Genedlaethol Wrecsam yn 1933 (*Western Mail*, 24 Awst 1933).

Roedd Hopkin Evans yn gryn **ysgolhaig** ac yn gyfarwydd â phrif ieithoedd Ewrop. Enillodd radd MusBac Rhydychen yn 1914 a'r MusDoc yn 1924, ond nid effeithiodd hyn ar ei boblogrwydd fel arweinydd cymanfaoedd canu ledled Cymru ac fel beirniad cyson mewn **gwyliau cerddorol**

gan gynnwys yr **Eisteddfod** Genedlaethol. Roedd hefyd yn gyfansoddwr corawl a cherddorfaol. Perfformiwyd ei waith *Kynon* ar gyfer unawdydd, côr a cherddorfa am y tro cyntaf yn Eisteddfod Genedlaethol Pont-y-pŵl yn 1924, ac ef ei hun a drosodd eiriau Coleridge i'r Gymraeg ar gyfer ei waith corawl a cherddorfaol *Salm i'r Ddaear* a glywyd gyntaf yn Eisteddfod Genedlaethol Port Talbot yn 1932.

Cyfansoddodd nifer o ranganau ar gyfer **corau cymysg**, **merched** a **meibion**, a dewiswyd nifer ohonynt, fel y cytgan gyffrous *Meibion yr Anial* a *Mordaith Cariad* i TTBB, yn ddarnau prawf yn yr Eisteddfod Genedlaethol. Roedd *Gair ein Duw Ni* yn un o'i **anthemau** mwyaf poblogaidd, ac mae ei **emyn-dôn** 'Penmachno' ('Ar fôr tymhestlog teithio rwyf') yn ffefryn hyd heddiw. Gyda threfniadau mewn llaw iddo arwain cymanfa ganu ryngwladol yn Ffair y Byd yn Efrog Newydd yn nes ymlaen y flwyddyn honno, bu farw ar 23 Mawrth 1940 yn 61 oed.

Gareth Williams

Evans, Wynford (1946–2009)

Ganed y tenor Wynford Evans yn Abertawe a phan oedd yn ifanc iawn daeth yn adnabyddus fel unawdydd trebl ar raglen wythnosol y BBC o Gaerdydd, *Silver Chords*. Astudiodd yng Ngholeg Cerdd a Drama'r Guildhall ac yno yn 1967 enillodd y Fedal Aur i Gantorion. Yr un flwyddyn enillodd y Gystadleuaeth Cantorion Ifanc Cymreig a dwy flynedd wedi hynny cipiodd yr wobr i denoriaid mewn cystadleuaeth ryngwladol bwysig yn s'Hertogenbosch yn yr Iseldiroedd.

Canodd gyda llawer o gwmnïau opera, gan gynnwys Netherlands Opera, Opera Cenedlaethol Cymru, Kent Opera ac Opéra de Lyon. Oherwydd ei hyblygrwydd, ei ddeallusrwydd a ffresni ei lais fe'i gwahoddwyd yn aml i ganu **cerddoriaeth gynnar** gyda grwpiau fel London Early Music, Pro Cantione Antiqua a Fortunes of Fire. Cafodd sawl cyfle hefyd i berfformio'r campweithiau mawr barôc a chyfrannodd at dros 50 o recordiadau, gan gynnwys yr Offeren yn B Leiaf gan Bach a *The Fairy Queen* gan Purcell, y ddau dan arweiniad Syr John Eliot Gardiner. Ond o gofio'i ymddangosiadau ar *Friday Night is Music Night*, *Melodies For You*, y gyfres *The Musical World of Wynford Evans* a rhaglenni cyffelyb (gan gynnwys rhaglenni cerddorol ar S4C), gwelir hefyd fod ochr fwy anffurfiol i'w ganu a'i gwnaeth yn unawdydd apelgar a phoblogaidd. Ni fu ei iechyd yn dda yn ystod ugain mlynedd olaf ei fywyd ac yn y cyfnod hwn daeth yn adnabyddus fel athro canu.

Richard Elfyn Jones

Evans, Wynne (g.1972)

Ganed y tenor Wynne Evans yng Nghaerfyrddin, yn fab i Elizabeth a David Evans a redai Theatr y Lyric yn y dref. Roedd y theatr yn ganolog i'w fagwraeth gerddorol, ac ymunodd â chwmni Opera Ieuenctid Caerfyrddin (a sefydlwyd gan ei fam yn 1980). Fel ei frawd, Mark Llewelyn Evans, aeth ymlaen i astudio opera yn Ysgol Gerdd a Drama'r Guildhall yn Llundain gan raddio yn 1995 cyn astudio am radd meistr yn y Stiwdio Opera Genedlaethol hyd at 1997.

Daeth Evans yn enw cyfarwydd fel actor cerddorol o ganlyniad i'w rôl fel y tenor ffug Gio Compario mewn cyfres o hysbysebion teledu am yswiriant ar gyfer y wefan yswiriant Gocompare.com (2009–). Roedd eisoes wedi'i sefydlu ei hun fel canwr **opera** proffesiynol ar ôl graddio, gan berfformio mewn sawl cynhyrchiad gan Opera Cenedlaethol Cymru; dechreuodd weithio i'r cwmni trwy berfformio rhan Liberto yn opera Monteverdi L'incoronazione di Poppea yn 1997. Gwnaeth ei ymddangosiad cyntaf yn y Tŷ Opera Brenhinol yn ystod 2009 gan chwarae rôl Vakula yn Cherevichky Tchaikovsky, a bu iddo ganu yn opera gyfoes Mark-Anthony Turnage, Anna Nicole, ddwy flynedd yn ddiweddarach. Mae wedi gweithio gyda nifer o gwmnïau opera, gan gynnwys Opera Cenedlaethol Lloegr, Opera'r Alban, Opera Grange Park ac Opéra Lyon. Bydd yn ymddangos yn rheolaidd ar lwyfannau Neuadd Frenhinol Albert, Neuadd Wigmore a Neuadd Dewi Sant, yn ogystal ag **Eisteddfod** Ryngwladol Llangollen. Fe'i hurddwyd i Orsedd y Beirdd yn Eisteddfod Genedlaethol Bro Morgannwg yn 2012.

Arwyddodd gytundeb chwe-albwm gyda Warner Music yn 2010, a rhyddhawyd ei albwm cyntaf, A Song In My Heart, flwyddyn yn ddiweddarach. Mae'r albwm yn agor gyda chân eponymaidd Rodgers a Hart allan o'r sioe gerdd Spring is Here (1929). Clywir hefyd fersiwn gwreiddiol y gân a ddaeth â'r canwr i enwogrwydd o ganlyniad i'r hysbysebion Go Compare, sef 'Over There' gan George Cohan. Mae'r casgliad yn cynnwys detholiad o ganeuon o sioeau cerdd a ffilmiau oes aur Hollywood, yn bennaf o ganlyniad i ddylanwad y tenor a'r actor Americanaidd Mario Lanza. Ceir traciau gan Puccini a Verdi yn ogystal, ynghyd â chaneuon cysegredig megis gosodiad Bach a Gounod o 'Ave Maria' a 'Gweddi'r Arglwydd'.

Yn 2013 rhyddhawyd ail albwm, Wynne, y tro hwn ar label Classic FM yn sgil ei waith fel cyflwynydd ar orsaf radio Classic FM yn 2012. Arno clywir detholiad o ganeuon gan gyfansoddwyr fel **Ivor Novello**, Ennio Morricone a Ruggero Leoncavallo ynghyd ag ambell drac Cymraeg, megis 'Myfanwy' **Joseph Parry** a 'Suo Gân'. Ceir hefyd berfformiad o 'Canzión turquesa' allan o Adiemus Colores gan **Karl Jenkins**.

Flwyddyn yn ddiweddarach dechreuodd gyflwyno'r gyfres Big Welsh Weekend ar BBC Radio Wales. Mae wedi ymddangos yn rheolaidd ar y teledu, gan gynnwys y gyfres o raglenni realaeth i ddysgwyr y Gymraeg, cariad@iaith, a'r gyfres ar ddrama amatur yng Nghymru, Am Ddrama (2013) – maes a roddodd sciliau cadarn iddo ym myd adloniant. Mae hefyd yn ymddiriedolwr ar gyfer Ymddiriedolaeth Elizabeth Evans, sy'n darparu ysgoloriaethau i bobl ifanc ddatblygu eu gyrfa yn y celfyddydau perfformio.

Cyfeiriadau

http://www.theelizabethevanstrust.co.uk/english/elizabeth/

http://www.youthopera.co.uk/index.php/about-carmarthen-youth-opera

http://www.wynneevans.co.uk/biography/

http://www.bbc.co.uk/wales/music/sites/wynne-evans/

Tristian Evans

F

Finch, Catrin (g.1980)

Telynores amlycaf ei chenhedlaeth yn rhyngwladol sydd hefyd yn cyfansoddi a threfnu cerddoriaeth mewn amryw arddull. Cafodd ei geni a'i magu yn Llan-non, Ceredigion.

Pan oedd yn bum mlwydd oed bu gweld y delynores Sbaenaidd Marisa Robles yn perffformio mewn cyngerdd yn Llanbedr Pont Steffan yn fodd i danio'i dychymyg i'r fath raddau nes iddi ofyn am delyn ac am wersi arni. Cafodd wersi maes o law gan **Elinor Bennett** yn y Bontnewydd, Caernarfon, ac aeth ymlaen yn ddisgybl i Ysgol Purcell yn Surrey ac yna i'r Academi Gerdd Frenhinol yn Llundain i astudio dan Skaila Kanga lle graddiodd yn 2002. Enillodd holl brif wobrau'r Academi gan gynnwys Gwobr Arbennig y Frenhines i fyfyriwr disgleiriaf y flwyddyn.

Wrth gychwyn ar ei gyrfa broffesiynol cafodd ei phenodi, yn 2000, yn Delynores Swyddogol i Dywysog Cymru – swydd nad oedd wedi'i llenwi ers dyddiau'r Frenhines Victoria. Bwriodd ati am y pedair blynedd nesaf i greu delwedd newydd i'r delyn ar lwyfan rhyngwladol, gan berfformio ar wahoddiad y Tywysog mewn achlysuron amrywiol ledled y byd. Erbyn hyn mae Catrin yn un sy'n dethol ac yn mentora ei holynwyr yn y swydd.

Fel perffformiwr cyngerdd mae gan Catrin *repertoire* gyda'r ehangaf o blith telynorion yn gyffredinol ac y mae wedi gwneud ymdrech arbennig hefyd i fynd â cherddoriaeth **telyn** i gyfeiriadau newydd. Yn 2008 aeth ati i drefnu 'Amrywiadau Goldberg' J. S. Bach, a gyfansoddwyd yn wreiddiol i'r harpsicord, ar gyfer y delyn, a'u recordio ar label Deutsche Grammophon. Gweithiodd wedyn gyda John Rutter ar ei *Suite Lyrique* a gyfansoddwyd ganddo ar ei chyfer, a recordiwyd y gwaith – gyda'r cyfansoddwr yn arwain – ar albwm arall i Deutsche Grammophon o'r enw *Blessing* yn 2012. Roedd yr un albwm yn cynnwys y *Celtic Concerto* o waith Catrin ei hun, ac arweiniodd hyn at gyfansoddi consierto telyn arbennig i Gerddorfa Genedlaethol Ieuenctid Cymru yn 2013 wedi'i ysbrydoli gan fywyd a gwaith Hedd Wyn;

recordiwyd perffformiad ohono ar gyfer teledu mewn cyngerdd yn Berlin dan arweiniad Grant Llewellyn, gyda Catrin ei hun yn unawdydd.

Perfformiodd y delynores hefyd y consierto telyn *Mabinogi* gan **Geraint Lewis** gyda **Sinfonia Cymru** ledled Cymru yn 2012. Gweithiodd yn helaeth ym meysydd **jazz**, **cerddoriaeth werin** a'r hyn a elwir bellach yn 'gerddoriaeth byd', gan fentro'n ogystal i faes cerddoriaeth electronig arbrofol. Derbyniodd ei pherffformiad gyda'r chwaraewr Kora amryddawn o Senegal, Seckou Keita yng **Ngŵyl** WOMEX 2013 – a gynhaliwyd yng Nghaerdydd – ganmoliaeth arbennig. Gyda Hywel Wigley sefydlodd Stiwdio Acapela yn hen gapel Horeb ym Mhen-tyrch, sy'n datblygu yn ganolfan arloesol ar gyfer perffformio, recordio a dysgu.

Disgyddiaeth

Carnaval de Venise (Sain SCD2280, 2001)
Gwlad y Delyn (Sain SCD 2396, 2003)
Crossing the Stone (Sony SK 87320, 2003)
Goldberg Variations (Deutsche Grammophon 477-8097, 2009)
[gyda John Rutter] *Blessing* (Deutsche Grammophon 470-0497, 2012)
[gyda Seckou Keita] *Clychau Dibon* (Mwldan AARCDA025, 2013)

Geraint Lewis

Fisher, Connie (g.1983)

Ganed y gantores sioe gerdd Connie Fisher yn Lisburn, Gogledd Iwerddon, cyn i'r teulu symud i fyw i Swydd Dorset am gyfnod byr. Treuliodd y rhan fwyaf o'i phlentyndod yn Sir Benfro a dangosodd addewid gerddorol pan oedd yn ifanc iawn yn Ysgol Gynradd Castellhaidd. Saif y pentref hwnnw ar ochr Gymraeg llinell ieithyddol Landsker y sir, a dysgodd Connie siarad y Gymraeg yn gwbl rugl.

Dylanwadodd nifer o bobl arni yn ystod y cyfnod hwn yn Sir Benfro, gan gynnwys Marilyn Lewis, sylfaenydd ac **arweinydd** Côr Newyddion Da. Bu Connie'n aelod o'r côr hwn am nifer o flynyddoedd a datblygodd ei dawn gerddorol a'i hyder wrth berfformio o dan arweiniad Lewis. Tra oedd yn ddisgybl yn Ysgol Uwchradd Syr Thomas Picton yn Hwlffordd bu'n flaenllaw mewn cynyrchiadau megis *The Pirates of Penzance* gan Gilbert a Sullivan, a *My Fair Lady* gan Lerner a Loewe. Cafodd ei hannog i gystadlu yn **Eisteddfodau**'r Urdd a'r Genedlaethol, ac ymhlith uchafbwyntiau cyfnod y cystadlu yr oedd cipio Ysgoloriaeth Goffa Wilbert Lloyd Roberts am ei pherfformiad o unawd allan o sioe gerdd yn Eisteddfod Genedlaethol Tyddewi, 2002.

Wedi dyddiau ysgol enillodd ysgoloriaeth i astudio yn Academi Celfyddydau Theatr Mountview a graddiodd yno gyda gradd dosbarth cyntaf yn 2005. Prysurodd ei gyrfa fel cantores a pherfformwraig wedi iddi adael y coleg ac ymddangosodd yn y sioe *Aladdin* yn Theatr y Torch, Aberdaugleddau, adeg y Nadolig yn 2005. Flwyddyn yn ddiweddarach enillodd wobr o £1,000 yn y gystadleuaeth *Welsh Musical Theatre Young Singer* a gynhaliwyd yn Theatr y Grand, Abertawe.

Er iddi ymddangos ar nifer o raglenni teledu a radio, er enghraifft *Cân i Gymru, Just Up Your Street* a *Plant Mewn Angen*, cystadleuaeth deledu'r BBC, *How do you Solve a Problem like Maria,* a ddaeth â hi i sylw ehangach yn 2006 pan enillodd yr hawl i chwarae rhan Maria von Trapp yn sioe gerdd *The Sound of Music* Rogers a Hammerstein yn y London Palladium. Yn sgil anhwylder y llais, bu'n rhaid iddi gyfyngu ar nifer y perfformiadau er iddi ddal ati yn y sioe tan Chwefror 2008. Yn ystod y cyfnod hwn parhaodd i berfformio fel unawdydd mewn cyngherddau ac yn 2007 rhannodd lwyfan gyda Sarah Brightman, Andrea Bocelli, Donny Osmond ac eraill mewn cyngerdd yn Arena Wembley. Ym mis Awst y flwyddyn honno perfformiodd yng **Ngŵyl Bryn Terfel** yn y Faenol.

Mae wedi rhyddhau dwy gryno-ddisg, sef *My Favourite Things* a *Secret Love*. Deil i ganu, er ei bod hefyd yn datblygu ei gyrfa fel actores a chyflwynydd radio a theledu ac ymgynghorydd cerddorol. Ymddangosodd yn gyson yn y gyfres ddrama deledu *Casualty*, a hi oedd cyflwynydd y gyfres deledu *Connie's Musical Map of Wales* a'r gyfres radio *The Connie Fisher Show*.

Cyfeiriadau

Cyfweliadau personol gyda Connie Fisher

http://www.avantiartists.tv/en/artists/connie-fisher

http://www.monstersandcritics.com/people/Connie-Fisher/biography

Euros Rhys Evans

Fôn, Bryn (g.1954)

Canwr **pop** ac actor a fagwyd ym mhentref Llanllyfni ger Caernarfon. Ar ôl mynychu Ysgol Uwchradd Dyffryn Nantlle aeth ymlaen i'r Coleg Normal ym Mangor. Ymunodd â'r band Crysbas yn **Eisteddfod** Aberteifi yn 1976, gan ryddhau'r sengl 'Draenog Marw'/'Y Nhw' ar label Sain yn 1978, a'r EP *Ma Di Bwrw* flwyddyn yn ddiweddarach. Bu hefyd yn canu yn yr opera **roc** *Dic Penderyn* yn Eisteddfod Genedlaethol Caerdydd yn 1978. Yn yr 1980au daeth yn ffigwr amlwg ar lwyfan ac ar y sgrin deledu, gan actio mewn nifer o gynyrchiadau theatr, ynghyd â chwarae'r cymeriad Tecwyn yn y gyfres deledu *C'mon Midffild!* (Ffilmiau'r Nant).

Ffurfiodd Sobin a'r Smaeliaid yn 1988. Rhwng 1988 ac 1992 bu'r grŵp yn perfformio'n gyson ledled Cymru, gan ryddhau tair record hir, *Sobin a'r Smaeliaid* (Sain, 1990), *Caib* (Sain, 1991) ac *…A Rhaw* (Sain, 1992). Roedd eu caneuon roc canol-y-ffordd, apelgar megis 'Mardi gras ym Mangor Uchaf' ac 'Ar y Trên i Afonwen' yn hynod boblogaidd, yn arbennig ymhlith cynulleidfaoedd yn ardaloedd cefn gwlad Cymru.

Cynyddwyd poblogrwydd y grŵp yn 1990 pan enillodd Bryn Fôn gystadleuaeth **Cân i Gymru** gyda'r gân bop *reggae* hwyliog 'Gwlad y Rasta Gwyn', a gyfansoddodd ar y cyd â gitarydd blaen y grŵp, Rhys Parri. Dangosai'r gân 'Meibion y Fflam' gydymdeimlad â Meibion Glyndŵr a'r ymgyrch losgi tai haf, ac yn 1990 arestiwyd Bryn Fôn o dan amheuaeth o fod yn rhan o'r ymgyrch. Fe'i rhyddhawyd yn ddiweddarach yn ddigyhuddiad, ond gellir dadlau bod y sylw wedi lledu'i apêl ymhellach. Rhwng 1988 ac 1992 gwerthodd y grŵp dros 25,000 o recordiau, mwy na grwpiau roc mawr yr 1970au a'r 1980au megis **Edward H Dafis** a **Geraint Jarman** a'r Cynganeddwyr.

Fodd bynnag, erbyn 1994 roedd poblogrwydd y grŵp yn dechrau edwino ac aeth Bryn Fôn ati i ryddhau albwm unigol gan ofyn i Emyr Huws Jones (un o aelodau'r **Tebot Piws** gynt) gyfansoddi caneuon ar gyfer y record. Rhyddhawyd *Dyddiau Digymar* (Crai, 1994), gyda Les Morrison yn cynhyrchu, a chefnogaeth cerddorion amryddawn fel y gitarydd Bernie Holland (a fu'n perfformio gydag artistiaid fel Georgie Fame a Van Morrison), y drymwyr Graham Land ac Arran Ahmun, y chwaraewr **jazz** bas dwbl Paula Gardiner a'r gantores Luned Gwilym, ynghyd â'r hollbresennol Rhys Parri ar y gitâr. Daeth trefniannau o hen ganeuon megis 'Ceidwad y Goleudy', a chaneuon newydd fel 'Rebel

Wicend', yn hynod boblogaidd. Yn wir, yn 2004 aeth trefniant Bryn Fôn o 'Ceidwad y Goleudy' i frig siart Mawredd Mawr Radio Cymru o'r cant o ganeuon Cymraeg gorau erioed.

Dilynwyd *Dyddiau Digymar* gyda *Dawnsio ar y Dibyn* (Crai, 1998), y tro hwn gyda nifer o awduron a chyfansoddwyr yn cyfrannu caneuon, gyda'r cerddor o Abertawe (fu'n perfformio gyda'r Brodyr Gregory, **Max Boyce** a Bryn ei hun), Peter Williams, yn cynhyrchu. Yn eu plith yr oedd Alun 'Sbardun' Huws, Barry 'Archie' Jones o'r grŵp **Celt**, ynghyd â'r bytholwyrdd Emyr Huws Jones. Sicrhaodd un o ganeuon Barry Jones, 'Un Funud Fach', y wobr gyntaf am yr ail dro i Bryn Fôn yn 1997 yng nghystadleuaeth **Cân i Gymru**, ond ni lwyddod *Dawnsio ar y Dibyn* i greu'r un argraff â *Dyddiau Digymar* o bosib oherwydd natur orgynnil a myfyrgar nifer o'r caneuon.

Bu saib o chwe mlynedd cyn rhyddhau *Abacus*, y tro hwn ar label annibynnol laBelaBel a hynny o dan yr enw Bryn Fôn a'r Band (2004). Bu'n llwyddiant, yn arbennig y deyrnged i Leonard Cohen yn y gân 'Y Bardd o Montreal'. Fe'i dilynwyd yn 2005 gan *CAM*, a oedd yn arddangos dylanwadau mwy gwerinol, ac yna, dair blynedd yn ddiweddarach, gan *Toca*, 2008. Parhaodd Bryn Fôn i berfformio'n fyw gyda band sefydlog oedd yn cynnwys, ynghŷd â Rhys Parri a Graham Land, John Williams ar yr allweddellau a Neil Williams (gynt o **Maffia Mr Huws**) ar y bas, gan gynnwys ymddangosiad ar noson olaf Eisteddfod Genedlaethol Sir Gâr, Llanelli, yn 2014. Fe'i disgrifiwyd gan **Dafydd Iwan** unwaith fel 'un o'r ychydig sydd wedi llwyddo i gyfuno gyrfa lwyddiannus fel actor gyda'r byd canu, a gall gyflwyno baled deimladwy neu gân draddodiadol gyda'r un effaith â'r gân roc fwyaf pwerus'.

Disgyddiaeth

gyda Crysbas:
'Draenog Marw'/'Y Nhw' [sengl] (Sain 66S, 1978)
'Ma Di Bwrw'/'Blŵs Tŷ Golchi'/'Mor Gryg yw'r Morgrug'/'Amser' [EP] (Sain 72E, 1979)

gyda Sobin a'r Smaeliaid:
Sobin a'r Smaeliaid (Sain SCD9075, 1990)
Caib (Sain SCD4052, 1991)
...A Rhaw (Sain SCD2017, 1992)
Goreuon Sobin (Sain SCD2521, 2005)

Recordiau hir unigol:
Dyddiau Digymar (Crai CD044, 1994)
Dawnsio ar y Dibyn (Crai CD061, 1998)

gyda Bryn Fôn a'r Band:
Abacus (laBelaBel 001, 2004)
CAM (laBelaBel 002, 2005)
Toca (laBelaBel 003, 2008)

Pwyll ap Siôn

Frizbee

Triawd **roc** o ardal Blaenau Ffestiniog a ddaeth i amlygrwydd yn 2004. Aelodau'r grŵp oedd Yws Gwynedd (prif lais a gitâr), Jason Hughes (drymiau), ac Owain Jones (gitâr fas).

Gan gymryd yr enw o un o ganeuon y **Super Furry Animals**, yn dilyn recordio'r EP *Lenonogiaeth* yn 2004, rhyddhawyd albwm llwyddiannus o'r enw *Hirnos* yn yr un flwyddyn. Roedd *Hirnos* yn cynnwys caneuon poblogaidd fel 'Da Ni Nôl', 'Dora Gusan' a 'Ti (Si Hei Lw)', gyda 'Ti (Si Hei Lw)' yn arddangos gallu Yws Gwynedd wrth grefftio caneuon anthemig, canadwy. Ddwy flynedd yn ddiweddarach, rhyddhawyd yr albwm *Pendraw'r Byd* (2006), a oedd yn cynnwys y gân hwyliog 'Heyla'. Derbyniodd y band wobr 'Grŵp Gorau'r Flwyddyn' yng Ngwobrau Roc a Phop Radio Cymru, 2006. Yn dilyn rhyddhau eu trydydd albwm *Creaduriaid Nosol* (2008), daeth y grŵp i ben ar ôl pum mlynedd o berfformio ar lwyfannau Cymru.

Wedi hyn, datblygodd Yws Gwynedd yrfa iddo'i hun fel artist unigol. Dychwelodd i berfformio'n gyson ar lwyfannau Cymru ac yng **ngwyliau** cerddorol mwyaf y wlad, yn dilyn rhyddhau'r albwm *Codi/\Cysgu* yn 2014, gan ennill tair gwobr yng Ngwobrau'r Selar 2014, sef 'Artist Unigol Gorau', 'Cân Orau' ar gyfer y gân 'Neb ar Ôl', a'r 'Albwm Gorau' (*Codi/\Cysgu*). Daeth y gân 'Sebona Fi' yn hynod boblogaidd ar safleoedd **rhyngrwyd** niferus, gan dderbyn bron i 200,000 o *hits* ar YouTube.

Disgyddiaeth

Hirnos (Côsh, 2004)
Pendraw'r Byd (Côsh, 2006)
Creaduriaid Nosol (Côsh, 2008)
Yws Gwynedd:
Codi/\Cysgu (Côsh, 2014)

Gethin Griffiths

Ff

Ffa Coffi Pawb (gw. hefyd **Rhys, Gruff** a **Super Furry Animals**)

Band roc a ffurfiwyd ym Methesda yn 1986 oedd Ffa Coffi Pawb a'i aelodau oedd **Gruff Rhys** (llais, gitâr), Rhodri Puw (gitâr), Dewi Emlyn (gitâr fas) a Dafydd Ieuan (drymiau).

Dechreuodd y grŵp pan oedd Rhodri Puw a Gruff Rhys yn fechgyn ysgol a cherddoriaeth bop Brydeinig gyfoes megis Jesus and Mary Chain a New Order yn ddylanwad arnynt. Cyfarfu Gruff Rhys â Dafydd Ieuan mewn ysgol roc a oedd wedi'i threfnu gan glwb ieuenctid ym Methesda, ond y dylanwadau pennaf arnynt ar y pryd oedd y band Cymraeg lleol **Maffia Mr Huws** a bandiau cyfoes eraill megis **Anhrefn**, Y Brodyr a'r **Cyrff**. Drwy gydol eu bodolaeth roedd Ffa Coffi Pawb yn meddu ar y gallu i arbrofi ac ar eirfa gerddorol eang a gawsant gan fandiau Cymru a thu hwnt. Roedd yr enw cellweirus yn fwriadol yn chwarae ar eiriau, ac am gyfnod fe'i gwaharddwyd gan BBC Radio Cymru.

Yn nyddiau cynnar y band roedd Rhodri Puw a Gruff Rhys yn ymdrechu i wneud eu gitarau eu hunain (roedd Gruff yn chwarae'r gitâr i'r ochr chwith ond yn parhau i osod y tannau fel gitarydd 'llaw dde'). Ar ôl i Dewi Emlyn a Dafydd Ieuan ymuno â'r grŵp, bu'n rhaid iddynt fenthyca offer gan fandiau eraill er mwyn perfformio'n fyw. O ganlyniad, amaturaidd iawn oedd eu perfformiadau cynnar, ond serch hynny roeddynt yn llwyddo i greu awyrgylch arbennig.

Datblygodd perthynas gerddorol bwysig rhwng Ffa Coffi Pawb a'r cynhyrchydd dylanwadol Gorwel Owen. Cafodd *demos* cyntaf Ffa Coffi Pawb eu recordio mewn ystafell yn nhŷ Rhodri Puw, ac fe recordiwyd ambell drac yn stiwdio Les Morrison ym Methesda hefyd gan gynnwys y gân 'Valium', ond yn ddiweddarach manteisiodd y grŵp ar bob cyfle i weithio yn stiwdio Owen. Fe recordiwyd deg cân ar beiriant wyth trac Owen a'u rhyddhau ar gasét yn unig o dan y teitl *Tornwyr Beddau Byd-Eang Cyf.* (Casetiau Huw, 1986). Defnyddiwyd peiriant drymiau nid yn unig oherwydd y ffasiwn gerddorol ond hefyd gan nad oedd digon o le yn y stiwdio i gynnwys set lawn o ddrymiau acwstig.

Gan fod Owen wrthi'n datblygu ei stiwdio, roedd modd i Ffa Coffi Pawb arbrofi gydag offer newydd, ac roedd hyn yn fodd i bwysleisio'r elfen swreal ac arbrofol oedd yn perthyn i nifer o'u caneuon, fel 'Dw i'n troi'n ffrwyth'. Flwyddyn yn ddiweddarach rhyddhawyd *Dalec Peilon* (Casetiau Huw, 1987), gyda'r gân roc gothig 'Valium' yn derbyn cryn sylw ar donfeddi Radio Cymru. Yn sgil eu poblogrwydd cynnar daeth cynnig i ymuno â roster label Ankst, ac fe ryddhawyd dwy record hir ar ddechrau'r 1990au, *Clymhalio* (Ankst, 1991) a *Hei Vidal!* (Ankst, 1992). Gwelir newid graddol yn sŵn ac arddull y band dros gyfnod o chwe mlynedd o recordio, gyda elfennau bachog a chofiadwy yn cymryd lle sain amrwd y caneuon cynnar, fel yn y caneuon 'Breichiau Hir' ac 'Allan o'i Phen'. Roedd y newid hwnnw'n adlewyrchu ystod eang o ddiddordebau yn y byd pop Eingl-Americanaidd, ac fe glywir dylanwad *glam rock* ar gân megis 'Sega Segur', sydd yn rhagweld sain gynnar y **Super Furry Animals**.

Bu Ffa Coffi Pawb yn perfformio'n gyson ar lwyfannau yng Nghymru ac aethant â'u cerddoriaeth hefyd tu hwnt i'r ffin, i Lundain a'r Iseldiroedd. Yn anterth poblogrwydd grwpiau mwy canol-y-ffordd megis **Sobin a'r Smaeliaid** a **Jess**, ni chafodd arddull roc amgen Ffa Coffi Pawb ei gwir werthfawrogi gan nifer o wrandawyr y sîn roc Cymraeg. Bu cyngerdd olaf y grŵp yn **Eisteddfod** Genedlaethol Llanelwedd yn 1993, ac yn fuan wedyn aeth Gruff Rhys a Dafydd Ieuan ati i ffurfio'r Super Furry Animals. Bu Rhodri Puw yn chwarae gyda Psycho VII ac yna **Gorky's Zygotic Mynci**, a bu cysylltiad rhwng Dewi Emlyn a bandiau megis y Super Furry Animals a Gorky's Zygotic Mynci. Yn sgil llwyddiant y Super Furry Animals rhyddhawyd casgliad o oreuon Ffa Coffi Pawb yn 2004.

Disgyddiaeth

Tornwyr Beddau Byd-Eang Cyf. (Casetiau Huw, 1986)
Valium (Casetiau Huw, 1987)
Dalec Peilon (Casetiau Huw, 1987; Ankst 043, 1988)

Gwanwyn yn Detroit [EP] (Headstun STUN002, 1989)
Clymhalio (Ankst 018, 1991)
'Cymryd y Pys'/'Ffar Out' [EP] (Ankst 023, 1991)
Hei Vidal! (Ankst 036, 1992)
Casgliadau:
Ffa Coffi Pawb Am Byth (Placid Casual PLC09CD, 2004)

Sarah Hill

Ffidil

Defnyddir y term 'ffidil' heddiw i gyfeirio at aelod lleiaf teulu'r feiolin, offeryn llinynnol a chwareir gan amlaf gyda bwa ac a ddatblygwyd yn yr Eidal yn ystod yr 16g. Cyn dyfodiad y feiolin i Gymru defnyddiwyd y term 'ffidil' i gyfeirio at nifer o **offerynnau** cynharach a gâi eu chwarae â bwa, gan gynnwys y ffidil ganoloesol, y feiol a'r **crwth** trithant. Anodd gwybod pa offeryn a chwaraeid gan *fidicula* yn hanes **Gerallt Gymro** o'r 12g., nac ychwaith y 'ffidler' y cyfeirir ato mewn cywydd gan Rhys Goch Eryri yn rhan o adloniant teuluol yr uchelwyr (gw. Harper 2007, 37 & 11). Mae defnydd canoloesol y term yn gysylltiedig gan amlaf gydag adloniant poblogaidd, ac yn yr 16g. rhestrwyd 'ffidler' yn un o gerddorion 'ofer' Cymru, tra oedd 'crythor' ymhlith y pedwar math o fardd cymwysedig.

Daeth y ffidil i Loegr yn ystod canol yr 16g., ac mae'n debyg iddi gyrraedd Cymru rywbryd yn ystod yr 17g. Mae nifer o gerddi'r cyfnod yn sôn am y ffidil, ond gan fod y **crwth** a'r feiol yn dal mewn bri nid yw'n hollol glir at ba offeryn y maent yn cyfeirio. Fodd bynnag, erbyn y 18g. roedd y ffidil wedi disodli'r hen **offerynnau** ac yn cystadlu â'r **delyn** am yr anrhydedd o fod yn offeryn mwyaf poblogaidd Cymru. Gyda ffidlwyr proffesiynol ac amatur i'w cael ym mhob cwr o'r wlad, dechreuodd gwneuthurwyr Cymreig wneud offerynnau iddynt; mae ambell enghraifft i'w gweld yn **Amgueddfa Werin Cymru**.

Clywid y ffidil ar bob lefel o'r gymdeithas ac mewn pob math o amgylchiad, o dai bonedd i ffeiriau a thafarndai, o briodasau ac angladdau i wyliau mabsant a nosweithiau llawen. Roedd yn boblogaidd fel cyfeiliant i ddawnsio, gan ddod â *repertoire* newydd o ddawnsiau'r cyfnod i Gymru, ond fe'i defnyddiwyd hefyd i gyfeilio i **ganu penillion**, carolau a **baledi**, ac mae nifer o gyfeiriadau ati yn **anterliwtiau'r** cyfnod. Mae tair ffynhonnell bwysig o wybodaeth am *repertoire* oes aur y ffidil yng Nghymru. Tuag 1717 lluniwyd pedair rhestr o enwau alawon gan y bonheddwr Richard Morris o Fôn, a oedd yn

medru chwarae'r ffidil (gw. Parry-Williams 1931). Mae llawysgrif y ffidlwr John Thomas o ogledd-ddwyrain Cymru (1752) yn nodi 526 alaw (Meurig 2003), tra mae llawysgrif y ffidlwr Morris Edward o Ynys Môn, dyddiedig 1778–9, yn nodi 158 alaw (UWB MS 2294).

Erbyn diwedd y 18g. a dechrau'r 19g. cafodd y diwygiadau crefyddol ddylanwad mawr ar boblogrwydd y ffidil yng Nghymru. Pregethodd y Methodistiaid yn erbyn canu a dawnsio seciwlar, yn enwedig ar y Sul ac mewn gwyliau mabsant. Rhoddodd llawer o ffidlwyr y gorau i chwarae, rhai dan ddylanwad eu crefydd ac eraill o ganlyniad i ddiffyg gwaith. Er hynny, nid pob sefydliad crefyddol oedd yn elyniaethus tuag at y ffidil, ac roedd y defnydd o offerynnau llinynnol i gyfeilio i'r gwasanaeth yn parhau mewn rhai eglwysi. Ond yn ystod y 19g. bu llai a llai o chwarae ar y ffidil, ac aeth ffidlwyr mor brin nes i un gweinidog, y Parch. Edward Matthews, Ewenni, fynegi syndod wrth weld ffidlwr mewn priodas ym Morgannwg.

Serch hynny, roedd ffidlwyr yn dal i'w cael mewn ambell fan yng Nghymru. Tua diwedd y 19g. casglodd y Parch. William Meredith Morris atgofion am rai o hen ffidlwyr Sir Benfro, Sir Gaerfyrddin a Morgannwg mewn llawysgrif o'r enw 'De Fidiculis' (gw. Saer 1983). Mae'r straeon yn dyst i barhad y traddodiad gwerin o chwarae ffidil, mewn priodasau ac angladdau, ffeiriau a gwyliau mabsant ac ar gornel stryd. Er bod elfen o ramant yn perthyn i'r hanesion, mae'r llawysgrif yn dod â'r hen ffidlwyr yn fyw, megis Lefi Gibbwn o Gwmfelin Mynach, a oedd hefyd yn faledwr ac yn cyfeilio iddo'i hun wrth ganu, a 'Swansea Bill' a oedd yn adnabyddus am chwarae pibddawnsiau a jigiau ar gyfer dawnsio.

Roedd Morris ei hun yn medru chwarae a gwneud ffidlau ac yn 1904 cyhoeddodd gyfrol o'r enw *British Violin Makers*. Ar ddechrau'r 20g. roedd y ffidil yn dal i'w chlywed mewn ambell achlysur tymhorol fel traddodiad y Mari Lwyd, y **canu gwasael** a'r dawnsio pawl haf yn ne Cymru, ac yn y dawnsio Morys adeg Calan Mai yn y gogledd-ddwyrain. Wrth i'r agwedd negyddol tuag ati gilio, cafodd le mewn cerddorfeydd capel mewn rhai lleoedd.

Y sipsiwn Cymreig a oedd yn bennaf cyfrifol am gadw'r traddodiad gwerin o chwarae ffidil yn fyw tan ganol yr 20g. Roedd y sipsiwn yn enwog am chwarae'r offeryn a honnent mai sefydlydd eu teulu, Abram Wood (m.1799), a ddaeth â'r offeryn i Gymru, er na all hynny fod yn wir o ystyried y cyfeiriadau cynnar (gw. **Woodiaid, Teulu'r**). Yn ystod y 19g. sefydlodd y sipsi **John Roberts** gerddorfa linynnol, The Original **Cambrian Minstrels**, a oedd yn cynnwys telynau'n bennaf ond o leiaf un ffidil; cawsant lwyddiant mawr gan chwarae o flaen y Frenhines Victoria ar un achlysur. Cafodd y sipsiwn groeso yn ffermydd cefn gwlad Cymru lle byddent yn aros fel gweithwyr tymhorol ac yn chwarae'r ffidil a'r delyn mewn nosweithiau llawen; un a ddaeth dan eu dylanwad oedd **Nansi Richards** (Telynores Maldwyn), hithau hefyd yn chwarae'r ffidil pan oedd yn ifanc. Byddai'r sipsiwn hefyd yn gwneud eu ffidlau eu hun weithiau, fel y dengys y llun o Cornelius ac Adolphus Wood yn chwarae **offerynnau** wedi eu gwneud o flychau siocled cwmni Fry (Saer, 34–5).

Erbyn ail hanner yr 20g. roedd chwarae ffidil yn y dull clasurol wedi ennill ei le ar lwyfan yr **Eisteddfod** ac mewn **cerddorfeydd** ar draws Cymru, ond roedd y traddodiad gwerin o'i chwarae wedi diflannu. Yn sgil adfywiad cerddoriaeth werin mewn gwledydd eraill, yn enwedig Iwerddon, tyfodd diddordeb yn y traddodiad Cymreig ac aeth rhai ffidlwyr ati i ailgydio yn yr alawon traddodiadol. Yn yr 1990au daeth anogaeth gan Gymdeithas Offerynnau Traddodiadol Cymru (Clera yn ddiweddarach), trwy ddarparu gweithdai ffidil werin. Heddiw mae'r ffidil yn boblogaidd yng Nghymru fel offeryn clasurol a gwerin, gyda nifer sylweddol o berfformwyr proffesiynol ac amatur.

Llyfryddiaeth

T. H. Parry-Williams (gol.), *Llawysgrif Richard Morris o Gerddi* (Gwasg Prifysgol Cymru, 1931)

D. R. Saer, *Famous Fiddlers* (Amgueddfa Cymru, 1983)

C. L. Meurig (gol.), *Alawon John Thomas* (Llyfrgell Genedlaethol Cymru, 2003)

S. Harper, *Music in Welsh Culture Before 1650* (Aldershot, 2007)

Cass Meurig

Fflur, Elin (g.1984)

Cantores a chyfansoddwraig ym maes **canu roc a phop** a ddaeth i amlygrwydd yn negawd cyntaf yr 21g. Fe'i ganed yn Llanfairpwllgwyngyll, Ynys Môn, i deulu cerddorol. Roedd ei mam, Nest Llewelyn Jones, yn gantores gyda'r **grŵp roc**-gwerin blaengar Brân rhwng 1975 ac 1976.

Bu Elin Fflur yn cystadlu mewn **eisteddfodau** er pan oedd yn ifanc, ac yn ei harddegau ffurfiodd y grŵp pop Carlotta gyda'i brawd Ioan Llywelyn. Daeth i sylw cenedlaethol am y tro cyntaf yng nghystadleuaeth **Cân i Gymru** 2002, pan gipiodd y wobr gyntaf

gyda'i pherfformiad o gân **Arfon Wyn** 'Harbwr Diogel'. Yn dilyn llwyddiant 'Harbwr Diogel' bu'n canu gyda grŵp Arfon Wyn, Y **Moniars**, gan ryddhau record hir o dan yr un teitl yn 2002.

Flwyddyn yn ddiweddarach, rhyddhaodd ei record hir unigol gyntaf *Dim Gair* (Sain, 2003), a ddangosai ystod ei gallu fel cantores wrth symud yn gymharol ddidrafferth o roc grymus y gân deitl i faledi roc anthemig megis 'Y Llwybr Lawr i'r Dyffryn' ac 'Mae'r Ysbryd yn Troi'. Dilynwyd y record honno gan ail record hir o'r enw *Cysgodion*, a oedd yn cynnwys fersiwn Elin Fflur o'r alaw gofiadwy 'Colli Iaith', a ganwyd yn wreiddiol gan **Heather Jones** yn 1971. Erbyn hyn roedd yn perfformio'n gyson ledled Cymru gyda'i band, a oedd yn cynnwys Siôn Llwyd ar y gitâr fas, y gitâr acwstig a'r allweddellau, Jason Huxley ar y gitâr flaen a Deian Elfryn ar y drymiau. Rhyddhawyd *Cysgodion* yn 2004 gyda Rob Reed yn cynhyrchu, ac EP boblogaidd yn cynnwys y gân 'Ysbryd Efnisien' yn 2006.

Ar ôl treulio cyfnod yn Efrog Newydd yn gweithio gyda chyn-gynhyrchydd **Bonnie Tyler** a Meatloaf, Jim Steinman, dychwelodd Elin Fflur i Gymru a rhyddhau ei thrydedd record hir, *Hafana*, ar label Grawnffrwyth yn 2008. Bu hefyd yn wyneb cyfarwydd ar S4C, gan gyflwyno rhaglenni megis *Trac, Heno* a *Cân i Gymru 2014*, ac yn fwy diweddar rhyddhaodd ei phedwaredd record unigol, *Lleuad Llawn* (Sain, 2014).

Disgyddiaeth

Elin Fflur a'r Moniars, *Harbwr Diogel* (Sain SCD2380, 2002)

Dim Gair (Sain SCD2403, 2003)

Cysgodion (Sain, SCD2475, 2004)

Ysbryd Efnisien [EP] (Sain SCD2497, 2006)

Hafana (Grawnffrwyth, 2008)

Y Goreuon (Sain SCD2614, 2009)

Lleuad Llawn (Sain SCD2711, 2014)

Pwyll ap Siôn

Ffolant, Canu

Mae'n ymddangos bod sawl traddodiad wedi dod ynghyd yn y dathliadau modern o ŵyl Ffolant ar 14 Chwefror. Dienyddiwyd Valentinus tuag OC269 am amddiffyn Cristnogion yn erbyn yr Ymerawdr Clawdiws II, a cheir traddodiad iddo adael llythyr ffarwél i ferch o blith ei gyd-Gristnogion. Dathlai'r Rhufeiniaid eu gŵyl gariadon, Lupercalia, ar 15 Chwefror, a daeth yr arfer i Brydain gyda'r goresgyniad Rhufeinig. Ceir hefyd draddodiad canoloesol cryf mai yng nghanol Chwefror yr oedd adar yn paru. Yn yr 17g. ceir sôn am arferion falentein yn Lloegr gan Samuel Pepys, gan gynnwys defod o dynnu papur ac arno enw merch y dylid ei chyfarch. Arferid hefyd roi anrheg, a chyfnewid anrhegion, a'r anrheg, nid y derbynnydd, a ystyrid yn 'falentein'. Ond mae'n ymddangos mai'r arfer o lunio pennill ar bapur a'i addurno yw rhagflaenydd y cerdyn ffolant sy'n boblogaidd heddiw.

Cofnododd Rhiannon Ifans (1996) ddeugain o ganeuon ffolant gan ddau ar hugain o awduron a rhai dienw neu anhysbys. Daw'r canu ffolant cynharaf i oroesi yng Nghymru o'r 17g. Ceir cywydd gan Edward Morris (1633?–89), Perthi Llwydion ger Cerrig-y-drudion, Sir Ddinbych, a cherdd arall 'I ddiolch am rodd falentein' yn y mesur tri thrawiad, a oedd yn fesur canu poblogaidd (Ifans 1996, 39–40). Ceir dau bennill gan Huw Morys (1622–1709) ar alaw 'Sunselia' (Ifans 1996, 41–2). Mae'r canu cynharaf hwn yn nhraddodiad y canu gofyn a'r canu diolch. Erbyn y 18g. mae'n canoli mwy ar ofyn ffafr, gyda rhagymadrodd weithiau sy'n plethu enw'r cymar i eiriau'r gân.

Yn y cyfnod hwn, ceir yn ogystal ganeuon gan ferched i gyfarch dynion, ac addurnir cerddi â chyfeiriadau clasurol a Beiblaidd. Nodir gyda'r cerddi enwau alawon adnabyddus, yn eu plith 'Gwêl yr Adeilad', 'Bryniau'r Iwerddon', *Belle Isle March*, 'Gadael Tir y ffordd hwyaf', 'Hud y Frwynen' a 'Hir Oes i Fair', sy'n awgrymu bod traddodiad byw o ganu'r cerddi hyn. Yn y 19g. ceir rhai enghreifftiau o ganeuon sbeitlyd a cherddi doniol ar daflenni baled, a chofnodwyd cân 'Y Folantein', o waith Daniel Evans (1792–1846, Daniel Ddu o Geredigion), fel cân werin yn ardal y Mynydd Bach, Ceredigion, yn 1911.

Er nad oes camp lenyddol ar y caneuon ffolant sydd wedi'u diogelu, maent yn dyst i boblogrwydd yr arfer gwerin hwn yng Nghymru yn y cyfnod o'r 17g. i'r 19g.

Llyfryddiaeth

Rhiannon Ifans, *Canu Ffolant* (Cymdeithas Alawon Gwerin Cymru, 1996)

Rhidian Griffiths

Ffug

Pedwarawd **roc** amgen o dde-orllewin Cymru. Aelodau'r band yw Iolo Selyf James (prif lais), Billy Morley (gitâr flaen), Henry Jones (gitâr fas) a Joey Robbins (drymiau). Daethant i sylw am y tro cyntaf yn sgil eu EP *Cofiwch Dryweryn* (Fflach, 2014). Roedd caneuon dadleuol fel 'Llosgwch y Tŷ i Lawr' a 'Cariad Dosbarth Canol Cymru' yn ymdrin â phrofiad pobl ifanc a'u magwraeth mewn cymdeithas Gymraeg draddodiadol. Awgrymir dylanwad David R. Edwards o **Datblygu** yn 'Cariad Dosbarth Canol Cymru', sy'n gwawdio Cymry'r cyfryw ddosbarth am chwarae'r delyn a mynd i **eisteddfodau**, ac yn dweud wrthym am 'anghofio Tryweryn'. Mae arddull gerddorol y band yn galetach na Datblygu, fodd bynnag, gan amrywio o bync amrwd i ffync egnïol grwpiau fel y Red Hot Chili Peppers.

Wedi llwyddiant *Cofiwch Dryweryn*, cafodd y band wared o'r fannod o flaen eu henw a dechrau rhoi priflythrennau iddo. Yn 2016 arwyddodd y grŵp gytundeb gyda label Strangetown gan ryddhau'r sengl 'Speedboat Dreaming' ac yna'u halbwm cyntaf eponymaidd. Dafydd Ieuan, drymiwr y **Super Furry Animals**, fu'n gyfrifol am gynhyrchu'r albwm dwyieithog a oedd yn cynnwys deg o ganeuon. Cryfhawyd y berthynas rhwng y ddau fand pan aeth FFUG ar daith gyda'r Super Furries yn 2016. Mae'r albwm yn ymdrin â themâu cyfoes yn codi o fyd pobl ifanc, yn enwedig caneuon fel 'Alcoholic Anorexic'. Fodd bynnag, roedd rhai caneuon eraill, fel 'Speedboat Dreaming', yn ymdrech i ymestyn a datblygu cymeriad seinyddol y grŵp trwy arbrofi â seicedelia mwy breuddwydiol, gyda dylanwad y Super Furries yn treiddio trwy rai caneuon.

Cysylltir FFUG â pherfformiadau llwyfan trawiadol sy'n ddyledus iawn i agwedd a delwedd Iolo James. Nid yw'n chwarae unrhyw offeryn wrth ganu, ac o ganlyniad mae'n rhydd i ganolbwyntio ar yr ystumiau egnïol sy'n ei nodweddu fel perfformiwr.

Disgyddiaeth

Cofiwch Dryweryn [EP] (Fflach CDO58J, 2014)
Ffug (Strangetown STR031CD, 2016)

Gethin Griffiths

Ffurfiau, Arferion a Dulliau Canu Gwerin

Mewn rhifyn o *Canu Gwerin* (cylchgrawn **Cymdeithas Alawon Gwerin Cymru**) yn 2007, mae gŵr o'r enw John Clough yn sôn am ei fam, Mrs Olwen Clough, a aned yn Nolgellau yn 1920. Clywodd hi amryw o ganeuon, meddai, gan ŵr o Arthog, pentref cyfagos. Un o'r pethau a wnaeth fwyaf o argraff arni oedd dull y gŵr hwn o ganu: 'Dull arbennig a ddefnyddid bob amser gan

Meredith Jones ac un sy'n perthyn i gyfnod llawer cynharach na dauddegau'r ugeinfed ganrif. Yr oedd yn ddull gwahanol iawn i leisiau Dolgellau a'r bobl hynny a gafodd eu hyfforddi i ganu yn y capel. Mae hi'n cofio gweision ffermydd yn canu hen ganeuon mewn arddull sydd bellach wedi diflannu i bob golwg … cenid harmonïau clos, a cheid rhyw fath o floedd neu fanllef ('whoop').' Ar yr un trywydd, mewn erthygl gan Enid P. Roberts ar 'Hen Garolau **Plygain**', ceir y sylw hwn: 'Adroddir am barti o Fawddwy yn myned i Lanfihangel [-yng-Ngwynfa] ac yn canu mewn dull mor anarferol nes y taerai pawb mai adrodd yr oeddynt' (Roberts 1954, 54).

Mae'r ddau ddyfyniad yn codi cwr y llen ar fathau o berfformio sy'n ddieithr iawn i oes ddiweddarach, a hefyd ar *amrywiaeth* y perfformiadau hynny, a oedd yn digwydd ar adeg lle nad oedd fawr ddim dylanwadau allanol. Mae'r dyfyniadau hefyd yn amlygu sut y gall dulliau o ganu newid a datblygu – a cholli llawer o'u natur unigryw yn yr oes fodern wrth i ddylanwadau o'r tu allan ddod yn hollbresennol.

Yn yr awyr agored y byddai llawer o ganu yn digwydd cyn dyfodiad y neuaddau tref a phentref, a chyn bod sôn am ganolfannau celfyddydol. Mewn cyfnod difeicroffon byddai hynny'n sicr o gael effaith ar natur y canu. Yr enghraifft fwyaf amlwg yw'r canu **baledi** – lle byddai'n rhaid i lais unigol ddenu a dal sylw cynulleidfa ar gornel stryd mewn ffair neu farchnad. Yn yr awyr agored, yn amlwg, y byddai canu gyrru'r ychen yn digwydd, ynghyd ag arferion ac achlysuron fel canu **Calennig**, hela'r dryw bach, y daplas, y canu haf, canu gŵyl Fair a'r gwyliau Mabsant, heb sôn am y **canu Gwasael** (y Fari Lwyd – er y gellid dadlau, yn yr achos hwn, fod hanner y parti canu yn y tŷ, yn 'ateb' y parti y tu allan), a hefyd lawer o'r canu **carolau** o gwmpas gwyliau'r Nadolig.

Gyda'r rhan fwyaf o'r achlysuron a nodwyd uchod, yr arferiad oedd crwydro'r wlad o dŷ i dŷ yn cyfarch y trigolion ar gân. Dyna pam mae termau fel 'canu dan y pared' a 'canu yn y drws' mor gyffredin. Hyd heddiw, mae crwydro'r strydoedd i gnocio drysau a chanu carolau yn dal yn beth cyffredin o gwmpas gwyliau'r Nadolig, ond yr arferiad ymhell i mewn i'r 20g. oedd crwydro'r wlad hyd doriad gwawr a deffro'r trigolion o'u trwmgwsg.

Mewn pentref gwledig fel Efenechtyd, tua'r 1830au, ceir cipolwg ar y diwylliant awyr agored hwn yn nisgrifiad Talhaearn: 'Rwy'n cofio un tro fy mod wedi prynu pâr o esgidiau teneuon (*pumps* y'u gelwid y pryd hynny ond paham, nis gwn) i ddawnsio yng Ngŵyl Mabsant Efenechtyd. Erbyn y nos Fercher yr oeddwn wedi gwisgo'r *pumps* yn rags gwylltion. Nid oedd dim amdani wedyn ond canu gyda'r tannau drwy'r rhelyw o'r wythnos.'

Gellir tybio mai anffurfiol oedd natur y rhan fwyaf o'r perfformiadau cerddorol hyn – ffactor allweddol a oedd yn dylanwadu'n drwm ar arddull y canu. Os nad oedd y perfformiadau yn digwydd yn yr awyr agored, byddent yn digwydd un ai mewn tafarn, mewn llofft stabl, yng ngefail y gof neu mewn cartrefi. Mewn cartrefi y cynhelid y 'neithior' – parti priodas – ac weithiau y tu allan hefyd os oedd y tywydd yn caniatáu. Mewn ceginau fferm yn aml y cynhelid 'noson lawen', gyda'r pwyslais ar ganu ysgafn a hwyliog. Ar achlysuron o'r fath, hawdd yw dychmygu bod yr 'hen benillion' neu'r 'penillion telyn' (barddoniaeth syml y werin bobl) yn chwarel hwylus a hollbwysig o ddeunydd addas. Roedd nosweithiau o'r fath yn dal i gael eu cynnal mewn ffermdai fel Perthyfelin yng Nghwm Cywarch, Llanymawddwy, mor ddiweddar â'r 1970au.

Ochr yn ochr â'r perfformiadau anffurfiol hyn, roedd math mwy ffurfiol hefyd – yn neuaddau'r tywysogion ganrifoedd lawer yn ôl, ac yna yn neuaddau'r uchelwyr a'r boneddigion yn ddiweddarach, yn y capeli a'u festrïoedd o'r 19g. ymlaen, ac ar lwyfannau eisteddfodol. Tua diwedd y 19g., gwawriodd oes aur y côr. Ar yr un pryd, tyfodd y piano i fod yn brif offeryn cyfeiliant – anaddas i sefyllfaoedd awyr agored, ond pwrpasol iawn ar gyfer y neuaddau newydd a ymddangosodd ym mhob tref a phentref trwy gydol yr 20g.

Gellid dadlau bod y **canu plygain** yn gyfuniad unigryw o'r ffurfiol a'r anffurfiol. Mae'n wasanaeth mewn capel neu eglwys lle mae pob unigolyn neu barti yn cael gwrandawiad parchus gan gynulleidfa, ond bod naws anffurfiol hefyd oherwydd nad oes trefn bendant yn cael ei phennu ymlaen llaw a dim siarad o gwbl rhwng y perfformiadau, ac oherwydd natur 'werinol' y canu ei hun – heb unrhyw ymdrech amlwg i berffeithio fel yn y traddodiad eisteddfodol nac ôl unrhyw hyfforddiant lleisiol.

Yn ystod yr 20g. y bu'r ffrwydriad mawr mewn gwahanol arddulliau cerddorol, gyda **cherddoriaeth gelfyddydol** a chanu 'ysgafn' (a arweiniodd at arddulliau **roc a phop**, *blues*, **jazz** ac ati) yn disodli'r hen fath o ganu bron yn llwyr, a chyfuniadau o arddulliau a dylanwadau yn dod i'r amlwg nas gwelwyd ar yr un raddfa erioed cyn hynny.

Llyfryddiaeth

Enid P. Roberts, 'Hen Garolau Plygain', *Trafodion y Cymmrodorion* (1954), 51–70

Arfon Gwilym

Ffurfiau Offerynnol

Araf fu datblygiad ffurfiau offerynnol yng Nghymru megis y consierto, y symffoni a'r sonata, rhwng 1750 ac 1900. Roedd nifer o resymau yn gyfrifol am hyn. Ni fu hanes na thraddodiad cryf o berfformio ym maes cerddoriaeth gelfyddydol yng Nghymru nes dechrau'r 20g., ac fe âi'r cerddorion mwyaf dawnus (**telynorion** a chantorion gan fwyaf), dros y ffin i Loegr er mwyn datblygu eu crefft a'u gyrfa.

Ni chafwyd ychwaith gerddorfa broffesiynol yng Nghymru nes ffurfio **Cerddorfa Genedlaethol Gymreig y BBC** wedi'r Ail Ryfel Byd, ac o ganlyniad ni fu cyfleoedd ar gael i gyfansoddwyr feithrin sgiliau cerddorfaeth ac i arbrofi gyda ffurfiau symffonig. Mae'n wir dweud nad prif swyddogaeth **Cerddorfa Genedlaethol Gymreig y BBC** yn ystod degawdau cynnar y gerddorfa oedd hyrwyddo cerddoriaeth newydd gan gyfansoddwyr Cymreig. Fodd bynnag, gwelwyd newid graddol erbyn chwarter olaf yr 20g., gyda'r gerddorfa yn ehangu yn 1974 i gynnwys 60 o offerynwyr. Yn ystod cyfnod cynnar yr 21g., crëwyd rôl ar gyfer Cyfansoddwr Preswyl a Chyfansoddwr-ar-y-Cyd (*composer-in-association*), gyda **Guto Puw** a **Huw Watkins**, ymysg eraill, yn ddeiliaid y teitl ar wahanol adegau.

Cyn 1900

Pur annhebyg y byddai **John Thomas** (Pencerdd Gwalia; 1826–1913) wedi mentro i faes cerddoriaeth offerynnol oni bai ei fod wedi derbyn ei addysg gerddorol yn Llundain, lle'r astudiodd yn yr Academi Frenhinol rhwng 1840 ac 1846. Cyfansoddodd ddwy gonsierto i'r delyn ynghyd â symffoni a phedwarawd llinynnol, gan amsugno yr hyn a ddisgrifiodd Carys Ann Roberts fel 'agwedd gosmopolitanaidd' ddiwylliannol y ddinas (Roberts 2000, 88).

Roedd newidiadau ar droed ym maes cerddoriaeth offerynnol oddi mewn i Gymru hefyd. Yn ystod yr 1860au, daeth perfformiadau o symffonïau Beethoven yn boblogaidd mewn trefi diwydiannol megis Merthyr mewn trefniannau ar gyfer bandiau pres. O bryd i'w gilydd, roedd cyfansoddwyr megis **Joseph Parry** (1841–1903) a **Daniel Protheroe** (1866–1934) yn barod i fentro i faes y symffoni, gyda cathl symffonig Protheroe, *In the Cambrian Hills*, yn

waith llwyddiannus. Fodd bynnag, eithriadau oedd y gweithiau hyn o'u cymharu ag allbwn cyfansoddwyr Cymreig y cyfnod ym maes cerddoriaeth leisiol.

Ar ôl 1900

Yn dilyn poblogrwydd y gerdd (neu'r gathl) symffonig ar ddiwedd y 19g., daeth y ffurf yn boblogaidd yng Nghymru o bosib am ei bod yn ffurf fwy hyblyg, ar raddfa lai na'r symffoni; roedd yr elfen raglennol yn ysbrydoliaeth i nifer o gyfansoddwyr hefyd. Roedd *Morfa Rhuddlan* (1914) gan **Morfydd Owen** (1891–1918) yn enghraifft gynnar, ac fe gyfrannodd nifer i'r *genre* ar hyd y blynyddoedd, gan gynnwys **Grace Williams** (1906–77), Dalwyn Henshall (g.1957) a **Gareth Glyn** (g.1951).

Daeth tro ar fyd yn ail hanner yr 20g., gyda'r traddodiad symffonig yng Nghymru yn cael ei sefydlu yn arbennig trwy waith **Daniel Jones** (1912–93), Grace Williams a **David Wynne** (1900–83). Gwelwyd cynnydd amlwg o gyfnod yr 1950au ymlaen, gyda Symffoni Rhif 1 **Alun Hoddinott** (1929–2008) yn derbyn perfformiad cyntaf yn **Eisteddfod** Genedlaethol Pwllheli 1955, a Grace Williams a David Wynne ill dau yn cwblhau eu hail symffonïau yn 1956. (Aeth Wynne ymlaen i gyfansoddi trydedd symffoni yn 1963 o'r enw *Castell Caerffili* (1963) – un o'i weithiau gorau, yn ôl **Lyn Davies**.)

Erbyn hyn roedd Daniel Jones eisoes wedi cyfansoddi sawl symffoni, gyda'i bedwaredd – er cof am ei gyfaill y bardd Dylan Thomas – yn derbyn perfformiad yn Eisteddfod Genedlaethol Ystradgynlais yn 1954. Aeth Jones ymlaen i gwblhau pedair symffoni ar ddeg ynghyd â chorff sylweddol o gerddoriaeth siambr.

Defnyddia symffonïau Jones bob un o nodau'r raddfa gromatig yn sail i'w cywair. Mae'r rhai agoriadol yn gymharol donyddol gan arddangos dylanwad y symffoni yn ystod y cyfnod Rhamantaidd. Clywir Jones yn arbrofi gyda rhythmau mwy cymhleth yn symudiadau bywiog ei symffonïau. Mae Symffonïau 6 hyd at 9 yn fwy uchelgeisiol ac unigolyddol tra bod y set olaf yn tueddu i fod yn fwy cynnil a chryno o ran ffurf a deunydd.

Bu adfywiad hefyd ymysg y cyfansoddwyr hynny a ymddangosai yn y bwlch rhwng Daniel Jones a Grace Williams ar un llaw, a Hoddinott a **William Mathias** (1934–92) ar y llaw arall. Yn eu mysg mae **Denis ApIvor** (1916–2004), a gyfansoddodd bum symffoni, Concerto i'r Cello (1977), ynghyd â nifer o bedwarawdau llinynnol.

Un thema gyson yn ystod yr 20g. yw agwedd y cyfansoddwr at donyddiaeth fel rhan o'r ddadl symffonig, gyda rhai yn arfer elfennau tonyddol, eraill yn chwilio am ffyrdd amgen o ddatblygu harmoni yn eu gwaith, tra bod eraill yn ymwrthod â thonyddiaeth yn llwyr gan fabwysiadu cromatiaeth a chyfresiaeth. Yn y Concerto i'r Utgorn, gwelir Grace Williams yn dilyn llwybr amgen moddawl er mwyn gwrthgyferbynnu swyddogaeth yr unawdydd a'r gerddorfa. Yn achos **Ian Parrott** (1916–2012) a **Reginald Smith Brindle** (1917–2003), mae'r naill yn aros o fewn y traddodiad tonyddol tra bod y llall yn mynd i gyfeiriad digyweiredd a chyfresiaeth.

Dywed yr ysgolhaig David Wright mai Symffoni Rhif 4 Parrott yw un o'i gyfansoddiadau gorau (Wright 2012). Saif ei Bumed Symffoni (1981), hefyd, fel gwaith effeithiol. Yn ôl Dalwyn Henshall, mae Parrott yn llwyddo i osod egwyddorion ffurf sonata ar draws tri symudiad y gwaith. Gyda phob un o'r symudiadau yn derbyn is-deitlau (*confrontation*, *alternation* ac *integration*), gwelir y cyfansoddwr yn efelychu ffurf sonata â'i ddefnydd o'r dangosiad, datblygiad ac ail-ddangosiad: 'music such as to be found in [Parrott's] Fifth Symphony has an innate strength which will render it immune from the shifting tides of fashion' (Henshall 1982, 21).

O ran crefft y cyfansoddi, cynildeb y mynegiant a sylwedd y cynnyrch, mae allbwn symffonig Hoddinott yn sefyll ben ac ysgwyddau uwchlaw ei gyfoeswyr. Fodd bynnag, drwy ei gonsiertos y daeth Hoddinott i sylw cenedlaethol cynnar. Derbyniodd y Concerto Rhif 1 i'r Clarinet Op. 3 (1950) a'r Concerto **Telyn** Op. 11 (1957/1970) eu perffformiadau cyntaf yng **Ngŵyl** Cheltenham – y naill yn 1953 a'r llall yn 1958. Er i Symffoni Rhif 1 Hoddinott dderbyn perfformiad yn Eisteddfod Genedlaethol Pwllheli 1955, cerddorfeydd y tu hwnt i Glawdd Offa fu'n fwyaf parod i gomisiynu gweithiau newydd ganddo, megis Cerddorfa Ffilharmonig Frenhinol Lerpwl a Cherddorfa'r Hallé ym Manceinion.

Yn wahanol i Parrott a Smith Brindle, mae'r undod sy'n perthyn i'r ddadl symffonig yng ngwaith Hoddinott yn ymddangos un ai trwy ei ddefnydd o donyddiaeth estynedig, megis deugyweiredd (*bitonality*), neu (fel yn achos yr ail gonsierto i'r Clarinét) drwy dechnegau cyfresol hyblyg, lle mae'r gyfres yn gosod cymeriad arbennig i ddeunydd thematig y gwaith. Un nodwedd o waith Hoddinott oedd ei barodrwydd i arbrofi ac amrywio gyda ffformiwlâu arferol consiertos a symffonïau. Mae Symffonïau Rhif 3, 4 a 5 mewn dau symudiad tra

bod y Symffoni Rhif 6 mewn un symudiad di-dor. Yn ôl Taylor, nid yw'r ffurf dau symudiad yn gwbl lwyddiannus bob tro (Taylor 1987, 45), ond o leiaf mae'n rhoi sylw i ddawn greadigol Hoddinott o gyfosod gwrthgyferbyniadau dramatig, boed o ran tempo (araf-cyflym) neu ystum (themâu mewnblyg-echblyg).

Mae Michael Charnell-White wedi olrhain datblygiad Hoddinott trwy gydol ei gonsiertos, o'r un cyntaf i'r Clarinet – sydd yn dynwared arddull ysgafn y *divertissement* – i'r gweithiau mwy diweddar, sydd yn fwy hyblyg o ran strwythur, yn cyfosod elfennau telynegol, nosluniol (*nocturnal*), tebyg i'r hyn yr hoffai Béla Bartók ei wneud, gydag adegau egnïol, tra bod Concerto Rhif 3 i'r Piano a'r Concerto i'r Organ yn defnyddio technegau o gyfnod Baróc, megis y ffurf *ritornello* (Charnell-White 1984, 39). Fodd bynnag, mae Hoddinott yn osgoi dynwared sain yr arddull Faróc.

Gellir dadlau bod natur mwy 'sgyrsiol' rhwng unawdydd a cherddorfa sy'n rhan gynhenid o gyfansoddiad unrhyw consierto yn cynnig ci hun yn fwy naturiol i naratif gerddorol Mathias na chynfas a strwythur mwy haniaethol y symffoni. Mae'r *Concerto i'r Delyn* yn parhau i fod yn un o'i weithiau mwyaf poblogaidd, yn rhannol oherwydd ei natur 'Gymreig' – gyda'r ail symudiad wedi ei ysbrydoli gan un o gerddi R. S. Thomas tra bod y symudiad olaf yn dyfynnu'r alaw werin 'Dadl Dau' – ond hefyd oherwydd y cydbwysedd effeithiol a geir rhwng yr unawdydd a'r gerddorfa, a'r berthynas sy'n cael ei datblygu rhyngddynt mewn arddull sy'n nwyfus ac afieithus.

Bu Mathias hefyd yn barod i arbrofi gyda threfn symudiadau yn ei gonsiertos, gan symud y scherzo i'r ail symudiad yn hytrach na'i safle arferol yn y trydydd symudiad yn y *Concerto i'r Corn Ffrengig* a'r ail Sonata i'r Ffidil (Lewis 1988, 96). Mae'r symffonïau hefyd yn haeddu ystyriaeth bwysig, gyda naws o ddefod a chyfriniaeth yn perthyn i'r Symffoni Gyntaf (1966). Mae Geraint Lewis yn nodi bod dau o weithiau olaf Mathias, y Drydedd Symffoni a'r Concerto i'r Feiolin, yn arddangos athrylith y cyfansoddwr ar ei orau. Bu Mathias a Hoddinott ill dau yn gynhyrchiol iawn ym maes sonatâu, yn arbennig ar gyfer y piano, gyda Hoddinott yn cwblhau deuddeg ohonynt, ac Ail Sonata i Biano Mathias yn un o'i gyfansoddiadau mwyaf idiomatig a dramatig (Lewis 1988, 95).

Yn wyneb y ffaith fod cyfansoddwyr y tu hwnt i Gymru yn parhau i ail-greu ac ail-ddyfeisio ffurfiau sefydledig megis y symffoni a'r consierto, mae'n syndod (ac efallai'n siom) mai prin fu'r gweithgaredd yn y *genres* hyn yn ystod degawdau agoriadol yr 21g. Cyfunodd **John Metcalf** elfennau o'r ddwy ffurf yn dra llwyddiannus yn ei *Cello Symphony* (2004), tra bod consierto Huw Watkins i'r un offeryn wedi ei gyfansoddi ar gyfer ei frawd **Paul Watkins**.

Er fod 'cân' symffonig **Karl Jenkins**, *Adiemus: Songs of Sanctuary* (1995), wedi profi'n hynod boblogaidd, gellir dadlau nad yw'n 'symffonig' yng ngwir ystyr y gair. Mae'r gathl symffonig yn parhau i fod yn gyfrwng i'r cyfansoddwr arfer elfennau rhaglennol, un ai mewn perthynas â hanes a chwedloniaeth Cymru, megis y gathl symffonig *Eryri* (1980) gan Gareth Glyn, *Dic Penderyn* (1988) gan Dalwyn Henshall, neu tu hwnt i ffiniau Cymru, yn *Blue Letters from Tanganyika* (1997) **John Hardy**.

Cwblhaodd **Paul Mealor** ei Symffoni Rhif 1 (*Passiontide*) ar gyfer corws a cherddorfa yn 2015 (fe dderbyniodd y gwaith berfformiad yn ninas Dallas yn yr Unol Daleithiau yn 2017), ond mae enghreifftiau o'r symffoni yng Nghymru ers dyddiau Daniel Jones ac Alun Hoddinott wedi prinhau.

Llyfryddiaeth

Dalwyn Henshall, 'Ian Parrott's Fifth Symphony: an appraisal', *Welsh Music/Cerddoriaeth Cymru*, 6/9 (Gaeaf, 1981–2), 16–21

Michael J. Charnell-White, 'The Solo Concerto in Wales in the Face of World Trends', *Welsh Music/Cerddoriaeth Cymru*, 7/6 (Gwanwyn, 1984), 33–40

Timothy Taylor, 'Alun Hoddinott's Second Clarinet Concerto', *Welsh Music/Cerddoriaeth Cymru*, 8/6 (Haf, 1987), 30–45

Geraint Lewis, 'William Mathias: Piano Trio Op. 30, Piano Sonata No. 2 Op. 46 [et al]', *Welsh Music/Cerddoriaeth Cymru*, 8/8 (Gwanwyn/Haf, 1988), 95–6

Carys Ann Roberts, 'Agwedd Gosmopolitanaidd John Thomas, "Pencerdd Gwalia" (1826–1913)', *Hanes Cerddoriaeth Cymru*, 4 (2000), 88–99

David Wright, 'Ian Parrott' (2012) <https://www.wrightmusic.net/pdfs/ian-parrott.pdf>

Pwyll ap Siôn

G

Gelfyddydol, Cerddoriaeth
(gw. **Clasurol a Chelfyddydol, Cerddoriaeth**)

Gellan

Gellan telynor pencerdd, yr honnir mai ef oedd prif delynor bencerdd Gruffudd ap Cynan (*c.*1055–1137), brenin Gwynedd, yw'r pencerdd **telyn** cyntaf y mae cofnod amdano. Mae *Historia Gruffud Vab Kenan* (a gomisiynwyd gan fab Gruffudd, Owain, ac a ysgrifennwyd mae'n debyg yn fuan wedi 1137, er mai testun o ganol y 13g. yw'r cynharaf i oroesi) yn nodi iddo farw ym mrwydr Aberllleiniog, Llangoed, Môn, tua 1094: 'Ac ena y diguydus Gellan telynyaur penkerd o barthret Gruffud en e llynges.'

Efallai i Gellan wasanaethu fel *bardd teilu* yn llys Gruffydd, gan fod Cyfraith Hywel Dda yn pennu mai un o swyddogaethau'r swyddog hwn yn llys y tywysog oedd arwain gosgordd y tywysog (y teulu) i frwydr – o leiaf yn y cyfnod pan fodolai corff o'r fath (tan y 12g. mae'n debyg). Mae enw Gellan yn swnio'n Wyddelig, ac mae'n ddigon posibl fod hynny'n awgrymu iddo ddod draw i Gymru gyda Gruffudd ap Cynan, a aned yn Iwerddon: dywed yr hanesydd o Sir Ddinbych, David Powel (1552–98), fod Gruffudd wedi dod ag amryw o gerddorion medrus ('divers cunning musicians') gydag ef o Iwerddon.

Llyfryddiaeth
Thomas Parry, 'Gruffudd ap Cynan', *Y Bywgraffiadur Cymraeg*, gol. J. E. Lloyd & R. T. Jenkins (Llundain, 1959), fersiwn newydd arlein (LlGC, 2009) <http://yba.llgc.org.uk/cy>

D. S. Evans, *A Medieval Prince of Wales: The Life of Gruffudd ap Cynan* (Burnham-on-Sea, 1990)

Sally Harper, 'Canu'r "Songes of the Doeinges of their Auncestors": Agweddau ar Draddodiadau Cerddorol Cymru a Lloegr', *Llên Cymru*, 31 (2008), 104–117

Sally Harper

Genod Droog

Band hip-hop o Borthmadog oedd y Genod Droog. Fe'i ffurfiwyd yn 2005 gan Dylan Meirion Roberts (Dyl Mei) ac Ed Holden (gynt o **Pep Le Pew**), y DJ Carwyn Jones, y drymiwr Gethin Evans (gynt o Kentucky AFC) a'r bardd Aneirin Karadog, a oedd wedi perfformio gyda Holden yn Y Diwygiad am gyfnod cyn ymuno â'r band newydd. Daeth yr ysbrydoliaeth am yr enw o gang anystywallt y 'droogs' yn ffilm enwog Stanley Kubrick, *A Clockwork Orange* (1971), a seiliwyd ar nofel dywyll Anthony Burgess o'r un enw a gyhoeddwyd yn 1962. Cyfeiriodd y **Super Furry Animals** hefyd at yr enw ar eu EP *Moog Droog* (Ankst, 1995).

O ganlyniad i'w perfformiadau egnïol, eu sain ffres a'u hagwedd hwyliog daeth llwyddiant sydyn i'r grŵp. Yn Hydref 2006 chwaraeodd Genod Droog gig yn Camden, Llundain, fel rhan o'r BBC Electric Proms; ac yng Ngorffennaf 2007 nhw oedd y prif fand yn Sesiwn Fawr Dolgellau. Enillodd y band ddwy wobr yng Ngwobrau Roc a Phop BBC Radio Cymru yn 2007 – Band Byw Gorau a Grŵp Mwyaf Poblogaidd Gwrandawyr Radio Cymru – a bu ymddangosiadau rheolaidd ganddynt ar raglen roc S4C, *Bandit*, yn ystod y cyfnod.

Prin fu'r gwaith a recordiwyd ganddynt, fodd bynnag. Cafodd eu hunig albwm, *Ni Oedd y Genod Droog*, ei ryddhau ar label Recordiau Slacyr yn Awst 2008 a chafodd adolygiadau ffafriol, ond yn ddiweddarach y flwyddyn honno cyhoeddodd y band eu bod wedi dod i ben ar ôl perfformio yng **Ngŵyl** Sŵn, Caerdydd. Aeth Gethin Evans ymlaen i chwarae gyda Yucatan; dilynodd Ed Holden yrfa unawdol fel *beat boxer* ac aeth Dyl Mei i gyfeiriad darlledu ar Radio Cymru.

Disgyddiaeth
Ni Oedd y Genod Droog (Slacyr SLAC0010, 2008)

Craig Owen Jones

Gentle Good, The

Enw 'llwyfan' mae'r canwr a'r gitarydd o Gaerdydd, Gareth Bonello, yn ei ddefnyddio. Yn ganwr gwerin-modern amryddawn, bu Bonello'n perfformio yng Nghaerdydd a thu hwnt ers dros ddegawd.

Yn gerddor aml-dalentog a hynod alluog fel gitarydd, rhyddhaodd ei EP cyntaf, *Find Your Way Back Home*, yn 2005, ac yna *Dawel Disgyn* yn 2007, lle chwaraeodd y *cello*, gitâr a metaloffon, gyda chyfraniadau gan Seb Goldfinch ar y **ffidil**. Dilynwyd hyn yn 2008 gyda'i record hir gyntaf, *While You Slept I Went Out*. Daeth i sylw pellach y sîn werin yng Nghymru a thu hwnt yn 2009 wedi perfformiadau trawiadol yng ngwyliau South by Southwest yn yr Unol Daleithiau, **Gŵyl** Y Dyn Gwyrdd yn Aberhonddu, a Glastonbury, gan ennill gwobr cylchgrawn *Y Selar* am yr artist unigol gorau yn 2010.

Daeth ail albwm allan yn 2011 o'r enw *Tethered for the Storm* (Gwymon). Gan adlewyrchu ystod eang o ddylanwadau, o feirdd megis Philip Larkin a John Donne i'r Hen Benillion Cymraeg, ynghyd â dawn Bonello fel gitarydd, ehangwyd yr offeryniaeth ar y record i gynnwys pedwarawd llinynnol, banjo a phiano ar rai traciau.

Yn ystod yr un flwyddyn treuliodd Bonello gyfnod preswyl yn ninas Chengdu, Tsieina, gan ryddhau cynnyrch ei brofiadau ar ei drydydd albwm, *Y Bardd Anfarwol*, yn 2013 – albwm cysyniad am y bardd o'r 8g., Li Bai (701–762). Recordiodd Bonello rannau o'r albwm yn Tsieina, Llundain a Llanuwchllyn. Derbyniodd *Y Bardd Anfarwol* wobr am albwm gwerin Cymraeg gorau'r flwyddyn yn **Eisteddfod** Genedlaethol Llanelli, 2014, ac fe seiliwyd *Rhith Gân*, drama gan Wyn Mason a berfformiwyd gan Theatr Genedlaethol Cymru yn Eisteddfod Genedlaethol y Fenni, 2016, ar y record.

Gan gyfuno trefniannau o ganeuon traddodiadol gyda'i gyfansoddiadau ei hun yn Gymraeg a Saesneg, mae cerddoriaeth Bonello yn nodedig am y plethiad celfydd a glywir yn aml rhwng y brif alaw yn llais Bonello a chyfeiliant ei gitâr, ynghyd â medrusrwydd y cyfeiliant ei hun. Er bod trefniannau Bonello yn aros yn driw i ysbryd gwreiddiol yr alawon, mae'n barod i arbrofi gyda elfennau megis amsernodau, fel yn ei drefniant cynnar o'r alaw werin 'Y Folantein' (gw. **Ffolant, Canu**), sydd yn amrywio mewn amsernod rhwng 3/4 a 4/4. Gan gyfansoddi ar y cyfan mewn arddull ddwys a myfyrgar, disgrifiwyd caneuon Bonello fel 'cyfuniad o'r gwerin traddodiadol,

technegau gitâr o'r 1960au ... gyda thinc o psychedelia.' Daeth yr albwm *Ruins*/*Adfeilion* allan ar label Bubblewrap yn Hydref 2016.

Disgyddiaeth

Find Your Way Back Home [EP] (dim label, 2005)
Dawel Disgyn [EP] (Gwymon CD002, 2007)
While You Slept I Went Out Walking (Gwymon CD004, 2008)
Tethered for the Storm (Gwymon CD013, 2011)
Y Bardd Anfarwol (Bubblewrap Records BWR013CD 2013)
Plygeiniwch! [EP] (dim label, 2014)
Ruins/*Adfeilion* (Bubblewrap Records BWR027CD, 2016)

Pwyll ap Siôn

Gerallt Gymro (Giraldus Cambrensis, Giraldus de Barri, Gerald de Barri; *c*.1146–*c*.1220)

Clerigwr o Gymro ac awdur cynhyrchiol. Gadawodd ddisgrifiadau pwysig o'r gwledydd Celtaidd a'u pobloedd, gan gynnwys sawl sylw am gerddoriaeth. Fe'i ganed ym Maenorbŷr, Sir Benfro, a'i addysgu gan glerigwyr Tyddewi, mynachod Benedictaidd Caerloyw, ac yn y pen draw ym Mharis, lle treuliodd dri chyfnod yn astudio'r celfyddydau breiniol. Hanai'n uniongyrchol nid yn unig o rai o deuluoedd Eingl-Normanaidd mwyaf pwerus de-orllewin Cymru, ond hefyd o linach tywysogion Deheubarth. Roedd Nest, ei fam-gu ar ochr ei fam, yn ferch i Rys ap Tewdwr, tad-cu Rhys ap Gruffudd (yr Arglwydd Rhys).

Cafodd Gerallt yrfa amrywiol, gan gynnwys ei benodi'n archddiacon Aberhonddu yn 1174 ac yn glerc a chaplan i'r Brenin Harri II yn 1184, er mai methiant fu ymgyrch hir Gerallt i berswadio Harri i ddilysu ei ethol yn esgob Tyddewi. Teithiodd yn eang, gan ymweld am y tro cyntaf ag Iwerddon yn 1183, a mynd ar daith o amgylch Cymru yng nghwmni Baldwin, Archesgob Caergaint, yn ystod y Grawys, 1188, er mwyn denu Cymry ifanc i fyddin y groesgad yn erbyn Saladin.

Mae nifer o weithiau pwysig yn dyddio o'r cyfnod hwn, gan gynnwys y *Topographia Hibernica* (1186–7), *Itinerarium Kambriae* (*c*.1191) a *Descriptio Kambriae* (*c*.1194). Mae'r rhain yn cynnig sawl portread o ddiwylliant cerddorol ac arferion eglwysig Cymru'r Oesoedd Canol, er bod rhaid edrych arnynt nid yn unig o safbwynt gŵr a aned i deulu o uchelwyr ffiwdal ar arfordir deheuol Sir Benfro, ond hefyd o safbwynt clerigwr Eingl-Normanaidd a oedd wedi teithio'n eang, wedi'i addysgu yn Lloegr ac ar y cyfandir, ac a oedd yn gyfarwydd ag arferion a therminoleg gerddorol bur wahanol.

Mae'r *Topographia Hibernica* yn darparu catalog gwerthfawr o **offerynnau** Iwerddon, Cymru a'r Alban, mewn perthynas â 'sgiliau anghymharol pobl [Iwerddon] ag offerynnau cerddorol'. Dywedir bod y Cymry'n defnyddio'r **delyn** (*cithara*), y **crwth** (*chorus*) a'r pibau (*tibiae*) – yr un tri offeryn ag a restrir mewn fersiynau cynnar o Gyfraith Hywel Dda ac mewn adroddiadau am ŵyl fawr yr Arglwydd Rhys yn Aberteifi yn 1176. Roedd yr Albanwyr yn ffafrio'n hytrach y delyn, y crwth a'r *timpán* (offeryn nad yw'n bod bellach), a'r Gwyddelod yn defnyddio'r delyn a'r *timpán* yn unig.

Noda Gerallt fod y delyn yn nodedig gan mai tannau efydd yn hytrach na cholydd (gwt) oedd iddi, ond mae ei eiriau'n amwys a gallent awgrymu bod telynau o'r fath yn cael eu defnyddio yn Iwerddon (a'r Alban) yn ogystal â Chymru. Mae Gerallt yn cyfleu gwahanol seiniau'r tannau uchel ac isel ar delynau ac iddynt dannau metel, gan nodi bod tincial chwimwth y tannau uchaf teneuach yn gwrthgyferbynnu'n uniongyrchol â 'sain fwy pŵl yr un mwy trwchus' a oedd, mae'n amlwg, yn cael ei ddefnyddio i gynnal y sain. Dywedir bod cerddoriaeth Wyddelig wedi dylanwadu i ddechrau ar Gymru a'r Alban, ond erbyn amser ysgrifennu hynny o eiriau fod medrau cerddorol yr Albanwyr yn rhagori; ymddengys mai awgrym Gerallt yw bod cerddoriaeth Cymru'n efelychu cerddoriaeth Iwerddon a'r Alban yn y cyfnod hwn, ac nad oedd yn meithrin ei harddull unigol ei hun.

Ceir disgrifiadau mwy penodol o gerddoriaeth yng Nghymru yn *Descriptio Kambriae* Gerallt (1193), sydd hefyd yn atgynhyrchu rhan o'r darn a geir yn y *Topographica Hibernica* air am air. Cyfeiria Gerallt at y nifer fawr o delynau yng Nghymru ac at felyster, cynghanedd gynnil a medr y telynorion – 'symudant gyda'r fath gyflymder a chywirdeb cywair, a chynhyrchant y fath gynghanedd tan gyffyrddiad mor chwim ac awchus bysedd anghytûn'. Byddai merched ifanc yn diddanu gwahoddedigion ar y delyn tan gyda'r nos, ac yn llysoedd neu deuluoedd y tywysogion ystyrid canu'r delyn yn gamp o'r radd uchaf: 'Ond am y rhai a fo'n cyrraedd yn oriau'r bore, difyrrir hwy tan yr hwyr ag ymddiddan llancesau ac â cherdd dannau. Y mae gan bob tŷ yma lancesau a thelynau ar gyfer y gwaith hwn. ... y mae pob gŵr

o lys neu deulu yn ystyried medr i ganu'r delyn yn uwch na phob dysg a gwybodaeth.'

Mae'r *Descriptio* hefyd yn rhoi rhagolwg o'r pwyslais diweddarach ar swyddogaeth beirdd Cymru fel cofnodwyr achau: noda Gerallt y gallai beirdd, cantorion a chlerwyr Cymru ('bardi Kambrenses, et cantors, seu recitatores') nid yn unig adrodd achresi ar eu cof, ond eu bod hefyd yn cadw copïau o gartau achau'r tywysogion yn eu hen lyfrau. Cymraeg oedd iaith y rhain; cadarnhad pwysig nad yn Lladin yn unig y cafodd y llyfrau cynharaf yng Nghymru eu hysgrifennu. Mae'r *Itinerarium Kambriae* (1188) hefyd yn cyfeirio at y biwglwyr a'r trwmpedwyr Cymreig a elwid yn *cornhiriez*, gair sy'n deillio 'o *cornu* a *hir*, oherwydd eu bod yn chwythu cyrn hir'.

Mae dau ddarn gan Gerallt hefyd yn cyfeirio'n benodol at ganu lleisiol. Mae'r cyfeiriad cyntaf, yn yr *Itinerarium Kambriae*, yn ddisgrifiad anffurfiol o ddathliadau blynyddol y werin bobl yn Eglwys y Santes Eluned ger Aberhonddu, safle merthyrdod y wyryf Eluned yr oedd ei gŵyl yn cael ei dathlu ar 1 Awst (Calan Awst). Yma, câi caneuon ac iddynt gytganau ('cantilena') eu canu yn yr eglwys a'r fynwent, a châi dawnswyr eu harwain i mewn ac allan o'r beddau cyn mynd i fath o berlewyg.

Yn gyntaf disgynnent, yna neidient i'r awyr cyn efelychu â'u dwylo a'u traed wahanol fathau o waith a wneid heb ganiatâd ar y Saboth. Byddai'r rhai a efelychai weithgareddau aredig, gan gynnwys gyrru ychen, yn canu'n ddi-baid 'ganeuon mydryddol amrwd' ('solitas barbarae modulationis voces efferre') i liniaru diflastod eu gwaith: mae'n bosibl fod y rhain yn rhagflaenwyr i'r caneuon a oedd yn dal i gael eu canu ym Morgannwg yn y 19g. wrth yrru'r ychen.

Mae'r ail ddarn yn ddisgrifiad adnabyddus o ran-ganu byrfyfyr o'r *Descriptio*. Nid yw hwn yn uniongyrchol gysylltiedig â'r eglwys, ac ymddengys ei fod yn adlewyrchu arfer gerddorol ehangach:

Pan fyddant yn cydganu, ni fyddant yn canu'n unsain fel cenhedloedd eraill, ond mewn rhannau ac mewn llawer modd, ac â lleisiau ac alawon gwahanol. Mewn cwmni o gantorion, fel sy'n arferol gyda'r genedl hon, mae cynifer o ganeuon a gwahanol leisiau ag y mae o bennau, a deuant o'r diwedd at ei gilydd mewn un cytgord gyda B meddalnod yn ei reoli yn ei holl gyfaredd a melystra.

Bu hir ddadansoddi ar y darn hwn ond mae ei union ystyr yn dal yn aneglur. Awgrymwyd bod disgrifiad Gerallt yn cyfeirio at dechneg *rondellus* (perthynas, efallai, i'r 'Reading Rota' enwog o *c.*1240, 'Sumer is icumen in'), neu at fath o *discant* neu *organum* (dwy ffordd gydnabyddedig o addurno alaw), neu hyd yn oed at rywbeth tebyg i'r canu **emynau** heterophonig sy'n dal i gael ei glywed yn Ynysoedd Heledd.

Mae Gerallt hefyd yn dweud bod defnyddio B meddalnod (*B mollis*) yn un o nodweddion canu deheuig telynorion Gwyddelig, ond unwaith eto, efallai iddo ddefnyddio'r term yn unig i gyfleu cytgord persain, yn hytrach na dull penodol. Serch hynny, mae'n awgrymu ei bod yn arferol i'r Cymry ganu'n fyrfyfyr mewn mwy nag un rhan, a bod y sain a gynhyrchent yn wahanol i unrhyw beth yr oedd Gerallt wedi'i glywed yn unman arall – gan gynnwys y rhan-ganu a arferid yng ngogledd Lloegr a grybwylla yn yr un rhan o'r *Descriptio*.

Llyfryddiaeth

Giraldus Cambrensis, *Topographia Hibernica & Descriptio Kambriae*, yn *Giraldi Cambrensis Opera*, gol. J. F. Dimock (Llundain: Rolls Series, 8 cyfrol, 1861–91, cyf v (1867), vi (1868)

Philip Weller, 'Golwg Gerallt Gymro ar Gerddoriaeth'/ 'Gerald of Wales's View of Music', *Hanes Cerddoriaeth Cymru/Welsh Music History*, 2 (1997), 1–64

Andrew Hughes ac Andrea Budgey, 'Giraldus Cambrensis', *New Grove Dictionary of Music and Musicians,* gol. Stanley Sadie (Llundain, 2001)

Sally Harper, *Music in Welsh Culture before 1650: A Study of the Principal Sources* (Aldershot, 2007)

Sally Harper

Gibbard, Gwenan (g.1978)

Un o artistiaid **cerddoriaeth werin** amlycaf Cymru ac un o'r ychydig berfformwyr sy'n arbenigo yn yr hen grefft o ganu cerdd dant hunan-gyfeiliant. Yn enedigol o Bwllheli, graddiodd mewn cerddoriaeth ym Mhrifysgol Bangor gan gwblhau gradd Meistr yno mewn perfformio ac ymchwil ym maes cerddoriaeth Cymru. Aeth ymlaen wedyn i astudio'r delyn yn yr Academi Gerdd Frenhinol yn Llundain. Bu'n enillydd ym mhrif gystadlaethau **telyn** a chanu'r **Eisteddfod** Genedlaethol, yr Ŵyl **Cerdd Dant** a'r Ŵyl Ban Geltaidd yn Iwerddon.

Roedd ei halbwm cyntaf *Y Gwenith Gwynnaf* (Sain, 2006) yn arddangos agwedd ffres a dyfeisgar, gan gynnwys trefniannau o ganeuon ac **alawon gwerin** Cymraeg ar y delyn Geltaidd, gyda chyfraniadau gan **Maartin Allcock** ar gitâr, bas a bouzar, Huw Roberts a **Stephen Rees** ar y ffidil, Dafydd Roberts ar y ffliwt a chwistl a Deian Elfryn ar offer taro, gydag

Allcock hefyd yn cynhyrchu. Clywid amrediad eang o'r traddodiad gwerin ar y recordiad, o alawon **dawns** a chyfansoddiadau gan delynorion Cymreig yr 18g. a'r 19g. i **ganu penillion**.

Cadarnhaodd *Sidan Glas* (Sain, 2009) ei thalentau fel telynores, cantores, cyfansoddwraig a'i dawn wrth drefnu caneuon. Bu'n perfformio'n helaeth mewn **gwyliau** yng Nghymru a thu hwnt, gan gyflwyno ei threfniannau ffres a chyfoes o ganeuon ac alawon traddodiadol. Ynghyd â phersonél *Y Gwenith Gwynnaf* – Allcock, Rees a Roberts – cafwyd cyfraniadau hefyd gan Angharad Jenkins (**ffidil**) o'r grŵp **Calan**, yr offerynnwr taro medrus Dewi Ellis Jones a'r cerddor Asiaidd amryddawn Kuljit Bhamra ar y tabla.

Roedd ei thrydedd albwm, *Cerdd Dannau* (Sain, 2013) yn gasgliad blaengar gan dorri tir newydd ym maes cerdd dant. Fe'i clywid hefyd yn canu gyda'r gantores bop **Meinir Gwilym** yn 'Rowndio'r Horn'. Bu'n cynrychioli Cymru mewn gwyliau megis **Gŵyl** Ryng-Geltaidd Lorient yn Llydaw, Cyngres Telynau'r Byd yn Nulyn, Gŵyl Gymreig Gogledd America, Celtic Colours (Nova Scotia, Canada) a Gŵyl Delynau Ryngwladol Caeredin a Celtic Connections (Glasgow).

Roedd Gwenan yn un o brif artistiaid cyngerdd agoriadol WOMEX yng Nghaerdydd yn 2013 a bu hefyd yn perfformio yn Efrog Newydd fel rhan o ddathliadau canmlwyddiant geni Dylan Thomas. Bu'n perfformio yn Hong Kong a draw yn y Wladfa, Patagonia – profiad a fu'n ysbrydoliaeth ar gyfer *Y Gorwel Porffor* (Sain 2015), casgliad o chwech o ganeuon a cherdd dant am Y Wladfa, am Gymru ac am fywyd.

Disgyddiaeth

Y Gwenith Gwynnaf (Sain SCD2504, 2006)
Sidan Glas (Sain SCD2581, 2009)
Cerdd Dannau (Sain SCD2702, 2013)
Y Gorwel Porffor (Sain SCD2737, 2015)

Pwyll ap Siôn

Glasurol a Chelfyddydol, Cerddoriaeth (gw. Clasurol a Chelfyddydol, Cerddoriaeth)

Glerorfa, Y

Adlewyrchiad o'r diddordeb newydd yng ngherddoriaeth draddodiadol Cymru oedd ffurfio Y Glerorfa ar gyfer cyngerdd yn Galeri, Caernarfon, yn Nhachwedd 2006. Cyngerdd oedd hwn i nodi pen-blwydd Clera, y gymdeithas **offerynnau** traddodiadol, yn ddeg oed. Roedd **Meredydd Evans** a **Phyllis Kinney** yn westeion arbennig.

Mae'r enw Clerorfa yn gyfuniad o'r gair 'cerddorfa' ac enw'r mudiad, Clera. Roedd pedwar o arweinwyr Clera yn gyd-gyfrifol am y gwahanol 'setiau' a gyflwynwyd y noson honno: Huw Roberts, **Stephen Rees**, **Robin Huw Bowen** a Jeff Hughes. Nifer yr aelodau y noson honno oedd 39, yn **ffidlwyr**, **telynorion**, ffliwtwyr a chwaraewyr **pibgorn** a phibau. Roedd y mwyafrif o'r aelodau yn gynnyrch y gweithdai undydd y bu Clera yn eu cynnal yn gyson mewn gwahanol rannau o'r wlad dros y blynyddoedd blaenorol. Nod y noson oedd cyflwyno gwahanol agweddau ar draddodiad gwerin Cymru – **canu gwerin**, **dawnsio gwerin**, ond yn bennaf cerddoriaeth offerynnol.

Nid oedd bwriad pendant ar y pryd i ddatblygu'r syniad o gerddorfa werin ymhellach. Ond roedd y brwdfrydedd a'r cyffro a grëwyd ar y noson yn golygu na ellid osgoi hynny. Penodwyd Stephen Rees a Robin Huw Bowen yn gyfarwyddwyr cerdd ac **Arfon Gwilym** a **Sioned Webb** yn swyddogion gweinyddol, ac aed ati o ddifri i drefnu ymarferion mewn canolfannau a oedd yn ganolog i aelodau o'r de a'r gogledd.

Perfformiodd Y Glerorfa yn agoriad swyddogol Canolfan Tŷ Siamas, Dolgellau, yn 2007, ond 2008 a 2009 oedd y ddwy flynedd brysuraf. Ar ôl perfformio yn Sesiwn Fawr Dolgellau yng Ngorffennaf 2008, Y Glerorfa oedd un o'r prif enwau fis yn ddiweddarach yng **ngŵyl** werin ryng-Geltaidd Lorient, Llydaw. Yn 2009 bu cyngherddau yng Nghaerdydd (Canolfan y Mileniwm), Bangor, Caernarfon, Corwen, y Bala (cyngerdd agoriadol yr **Eisteddfod** Genedlaethol) a'r eilwaith ym Mangor (cyfeilio i Gôr Seiriol yng Nghyngerdd Cyhoeddi'r Ŵyl **Cerdd Dant**). Dyna'r flwyddyn hefyd y gwnaed recordiad byw o gyngerdd yn Galeri, Caernarfon, a'i ryddhau fel cryno-ddisg ar label Sain (Sain, 2009). 'Dyma'r cam mwyaf ymlaen i gerddoriaeth draddodiadol ers can mlynedd,' meddai un o swyddogion Cyngor Celfyddydau Cymru ar y pryd.

Y nifer mwyaf a berfformiodd mewn unrhyw gyngerdd oedd 60. Ond wrth i nifer yr aelodau gynyddu'n gyson bu'n rhaid wynebu problemau strategol ynghylch y modd o gynnal gweithgarwch o'r fath yn y tymor hir, sef dwyn ynghyd gerddorion amatur o bob rhan o Gymru ar y naill law, ac ar yr un pryd gynnal y gweithdai ymarferol a oedd yn sail i'r cyfan. Trafodwyd yr angen am gyllid i gynnal trefnydd rhan-amser, a thrafodwyd rhannu'r Glerorfa yn ddwy, de a gogledd, am gyfran o'r flwyddyn. Ni lwyddwyd i ganfod atebion boddhaol i'r cwestiynau hyn.

Yn 2011 ymddeolodd Stephen Rees fel cyfarwyddwr cerdd ac Arfon Gwilym fel trefnydd. Penodwyd Robin Huw Bowen a Gwenno Roberts yn gyfarwyddwyr cerdd a Siwan Evans yn drefnydd. Yn hytrach nag ymarferion un diwrnod fel cynt, datblygwyd penwythnosau preswyl, a hyd at 2016 bu perfformiadau ym Mhwllheli, Harlech, Bethesda, Rhuthun, yr Wyddgrug (Gŵyl Tegeingl), Dolgellau, Caergybi a'r Bermo.

Disgyddiaeth
Yn Fyw – Live (Sain SCD2607, 2009)

Arfon Gwilym

Glyn, Gareth (g.1951)

Ganed y cyfansoddwr Gareth Glyn Davies ym Machynlleth. Derbyniodd ei addysg uwchradd yn Ysgol Maes Garmon, yr Wyddgrug, gan astudio cerddoriaeth gyda **Rhys Jones** a fu'n gryn ddylanwad ar ei yrfa gerddorol. Cafodd ei gyflwyno gan Jones i gerddoriaeth y pianydd **jazz** poblogaidd Fats Waller (1904–43) ac o ganlyniad i hynny mabwysiadodd rai elfennau idiomatig o'i arddull ar gyfer y piano.

Aeth ymlaen i astudio yng Ngholeg Merton, **Prifysgol** Rhydychen, rhwng 1969 ac 1972 cyn ymgartrefu ar Ynys Môn yn 1978. Dywed fod ei brofiadau ar yr ynys, gyda'i thirlun hynod a'i chyfoeth diwylliannol a chwedlonol, wedi dylanwadu'n drwm ar ei waith. Daeth yn aelod o Orsedd y Beirdd a derbyniodd Gymrodoriaeth er Anrhydedd gan Brifysgol Bangor ac LRAM am ei wasanaeth fel cyfansoddwr. Yr un pryd â dilyn gyrfa lwyddiannus ym myd cerddoriaeth, bu'n gyflwynydd rheolaidd ar raglen newyddion y *Post Prynhawn* ar Radio Cymru rhwng 1978 a 2013.

Ymhlith ei gyfansoddiadau y mae darnau cerddorfaol, darnau siambr, unawdau offerynnol a lleisiol, dramâu cerdd, caneuon a chylchoedd caneuon ar gyfer cantorion proffesiynol, amaturiaid a phlant, cerddoriaeth i fandiau pres a darnau ar raddfa eang ar gyfer cerddorfa, actorion a chyfranogiad cynulleidfa. Caiff ei weithiau eu comisiynu a'u perfformio gan gerddorfeydd, ensemblau a bandiau blaenllaw gan gynnwys Cerddorfa Symffoni Llundain, Cerddorfa Gyngerdd y BBC, Cerddorfa BBC yr Alban, Cerddorfa Ffilharmonig Strasbwrg, Cerddorfa Ulster,

Cerddorfa Genedlaethol Gymreig y BBC, I Musici de Montréal a Sinffonia'r Bale Brenhinol. Mae unawdwyr adnabyddus megis **Bryn Terfel**, **Catrin Finch** a **Charlotte Church** wedi perfformio rhai o'i weithiau; ysgrifennodd *Amaterasu* ar gyfer telyn a cherddorfa, a chafodd ei berfformio am y tro cyntaf gan Hannah Stone a Cherddorfa Genedlaethol Gymreig y BBC yng **Ngŵyl** Gerdd Ryngwladol Gogledd Cymru, 2015.

Gwelir cyfeiriadaeth at leoliadau a chwedloniaeth Gymreig yn aml yn ei weithiau cerddorfaol a siambr, megis *Mabinogi* (1984) a'r gathl symffonig *Eryri* (1980) a gomisiynwyd gan Gerddorfa Ulster. Ysgrifennodd drac sain cerddorfaol i amryw ffilm, er enghraifft *Madam Wen* (1982), sy'n cyflwyno chwedl y lladrones ben-ffordd o Rosneigr. Cyfansoddodd *Morluniau Môn* (2001) ar gyfer Sinffonia'r Bale Brenhinol fel ymateb cerddorol i olygfeydd ger traethau Llanddwyn, Malltraeth, Penmon, Cemaes a Moelfre. Fe'i recordiwyd ar yr albwm *British String Miniatures 2* ymysg darnau gan Delius, Elgar, Warlock ac eraill (White Line, 2003), a chyfeiria'r beirniad Andrew Lamb yn ei adolygiad at elfen 'hawdd mynd ato' sy'n perthyn i'r gwaith (Lamb 2003, 48). Yn wir, mae'r corpws sylweddol o gyfansoddiadau a gafwyd gan Gareth Glyn yn llwyddo i agor y drws i gynulleidfa eang o wrandawyr ac i berfformwyr o bob oed a gallu.

Ymhlith ei weithiau cerddorfaol y mae trefniant o **alawon gwerin** serch i gerddorfa, *Cariad* (2008); *Dinas Barhaus* (2009) a gomisiynwyd gan Gerddorfa Symffoni Gogledd Carolina i ddathlu trichanmlwyddiant sefydlu prifddinas Gogledd Carolina, Bern Newydd; a'r agorawd i gerddorfa, *Llam Carw* (2010). Clywir y gweithiau hyn ar yr albwm *Welsh Incident* (Sain, 2011) a ryddhawyd ar achlysur ei ben-blwydd yn 60 mlwydd oed yn 2011. Cyflwyna'r actor Jonathan Pryce a Sinffonia'r Bale Brenhinol berfformiad o'r ddrama *Welsh Incident* (1989), yn seiliedig ar farddoniaeth Robert Graves a ddisgrifia ddigwyddiad dychmygol a swreal ar draeth Cricieth. Cynhwysir dehongliadau newydd o weithiau eraill, er enghraifft agorawd gŵyl i organ a cherddorfa, *Gwylmabsant* (1994); *Microncerto* (2004) i fas dwbl a cherddorfa, a'r Concerto i Drwmped (2011).

Adwaenir Gareth Glyn fel trefnydd toreithiog – ailweithiodd ymhell dros gant o gyfansoddiadau gan ddarparu trefniannau o ddarnau gwerin a chlasurol. Gwnaeth lawer i hyrwyddo **addysg** gerddorol ymysg perfformwyr a gwrandawyr ifanc. Galluoga'r

fath weithiau ag *EGAD* (2006) a *Strings on the Wing* (2008) offerynwyr o bob oed a gallu i gyd-chwarae mewn cyngerdd proffesiynol. Rai blynyddoedd yn ddiweddarach cafwyd perfformiad awyr agored o'i ailddehongliad o weithiau Stravinsky, *The Lite of Spring* (2012), ar Sgwâr Traffalgar, Llundain, ochr yn ochr â chyfansoddiadau'r cyfansoddwr Rwsiaidd. Perfformiwyd y gwaith gan Gerddorfa Symffoni Llundain ac aelodau o'u *ensemble* addysgiadol cymunedol LSO Discovery dan arweiniad Valery Gergiev. Cafodd trefniant Gareth Glyn o 'Nimrod', o *Amrywiadau Enigma* Elgar, ei berfformio gan offerynwyr LSO On Track yn seremoni agoriadol Gemau Olympaidd Llundain yn 2012. Ar gyfer cynulleidfaoedd ifanc, cyfansoddodd y stori gerdd frawychus *Ploryn* (2005) ar y cyd ag Angharad Tomos, gwaith a gomisiynwyd gan **Ensemble Cymru** ar gyfer Gŵyl Gerdd Ryngwladol Gogledd Cymru.

Ysgrifennodd nifer o ddarnau ar gyfer offerynwyr unigol o bob oed a gallu, gan gynnwys gweithiau piano (e.e. *Pianimals*, 1997), organ (e.e. *Penrhiw*, 2009), **ffidil** (e.e. *Cân a Dawns*, 1998) a *cello* (e.e. *Sonatina*, 1995). Ym myd y gitâr, ymddengys *Gimme Five* a *Sad Song*, a gyhoeddwyd ill dau yn 2006, ar faes llafur ABRSM. Ymhlith ei weithiau ar gyfer y delyn y mae *Triban* (1977), a fu'n fuddugol yng Nghystadleuaeth Goffa Syr Ben Bowen Thomas yng Ngŵyl Gerdd Menai yn 1978, *Cwlwm Cân* (1983) ac *Erddigan* (1985). Recordiodd y delynores Elen Hydref ddarnau o'r gwaith i delyn *Chwarae Plant* (1993) ar ei halbwm eponymaidd (Sain, 2012).

Mae gan y cyfansoddwr restr faith o ganeuon i'w enw, yn enwedig i denor a bas-bariton. O gwmpas ei gyfnod yn Rhydychen ymddangosodd dwy gân, 'Araf y Tipia'r Cloc' (1968) a 'Crafangau' (1969). Seilir y gyntaf ar soned cyn-guradur **Amgueddfa Werin Cymru**, y bardd Iorwerth Peate (1901–82), a ysbrydolwyd gan sŵn y cloc a welir yng nghegin draddodiadol yr **amgueddfa**. Ymddengys y ddwy gân yn y gyfrol *Llanrwst a Chaneuon Eraill* (1988), lle mae'r cwbl o'r caneuon heblaw am 'Araf y Tipia'r Cloc' yn osodiadau o farddoniaeth tad y cerddor, y Prifardd T. Glynne Davies (1926–88). Cyfansoddodd Gareth Glyn 'Llanrwst' (1988) er cof am ei dad, ac yn ystod y cyfnod hwn ysgrifennodd yn ogystal 'Y Cofio' a 'Meibion y Rhyfel' ynghyd â dau gylch o ganeuon, *Yr Oriau oll a Welsom* i fariton, soprano a phiano (1988) a *Caneuon y Mers* ar gyfer bariton a thelyn (1989).

Cyhoeddwyd casgliad o ganeuon i denor yn y gyfrol *I Wefr Dadeni* (1998), ac wedi troad y mileniwm newydd ymddangosodd *Caneuon Ionawr* fel cyfres o dair cân ar gyfer soprano (2001). Bum mlynedd yn ddiweddarach cafwyd 'Llys Aberffraw' i denor, 'Bryn Celli Ddu' i fariton ac 'Afon Alaw' i gontralto, oll i gyfeiliant band pres. Gwelir y cyfansoddwr yn hyrwyddo traddodiad y band pres gyda chyfansoddiadau fel 'Cadernid Gwynedd' (1990) ac 'Addolwn Ef' (1997). Gwnaeth hefyd drefniannau o'i weithiau cerddorfaol ar gyfer y cyfrwng hwn, megis 'Eryri' (1998) a 'Gwylmabsant' (2006).

Cenir ei gyfansoddiadau **corawl** gan gorau rhyngwladol o bob math, ac yn enwedig **corau meibion**. Comisiynwyd 'Clychau'r Gog' (1984) gan Gôr Meibion Dyffryn Nantlle i ddathlu canmlwyddiant y bardd R. Williams Parry, ac ystyrir 'Heriwn, Wynebwn y Wawr' (1988) yn un o ddarnau corawl Cymreig gwreiddiol gorau'r hanner canrif diwethaf. Ceir sawl gwaith ganddo ar gyfer côr cymysg, er enghraifft 'Er Nad Yw 'Nghnawd Ond Gwellt' (1979), 'Cymru' (1983), 'Carol y Seren' (1997) a 'Gwinllan a Roddwyd' (2009), yn seiliedig ar eiriau Saunders Lewis. Flwyddyn yn ddiweddarach ymddangosodd 'Canu'r Wenallt' (2010) ar gyfer côr merched, ac mae ei ddarnau ar gyfer corau plant yn cynnwys 'Dewch i'r Wledd' (1988), 'Haleliwia Byth i'r Iesu' (1998) a 'Dwylo'n Cyfarch' (2004).

Cydweithiodd Gareth Glyn gydag **Aled Lloyd Davies** ar y ddrama gerdd *Y Cobler Coch* (1972) a lwyfannwyd yn **Eisteddfod** Genedlaethol yr Urdd yn y Rhyl (1974). Aeth ymlaen i gydweithio gyda'i wraig, Eleri Cwyfan, ar sawl prosiect theatrig gan gynnwys drama'r geni *Seren Newydd* (1981), *Y Gwyndy* (1993) a *Ffaliffolion*, a berfformiwyd gan grŵp cymunedol Cofis Bach yng Nghaernarfon yn 2007. Cydweithiodd hefyd gydag unigolion eraill megis Cefin Roberts (e.e. *Diwedd y Gân*, 1988, a *Fferm yr Anifail*, 1993), Paul Griffiths (*Ail-Liwio'r Byd*, 1999) a Hywel Gwynfryn (*Grêt*, 2003). Yn 2017 llwyfannwyd **opera** newydd gan Gareth Glyn, sef addasiad o nofel adnabyddus Islwyn Ffowc Elis, *Wythnos yng Nghymru Fydd*, gan OPRA Cymru, i libreto gan Mererid Hopwood, i adolygiadau ffafriol.

Disgyddiaeth

[*Morluniau Môn/Anglesey Sketches* ar] *British String Miniatures 2* (White Line CDWHL2136, 2003)

Welsh Incident (Sain SCD 2653, 2011)

[*Chwarae Plant* (1993) ar] *Elen Hydref* (Sain SCD 2683, 2012)

Llyfryddiaeth

Andrew Lamb, '*British String Miniatures 2*', *Gramophone* (Awst, 2003), 48

Anhysbys, 'Arian byw: portread o gyflwynydd radio, sori, cerddor', *Golwg*, 16/12 (20 Tachwedd, 2003), 12

Anhysbys, 'Stiwdio'r Cerddor: Gareth Glyn', *Golwg*, 22/50 (26 Awst 2010), 25

John France, 'Gareth Glyn: Anglesey Composer – A first exploration of some of his music' <*http://www. musicweb-international.com/classrev/2008/Feb08/Gareth_ Glyn*.htm>

gwefan y cyfansoddwr: *http://garethglyn.info*

Tristian Evans

Glyn, Gwyneth (g.1979)

Cantores a chyfansoddwraig caneuon. Yn wreiddiol o Lanarmon, Eifionydd, derbyniodd Gwyneth Glyn ei haddysg yn Ysgol Glan y Môr, Pwllheli, a Choleg Meirion-Dwyfor cyn mynd i Goleg Iesu, Rhydychen, i astudio Athroniaeth a Diwinyddiaeth, gan dderbyn gradd dosbarth cyntaf.

Ei chariad cyntaf oedd barddoniaeth ac ysgrifennu creadigol yn gyffredinol. Enillodd y Goron yn **Eisteddfod** yr Urdd Llŷn ac Eifionydd yn 1998. Dechreuodd ymddiddori mewn cerddoriaeth tra oedd yn fyfyriwr yn Rhydychen, trwy berfformio mewn cynyrchiadau gan Gymdeithas Ddrama'r Brifysgol a chanu mewn clybiau **gwerin** i gyfeiliant ei gitâr acwstig.

Parhaodd i ganu ar ôl dychwelyd i Gymru, yn gyntaf ar daith trwy Gymru fel rhan o'r sioe farddoniaeth a noddwyd gan yr Academi Gymreig, *Un Cês a Sawl Lodes Lên* (2003–4). Plethai ei chaneuon ddylanwadau canu gwlad a chanu gwerin-protest Eingl-Americanaidd yr 1960au (megis Joan Baez a Bob Dylan) gyda'r traddodiad gwerin Cymraeg, a chlywir hyn ar ei record hir gyntaf, *Wyneb Dros Dro* (Slacyr, 2005). Mae ambell gyffyrddiad o'r blŵs yn y trac agoriadol 'Tasa Ti Yma', tra bod 'Cân y Llong' yn awgrymu dylanwad yr hen benillion. Daeth y gân werin-gwlad 'Adra', gyda'i defnydd clyfar ond cynnil o ddyfyniadau allan o ganeuon gan Neil Young, Lynyrd Skynyrd, Y **Tebot Piws** a John Denver, yn hynod boblogaidd. Sefydlodd *Wyneb Dros Dro* Gwyneth Glyn fel un o artistiaid amlycaf yr adfywiad acwstig a chanu gwerin yng Nghymru yn ystod degawd cyntaf yr 21g. Cydnabuwyd ei phoblogrwydd yn ystod y cyfnod hwn pan enillodd wobr Artist Benywaidd y Flwyddyn yng Ngwobrau Roc a Phop Radio Cymru 2006.

Dilynwyd *Wyneb Dros Dro* gan ail record hir, *Tonau* (Gwinllan, 2007). Symudai'r record hon oddi wrth arddull acwstig *Wyneb Dros Dro* at sain lawnach a mwy trydanol. Clywid cyfraniadau arni gan gerddorion megis **Heather Jones** ac **Alun Tan Lan**, ac roedd yn arwydd o awydd cyson Gwyneth Glyn i gydweithio gyda chyfansoddwyr a pherfformwyr eraill. Flwyddyn yn ddiweddarach rhyddhaodd fersiwn o'r gân werin 'Paid â Deud' ar y cyd â **Cowbois Rhos Botwnnog** (Sbrigyn Ymborth, 2008). Bu'n perfformio gyda'r band ynghyd â recordio gyda Derwyddon Dr Gonzo, ac yn 2009 cynrychiolodd Gymru yng Ngŵyl y Smithsonian, Washington D.C. Yn ddiweddarach, cydweithiodd am gyfnod gyda'r delynores amryddawn **Catrin Finch**.

Perthyn ysbryd mwy hwyliog a direidus i'w thrydedd record hir, *Cainc* (Gwinllan, 2011), mewn caneuon megis 'Ewbanamandda' a 'Dansin Bêr'. Ar yr un pryd, roedd y record hefyd yn ceisio mynd yn ôl at wreiddiau'r traddodiad gwerin gan gyflwyno **Cass Meurig** ar y **ffidil** a'r **crwth**. Cyfrannodd Twm Morys, canwr **Bob Delyn a'r Ebillion**, eiriau i un gân yn ogystal.

Fodd bynnag, gyda'r arddull werin gyfoes Gymraeg wedi ei dihysbyddu i raddau helaeth erbyn y cyfnod hwn yn ei gyrfa, trodd Gwyneth Glyn ei golygon y tu hwnt i draddodiadau cynhenid Cymru. Yn 2012, trwy gyswllt â'r cynhyrchydd sain Donal Whelan, cyfarfu â'r cerddor o Mumbai, Tauseef Akhtar, ac aeth y ddau ati i greu plethiad gwreiddiol a chwbl unigryw o farddoniaeth Wrdw a **hen benillion** Cymraeg.

Penllanw'r prosiect oedd Ghazalaw. Gyda'r gantores **Georgia Ruth Williams** a'r cerddorion Indiaidd Ashish Jha, Manas Kumar a Sanjoy Das yn rhan o *ensemble* a oedd yn cynnwys **telyn**, tabla, gitâr a harmoniwm, perfformiodd Ghazalaw mewn nifer o wyliau cerdd, gan gynnwys y Desert Festival, Delhi, yn 2012, gŵyl Exchange yn Chennai yn 2012 a **gŵyl** WOMEX yng Nghaerdydd yn Hydref 2013. Ffrwyth y cydweithio hwn oedd y record hir *Ghazalaw*, a ryddhawyd ar Marvels of The Universe, label y gantores **Cerys Matthews**, ym Medi 2015.

Profai *Ghazalaw* allu Gwyneth Glyn i barhau i'w hailddyfeisio ei hun trwy weithio gyda cherddorion eraill yng Nghymru a thu hwnt. Bu ei chyfraniad i'r sîn werin-roc Gymraeg yn ystod y blynyddoedd diwethaf yn bwysig, ynghyd â'i pharodrwydd i ledaenu apêl y canu Cymraeg y tu hwnt i ffiniau'r wlad. Yn ogystal â'i gwaith ym maes cerddoriaeth, fodd bynnag, y mae hefyd yn llwyddo i gynnal gyrfa fel dramodydd, sgriptiwr ac awdur llyfrau, a hi a ysgrifennodd libreto **opera** *Y Tŵr* gan y cyfansoddwr **Guto Puw**. Roedd yn Fardd Plant Cymru yn 2006–7.

Disgyddiaeth
Wyneb Dros Dro (Slacyr SLAC007, 2005)
Tonau (Recordiau Gwinllan, 2007)
Cainc (Recordiau Gwinllan, 2011)
Ghazalaw (Marvels of The Universe, 2015)

Pwyll ap Siôn

Gorky's Zygotic Mynci (gw. hefyd Childs, Euros a James, Richard)

Grŵp pop arbrofol a ffurfiwyd yn Sir Benfro gan y ffrindiau ysgol **Euros Childs** (llais ac allweddellau), John Lawrence (llais a gitâr) a **Richard James** (gitâr fas). Yn ddiweddarach, ymunodd Euros Rowlands (drymiau) a Megan Childs (feiolin).

Y ddau beth mwyaf nodedig am gyfnod cynnar Gorky's Zygotic Mynci oedd y ffaith eu bod yn blant ysgol pan ddaethant i sylw'r cyhoedd am y tro cyntaf, ac yn ail yr ystod o ddylanwadau eclectig a glywid yn eu cerddoriaeth (popeth o gerddoriaeth draddodiadol i seicedelia ac o roc blaengar i bop gwerin Eingl-Americanaidd). Roedd eu cerddoriaeth, felly, yn gymysgedd hynod greadigol (ac yn aml yn hudolus) o seiniau a syniadau, egni a nodweddion unigryw. Ar ôl recordio dau gasét annibynnol a chyfnewid mewn personél (roedd **Steffan Cravos** yn aelod cyn iddo fynd ati i sefydlu **Tystion**), aeth y band pump aelod ati i lofnodi cytundeb gyda'r label recordiau Ankst.

Yn ystod y cyfnod hwn (1993–6), fe ryddhaodd y grŵp rai o'r recordiau mwyaf arbrofol erioed yn hanes pop Cymraeg. Roedd hyn yn ymestyn o'r gwaith celf ar gloriau'r albymau (gan y cynhyrchydd Alan Holmes) i'r cymysgedd eang o offerynnau. Cyfansoddwyd a recordiwyd y caneuon oddi ar eu halbwm gyntaf *Patio* (Ankst, 1992) tra roeddent yn ddisgyblion yn Ysgol Bro Myrddin, Caerfyrddin, ac fe ddaeth 'Diamonds o Monte Carlo', gyda'i wrthgyferbyniadau beiddgar o'r soniarus a'r anghytsain â sylw iddynt ar y **cyfryngau**. Profodd y ddau albwm a ddilynodd, *Tatay* (Ankst, 1994) a *Bwyd Time* (Ankst, 1995) allu a chreadigrwydd y grŵp, ac ymhen dim, roedd doniau digamsyniol, hyder ifanc ac agwedd ffwrdd-â-hi'r band wedi ennill enw a dilynwyr iddynt y tu hwnt i Gymru.

Un o'r rhesymau am apêl rhyngwladol Gorky's Zygotic Mynci oedd yr hylifedd ieithyddol rhwng y Gymraeg a'r Saesneg. Yn 1996, rhyddhawyd casgliad o ganeuon ar gyfer y farchnad Americanaidd, ac er na chyrhaeddodd hwnnw'r siartiau pop llwyddodd i ennyn diddordeb y labeli mawr. Arweiniodd hynny at lofnodi cytundeb gyda label Fontana yn Los Angeles, Califfornia. Yng Nghymru, roedd pryder ynghylch y ffaith y byddai grwpiau Cymraeg eraill yn ymbellhau oddi wrth yr iaith ac y byddai'r gynulleidfa Gymraeg yn cael ei thraflyncu gan y diwydiant pop Eingl-Americanaidd. Ar fwy nag un achlysur bu'n rhaid i aelodau Gorky's fynnu'r hawl i barhau i ganu'n ddwyieithog, oedd yn un o nodweddion y grŵp o'r cychwyn cyntaf.

Yn sgil symud at Fontana, tymherwyd rhywfaint ar elfennau mwyaf rhyfygus y grŵp, er mai bwriad *Barafundle* (Fontana, 1997), a enwyd ar ôl traeth yn Sir Benfro, oedd cyfleu eu hapêl wreiddiol ar gyfer cynulleidfa newydd. Llwyddodd y sengl oddi ar yr albwm, 'Patio Song', gyrraedd 50 uchaf siartiau Prydain yn 1996. Yn eu halbwm nesaf, *Gorky 5* (Fontana 1998), roedd yn amlwg eu bod yn troi at arddull gerddorol lai radical, ond gan gadw ambell fflach annisgwyl.

Daeth y cytundeb gyda Fontana i ben ar ôl *Gorky 5*, a symudodd y grŵp at label Mantra ar gyfer eu halbwm nesaf, *Spanish Dance Troupe* (Mantra 1999). Yn ystod cyfnod recordio'r albwm ymadawodd John Lawrence â'r grŵp gan ddechrau gyrfa fel cerddor unigol (o dan yr enw Infinity Chimps) a chynhyrchydd. Bellach roedd Richard James yn chwarae gitâr ac ymaelododd Rhodri Puw (o **Ffa Coffi Pawb**) â'r grŵp.

Dangosai'r albymau a ddilynodd, megis *The Blue Trees* (Mantra, 2000), *How I Long to Feel That Summer in My Heart* (Mantra, 2001) a'u cyhoeddiad olaf, *Sleep/Holiday* (Mantra, 2003), yr un grefft, elfennau melodaidd a'r un synwyrusrwydd cerddorol. Ond rywsut, ni lwyddodd Gorky's Zygotic Mynci erioed i hawlio'r poblogrwydd yr oeddynt yn ei haeddu. Cyn cyhoeddi'n ffurfiol fod y grŵp wedi chwalu, roedd Euros Childs a Richard James eisoes wedi dechrau recordio fel artistiaid unigol. Rhoddodd y grŵp unigryw hwn i'r byd pop Cymraeg rai o'i ganeuon mwyaf dewr a swynol. Dangosodd hefyd y gallai cerddoriaeth Gymraeg deithio i gyfeiriadau annisgwyl ar draws y byd, a hynny allan o ffynnon fach yn Sir Benfro.

Disgyddiaeth

Allumette [casét] (1991)
Peiriant Pleser [casét] (1992)
Patio (Ankst 055, 1992)
Tatay (Ankst 047, 1994)
Llanfwrog [EP] (Ankst 056, 1995)
Bwyd Time (Ankst CD059, 1995)
Amber Gambler [EP] (Ankst 068, 1996)
Barafundle (Fontana 534769-1, 1997)
Gorky 5 (Fontana 558822-2, 1998)

Spanish Dance Troupe (Mantra MNTCD1015, 1999)
The Blue Trees (Mantra MNTCDM1023, 2000)
How I Long to Feel That Summer in My Heart (Mantra MNTCD1025, 2001)
Sleep/Holiday (Sanctuary SANCD-183, 2003)

Sarah Hill

Gramadegwyr Cerdd

Y llyfr cyntaf i'w gyhoeddi yn Gymraeg ar elfennau cerddoriaeth oedd *Cyfaill mewn Llogell* gan John Williams (Siôn Singer), gweinidog gyda'r Bedyddwyr, cerddor ac **addysgwr**. Ymddangosodd yn 1797, wedi ei argraffu yng Nghaerfyrddin gan John Daniel, ond er bod y llyfr wedi ei argraffu, ysgrifennwyd y nodau cerdd yn yr enghreifftiau â llaw. Hwn oedd y cyntaf o nifer o lawlyfrau a fyddai'n gosod allan egwyddorion sylfaenol yn seiliedig ar y 'gamut' yn ôl arfer y cyfnod. Fe'i hadargraffwyd yn rhannol yn 1810 mewn cyfrol o'r enw *Difyrrwch i'r Pererinion*, a gyhoeddwyd yn yr un flwyddyn â gramadeg arall nad ocs copi ohono wedi goroesi, sef *The Rudiments of Thorough Bass*, a argraffwyd ym Mhenfro. Ymddangosodd 'Agoriad byr ar y gamut', eto gan John Williams, yn rhan o *Pigion o Hymnau* gan John James yn 1811, *Egwyddor-Ddysg Ragegorawl* gan Owen Williams o Fôn yn 1817, *Egwyddorion neu Don-raddau* gan David Jones, Treffynnon, yn 1821 a *Grisiau Cerdd Arwest* gan John Ryland Harris (Ieuan Ddu o Lan Tawy) yn 1823.

Roedd nifer o gasgliadau tonau hefyd yn cynnwys cyflwyniad ar egwyddorion sylfaenol. Gyda'r diddordeb cynyddol yn elfennau cerddoriaeth a gododd yn sgil gweithgarwch y cymdeithasau cerddorol, dechreuodd gramadegau amlhau. Cyhoeddwyd *Y Caniedydd Crefyddol* gan William Owen yn 1828 ac *Egwyddorion Peroriaeth* gan Hugh Evans yn 1837. Y cam mwyaf arwyddocaol fodd bynnag oedd cyhoeddi *Gramadeg Cerddoriaeth* gan John Mills (Ieuan Glan Alarch) yn 1838. Lle'r oedd gramadegau eraill wedi ymfodloni ar amlinellu'r egwyddorion sylfaenol, ceisiodd Mills drafod y rhain yn fanwl ac ychwanegu adran sylweddol ar natur gwahanol fathau o gerddoriaeth. Ychydig wedi hynny, cyhoeddodd Richard Mills *Yr Arweinydd Cerddorol* mewn tair rhan rhwng 1842 ac 1845, gan gynnwys mwy o enghreifftiau cerddorol.

Yn 1848 ymddangosodd *Gramadeg Cerddorol* gan David Roberts (Alawydd) a oedd i'w ailgyhoeddi mewn argraffiad newydd yn 1872 a'i deitl wedi ei newid i *Gramadeg Cerddoriaeth*. Cafwyd *Geirlyfr*

Cerddorol gan Thomas Williams (Hafrenydd) yn 1862. Erbyn diwedd y 19g. roedd llyfrau mwy uchelgeisiol yn cael eu cyhoeddi, megis *Llawlyfr ar Gynghanedd* gan **D. Emlyn Evans** yn 1899. Yn yr 20g. roedd gofynion arholiadau ac addysg ffurfiol yn cymell safon uwch i ramadegau nag a geid yn llyfrau'r 19g. a oedd wedi eu hanelu'n bennaf at addysg breifat a phersonol. Dengys *A Music Course for Students* (1937) gan **D. E. Parry Williams**, a gyhoeddwyd yn Gymraeg dan y teitl *Elfennau Cerddoriaeth* (1938), benllanw datblygiad dros gyfnod o ganrif a mwy.

Rhidian Griffiths

Grefyddol, Cerddoriaeth (gw. **Crefyddol, Cerddoriaeth**)

Gregynog, Gŵyl

Gŵyl Gregynog yw'r ŵyl gerddoriaeth siambr glasurol hynaf yng Nghymru. Fe'i sefydlwyd yn 1933 gan Gwendoline a Margaret Davies, wyresau'r diwydiannwr David Davies, Llandinam. Y chwiorydd oedd perchnogion preifat olaf Plas Gregynog, a saif bum milltir i'r gogledd o'r Drenewydd, Powys. Yno aethant ati i greu casgliad eithriadol o gelf a cherffuniaeth Argraffiadol ac Ôl-Argraffiadol (a adawyd ganddynt i **Amgueddfa Genedlaethol Cymru**) ac i sefydlu Gwasg Gregynog a gynhyrchai'r llyfrau argraffiad cyfyngedig, y rhaglenni Gŵyl a'r rhaglenni gwasanaethau y bu galw mawr amdanynt ymysg casglwyr ers hynny. Mae Gŵyl Gregynog yn unigryw yng Nghymru fel gŵyl 'plasty', ac mae hi flwyddyn yn hŷn na Glyndebourne.

Roedd Gregynog yn enwog am ddiwylliant a lletygarwch ers yr Oesoedd Canol. Fel hyn y canodd y bardd Owain Gwynedd tuag 1580:

Aelwyd gron y wlad â'i gwres
Yw Cregynog, caer gynnes;
Yno bydd y naw byddin
A beirdd â gwŷs byrddau gwin.
Yno'r bir in yw'r berwyl,
Yno yr af innau'r wŷl;
Tyno sydd yn tannu sôn,
Tyrfa gwin yw Tref Gynon
Llys a gaf, lles i gyfedd,
Lles ym yw llysau a medd.

Roedd yr Arglwydd Joicey, perchennog y Plas yn union cyn y chwiorydd, hefyd wedi meithrin Band Pres Gregynog a fyddai'n perfformio yn ystod sioe flynyddol yr ystâd.

Symudodd Gwendoline a Margaret Davies i fyw yng Ngregynog yn 1920, mewn cyfnod pan oeddynt yn ymwneud fwyfwy â noddi cerddoriaeth yn ogystal â chelf. Roedd y ddwy'n gerddorion medrus: roedd Gwendoline yn chwarae'r **ffidil** a'r organ, yn berchen ar Stradivarius 'Parke', a rhoddodd berfformiad cyhoeddus o *Sonata* César Franck yn Aberystwyth yn 1911; astudiodd Margaret y **delyn** gyda Gwendolen Mason a chael gwersi canu hyd nes i broblemau gyda'i llwnc ei hatal rhag parhau. Gellir gweld eu llyfrgell eang yng Ngregynog hyd heddiw, ac mae'r sgorau yng Nghell y Côr ac ar silffoedd llyfrau yn y coridorau yn tystio i'w diddordeb eang mewn **cerddoriaeth glasurol** a gwerin. Mae Llyfrau Ymwelwyr Gregynog hefyd yn croniclo rhai o'r digwyddiadau a gynhaliwyd yno, y *repertoire* a berfformid a'r cerddorion byd-enwog a ddeuai i ymweld. Y llofnod cyntaf gan gyfansoddwr o bwys yw un Edward Elgar (1857–1934) o fis Mehefin 1924.

Yn 1919 darparodd Gwendoline Davies ddwy swydd a llanwyd y ddwy yr un pryd gan **Henry Walford Davies** (1869–1941), sef Athro Cerddoriaeth Gregynog cyntaf Coleg **Prifysgol** Cymru, Aberystwyth (hyd 1926), a chyfarwyddwr cyntaf Cyngor Cerdd Cenedlaethol Cymru (hyd ei farwolaeth). Pan gychwynnodd Walford Davies ddod â'i fyfyrwyr a'i staff i Gregynog a threfnu i gynhadledd flynyddol y Cyngor Cerdd Cenedlaethol gael ei chynnal yno, penderfynwyd y dylid troi ystafell filiards yr Arglwydd Joicey gynt yn Ystafell Gerddoriaeth.

Lle gynt y bu'r lle tân cafwyd organ dair allweddell, a saernïwyd yn ôl gofynion Walford Davies gan Frederick ('Daddy') Rothwell, a gosodwyd platfform uwch i wneud lle i Gôr Gregynog, *ensemble* o weithwyr yr ystâd a phobl leol eraill, a berfformiodd yn y Neuadd am y tro cyntaf yn 1929. Roedd Gwendoline a Margaret ill dwy yn canu yn y Côr, ac felly hefyd **Dora Herbert Jones** (1890–1974), y gantores werin nodedig a oedd yn ysgrifenyddes i'r Wasg ac i Gwendoline o 1927. Roedd y côr-feistr, W. R. Allen, yn cydnabod 'pwysigrwydd hyfforddiant digonol ac ymarfer cyson, ac amgylchedd delfrydol, er mwyn datblygu gwir ysbryd cerddoriaeth gorawl.' Ychwanegodd fod yr 'ŵyl a'r côr anghystadleuol, yn eu ffordd, wedi gwneud cyfraniad gwir arwyddocaol i gelfyddyd gorawl yng Nghymru' (Allen, 1948).

Ar ôl perffformiad o *Benedicite* gan Ralph Vaughan Williams yn 1932, perfformiad a gyfarwyddwyd gan y cyfansoddwr ei hun, daeth Côr Gregynog yn asgwrn cefn i'r gyfres gyntaf o Wyliau Cerddoriaeth a Barddoniaeth Gregynog, 1933–8. Mae'n nodedig fod y ddwy ffurf ar gelfyddyd yn cael yr un sylw a blaenoriaeth, nid yn unig mewn cyngherddau ond hefyd yn y gwasanaethau bore Sul pan gâi darlleniadau a pherfformiadau eu cyfuno'n ofalus yn fyfyrdodau digrefydd.

Roedd y ffidlydd Jelly d'Arányi, y cantoresau Elsie Suddaby a **Leila Megàne**, a'r **arweinydd** Adrian Boult ymysg y cerddorion a wahoddwyd i ymddangos, a Lascelles Abercrombie a Helen Waddell ymysg y llenorion. Ymhlith y rhai a fynychodd yr Ŵyl yr oedd George Bernard Shaw, Joyce Grenfell ac Imogen Holst. Cynhelid yr Ŵyl – fel y gwneir o hyd – ym mis Mehefin, a llwyni rhododendron enwog Gregynog yn eu blodau. Câi ei chynnal ar ffurf parti plas, gyda'r holl artistiaid ac aelodau'r gynulleidfa yn aros yn y Plas. Talai Gwendoline am y perfformwyr, a rhannai weddill costau'r lletygarwch â'i chwaer.

Cymerodd aelodau o Gôr Gregynog ran mewn Cyngherddau Gorchymyn Brenhinol yn Neuadd Frenhinol Albert yn Llundain yn 1935 ac 1938, a gwnaethant sawl darllediad i'r BBC, gan gynnwys darllediad byw o'r *Dioddefaint yn ôl Sant Mathew* gan Bach o'r Ystafell Gerdd yn ystod Pasg 1939. Roedd oddeutu tri dwsin o gantorion yn y Côr a'u *repertoire* yn ymestyn o Palestrina a'r madrigalyddion i'r cyfansoddwyr blaenllaw a fyddai'n cyfansoddi a threfnu cerddoriaeth yn arbennig ar eu cyfer. Cafodd gwaith **corawl** olaf Gustav Holst, *O spiritual pilgrim* (1933), yr oedd wedi cychwyn ei amlinellu yng Ngregynog ar ôl yr Ŵyl gyntaf ac wedi'i gyflwyno 'I Gregynog', ei berfformio am y tro cyntaf er cof am y cyfansoddwr yn ystod yr ail Ŵyl yn 1934. Trefnodd Vaughan Williams ddwy gân werin Gymreig ar gyfer y Côr, sef 'Tros y môr' a 'Can mlynedd i 'nawr', ac mae *The Pied Piper of Hamelin* (1939) Walford Davies yn gyflwynedig 'i holl Gantorion Gŵyl Gregynog'.

Daeth yr Ŵyl i ben yn sgil yr Ail Ryfel Byd yn 1939, a bu farw Gwendoline Davies yn 1951. Ymhen amser, dechreuodd **Ian Parrott** (1916–2012), a benodwyd i Gadair Gregynog yn Aberystwyth yn 1950, ddod â staff a myfyrwyr ei adran (gan gynnwys **William Mathias** a **David Harries**) i greu cerddoriaeth yn y Plas eto o 1954, a chyfarwyddodd ail gyfres o Wyliau, 1956–9 ac 1961. Roedd yr oboydd Evelyn Rothwell (y Fonesig Barbirolli), y delynores Ann Griffiths a'r cantorion Redvers Llewellyn a Helen Watts ymysg yr unawdwyr rhagorol a gyflwynwyd, a'r *repertoire* yn cynnwys y perfformiad cyntaf yng Nghymru o ddarn

ar gyfer telyn unawdol gan Edmund Rubbra, *Pezzo ostinato* (1959), ynghyd â'r perfformiad cyntaf erioed o saraband Parrott ar gyfer offerynnau llinynnol, *Mae 'nghariad i'n Fenws*.

Trosglwyddwyd Gregynog mewn ymddiriedolaeth i Brifysgol Cymru fel Canolfan Gynadleddau yn 1960 a phenodwyd Glyn Tegai Hughes (1923–2017) yn warden cyntaf ar ôl marwolaeth Margaret Davies yn 1963. Cynhaliwyd Gŵyl ddeuddydd yn 1972, gyda datganiad gan Benjamin Britten, Peter Pears ac **Osian Ellis** i nodi diwedd cyfnod y telynor yn Gymrawd Celf Gregynog. Ymysg y Cymrodyr eraill yr oedd y cyfansoddwr ôl-Ramantaidd Graham Whettam (1927–2007), a rhoddwyd datganiadau a darlithoedd achlysurol gan Margaret Price, Elizabeth Vaughan, Rafael Orozco a'r ysgolhaig ar Haydn, H. C. Robbins Landon. Yn ogystal, trefnodd Coleg Telyn Cymru gyfres o gyrsiau yn yr Ystafell Gerdd, a fynychwyd gan y **Catrin Finch** ifanc.

Adferwyd yr Ŵyl bresennol gan y tenor Anthony Rolfe Johnson (1940–2010) yn 1988 ar ôl iddo roi datganiad yn y Plas i godi arian ar gyfer **Eisteddfod** yr Urdd yn y Drenewydd a dod yn ymwybodol o draddodiad cerddorol Gregynog. Ymysg y prif artistiaid yn y cyfnod hwn yn hanes yr Ŵyl yr oedd ei gyd-gerddorion Benjamin Luxon, Graham Johnson a John Lill, a chreodd hefyd gyfleoedd i unawdwyr newydd fel John Mark Ainsley, Freddy Kempf a **Bryn Terfel**. At hynny, lansiwyd Gwobr Cyfansoddwyr Gregynog Cymru gyda pherfformiadau cyntaf o weithiau buddugol yn rhan o'r Ŵyl.

Bellach mae Gŵyl Gregynog yn un o brif ddigwyddiadau diwylliannol Prydain, ac mae'n parhau i gynnwys yn ei rhaglen berfformiadau gan artistiaid rhyngwladol o'r radd flaenaf, gan gynnwys Alison Balsom, Iestyn Davies, Andrew Kennedy, Academi St Martin in the Fields, The King's Singers, The Sixteen a The Tallis Scholars. Ers iddi ddod yn Gyfarwyddwr Artistig yn 2006, mae **Rhian Davies** wedi curadu pob tymor ar thema sy'n seiliedig ar hanes Gregynog a cherddoriaeth Cymru. Ymysg y gweithiau a gomisiynwyd ac a berfformiwyd am y tro cyntaf erioed bu darnau newydd gan **Mervyn Burtch**, Rhodri Davies, Helen Grime, Christopher Painter, Mark Simpson, **Hilary Tann**, **Huw Watkins** ac Eric Whitacre, yn ogystal â chyflwyniadau o gerddoriaeth Gymreig o'r Oesoedd Canol hyd y cyfnod modern, gan gyfansoddwyr fel John Lloyd, **John Orlando Parry**, **Elizabeth Randles**, **Brinley Richards** ac Alec Templeton. Trefnwyd rhaglenni hefyd yn Rhiwabon a Phrestatyn er mwyn tynnu sylw at y cysylltiadau â **John Parry** (Parri Ddall) a Benjamin Britten.

Datblygiad arall fu cyflwyno rhaglen o berfformiadau o gerddoriaeth gynnar yn seiliedig ar ymchwil hanesyddol. Ysbrydolwyd y rhaglen hon gan ŵyl gerddoriaeth harpsicord a gynhaliwyd yng Ngregynog yn 1931, a gwelwyd arbenigwyr blaenllaw fel Jordi Savall, Giuliano Carmignola, Ottavio Dantone, Philippe Pierlot, Accademia Bizantina, La Venexiana a Le Concert Spirituel yn rhoi perfformiadau cyntaf yng Nghymru ac unig berfformiadau'r tymor ym Mhrydain. Enwyd yr Ŵyl yn Ddigwyddiad Unigryw gan Croeso Cymru yn 2012 ac fe'i gwahoddwyd i fod yn aelod o'r Réseau Européen de Musique Ancienne yn Versailles yn 2013 – yr ŵyl Gymreig gyntaf i ddod yn aelod o'r rhwydwaith hwnnw. Mae wedi darparu deunydd darlledu i BBC Radio 3 bob blwyddyn er 2009 ac, ar gais Llywodraeth Cymru, wedi creu arddangosiadau i gynrychioli gwaith **gwyliau** Cymru yng Ngŵyl Bywyd Gwerin y Smithsonian, Washington DC, yn 2009, ac yn Wales Week USA yng Nghanolfan Lincoln, Efrog Newydd, yn 2010.

Llyfryddiaeth

Llyfrgell Genedlaethol Cymru, *Llyfrau Ymwelwyr Gregynog*, 1921–31 (MS18462C) ac 1932–63 (MS18463C)

W. R. Allen, 'The choral tradition', yn P. Crossley-Holland (gol.), *Music in Wales* (Llundain, 1948), 30–43

I. Parrott, *The Spiritual Pilgrims* (Llandybïe, [1968])

J. Hywel, 'Music in Gregynog', yn G. T. Hughes, P. Morgan a G. J. Thomas (gol.), Gregynog (Caerdydd, 1977)

Rhian Davies

Griffith, Robert (1845–1909)

Awdur *Llyfr Cerdd Dannau* a cherddor a ymddiddorodd yn nhraddodiad brodorol Cymru'r 19g. Fe'i ganed yng Nghlog Ddu, Llangernyw, yn fab i amaethwr tlawd ond hynod ddiwylliedig. Gorfodwyd ei deulu i symud o'u cartref i dref Llanrwst, lle clywodd rai o delynorion amlycaf y gogledd a ddeuai yno i berfformio ac i drwsio'u telynau. Y telynorion crwydrol hyn, a fu'n arwyr personol iddo, a'i hysbrydolodd i ymddiddori yng nghrefft **canu penillion**.

Gweithiodd am gyfnod fel gwas fferm cyn ennill prentisiaeth fel saer coed (yn trwsio troliau a.y.b.) ond yn anad dim arall, datgeinydd **cerdd dant** ydoedd yn ei amser hamdden. Roedd yn ymchwilydd dyfal a dygn ac ymdrechodd i ddarganfod hanes hen

offerynwyr ac **offerynnau** Cymru. Bu'r awch am wybodaeth yn sbardun iddo symud i Fanceinion yn 1872 er mwyn cael pori yn **llyfrgelloedd** y ddinas. Yno y gwelodd gasgliadau **Edward Jones** (Bardd y Brenin) gan gynnwys ei *Musical and Poetical Relicks of the Welsh Bards* (1784), *The Welsh Harper* (1839) o waith **John Parry** (Bardd Alaw) a chyfrol Syr John Hawkins (1719–89), *A General History of the science and practice of music* (1875), am y tro cyntaf, a'r rhain a'i symbylodd i gywain mwy o ddeunyddiau ar y grefft o ganu'r delyn ac atgofion yr hen delynorion.

Treuliodd gyfnod yn gweithio i Gwmni Rheilffordd Manceinion cyn cael ei ddyrchafu i swydd gyda Chwmni'r Manchester Ship Canal. Ei awydd i ymchwilio i fyd cerddoriaeth yng Nghymru a'i cadwodd ym Manceinion, a hynny er gwaethaf ei hiraeth am ei gynefin a'i ddymuniad i ddychwelyd yno. Bu'n weithgar fel un o sylfaenwyr Cymdeithas Cymry Manceinion, a roddai gryn bwyslais ar berfformio cerddoriaeth Gymreig fel rhan o'u calendr blynyddol.

Ei gyfraniad pennaf i faes cerddoriaeth Cymru oedd y gyfrol *Llyfr Cerdd Dannau* (Caernarfon, 1912–13) a gyhoeddwyd gan ei weddw yn dilyn ei farwolaeth. Ceir ynddi adrannau sy'n ymdrin â hanes a datblygiad cerddoriaeth y genedl (gan gynnwys canu eglwysig, canu derwyddol a chanu gyda'r tannau), mesurau cerdd dafod a thant (gwneir ymgais i esbonio'r mesurau a thrafod dylanwad **Eisteddfodau** Caerfyrddin a Chaerwys), **offerynnau** cerdd (gan gynnwys y delyn, y **crwth**, y **pibgorn** a'r Corn Hirlas) ac adran fywgraffyddol sy'n darlunio prif delynorion, **crythorion** a datgeiniaid Cymru. Cofnodir rhai ceinciau **telyn**, gosodiadau **canu penillion** ac **alawon gwerin** yn adrannau clo'r casgliad. Beirniadwyd Robert Griffith gan rai o'i gyfoedion am gynnwys a chyfeiriad *Llyfr Cerdd Dannau*. Er hynny, cyflawnodd gymwynas fawr â'r traddodiad trwy gywain deunyddiau amrywiol ynghyd â chyflwyno darlun cynhwysfawr o gryfderau'r maes i ddarllenwyr ei gyfnod.

Llyfryddiaeth

Robert Griffith, *Llyfr Cerdd Dannau* (Caernarfon, 1912–13)

Thomas Richards, 'Atgofion Robert Griffith', *Y Llenor*, XVI (1936), 17–22

———, 'Robert Griffith ac eraill', *Allwedd y Tannau*, 7 (1948), 9–12

Wyn Thomas

Griffiths, Geraint (g.1949)
(gw. hefyd Eliffant)

Canwr-gyfansoddwr **pop a roc** sydd hefyd yn gitarydd yw Geraint Griffiths. Cafodd ei fagu ym Mhont-rhyd-y-fen, lle'r oedd ymhlith y disgyblion cyntaf i fynychu Ysgol Gymraeg Pont-rhyd-y-fen yn yr 1950au. Bu'r Beatles, y Shadows a Bob Dylan yn ddylanwadau cynnar arno. Fe ddaeth yn ffrindiau gyda Hefin Elis a fyddai hefyd, fel yntau, yn dod yn amlwg yn y byd canu cyfoes Cymraeg maes o law fel un o aelodau **Edward H Dafis**. Roedd y ddau yn bresennol ym mherfformiad y Beatles yng Nghaerdydd ar 12 Rhagfyr 1965.

Bu Griffiths mewn nifer o fandiau roc byrhoedlog, gan gynnwys yr Undecided a'r Dream Time People, yn 1965, cyn ffurfio y Pedair Kaink gyda Hefin Elis ar gyfer dawns Plaid Cymru yn **Eisteddfod Genedlaethol Cymru**, Aberafan yn 1966. Yn ddiweddarach y flwyddyn honno cyfansoddodd ei gân gyntaf yn y Gymraeg, 'Teyrnged', fel ymateb i drychineb Aber-fan. Er gwaethaf ei gyswllt cynnar â'r byd pop Cymraeg, daeth yn nyrs wrth ei alwedigaeth gan berfformio cerddoriaeth yn achlysurol.

Ar ôl cyfnod mewn band o'r enw Limbitrol yn 1972, chwaraeodd Griffiths gydag **Edward H Dafis** ar gyfer un gig yn y Rhyl ym Mai 1974; ffrwyth yr aduniad hwn gyda Hefin Elis oedd gwahoddiad i gyfrannu at y sioe gerdd *Nia Ben Aur* (1974), ac felly daeth i sylw'r byd pop Cymraeg ehangach. Yn ystod y ddwy flynedd ddilynol, perfformiodd fel gitarydd gyda nifer o fandiau ac artistiaid, gan gynnwys **Hergest** a Delwyn Siôn, cyn ymuno â'r grŵp blaengar Injaroc tua diwedd 1976. Ymddangosodd y band mewn rhifyn arbennig o'r gyfres gerddoriaeth *Twndish* yn gynnar yn 1977, a buont yn chwarae tua dwsin o gigiau yn y gwanwyn a'r haf er mwyn hyrwyddo eu halbwm *Halen y Ddaear* (Sain, 1977); fodd bynnag, roedd y record yn fethiant masnachol, a chwalodd y band ar ôl ymddangosiad olaf yn Eisteddfod Genedlaethol Cymru, Wrecsam ym mis Awst y flwyddyn honno.

Yn 1978 ffurfiodd Geraint Griffiths fand newydd, **Eliffant**, gydag Euros Lewis, pianydd a chyn-gyfeilydd i **Meic Stevens**, a'r gitarydd John Davies o'r band Chwys. Gyda'i sain roc canol-y-ffordd Eingl-Americanaidd yn awgrymu dylanwadau megis Free, Fleetwood Mac, Supertramp, a'r Doobie Brothers, aeth Eliffant o nerth i nerth yn ystod y blynyddoedd dilynol. Nhw a enillodd wobr y Prif Grŵp Roc yng Ngwobrau *Sgrech* yn 1979, gan ryddhau'r albwm *M.O.M* (Sain, 1979) yr un flwyddyn. Daeth y caneuon 'Nôl Ar Y Stryd' ac 'W Capten' yn boblogaidd iawn, gyda'r ail yn dangos gallu'r band i gyfansoddi anthemau roc symffonig ar raddfa ehangach na'r gân bop dair munud arferol. Bu cryn ddisgwyl am eu hail albwm, *Gwin y Gwan* (Sain, 1980), ond yna daeth bwlch yng ngyrfa'r band cyn rhyddhau'r sengl 'Ti Yw'r Unig Un i Mi', ar label annibynnol Llef yn 1983.

Roedd Griffiths eisoes wedi dod i sylw'r cyhoedd fel canwr unigol erbyn hyn, ac fe ganodd gân fuddugol **Huw Chiswell** yng nghystadleuaeth **Cân i Gymru** 1984, 'Y Cwm', ac mewn addasiad cyfoes o *Messiah* Handel o'r enw *Teilwng Yw'r Oen*. Yn yr un flwyddyn, rhyddhaodd ei albwm cyntaf fel artist unigol o'r enw *Madras* (Sain, 1984), ac fe'i dilynwyd gan *Rebel* (Sain, 1986) ac *Ararat* (Sain, 1988). Ymddangosodd rhai o gerddorion sesiwn gorau Cymru arnynt, megis **Myfyr Isaac** (gitâr), Chris Childs (bas), Graham Land (drymiau) a Graham Smart (allweddellau), ac roedd y tri albwm yn arddangos dawn Griffiths fel lleisydd pwerus a'i allu i gyfansoddi caneuon safonol a oedd yn addas ar gyfer rhai o raglenni oriau brig Radio Cymru. Datblygodd yrfa fel actor yn fuan ar ôl sefydlu ei hun fel un o gantorion roc gorau ei genhedlaeth, a sefydlodd label annibynnol, Diwedd y Gwt, yn 1992. Mae wedi rhyddhau sawl albwm o waith newydd arno.

Disgyddiaeth
gyda **Eliffant**:
M.O.M (Sain 1130M, 1979)
Gwin y Gwan (Sain 1184M, 1980)

fel artist unigol:
Madras (Sain 1316M, 1984)
Rebel (Sain C973, 1986)
Ararat (Sain C650, 1988)

Casgliadau:
Blynyddoedd Sain 1977–1988 (Sain SCD 2167, 1997)
Geraint Griffiths – Cadw'r Ffydd (Goreuon Cyfrol 2) (Sain SCD2399, 2003)

Craig Owen Jones a Pwyll ap Siôn

Griffiths, Rhidian

Ymunodd Rhidian Griffiths â **Llyfrgell Genedlaethol Cymru**, Aberystwyth yn 1980 gan ddod yn Geidwad Llyfrau Printiedig yn 1993. Daeth yn Gyfarwyddwr Gwasanaethau Cyhoeddus yn 2002, gan dderbyn cyfrifoldebau dros ystod eang o wasanaethau'r llyfrgell, gan gynnwys Gwasanaethau Darllen, marchnata, **addysg**, arddangosfeydd, ac Archif Genedlaethol Sgrin a Sain Cymru. Yn hanesydd o ran hyfforddiant, bu'n cyhoeddi ar hanes cerddoriaeth yng Nghymru ers yr 1980au, gan gynnwys Darlith Goffa **Amy Parry-Williams** 1991 ar ffiniau'r **alaw werin** a'r **emyn**-dôn a phennod ar **Ieuan Gwyllt** a'r Alaw Gymreig yn *Cynheiliaid y Gân: Ysgrifau i anrhydeddu Phyllis Kinney a Meredydd Evans* (Gwasg Prifysgol Cymru, 2007).

Grwpiau gwerin (gw. Gwerin, grwpiau)

Grwpiau Roc a Phop (gw. Poblogaidd, Cerddoriaeth)

Guest, George (1924–2002)

Organydd, athro ac un o **arweinyddion corawl** pwysicaf ei genhedlaeth, ganed George Howell Guest ym Mangor ar 9 Chwefror 1924.

Daeth ei brofiadau cynnar o berfformio cerddoriaeth eglwysig tra'n fachgen yn canu yng Nghadeirlan Bangor, ac yna yng Nghaer, lle bu'n organydd o dan Malcolm Boyle. Yn dilyn cyfnod gyda'r llu awyr fe dderbyniodd ysgoloriaeth ar gyfer chwarae'r organ yng ngholeg Sant Ioan, Caergrawnt (1947–51) o dan Robin Orr, gan ddod yn organydd yno'n ddiweddarach. Roedd ei athrawon yng Nghaergrawnt yn cynnwys Boris Ord a Thurston Dart. Daeth Guest ei hun yn ddarlithydd yno rhwng 1956 ac 1982, ac yn organydd i'r brifysgol rhwng 1974 ac 1991. Derbyniodd MusD Lambeth yn 1977, CBE yn 1987, a bu'n llywydd Coleg Brenhinol yr Organyddion (1978–80).

Fe'i cofir yn bennaf am ei waith fel arweinydd côr Sant Ioan, lle bu'n cyfarwyddo'r côr am ddeugain mlynedd (1951–91). O dan ofal Guest fe ryddhaodd y côr dros 60 o recordiadau (gan gwmpasu ystod eang yn cynnwys Beethoven, Byrd, Duruflé, Fauré, Haydn, Langlais, Mozart, Palestrina, Taverner, Tye a Victoria). Roedd sain soniarus y côr i'w chlywed yn arbennig o effeithiol wrth ganu cerddoriaeth o gyfnod y Dadeni. Bu ei ymdrechion i hyrwyddo *repertoire* gyfoes wrth gomisiynu darnau newydd ar gyfer y côr gan gyfansoddwyr megis Michael Tippett, Herbert Howells a Lennox Berkeley yn fodd i fywiogi'r traddodiad lleisiol Anglicanaidd, ac roedd ei ddylanwad ar arddull berfformio, yn arbennig lleisiau'r bechgyn, yn hynod bwysig.

Roedd yn hoff o ganu cadarn, pwerus ac emosiynol, gan osod pwyslais ar arwyddocâd y testun a'i ystyr. Rhoddai bwyslais ar bwysigrwydd newid ansawdd y llais ynghyd â sicrhau defnydd eang o ddynameg, fibrato lleisiol, a sain fwy 'cyfandirol' ei naws. Hyfforddodd genedlaethau niferus o gantorion ac organyddion, ac fe ddaeth nifer o'r rhain yn eu tro yn gerddorion blaenllaw yn eu maes.

Yn seiliedig ar gofnod yn y New Grove Dictionary of Music and Musicians *(2001)*

Llyfryddiaeth
Stanley Webb, 'The Sound of St John's', *Gramophone*, xlvii (1969–70), 1578–83

Gwasael, Canu

Mae'r gair 'gwasael' yn gysylltiedig â'r gair Saesneg *wassail* ('bydd iach'), ac ystyr canu gwasael yn y bôn yw 'canu iechyd da'. Traddodiad ydyw o yfed er mwyn bendithio tyfiant a hybu ffrwythlonedd, ac â'r defnydd o'r term yn ôl i'r 12g. o leiaf. Mae'r syniad o fudd a bendith trwy gyfarch yn ganolog i'r arfer, ac yn bwysicach na'r yfed ei hun; ac mae'r canu sy'n gysylltiedig â'r arfer yn cynrychioli corff o lenyddiaeth werin o bwys, heb fod yn gyfyngedig i Gymru. Tebyg yw nifer o'r defodau Cymreig i rai a gofnodwyd mewn gwledydd a diwylliannau eraill.

Dechreuai'r flwyddyn Geltaidd ar 1 Tachwedd (wedi noson Calan Gaeaf), a gellir yn fras adnabod tri chyfnod amaethyddol yn y flwyddyn: 1. paratoi'r tir (Tachwedd–Mawrth); 2. dwyn y tir i'w lawn ffrwyth (Mawrth–Gorffennaf); 3. cynaeafu'r cynnyrch a'i ddwyn i mewn (Gorffennaf–Hydref). Mae'r canu gwasael yn bennaf gysylltiedig â'r prif wyliau yn ystod y flwyddyn, Calan Gaeaf, Nadolig (a ddisodlodd yr hen ŵyl baganaidd, Satwrnalia), y Calan, yr Ystwyll (6 Ionawr), Gŵyl Fair y Canhwyllau (2 Chwefror), yr Ynyd a'r Pasg, a Chalan Mai. Ceir sawl enw gwahanol ar y canu gwaseila, er enghraifft, canu tan bared, canu gwirod, a chanu yn drws. Am fod y canu yn ganu cyfarch, mae'r caneuon yn aml yn gofyn am fynediad i'r tŷ, gyda awgrym na fydd y cantorion yn symud o'r fan nes cael mynd i mewn. Mae hefyd ganeuon yn diolch am groeso, yn canmol y cwrw a'r bwyd ac yn bendithio'r tŷ a'r teulu.

Nid traddodiad a ddeilliodd o'r **canu plygain** eglwysig yw'r canu gwasael Nadolig, ond traddodiad ar wahân, ac yn perthyn i ddosbarth gwahanol o bobl. Serch hynny, gwelir elfennau crefyddol yn dod i mewn i'r canu gwasael o ddiwedd yr 17g., megis yn y caneuon a welir yng nghasgliad Thomas Jones, Amwythig, *Llyfr Carolau a Dyriau Duwiol* (1696). Mae rhai o'r caneuon yn ganeuon cynyddol, er enghraifft, 'Y Cyntaf Dydd o'r Gwyliau', 'Y Perot ar y Pren Pêr' a 'Carol Gwirod yn Drws', ac weithiau hefyd yn ganeuon gorchest, lle daw elfen gystadleuol i'r amlwg. Daw pwysigrwydd cyfarch i ddymuno ffrwythlondeb yn ystod y flwyddyn yn amlwg yn y defodau Calan, lle byddai gwaseilwyr yn mynd o amgylch y ffermydd i gyfarch, i ofyn am fwyd a diod, ac i ddymuno cynhesrwydd ar yr aelwyd. Enghraifft o gân Galan yn dymuno ffrwythlondeb yw 'Cân y Berllan'. Byddai plant yn cyfarch weithiau gan bledio eu tlodi: 'Rhowch galennig yn galonnog / I blant bach sydd heb un geiniog'.

Defod sy'n perthyn i gyfnod y Calan hefyd yw'r Fari Lwyd, a geir yn bennaf ym Morgannwg (ac ym mhlwyf Llangynwyd yn benodol), ond hefyd ym Mynwy a rhannau o Sir Gâr, ac a oedd yn arbennig o boblogaidd rhwng tuag 1850 ac 1920. Byddai un o lanciau'r pentref yn gweithio penglog ceffyl wedi ei gorchuddio â chynfas a'i haddurno â rhubanau, gyda nifer o lanciau eraill yn ffurfio gosgordd. Roedd canu ac weithiau ddawnsio yn rhan o ddefod y Fari Lwyd. **Pwnco** oedd arddull y canu fel arfer, sef ymryson ar rigymau rhwng gosgordd y Fari a thrigolion y tŷ, gyda'r osgordd yn ceisio cael dod i mewn. Wedi sicrhau mynediad, byddai pawb yn mwynhau cwrw a chacennau ar yr aelwyd ac yn canu i fendithio'r tŷ a'r teulu am y flwyddyn.

Byddai'r pwnco fel arfer ar ryw fath o fesur englyn: 'Wel dyma ni'n dwad / Gyfeillion diniwad', gyda newid i fesur y triban wedi cyrraedd y tŷ (gw. **Kinney** 2011, 72–3). Cofnodir arfer hela'r dryw yn bennaf yn Sir Benfro. Perthyn i gyfnod y Flwyddyn Newydd, y Calan neu'r Ystwyll, ond fe'i cysylltir hefyd â Gŵyl San Steffan (26 Rhagfyr). Ceir tŷ neu elor o bren, wedi'i addurno â rhubanau amryliw, i gario'r dryw bach o amgylch y tai. Mae'r canu sy'n gysylltiedig â'r ddefod eto yn ganu holi ac ateb, ond ceir caneuon gwerin sy'n sôn am hela'r dryw, ac mae'n debyg fod yr hela hwn hefyd yn rhan o'r ddefod ar un adeg.

Cysylltir canu Gŵyl Fair â Gŵyl Fair y Canhwyllau ar 2 Chwefror, ond efallai fod cyfnod y canu, y ceir y dystiolaeth amlaf iddo ar Ynys Môn ac yn Arfon, yn para am rai dyddiau o ddiwedd Ionawr ymlaen. Ceir dau fath o'r canu hwn, sef crefyddol a gloddestol, ac mae'n bosibl mai cyweithiau cymunedol oedd y caneuon yn hytrach na gwaith un awdur yn unig. Fel yn achos defodau gwasael eraill, mae'r caneuon yn gofyn am fynediad i'r tŷ ac yn ymofyn am dân a

golau, a byddai canu pellach wedi i'r carolwyr gael mynediad. Mae'n debyg fod y ddefod hon eto â'i gwreiddiau mewn deisyfiad am ffrwythlonedd, a diogelwyd nifer o enghreifftiau o lestri gwaseila Gŵyl Fair a ddefnyddiwyd i gyflwyno gwirod i'r Forwyn.

Mae'r canu gwasael sy'n gysylltiedig â Chalan Mai yn dynodi croesawu'r haf a'r tymor ffrwythlon, ac yn cynnwys **carolau** Mai neu garolau haf. Diogelwyd nifer o garolau haf o ail hanner yr 17g. a'r 18g., a cheir yn llawysgrifau **John Jenkins** (Ifor Ceri) yn y **Llyfrgell Genedlaethol** ddetholiad o'r ceinciau a ddefnyddid, ynghyd â phenillion agoriadol i garolau. Mae amryw o'r carolau hyn yn waith Huw Morys (1622–1709), Llansilin, Sir Ddinbych. Byddai Calan Mai hefyd yn achlysur **dawnsio** cylch a dawnsio morys, gan ddefnyddio'r fedwen Fai neu'r pawl haf. Perthyn y gân 'Cadi Ha' i'r traddodiad hwn, a cheir carolau eraill sy'n cynnwys elfennau crefyddol o ddiolch i Dduw am ddaioni'r ddaear. Ceir hefyd gyfeilio ar y **ffidil** neu'r **delyn** ar Galan Mai.

Llyfryddiaeth

Rhiannon Ifans, *Sêrs a Rybana: astudiaeth o'r canu gwasael* (Llandysul, 1983)

Phyllis Kinney, *Welsh Traditional Music* (Caerdydd, 2011)

Rhidian Griffiths

Gwerin, Alawon (gw. **Gwerin, Canu a Cherddoriaeth Draddodiadol**)

Gwerin, Arferion Dawnsio

Hyd ddiwedd y 18g. roedd dawnsio gwerin a chlocsio yn rhan annatod o fywyd cymdeithasol yng Nghymru. Yn ôl y calendr Celtaidd, Calan Mai (Calan Haf) oedd diwrnod cyntaf yr haf a'r diwrnod pan fyddai chwarae'r haf yn dechrau – megis codi'r gangen neu'r fedwen Fai a dawnsio o'i chwmpas, mewn ffurf Gymreig o'r arferiad byd-eang o ddathlu atgyfodiad natur.

Yn ardal Clwyd dethlid Calan Mai trwy godi'r gangen haf a'i haddurno gyda blodau, rhubanau a darnau arian megis llwyau, oriorau ac yn y blaen. Awgryma disgrifiad Nefydd (William Roberts, Llanefydd) yn 1852 fod y dawnsio yn debyg i ddawnsio Morys gyda thîm o ddynion, a dau gymeriad – sef y Ffŵl a'r Cadi – yn casglu arian mewn lletwad ac iddi goes hir (Owen, *Welsh Folk Customs*).

Cyfeiriodd **Edward Jones** (Bardd y Brenin; 1752–

1824), at dwmpathau a gynhelid ar nosweithiau o haf ar dwmpath chwarae sawl pentref. Ym Morgannwg cyfeirid atynt fel Taplasau Haf. Gosodid y fedwen haf yn y ddaear adeg Gŵyl Ifan (canol haf a dydd hiraf y flwyddyn) a byddai'r gynulleidfa yn dawnsio o'i hamgylch am naw diwrnod i gyfeiliant cerddoriaeth un neu ddau delynor, gan barhau i wneud hynny, os byddai'r tywydd yn ffafriol, am naw diwrnod. Byddai merched y plwy yn ei haddurno gyda thorchau o flodau gan roi'r torchau prydferthaf ar y canghennau uchaf. Mae'r faled 'Taplas Gwainfo' a gyfansoddwyd tua chanol y 18g. gan William Roberts, y bardd dall o Lancarfan, yn disgrifio codi'r fedwen yng Ngwenfô, Bro Morgannwg. Dethlid Calan Mai a Gŵyl Ifan trwy gynnau coelcerthau, adrodd straeon ysbryd a darogan y dyfodol.

Dethlid dydd sant y plwy adeg y gwyliau Mabsant. Roedd i bob plwyf ei arferion a'i ddyddiad gwahanol ac roedd dawnsio'n rhan bwysig o'r dathlu. Gallai'r dathliadau barhau am ddyddiau lawer a denu cannoedd o bobl. Ceid dawnsio hefyd wrth ddathlu'r cynhaeaf a Chalan Gaeaf, ac adeg y Nadolig a'r Calan gallai defod y Fari Lwyd gynnwys elfen o ddawns er nad oedd yn rhan annatod o'r seremoni. Mewn sawl ardal ym Morgannwg a Gwent âi nifer o ddynion, gydag un mewn gwisg ceffyl – sef y Fari Lwyd – o ddrws i ddrws dan **ganu penillion** a oedd yn gofyn am ganiatâd i ddod i'r tŷ. Atebai'r teulu drwy ganu atebion cyn ildio er mwyn sicrhau bod y Fari yn dymuno blwyddyn newydd lwyddiannus iddynt (am fwy am hanes y Fari Lwyd, gw. Lile, 1999). Dim ond mewn un neu ddwy o ardaloedd y parheid â'r arfer erbyn yr 21g.

Hyd y 18g. trigai'r werin mewn cymunedau clos lle'r oedd chwarae cyn bwysiced â gwaith a chrefydd a bu hynny'n fodd i gynnal yr arfer o ddawnsio gwerin. Ond tua diwedd y ganrif honno daeth y Chwyldro Diwydiannol i Gymru gan ddod â mewnlifiad anferth o Loegr a thu hwnt yn ei sgil. Wrth i bobl o wahanol dras a chefndir ymgymysgu fwyfwy, ac wrth i drafnidiaeth ddatblygu a galluogi pawb i deithio ymhellach o'u cynefin, gwasgarwyd y cymunedau bach gwledig ac nid oedd y fath fri bellach ar **arferion gwerin** megis dawnsio.

Yn ystod yr un cyfnod bu Anghydffurfiaeth yn ddylanwad negyddol ar arferion a difyrrwch cymdeithasol o bob math. Pregethai'r diwygwyr crefyddol fod adloniant yn tynnu sylw'r werin oddi wrth y nod o feithrin bywyd ysbrydol. Condemniwyd pob 'chwarae' fel rhywbeth ffôl a phechadurus. Oherwydd yr hinsawdd gymdeithasol fregus a

grëwyd gan y Chwyldro Diwydiannol llwyddodd y Piwritaniaid mewn ychydig flynyddoedd i wastrodi nifer o ddefodau ac arferion gwerin a oedd wedi bodoli yng Nghymru ers canrifoedd lawer – ac roedd dawnsio gwerin yn weithgaredd amlwg i'w dargedu.

Fodd bynnag, goroesodd clocsio yn draddodiad di-dor am ei fod yn weithgarwch mwy cuddiedig yn y lloft stabl ac ar garreg yr aelwyd, yn enwedig mewn ardaloedd anghysbell ym Mhowys a Gwynedd. Ran amlaf, dynion – yn enwedig gweision fferm a chwarelwyr – a fyddai'n ymarfer y grefft, gan gystadlu'n ymffrostgar yn erbyn ei gilydd. Y clocsiwr gyda'r camau mwyaf cymhleth a'r triciau mwyaf beiddgar a fyddai'n fuddugol. Clocsio sawdl a gwadn yw'r arddull Gymreig. Erbyn heddiw mae merched hefyd yn mwynhau clocsio.

Sylweddolodd rhai, megis William Jones, Llangadfan (1727–1795), ac **Edward Jones** (Bardd y Brenin), y gallai ymyrraeth y Piwritaniaid arwain at golled i'r diwylliant ac aethant ati i gofnodi'r dawnsiau Cymreig. Cyn hynny buasai John Playford, ei fab Henry a John Young yn casglu a chyhoeddi nifer o ddawnsiau Cymru yn eu tair cyfrol *The English Dancing Master* (cyhoeddwyd rhwng 1651 ac 1728), sef y llyfrau cyntaf erioed o gyfarwyddiadau a thonau dawnsio gwerin. Roedd llawer iawn o gyfnewid a benthyg dawnsfeydd rhwng Lloegr, Cymru, Yr Alban, Iwerddon ac Ewrop, ac aeth nifer o'r rhai Cymreig i gasgliadau Prydeinig. Yn ffodus roedd **telynau teires** yn dal i gael eu chwarae yn y plastai mawr, a bu hynny'n fodd i gadw'r **alawon gwerin** traddodiadol, llawer iawn ohonynt yn alawon dawns, yn fyw. Cofnododd William Jones dair dawns uned hir i dri chwpl a welodd yn cael eu dawnsio yn ardal Llangadfan, sef 'Aly Grogan', 'Lumps of Pudding' a 'Roaring Hornpipe', dawnsiau sy'n dal yn boblogaidd hyd heddiw.

Parhaodd ambell ardal yng Nghymru i ymarfer y ddawns werin. Diolch i gof ffrwythlon Mrs Margretta Thomas (1880–1972) o Nantgarw, goroesodd casgliad ardderchog o naw o ddawnsiau a elwir yn Ddawnsiau Nantgarw. Fe'u cofnodwyd gan ei merch Ceinwen Thomas (1911–2008), eu trosglwyddo i Lois Blake (gw. isod) a'u cyhoeddi gan Gwmni Cyhoeddi Gwynn, Llangollen. Dawnsiau ffair ydynt gan fwyaf, yn deillio o ffeiriau caws Caerffili a dathliadau'r Sulgwyn yn Nantgarw a'r Groes-wen. Er gwaethaf dylanwad y Piwritaniaid arferwyd y dawnsiau yn y tafarnau yn ardal Nantgarw. Adeg y Sulgwyn byddai grwpiau o bentrefi gwahanol yn ymarfer y dawnsiau haf hyn, sy'n dangos cryn dipyn o ddylanwad dawnsio Morys.

Yn ystod y 19g. dechreuodd **Augusta Hall** (1802–96), Arglwyddes Llanofer, ymddiddori mewn traddodiadau gwerin Cymreig. O dan y ffugenw Gwenynen Gwent adferodd, ymysg llu o draddodiadau eraill, y ddawns werin Gymreig, y wisg draddodiadol ac alawon gwerin y wlad. Daeth dan ddylanwad Thomas Price (Carnhuanawc) a'r Fonesig Coffin Greenly o Swydd Henffordd (un o noddwyr **Iolo Morganwg**). Roedd Llys Llanofer yn noddfa i delynorion a beirdd o bob cwr o Gymru. Disgwylid i'r gweision wisgo'r wisg draddodiadol Gymreig a dawnsio i'r gwesteion. Yn 1836 cyhoeddodd Arglwyddes Llanofer draethawd ar 'Y Wisg Gymreig' yn cynnwys darluniau. Agorodd ffatri wlân Gwenffrwd yn yr ardal ac adferodd y Fari Lwyd a'r **plygain**. Y delyn deires oedd ei hoff offeryn. Bu hefyd yn casglu alawon gwerin Cymru gyda **Maria Jane Williams** (1795–1873), Aberpergwm. Mae o leiaf ddwy ddawns Gymreig yn deillio o'r cyfnod hwn, sef Dawns Llanofer, uned hir i unedau o drioedd, a Rhif Wyth, uned hir i dri chwpl.

Erbyn dechrau'r 20g. gweithgaredd ymylol iawn oedd dawnsio gwerin yng Nghymru. Yn 1935 cyhoeddodd cwmni Novello lyfr gan Hugh Mellor o'r enw *Welsh Folk Dances – an Inquiry*. Yn yr 1930au hefyd rhoddodd Urdd Gobaith Cymru hwb bychan i'r achos drwy gynnwys dawnsio gwerin yn eu mabolgampau, er mai dawnsiau syml oeddynt ar wahân i Ddawns Llanofer – yr unig ddawns werin a oedd wedi'i chofnodi a'i chyhoeddi – ac un a gâi ei dawnsio gan ferched yn unig.

Gwnaed cyfraniad enfawr i'r maes gan Lois Blake (1890–1974), Saesnes a ddaeth i fyw i Langwm, Sir Ddinbych. A hithau'n ymddiddori mewn dawnsio gwerin Lloegr ac Ewrop ac yn aelod brwd o'r English Folk Dance and Song Society (EFDSS), darganfu nad oedd y Cymry bellach yn ymarfer eu dawnsiau traddodiadol ac aeth ati, gyda chefnogaeth y cerddor **W. S. Gwynn Williams** (1896–1978), Llangollen, i chwilio am ddawnsiau Cymreig a'u hailargraffu. Yn 1949 ffurfiwyd Cymdeithas Genedlaethol Dawns Werin Cymru (CGDWC) i hybu ac ail-greu'r traddodiad. Gwahoddwyd Lois Blake i Aduniad yr Urdd i ddysgu dawnsio gwerin a pharhawyd i gynnal cyrsiau am rai blynyddoedd. Yn ystod yr 1950au ffurfiwyd nifer o grwpiau dawns, a daeth cystadlaethau dawns yn rhan o raglen **Eisteddfod** yr Urdd, ac yn ddiweddarach yr Eisteddfod Genedlaethol. Cynhaliwyd twmpathau rheolaidd yn yr 1960au gan

esgor ar lu o ddawnsiau syml cymdeithasol a ddaeth yn boblogaidd ar hyd a lled y wlad.

Heddiw mae mwy o ddawnswyr nag a fu erioed, yn cystadlu, yn cynnal **gwyliau** a theithio i wledydd tramor. Mae'r ddawns werin bellach yn rhan o gwricwlwm yr ysgolion yng Nghymru. Cynhelir Gŵyl Ifan yng Nghaerdydd bob blwyddyn, yr ŵyl ddawnsio gwerin sefydlog fwyaf o'i bath yng Nghymru. A hithau wedi'i sefydlu yn 1976 gan Gwmni Dawnsio Gwerin Caerdydd ac yn cael ei chynnal yn flynyddol ar y penwythnos agosaf at ganol haf, mae'n denu cannoedd o ddawnswyr o bob cwr o Gymru yn eu gwisgoedd traddodiadol. Yn yr Wyddgrug cynhelir Gŵyl Cadi Haf adeg Calan Mai a cheir amryw o wyliau dawnsio gydol y flwyddyn mewn gwahanol rannau o Gymru. Mae'r Gwyliau Dawnsio Plant hefyd yn llwyddiant mawr, gyda thros fil o blant yn cymryd rhan ynddynt.

Gwefannau

Cymdeithas Genedlaethol Dawns Werin Cymru (CGDWC) www.dawnsio.com

Llyfryddiaeth

Trefor M. Owen, *Welsh Folk Customs* (Caerdydd, 1959)
Emma Lile, *Troed yn Ôl a Throed Ymlaen: Dawnsio Gwerin Yng Nghymru* (Caerdydd, 1999)

Eiry Palfrey

Gwerin, Canu a Cherddoriaeth Draddodiadol

Pan ymddangosodd cyfrol **Maria Jane Williams** (1795–1873), *Ancient National Airs of Gwent and Morganwg*, yn 1844, daeth tro ar fyd yn hanes a datblygiad cerddoriaeth draddodiadol Cymru. Wedi canrif a mwy o gyhoeddi ceinciau offerynnol (yn bennaf ar gyfer y delyn) mewn casgliadau tebyg i *Antient British Music* (1742), *British Harmony* (1781), *Musical and Poetical Relicks of the Welsh Bards* (1784), *The Bardic Museum* (1802), *Hen Ganiadau Cymru/Cambro-British Melodies* (1820) a *The Welsh Harper* (1839), cyhoeddwyd y casgliad cyntaf hwn o **alawon gwerin** y genedl a hynny o ganlyniad i gystadleuaeth a noddwyd gan y Fonesig Coffin Greenly yn **Eisteddfod** Cymreigyddion y Fenni yn 1837 'for the best collection of original Welsh airs, with the words as sung by the peasantry of Wales'. Ymhlith y deugain a thair o eitemau a geir yn y gyfrol hon, ymddengys caneuon megis 'Y Ddafad Gyrnig', 'Y Ferch o'r Scer', 'Y Deryn Pur', 'Y Deryn Du Pigfelyn', 'Merch y Melinydd' a 'Bugeila'r Gwenith Gwyn' (gw. Eng.1, trosodd) a ddaeth yn hynod boblogaidd yng Nghymru'r 19g. Atgynhyrchwyd yr alawon ond ychwanegwyd hefyd gyfeiliant digon disylwedd ar gyfer y delyn neu'r piano ynghyd ag addurniadau lleisiol (troadau, triliau, *appoggiatura* a.y.b.) sy'n tystio mai cynulleidfa estron a ymddiddorai'n bennaf mewn **cerddoriaeth glasurol**, Ewropeaidd ei naws a oedd ym meddwl y golygydd. Ceir yn y cyhoeddiad nifer o alawon serch, **caneuon gwasael** a thribannau, ac er bod rhai wedi eu gosod yn y modd Doraidd, cyweiriau llon yw'r graddfeydd ar gyfer y mwyafrif ohonynt.

John Thomas (Ieuan Ddu; 1795–1871) oedd enillydd yr ail wobr yn Eisteddfod Cymreigyddion y Fenni (1837). Er bod ei gasgliad yntau, *Y Caniedydd Cymreig/The Cambrian Minstrel* (1845) yn cynnwys dros gant o alawon ynghyd â geiriau Cymraeg a Saesneg (gw. Eng.2), gwelir eu bod yn gyfuniad o ganeuon brodorol, ceinciau **telyn** (wedi eu dethol o gasgliadau rhai fel **John Parry** (Parry Ddall) ac **Edward Jones** (Bardd y Brenin) yn bennaf, a chyfansoddiadau gwreiddiol o waith y golygydd ei hun. Rhyw ddeugain o'r alawon hyn sy'n ganeuon gwerin ond mynnodd Ieuan Ddu gyfnewid y geiriau traddodiadol am ei eiriau a'i benillion ef ei hun ac o ganlyniad, dibrisir gwerth y casgliad hwn yn fawr. Eto i gyd, ceir ynddo rai alawon gwerin hynod swynol a chreffus sy'n gynnyrch y traddodiad llafar ac ôl blynyddoedd o newid, o ddatblygu a mireinio'r arddull arnynt.

Gwelir bod cwmpas yr alawon yng nghyfrol **Ieuan Ddu** yn gydnaws â'r hyn a gasglwyd gan ei ragflaenwyr, **Iolo Morganwg** a **Maria Jane Williams**, ond addaswyd rhai o eitemau'r *Caniedydd Cymreig* hefyd ar gyfer eu perfformio gan ddeuawdau, triawdau a phartïon lleisiol mewn cyngherddau ac **eisteddfodau**, fel y rhai y byddai Ieuan yn eu harwain yn rhinwedd ei alwedigaeth. Brychwyd y gyfrol hon, er hynny, gan gamgymeriadau cerddorol, camosodiadau o eiriau a thestun, gwendidau yn y gynghanedd (gerddorol) a diofalwch cyffredinol sy'n arwydd o'r brys i gyhoeddi'r gwaith yn ei gyfanrwydd.

Nodweddwyd y bywyd Cymreig yn y 19g. gan dwf syfrdanol yn y boblogaeth yn sgil datblygu'r ardaloedd diwydiannol. Daeth gweithwyr yn eu miloedd i'r meysydd glo, y gweithfeydd haearn a dur, y chwareli llechi ac ati, gan ymsefydlu mewn lleoedd fel y Rhondda, Abertawe a Llanelli yn y de a Bethesda a Rhosllannerchrugog yn y gogledd. Wrth i'r iaith Saesneg raddol ennill tir dros y Gymraeg yn

sgil mewnfudo, newidiodd natur diwylliant y wlad; tyfodd poblogrwydd y cyngherddau cyhoeddus, y *music halls*, y traddodiad **baledi** (Cymraeg a Saesneg), corau mawr a **chorau meibion**, a gwelid dylanwad diwylliant oes Victoria a nodweddai'r bywyd y tu hwnt i Glawdd Offa.

Er hynny, parhaodd y diddordeb ym myd canu gwerin ymhlith rhai, gan gynnwys **John Jenkins** (Ifor Ceri; 1770–1829) y mae ei gasgliad **llawysgrifol** ar gadw yn **Llyfrgell Genedlaethol Cymru**, Nicholas Bennett (1823–99) a gyhoeddodd *Alawon fy Ngwlad* (1896), sy'n gyfuniad o tua 500 o alawon a cheinciau telyn a gasglwyd o ffynonellau llafar (yn eu plith y sipsiwn Cymreig), a detholion o lawysgrif Thomas David Llewelyn (Llewelyn Alaw; 1828–79), a oedd yn ddelynor teuluol i Blas Aberpergwm, cartref **Maria Jane Williams**. Yn ogystal, lluniodd rhai o gerddorion amlwg Cymru'r 19g. gyfrolau o drefniannau o alawon brodorol y genedl (caneuon gwerin a cheinciau offerynnol) a fu'n gyfrwng i boblogeiddio'r traddodiad. Yn eu plith, gwelwyd cyhoeddiadau **John Parry** (Bardd Alaw; 1776–1851), **John Owen** (**Owain Alaw**; 1821–83), **Brinley Richards** (Cerddor Towy; 1817–85), **Joseph Parry** (1841–1903) a **D. Emlyn Evans** (1843–1913).

Yn sgil sefydlu colegau **prifysgol** yng Nghymru ar ddiwedd y 19g. a'r awydd am **addysg** uwch o safon, gwelwyd hefyd ddyfodiad **Amgueddfa Genedlaethol Cymru** (1907) a **Llyfrgell Genedlaethol Cymru** (1907), gyda'u pwyslais ar gadwraeth ac ymchwil i'r byd a'r bywyd Cymreig. Yn 1906 sefydlwyd **Cymdeithas Alawon Gwerin Cymru** a than arweiniad **J. Lloyd Williams** (1854–1945), **Mary Davies** (Mair Mynorydd; 1855–1930), **Ruth Herbert Lewis** (1871–1946) ac eraill profwyd adfywiad ym maes canu gwerin Cymraeg. Trwy gyfrwng *Cylchgrawn Cymdeithas Alawon Gwerin Cymru* (1909–77) a *Canu Gwerin* (1978–), diogelwyd rhai cannoedd o alawon traddodiadol Cymreig, gan gynnwys 'Dacw nghariad i lawr yn y berllan', 'Ffarwél i Aberystwyth' (gw. Eng.3), 'Lisa Lân', 'Tra bo dau', 'Gwcw fach' a 'Suo Gân'.

Sbardunwyd nifer o aelodau cynnar y Gymdeithas i gywain alawon trwy gyfrwng gwaith maes mewn ardaloedd penodol o Gymru. Aeth **Ruth Herbert Lewis**, er enghraifft, ati i gasglu alawon gyda chymorth ffonograff yn Sir y Fflint a Dyffryn Clwyd gan gyhoeddi ffrwyth ei hymchwil, a oedd yn cynnwys caneuon fel 'Gwenni aeth i ffair Pwllheli' (gw. Eng.4) a 'Chwech o eifr', yn 1914 ac 1934.

Bugeilio'r Gwenith Gwyn

Eng.1. 'Bugeilio'r gwenith gwyn' allan o *ANAGM*

Pa bryd y deui eto?

Eng.2. 'Pa bryd y deui eto?' allan o gasgliad John Thomas (Ieuan Ddu)

Ar Ynys Môn bu **Grace Gwyneddon Davies** yn casglu ei deunydd ac ymddangosodd ei threfniannau o ganeuon fel 'Cyfri'r geifr' ac 'Un o fy mrodyr' yn 1914 ac 1923–4.

Bu'r cyswllt a'r cydweithio rhwng **Cymdeithas Alawon Gwerin Cymru** ac Eisteddfod Genedlaethol Cymru yn agos ac yn adeiladol ers dechrau'r 20g. a chafwyd cystadlaethau canu caneuon gwerin, canu **carolau** traddodiadol a **baledi** (yn ogystal â llunio trefniannau lleisiol ohonynt) fel dull o hyrwyddo'r traddodiad a chynnal y grefft. Pan ymddangosodd cenhedlaeth newydd o arbenigwyr yn y maes yng nghanol y ganrif, unigolion fel William Hubert Davies (1893–1965), **W. S. Gwynn Williams** (1896–1978) ac Emrys Cleaver (1904–85), gwelwyd cynnydd sylweddol yn nifer y cyhoeddiadau a'r casgliadau o alawon traddodiadol Cymreig a ddaeth o'r wasg, a chafwyd cryn bwyslais ar boblogeiddio'r maes ac

addysgu plant a phobl ifanc. Un o'r cyhoeddiadau mwyaf arwyddocaol oedd *Caneuon Traddodiadol y Cymry* (1961 ac 1963) a oedd yn cyfuno alawon a gasglwyd gan selogion **Cymdeithas Alawon Gwerin Cymru** a chynnyrch cyhoeddiadau poblogaidd y dydd. Ers yr 1960au ac ymdrechion **D. Roy Saer** (**Amgueddfa Werin Cymru**, Sain Ffagan) i gasglu alawon a **baledi** yn Llŷn a charolau **plygain** (yng ngogledd-ddwyrain Cymru), cafwyd cyfres gyfoes o gyhoeddiadau, *Caneuon Llafar Gwlad/ Songs from Oral Tradition* (1974 ac 1994), yn seiliedig ar waith a chasglu alawon traddodiadol yn y maes (gw. Eng.5).

Dilynwyd y rhain gan gyfres o recordiadau masnachol (gan Sain) a ddarlledwyd yn gyson mewn **rhaglenni radio** wedi hynny. Yr awydd i gyfoethogi adnoddau addysg gerddorol yng Nghymru a chefnogi'r ifanc i ddysgu a chanu caneuon

Ffarwel i Aberystwyth

Ffar - wel i A-ber - ys- twyth Ffar - wel i Ben Maes- glas; Ffar - wel i dŵr y Cas- tell Ffar - wel i'r Mor-fa glas.

Eng.3. 'Ffarwel i Aberystwyth' *CCAGC*

Gwenni aeth i ffair Pwllheli

Gwen-ni aeth i ffair Pwll - he - li, Eis - ie pa-dell bridd oedd ar - ni, Rhodd am-da - ni chwech o syll - tau,

Cos-tie gar-tre ddwy a di -mau. Sim - pl, siam - pl, Ffi-nis - tr, ffan - str; 'Doedd rhyw he - lynt fawr ar Gwen.

Eng.4. 'Gwenni aeth i ffair Pwllheli' allan o gasgliad RHL

Carol y Blwch

Gwran - da-wed pob e - naid ar gen-nad o'r llys A ddaeth o Gaer - sa - lem i Feth-lem ar frys, Pob

or - gan mewn cy - wair, pob te - lyn mewn hwyl A myrdd o a - ngyl-ion yn ca - dw dydd gŵyl.

Eng.5. Un o garolau Roy Saer allan o *Caneuon Llafar Gwlad*

traddodiadol fu'r symbyliad i **Phyllis Kinney** a **Meredydd Evans** i gyhoeddi eu *Caneuon Gwerin i blant* (1981) a *Canu'r Cymry* (1984 ac 1987), ac ateb gofyn partïon a chorau gwerin (SSA, TTBB, SATB) oedd nod y gyfres amrywiol o drefniannau cyhoeddedig, *Lleisiau'r Werin* (1980, 1986, 1989, 1999, 2002, 2009).

Er mai prin iawn fu'r ymgyrchoedd casglu alawon gwerin yng Nghymru'r 1990au, rhoddwyd cryn bwyslais gan **ysgolheigion** y maes (**Meredydd Evans**, **Rhidian Griffiths**, Rhiannon Ifans, **Phyllis Kinney**, E. Wyn James, **D. Roy Saer** a'u tebyg) ar ddwyn alawon y traddodiad o ffynonellau llawysgrifol mewn **llyfrgelloedd** ac archifdai ledled Cymru i sylw ehangach. Tra mae gweithgaredd y Gymdeithas Alawon Gwerin yn ffynnu a'i chynhadledd flynyddol yn parhau, cafwyd cryn bwyslais ym mlynyddoedd cynnar yr 21g. ar adfywio'r traddodiad gwerin offerynnol (y **delyn**, y **delyn deires**, **ffidil** a phib) yn dilyn sefydlu Cymdeithas Offerynnau Traddodiadol Cymru (Clera yn ddiweddarach), **Y Glerorfa** a *trac*.

Llyfryddiaeth

John Parry (Bardd Alaw), *The Welsh Harper* (Llundain, 1839, 1848)

Maria Jane Williams, *Ancient National Airs of Gwent and Morganwg* (Llanymddyfri, 1844)

John Thomas (Ieuan Ddu), *Y Caniedydd Cymreig/The Cambrian Minstrel* (Merthyr, 1845)

John Jenkins (Ifor Ceri), *Ancient Welsh Music* (Dinbych-y-Pysgod, 1859)

John Owen (Owain Alaw), *Gems of Welsh Melody* (Rhuthun, 1860)

Henry Brinley Richards, *The Songs of Wales/Caneuon Cymru* (Llundain, 1873)

John Parry (Bardd Alaw), *A Select Collection of Welch Airs* (Llundain, *c*.1886)

D. Emlyn Evans, *Alawon Cymru/Melodies of Wales* (Aberystwyth, *c*.1889)

Joseph Parry, *Cambrian Minstrelsie/Alawon Gwalia* (Caeredin, 1893)

Nicholas Bennett, *Alawon fy ngwlad/The Lays of my land* (Y Drenewydd, 1896)

J. Lloyd Williams ac Arthur Somervell, *Sixteen Welsh Melodies* (Llundain, 1907 & 1909)

Cylchgrawn Cymdeithas Alawon Gwerin Cymru/Journal of the Welsh Folk Song Society (1909–77)

Ruth Herbert Lewis, *Folk Songs Collected in Flintshire and the Vale of Clwyd* (Wrecsam, 1914 & 1934)

Grace Gwyneddon Davies, *Alawon Gwerin Môn* (Wrecsam, 1914, 1923 ac 1924)

W. Hubert Davies, *Welsh Folk Songs/Caneuon Gwerin Cymru* (Wrecsam, 1919)

W. S. Gwynn Williams, *Hen Ganeuon Cymreig Gwaith a Chwarae* (Llangollen, 1943)

———, (gol.), *Caneuon Traddodiadol y Cymry* (Llangollen, 1961 ac 1963)

Canu Gwerin/Folk Song [Cylchgrawn Cymdeithas Alawon Gwerin Cymru/Journal of the Welsh Folk Song Society], 1978–

D. Roy Saer, *Caneuon Llafar Gwlad* (Caerdydd, 1974 ac 1994)

Phyllis Kinney a Meredydd Evans, *Caneuon Gwerin i blant* (Llandysul, 1981)

———, *Canu'r Cymry* (Penygroes, 1984 ac 1987)

Cymdeithas Alawon Gwerin Cymru, *Lleisiau'r Werin* (Penygroes, 1980, 1986, 1989, 1999, 2002 a 2009)

Rhiannon Ifans, *Yn Dyrfa Weddus – Carolau ar gyfer Y Plygain* (Aberystwyth, 2003)

Leila Salisbury (gol.), *Alawon Gwerin Iolo Morganwg* (Aberystwyth, 2012)

Wyn Thomas

Gwerin, Dawnswyr

Ers sefydlu **Cymdeithas Ddawns Werin Cymru** (bellach Cymdeithas Genedlaethol Dawns Werin Cymru (CGDWC)) yn 1949, mae nifer o ddawnswyr a charedigion y ddawns werin Gymreig wedi'u hamlygu eu hunain. Mae'r canlynol ymhlith y mwyaf blaenllaw a dylanwadol ohonynt.

Howell Wood (1882–1967)

Crythor, dawnsiwr a physgotwr. Roedd yn un o deulu Romani'r **Woodiaid** ac yn glocsiwr penigamp. Fe'i dewiswyd i glocsio ar ben bwrdd yn y ffilm *The Last Days of Dolwyn* (1949). Bu ar hyd ei oes yn was i deulu Pantyneuadd, Parc, Y Bala (gw. Jarman a Jarman, 1979).

Lois Blake (1890–1974)

Y wraig hon, a hanai o Loegr lle'r oedd yn weithgar gyda'r English Folk Dance and Song Society (EFDSS), a fu'n gyfrifol am adfer y bri ar ddawnsio gwerin Cymru yn dilyn y cyfnod o edwino yn yr arferiad oherwydd agweddau anghymeradwyol yr Anghydffurfwyr a newidiadau cymdeithasol yn sgil y Chwyldro Diwydiannol. Symudodd i Sir Ddinbych yn 1930 a mynd ati, gyda chefnogaeth y cerddor **W. S. Gwynn Williams** (1896–1978), Llangollen,

i ymchwilio i'r maes a chyhoeddi dawnsiau gwerin Cymreig. Fe'i gwahoddwyd gan Urdd Gobaith Cymru i gynnal cyrsiau dawnsio gwerin a pharhaodd y rhain am rai blynyddoedd. Ysgogodd sefydlu CGDWC ac enwyd y brif gystadleuaeth dawnsio gwerin yn yr **Eisteddfod** Genedlaethol ar ei hôl.

Jessie Williams (1902–2003)

A hithau'n byw ym Mryn-mawr, aeth Jessie Williams ati gyda'i gŵr, Hector Williams, i sefydlu Dawnswyr Gwerin Cymru Bryn-mawr yn 1952. Roedd ei phwyslais mawr ar ddisgyblaeth yn cael ei adlewyrchu yn y dawnsio, yn y gwisgoedd (gan gynnwys hetiau traddodiadol a wnaed yn arbennig gan wneuthurwyr hetiau proffesiynol o Lundain) ac yn ymddygiad y tîm. Derbyniodd fedal gan CGDWC yn 1978 a thlws yn 1988 gan Gyngor Blaenau Gwent, fel cydnabyddiaeth o'i chyfraniad i ddawnsio gwerin yng Nghymru. Ym Mehefin 2002 fe'i hanrhydeddwyd gan CGDWC ar achlysur ei phen-blwydd yn gant oed.

Emrys Cleaver (1904–85)

Un o sefydlwyr CGDWC ac un a fu'n gadeirydd, yn drysorydd ac yn llywydd arni. Er nad oedd ef ei hun yn ddawnsiwr bu'n frwd ei anogaeth i'r gelfyddyd. Roedd yn ffigwr adnabyddus ym myd cerddoriaeth werin Cymru ac yn ganwr **baledi**, yn ogystal â bod yn actor, yn ddramodydd, yn ymchwilydd ac yn ddarlledwr.

E. Cecily Howells (1908–88)

Ynghyd â Mary Hayes, sefydlydd Dawnswyr Glan Cleddau yn 1971 a'u harweinydd am flynyddoedd lawer. Cyfansoddodd nifer o ddawnsiau, yn arbennig 'Pont Cleddau' a fu'n fuddugol yn yr adran cyfansoddi dawns yn Eisteddfod Genedlaethol Aberteifi 1976. Fe'i cyfansoddwyd i ddathlu adeiladu'r bont dros afon Cleddau yn Sir Benfro. Trefnwyd y gerddoriaeth gan Rhiannon Herbert. Yn 1977–8 anrhydeddwyd Cecily Howells â medal CGDWC.

Gwennant Gillespie (née Davies; 1910–2013)

Dawnswraig, hyfforddwraig, beirniad ac un o brif swyddogion Urdd Gobaith Cymru. Trwy gyfundrefn yr Urdd bu'n weithgar yn adfer dawnsio gwerin i'w briod le ym mywyd y genedl. Gwahoddodd Lois Blake i ddysgu dawnsio gwerin ym Mhantyfedwen, Y Borth, yn 1948 ac arweiniodd hynny, flwyddyn yn ddiweddarach, at sefydlu CGDWC o dan lywyddiaeth yr olaf gyda Gwennant Gillespie, trwy'r Urdd, yn un o brif anogwyr y grefft.

Pat Shaw (Patrick Noel Shuldham Shaw) (1917–77). Cerddor dawnus, dawnsiwr, hyfforddwr, galwr a chyfansoddwr dawnsiau a cherddoriaeth. Fe'i ganed yn Lloegr i deulu o gerddorion gwerin. Trwy Lois Blake daeth i gysylltiad â CGDWC yn yr 1960au a bu'n aelod o'r pwyllgor gwaith. Darparodd gyfoeth o alawon i gerddorion. Bu'n llwyddiannus yn yr Eisteddfod Genedlaethol am gyfansoddi dawnsiau; mae *Tŷ Coch Caerdydd*, a fu'n fuddugol yn Aberafan yn 1966, yn un o'r rhai mwyaf poblogaidd yng Nghymru heddiw. Trefnodd amryw o ddawnsiau hefyd.

Frances Môn Jones (1919–2000)
Telynores a chyfeilyddes dawnsio gwerin o Lanfair Caereinion. Bu'n ysgrifennydd CGDWC (1957–70) ac yn is-lywydd y Gymdeithas yn ddiweddarach. Yn 1983 cafodd MBE am ei chyfraniad i fyd **alawon gwerin** Cymru a dawnsio gwerin. Derbyniodd fedal CGDWC a Medal Goffa Syr T. H. Parry-Williams gan yr Eisteddfod Genedlaethol yn 1999.

Alice E. Williams (g.1925)
Dawnswraig, hyfforddwraig a beirniad cenedlaethol o Frynrefail, Gwynedd. Bu'n athrawes mewn amryw o ysgolion yn Arfon, Llundain ac Ellesmere Port. Fel trefnydd yr Urdd yn Arfon (1950–56), gwnaeth yn fawr o'r cyfle i hyrwyddo a phoblogeiddio dawnsio gwerin. Bu'n aelod o CGDWC o'r dechrau gan lenwi nifer o swyddi yn y Gymdeithas, yn eu plith swydd y llywydd am naw mlynedd. Fe'i hanrhydeddwyd gyda Medal CGDWC yn 1987.

Gwyn Williams (Gwyn Bangor) (1925–2013)
Yn ogystal â bod yn gynhyrchydd rhaglenni gyda Radio Cymru, roedd Gwyn Williams yn weithgar ym myd y ddawns, ac yntau'n feirniad cenedlaethol, yn alwr twmpath ac yn awdur nifer o ddawnsiau poblogaidd. Yr oedd hefyd yn hyfforddwr clocsio; roedd ei dad, Wil Williams, yn glocsiwr o fri. Bu'n un o drefnyddion yr Urdd ac roedd yn aelod o Grŵp Dawnsio Cenedlaethol yr Urdd yn yr 1950au. Fe'i hanrhydeddwyd gyda Medal Anrhydedd CGDWC yn 1988.

Eddie Jones (1930–2014)
Athro ysgol, beirniad cenedlaethol, hyfforddwr dawns a chyfansoddwr nifer o ddawnsiau a chyhoeddiadau perthnasol. Roedd yn un o hoelion wyth CGDWC. Bu'n aelod o dîm cyntaf Aberystwyth, a bu hefyd yn arwain tîm Aelwyd Rhydypennau ar y cyd â'i wraig, Bethan Jones. Roedd yn ysgolhaig ac yn arbenigwr ar y ddawns werin ac ar William Jones, Llangadfan.

Owen Huw Roberts (g.1931)
Ysgogwyd gan yr **addysgwraig** Kate Davies – a fu'n feirniad dawnsio cenedlaethol, yn hyfforddwraig amryw o dimau ac yn arweinydd Parti Dawns Hiraethog – i ddysgu dawnsio pan oedd y ddau yn athrawon yn Ysgol Caledfryn, Dinbych. Dawnsiwr unigol, athro a beirniad cenedlaethol o Lanfaelog, Ynys Môn, ac un o linach bwysig clocswyr Cymru. Dysgodd glocsio gyda Len Roberts, Llanfyllin, yn yr 1950au i gyfeiliant **telyn Nansi Richards**. Enillodd amryw o wobrau cenedlaethol a rhyngwladol a bu'n gyfrifol am fideo *Camau Cyntaf Clocsio* (CGDWC, 2002; ceir fersiwn DVD hefyd). Bu'n aelod o sawl grŵp dawnsio gwerin dros y blynyddoedd, gan gynnwys Dawnswyr Môn.

Jean Huw Jones (Siân Aman) (g.1938)
Dawnswraig o Rydaman. Bu'n aelod o Orsedd yr Eisteddfod Genedlaethol ac yn Feistres y Gwisgoedd hyd 2011. Bu hefyd yn llywydd CGDWC. Hi oedd y gyntaf i ddawnsio dawns 'Morfa Rhuddlan' yn yr Eisteddfod Genedlaethol (Llanelli 1962). Mae hi a'i gŵr, Huw Jones, yn gymwynaswyr ac yn noddwyr hael i ddawnsio gwerin.

Mavis Williams Roberts (g.1941)
Gwyddonydd a daearegydd sy'n hanu o Sir Benfro, ac sydd wedi gwneud cyfraniad ym myd y ddawns fel beirniad cenedlaethol a chyfansoddwraig amryw o ddawnsiau pwysig. Enillodd yr wobr gyntaf am gyfansoddi bum gwaith yn yr Eisteddfod Genedlaethol. Bu'n hyfforddi Dawnswyr Tawerin (1978–2010) a bu'n hyfforddi'n rhyngwladol hefyd. Y mae bellach wedi ymgartrefu yn Swydd Gaerloyw.

Christine Jones (g.1945)
Dawnswraig, hyfforddwraig a beirniad cenedlaethol. Gyda'i gŵr, Rhodri Jones (yntau'n ddawnsiwr, yn feirniad cenedlaethol a hefyd yn hanesydd dawnsio gwerin), Elinor Jones a Gill James, sefydlodd Gwmni Dawns Werin Caerdydd yn 1968. Bu'n arweinydd arno am gyfnod maith a bu'n athrawes dawnsio gwerin i'r *Welsh Heritage Week* yn America

ers sawl blwyddyn. Bu Rhodri Jones yn llyfrgellydd, yn gadeirydd ac yn llywydd CGDWC.

Eirlys Britton (g.1949)

Athrawes ac actores; beirniad cenedlaethol a hyfforddwraig Dawnswyr Nantgarw. Ynghyd â'i gŵr, Cliff Jones (clocsiwr, hyfforddwr a beirniad cenedlaethol), sefydlodd Ddawnswyr Nantgarw yn 1980 ac yn ddiweddarach Ysgol Bro Taf yn ardal Caerdydd i hyfforddi ieuenctid. Hi a gyfansoddodd y ddawns ar gyfer seremoni'r Prif Lenor yn yr Eisteddfod Genedlaethol. Yn 2012 enillodd Fedal Goffa Syr T. H. Parry-Williams yr Eisteddfod Genedlaethol am ei gwaith gyda dawnsio gwerin yn ardal Pontypridd dros gyfnod o fwy na deng mlynedd ar hugain.

Mansel Phillips (g.1951) ac Eirlys Phillips (g.1952)

Y cwpl hwn o Fryn Iwan ger Cynwyl Elfed a sefydlodd Ddawnswyr Talog (*dawnswyrtalog.org.uk*) yn 1979 gan eu harwain hefyd. Maent wedi ennill cystadlaethau lu. Mae'r ddau yn ddawnswyr ac yn feirniaid cenedlaethol, ac mae Eirlys yn gerddor medrus sydd hefyd yn llunio dawnsiau. Enillodd Eirlys Fedal Syr T. H. Parry-Williams yn yr Eisteddfod Genedlaethol yn 2004 am ei gwasanaeth i ddawnsio gwerin. Mae eu plant, Tudur, Cerian a Lleucu, wedi ennill amryw o gystadlaethau dawnsio unigol.

Huw Williams (g.1959)

Clocsiwr, canwr-gyfansoddwr a darlledwr. Mae'n cydnabod ei ddyled i Jessie Williams (gw. uchod) am ei ddysgu i ddawnsio a chlocsio. Dechreuodd glocsio pan oedd yn ddeuddeg oed. Mae'n aelod o'r grwpiau gwerin **Crasdant** a'r **Glerorfa** ac ef yw rheolwr y **grŵp gwerin Calan**. Bu'n hyfforddi *corps de ballet* Ballet Cymru i glocsio yn eu cynhyrchiad o *Romeo and Juliet* yn 2013.

Llyfryddiaeth

Eldra Jarman ac A. O. H. Jarman, *Y Sipsiwn Cymreig: teulu Abram Wood* (Caerdydd, 1979)

Eiry Palfrey

Gwerin, grwpiau

Er i nifer o wahanol grwpiau berfformio caneuon gwerin Cymreig traddodiadol yn ystod yr 1960au, prin y byddai grwpiau'n cyflwyno eitemau offerynnol traddodiadol. Tra oedd cenhedlaeth gyntaf o gantorion pop Cymraeg wedi seilio'u harddull ar arddulliau cyfatebol Eingl-Americanaidd, roedd y *repertoire* gwerin traddodiadol i raddau helaeth wedi'i bennu ymlaen llaw, sef caneuon ac alawon wedi'u casglu a'u cyhoeddi, neu eu trosglwyddo trwy draddodiad llafar. Gan na allai cerddorion a grwpiau gwerin offerynnol y cyfnod ddibynnu ond ar ychydig iawn o fodelau llafar, yr her oedd sut i drin y *repertoire* hwn. Roedd y delynores deires o fri, **Nansi Richards** (Telynores Maldwyn), wedi dysgu sawl **telynor**, a byddai offerynwyr eraill yn defnyddio recordiadau megis *The Art of Nansi Richards* fel ffynonellau ar gyfer eu stoc hwy o ddarnau. Tra oedd gan chwaraewyr y **ffidil** Wyddelig berfformwyr cyfoes dirifedi i'w hefelychu, gwerth dros 50 mlynedd o recordiadau i ddysgu oddi wrthynt a chefnogaeth barod sefydliadau a oedd wrthi'n hyrwyddo **cerddoriaeth draddodiadol**, pwy a wyddai sut roedd alaw ddawns Gymreig i fod i swnio?

Rhwng 1975 ac 1990 gwelwyd twf ym mhoblogrwydd cerddoriaeth draddodiadol yn gyffredinol yng ngwledydd a rhanbarthau Celtaidd Ewrop, ac adfywiad oddi mewn i faes **canu gwerin** yng Nghymru. Yng ngeiriau Hefin Wyn: 'Rhoddwyd bri o'r newydd ar ganu **alawon gwerin** Cymru a hynny, yn rhannol, o ganlyniad i ddegawdau o waith cenhadol **Cymdeithas Alawon Gwerin Cymru**' (Wyn 2002, 241). O gymharu â grwpiau o Iwerddon a'r Alban, ychydig o wrandawiad a gâi grwpiau cerddoriaeth draddodiadol o Gymru. Byddai dawnswyr gwerin o Gymru (ynghyd â'u cerddorion) yn teithio'n gyson i wyliau ar y cyfandir, ond yn nechrau'r 1970au y datblygodd y syniad o grŵp gwerin Cymreig yn perfformio alawon gwerin a cherddoriaeth offerynnol draddodiadol nad oeddynt yn benodol ar gyfer dawnsio.

Roedd yr adfywiad yma'n ddiddorol am nifer o resymau. Yn gyntaf, ychydig iawn o 'gynheiliaid traddodiad' cerddoriaeth offerynnol yng Nghymru a oedd yn dal yn fyw. Yn ail, roedd safle cerddoriaeth offerynnol draddodiadol yng Nghymru gryn dipyn yn fwy ymylol na chanu gwerin, a llawer o gasglwyr y 19g. a'r 20g. wedi canolbwyntio mwy ar gasglu caneuon na cherddoriaeth offerynnol (eithriad nodedig oedd Thomas D. Llewelyn (Llewelyn Alaw), a ddarparodd ddeunydd ar gyfer nifer o gerddorion yr adfywiad trwy eu defnydd yng nghyfrolau Nicholas Bennett, *Alawon fy Ngwlad* (1896)). Yn drydydd, heb gyfeiriad penodol at y Gymraeg (ar wahân i'w theitl), hunaniaeth fwy annelwig a oedd gan alaw offerynnol 'Gymreig', yn enwedig os oedd alawon Seisnig cyfatebol yn bodoli.

Trodd llawer o gerddorion a oedd â'u bryd ar ddysgu a pherfformio cerddoriaeth offerynnol Gymreig at gerddoriaeth brintiedig yn ystod yr 1970au, ond nid oedd yn hawdd cael alawon **dawnsio gwerin** traddodiadol Gymreig. I'r rhai a oedd yn ymwneud â dawnsio gwerin, casgliadau megis *Blodau'r Grug* (a olygwyd gan Alex Hamilton), ynghyd â dawnsiau unigol neu gasgliadau bach a gyhoeddwyd gan Gymdeithas Ddawns Werin Cymru neu Gwmni Cyhoeddi Gwynn, oedd y prif ffynonellau (er enghraifft, gw. Blake & Williams 1948). Ar wahân i'r cyhoeddiadau hynny a oedd wedi'u hanelu at fyd dawnsio gwerin roedd hefyd gasgliadau printiedig o alawon Cymreig, a'r rheiny'n adnodd amhrisiadwy.

O ran trefniannau o alawon offerynnol, y dewis safonol a ddatblygwyd gan lawer o grwpiau'r cyfnod oedd chwarae alawon dawns yn olynol, naill ai gan gadw at yr un mydr a *tempo*, neu gan gyflymu o un alaw i'r nesaf. Yn aml, perfformid alawon araf – rhai i'r delyn neu i ganeuon – ar wahân, neu ar ddechrau cadwyn o alawon, a barhâi wedyn ag alawon cyflymach. Nid oedd y syniad o gadwyn o alawon yn ddim byd newydd ynddo'i hun, ac roedd hefyd wedi ei fabwysiadu gan y mwyafrif o fandiau gwerin Gwyddelig ac Albanaidd y cyfnod.

Beth felly oedd y cymhellion i ffurfio'r grwpiau cynharaf? Recordiadau gan Carraig Aonair, Swansea Jack ac **Ar Log**, a ryddhawyd yn 1977 ac 1978, oedd y rhai masnachol cyntaf gan grwpiau o Gymru a oedd yn cynnwys cerddoriaeth draddodiadol. Ffurfiwyd y tri grŵp yn sgil yr adfywiad gwerin Celtaidd ar y pryd. Daeth cerddorion Ar Log at ei gilydd yn dilyn perfformiad yn y *Festival Interceltique de Lorient*, Llydaw, yn 1976 (Ebenezer 1996, 9). Erbyn yr 1970au roedd gan wledydd Celtaidd eraill, yn enwedig Iwerddon, yr Alban a Llydaw, nifer o grwpiau gwerin proffesiynol neu led broffesiynol, yn cyflwyno eu cerddoriaeth draddodiadol ar lwyfan rhyngwladol, ac roedd angen llenwi'r hyn a oedd, yn nhyb rhai, yn fwlch mewn canu gwerin Cymreig, a rhoi'r gerddoriaeth 'ar y map'. Bu dylanwad y Llydäwr Alan Stivell ar yr adfywiad gwerin yng Nghymru yn bwysig hefyd (Wyn 2002, 241), gan agor clustiau llawer o gerddorion i draddodiad Celtaidd llai adnabyddus, a hynny o fewn cyd-destun *ensemble* roc. Roedd Carraig Aonair a Swansea Jack wedi perfformio yn Llydaw, a recordiwyd unig albwm gwerin Swansea Jack yng Nghaeredin ar gyfer ArFolk, cwmni a oedd wedi'i leoli yn Lorient.

Roedd *repertoire* pan-Geltaidd Carraig Aonair yn cynnwys cerddoriaeth o Iwerddon, Ynys Manaw, Llydaw a Chymru, tra oedd albwm Swansea Jack *The Seven Wonders* (ArFolk, 1978) yn cynnwys nifer o alawon o'r traddodiad dawns Cymreig ochr yn ochr â chaneuon yn Saesneg, gan wneud defnydd helaeth o **offerynnau** gyda chorsen rydd, megis y melodion a'r consertina. Roedd cerddorion y grŵp, fel yr awgryma'u henw, wedi'u lleoli yn Abertawe a'r cylch, ac yn gysylltiedig yn benodol â chlwb gwerin y Valley ym Mhontardawe.

Offeryniaeth

Gosodwyd seiliau cadarn ar gyfer yr adfywiad gwerin gan recordiadau safonol **Ar Log** yn yr 1970au. Roedd eu harddull gynnar yn gymysgedd o ganu gwerin traddodiadol ac alawon offerynnol, ac yn nodedig am y defnydd cyntaf gan grŵp gwerin o'r **delyn deires** Gymreig. Parhaodd y delyn deires yn un o brif nodweddion recordiadau a pherfformiadau Ar Log trwy gydol yr 1970au a'r 1980au, a'i hunig ymddangosiad arall oedd gan **Robin Huw Bowen** ar *Trwy'r Weiar*, albwm Mabsant (Sain, 1987). Tan yr 1990au nid aeth unrhyw gerddorion gwerin eraill ati o ddifrif i ymgorffori'r delyn deires mewn grŵp, yn rhannol oherwydd y dechneg arbenigol a oedd yn ofynnol i'w chwarae, ynghyd ag anhawster cael gafael ar **offerynnau**.

Y **delyn** ddiatonig 'Geltaidd' fach, neu'r *clarsach*, oedd y delyn a ddefnyddid gan grwpiau eraill, ac roedd i'w chlywed ar recordiadau Cromlech, **Aberjaber**, Penderyn a Mabsant, yn ogystal ag ar recordiadau cyntaf **Cilmeri**. Yn gyffredinol, fe'i defnyddid i ychwanegu trwch at harmonïau alawon cyflym, a deuai'n flaenllaw yn achlysurol fel prif offeryn mewn alawon cymharol araf.

Er mai afresymol fyddai priodoli gwreiddiau cenedlaethol penodol i offerynnau megis y gitâr a'r **ffidil**, cyrhaeddodd llawer o'r offerynnau 'newydd' a ymddangosodd ym maes cerddoriaeth werin Gymreig hyd at *c*.1984 yn bennaf trwy arferion perfformio Gwyddelig cyfoes. Efallai mai'r banjo tenor oedd yr amlycaf o'r rhain. Er enghraifft, ar ddau recordiad Cilmeri, roedd Tudur Huws Jones yn chwarae'r banjo tenor, gan ddangos defnydd o dripledi ar nodyn ailadroddus sy'n nodweddiadol o'r dull Gwyddelig o berfformio, ac sydd i'w glywed mewn recordiadau gan grwpiau Gwyddelig megis y Dubliners.

Offerynnau eraill a fabwysiadwyd gan grwpiau

gwerin o Gymru oedd y *bodhrán* (y drwm ffrâm Gwyddelig), y chwiban isel ac offerynnau traw is o deulu'r mandolin, megis y mandola, y bwswci a'r sitern. Mae'r *bodhrán* i'w glywed ar recordiadau gan **Mynediad am Ddim**, Ar Log a Cilmeri. Mae'r chwiban isel – fersiwn mwy o'r chwibanogl, yn seinio ar draw ffliwt – i'w chlywed ar recordiadau gan Cilmeri a 4 yn y Bar; roedd yr offeryn hwn wedi'i boblogeiddio gyntaf gan y pibydd Gwyddelig Finbar Furey, gan ddod wedyn yn hollbresennol mewn cerddoriaeth Geltaidd.

Efallai mai'r bwswci yw'r offeryn sy'n dangos gliriaf y modd yr oedd cerddoriaeth Wyddelig yn datblygu. Yng Nghymru, roedd y bwswci a'r mandola ill dau'n bresennol yn recordiadau Cilmeri, 4 yn y Bar a Mabsant gan ddefnyddio'n aml idiomau gwrthbwyntiol a dyfeisiadau rhythmig a oedd wedi'u benthyca'n uniongyrchol gan grwpiau Gwyddelig megis Planxty. Parhaodd Planxty – un o'r cyntaf o'r grwpiau iau i boblogeiddio cerddoriaeth offerynnol a chaneuon Gwyddelig yn Iwerddon a thramor – yn ddylanwad grymus ar gerddorion Cymreig yn rhan gyntaf y cyfnod, gyda Mynediad am Ddim a Cilmeri yn cydnabod arwyddocâd dylanwad recordiadau cynnar Planxty arnynt.

Er yr 1950au ymddengys mai'r acordion piano oedd y mwyaf cyffredin o'r offerynnau corsen rydd a oedd i'w clywed yng Nghymru, yn rhannol oherwydd ei bod yn rhwydd i'r rhai a oedd eisoes wedi arfer â'r piano ei chwarae. Clywir y defnydd o'r consertina a'r acordion botymau yn recordiadau cynharaf Calennig, a bu Ar Log a Penderyn yn defnyddio'r acordion piano o 1982 ymlaen. Gallai arddull offerynnol Calennig ymddangos yn debycach i gerddoriaeth werin Seisnig nag i'r arddull Wyddelig neu Albanaidd, tra oedd dull offerynwyr Ar Log a Penderyn o chwarae'r acordion piano yn tarddu o fodelau Albanaidd oherwydd dylanwadau chwaraewyr megis Phil Cunningham o'r grŵp Silly Wizard (gw. Hudson 1985, 18).

Ar ôl tua 1982 gwelwyd cynnydd arwyddocaol yn y defnydd o allweddellau electronig, a hynny'n ddi-os yn gysylltiedig â'r ffaith eu bod ar gael yn rhwyddach yn sgil datblygiadau technolegol. Roedd y defnydd o syntheseisydd fel 'llanwydd harmonig' i'w glywed yn aml ar recordiadau Mabsant, ac o bryd i'w gilydd fe'i defnyddid i greu llinell fas electronig, fel yn alaw Penderyn 'Hoffed y Mwnci Blewog' o'u casét o'r un enw a ryddhawyd yn 1984, a ddangosai ddylanwad recordiadau'r Battlefield Band.

Aeth arbrofi offerynnol i gyfeiriad gwahanol yn ystod yr 1980au, datblygiad a ysgogwyd gan y deffroad mewn **cerddoriaeth gynnar**. Roedd y **pibgorn** yn offeryn Cymreig gyda chorsen sengl a oedd yn boblogaidd yn ystod y 18g. I ddechrau, yn absenoldeb atgynyrchiadau o'r offeryn, mabwysiadodd Tomi Jenkins o'r grŵp Cromlech y *crumhorn*, offeryn gyda chap wedi'i wneud o gorsen y bu bri arno yn yr Almaen adeg y Dadeni, ac un yr oedd cerddorion gwerin newydd yr 1970au yn hoff ohono. Defnyddiodd yr un grŵp y ffidil ganoloesol, yr hyrdi-gyrdi a phibgod Galisia, nau'r *gaita gallega*.

Er ei bod yn sicr fod y bibgod wedi'i chwarae yng Nghymru o'r cyfnod canoloesol hyd at y 19g., nid oes yr un offeryn wedi goroesi (gw. Saer 1983, 31–8).

Yr 1980au a'r 1990au

Yn ystod yr 1980au daeth y cwestiwn ynglŷn â'r hyn a oedd yn cyfrannu at sain 'gywir' Gymraeg a Chymreig yn drafodaeth bwysig yn y maes. Tra dewisodd y rhan fwyaf o ddigon o'r grwpiau dan sylw ddefnyddio'r *repertoire* Cymreig yn anad dim, eithriad nodedig i hyn oedd y traciau offerynnol ar ddau albwm **Mynediad am Ddim** o ganol yr 1970au, *Wa MacSbredar* (Sain, 1975) ac *Mae'r grŵp yn talu* (Sain, 1976), lle ceir alawon o'r traddodiad Gwyddelig. Er bod llawer o aelodau'r grŵp yn gyfarwydd ag o leiaf rywfaint o *repertoire* alawon **dawnsio gwerin** Cymreig, cyd-destun a chysylltiad a bennai'r dewis o alawon Gwyddelig: y rhain oedd yr alawon y byddai rhywun debycaf o'u clywed 'yn y dafarn', yn hytrach nag ar lwyfan **eisteddfod**. Mewn recordiadau diweddarach, dangosir mwy o ymwybyddiaeth o'r *repertoire* Cymreig, a mwy o gyfaddawd ag ef: roedd albwm Mynediad am Ddim *Rhwng Saith Stôl* (Sain, 1977) yn cynnwys dau drac offerynnol gwreiddiol.

Yn 1982 rhyddhawyd un o'r recordiadau Cymreig mwyaf nodedig yn ystod y cyfnod hwn, sef yr albwm eponymaidd gan Yr Hwntws. Gan ganolbwyntio, fel Calennig a Mabsant, ar ddeunydd o Forgannwg a Gwent, roedd eu hofferyniaeth, ar un llaw, yn ei hanfod yn Wyddelig – mandolin, bwswci, *bodhrán*, **ffidil** a gitâr – tra oedd y modd yr aethant ati i atgyfodi'r arfer o ganu tribannau nid yn unig yn radicalaidd ac yn nodedig Gymreig, ond hefyd yn gysylltiedig yn benodol â Morgannwg a de-ddwyrain Cymru. Bu'r triban yn fesur poblogaidd er yr 16g., ac mae'n debyg fod ffurf neu ffurfiau cynharach arno'n cael eu defnyddio'n helaeth gan y 'clerwyr' neu'r beirdd israddol. Gyda'i ffurf syml – pedair llinell a phum odl (gan gynnwys un fewnol yn y llinell olaf)

– daliodd ei dir fel cyfrwng mynegiant am amser maith; er enghraifft, roedd nifer o'r tribannau yn benillion a genid i'r ychen wrth aredig. Er nad oedd y ffurf wedi deillio o Forgannwg, ac mai un yn unig ydoedd o blith nifer o ffurfiau yr arferid eu defnyddio wrth aredig, roedd iaith gyhyrog a gwerinol y tribannau, ochr yn ochr â chysylltiadau lleol penodol, yn eu gwneud yn ddeunydd delfrydol ar gyfer grŵp a oedd â'i fryd ar hyrwyddo teyrngarwch i ranbarth yn hytrach nag i Gymru'n gyffredinol (gw. Jones 1976, 13–34).

Fodd bynnag, roedd arddull ffidlwr Yr Hwntws, Mike Lease, yn benodol Wyddelig: roedd wedi llwyr feistroli'r dull Gwyddelig o dynnu bwa ac o addurno, ac mae'r technegau hyn, ynghyd â llithrennau i fyny hyd at draw'r nodyn, i'w clywed yn glir mewn llawer o'r eitemau offerynnol. Parodd Yr Hwntws gryn anesmwythyd ymysg adolygwyr, yn rhannol am fod y cantorion, Gregg Lynn a Jethro Newton, yn mynnu lleisio'n gras, ac am fod y dylanwad Gwyddelig ar eu chwarae offerynnol i'w glywed mor glir (gw. Wyn 2002, 358–9). Yn y cyswllt hwn, mae'n werth nodi bod Iolo Jones (ffidlwr gwreiddiol **Ar Log**) a Graham Pritchard o Mynediad am Ddim (ac Ar Log yn ddiweddarach) hwythau wedi cydnabod dylanwadau Gwyddelig ar eu dull o ganu'r ffidil, er bod yr olaf yn teimlo bod ganddo fwy o gysylltiad ag arddull y ffidlwr Aly Bain o Ynysoedd Shetland (gw. Ebenezer 1996, 44 a 66).

Amlygwyd hefyd y problemau a oedd yn gysylltiedig â chreu neu ail-greu sain benodol Gymreig – er mai prin y trafodid y mater yn helaeth – yn rhai o gylchgronau'r cyfnod, yn enwedig y cylchgrawn gwerin o Gaerdydd, *Taplas*, a gyhoeddwyd gyntaf yn 1982. Roedd y rhifyn cyntaf o'r cylchgrawn hwnnw yn cynnwys adolygiad dwbl estynedig o *Henffych Well* gan **Cilmeri** ac o unig albwm Yr Hwntws. Crynhowyd y mater gan Mick Tems mewn adolygiad o *Igam Ogam* gan Cromlech mewn rhifyn diweddarach:

> What is the right route to take in the recreation of a dead tradition? Is it Ar Log's eisteddfodic approach, Cilmeri's Irish road, or Yr Hwntws and their Swarbrick-influenced folk-rock, which is essentially English-sounding. […] Whatever the historical truth, I prefer to think that Cromlech's sound is more relevent [*sic*] to the Welsh tradition than bodhrans or bouzoukis – or melodeons. (Tems 1983, 17)

Cafwyd gogwydd arall ar y pwnc gan Keith Hudson, golygydd *Taplas*, wrth iddo gymharu byd sain recordiad cyntaf Mabsant â cherddoriaeth **delyn** Gymreig gynnar, gan nodi bod arddull Siwsánn George ar y gitâr yn benodol yn cyfrannu at 'the essential Welshness of the sound that Mabsant … produce' (Hudson 1983, 27).

Canmolwyd ail recordiad Mabsant, *Gŵyl Mabsant*, am atgyfodi hen alawon. Fel *ensemble* o dri, byddent yn cynnwys, ar wahanol adegau, **delyn deires** (draddodiadol) **Robin Huw Bowen** ar un llaw ac, ar y llaw arall, Steve Whitehead yn chwarae'r clarinét a'r sacsoffon mewn arddull pop/jazz. Ychydig o ddylanwad cyffredinol Geltaidd na phenodol Wyddelig (er enghraifft, addurniadau megis 'rholiau' neu 'doriadau') sydd i'w glywed yn eu recordiadau.

Roedd y grŵp o Ynys Môn, 4 yn y Bar, yn un arall a lwyddodd i swnio'n fwy ac yn llai 'Celtaidd' o bryd i'w gilydd yn eu perfformiadau offerynnol. A'r grŵp yn cynnwys tri chyn-aelod o'r grŵp Cilmeri (Tudur Huws Jones, Huw Roberts ac Iwan Roberts) ynghyd â Tudur Morgan, defnyddient **offerynnau** ac idiomau o Iwerddon (bwswci, banjo tenor a chwiban isel) ac o Ogledd America (elfennau gwlad/*bluegrass* ar y ffidil, a banjo pum llinyn). Mae hyn i'w glywed yn glir ar eu dau recordiad ar label Sain a dau dâp a gynhyrchwyd yn annibynnol yn 1985 ac 1987, sef *Seren Nadolig* a *Ffiwsio*.

Dau beth a ddigwyddodd yn sgil y diffyg *repertoire* o gerddoriaeth offerynnol Gymreig: dechreuodd cerddorion chwilio ymhellach, gan ddefnyddio hen ffynonellau o alawon; yn aml, byddai dyfynnu'n fanwl ac weithiau'n helaeth yn dilysu'r ymchwil hwn. Trwy gydol yr 1970au a'r 1980au buwyd yn ysbeilio ffynonellau printiedig o gerddoriaeth Gymreig o'r 18g. a'r 19g. ar gyfer deunydd traddodiadol 'newydd'. Tair cyfrol a enwir amlaf mewn nodiadau ar lewys recordiau: *Alawon fy Ngwlad* (1896) gan Nicholas Bennett; *The Welsh Harper* (1848) gan **John Parry** (Bardd Alaw); a *Musical and Poetical Relicks of the Welsh Bards* (1784) gan **Edward Jones**. Roedd cyfrol Jones wedi'i hailgyhoeddi, ar ffurf ffacsimili golygedig, gan Clive Morley Harps tua chanol yr 1980au, a hynny'n gwneud y *repertoire* hwn yn fwy hygyrch. Dyfynnwyd hefyd o gyfrolau eraill, megis *Gems of Welsh Melody* (1860) gan **Owain Alaw**, ond yn llai aml o dipyn.

Serch hynny, nid hen gyfrolau printiedig oedd yr unig ffynonellau, ac yn ystod yr 1980au daeth ffynonellau **llawysgrifau**'r 18g. a'r 19g. o alawon Cymreig yn fwy hysbys. Nifer gymharol fach o gerddorion a wyddai am y casgliadau o lawysgrifau cerddoriaeth a gedwid yn Aberystwyth, Bangor a

Chaerdydd, a'r chwaraewr telyn deires Robin Huw Bowen a anfonodd alawon dawns o gasgliadau yn **Llyfrgell Genedlaethol Cymru** ymlaen at gerddorion eraill. Trwy hynny, a thros gyfnod, nid yn unig fe ehangodd yr amrediad o ffynonellau o alawon a *repertoire*, ond daeth cerddorion hefyd yn barotach i gyfansoddi alawon mewn arddull draddodiadol.

O fewn y cyfyngiad cyffredinol i'r *repertoire* Cymreig, ymddengys fod un ffynhonnell benodol o gerddoriaeth fel pe bai'n unigryw o fewn adfywiad gwerin yr 1970au a'r 1980au; llawysgrif o gerddoriaeth i delyn farddol a gopïwyd gan **Robert ap Huw** tua dechrau'r 17g. oedd y ffynhonnell honno, er ei bod yn cynnwys llawer o gerddoriaeth dipyn hŷn. Dau grŵp a gynhwysodd ddeunydd ohoni ar eu recordiadau oedd Yr Hwntws ('Caingc Gruffudd ab Adda ap Dafydd') ac **Aberjaber** (cyfansoddiad gwreiddiol gan Peter Stacey o'r enw 'Three Fires', a oedd yn seiliedig ar alaw yn y llawysgrif). Roedd ail albwm Aberjaber, yn 1988, yn cynnwys pedwar darn o'r llawysgrif. Gellir dehongli defnydd y diwygwyr Cymreig o'r gerddoriaeth hon fel rhywbeth a oedd yn dod â mwy o ddilysrwydd i draddodiad brodorol nad oedd yn meddu ar draddodiadau cyfredol megis Iwerddon, yr Alban a Llydaw.

Yn ystod yr 1980au daeth dylanwadau eraill yn bwysig, a'r rhain yn aml yn mynd yn groes i'r arferiad o dderbyn dylanwadau Gwyddelig yn ddigwestiwn. Nid tyfu y tu allan i gyd-destun a wnaeth perfformio offerynnol ymysg grwpiau gwerin Cymru yn yr 1970au a'r 1980au. Roedd bodolaeth y grwpiau, ynghyd â'r offerynnau a ddewisent, ynddo'i hun yn tystio i lu o ddylanwadau allanol. Cerddoriaeth Wyddelig oedd yr amlycaf o'r rhain, a chafodd ei harferion hi rywfaint o ddylanwad hefyd ar y dewis o *repertoire*. Tynnodd grwpiau eraill, megis Calennig ac Ar Log – i raddau llai efallai – ar ddylanwadau o Loegr a'r Alban, tra bu Mabsant yn rhydd, ar y cyfan, oddi wrth ddylanwad Celtaidd.

O ran *repertoire*, roedd y grwpiau hyn yn rhoi sylw amlwg i gerddoriaeth o ffynonellau Cymreig; fodd bynnag, o ran arddull perfformio, mabwysiadodd cerddorion o Gymru elfennau o arddulliau o'r tu allan i'r traddodiad brodorol, a'u defnyddio wedyn yn y *repertoire* Cymreig. Unwaith eto, y technegau addurno sy'n gysylltiedig â cherddoriaeth Wyddelig oedd amlycaf o blith y rhain. Mae arddulliau cerddorol eraill hefyd yn rhan o'r pair, ond nid i'r un graddau.

Yng Nghymru, prin oedd yr anogaeth i rai a oedd am berfformio cerddoriaeth draddodiadol, heblaw yn achos **canu gwerin** neu ganu **cerdd dant**; roedd y

ddau *genre* hynny yn rhan o fyd **eisteddfodau** lleol a'r Genedlaethol, a chaent yn aml eu cymeradwyo neu eu hyrwyddo gan **Gymdeithas Alawon Gwerin Cymru** neu **Gymdeithas Cerdd Dant Cymru**. O ran cerddoriaeth offerynnol, roedd hefyd brinder o gynheiliaid traddodiad byw i'w hefelychu, ac ychydig o recordiadau a oedd ar gael. Yn yr un modd â llawer o adfywiadau eraill, roedd elfennau cryf o ailbennu cyd-destun a thrawsffurfio yn perthyn i'r adfywiad hwn ym myd cerddoriaeth offerynnol draddodiadol yng Nghymru. Roedd *repertoire* yn gymharol brin ar ddechrau'r cyfnod dan sylw, ond daeth yn llai prin yn ystod yr 1980au; fodd bynnag, gan nad oedd unrhyw agweddau penodol ar arddull perfformio i'w hetifeddu (y tu hwnt i'r grefft o ganu'r delyn deires), heb sôn am eu hatgyfodi, gellid yn hawdd ddadlau bod yr adfywiad yn gyffredinol yn ymwneud mwy â chreu traddodiad newydd na gydag ail-greu traddodiad.

Wrth i'r 1980au dynnu at eu terfyn, daeth ffactorau eraill yn bwysicach: dechreuwyd ail-greu **offerynnau** heblaw'r delyn deires (yn benodol, y **crwth** a'r **bibgorn**), fel y gallai offerynnau cerddoriaeth Gymreig o leiaf hawlio eu bod yn creu sain fwy penodol Gymreig nag a fu'n bosibl gynt. Yn ystod y degawd ailgreodd Robert Evans delynau cynnar, gan fynd ati wedyn i astudio'n fanwl dechnegau chwarae'r crwth. Jonathan Shorland oedd y cyntaf i ail-greu unrhyw nifer arwyddocaol o bibgyrn y gellid eu chwarae.

O'r 1990au ymlaen gwelir dylanwad cerddoriaeth o gyfandir Ewrop, yn arbennig o Lydaw, ar gerddoriaeth grwpiau Cymreig, er enghraifft **Bob Delyn a'r Ebillion**. Yn ystod y cyfnod hwn bu mwy o arbrofi rhwng gwahanol *genres* hefyd. Clywir hyn yn fwyaf amlwg, o bosibl, yng nghynnyrch y gantores a'r delynores **Siân James**, gyda *Gweini Tymor* (Sain, 1996) yn fwy 'traddodiadol' o ran y defnydd o alawon a threfniannau gwerin, tra mae *Di-Gwsg* (Sain, 1997), a gynhyrchwyd gan Ronnie Stone, yn cyfuno curiadau cerddoriaeth ddawns *techno* a seiniau'r delyn.

Lluosogrwydd fu un o brif nodweddion byd y grwpiau gwerin er troad yr 21g. Tra mae sefydlu mudiadau megis *trac* wedi gwneud llawer i feithrin ymwybyddiaeth o offerynnau ac arferion cerddorol traddodiadol Cymru – ac yn sgil hyn wedi esgor ar gynulliadau torfol o chwaraewyr yn yr arddull draddodiadol, megis **Y Glerorfa** – clywir hefyd yn sain grwpiau megis **Calan** barodrwydd i ymestyn ffiniau *genres* gwerin, i ddatblygu ffurfiau, ac i arbrofi gyda seiniau a gweadau traddodiadol a chyfoes fel ei gilydd er mwyn sicrhau bod canu gwerin yn parhau'n berthnasol ac apelgar i gynulleidfaoedd newydd.

Llyfryddiaeth

Lois Blake a W. S. Gwynn Williams (gol.), *Welsh Whim* (Llangollen, 1948)

Tegwyn Jones (gol.), *Tribannau Morgannwg* (Llandysul, 1976)

D. Roy Saer, 'Y Bibgod yng Nghymru', *Cerddoriaeth Cymru*, 7/2 (Gaeaf, 1982/83), 31–8

Mick Tems, 'Cromlech: *Igam-Ogam*', *Taplas*, 3 (Gaeaf, 1982/3), 17

Keith Hudson, 'Mabsant: *Trip i Forgannwg*', *Taplas*, 5 (Haf, 1983), 27

———, 'Adolygiad o *Ar Log IV*', *Taplas*, 12 (Gwanwyn, 1985), 18

Lyn Ebenezer, *Ar Log ers Ugain Mlynedd* (Llanrwst, 1996)

Hefin Wyn, *Be Bop a Lula'r Delyn Aur* (Talybont, 2002)

Stephen Rees a Pwyll ap Siôn

Gwerinos

Grŵp gwerin bywiog a phoblogaidd a sefydlwyd yn 1987 ac a oedd yn esblygiad mewn gwirionedd o fand twmpath o'r enw Alff Alffa a'r Soya Beans. Roedd yr aelodau gwreiddiol i gyd yn dod o ardal Dolgellau, gan adlewyrchu'r bwrlwm a'r diddordeb newydd a ddaeth yn sgil sefydlu'r Ŵyl Werin yn y dref honno yn 1978. Roedd dau ohonynt yn gyn-aelodau o'r grŵp **Cilmeri** a fu'n amlwg ar ddiwedd yr 1970au a dechrau'r 1980au.

Roedd naw o aelodau yn y grŵp gwreiddiol: Dan Morris (**ffidil**), Elfed ap Gomer (bas), Huw Dylan Owen (mandolin), Bernard Barnes (pib), Alan Moller (pibau *Uillean*), Chris Knowles (**telyn** a *bouzouki*), Ywain Myfyr (gitâr, *bodhran* ac organ geg), Celt Roberts (galwr ac acordion) ac Iwan Parry (ffidil).

Yn raddol newidiodd swyddogaeth Gwerinos o fod yn fand twmpath i fod yn grŵp gwerin gyda chaneuon a setiau offerynnol. Erbyn 1992, yn eu hymddangosiad yn y Sesiwn Fawr gyntaf yn Nolgellau, roedd aelodaeth y grŵp yn edrych yn bur wahanol: roedd pump aelod wedi ymadael a dau aelod newydd wedi ymuno, gan adael chwech, gyda Tony Hodgson (pib) ac Emlyn Gomer (drymiau a gitâr) yn ymuno â Dan Morris, Elfed ap Gomer, Ywain Myfyr a Huw Dylan Owen, oedd erbyn hynny ar y gitâr a llais.

Yn fuan wedi hyn, aeth y grŵp ymlaen i recordio'u cryno-ddisg gyntaf *Di-didl-lan* (Sain, 1994). Yn fuan wedi hyn gadawodd Huw Dylan a Dan Morris

y band, gyda Huw Dylan yn mynd ati i ffurfio'r grŵp gwerin-pync Y Defaid gyda'r cyfansoddwr **Guto Puw**. Cymerwyd eu lle gan Tudur Huws Jones (banjo, mandolin, *bouzouki*, pib a llais), ac yn ddiweddarach ymunodd Idris Morris Jones (ffidil) a Gareth Jones (Jôs) ar y drymiau, wrth i Emlyn Gomer symud at y gitâr, *bouzouki* a lleisio. Symudodd Elfed ap Gomer i chwarae'r allweddellau ac ymunodd Roger Vaughan ar y gitâr fas. Dyma'r aelodau a recordiodd yr ail albwm, *Seilam*, a ryddhawyd yn 1997.

Yn 1999 rhyddhawyd eu trydydd albwm, *Lleuad Llawn* (Sain, 1999). Aelodau'r grŵp erbyn hyn oedd Tudur Huws Jones (banjo, mandolin, *bouzouki*, pib a llais), Elfed ap Gomer (allweddellau ac acordion), Emlyn Roberts (gitâr, *bouzouki* a llais), Marc Jones (bas), Idris Morris Jones (ffidil), Gareth Jones (drymiau), Ywain Myfyr (gitâr, *bodhran*, organ geg a llais). Gadawodd Tudur Huws Jones yn y flwyddyn 2000 ac ymunodd Aled Rees Jones (gitâr).

Ymunodd Huw Roberts (ffidil) â'r band ar gyfer teithiau i'r Wcráin a Ffrisia yn 2001. Gwnaeth y band eu hymddangosiad 'olaf' yng **Ngŵyl** Cefni 2002. Ond ymhen ychydig dros ddeng mlynedd wedyn, yn 2013, daeth rhai o'r aelodau yn ôl at ei gilydd a dal ati i berfformio'n achlysurol. Yr aelodaeth erbyn 2016 oedd Tudur Huws Jones (banjo, mandolin, *bouzouki* a phib), Aled Rees Jones (gitâr), Gareth Jones (*cajon* a phib), Idris Morris Jones (ffidil a llais), Ywain Myfyr (gitâr, *bodhran*, organ geg a llais) a Nicolas Davalan (bas dwbl).

Disgyddiaeth

Di-didl-lan (Sain SCD2075, 1994)

Seilam (Sain SCD2160, 1997)

Lleuad Llawn (Sain SCD2221, 1999)

Arfon Gwilym

Gwibdaith Hen Frân

Ffurfiwyd Gwibdaith Hen Frân ym Mlaenau Ffestiniog yn 2006 gan Phil Lee Jones (llais, iwkalili), a fu'n aelod o'r grwpiau **Mim Twm Llai** ac Estella, Robert Buckley (bas dwbl), a fu hefyd gydag Estella, Gethin Thomas (llais, gitâr) a Paul Thomas (llais, gitâr acwstig). Treuliwyd misoedd cyntaf y band yn jamio yn Nhafarn y Ring, Llanfrothen, a pharhaodd eu hapêl fel band byw, deinamig. Disgrifiwyd eu harddull fel 'sgiffl llinynnol hurt' gan gylchgrawn *Y Selar*, ac yn ôl gwefan Sain, '[mae] eu hysbrydoliaeth i [ysgrifennu] caneuon wedi ei sbarduno gan hen gymeriadau [Llanfrothen] sydd â hanesion di-ri, digwyddiadau personol unigolion y band a'u bywyd o ddydd i ddydd.'

Recordiodd y band sesiwn C2 i BBC Radio Cymru yng ngwanwyn 2007 cyn rhyddhau eu halbwm cyntaf, *Cedors Hen Wrach* (Rasal, 2007) yn yr haf. Gyda'i arddull gwerin amgen, roedd yr albwm yn chwa o awyr iach i'r byd **canu pop** cyfoes ar y pryd, a chaneuon hwyliog a doniol megis 'Coffi Du', 'Trôns Dy Dad' a 'Cyri' yn boblogaidd mewn nosweithiau byw ac ar y radio. Bu'r band yn weithgar iawn yn 2007, gan chwarae yng **Ngŵyl** Car Gwyllt Blaenau Ffestiniog, Sesiwn Fawr Dolgellau, Maes B a gigiau Cymdeithas yr Iaith yn **Eisteddfod** Genedlaethol Cymru Sir y Fflint a Gŵyl Macs yng Nghaerfyrddin.

Dilynwyd *Cedors Hen Wrach* gan EP elusennol, *Cân Am Sana*, cyn Nadolig 2007, gyda Glyn Wise (a ddaeth i amlygrwydd flwyddyn ynghynt drwy gyfrwng y rhaglen deledu realaeth *Big Brother*) ynghyd â sêr radio eraill yn cyfrannu, a blwyddyn yn ddiweddarach, cyhoeddodd y band eu hail albwm, *Tafod dy Wraig* (Rasal, 2008). Yn 2010, ymddangosodd y band ar y rhaglen *Nodyn* ar S4C, ond bu newid yn yr aelodaeth yn ddiweddarach y flwyddyn honno wrth i Paul Thomas a Robert Buckley ymadael gan wneud lle i dri aelod newydd, Justin Davies (mandolin, harmonica), gynt o **Anweledig**, Gary Richardson ar y bas ac Ieuan Williamson ar y banjo. Yr un flwyddyn rhyddhawyd trydydd albwm, *Llechan Wlyb* (Rasal, 2010) a bu iddynt hefyd ennill gwobr Siart C2 yng Ngwobrau Roc a Phop BBC Radio Cymru; fe wnaethant ei hennill eilwaith yn 2011. Rhyddhawyd eu halbwm diweddaraf, *Yn Ôl ar y Ffordd*, hefyd ar Rasal, yn Awst 2013.

Llyfryddiaeth

http://www.sainwales.com/cy/store/sain/rasal-cd022

Disgyddiaeth

Cedors Hen Wrach (Rasal RASALCD022, 2007)
Cân Am Sana [EP] (Rasal RASALCD023, 2007)
Tafod dy Wraig (Rasal RASALCD025, 2008)
Llechan Wlyb (Rasal RASALCD032, 2010)
Yn Ôl ar y Ffordd (Rasal RASALCD035, 2013)

Craig Owen Jones

Gwilym, Arfon

Canwr gwerin, **baledwr**, cyhoeddwr a cherddor Cymreig yn enedigol o Rydymain, Gwynedd. Daeth i'r amlwg yn noson Tafodau Tân yn **Eisteddfod** Rhuthun 1973, ble canodd ddiweddariad o'r gân draddodiadol 'Marged Fwyn Ferch Ifan'. Bu'n hybu **canu plygain**, **cerdd dant** a byd yr offerynwyr traddodiadol (Clera) dros y blynyddoedd. Bu'n ohebydd gyda phapur newydd *Y Cymro* am dros ddeng mlynedd. Treuliodd beth amser fel ymchwilydd gyda Radio Cymru yn BBC, Bangor, a'i brif waith erbyn hyn yw rheoli Cwmni Cyhoeddi Gwynn, sy'n arbenigo mewn cerddoriaeth werin a chlasurol. Ef oedd awdur y llyfr *Cerddoriaeth y Cymry: Cyflwyniad i draddodiad cerddorol Cymru* (Y Lolfa, 2007).

Gwilym, Meinir (g.1983)

Cantores ym maes **canu pop** Cymraeg a ddaeth i amlygrwydd yn ystod degawd cyntaf yr 21g. Cafodd Meinir Elin Gwilym ei magu yn Llangristiolus, Ynys Môn. Hanai o deulu cerddorol a bu'n cystadlu yn **Eisteddfodau**'r Urdd pan oedd yn ifanc. Dechreuodd gyfansoddi yn bedair ar ddeg oed tra roedd yn dysgu chwarae'r gitâr. Cafodd ei haddysg yn Ysgol Henblas, Ysgol Gyfun Llangefni a Phrifysgol Bangor lle graddiodd mewn Cymraeg ac Athroniaeth yn 2004.

Erbyn iddi gwblhau ei hastudiaethau ym Mangor roedd Meinir Gwilym eisoes wedi dod i sylw'r cyhoedd fel cantores bop. Tra oedd yn fyfyriwr, bu'n fuddugol mewn cystadleuaeth ysgrifennu caneuon, ac yn fuan daeth i sylw label recordiau Gwynfryn Cymunedol, a ryddhaodd ei EP gyntaf, *Smôcs, Coffi a Fodca Rhad*, yn 2002. Gydag arddull bop uniongyrchol a gafaelgar i'w chlywed mewn caneuon megis 'Dim Byd a Nunlla' ac 'Wyt Ti'n Gêm?', daeth yr EP yn hynod boblogaidd dros nos. Deuai ei theitl o'r gân 'Gormod' ('Ti 'di byw rhy hir ar smôcs, coffi a fodca rhad'), ac roedd yn crynhoi testunau nifer o ganeuon cynnar Meinir Gwilym. Âi ati i ymdrin mewn ffordd ffres, ddiffuant a di-lol â digwyddiadau bob dydd ym mywydau pobl gyffredin, gan osod pwyslais yn aml ar brofiadau Cymry dosbarth gweithiol neu gefn gwlad.

Dilynwyd *Smôcs, Coffi a Fodca Rhad* flwyddyn yn ddiweddarach gan ei record hir gyntaf, *Dim Ond Clwydda* (Gwynfryn Cymunedol, 2003). Yn sgil perfformiadau'r gantores ar draws y wlad a'r ffaith fod y caneuon yn cael eu chwarae'n gyson ar Radio Cymru, cafodd y recordiau hyn werthiant uchel. Clywir mwy o ddylanwad canu gwlad ar ei hail albwm, *Sgandal Fain* (Gwynfryn Cymunedol, 2005), sy'n gyfuniad o ganeuon bywiog a rhai mwy myfyrgar a thelynegol, megis 'Y Funud Hon'. Enillodd ddau gategori yng Ngwobrau Rap 2004, sef prif gyfansoddwr ac artist benywaidd gorau, ac erbyn 2005 roedd ei phoblogrwydd yn ddigon i sicrhau rhaglen ddogfen ar ei bywyd ar S4C.

Bu seibiant o dair blynedd cyn ei thrydedd record hir, *Tombola* (Gwynfryn Cymunedol, 2008), lle clywid hi'n canu gyda'r canwr **opera Bryn Terfel** mewn dwy o'r caneuon. Ni fu *Tombola* lawn mor llwyddiannus â'r ddwy record gyntaf, fodd bynnag, ac o bosib collwyd rhywfaint o sbarc, herfeiddiwch ac emosiwn amrwd y caneuon cynnar. Daeth bwlch am gyfnod yng ngyrfa Meinir Gwilym fel cantores pan gafodd waith fel cyflwynydd ar Radio Cymru. Bu hefyd yn cyd-gyflwyno ar S4C gyda'r canwr **Huw Chiswell** yn y gyfres *Noson Chis a Meinir*, ac yn ddiweddarach ar y rhaglen gylchgrawn nosweithiol, *Wedi Saith*. Fodd bynnag, parhaodd i ganu a chyfansoddi. Perfformiodd yn Los Angeles ar Ddydd Gŵyl Dewi 2014 gan ryddhau *Celt* – casgliad yn bennaf o oreuon ei recordiau blaenorol – i gyd-fynd â'r digwyddiad.

Yn 2013, daeth ynghyd â'r gantores a'r delynores werin amryddawn **Gwenan Gibbard** i berfformio yng **Ngŵyl** Canol Haf Rie yn Friesland, yng ngogledd-orllewin yr Iseldiroedd. Roedd yn asiad cerddorol diddorol a thrawiadol o elfennau traddodiadol a modern, ond efallai nid yn gam cwbl annisgwyl gan fod trefniannau o **emynau** a chaneuon gwerin traddodiadol megis 'Ar Hyd y Nos', 'Mam a'i Baban' a 'Merch y Melinydd' wedi ymddangos ar recordiau Meinir Gwilym ers ei EP cynnar. Aeth y ddwy ati i greu trefniannau newydd o **ganeuon gwerin**, megis 'Gweini Tymor' a 'Rowndio'r Horn'. Ymddangosodd Meinir Gwilym ar record hir Gwenan Gibbard, *Cerdd Dannau* (Sain, 2013), a pharhaodd y ddwy i gydweithio gan berfformio ledled Cymru yn 2015.

Am gyfnod, yn arbennig yn ystod ei blynyddoedd cynnar, bu ei chaneuon yr un mor llwyddiannus o ran gwerthiant â chynnyrch artistiaid mwy sefydlog megis **Dafydd Iwan** a **Bryn Fôn**. Er nad oedd yr un grym a phŵer yn perthyn i'w llais pur â'i chyfoeswraig agos o Ynys Môn, **Elin Fflur**, roedd gan Meinir Gwilym y ddawn brin i lunio a throsglwyddo stori afaelgar mewn cân, a'r gallu i gysylltu'n uniongyrchol gyda'i chynulleidfa, ynghyd â'r parodrwydd i fentro i gyfeiriadau newydd wrth gydweithio gydag artistiaid megis Bryn Terfel a Gwenan Gibbard.

Disgyddiaeth

Smôcs, Coffi a Fodca Rhad (Gwynfryn Cymunedol GCCD03, 2002)

Dim Ond Clwydda (Gwynfryn Cymunedol GCCD11, 2003)

Sgandal Fain (Gwynfryn Cymunedol GCCD30, 2005)

Tombola (Gwynfryn Cymunedol GCCD50, 2008)

Celt (Gwynfryn Cymunedol GCCD64, 2014)

'Sworn Protector'/'Rho i Mi' [sengl] (Gwynfryn Cymunedol, 2015)

Pwyll ap Siôn

Gwilym, Tich (Robert John Gwilliam; 1950–2005) (gw. hefyd Jarman, Geraint)

Gitarydd amryddawn a gysylltir yn bennaf gyda recordiau **Geraint Jarman** ac un o gerddorion mwyaf dylanwadol ei genhedlaeth. Fe'i ganed ym mhentref Pen-y-graig, Rhondda. Roedd ei fodryb Evelyn yn gantores opera amatur, ond nid oedd unrhyw un arall o'r teulu'n gerddorol. Roedd ei ewythr John Gwilliam (1923–2016), fodd bynnag, yn gapten llwyddiannus iawn ar dîm rygbi Cymru yn yr 1950au, gan arwain y tîm hwnnw i ennill dwy Gamp Lawn (1950 ac 1952) ynghyd â churo Awstralia a Seland Newydd.

Dechreuodd Robert Gwilliam chwarae'r gitâr pan oedd tua wyth mlwydd oed. Cafodd ei addysg yn Ysgol Ramadeg Tonypandy, ac yn ystod y cyfnod yma dechreuwyd ei alw wrth y llysenw 'Tich Beck' oherwydd ei fod yn fyr o ran taldra ac yn edmygu'r gitarydd Jeff Beck (g.1944). O ganlyniad cafodd ei adnabod fel Tich Gwilym. Roedd gitaryddion megis Jimi Hendrix (1942–70), Hank Marvin (g.1941) a Nils Lofgren (g.1951) hefyd yn ddylanwad arno.

Ac yntau'n ddim ond 14 oed daeth Tich i sylw hyrwyddwr lleol o'r enw Bob McClure, a drefnodd sesiwn recordio ar ei gyfer. Yn fuan wedyn, gyda'i gyfaill y cerddor Mike Monk, ffurfiodd Tich grŵp roc/*blues* o'r enw Tich Beck Reunion. Yn 1967 symudodd Tich i Gaerdydd a newidiwyd enw'r band i Kimla Taz. Bu gwahanol gerddorion yn perthyn i'r band, gan gynnwys John Morgan (gitâr fas), Pete Hurley (gitâr fas) a Robert 'Dodo' Wilding (drymiau), a ddaeth yn ddiweddarach, fel Tich, yn aelodau o fand Geraint Jarman.

Denodd Kimla Taz gryn ddiddordeb gan nifer o gwmnïau recordio ac arwyddwyd cytundeb gyda chwmni Decca i ryddhau record; fodd bynnag, chwalodd y band cyn iddynt gwblhau'r albwm.

Yn ystod yr 1970au a'r 1980au aeth Tich ymlaen i berfformio gyda nifer o gerddorion amlycaf Cymru, gan gynnwys Andy Fairweather Low, Dave Edmunds, Geraint Watkins, Arran Ahmun a **Pino Palladino**, ond daeth yn fwyaf adnabyddus am ei waith gyda Geraint Jarman. Cyfarfu'r ddau yn ystod sesiynau recordio albwm cyntaf Jarman, *Gobaith Mawr y Ganrif* (Sain, 1976). Bu Tich hefyd yn recordio ar albwm **Heather Jones**, *Jiawl* (Sain, 1976), a thrwy hynny daeth yn fwy ymwybodol o'r sîn roc Gymraeg.

Clywir dylanwad Tich yn fwy amlwg ar ail record hir Jarman, *Tacsi i'r Tywyllwch* (Sain, 1977), er enghraifft yn y gân deitl ac 'Ambiwlans'. Yn fuan wedyn dechreuodd y band deithio o dan yr enw Geraint Jarman a'r Cynganeddwyr. Fodd bynnag, ar ôl recordio'r albwm *Hen Wlad Fy Nhadau* (Sain, 1978) gadawodd Tich y band er mwyn chwarae a theithio gyda'r band Racing Cars. Chwe mis yn ddiweddarach daeth yn ôl at y Cynganeddwyr gan recordio sawl albwm llwyddiannus, megis *Gwesty Cymru* (Sain, 1979), *Fflamau'r Ddraig* (Sain, 1980), *Diwrnod i'r Brenin* (Sain, 1981) a *Macsen* (Sain, 1983). Derbyniodd wobr offerynnwr y flwyddyn gan y cylchgrawn *Sgrech* yn 1980, gwobr a enillodd deirgwaith i gyd.

Ac yntau'n ysu bob amser i symud ymlaen, daeth yn aelod o'r **grŵp roc** trwm arbrofol newydd Mochyn 'Apus yn 1983, gyda Dewi 'Pws' Morris (llais), Dyfed Thomas (llais), Dafydd Pierce (gitâr) a Dai Watkins (drymiau). Tua'r un cyfnod sefydlodd Tich Los Ionisos, band a chwaraeai alawon traddodiadol Chile yng Nghymru, ar ôl iddo ddod yn ffrindiau gyda'r chwaraewr *charango*, Mario Gaete. Bu hefyd yn perfformio mewn band o'r enw'r Superclarks gydag aelod o'r grŵp roc trwm **Budgie**, Burke Shelley. Trwy gysylltiad y Cynganeddwyr â **Maffia Mr Huws**, a fu'n teithio gyda Jarman yn ystod yr 1980au, rhoddodd Tich wahoddiad i ddrymiwr Maffia, Gwyn Jones, ymuno â'r Superclarks, ac yn sgil hyn dechreuodd berfformio a recordio gyda'r gantores werin **Siân James**. Cyfrannodd at sawl albwm ganddi, gan gynnwys *Cysgodion Karma* (Sain, 1990) a *Distaw* (Sain, 1993).

Daeth yn ôl i gysylltiad gyda Jarman yn yr 1990au, gan chwarae ar *Rhiniog* (Ankst, 1992), a pherfformio ym Maes B o flaen torf o dros fil o bobl yn 1998. Ar ddechrau'r mileniwm newydd chwaraeodd y band yng **Ngŵyl** y Faenol ym Mangor ac yn **Eisteddfod** Genedlaethol Maldwyn a'r Gororau ym Meifod yn 2003.

Er iddo adael yr ysgol yn 16 mlwydd oed, roedd Tich yn amryddawn mewn nifer o feysydd,

megis disgyblaeth ac athroniaeth Aikido. Ar 19 Mehefin 2005 bu farw mewn tân yn nhŷ ffrind yng Nghaerdydd. Dyfarnwyd yn ddiweddarach mai marwolaeth ddamweiniol ydoedd o ganlyniad i effeithiau mwg ar ôl i gannwyll ddisgyn mewn ystafell ymolchi. Fe'i cofir yn arbennig am berfformiadau ysbrydoledig o'r **anthem** genedlaethol ar ddiwedd gigs Geraint Jarman. Yn 2006 derbyniodd James, mab Tich, wobr RAP Cyfraniad Arbennig ar ran ei dad. Yn sicr, roedd Tich Gwilym yn ffigwr eiconig ym myd **canu pop** Cymraeg ac yn un o gitaryddion gorau Cymru.

Disgyddiaeth (gw. **Jarman, Geraint**)

Rhys James

Gŵyl Gerddoriaeth
(gw. **Gwyliau Cerddoriaeth**)

Gwyliau Cerddoriaeth

Yr ŵyl gyntaf o bwys yng Nghymru nad oedd yn un gystadleuol oedd Gŵyl Harlech, a sefydlwyd yn 1867 yn ôl awgrym Owen Roberts, saer o Dalsarnau, ac a gynhaliwyd gyntaf ar 25 Mehefin 1868. Cyfarfu grŵp o weinidogion, ysgolfeistri a masnachwyr Anghydffurfiol yn festri un o gapeli Dyffryn a ffurfio Undeb Cerddorol Dirwestwyr Ardudwy, a ddaeth yn ddiweddarach yn Canu Harlech. Samuel Holland, un o gymeriadau blaenllaw diwydiant llechi Ffestiniog ac AS Meirionnydd dros y Rhyddfrydwyr yn ddiweddarach, a noddai'r cyngherddau dirwest cynnar hyn o ran-ganeuon, **anthemau** ac **emyn-donau** a esblygodd maes o law yn berfformiadau **oratorio** llawn Cylchwyl Gerddorol Castell Harlech.

Yn ei hanterth, roedd yr Ŵyl yn fenter gydweithredol ryfeddol lle byddai unawdwyr, cerddorfa a chorau cyfun o oddeutu 1,500 o leisiau yn ymgynnull yn flynyddol o bedair sir wledig Meirionnydd, Caernarfon, Trefaldwyn ac Aberteifi, i berfformio yn yr awyr agored yng nghwrt mewnol y Castell. Daeth Harlech yn ganolfan ddiwylliannol unigryw ar adeg Gŵyl a helaethwyd platfformau ei gorsaf drenau, a oedd hefyd wedi agor yn 1867, i dderbyn y cantorion niferus ac aelodau'r cynulleidfaoedd a gyrhaeddai ar drenau arbennig.

Parhaodd y gyfres gyntaf o wyliau am 19 tymor yn olynol a thalwyd i offerynwyr cerddorfaol ddod o brif ddinasoedd Lloegr, gan na chredid bod offerynwyr

Cymru yn ddigon medrus. Byddai'r corau'n canu ar wahân a chyda'i gilydd dros dri diwrnod: cerddoriaeth gysegredig yn y bore, cerddoriaeth seciwlar yn y prynhawn a darn sylweddol gyda'r nos fel *Messiah* Handel, *Creadigaeth* Haydn neu *Elijah* Mendelssohn. **Ieuan Gwyllt** oedd yr **arweinydd** cyntaf a châi pob côr ymarfer unigol, gan roi cyfle iddo wella. Roedd pawb hefyd yn cael clywed prif unawdwyr y dydd, pobl fel **Edith Wynne**, **Mary Davies**, Laura Evans Williams, Sybil Vane, Dilys Jones, Eos Morlais, **Owain Alaw**, David Ellis, Walter Glynne, **Owen Bryngwyn**, David Brazell, **Brinley Richards** a **Joseph Parry**, cyfle a oedd yn anghyffredin ar y pryd.

O 1910 adfywiwyd yr Ŵyl gan Owen O. Roberts, ysgolfeistr yn Nolgellau a mab y sylfaenydd. Perfformiodd 16 o gorau o Borthmadog i Fachynlleth, i gyfeiliant cerddorfa Vasco Akeroyd o Lerpwl, i 8,000 o bobl yn y Castell gyda channoedd yn rhagor y tu allan. Erbyn y 1920au, ar ôl ffurfio Cerddorfa Symffoni Cymru, câi'r Ŵyl ei harwain gan Henry Wood a **Henry Walford Davies** a chan Edward Elgar a gyfarwyddodd *The Apostles* yn 1924. Ymhlith y cyfansoddiadau Cymreig yr oedd gwaith D. Christmas Williams (1871–1926), *Suite yn D leiaf* (1924), a thynnodd sylwebyddion sylw at symbolaeth gŵyl 'a gâi ei chynnal o fewn i'r union furiau a godwyd i fygu cenedligrwydd Cymreig a sathru'r Gymraeg dan draed' (*Cambrian News*, 10 Gorffennaf 1914). Gallai tywydd gwael amharu ar yr Ŵyl – yn 1920 ni pherfformiwyd y *Messiah* oherwydd glaw. Ac roedd nifer y côr-gantorion hefyd yn gallu arwain at ddiffyg disgyblaeth, gyda rhai'n cyrraedd yn hwyr neu'n diflannu'n gynnar gan godi gwrychyn eu cyd-gantorion a'r gynulleidfa. Yn ôl poster 1927, yr Ŵyl hon oedd y wledd gerddorol ragoraf yng Nghymru, ond erbyn 1934 roedd wedi mynd yn aberth i'r Dirwasgiad.

Ystyriai Walford Davies Ŵyl Harlech yn 'esiampl organig o Ŵyl Gerddorol Sirol' (Davies 1926, 14), yn rhydd o feirniadaethau, gwobrau ariannol a'r awydd i drechu eraill fel mewn **Eisteddfod** gystadleuol. Ar ôl ei benodi'n Athro Cerddoriaeth Gregynog cyntaf Coleg **Prifysgol** Cymru, Aberystwyth yn 1919, a ffurfio'r *Montgomery County Recreation Association* gan David Davies, sef Arglwydd Davies o Landinam yn ddiweddarach, yr un flwyddyn, cynhaliwyd *The Montgomeryshire Music Festival* (Gŵyl Gerddoriaeth Sir Drefaldwyn) am y tro cyntaf ar 21 Gorffennaf 1921.

Pafiliwn y Sir yn y Drenewydd oedd y lleoliad,

sef hen sied awyrennau o Swydd Lincoln a brynwyd am £7,250 gan y Swyddfa Ryfel a'i haddasu i wneud lle i 2,000 o bobl eistedd. Perfformiodd 19 o gorau cyfun, cyfanswm o 1,300 o leisiau *Hymn of Praise* Mendelssohn a rhan gyntaf *Requiem* Mozart. Yr arweinydd oedd John Morgan Nicholas, Trefnydd Cerddoriaeth Sir Drefaldwyn, ac roedd y gerddorfa lawn yn cynnwys Hubert Davies, Arthur Williams ac aelodau eraill o staff yr adran gerdd yn Aberystwyth. Ar y gofraglen ceir yr arwyddair 'Môr o gân yw Cymru i gyd' ac mae rhagair Walford Davies yn disgrifio'r Ŵyl fel 'digwyddiad mawr, llawn posibiliadau bendigedig ... Gŵyl yn tarddu o galon a meddwl Maldwyn'.

Ers hynny mae'r Ŵyl wedi cynnwys yn ei rhaglen yr holl glasuron safonol i gorau gan Bach, Handel, Beethoven, Mendelssohn a Brahms ynghyd â pherfformiadau cyngerdd o operâu fel *Carmen* Bizet a *Nabucco* ac *Aida* Verdi, dan arweiniad yr Eidalwr o'r Ariannin Carlo Felice Cillario (1915–2007). Bu cynrychiolaeth dda o weithiau Prydeinig: *Hiawatha's Wedding Feast* Coleridge-Taylor, *The Dream of Gerontius* a *The Music-Makers* Elgar, *Sea Symphony*, *Benedicite* a *Serenade to Music* Vaughan Williams, *The Rio Grande* Lambert ac *A Child of our Time* gan Tippett. Bu pwyslais amlwg hefyd ar *repertoire* Cymreig fel *Rhapsody on Welsh Airs* Percy Fletcher, *Song of the Wind* Vincent Thomas, *Gweddi* **Arwel Hughes**, a *The Country Beyond the Stars* a *St Peter* **Daniel Jones**.

Ymhlith yr unawdwyr a berfformiodd yr oedd y sopranos Isobel Baillie, Stiles Allen a Heather Harper, y contraltos Astra Desmond, Constance Shacklock a Norma Proctor, y tenoriaid Parry Jones, Richard Lewis, David Galliver a John Mitchinson, a'r baswyr Keith Falkner, Owen Brannigan, Trevor Anthony, John Carol Case a Raimund Herincx. Roedd yr **arweinyddion** hirdymor yn cynnwys Adrian Boult, John Barbirolli, Eric Chadwick, Charles Groves, Reginald Jacques a Henry Wood a ddywedodd, ar ôl cyfarwyddo *Requiem* Verdi yn 1939, fod y perfformiad wedi 'creu safon newydd o lwyddiant corawl yn rhengoedd cantorion Cymru' (Allen 1948, 34). Hyd yr Ail Ryfel Byd, amaturiaid oedd yr offerynwyr cerddorfaol at ei gilydd, ond pan ailddechreuodd yr Ŵyl yn 1946 cyflogwyd ensemblau fel yr Hallé, Cerddorfa Ffilharmonig Frenhinol Lerpwl, Cerddorfa Symffoni Dinas Birmingham a Cherddorfa Symffoni Bournemouth.

Heddiw mae Côr yr Ŵyl yn cynnwys tua chant o aelodau o dri o gorau cysylltiedig: Llanidloes,

Llandinam a Chaersws, gyda Chymdeithasau **Corawl** y Drenewydd a'r Trallwng ynghyd â chantorion unigol o ardal Machynlleth yn cefnogi a Philharmonia Gogledd Cymru yn cyfeilio. Cynhelir yr Ŵyl bob mis Mai yn Theatr Hafren yn y Drenewydd. Mae'n cynnal y cysylltiadau â theulu Davies ond yn dibynnu fwyfwy ar gymorth gan Gyngor Celfyddydau Cymru, Ffederasiwn Cerddoriaeth Amatur Cymru a noddwyr preifat. Ymhlith yr arweinyddion diweddar bu Owain Arwel Hughes, Roland Morris a Gwyn L. Williams, a arweiniodd y perfformiad cyntaf o waith **Richard Elfyn Jones**, *Goroesiad Cenedl* i nodi'r Milflwyddiant. Dathlodd yr arweinydd presennol, Patrick Larley, 90fed penblwydd yr Ŵyl yn 2011 drwy gyfansoddi *The Gentle Earth of Wales*, ffantasia gorawl mewn naw symudiad sy'n defnyddio **alawon gwerin** Cymru a thestunau gan feirdd a chanddynt gysylltiadau â Maldwyn, sef George Herbert ac R. S. Thomas.

Cynhaliwyd y *Three Valleys Festival* (Gŵyl y Tri Chwm) gyntaf ym mis Mai 1930 pan ddaeth Walford Davies â thri chôr at ei gilydd ynghyd â thri arweinydd gwadd, Henry Wood, W. Gillies Whittaker a Malcolm Sargent, am wythnos o berfformiadau gan gynnwys *Hymn of Praise* Mendelssohn a *Messiah* Handel. Deuai aelodau'r corau o gymoedd Rhondda, Dâr a Merthyr ac roedd yr Ŵyl yn eithaf unigryw, yn ôl y daflen, gan ei bod yn gwasanaethu achos cerddoriaeth ar y naill law ac yn ymdrech ar raddfa fawr i adfywio cymdeithas yr un pryd. Gwnaed colled o £640, a dalwyd gan grant gan Ymddiriedolaeth Carnegie i gynorthwyo cerddoriaeth mewn ardaloedd difreintiedig. Torrwyd yn ôl ar yr Ŵyl a'i gwneud yn ddigwyddiad tridiau o 1932 gyda Sargent yn arwain ar saith achlysur yn olynol. Erbyn 1938 roedd 29 o gorau cyfun yn cynnwys 2,770 o gantorion, a cherddorfa o 70 o offerynwyr yn cyfeilio.

Cynhaliwyd gwyliau ym Mhafiliwn Aberpennar, y man perfformio mwyaf yng Nghymru ar y pryd, a dosbarthwyd 15,000 o gopïau o lawlyfr blynyddol dros ardal eang. Bu perfformiadau o *repertoire* yr Ŵyl yng ngwahanol ardaloedd y corau hefyd. Roedd Cronfa Noddwyr yn galluogi aelodau'r corau i brynu cerddoriaeth a mynychu ymarferion am y nesaf peth i ddim, 'gan gofio bod nifer fawr o gantorion yn dioddef trallodion diweithdra, ac eto'n ddigon dewr i ddod i'r Ŵyl a chanu fel pe na bai ganddynt ofal yn y byd' (cyfieithiad o daflen yr Ŵyl, 1938). Cynhaliwyd ysgolion penwythnos i arweinyddion yn y Barri a Phontypridd, dan arweiniad Henry Wood a Leslie Woodgate, a bu W. H. Reed yn cynnig hyfforddiant ar dechneg offerynnau llinynnol. Roedd gan bob un o'r corau unigol Bwyllgor Merched i werthu tocynnau ac, yn ystod y Dirwasgiad, byddai hyd yn oed y tocynnau rhataf yn cael eu prynu gan rai aelodau o'r gynulleidfa mewn rhandaliadau, er mai nod yr Ŵyl oedd sicrhau bod y gerddoriaeth orau ar gael i bawb yn ddiwahân, yn hytrach na gwneud elw.

Ymhlith yr unawdwyr lleisiol yr oedd Elsie Suddaby, Astra Desmond, Heddle Nash a Walter Widdop, a chafwyd ambell i seren o offerynnwr fel y pianydd Clifford Curzon a'r feiolinydd Sybil Eaton. Cyflwynwyd *Dioddefaint yn ôl Sant Mathew* Bach a *Samson* Handel ochr yn ochr â gweithiau cyfoes fel *King Olaf* Elgar, *Toward the Unknown Region* Vaughan Williams, *Three Jovial Huntsmen* Walford Davies a *Dark the Night* Malcolm Sargent. Clywyd cerddoriaeth Gymreig hefyd, gan gynnwys *Deffro, Mae'n Ddydd* David Evans, *Salm i'r Ddaear* **T. Hopkin Evans** a *Victory of St Garmon* Harry Evans.

Torrodd yr Ail Ryfel Byd ar draws yr Ŵyl a chynhaliwyd perfformiadau rhanbarthol mewn gwahanol ganolfannau yn y de hyd nes y gallodd yr Ŵyl ddychwelyd i Aberpennar yn 1947, er mai hon fyddai'r Ŵyl olaf. Roedd y rhesymau am ei dirwyn i ben yn cynnwys diffyg arweinwyr lleol, diffyg diddordeb ymhlith pobl ifanc a diddordebau newydd fel darlledu a'r sinema.

Llyfryddiaeth
'Harlech Festival', *Cambrian News*, 10 Gorffennaf 1914, 2
Henry Walford Davies, *The Musical Outlook in Wales* (Y Drenewydd, 1926)
Taflen, 'Three Valleys' Festival Patrons' Fund', 1938 (LlGC, Llawysgrifau Prifysgol Cymru)
W. R. Allen, 'The choral tradition' yn Peter Crossley-Holland (gol.), *Music in Wales* (Llundain, 1948), 30–43

Rhian Davies

Gwynedd, Siôn (gw. **Gwynneth, John**)

Gwynedd, Yws (gw. **Frizbee**)

Gwynneth, John neu **Siôn Gwynedd** (m. *c.* 1560–63)

Cyfansoddwr a dadleuwr di-flewyn-ar-dafod dros Babyddiaeth. Roedd yn un o'r Cymry prin iawn i gael eu rhestru ymhlith yr 'ymarferwyr' cerddoriaeth nodedig yng ngwaith Thomas Morley, *Plaine and Easie Introduction to Practicall Musicke* (1597).

Honnir ei fod yn fab i Dafydd ap Llewelyn ab Ithel o Gastellmarch, Llanbedrog, Llŷn, ac er ei bod yn debygol mai ychydig iawn o amser a dreuliodd yng Nghymru fel oedolyn, roedd yn dwyn teitl profost eglwys golegol Beuno Sant, Clynnog Fawr, o 1540 o leiaf. Yn 1522 y ceir y cyfeiriad cyntaf ato y gwyddys amdano, yn enwi 'John Gwynneth, clerk' a oedd yn gyflogedig gan abaty Benedictaidd St Albans yr oedd arnynt £18 iddo y flwyddyn honno; mae'n debyg iddo gael ei recriwtio yno ar gyfrif ei ddoniau cerddorol, ond yno hefyd y dechreuodd ar ei yrfa fel awdur polemeg. Erbyn 1535, roedd yn 'chapelyn' yn St Albans, ac erbyn 1540 yn gaplan i'r brenin, ond ei fod, mae'n amlwg, yn dal swyddi eraill ar y cyd â'r rhain: ac yntau wedi'i dderbyn yn rheithor Stuchbury, Swydd Northampton, yn 1528, fe'i henwir yn ficer plwyf Luton yn St Albans, Swydd Bedford, yn 1537 ac yn rheithor St Peter Westcheap, Llundain, yn 1543.

Yn 1531 cyflwynodd gais llwyddiannus am radd DMus ym Mhrifysgol Rhydychen, gan honni iddo ymarfer celfyddyd cerddoriaeth am ddeuddeng mlynedd, a gosod yr holl atebiadau am flwyddyn gyfan mewn polyphoni (*cantis chrispis aut fractis ut aiunt*) ynghyd â sawl Offeren, 'including three masses of five parts and five masses of four parts, besides hymns, antiphons, and divers songs for the use of the church' (Boase 1885). Collwyd y rhain i gyd, a'r unig ddarn y gellir ei gysylltu ag ef yn ddigamsyniol yw'r rhan bas o'i gân bedwar-llais 'And I mankind have not in mynd/My love that mornyth for me', a gyhoeddwyd yn *XX Songes* Wynkyn de Worde yn 1530 (mae gweddill y rhannau'n eisiau). Myfyrdod ar y Dioddefaint sydd yma, mewn addasiad o'r gân boblogaidd 'My love she mourneth' (gw. Harper 2007, 283–4).

Llyfryddiaeth

C. W. Boase (gol.), *Register of the University of Oxford*, i (Rhydychen, 1885)

J. P. D. Cooper, 'John Gwynneth [John Gwynedd]', *Oxford Dictionary of National Biography*, gol. C. Matthew, B. Harrison et al., 60 cyfrol (Rhydychen, 2004) <http://www.oxforddnb.com/>)

Sally Harper, *Music in Welsh Culture before 1650: A Study of the Principal Sources* (Aldershot, 2007)

Sally Harper

Gynnar, Cerddoriaeth
(gw. **Cynnar, Cerddoriaeth**)

H

Hall, Augusta (1802–96)

Augusta Waddington oedd aeres stad Llanofer, Sir Fynwy. Priododd Benjamin Hall yn 1823 a mabwysiadodd yr enw barddol Gwenynen Gwent yn 1834 (Ley 1996, 128). Urddwyd ei gŵr yn farwn Llanofer yn 1859 ac, o ganlyniad, derbyniodd hithau'r teitl Arglwyddes Llanofer. Er nad Cymraeg oedd ei mamiaith bu'n ddiwyd yn noddi a hyrwyddo agweddau gwahanol ar ddiwylliant gwerin Cymru, yn enwedig cerddoriaeth a'r wisg Gymreig.

Bu'n byw yn ôl yr hyn a dybiai oedd safonau a dulliau traddodiadol yr oes. Er enghraifft, bu'n gyfrifol am greu gwisg genedlaethol ac fe'i gwisgai'n aml er mwyn gosod esiampl i weddill merched Cymru. Dyma a ddaeth macs o law yn wisg Gymreig draddodiadol. Gwnaeth Augusta Hall ymdrech hefyd i gadw'r hen arferion Cymreig yn fyw, megis y Fari Lwyd, gwasanaethau'r **Plygain**, **Gŵyl** Ifan, defodau nos Ystwyll, hel **calennig**, **cerdd dant** a **dawnsio**. Dynoda ei henw barddol natur ddeublyg ei chymeriad, yn cynnig ei phrysurdeb a'i chefnogaeth ar y naill law ac yn barod i gyhuddo a beirniadu ar y llall.

Nodweddid y 19g. gan gyfnod o ddadeni diwylliannol ac roedd ei chartref, Llys Llanofer, yn ganolfan ddiwylliannol Gymreig o bwys. Gohebai â thywysogion a thywysogesau a châi gwleidyddion, **ysgolheigion**, beirdd, llenorion, cerddorion a haneswyr groeso mawr ar ei haelwyd. Adwaenid ei chyfeillion pennaf fel aelodau 'cylch Llanofer' a gynhwysai Angharad Llwyd, y Foneddiges Elizabeth Brown Greenly (Llwydlas), a fu'n ysbrydoliaeth iddi ddysgu'r Gymraeg, **Maria Jane Williams**, John Jones (Tegid), Thomas Price (Carnhuanawc), y Foneddiges Charlotte Guest a **John Parry** (Bardd Alaw). Ystyriai'r rhain ei chartref yn noddfa, gan iddi gyflogi **telynorion** yn y llys, gan gynnwys **John Roberts** (Telynor Cymru), sefydlu ysgol ar gyfer telynorion dall yn Llanymddyfri a chefnogi gwneuthurwyr telynau teires ar ei stad, unigolion megis Bassett Jones (Caerdydd).

Bu'n weithgar ac yn ymroddedig hefyd er budd unigolion lleol. Cynorthwyodd **Maria Jane Williams** gyda'i chyfrol *Ancient National Airs of Gwent and Morganwg* (1844) gan fynnu y dylai 'gynnwys geiriau Cymraeg yn unig' (Williams 1988, 13). Gellir honni mai ei dylanwad ar gyfrol Jane Williams oedd un o'i phrif gyfraniadau i gerddoriaeth werin Cymru, gan mai hwn oedd y casgliad cyhoeddedig cyntaf i gynnwys geiriau Cymraeg.

Roedd hi'n aelod blaenllaw o Gymdeithas Cymreigyddion y Fenni, a sefydlwyd yn 1834 (Morgan 1988, 5; gw. hefyd Thomas 1978, sy'n cynnig mai yn 1833 y sefydlwyd y gymdeithas), a bu'n bleidiol i'r **eisteddfodau** a gynhaliwyd rhwng 1834 ac 1853. Sicrhaodd nawdd a chefnogaeth ar eu cyfer gan gynnig gwobrau gwerthfawr, sy'n cyfateb i gyfanswm o oddeutu can mil o bunnoedd yn ein harian ni heddiw (Morgan 1988, 9), a thrwy ei gweithgarwch diflino yn hyrwyddo'r **delyn deires**. Câi ei hystyried yn lladmerydd ar ran y delyn deires mewn oes pan welid y delyn bedal yn ennill tir a thelynorion mawr y dydd, rhai fel **John Thomas** (Pencerdd Gwalia) yn troi cefn ar yr offeryn a gyfrifid ar y pryd yn offeryn cenedlaethol y Cymry. Ystyriai Augusta Hall yr hyn a wnaeth John Thomas yn frad (Ley 1996, 133) a digiodd wrtho am byth. Yn wir, cymaint oedd ei sêl dros y delyn deires fel y sefydlodd weithdy ar dir y stad i gynhyrchu'r offeryn, a llwyddodd i ddwyn perswâd ar deuluoedd cefnog i gynnig telynau teires drudfawr yn wobrau yn eisteddfodau'r cyfnod (Evans 1986, 203).

Dyma wraig a ddefnyddiodd ei chyfoeth a'i statws i roi asbri o'r newydd i ffordd o fyw a oedd mewn perygl o ddiflannu am byth. Bu farw ar 17 Ionawr 1896.

Llyfryddiaeth

Maxwell Fraser, 'The Girlhood of Augusta Waddington (afterwards Lady Llanover) – 1802–23', *Cylchgrawn Llyfrgell Genedlaethol Cymru*, XII/4 (Gaeaf, 1962), 305–22

Mair Elvet Thomas, *Afiaith yng Ngwent* (Caerdydd, 1978)

Gwynfor Evans, 'Gwenynen Gwent – Arglwyddes Llanofer

(1802–1896)', *Seiri Cenedl y Cymry* (Llandysul, 1986), 201–5

Eunice Bryn Williams, 'Arglwyddes Llanofer a Cherddoriaeth Gymreig', *Welsh Music*, 8/8 (Gwanwyn/Haf, 1988), 7–15

Prys Morgan, *Gwenynen Gwent* (Casnewydd, 1988)

Rachel Ley, 'Arglwyddes Llanofer a'r Delyn Deires', *Hanes Cerddoriaeth Cymru / Welsh Music History*, 1 (1996), 128–35

———, 'Pencerddes Gerddgar: Augusta Hall (1802–1896) a Cherddoriaeth Werin Gymreig', *Canu Gwerin*, 19 (1996), 22–34

Prys Morgan, 'Lady Llanover (1802–1896), "Gwenynen Gwent"', *Trafodion Anrhydeddus Gymdeithas y Cymmrodorion*, 13 (2006), 94–106

Leila Salisbury

Halsing (Halsingod)

Cân grefyddol neu garol yw'r halsing. Mae tarddiad y gair yn y Saesneg *ha(i)lsing*, sef cyfarchiad.

Daw'r enghraifft gynharaf a ddyddiwyd o 1622, ond perthyn y rhan fwyaf i'r cyfnod rhwng tuag 1662 a chanol y 18g.: mae'r penillion eu hunain yn aml yn cynnwys enw'r awdur a dyddiad y cyfansoddi. Gellir enwi tua hanner cant o awduron halsingod, gan gynnwys yr arweinydd Methodistaidd Daniel Rowland, Llangeitho; Ifan Gruffydd, Troed-yr-aur (*c.*1655–*c.*1735); a Samuel Williams (*c.*1660–*c.*1722), Llandyfrïog a Llangynllo.

At ei gilydd, cynnyrch beirdd gwlad yw'r halsingod, ond dengys rhai awduron ymwybyddiaeth o'r traddodiad barddonol clasurol, a cheir trawiadau cynganeddol yn eu gwaith. Daw'r mwyafrif o'r enghreifftiau sydd ar glawr o Ddyffryn Teifi, Sir Gaerfyrddin a gogledd Penfro, ond ceir un o leiaf o ogledd Ceredigion. Mae'r rhan fwyaf yn y mesur Cymreig pedwar curiad, rhai ym Mesur Salm **Edmwnd Prys**, a dau ar y mesur cyhydedd hir. Yn ôl Geraint Bowen gellir canfod dylanwad penillion y Ficer Prichard (a gyhoeddwyd gan Stephen Hughes o 1658 ymlaen) ar yr halsingod, a moesol a chrefyddol yw eu themâu fel penillion Prichard. Defnyddir hanesion y Beibl i gyflwyno gwers foesol neu grefyddol, a cheir tipyn o sôn am Ddydd y Farn yn rhybudd i'r werin.

Awgrymwyd eu bod yn boblogaidd am nad oedd yr Eglwys Wladol yn gwbl effeithiol yn ei gwaith o **addysgu**'r bobl, a gellir eu gosod yn llinach yr hen draddodiad o ddefnyddio celfyddyd i ddarlunio gwersi'r Ysgrythur, ond gyda geiriau yn lle darluniau. Disgrifia Erasmus Saunders eu defnydd yn *A View of the State of Religion in the Diocese of St David's…* (1721), gan ddweud eu bod yn boblogaidd iawn ymhlith pobl ifanc ym misoedd y gaeaf, rhwng **Gŵyl yr Holl Saint** (1 Tachwedd) a Gŵyl Fair y Canhwyllau (2 Chwefror).

Fe'u cenid yn yr eglwysi, yn enwedig ar ddyddiau gŵyl, ond awgryma Saunders fod canu anffurfiol arnynt hefyd, gyda chantorion yn ymffurfio'n gorau ar wahân ac yn canu'n antiffonaidd, a phawb yn ymuno mewn cytgan. Awgrymodd **Meredydd Evans** mai ffurf estynedig ar 'Yr Hen Ganfed' allan o gasgliad **Edmwnd Prys** o **Salmau Cân** yw'r gainc boblogaidd y cyfeiria Erasmus Saunders ati ac y cenid halsingod arni (Evans 1995). Un casgliad o halsingod a gyhoeddwyd, sef *Pedwar o Ganuau* (1718), efallai gan Samuel Williams: diogelwyd y gweddill mewn **llawysgrifau**.

Llyfryddiaeth

Geraint Bowen, 'Yr halsingod', *Trafodion Anrhydeddus Gymdeithas y Cymmrodorion* (1945–6), 103–8

Meredydd Evans, 'Cainc ar gyfer halsingod', *Canu Gwerin*, 18 (1995), 45–8

Rhidian Griffiths

Hanesyddiaeth, Ysgolheictod a Cherddoreg

Ymhlith gwledydd Prydain, Cymru yn ddi-os sy'n dal i gael y sylw lleiaf gan gerddolegwyr. Nid oes yr un awdur eto wedi rhoi cynnig ar ysgrifennu hanes cyflawn cerddoriaeth Cymru; nid oes ond prin ddwsin o fonograffau ysgolheigaidd arbenigol ar gerddoriaeth Cymru; ac nid oes dim sy'n gyfwerth â'r gyfres amlgyfrol ragorol *A Guide to Welsh Literature* na'r *Cydymaith i Lenyddiaeth Cymru*. Yn ogystal, cynrychiolaeth brin sydd gan gyfansoddwyr a *repertoires* o Gymru yn y gwaith cyfeiriadol 'safon aur' hwnnw yn y byd Saesneg, *The Grove Dictionary of Music and Musicians*. Ni chynhwyswyd **Morfydd Llwyn Owen** (1891–1918) yn argraffiad 1980, nac ychwaith – yn rhyfeddol – **Karl Jenkins** (g.1944) yn fersiwn diweddarach, llawer helaethach y geiriadur yn 2001. Yn wir, mae dirfawr angen gwerthusiad o gyflawniad cyfansoddwyr Cymru ar hyd y sbectrwm. Dim ond pedair cyfrol denau a gynhyrchodd y gyfres *Composers of Wales* a noddwyd gan Gyngor Celfyddydau Cymru rhwng 1978 ac 1980: ar **David Wynne** (1900–83), **Grace Williams** (1906–77), **Alun Hoddinott** (1929–2008) a **William Mathias** (1934–92). Yn waeth fyth, erys llawer o gerddoriaeth

Cymru heb ei golygu, heb ei chyhoeddi, heb ei recordio a heb ei pherfformio – ac o'r herwydd mae'n cael ei hanwybyddu neu ei chamddehongli.

Ac eto, ar y llaw arall, mae rhai arwyddion fod 'cerddoreg Gymreig' sylweddol wedi dechrau blodeuo. Ar ddiwedd yr 20g. gwelwyd ymagwedd lawer mwy systematig ac eang i ymchwil ar gerddoriaeth yng Nghymru, a chadarnheir hynny gan ymddangosiad y cyfnodolyn ysgolheigaidd dwyieithog, *Hanes Cerddoriaeth Cymru/Welsh Music History* (ymddangosodd saith cyfrol rhwng 1996 a 2007); mae cyhoeddiadau ysgolheigaidd newydd yn yr arfaeth ar hyn o bryd; mae traethodau doethuriaeth newydd ar gerddoriaeth Cymru yn ymddangos; ac mae llond dwrn o fonograffau blaengar – rhai yn rhyngddisgyblaethol – yn cael adolygiadau cadarnhaol ar y llwyfan rhyngwladol.

Mae rhai o'r problemau sydd ynghlwm wrth astudio cerddoriaeth yng Nghymru o ddifrif yn hawdd eu hadnabod. O ganlyniad i'r trywydd anghyson a ddilynodd cerddoriaeth Cymru o'r Oesoedd Canol ymlaen, ni fydd ysgrifennu ei hanes byth yn gwbl syml a hynny i raddau helaeth am ei bod yn gwrthsefyll mor aml y math o werthuso a dadansoddi y mae cerddoreg 'draddodiadol' yn ei ffafrio. Mae'r cysyniad o ffurfio canon, er enghraifft, yn amherthnasol braidd i gerddoriaeth a fu'n gwbl ddibynnol ar y traddodiad llafar dros gymaint o'i hanes, ac o ystyried mai dim ond ychydig iawn o ffynonellau yn cynnwys nodiant cerddorol sydd wedi goroesi o'r cyfnod cyn 1750.

Mae'r hyn y gellid ei ddiffinio fel '**cerddoriaeth gelfyddydol**' Gymreig (gw. **Cerddoriaeth Glasurol a Chelfyddydol**) yn gymharol gyfyng: cerddoriaeth amatur, **emynyddiaeth** a **sol-ffa** a oedd amlycaf o ddigon yn ystod rhan helaeth o'r 19g., ac ar y cyfan mae cydnabyddiaeth go iawn i'r 'cyfansoddwr o Gymro' (yn enwedig o'r tu allan i Gymru) wedi bod yn ffenomen sy'n perthyn i ddiwedd yr 20g. Fel mae'n digwydd, roedd gan Gymru gyfansoddwr gwir 'enwog' erbyn 1900. Pan fu farw yn 1903, ystyrid mai **Joseph Parry** oedd 'yn ddi-os, y Cymro mwyaf adnabyddus yn y byd' (yn Edwards 1970, 83). Fodd bynnag, ar wahân i'r **opera** Gymraeg nodedig *Blodwen* (1878), bellach mae Parry yn cael ei gofio yn bennaf am yr emyn-dôn 'Aberystwyth' a'r rhan-gân 'Myfanwy', hen ffefryn y **corau meibion** (gw. Rhys 1998, 143–60). I **Cyril Jenkins**, roedd gwaith Parry 'yn eilradd ar ei orau, ac ar ei waethaf ddim yn haeddu sylw'; i Percy Young, roedd yn dioddef o 'arddull anniddorol a ystyriwyd yn briodol

i Ddoethur mewn Cerddoriaeth' (gw. Evans 1921; Young 1967, 491–2).

Nid yw'r canfyddiadau arferol ynghylch cyfnodau cerddorol, *genre*, arddull na hyd yn oed mater trafferthus 'cenedlaetholdeb' cerddorol o anghenraid yn arbennig o ddefnyddiol wrth ddisgrifio cerddoriaeth Cymru. Daeth yr alawon **telyn** melodaidd a gasglwyd ynghyd gan ddynion fel **John Parry** (Parry Ddall) o Riwabon (*c*.1710–82) ac **Edward Jones** (Bardd y Brenin; 1752–1824), yn arbennig o boblogaidd yng Nghymru a'r tu hwnt yn ystod ail hanner y 18g. o achos eu nodweddion 'cenedlaethol' tybiedig. Ond, yn sicr, nid oedd yr holl felodïau a gynhwyswyd o dras Gymreig, ac mae'r trefniannau cysylltiedig yn hynod ddibynnol ar fodelau o Loegr neu'r cyfandir. Nododd **David Wynne** fod eu patrymau melodaidd a'u strwythur harmonig yn 'rhyfeddol o agos i … weithiau cynnar Haydn a Mozart' (yn Stephens, 100), ac mae **Geraint Lewis** wedi dadlau nad yw'r 'Lessons' (sonatas) a gyhoeddwyd gan John Parry yn 1761 yn gwneud fawr mwy nag ailgylchu ffurf wannach ar arddull a oedd ar farw, gan ddynwared 'ffurf syml iawn ar iaith Faróc, a darddai o weithiau Vivaldi ac eraill' (Lewis 1983, 9).

Mae 'cerddoriaeth absoliwt' go iawn – cerddoriaeth heb unrhyw gysylltiad uniongyrchol ag unrhyw bynciau y tu allan i gerddoriaeth, gan gynnwys testunau ysgrifenedig – hefyd wedi bod yn gymharol anghyffredin yng Nghymru. Ac eithrio enghraifft amlwg **Daniel Jones** (a gyfansoddodd bedair symffoni ar ddeg) a'r mwy rhyfeddol fyth **Alun Hoddinott** (a gyfansoddodd gyda'i gilydd ddeg symffoni a thros ddwsin o *concerti*), gellid dadlau nad yw **ffurfiau offerynnol** fel y symffoni a'r *concerto* eto wedi ennill 'lle canolog yn niwylliant Cymru' (ap Siôn 2007, 290).

Mae'r ddibyniaeth dybiedig hon ar destun hefyd yn peri trafferthion pellach i rai y tu allan i Gymru am fod deall yr iaith Gymraeg mor aml yn hanfodol er mwyn perfformio a lledaenu gweithiau o'r fath, heb sôn am wir werthfawrogi'r gerddoriaeth. Yn sicr, mae hyn yn wir am gryn dipyn o'r casgliad o ganeuon unawdol, am nifer o weithiau **corawl**, a hefyd am y *genre* Cymreig unigryw hwnnw, **canu penillion**, sy'n haeddiannol boblogaidd ymysg amaturiaid a cherddorion proffesiynol. Er gwaethaf ei brydferthwch neilltuol a medr a disgyblaeth llawer o'i berfformwyr, mae canu penillion yn dal i fod yn anodd i nifer o bobl ei ddirnad, i raddau helaeth am fod cyn lleied wedi'i ysgrifennu amdano yn y Saesneg.

Gall tuedd ysgolheigion cynhenid cynharach (ac yn wir gyfansoddwyr creadigol) i chwilio am wahanol ffurfiau ar 'Gymreictod' a'u hyrwyddo, amharu hefyd ar werthusiad gwrthrychol o gryn dipyn o gerddoriaeth Cymru. Roedd golygyddion a chasglwyr cynnar yn dal i bwysleisio hynafiaeth a chymeriad unigryw Gymreig darnau o'r fath. Datganodd tudalen deitl *Antient British Music* John Parry ac Evan Williams (1742) fod y 24 o alawon telyn a gynhwysai 'yn ôl y dysgedig yn waddol yr hen dderwyddon', a dywedwyd, yn yr un modd, fod yr 'alawon barddol' a gyhoeddwyd gan **Edward Jones** yn ei amryw gasgliadau o *Musical and Poetic Relicks* (1784 ymlaen) 'wedi'u cadw gan draddodiad, a llawysgrifau dilys o'r cynfyd pell'. Tybed ai cerddoriaeth o'r math hwn a barodd i'r Felix Mendelssohn anfoddog, ar ei daith trwy ogledd Cymru yn haf 1829, ysgrifennu at ei deulu nad oedd hon yn 'gerddoriaeth genedlaethol i mi'? (gw. Tudur 1974, 43–9).

Wrth gwrs, ni fu'r duedd i ddyfeisio gorffennol cenedlaethol ffug – yn enwedig mewn perthynas â neo-Dderwyddiaeth – erioed yn fwy amlwg nag yng ngwaith ysgrifenedig y bardd a'r hynafiaethydd **Iolo Morganwg** (1747–1826). Gallai ei waith fod o gryn ddiddordeb i gerddolegwyr, ac eto mae gwahanu'r ffuglennol oddi wrth y gwir yn achos rhwystredigaeth dragwyddol. Mae ysgolheigion yn dal i ddadlau ynghylch ei werth, er bod diddordebau cerddorol Iolo a'i ragflaenwyr yn cyfiawnhau yn ddiamau astudiaeth lawnach (gw. Morgan yn Hobsbawm a Ranger 1983, 43–100; gw. hefyd Huws 2005, 333–56; Salisbury, 2009).

Mae'r anghydbwysedd potensial hwnnw rhwng cerddoriaeth 'draddodiadol' a 'chelfyddydol' yn her arall i ysgolheictod modern. I lawer, mae meta-naratif hanes cerddoriaeth Cymru yn dal i droi o amgylch cerddoriaeth 'draddodiadol' neu 'werin', termau y dechreuwyd mewn ffyrdd cynnil yn ddiweddar wahaniaethu rhyngddynt mewn gweithiau ysgrifenedig ar gerddoleg. Er enghraifft, mae pumed argraffiad *Grove's Dictionary* (1954) yn diffinio cerddoriaeth werin, neu 'Folk Music' [sic], fel 'any music … which has entered into the heritage of the people … a type of music which has been submitted for many generations to the process of oral tradition', ac mae'r cofnod cysylltiedig o 1954 ar gyfer cerddoriaeth werin Cymru, neu 'Folk Music: Wales', yn cwmpasu nid yn unig ganeuon a dawnsfeydd 'traddodiadol' ond hefyd wahanol ffurfiau ar gerddoriaeth delyn, **carolau** ac **emynau** (sy'n perthyn yn fwy cywir i'r eglwys), **baledi**,

canu penillion a'r *hwyl*. Erbyn diwedd yr 1970au, fodd bynnag, roedd *folk* yn dechrau magu ystyron annymunol yn ymwneud â chenedlaetholdeb a chulni, ac yn 1981 ailffurfiodd yr International Folk Music Council, gan newid 'Folk' i 'Traditional'.

Yn raddol, mae **cerddoriaeth werin** wedi cael ei hailddiffinio ac yn cwmpasu arddulliau cymysg (*fusion*) poblogaidd sy'n dal i ddefnyddio melodïau neu **offerynnau** 'traddodiadol' mewn rhai ffyrdd, ond sydd fel arfer wedi'u cyfansoddi a'u perfformio'n broffesiynol neu'n fasnachol. Mae *genres* newydd fel 'roc gwerin' wedi ymddangos, ac mae diddordeb cynyddol yng nghynnyrch adfywiad gwerin Cymru yn yr 1970au a'r 1980au, yn cynnwys grwpiau fel **Aberjaber**, **Ar Log** a Pedwar yn y Bar (sy'n arddangos dylanwadau Americanaidd amlwg) (gw. Rees 2007, 304–24).

Fodd bynnag, o geisio categoreiddio yn y fath fodd, mae perygl y caiff rhai mathau o gerddoriaeth eu cymylu neu hyd yn oed eu gwthio i'r ymylon. Er enghraifft, hepgorodd argraffiad *New Grove* 1980 yr erthygl gyffredinol ar gerddoriaeth werin ac yn ei lle cyflwynodd raniad pendant rhwng **cerddoriaeth gelfyddydol** ('art music') a cherddoriaeth draddodiadol ('traditional music') ar gyfer y rhan fwyaf o'r cofnodion a ymwnâi â gwledydd Ewropeaidd unigol. Erbyn 2001 roedd y rhaniadau hyn yn fwy haearnaidd byth: mae'r cofnod cyfansawdd ar gyfer Cymru yn y geiriadur diwygiedig yn syndod o debyg o ran ymagwedd a strwythur i gofnodion yr Alban ac Iwerddon, ac ym mhob achos rhoddir dros bedair gwaith yn fwy o le i gerddoriaeth draddodiadol nag i gerddoriaeth gelfyddydol.

Ond mewn gwirionedd, aneglur iawn yw'r ffin rhwng y ddau faes yn fynych. Er enghraifft, mae prif *genre* yr Oesoedd Canol, **cerdd dant**, y 'grefft linynnol' farddonol honno y gellid, gyda chyfiawnhad, ei disgrifio fel cerddoriaeth 'celfyddyd aruchel' soffistigedig, i'w chael yn y categori 'traddodiadol' oherwydd yr arferai fod yn ddibynnol ar ei throsglwyddo'n llafar ac yn glywedol, er bod ei dyfeisiau cymhleth a'i chyd-destun perfformio aruchel yn wahanol iawn i syniadau confensiynol am gerddoriaeth y 'werin'.

Ar yr un pryd, mae'r rhaniad arferedig rhwng erthyglau wedi achosi i fanylion gael eu colli. Rhoddodd *Grove* 5 gynifer â 28 o golofnau i'r erthygl hunangynhwysol hirfaith ar gerddoriaeth werin Cymru ('Folk Music: Welsh'), a 15 colofn arall i'r cofnod cyffredinol ar hanes cerddoriaeth Cymru ('Musical History of Wales') (y ddau gofnod

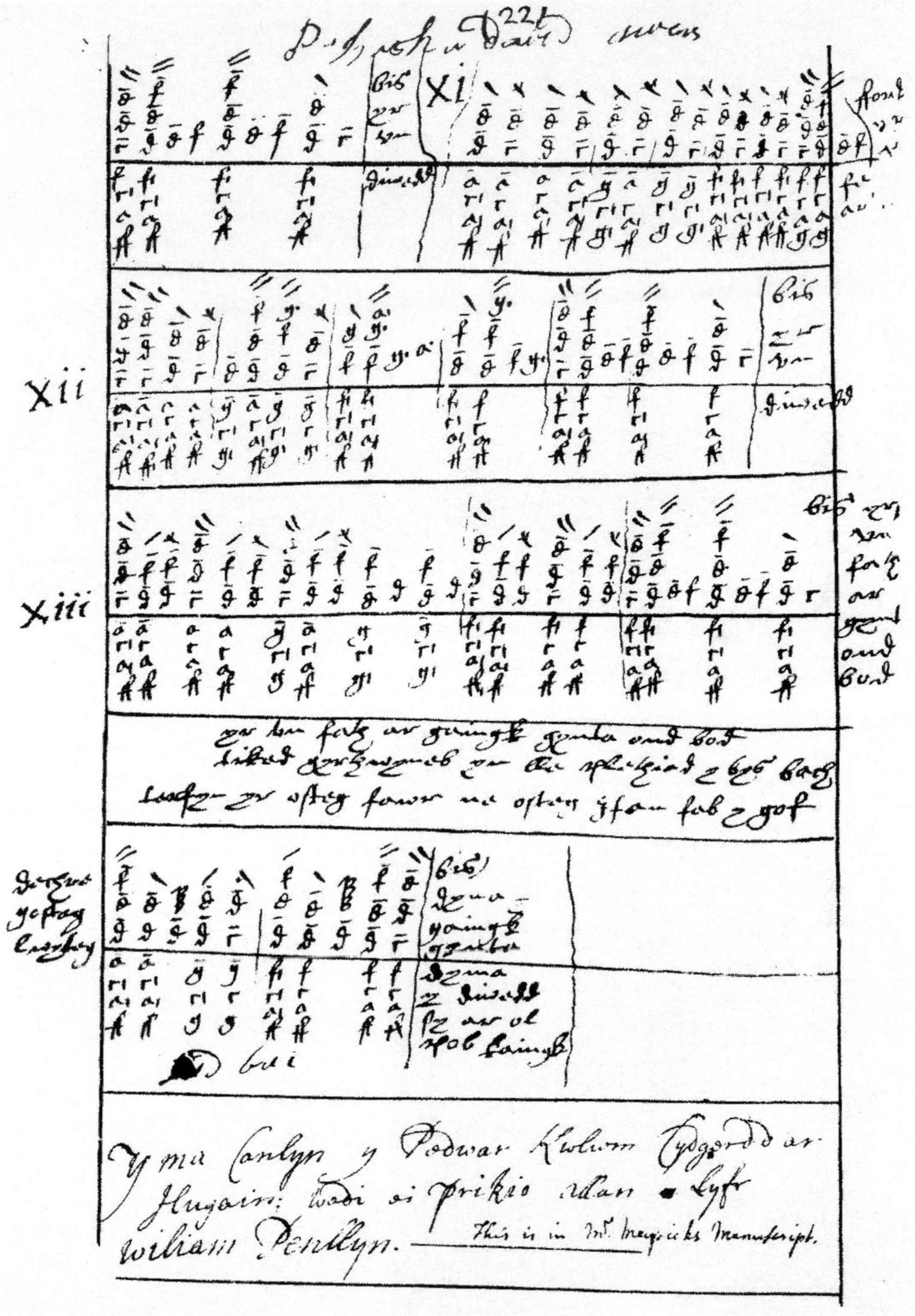

Tudalen allan o lawysgrif bwysig Robert ap Huw (*c.*1613)

Plas Gregynog, cartref y chwiorydd Gwendoline a Margaret Davies, a lleoliad un o Wyliau Cerdd hynaf Cymru

Y cyfansoddwr John Metcalf wrth ei waith

Clara Novello Davies, côr-feistres a hyfforddwraig ddylanwadol

Joseph Parry, un o gyfansoddwyr pwysicaf Cymru

Y gantores opera Sbaenaidd Adelina Patti, a ymgartrefodd yng Nghraig-y-nos ger Glyn-nedd

Canolfan y Mileniwm
yng Nghaerdydd,
cartref Opera
Cenedlaethol Cymru
a'r Tŷ Cerdd

Y cerddor amryddawn
John Cale

Y gantores Cerys
Matthews

Telyn deires, offeryn a ddaeth yn boblogaidd iawn yng Nghymru yn ystod y 18g. a'r 19g.

Geraint Jarman, yn perfformio gyda'i fand, y Cynganeddwyr

Y canwr a'r cenedlaetholwr Dafydd Iwan

Y canwr gwerin-roc unigryw Meic Stevens

Y gantores hynod lwyddiannus Shirley Bassey

Y grŵp gwerin poblogaidd Ar Log

Robin Huw Bowen – un o brif gynheiliaid y delyn deires

Gruff Rhys o'r Super Furry Animals

Bob Delyn a'r Ebillion tuag adeg rhyddhau eu halbwm *Gedon* yn 1992

Y grŵp gwerin deinamig Calan

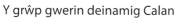

Clawr y sengl 'Dŵr' gan Huw Jones
– y record wnaeth lansio label a
chwmni recordiau Sain

Yr arweinydd Owain Arwel Hughes

Idris Lewis – cyfansoddwr a phennaeth cerdd cyntaf BBC Cymru

Bryn Terfel fel y cymeriad Wotan yng nghylch operatig Richard Wagner *Der Ring des Nibelungen*

Y canwr pop Tom Jones, a aned ym Mhontypridd

Clawr un o recordiau poblogaidd Hogia
Llandegai ar label Teldisc

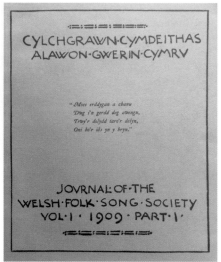

Cylchgrawn Cymdeithas Alawon
Gwerin Cymru

'Glan Rhondda', a ddaeth yn ddiweddarach yn Anthem Genedlaethol Cymru

Eisteddfod Ryngwladol Llangollen, a ddaeth â cherddoriaeth o bob rhan o'r byd i Gymru ers 1947

Y Welsh Imperial Singers

Côr Cenedlaethol Ieuenctid Cymru o flaen Neuadd Albert, Llundain, yn 2014

Alun Hoddinott, un o gyfansoddwyr pwysicaf Cymru yn ail hanner yr 20g.

Y gyfansoddwraig Dilys Elwyn-Edwards

Y gyfansoddwraig Grace Williams

Y cyfansoddwr, yr actor a'r dramodydd poblogaidd Ivor Novello Davies

Nansi Richards
(Telynores Maldwyn)

Y Sipsiwn Cymreig a'u
hofferynnau – y delyn
deires a'r ffidil

Band Pres Royal Oakley
– ymddangosodd nifer
fawr o fandiau pres yng
Nghymru o tua 1850
ymlaen

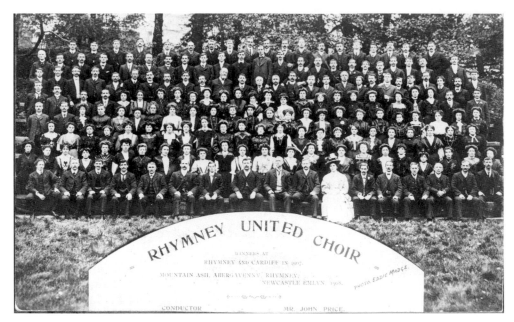

Côr Cymysg Rhymni, un o nifer fawr o gorau i ymddangos yn ystod y 19g.

Côr Meibion Pontarddulais yn canu yn Eisteddfod Genedlaethol Llanelli, 2014

Deuawd cerdd dant yn perfformio yn Eisteddfod yr Urdd

'Galwad y corn gwlad' gan ffanfferwyr yr Eisteddfod Genedlaethol

Y delynores amryddawn Catrin Finch

Only Men Aloud, aeth ati i ailddiffinio'r syniad o'r 'Côr Meibion'

Opera Cenedlaethol Cymru yn perfformio'r *Ffliwt Hud* gan Mozart yn 2015, mewn cynhyrchiad lliwgar gan Dominic Cooke

Y pianydd jazz talentog Huw Warren

William Mathias, mewn llun gan yr arlunydd Claudia Williams – un o gyfansoddwyr amlycaf Cymru yn ystod ail hanner yr 20g.

wedi'u hysgrifennu gan **Peter Crossley-Holland**) yn 1954, ond roedd y cofnod cyfunol ar Gymru yn 1980 (gan yr un awdur) wedi crebachu, ac mae cofnod 2001 (gan **Geraint Lewis** a **Phyllis Kinney**) yn 34 o golofnau. Nid nad oes i'r tri argraffiad eu gwerth eu hunain wrth gwrs (i raddau helaeth fel cofnodion o'r newid mewn ymagwedd ysgolheigaidd), ond maent hefyd yn cryfhau'r ddadl dros wyddoniadur penodol newydd ar gyfer cerddoriaeth Cymru sy'n ymdrin â *genre*, arddull, ffynonellau a chyfansoddwyr mewn llawer mwy o fanylder, heb gyfyngiadau gofod na themplad anhyblyg (gw. White 1988, 303).

Beth, felly, yw'r sefydliadau sy'n braenaru'r tir ar gyfer datblygiad ysgolheictod cerddoriaeth Cymru yn yr 21g., a beth yw'r prif feysydd her a photensial? Yn anochel, mae astudiaeth systematig o gerddoriaeth draddodiadol Cymru yn dal i fod yn flaenoriaeth i **Gymdeithas Alawon Gwerin Cymru** (mae'r Gymdeithas yn cyfarfod ac yn cyhoeddi'n rheolaidd). Mae ymchwil ar gerddoriaeth draddodiadol bob amser wedi elwa ar gyfraniogiad egnïol y rhai sydd heb swyddi academaidd ffurfiol (ystyrier gwaith cynnar y gwragedd a gasglai **alawon gwerin** yn y 19g. a dechrau'r 20g., ac yn ddiweddar waith amhrisiadwy **Phyllis Kinney** dros bum degawd), er bod ymchwil o'r fath hefyd wedi elwa ar gefnogaeth sefydliadol ffurfiol (gw. Kinney 2011).

Sefydlwyd y Gymdeithas ei hun rhwng 1906 ac 1908 yn sgil yr ymchwydd cenedlaethol hwnnw ar ddiwedd y 19g. a roddodd i Gymru ei llyfrgell, ei **hamgueddfa** a'i cholegau **prifysgol** ei hun, ac enillodd hygrededd ysgolheigaidd o ganlyniad i gysylltiad â Choleg Prifysgol Gogledd Cymru, Bangor, lle'r oedd y Gwyddel Harry Reichel, sef prifathro Bangor, Mary Davies, gwraig y cofrestrydd, a **J. Lloyd Williams** (1854–1945), a benodwyd yn y man cyntaf yn ddarlithydd botaneg, oll yn ffigurau tra dylanwadol.

Roedd Lloyd Williams nid yn unig yn olygydd cyntaf *Cylchgrawn Cymdeithas Alawon Gwerin Cymru*, ond hefyd yn sylfaenydd cymdeithas brifysgol Y Canorion, a oedd yn sicrhau y câi'r deunydd a gesglid ei ganu yn hytrach na dim ond ei gadw ar gyfer y dyfodol. Dangosodd rhifyn cyntaf y cylchgrawn yn 1909 hefyd ymwybyddiaeth o gyd-destun ehangach y tu hwnt i Gymru: y briff a gyhoeddodd y Gymdeithas oedd y byddai'n 'casglu' a 'diogelu' caneuon gwerin, **baledi** ac alawon Cymru; yn fyr, y byddai'n 'cyflawni ar ran Cymru y gwaith sydd eisoes yn cael ei gyflawni gan y *Folk-Song Society* [a sefydlwyd yn 1898] ar ran

Lloegr a chan yr *Irish Folk-Song Society* [a sefydlwyd yn 1904] ar ran Iwerddon'.

Ymddangosodd llawer o ddeunydd pwysig yng Nghylchgrawn y Gymdeithas hyd at 1977. Atgyfodwyd y cylchgrawn yn 1978 a pharhau ar wedd ychydig yn wahanol fel *Canu Gwerin (Folk Song)*. Yn anochel, mae ffocws y Gymdeithas hefyd wedi newid. Roedd bron i 600 o ganeuon wedi'u cyhoeddi erbyn yr 1990au, ond rhoddir mwy o egni bellach i ymchwil cymharol a chyd-destunol nag i gasglu. Fodd bynnag, mae tua mil o ganeuon heb eu cyhoeddi ac mae cyhoeddi (ar ffurf ddigidol yn fwyaf delfrydol) casgliadau **llawysgrifau** anghyhoeddedig **John Jenkins** (Ifor Ceri), J. Lloyd Williams ei hun, **Mair Richards** (Darowen), y Fonesig **Ruth Herbert Lewis**, a **Jennie Williams** Aberystwyth yn dal i fod yn flaenoriaeth, gan ddefnyddio'r dulliau beirniadol gorau (gw. Thomas yn Harper a Thomas 2007, 280–96).

Yn ogystal â'r Llyfrgell Genedlaethol, cedwir deunyddiau pwysig ar gyfer astudio **cerddoriaeth draddodiadol** Cymru yn Sain Ffagan **Amgueddfa Werin Cymru** (a gafodd ei chanolfan ei hun ar gyfer astudio cerddoriaeth werin Cymru yn 1976) ac yn Archif Cerddoriaeth Draddodiadol Cymru ym Mhrifysgol Bangor, a sefydlwyd yn 1986 gyda chefnogaeth Cyngor Celfyddydau Cymru fel 'ystorfa o recordiadau cerddorol a geiriol a gadwyd ar gof gan y traddodiad llafar yn hytrach na thrwy ysgrifennu neu argraffu'. Mae'r Archif hefyd yn ymwneud â llunio a noddi cyhoeddiadau, yn eu mysg lyfryddiaeth ddwyieithog **Wyn Thomas** o gerddoriaeth draddodiadol Cymru, sydd bellach yn ei thrydydd ymgorffoliad – arf sy'n sicr yn ddefnyddiol y tu hwnt i gwmpawd y rhai sy'n gweithio ar gerddoriaeth 'draddodiadol' yn unig (Thomas 2006).

Mae ymchwil sylweddol newydd ar gerddoriaeth draddodiadol a gwerin hefyd yn mynd rhagddo ac mae dwy gymdeithas a sylfaenwyd yn yr 1990au hefyd yn annog yn anuniongyrchol ei diogelu a'i lledaenu, sef *trac*, sy'n bodoli i hyrwyddo a datblygu traddodiadau cerddorol a dawns Cymru, a Clera, sef Cymdeithas Offerynnau Traddodiadol Cymru. Fodd bynnag, mae **prifysgolion** Cymru yn dal i fod ar ei hôl hi ar un ystyr: er bod astudiaeth ethnolegol o gerddoriaeth draddodiadol ddilys bellach wedi cael ei chydnabod fel disgyblaeth academaidd ynddi ei hun, nid oes hyd yma raglen radd lawn yn y maes hwn, tebyg i'r rhai sydd bellach ar gael yn Newcastle, Limerick a Glasgow.

Mae **Cymdeithas Cerddoriaeth Cymru** (*Welsh*

Music Guild) hefyd wedi chwarae rhan bwysig mewn datblygu cerddoriaeth yng Nghymru, yn enwedig trwy gefnogi cyfansoddiadau cyfoes. Fe'i sylfaenwyd o dan yr enw Yr **Urdd Er Hyrwyddo Cerddoriaeth Cymru** yn 1955, a'i bwriad ers hynny fu 'hyrwyddo **addysg** a gwybodaeth gyffredinol y gymuned, ynghŷd â datblygu a meithrin dealltwriaeth a gwerthfawrogiad o gerddoriaeth cyfansoddwyr o unrhyw genedligrwydd sy'n byw yng Nghymru, fel y mynegir ym mhob ffurf ar gerddoriaeth'. Mae ei chyfnodolyn cysylltiedig *Welsh Music/Cerddoriaeth Cymru* wedi cynnwys sawl erthygl allweddol dros y blynyddoedd ac wedi bod yn arf pwysig i ledaenu gwaith ysgolheigaidd cyn i Gyngor y Celfyddydau atal cyllid rheolaidd yn 1999. Fel ei chwaer-gymdeithas, Cyfansoddwyr Cymru, mae'r Gymdeithas Gerddoriaeth ei hun bellach o dan adain Tŷ Cerdd, rhwydwaith gwasanaeth ar gyfer gwybodaeth am gerddoriaeth sydd wedi'i leoli yng Nghanolfan Mileniwm Cymru yng Nghaerdydd. Mae Tŷ Cerdd yn cadw cerddoriaeth, recordiadau a deunydd cyfeirio, ac yn cyhoeddi amryw gyhoeddiadau i hyrwyddo cerddoriaeth a chyfansoddwyr Cymru, er bod peth o'i ddeunydd pwysicaf o ran ffynonellau gwreiddiol wedi'i ryddhau i'r **Llyfrgell Genedlaethol** gan gynnwys **llawysgrifau** sy'n gysylltiedig â chyfansoddwyr megis **Dilys Elwyn-Edwards**, **Daniel Jones**, **Ian Parrott** a **D. Vaughan Thomas**. Mae cryn dipyn o'r deunydd hwn eto'n aros i gael ei archwilio.

Mae rôl **prifysgolion** Cymru yn yr ystyr ehangaf hefyd wedi bod yn hanfodol i astudiaethau cerddorol, er nad yw pob sefydliad wedi parhau i ganolbwyntio ar gerddoriaeth gynhenid. Mae Caerdydd, un o'r adrannau cerdd mwyaf ym Mhrydain, wedi dod yn rhan o'r byd cerddoreg rhyngwladol, er mai un yn unig o'i staff sy'n ymwneud go iawn â cherddoriaeth 'Gymreig' – y cerddoregwr o Galiffornia **Sarah Hill** – sy'n ffigwr blaenllaw mewn ymchwil ar gerddoriaeth boblogaidd. (Roedd aelod arall o'r staff hefyd yn ymwneud â cherddoriaeth Cymru, sef y cyfansoddwr a'r cerddoregwr **Richard Elfyn Jones**, a ymddeolodd yn 2011.)

Yn Aberystwyth, er gwaethaf yr addewid cynnar y byddai'n adran 'Gymreig' (gyda **Joseph Parry** yn Athro am gyfnod byr yn yr 1870au, cyn sefydlu Cadair Gerdd Gregynog yn 1919), daeth y cyfle i astudio cerdd i ben yn nechrau'r 1990au, pan drosglwyddwyd y myfyrwyr i Fangor. Fodd bynnag, ym Mangor ei hun mae cerddoriaeth Gymreig, ar bob gwedd ac yn y ddwy iaith, wedi dod yn faes twf

sylweddol, sy'n eironig braidd o ystyried siom J. Lloyd Williams yn 1915 (pan ymadawodd am Aberystwyth) nad oedd Bangor ei hun eto wedi sefydlu adran ffurfiol i 'astudio hanes a nodweddion cerddoriaeth Cymru'. I Lloyd Williams, sefydliad o'r fath oedd yr unig ffordd 'i ennill cydnabyddiaeth deilwng i'r pwnc fel y gallai cyfansoddwyr y dyfodol gael eu trwytho yn yr elfennau Cymreig' (Keen 2004, 16).

Geiriau proffwydol, yn wir, o ystyried y byddai Bangor yn y pen draw yn sefydlu cadair gerdd yn 1963, ac y byddai proffil y Brifysgol yn cael ei godi'n aruthrol yn sgil penodi cyfansoddwr o Gymro o statws rhyngwladol. Bu'r cyfansoddwr **William Mathias** yn Athro o 1970 hyd ei ymddeoliad yn 1988, ac mae pwyslais cynyddol wedi'i roi ar gerddoriaeth Cymru fel maes astudio ac ymchwil o sylwedd ers canol yr 1980au. Parhaodd Cyfansoddi i fod yn bwysig i'r sefydliad dros y blynyddoedd, gan ymestyn y ddarpariaeth o gyfansoddi acwstig i gynnwys cyrsiau mewn cyfansoddi acwstig a chyfrifiadurol, cerddoriaeth ar gyfer ffilm a'r cyfryngau, a sgiliau ysgrifennu caneuon. (Gw. **Cerddoriaeth Glasurol a Chelfyddydol**.)

Yn anochel, mae cydnabyddiaeth ddeallusol i gynnyrch cynyddol cerddoriaeth Cymru yn brif flaenoriaeth i Ganolfan Uwch-Astudiaethau Cerddoriaeth Cymru, Bangor, a sylfaenwyd yn 1994 gan **John Harper**. O'r cychwyn cyntaf, cenhadaeth y Ganolfan fu hyrwyddo astudiaethau o gerddoriaeth Cymru yn genedlaethol ac yn rhyngwladol a chydlynu a datblygu cerddoreg wir Gymreig, wedi'i symbylu gan gynadleddau a chyhoeddiadau rheolaidd, yn anad dim drwy'r cyfnodolyn *Hanes Cerddoriaeth Cymru/Welsh Music History* (a olygwyd ar y cyd rhwng **Sally Harper** a Wyn Thomas), a gyhoeddwyd gan Wasg Prifysgol Cymru rhwng 1996 a 2007. Mae'n ymgorffori ystod a chwmpas llawn ysgolheictod cerddoriaeth Cymru yn y ddwy iaith: hanes cerddoriaeth, hanesyddiaeth gerddorol, dadansoddi cerddoriaeth ac ethnogerddoreg. Mae'r cyfnodolyn hefyd yn cyflawni swyddogaeth hanfodol trwy ei fformat cwbl ddwyieithog.

Mae'r Ganolfan wedi dod yn ddrych ar gyfer y prif ffrydiau ymchwil yng ngherddoriaeth Cymru ers ei sefydlu, a cheir pwyslais amlwg ar bedwar maes: cerddoriaeth Cymru'r Oesoedd Canol a'r cyfnod modern cynnar (yn ymdrin â'r sanctaidd a'r seciwlar); cerddoriaeth diwedd y 19g. a dechrau'r 20g. (gan gynnwys gwaith casglwyr caneuon gwerin a chyhoeddwyr cerddoriaeth); cerddoreg olygyddol; a cherddoriaeth boblogaidd Gymreig o'r

1960au ymlaen. Mae cryn dipyn o'r gwaith hwn wedi bod yn rhyngddisgyblaethol, a thrwy hynny mae'n ategu ysgolheictod cynharach o sylwedd, gan gynnwys hanes **Walford Davies** a'r Cyngor Cerdd Cenedlaethol gan yr addysgwr o Gaerdydd David Allsobrook, a'r archwiliad tu hwnt o ddarllenadwy o ganu corawl yn y Cymoedd gan yr hanesydd cymdeithasol **Gareth Williams** (Allsobrook 1992; Williams 1998). Mae'r ddwy astudiaeth yn tynnu ar gyd-destun cymdeithasol a cherddorol ehangach, ac mae'r ddwy yn dangos sut y gellir cynnal ymchwil mewn meysydd cysylltiedig.

Mae posibiliadau cyffrous ar gyfer ymchwil i gerddoriaeth Cymru hefyd yn dod i'r amlwg ar ddau begwn y sbectrwm hanesyddol. Mae'r cyntaf o'r rhain yn canolbwyntio ar gerddoriaeth traddodiad llafar yr Oesoedd Canol, **cerdd dant**, lle mae oddeutu 30 o gyfansoddiadau ar gyfer y delyn wedi goroesi mewn un ffynhonnell a roddwyd ar bapur *c.*1613 gan y telynor o Ynys Môn, **Robert ap Huw**. Mae tabl nodiant unigryw y llyfr hwn wedi drysu haneswyr cerddoriaeth a pherfformwyr ers dyddiau Lewis Morris, ond bu camau breision o ran dealltwriaeth yn sgil ymchwil diweddar a arloeswyd gan **Peter Crossley-Holland** (1916–2001) ac yr ymhelaethwyd arno gan nifer o **ysgolheigion** eraill. Er na chynhyrchwyd cyhoeddiad boddhaol o'r tabl nodiant hyd yma, recordiwyd perfformiadau o sawl darn yn ddiweddar, perfformiadau a roddodd ystyriaeth benodol i ddilysrwydd, a chynigiwyd dehongliadau newydd ar gyfer problemau yr ystyriwyd o'r blaen nad oedd modd eu datrys – yn enwedig oblygiadau rhythmig a harmonig y gerddoriaeth.

Gwneir ymdrechion rhyngddisgyblaethol sylweddol hefyd i ddadansoddi perthynas **cerdd dant** â'r corff mawr o gerddi caeth sy'n cynrychioli crefft cerdd dafod, cerddi yr arferid eu 'canu' i ryw fath o gyfeiliant. Yn 2008 galluogodd prosiect a ariannwyd gan yr AHRC ar y cyd rhwng Ysgol Cerddoriaeth Bangor a Chanolfan Uwchefrydiau Cymreig a Cheltaidd Aberystwyth i dîm o haneryddwyr cerddoriaeth, **ysgolheigion** llenyddol, perfformwyr, beirdd yn y mesurau caeth a chyfansoddwyr, a hynny dan arweiniad Sally Harper a Dafydd Johnston, ymchwilio i ddatrysiadau ymarferol ar gyfer y perfformiadau barddonol hyn, gan dynnu hefyd ar gymariaethau gyda barddoniaeth Iwerddon a'r Alban (gw. Johnston 2011).

Maes rhyngddisgyblaethol arall yw'r un sy'n ymwneud ag ystyron cymdeithasol, gwleidyddol, diwylliannol, testunol a cherddorol **cerddoriaeth** boblogaidd yng Nghymru, ac yn arbennig gerddoriaeth boblogaidd Gymraeg. Nid yw astudio cerddoriaeth boblogaidd o ddifrif yn arbennig i Gymru mewn unrhyw ffordd. Mae i astudiaeth o'r fath gyd-destun llawer ehangach, am fod y pwyslais blaenorol mewn astudiaethau cerddoriaeth ar 'arddulliau aruchel ac isel' ac ar y 'canonaidd' yn symud yn fwy cyffredinol tuag at astudiaethau ehangach o gyd-destun diwylliannol.

Mae'r cyd-destun ehangach hwn yn rhoi lle i ystyried dylanwadau Eingl-Americanaidd, sy'n nodwedd amlwg o ddwy astudiaeth wahanol iawn o gerddoriaeth boblogaidd Cymru, y naill gan **Sarah Hill** a'r llall gan y newyddiadurwr Hefin Wyn. Mae'r ddau awdur wedi nodi bod y cyflwr o 'fod rhwng dau fyd' yn nodwedd amlwg ar gerddoriaeth boblogaidd Cymru, ac mae'r ddau hyd yn oed wedi benthyg yr un geiriau o ddeitl cân gan y **Super Furry Animals**, 'Blerwyttirhwng' (1995), ar gyfer eu gweithiau (Wyn 2006; Hill 2007). Mae cynnyrch y diwylliant hwnnw'n dal i gael ei archwilio, yn enwedig mewn meysydd mor amrywiol â chyhoeddi ffansîns, hunaniaeth genedlaethol a chyfnewid côd ieithyddol.

Beth yw'r ffordd ymlaen i ymchwil ar gerddoriaeth Cymru? Yn anochel, mae mynediad i ffynonellau gwreiddiol yn allweddol, a hynny trwy ddatblygu technoleg ddigidol a mynediad ar-lein lle bynnag y bo modd. Mae'r delweddau cydraniad uchel sydd ar gael ar-lein o Lyfr Esgobol Bangor o ddechrau'r 14g. yn tystio i botensial digideiddio yn achos cerddoreg gynnar. Mae'r delweddau eisoes yn galluogi inni drawsffurfio'n dealltwriaeth o arferion cerddorol-litwrgïaidd eglwysig yng Nghymru yn yr Oesoedd Canol. Mae cynhyrchu cyhoeddiadau beirniadol trwyadl gyda sylwebaeth ysgolheigaidd, fel y nodwyd uchod, hefyd yn hanfodol, a hynny ar gyfer ystod o *genres*, o ganu gwerin a cherddoriaeth draddodiadol, plaengan, polyffoni sanctaidd ac emynyddiaeth i alawon **telyn** y 18g. a'r 19g., **opera** a chaneuon y 19g., a *repertoire* y **corau meibion**, hyd at gyfansoddi cyfoes yn yr 20g. a'r 21g.

Er bod gwaith yn dal i gael ei gyflawni i wella adnoddau ymchwil o'r fath, mae'r ddarpariaeth ar gyfer perfformio cerddoriaeth yng Nghymru yn sicr yn gwella, ac mae'r effeithiau'n amlwg. Roedd diffyg lleoliadau perfformio addas yn gŵyn gyffredin gan y rhan fwyaf o gyfansoddwyr Cymru yn ail hanner yr 20g. – ymbiliodd pob un o'r tri chyfansoddwr a gyfrannodd i gyfrol Meic Stephens *Artists in Wales* (1971) am dŷ opera, neuadd gyngerdd a cherddorfa genedlaethol – ac erbyn heddiw gwireddwyd eu cais.

Roedd **Daniel Jones** hefyd wedi erfyn am Gerddorfa Genedlaethol i Gymru yn 1971, ac yn 1974 ehangodd Cerddorfa Symffoni Cymru'r BBC i 60 o offerynwyr, digon i berfformio gweithiau sylweddol. Yn 1993 rhoddwyd arni'r enw newydd **Cerddorfa Genedlaethol Gymreig y BBC**, ac mae cerddorfa Opera Cenedlaethol Cymru hefyd yn cynnal cyngherddau tu hwnt i theatrau a thai opera Cymru a Lloegr. Y datblygiad mwyaf arwyddocaol yn hyn o beth fu agor Canolfan Mileniwm Cymru ym Mae Caerdydd yn 2004. Mae'n gartref parhaol i Gerddorfa'r BBC (sydd â'i phrif fan perfformio yn Neuadd **Alun Hoddinott**) ac i Opera Cenedlaethol Cymru (Theatr Donald Gordon a Theatr Stiwdio Weston), ac yn Hydref 2013 agorodd ei drysau i ŵyl ryngwladol WOMEX, gan roi llwyfan a statws i nifer o gerddorion a grwpiau gwerin Cymru o fewn cerddoriaeth y byd, megis **9Bach** a **Georgia Ruth Williams**. Gyda llawer mwy o adnoddau, cyfansoddwyr o wir addewid a phroffil ysgolheigaidd cynyddol, ni fu erioed well potensial i ymestyn meysydd cerddoregol sefydledig neu ddatblygu rhai newydd.

Gwefannau

http://www.bangor.ac.uk/music/research/welsh_music. php.en

http://www.trac-cymru.org/

http://www.clera.org/

http://projects.beyondtext.ac.uk/vernacularpoetry/index. php

http://www.bangor.ac.uk/archives/bangorpontifical.php. en

Llyfryddiaeth

E. Keri Evans, *Cofiant Joseph Parry* (Caerdydd, 1921)

Percy Young, *A History of British Music* (Llundain, 1967)

Owain T. Edwards, *Joseph Parry 1841–1903* (Caerdydd, 1970)

Meic Stephens, *Artists in Wales* (Llandysul, 1971)

Alwyn Tudur, 'Mendelssohn's Visit to Wales', *Welsh Music/Cerddoriaeth Cymru*, 4/4 (1974), 43–9

Geraint Lewis, '"Welsh" Music', *Welsh Music/Cerddoriaeth Cymru*, 7/2 (1983), 6–19

Prys Morgan, 'From a Death to a View: The Hunt for the Welsh Past in the Romantic Period', yn E. J. Hobsbawm a Terence Ranger (gol.), *The Invention of Tradition* (Caergrawnt, 1983), 43–100

Harry White, 'Musicology in Ireland', *Acta Musicologica*, 60 (1988), 290–305

David Ian Allsobrook, *Music for Wales* (Caerdydd, 1992)

Dulais Rhys, *Joseph Parry: Bachgen Bach o Ferthyr* (Caerdydd, 1998)

Gareth Williams, *Valleys of Song: Music and Society in Wales, 1840–1914* (Caerdydd, 1998)

Elen Wyn Keen, 'Y Cyfarwyddwr Cerdd', *Canu Gwerin*, 27 (2004), 3–21 (16)

Daniel Huws, 'Iolo Morganwg and Traditional Music' yn Geraint H. Jenkins (gol.), *Rattleskull Genius: The Many Faces of Iolo Morganwg* (Caerdydd, 2005), 333–56

Wyn Thomas (gol.), *Cerddoriaeth Draddodiadol yng Nghymru: Llyfryddiaeth/Traditional Music in Wales: A Bibliography*, 3 (Llanrwst, 2006)

Hefin Wyn, *Ble wyt ti rhwng? Hanes Canu Poblogaidd Cymraeg, 1980–2000* (Talybont, 2006)

Pwyll ap Siôn, 'Cenedligrwydd a'r Cyfansoddwr Cymreig', *Hanes Cerddoriaeth Cymru/Welsh Music History*, 7 (2007), 265–284

Sarah Hill, *Blerwytirhwng?: The Place of Welsh Pop Music* (Aldershot, 2007)

Stephen Rees, 'Traddodiad Celtaidd Newydd? Perfformiad Offerynnol gan Grwpiau yn yr adfywiad Gwerin yng Nghymru, *c*.1975–*c*.1989', *Hanes Cerddoriaeth Cymru/Welsh Music History*, 7 (2007), 325–46

Wyn Thomas, '"Ffarwel i Aberystwyth …": Jennie Williams (1885–1971) and the World of Welsh Folk Song', yn Sally Harper a Wyn Thomas (gol.), *Bearers of Song: Essays in Honour of Phyllis Kinney and Meredydd Evans* (Caerdydd, 2007), 280–96

Leila Salisbury, 'Canu'r Dewin o Drefflemin: Golwg ar Alawon Gwerin Iolo Morganwg' (traethawd MPhil Prifysgol Bangor, 2009)

Dafydd Johnston, 'The Accentuation of Cynghanedd in the Cywydd Metre', *Studia Celtica*, 45/1 (Rhagfyr, 2011), 155–8

Phyllis Kinney, *Welsh Traditional Music* (Caerdydd, 2011)

Sally Harper

Hardy, John (g.1952)

Ystyrir John Hardy yn un o gyfansoddwyr cyfoes mwyaf llwyddiannus Cymru yn arbennig ym maes cerddoriaeth ffilm a'r **cyfryngau**. Yn ogystal â cherddoriaeth ffilm, mae ei allu amryddawn yn cynnwys gweithiau **corawl** a lleisiol, siambr ac **opera**, ac fe gafodd ei gyfansoddiadau comisiwn dderbyniad gwresog gan y beirniaid cerdd yn ogystal â bod yn llwyddiant masnachol. Fe'i comisiynwyd gan nifer o'r prif gerddorion, **cwmnïau opera**, **gwyliau cerdd** a cherddorfeydd, ac ar draws ei yrfa dangosodd afael sicr ar drai a llanw dramatig, yn arbennig yn ei weithiau ar gyfer Music Theatre Wales a Brith Gof.

Fe'i ganed yn Exmouth, Lloegr. Dechreuodd ymddiddori mewn cerddoriaeth yn blentyn gan ganu yng nghôr bechgyn Eglwys Gadeiriol Caerwysg. Astudiodd gerddoriaeth yng Ngholeg Y Frenhines,

Prifysgol Rhydychen ac yna yn Ysgol Gerdd a Drama'r Guildhall yn Llundain. Bu'n gyfarwyddwr cerdd ar y *Laboratory Theatre* yng Nghaerdydd, **Gŵyl** Edington a Brith Gof.

Ymhlith y mwyaf nodedig o'i weithiau o'r cyfnod hwn yr oedd ei gerddoriaeth ar gyfer cynyrchiadau Brith Gof o *Gododdin* (1989) a *Pax* (1990), traciau sain pwerus a rhythmig sy'n defnyddio seiniau diwydiannol ynghyd â chyfuno offerynnau acwstig a thechnoleg gyfoes (megis allweddellau a samplau) i gyd-fynd â chynyrchiadau egnïol y cwmni. Daeth i'w lawn dwf fel artist creadigol yn ystod yr 1990au a daeth yn enw cyfarwydd drwy gyfrwng ei sgorau cefndirol ar gyfer cynyrchiadau theatr megis *House of America* (1988), *Song from a Forgotten City* (1995), *Gas Station Angel* (1998) a *Stone City Blue* (2004), y cyfan mewn cydweithrediad â'r dramodydd Ed Thomas.

Cychwynnodd ei waith ar gyfer cwmni **opera** blaengar Music Theatre Wales yn 1994 gyda'i opera *Flowers*, gwaith trawiadol sy'n amlygu meistrolaeth Hardy yn cyfuno sain a delweddau mewn cyd-destun a oedd yn llawn gwrthdaro dramatig. Yn 1997 ymddangosodd *The Roswell Incident*, unwaith eto ar gyfer Music Theatre Wales, a *Mis Du Bach / Black February* ar gyfer Opera Cenedlaethol Cymru a Gŵyl Ryngwladol Abergwaun. Perfformiwyd *De Profundis* yn 1998 gan Gôr Abaty Westminster, y BBC Singers a London Brass i ddathlu cwblhau cerfluniau o ddeg merthyr rhyngwladol, ac yn ddiweddarach cyfansoddodd *Fever* i Gerddorfa Ffilharmonig Frenhinol Lerpwl ar gyfer noson olaf Proms Cymru yn 2000.

Cyfansoddodd hefyd ar gyfer plant, er enghraifft *A.C.T.I.O.N.– Sing Wales 2000*, a berffformiwyd gan 800 o blant. Un o'i weithiau gorau yw *Blue Letters from Tanganyika* (1997), cathl symffonig liwgar ar gyfer cerddorfa lawn yn seiliedig ar gyfres o lythyrau a ysgrifennwyd gan fam Hardy yn ystod yr 1950au, pan oedd yn gweithio mewn ysgol genhadol yn Tanzania.

Ffurfiodd grŵp o'r enw Ensembl8 yn 2007 ar gyfer perfformio ei gerddoriaeth ei hun ynghyd â gwaith gan eraill er mwyn cyfuno trefniannau gyda cherddoriaeth electronig a fideo. Diau mai'r gerddoriaeth a sicrhaodd y sylw pennaf iddo oedd yr hyn a gyfansoddodd ar gyfer y ffilm *Hedd Wyn* (1994), sgôr naturiol sy'n ategu'r digwyddiadau ar y sgrin ond gan gadw hunaniaeth artistig ar yr un pryd; enwebwyd y ffilm ar gyfer Oscar.

Yn ystod 2010, derbyniodd John Hardy swydd fel Pennaeth Cerddoriaeth Gyfoes yng Ngholeg Brenhinol Cerdd a Drama Cymru lle mae ei brofiad helaeth wedi dylanwadu ar lawer o fyfyrwyr. Prif nodweddion ei waith creadigol yw'r diddordeb mewn drama, y gallu i gydweithio gyda dramodwyr a chyfarwyddwyr teledu, i greu cerddoriaeth gofiadwy sy'n cadw o fewn terfynau ieithwedd draddodiadol (canolbwyntiau cyweiraidd a.y.b.), ymwybyddiaeth o'r tueddiadau diweddaraf ond heb eu hefelychu'n slafaidd, crefftwaith glân a chymen, adnabyddiaeth o'r hyn sy'n addas ar gyfer y proffesiynol a'r amatur fel ei gilydd, ynghyd â dawn i ddewis a dethol geiriau'n bwrpasol.

Disgyddiaeth

John Hardy, *Blue Letters from Tanganyika* (Ffin Records FFN016, 2009)

Llyfryddiaeth

Kenneth Loveland, adolygiad o *Flowers*, *Opera Magazine* (Mai, 1994)

Stephen Pettitt, adolygiad o *Flowers*, *The Times* (21 Mawrth 1994)

Stephen Walsh, adolygiad o *Flowers*, *The Independent* (19 Mawrth 1994)

www.johnhardymusic.net/about/

http://en.wikipedia.org/wiki/John_Hardy

www.musicnow.co.uk/composers/hardy.html

Archif Tŷ Cerdd

Lyn Davies

Harper, John (g.1947)

Ysgolhaig, **arweinydd corawl** a chyfansoddwr. Astudiodd John Martin Harper yng Ngholeg Selwyn, Caergrawnt cyn cwblhau PhD ar gerddoriaeth y cyfansoddwr Eidalaidd Girolamo Frescobaldi (1583–1643) ym Mhrifysgol Birmingham yn 1975. Bu'n ddarlithydd ac *informator choristarum* yng Ngholeg Magdalen, Rhydychen, rhwng 1981 ac 1990, lle bu'n arwain côr y coleg, cyn ei benodi'n Athro a Phennaeth Adran Cerddoriaeth **Prifysgol** Bangor rhwng 1991 ac 1998.

Tra ym Mangor, gwnaeth lawer i hyrwyddo a datblygu **ysgolheictod** ym maes cerddoriaeth Gymraeg a Chymreig, gan sefydlu ar y cyd gyda'i wraig, y cerddoregydd **Sally Harper**, Ganolfan Uwch-Astudiaethau Cerddoriaeth Cymru. Trefnwyd nifer o gynadleddau a chyhoeddiadau o dan enw'r ganolfan rhwng 1995 a 2005, gan gynnwys y cyfnodolyn *Hanes Cerddoriaeth Cymru / Welsh Music History* (Gwasg Prifysgol Cymru). Gan ymddiddori'n bennaf ym maes **cerddoriaeth gynnar**, cyhoeddodd lyfr *The Forms and Orders of the Western Liturgy* (Gwasg Clarendon, 1991), ynghyd â chyfres o recordiadau o gerddoriaeth gorawl Saesneg gyda chôr Coleg Magdalen.

Disgyddiaeth

The English Carol (Alpha Collection ACA527, 1984)

The English Anthem (c.1830–1900) (Alpha Collection ACA538, 1984)

The English Anthem, Volume Two: The Seventeenth and Eighteenth Centuries (Alpha Collection CDCA912, 1990)

Christmas Carols from Oxford (Regis Records RRC1190, 1990)

Harper, Sally (g.1962)

Ganed y cerddoregydd Sally Harper ger Dudley yng Ngorllewin Canolbarth Lloegr. Wedi graddio mewn cerddoriaeth ym Mhrifysgol Birmingham, cwblhaodd ei doethuriaeth ar gerddoriaeth a litwrgi Seisnig yr Oesoedd Canol yng ngholegau Magdalen a Brasenose, **Prifysgol** Rhydychen, yn 1989. Fe gyhoeddwyd y thesis yn ddiweddarach fel rhan o gyfres Gwasg Garland o draethodau hir rhagorol.

Wedi treulio cyfnod byr ym maes gweinyddu academaidd ym Mhrifysgol Warwick, dechreuodd ddarlithio ym Mhrifysgol Bangor yn 1991 gan ddod yn gyfarwyddwr Canolfan Uwch-Astudiaethau Cerddoriaeth Cymru yn 1999. Sefydlwyd y Ganolfan gyda'r bwriad o gyflawni pedwar prif amcan: cydlynu a datblygu **ysgolheictod** ym maes cerddoriaeth Cymru; hyrwyddo cynadleddau a chyhoeddiadau rheolaidd; darparu adnoddau ysgrifenedig yn y Gymraeg a'r Saesneg; a hybu cydweithrediad gydag ysgolheigion ar lefel ryngwladol, gan gynnwys rhai mewn gwledydd Celtaidd eraill. Bu Harper yn cyd-olygu'r cyfnodolyn dwyieithog *Hanes Cerddoriaeth Cymru/Welsh Music History* a gychwynnwyd yn sgil sefydlu'r Ganolfan, gan gyfrannu erthyglau pwysig ar gerddoriaeth gynnar yng Nghymru, gan gynnwys llawysgrif **Robert ap Huw** (Harper 1999).

Mae ei phrif ddiddordebau ymchwil yn rhannu'n dri chategori: cerddoriaeth yng Nghymru, gyda phwyslais arbennig ar gerddoriaeth a diwylliant yng Nghymru'r Oesoedd Canol a'r cyfnod modern cynnar; litwrgi a sefydliadau crefyddol yr Oesoedd Canol; a cherddoriaeth ar gyfer y litwrgi gyfoes. Cyhoeddodd gyfrol gynhwysfawr ar gerddoriaeth yng Nghymru cyn 1650, o dan y teitl *Music in Welsh Culture before 1650: A Study of the Principal Sources*

(Harper 2007). Gyda **Wyn Thomas**, cyd-olygodd gasgliad o ysgrifau i anrhydeddu **Phyllis Kinney** a **Meredydd Evans**, *Astudiaethau Cerddoriaeth Cymru: Cynheiliaid y Gân* (Harper a Thomas 2007). Y mae hefyd wedi cyhoeddi sawl erthygl ar **Robert ap Huw** (Harper 1999), **Cerdd Dant** (Harper 2001), cerddoriaeth Elisabethaidd yng Nghymru (Harper 2002, 2004 a 2005), **Edmwnd Prys** (Harper 2003) a Phillip Powell (Harper yn Harper a Thomas 2007).

Yn 2009 daeth yn rhan o'r tîm ymchwil craidd ar gyfer prosiect *The Experience of Worship in Late Medieval Cathedral and Parish Church* a ariannwyd gan y Cyngor Ymchwil i'r Celfyddydau a'r Dyniaethau (AHRC) ar y cyd â'r Cyngor Ymchwil Economaidd a Chymdeithasol (ESRC) er mwyn ail-greu ac annog dealltwriaeth o brofiadau addoli yn ystod yr Oesoedd Canol.

Flwyddyn yn ddiweddarach, gan gydweithio gydag Eglwys Gadeiriol Bangor, Archif y Brifysgol a Choleg Celfyddydau'r Brifysgol, daeth yn gyd-gyfarwyddwr ar Broject Llyfr Esgobol Bangor – prosiect a ddychwelodd lawysgrif o'r 14g. yn ôl i Fangor fel rhan o broses gadwraethol. Yn sgil y prosiect hwn, digideiddiwyd yr Esgoblyfr er mwyn hwyluso ei hygyrchedd i ddarllenwyr yr 21g. Mae Sally Harper hefyd wedi arwain a chyfrannu at brosiectau ymchwil eraill wedi'u hariannu gan AHRC, sef y gwe-broject *dafyddapgwilym.net* ynghyd â phrosiect cysylltiedig ar berfformio barddoniaeth werinol ganoloesol yng Nghymru, Iwerddon a'r Alban.

Tristian Evans

Harries, David (1933–2003)

Fel cyfansoddwr a phianydd roedd David Harries yn un o gerddorion amlycaf a phwysicaf Cymru yn y cyfnod wedi 1945. Bu'n ddarlithydd ac yn **addysgwr** ond fel cyfansoddwr y cofir amdano bellach. Er nad oedd mor rhyngwladol amlwg â'i gyfoeswyr (a'i gyfeillion) **William Mathias** (1934–92) ac **Alun Hoddinott** (1929–2008), mae ei waith gorau o safon uchel iawn. Fe'i gwelwyd yn pwysleisio elfennau cyweiraidd yn ei weithiau cynnar, yn arbrofi'n eclectig â chyfresiaeth yn ystod yr 1960au cyn troi'n ôl at donyddiaeth yn ei gyfnod creadigol olaf.

Ganed David Harries yn Portsmouth ond Cymry oedd ei rieni ac yn fuan symudodd y teulu yn ôl i dref Penfro. O'r ysgol leol yno aeth yn fyfyriwr i Goleg **Prifysgol** Cymru, Aberystwyth, lle bu'n astudio gydag **Ian Parrott** (1916–2012) ac ymhlith ei gyd-fyfyrwyr yr oedd **William Mathias** a'r tenor **Kenneth Bowen**. Yn dilyn cyfnod o wasanaeth milwrol gorfodol bu'n dysgu yn Swydd Stafford a Sir Benfro cyn dychwelyd i'w hen adran fel darlithydd. Dyfarnwyd gradd DMus Prifysgol Cymru iddo yn 1964. Yn 1975 symudodd i Goleg Cerdd a Drama Cymru fel pennaeth perfformio a'i ddyrchafu'n gyfansoddwr preswyl yno cyn ymddeol yn 1990.

Fe'i comisiynwyd gan nifer o'r prif wyliau cerdd yng Nghymru. Darlledwyd ei weithiau'n gyson, ysgrifennodd ar gyfer nifer o berfformwyr blaenllaw ei gyfnod, ymddangosodd fel pianydd mewn perfformiadau cyntaf o'i weithiau ef ei hun yn ogystal â gweithiau cyfansoddwyr eraill a bu hefyd yn amlwg fel beirniad (roedd ganddo gysylltiad agos am flynyddoedd â chystadleuaeth Cerddor Ifanc Cymru).

Hybwyd ei ymdrechion cynnar fel cyfansoddwr tra roedd yn fyfyriwr yn Aberystwyth lle gwelwyd cryn fywiogrwydd cerddorol. Ysgogiad pellach oedd ennill gwobr am gyfansoddi yn **Eisteddfod** Genedlaethol Cymru, Aberystwyth yn 1952 (yr *Allegro Scherzoso* i linynnau). Cydnabuwyd ei ddawn fel cyfansoddwr yn gynnar gan y BBC yng Nghymru a darlledwyd amryw o'i weithiau tra'r oedd yn fyfyriwr, er enghraifft y *Missa Brevis* (1954), gwaith cynnil a chymwys iawn ar gyfer lleisiau **corawl** gyda chyfeiliant cerddorfaol. Yn y gwaith hwn, gwelir bod y cyfan yn seiliedig ar ganolbwyntiau cyweiraidd ond eto'n ymwthio'n rhythmig yn yr adrannau cyflym lle clywir cordiau cymhleth trawiadol. Mae'r un addewid yn perthyn i'w Bedwarawd Llinynnol Rhif 1 a gyfansoddodd yr un flwyddyn.

Wrth edrych ar ei waith yn ei grynswth, gwelir bod ganddo chwaeth aruchel wrth ddewis barddoniaeth i'w gosod – o Gerard Manley Hopkins mewn gosodiadau sensitif yn *Noctuary* Rhif 1 (1961) i feirdd megis Tagore (*Three Songs from Tagore* (1972), ar gyfer llais Kenneth Bowen a **Cherddorfa BBC Cymru**) a David Jones (*The Sleeping Lord* – eto ar gyfer llais Bowen a phumawd llinynnol (1983)). Wedi'r cyfan, roedd dylanwad Benjamin Britten (1913–76) a Michael Tippett (1905–98) ymhlith eraill yn amlwg arno yn hyn o beth. Yn ei *Sinfonia da Camera* (1959) ceir arbrofi amlwg eclectig gyda chyfresiaeth, elfen sydd hefyd yn brigo i'r wyneb yn y Concerto i'r Ffidil (1964), un o'i weithiau gorau, lle mae'n cywasgu emosiwn mewn modd tebyg i ddarnau cyfresol mynegiannol Alban Berg (1885–1935) a lle

ceir ysgrifennu cwbl idiomatig ar gyfer yr unawdydd. Un o'i weithiau mwyaf eclectig yw'r Pumawd Piano (1964), gwaith telynegol sy'n rhannu'r defnydd thematig yn deg rhwng pob offeryn, ac er na cheir canolbwynt cyweiraidd amlwg iddo y mae'r gwaith yn gorffen yn hyderus ar C.

Cyfansoddodd nifer o weithiau ar raddfa eang megis y *Symffoni* (1975) a'r Concerto i'r Piano (1977), ac yn ei gynnyrch gorau ceir idiom fodern sy'n cyfathrebu'n syth, syniadau sy'n afaelgar, trawsacennu, patrymau cyfresiaeth, cordiau clwstwr ac elfennau **jazz**, y cwbl yn dod ynghyd mewn modd ystyrlon a deniadol.

Disgyddiaeth

Pumawd Piano Op. 20 (1964) yn *Ian Parrott, David Harries, David Wynne* (Lyrita SRCD284, 2008 [1971])

Llyfryddiaeth ddethol

Archif Tŷ Cerdd

Nodiadau Paul Conway ar gyfer recordiad *Ian Parrott, David Harries, David Wynne* (Lyrita SRCD284, 2008 [1971])

Lyn Davies

Heath, John Rippener (1887–1950)

Sais a aned yn Birmingham oedd Heath, ond treuliodd y rhan helaethaf o'i fywyd fel oedolyn yn Abermaw (Bermo), lle bu'n gwasanaethu'r gymuned fel meddyg, gan ddilyn ail yrfa fel cyfansoddwr.

Roedd yn fab i is-brifathro **Prifysgol** Birmingham ac fe'i haddysgwyd yng Ngholeg Clifton, Bryste, lle lluniodd ei gyfansoddiadau cydnabyddedig cyntaf. Aeth i Goleg y Drindod, Caergrawnt, i astudio meddygaeth ond bu'n ymwneud llawer â bywyd cerddorol y brifysgol. Ar ôl cwblhau ei hyfforddiant yn 1911, treuliodd ddwy flynedd yn feddyg iau yn Ysbyty Queen's, Birmingham, ac yn ddarlithydd hefyd mewn Ffisioleg ym Mhrifysgol Birmingham. Daeth Heath i Abermaw yn feddyg teulu yn 1913. Yn ystod y Rhyfel Byd Cyntaf treuliodd gyfnod yn Salonica gyda Chorfflu Meddygol Brenhinol y Fyddin, profiad a fyddai'n ysbrydoli nifer o'i weithiau gorau. Yn 1919 dychwelodd i Abermaw, lle'r enillodd enw iddo'i hun dros y 30 mlynedd nesaf fel meddyg a feddai ar gydymdeimlad a deallwriaeth, ac un a oedd â diddordeb arbennig mewn seiciatreg.

Ymddiddorodd yng ngweithgareddau cerddorol canolbarth Cymru. Bu'n arwain Undeb **Corawl** Abermaw ac roedd ganddo gysylltiad clos â **Gŵyl** Gerddoriaeth Harlech, lle câi ei weithiau eu chwarae o bryd i'w gilydd. Bu **Walford Davies** a

Heath yn cydweithio'n gyson, yn fwyaf nodedig i drefnu ymweliad Elgar â Harlech yn 1924, lle bu'r cyfansoddwr yn arwain ei **oratorio** *The Apostles*. Câi Heath ei wahodd yn rheolaidd i gyfrannu cyfansoddiadau ar gyfer cyfres cerddoriaeth siambr Prifysgol Aberystwyth, ac ar gyfer nifer o gyngherddau yng Ngŵyl Gerddoriaeth Aberystwyth yn ystod y blynyddoedd rhwng y ddau ryfel.

Rhwng 1919 ac 1924 daeth gweithiau Heath yn bur boblogaidd ym Mhrydain. Bu perfformiadau o'i weithiau newydd yn Llundain, Birmingham a Lerpwl, gan gynnwys un o Gyngherddau Promenâd Henry Wood, a chyhoeddwyd ugain o'i gyfansoddiadau yn y cyfnod hwn. Bu cerddorion o statws Granville Bantock (1868–1946), y gantores Astra Desmond (1893–1973) a'r pianydd Benno Moiseiwitsch (1890–1963) yn perfformio ei gyfansoddiadau. Ond yn raddol dechreuodd ei yrfa gerddorol edwino, ac er iddo barhau i gyfansoddi llawer o gerddoriaeth hyd ei farwolaeth yn Abermaw yn 1950, ni lwyddodd rywsut i adennill ei le ym mywyd cerddorol Prydain.

Ar ffurf **llawysgrifau** yn unig y goroesodd y rhan fwyaf o'i gyfansoddiadau. Ar ôl ei farwolaeth collwyd nifer o'i weithiau, ond mae'r mwyafrif o'r nifer sylweddol sy'n weddill bellach yn **Llyfrgell Genedlaethol Cymru** ac yn Llyfrgell Hugh Owen, Prifysgol Aberystwyth; mae nifer bychan mewn dwylo preifat. Ymhlith ei weithiau gorau y mae'r *Serbian Quartet, Three Macedonian Sketches, Three Welsh Landscapes, Reflexions, Symphonic Study (Dunkirk), The harp of Caergai: a choral ballet*, y *Cello Concerto* (a gyfansoddwyd i'w fab, y chwaraewr sielo Kenneth Heath, a fu'n un o sefydlwyr cerddorfa Academy St. Martin-in-the-Fields), a *Five Pictures of the Night*.

Roedd arddull gerddorol Heath yn aml yn gymhleth, wedi'i seilio ar elfennau Argraffiadol ynghyd â chromatyddiaeth aflonydd yn null y cyfansoddwr Rwsiaidd Alexander Scriabin (1872–1915). Offeryniaeth oedd ei gryfder arbennig ac mae ei gerddoriaeth yn cynnwys eiliadau lawer o sgorio llawn dychymyg. Pan ysgrifennai ar gyfer amaturiaid, gallai bob amser symleiddio ei arddull i weddu i allu ei berfformwyr.

Llyfryddiaeth

Sidney Grew, 'Some Birmingham Musicians 111: John R. Heath', *The Musical Standard* (Mehefin, 1920)

Robert Smith (gol.), *Seventh Catalogue of Contemporary Welsh Music* (Guild for the Promotion of Welsh Music, 1981)

Keith Davies Jones, 'John R. Heath (Music and Medicine, Part 20)', *Welsh Music/Cerddoriaeth Cymru*, 7/1 (1982), 52–58

David R. A. Evans, 'J. R. Heath (1887–1950): Meddyg Teulu a Chyfansoddwr', *Welsh Music History/Hanes Cerddoriaeth Cymru*, 1 (1996), 59–76

David Evans

'Hen Wlad fy Nhadau'

Anthem genedlaethol Cymru. Ysgrifennwyd y geiriau yn 1856 gan Evan James (Ieuan ab Iago; 1809–78), gwehydd a bardd poblogaidd o Bontypridd, a lluniwyd y gerddoriaeth gan ei fab, James James (Iago ab Ieuan; 1833–1902), a oedd yn delynor.

Ceir gwahanol fersiynau o stori cyfansoddi'r gân, gyda rhai'n mynnu mai'r geiriau a ddaeth yn gyntaf, a rhai'n dweud mai llunio'r geiriau a wnaeth y tad i ateb alaw yr oedd ei fab wedi ei chyfansoddi'n barod. Mae'n ymddangos, fodd bynnag, mai llunio'r geiriau a wnaeth Evan James mewn ateb i wahoddiad a dderbyniasai gan ei frawd i ymuno ag ef yn yr Unol Daleithiau, lle'r oedd cynifer o Gymry'r cyfnod yn chwilio am well byd, a bod y gân yn ddatganiad fod gwlad genedigaeth y bardd (sef 'gwlad ei dadau') yn ddigon da iddo ef. Rhoddwyd iddi yr enw 'Glan Rhondda', gan mai ar lannau'r afon, yn ôl traddodiad, y daeth yr alaw i feddwl y cyfansoddwr.

Mae'n debyg fod yr alaw wedi ei chanu'n gyhoeddus am y tro cyntaf yng nghapel Tabor, Maesteg, yn 1856; daeth yn adnabyddus ym Morgannwg, ac argraffwyd y geiriau ar daflenni **baled**. Cynhwyswyd yr alaw a'r geiriau (heb eu priodoli i Evan a James James) mewn casgliad gan Llewelyn Alaw (Thomas David Llewelyn; 1828–79) a wobrwywyd yn **Eisteddfod** Llangollen yn 1858, ac fe'u cynhwyswyd, eto yn ddienw, gan feirniad y gystadleuaeth, **John Owen** (Owain Alaw; 1821–83) yn ei gasgliad cyntaf o *Gems of Welsh Melody* a gyhoeddwyd gan Isaac Clarke yn Rhuthun yn 1860.

Owain Alaw oedd yn gyfrifol am drefnu fersiwn gwreiddiol James James a rhoi i'r gân y naws **emynyddol** a'i gwnaeth yn gân dorfol boblogaidd: mae copïau llawysgrif cynnar yn awgrymu mai alaw ddawns ysgafn yn amseriad cyfansawdd 6/8 oedd ei ffurf wreiddiol gan James James, a oedd yn delynor poblogaidd a chwaraeai mewn tafarndai yn ei ardal. O fewn ychydig flynyddoedd, daeth y gân yn adnabyddus mewn **eisteddfodau**, a'i defnyddio'n gân gystadleuol gan gorau yn ogystal ag yn gân i'w chanu i gloi defodau a chyngherddau. Ceir tystiolaeth er enghraifft iddi gael ei chanu fwy nag unwaith yn Eisteddfod Genedlaethol Aberystwyth yn 1865, ac

Anthem Genedlaethol Cymru, 'Hen Wlad fy Nhadau'

fe'i poblogeiddiwyd gan Eos Morlais (Robert Rees) wedi iddo ei chanu yn Eisteddfod Genedlaethol Bangor yn 1874.

Yn 1884 ceisiodd Frederick Atkins, organydd yng Nghaerdydd, danseilio gwreiddioldeb y gân drwy hawlio ei bod yn addasiad o'r gân draddodiadol o'r Alban, *Rosin the Beau*, ond ni chafodd lawer o gefnogaeth i'w haeriad. Derbyniodd 'Hen Wlad fy Nhadau' sêl cymeradwyaeth y frenhiniaeth yn Eisteddfod Genedlaethol Llundain yn 1887 wrth i Dywysog Cymru sefyll pan ganwyd hi. O hynny allan fe'i hystyrid yn gynyddol yn anthem genedlaethol i'r Cymry, ac fe'i defnyddiwyd fwyfwy ar achlysuron cyhoeddus. Fe'i canwyd am y tro cyntaf mewn gêm rygbi ryngwladol ar achlysur gornest fawr Cymru yn erbyn Seland Newydd yn 1905. Lluniwyd geiriau Llydaweg i'r alaw gan W. Jenkyn Jones ac fe'i derbyniwyd yn anthem genedlaethol i Lydaw hefyd.

Mae ei phoblogrwydd mewn gemau rygbi rhyngwladol yn yr 20g. wedi sicrhau ei bod yn adnabyddus fel anthem ar draws y byd, ac fe'i cynhwysir yn rheolaidd mewn casgliadau printiedig o anthemau cenedlaethol y gwledydd. Mae ei symudiad llyfn a'r uchafbwyntiau a geir yn y gytgan yn ei gwneud yn gân addas tu hwnt i dorfeydd, ac fe'i hystyrir yn gyffredinol yn un o'r goreuon o blith anthemau cenedlaethol.

Llyfryddiaeth

Gwyn Griffiths, *Gwlad fy Nhadau* (Llanrwst, 2006)

Meredydd Evans, 'Pwy oedd "Orpheus" Eisteddfod Llangollen 1858?', *Hanes Cerddoriaeth Cymru*, 5 (2002), 59–64

Rhidian Griffiths

Henry, John (1859–1914)

Ganed y cerddor a'r canwr John Henry ym Mhorthmadog i deulu cerddorol ac yn dair ar ddeg oed daeth yn **arweinydd** Seindorf Gwirfoddolwyr Caernarfon. Roedd hefyd yn meddu ar lais bariton cyfoethog ac enillodd am ganu yn **Eisteddfod** Pwllheli yn 1875. Yn un ar hugain oed aeth i'r Academi Gerdd Frenhinol yn Llundain ac wedi cwblhau ei gwrs arhosodd yn y ddinas fel athro canu yn bennaf. Yn y man, symudodd i Lerpwl lle bu'n unawdydd yn nifer o oratorios poblogaidd y dydd megis *Samson* a *Messiah* Handel ac *Elijah* Mendelssohn.

Trodd ei law at gyfansoddi yn ogystal ac roedd bri mawr ar nifer o'i unawdau yn y cyfnod, yn eu plith *Teyrn y Dydd, Galwad y Tywysog, Cân y Bugail, Cenwch im yr Hen Ganiadau* ac yn arbennig, *Gwlad y Delyn,* ei unawd fwyaf adnabyddus. Mae ei waith yn adlewyrchu themâu poblogaidd y dydd – serch, byd natur, cefn gwlad a'r gwladgarol, ac roedd yn deall adnoddau lleisiol yn dda. Ymhlith y darnau **corawl** o'i eiddo y bu canu mawr arnynt y mae *Nos Ystorm* a *Selene*. Cyfansoddodd y **gantata** *Olga* ynghyd â'r **opera** *Caradog* ond, ar wahân i *Gwlad y Delyn* efallai, ni oroesodd ei weithiau mwyaf uchelgeisiol. Bu farw yn Lerpwl ar 14 Ionawr 1914.

Llyfryddiaeth

F. Griffith, *Notable Welsh Musicians* (Llundain, 1896)

Y Cerddor, Mawrth 1914 (ysgrif goffa am John Henry)

Lyn Davies

Herbert, Trevor (g.1945)

Ysgolhaig ac awdurdod ar gerddoriaeth boblogaidd yng Nghymru o'r 19g. yn arbennig cerddoriaeth leisiol a thwf **bandiau pres** a **bandiau militaraidd** yn ystod y cyfnod.

Ganed yng Nghwmparc, De Cymru. Treuliodd dair blynedd yn y Coleg Cerdd Brenhinol, Llundain yn astudio'r trombôn gydag Arthur Wilson a chyfansoddi gyda Jeremy Dale Roberts. Rhwng 1969 ac 1976 bu'n perfformio'n gyson fel trombonydd proffesiynol. Ar yr un pryd aeth ati i gwblhau graddau BA a PhD gyda'r Brifysgol Agored, gan arbenigo ar hanes a datblygiad y trombôn yn Lloegr cyn 1800.

Ymunodd â staff y Brifysgol Agored yn 1976 gan ddatblygu diddordeb yn hanes a diwylliant perfformio offerynnau pres a swyddogaeth cerddoriaeth yn hanes a diwylliant Cymru. Mae wedi cyhoeddi, golygu a chyd-olygu nifer o lyfrau, gan gynnwys *The Cambridge Companion to Brass Instruments* (Cambridge University Press, 1997). Mae ei lyfrau ar gerddoriaeth yng Nghymru yn cynnwys *The Remaking of Wales in the Eighteenth Century* (Gwasg Prifysgol Cymru, 1988) a *Hymns and Arias: Great Welsh Voices* (Gwasg Prifysgol Cymru, 2001).

Herbert-Jones, Dora
(gw. **Jones, Dora Herbert**)

Hergest

Grŵp roc acwstig o'r 1970au oedd Hergest. Yr aelodau gwreiddiol oedd Delwyn Siôn [Davies] (llais, gitâr a phiano), Geraint Davies, Derec Brown ac Elgan Ffylip (lleisiau a gitarau). Bu eraill yn perfformio gyda'r band ar wahanol adegau, gan gynnwys aelodau'r grŵp roc **Edward H Dafis** (Hefin Elis, John Griffiths a Charlie Britton) ynghyd â cherddorion megis **Arfon Wyn** (gitâr, llais), **Geraint Griffiths** (gitâr a llais), Alun Thomas (llais), Rhys Ifans (llais a gitâr fas) a Gareth Thomas (drymiau).

Cyfarfu aelodau gwreiddiol Hergest â'i gilydd yng Ngwersyll yr Urdd, Glan-llyn, yn 1971. Roedd y pedwar ohonynt wedi bod mewn grwpiau cerddorol eraill, Derec Brown gyda Galwad y Mynydd o Gaerfyrddin, Geraint Davies gyda Gwenwyn o Abertawe, Elgan Ffylip yn canu'n achlysurol yn Aberystwyth a Delwyn Siôn yn canu'n unigol yn ardal y cymoedd wedi iddo ennill cystadleuaeth bop yn **Eisteddfod** Genedlaethol yr Urdd, Abertawe,

yn 1971. Yng Nglan-llyn dechreusant ganu fel pedwarawd gan berfformio caneuon gwreiddiol yn ogystal â rhai Cymraeg cyfoes gan artistiaid eraill. Er fod y pedwar yn byw mewn gwahanol ardaloedd yng Nghymru ac yn dilyn amrywiol lwybrau **addysgol** a gyrfaol, parhaodd y grŵp am dros wyth mlynedd gan ddod yn un o grwpiau mwyaf poblogaidd yr 1970au.

O'r cychwyn roedd sŵn Hergest yn seiliedig ar harmonïau agos grwpiau Americanaidd cyfoes fel Crosby, Stills, Nash & Young, ac roedd artistiaid a grwpiau pop Americanaidd eraill megis Simon and Garfunkel, Lovin' Spoonful a Buffalo Springfield hefyd yn ddylanwad arnynt. Roedd y syniad o grŵp 'democrataidd' (cysyniad a oedd yn eu cysylltu ymhellach â Crosby, Stills, Nash & Young) yn bwysig, gyda'r pedwar aelod yn cyfrannu caneuon a chanu rhannau'r prif leisiau fel ei gilydd. Cafodd Hergest y cyfle i berfformio yn ystod Eisteddfod Genedlaethol Cymru, Hwlffordd yn 1972, yn sesiynau'r cylchgrawn *Sŵn* ac ar lwyfannau ledled Cymru mewn cyngherddau gyda **Dafydd Iwan** ac Ac Eraill er budd Cymdeithas yr Iaith.

Rhyddhawyd eu EP *Aros Pryd* yn 1974, a oedd yn cynnwys eu hymateb i weithgareddau Mudiad Adfer ar y pryd yn y gân 'Adferwch y Cymoedd', ac yna flwyddyn yn ddiweddarach, eu record hir gyntaf *Glanceri* (Sain, 1975). Roedd eu hail record hir, *Ffrindiau Bore Oes* (Sain 1976) yn adlewyrchu diddordeb y grŵp mewn defnyddio lleoliadau penodol fel catalydd ar gyfer llunio caneuon hiraethus, hunangofiannol, megis 'Cwm Cynon' a 'Dinas Dinlle'. Roedd yr arddull delynegol, roc-werin yn gweddu i'r testunau hyn, a llwyddwyd mewn caneuon megis 'Ugain Mlynedd yn Ôl', 'Hirddydd Haf', o'u trydedd record hir o'r un enw (Sain, 1977) a'u cân ffarwél 'Dyddiau Da' o'u record olaf, *Amser Cau* (Sain, 1978), i greu delweddau effeithiol iawn o ieuenctid wedi ei liwio mewn sepia cerddorol hiraethus.

Arwydd o'r ymdeimlad cymunedol ym myd roc Cymraeg yr 1970au oedd y ffaith fod aelodau Hergest hefyd yn gysylltiedig, ar wahanol adegau, gyda grwpiau eraill y cyfnod. Wrth iddynt gyrraedd eu hanterth, yn haf 1974 cymerodd Delwyn, Geraint Davies ac Elgan Ffylip ran yn y sioe *Nia Ben Aur*, yr **'opera** roc' gyntaf yn y Gymraeg, a hynny gyda rhai o sêr eraill y cyfnod megis **Heather Jones**, Edward H. Dafis, Ac Eraill a Sidan.

Yn wahanol i nifer o grwpiau'r cyfnod, a dueddai i atgynhyrchu sain fyw ar record, Hergest oedd un o'r grwpiau cyntaf i gyfansoddi gydag adnoddau'r stiwdio mewn golwg. Roedd eu harddull werin-roc yn pwysleisio harmonïau lleisiol clos a haenau o gitarau acwstig, ynghyd â sain piano Delwyn Siôn ar adegau, ac o ganlyniad roedd sain eu recordiau yn anodd i'w hatgynhyrchu ar lwyfan. Bu cryn hyblygrwydd yn aelodaeth y grŵp dros y blynyddoedd a byrhoedlog fu ei barhad. Bu anghydweld o fewn yr aelodaeth ynglŷn â chyfeiriad y band ac fe ymadawodd Derec Brown am gyfnod i ymuno â Cwrwgl Sam am nad oedd y band yn symud i gyfeiriad mwy trydanol. Aeth ymlaen i ffurfio Derec Brown a'r Racaracwyr gan ryddhau'r record hir *Cerdded Rownd y Dre* (Sain, 1983).

Er mai pedwarawd oedd Hergest yn ei hanfod, ar brydiau roedd yn driawd, weithiau'n cynnwys drymiau a bas, a phiano dro arall; perfformiai ambell waith gyda Derec Brown, dro arall hebddo; ar adegau roedd yn acwstig, ac ar adegau eraill yn drydanol. Ond, er hynny, yr un oedd y sail: cerddoriaeth heulog, dde-Galifforniaidd gyda thinc o hiraeth hafaidd Cymraeg.

Disgyddiaeth

Hergest [EP] (Sain 31, 1973)
Aros Pryd [EP] (Sain 42, 1974)
Glanceri (Sain 1028M, 1975)
Ffrindiau Bore Oes (Sain 1054M, 1976)
Hirddydd Haf (Sain 1102M, 1977)
Amser Cau (Sain 1127M, 1978)
Hergest – Casgliad o Ganeuon 1975–1978 (Sain SCD4066, 1991)
Hergest – Y Llyfr Coch (Casgliad) (Sain SCD2630, 2010)

[yn ymddangos ar]
Tafodau Tân! (Sain H1007, 1973)
Lleisiau (Adfer 1, 1975)

Sarah Hill a Pwyll ap Siôn

Hill, Sarah (g.1966)

Mae Sarah Hill yn uwch-ddarlithydd yn Adran Gerddoriaeth **Prifysgol** Caerdydd ac yn arbenigwraig ar **ganu pop** Cymraeg. Yn wreiddiol o Galiffornia, graddiodd ym Mhrifysgol Califfornia, Santa Cruz cyn derbyn gradd meistr ym Mhrifysgol Chicago. Aeth ymlaen i gwblhau cwrs meistr ym Mhrifysgol Caerdydd mewn Cerddoriaeth, Diwylliant a Gwleidyddiaeth, lle aeth ati i gynnig cymhariaeth dreiddgar rhwng cymunedau Lladin-Americanaidd yn Los Angeles a chanu pop Cymraeg. Ffrwyth ei hymchwil doethurol ym maes canu pop yng Nghymru oedd ei llyfr *'Blerwytirhwng?' The Place of Welsh Pop Music* (Ashgate, 2007). Ynghyd

â chanu pop, mae Sarah hefyd wedi cyhoeddi ar hunaniaeth ddiwylliannol, lleisiau benywaidd mewn canu pop, roc blaengar a chaneuon gwleidyddol. Bu'n gyd-olygydd y gyfrol *Popular Music* ac mae'n eistedd ar banel golygyddol y cyfnodolyn *Twentieth-Century Music*.

Hoddinott, Alun (1929–2008)

Un o brif gyfansoddwyr Cymru yn ail hanner yr 20g. ac un o'r ychydig i ennill bri rhyngwladol. Wedi'i eni ym Margoed, dysgodd chwarae'r **ffidil** a'r fiola yn blentyn ac aeth i Ysgol Ramadeg Tregŵyr gan elwa o'r traddodiad cerddorol cryf yno dan Cynwyd Watkins. Yn 1946 bu'n aelod o gwrs cyntaf Cerddorfa Genedlaethol Ieuenctid Cymru ac aeth ymlaen i astudio ym Mhrifysgol Caerdydd gan raddio yn 1949. Bu'n astudio cyfansoddi yn breifat yn Llundain hefyd, gydag Arthur Benjamin.

Yn 1951 fe'i penodwyd yn ddarlithydd yng Ngholeg Brenhinol Cerdd a Drama Cymru ac yno y bu hyd 1959 pan ymaelododd ag adran gerdd **Prifysgol** Caerdydd gan gael ei ddyrchafu'n Athro a phennaeth yr adran yn 1967. Yr un flwyddyn sefydlodd Ŵyl Cerddoriaeth yr 20g. yng Nghaerdydd gyda'i gyfaill, y pianydd athrylithgar John Ogdon (1937–89), ac am ugain mlynedd a mwy Hoddinott oedd yn llywio bywyd cerddorol y brifddinas i bob pwrpas; roedd ei ddylanwad yn allweddol hefyd yn y BBC, Opera Cenedlaethol Cymru, **Gŵyl** Llandaf a Chyngor y Celfyddydau. Wedi ymddeol o bob cyfrifoldeb swyddogol erbyn 1989 gallodd ganolbwyntio ar gyfansoddi gan ddychwelyd i'w gynefin yn 1997 ac ymgartrefu yn y Crwys ar benrhyn Gŵyr. Cwblhaodd ei waith olaf, *Taliesin*, yn 2007.

Yn ei gerddoriaeth gynharaf dengys Hoddinott ddylanwad naturiol prif gyfansoddwyr Seisnig ei gyfnod, megis Vaughan Williams, Walton a Berkeley, ond ymwybyddiaeth hefyd o neo-glasuriaeth gyfandirol Hindemith, Bartók a Stravinsky. Roedd ganddo dechneg ystwyth o'r dechrau a chlywir tinc personol hyd yn oed yn y gwaith cyntaf o'i eiddo sy'n cael ei berfformio'n rheolaidd, y Concerto Clarinet Op. 3 (1950), a ddaeth i sylw cenedlaethol yng Ngŵyl Cheltenham yn 1953, gyda Gervase de Peyer yn unawdydd a John Barbirolli yn arwain Cerddorfa'r Hallé, ac a oedd wedi'i ddarlledu eisoes gan y BBC o Gaerdydd yn 1951 gyda Jack Brymer yn unawdydd. Datblygodd enw Hoddinott yn gyflym a thrwy ennill cytundeb fel cyfansoddwr 'preswyl' i Wasg Prifysgol Rhydychen daeth yn un o gyfansoddwyr mwyaf blaenllaw ei genhedlaeth. Erbyn y Concerto Telyn Op. 11, a berfformiodd **Osian Ellis** yng Ngŵyl Cheltenham 1958, roedd ei arddull wedi datblygu'n rhyfeddol o gyflym trwy hepgor yr elfennau traddodiadol eu natur a chan ddatblygu ieithwedd gliriach a thynnach sy'n fwy personol a modernaidd ei mynegiant.

Er i'w Symffoni Gyntaf Op. 7 gael ei pherfformio yn **Eisteddfod** Genedlaethol Pwllheli 1955 gan Gerddorfa Ffilharmonig Frenhinol Lerpwl, o'r tu hwnt i Gymru y daeth y comisiynau a'r ysgogiad ar gyfer y mwyafrif o lwyddiannau cerddorfaol pwysig Hoddinott rhwng 1959 ac 1973. Cyfansoddodd bedair symffoni bellach ar gyfer **cerddorfeydd** y BBC a'r Hallé a'r Gerddorfa Ffilharmonig Frenhinol (RPO), ynghyd â nifer o ddarnau cerddorfaol sylweddol – *Variants, Fioriture*; maent yn dangos disgleirdeb a chywreinrwydd wrth ymdrin â'r gerddorfa a oedd yn unigryw yn hanes cerddoriaeth Cymru ar y pryd ond a oedd hefyd yn eithriadol ymysg cyfansoddwyr Prydeinig y cyfnod.

Ochr yn ochr â'r datblygiad ieithyddol a strwythurol gymhleth a amlygir yn y gweithiau hyn, dangosodd Hoddinott hefyd fod ganddo'r ddawn i gyfansoddi darnau ysgafnach megis y *Dawnsiau Cymreig* (1959 ac 1966) a *Dawnsiau'r Anwisgo* (1969), sy'n llwyddo i greu ysbryd Cymreig trwy efelychu patrymau a rhythmau cerddoriaeth werin Cymru heb eu dyfynnu'n uniongyrchol. Roedd wedi meistroli pob *genre* cerddorol posibl erbyn dechrau'r 1970au, ac eithrio **opera** – ac roedd hynny hefyd i ddod.

Ac yntau wedi dilyn datblygiad Opera Cenedlaethol Cymru yng Nghaerdydd ers sefydlu'r cwmni yn 1946, roedd hi'n naturiol i Hoddinott droi ei olygon at y ffurf fel cyfansoddwr ac yn 1974 perfformiwyd ei opera gyntaf, *The Beach of Falesá*, i libreto gan Gwyn Jones yn seiliedig ar stori fer gan Robert Louis Stevenson. Roedd rhan ganolog yn yr opera i'r bariton **Geraint Evans** a dyma'r opera gyflawn gyntaf i'w chomisiynu yn benodol gan y cwmni.

Yn y degawd dilynol ymserchodd Hoddinott fwyfwy yn y ffurf a chyfansoddodd bedair opera arall cyn 1981 – dwy opera un-act ar gyfer teledu, *The Magician* (1976) a *The Rajah's Diamond* (1979), ac un i gynnwys plant yng Ngŵyl Abergwaun 1977, *What the Old Man Does is Always Right*, ill tair yn cynnwys rhannau eto i Geraint Evans. **Opera** dair-act yw *The Trumpet Major* Op. 103 (1981) i libreto gan Myfanwy Piper (awdur libreto'r ddwy opera flaenorol hefyd), yn seiliedig ar nofel Thomas Hardy

o'r un enw; fe'i cyfansoddwyd ar gyfer adnoddau Coleg Cerdd Brenhinol y Gogledd ym Manceinion ond fe'i perfformiwyd hefyd yng Nghaerdydd. Nid tan 1999 y cyfansoddodd ei opera olaf, *Tower Op. 170*, i libreto gan John Owen, yn adrodd hanes prynu glofa'r Tŵr gan Tyrone O'Sullivan a'i weithwyr, a hynny mewn arddull opera-ddogfen i gwmni Opera Box o Abertawe.

Prin fod unrhyw gyfansoddwr **clasurol** Cymreig arall wedi cynhyrchu catalog mor faith â Hoddinott gan lwyddo i gynnal safon gyson aruchel drwyddi draw. Un o'i hoff gyfryngau oedd cerddoriaeth siambr a cheir 13 sonata i'r piano, er enghraifft, yn rhedeg fel gwythïen loyw ar hyd ei yrfa o 1959 hyd 2003. Er nad oedd yn bianydd ei hun, roedd ganddo amgyffrediad arbennig o natur gynhenid offeryn ac mae ei sonatas niferus i'r ffliwt, y clarinet, y piano a'r soddgrwth ymysg offerynnau eraill yn amlygu hyn; felly hefyd y *concerti* sy'n cwmpasu bron pob offeryn cerddorfaol.

Câi ei ysbrydoli'n aml gan lenyddiaeth neu gelfyddyd weledol, ac roedd ganddo allu arbennig i gyfleu lliw ac awyrgylch mewn cerddoriaeth. Mae *The Heaventree of Stars* Op. 102 (1980), i ffidil a cherddorfa, yn un o'r esiamplau gorau o'i ddawn delynegol Iesmeiriol, gyda'r teitl yn deillio o waith James Joyce, fel sy'n wir hefyd am *The Sun, the great luminary of the universe* Op. 76 (1970), i gerddorfa. Un o uchafbwyntiau ei yrfa oedd y gwahoddiad i gyfansoddi gwaith ar gyfer y chwaraewr soddgrwth o Rwsia, Mstislav Rostropovich, a pherfformiwyd *Noctis Equi* Op. 132 gyda Cherddorfa Symffoni Llundain yn y Barbican i ddathlu pen-blwydd y cyfansoddwr yn 60 yn 1989.

Nid oedd Hoddinott yn or-hoff o unrhyw awgrym mai cyfansoddwr 'Cymreig' yn benodol ydoedd; cyfeiriai ato'i hun yn syml fel 'cyfansoddwr sy'n byw yng Nghymru'. Ei ddelfryd gerddorol ar hyd ei oes oedd dwyn y Cymry i ymwybyddiaeth ehangach o'r gorau yn rhyngwladol gan godi safon cerddoriaeth Gymreig hefyd er mwyn teilyngu sylw cyfartal. Datblygodd berthynas agos gyda **Cherddorfa Genedlaethol Gymreig y BBC** wedi iddi dyfu i'w llawn faint a chyfansoddodd ei symffonïau 6,7,9 a 10 ar ei chyfer, ynghyd â gweithiau meistrolgar megis *Star Children*, *Lizard* a *Taliesin*. Cyn iddo farw cafodd wybod am y penderfyniad i alw cartref newydd y Gerddorfa yng Nghanolfan Mileniwm Cymru yn Neuadd Hoddinott a dyma gofeb berffaith bellach i gawr o gyfansoddwr Cymreig.

Llyfryddiaeth

D. Wynne, 'Alun Hoddinott: a Survey', *Cerddoriaeth Cymru*, 3/8 (1970), 2–12

M. Boyd, 'The Beach of Falesá', *Musical Times*, cxv (1974), 207–9

A. J. Heward Rees ac A. Hoddinott, 'The Beach of Falesá', *Cerddoriaeth Cymru*, 4/6 (1974), 8–19

M. Oliver, 'Two Welsh Composers: Alun Hoddinott and William Mathias', *British Music Now*, gol. L. Foreman (Llundain, 1975), 86–96

M. Burtch, 'What the old man does is always right: Hoddinott's New Opera for Children', *Cerddoriaeth Cymru*, 5/7 (1977), 77–81

R. Walker, 'Alun Hoddinott', *Music and Musicians*, xxvi/5 (1977–8), 28–32

B. Deane, *Alun Hoddinott* (Caerdydd, 1978)

———, 'Alun Hoddinott: the Seventies and After', *Soundings* [Caerdydd], ix [recte viii] (1979–80), 6–13

M. Boyd, 'The Trumpet Major', *Musical Times*, cxxii (1981), 237–9

G. Lewis, 'First Night', *The Strad* [1989], 822–6

———, 'Hoddinott and the Symphony', *Musical Times*, cxxx (1989), 455–9

———, 'Hoddinott at 60', *Music and Musicians International*, xxxvii (Ebrill, 1989), 16–19

———, 'The Limit of a Vast Empire: Some of Hoddinott's Recent Music', *Cerddoriaeth Cymru*, 9/1 (1989–90), 6–16

———, 'Praise the Lord! We are a Musical Nation', *The New Wales* (gol. D. Cole) (Caerdydd, 1990), 123–40

S. R. Craggs, *Alun Hoddinott: a Bio-Bibliography* (Connecticut, 1993)

R. Matthew-Walker, *Alun Hoddinott on Record: a Composer and the Gramophone* (St Austell, 1993)

———, 'Hoddinott's Programmatic Structuralization', *Tempo*, 209 (1999), 22–5

Geraint Lewis

Hogia Bryngwran

Ffurfiwyd y grŵp tua 1955–56, gyda'r aelodau'n mynychu'r un Ysgol Sul a'r un Band of Hope ym mhentref Bryngwran, Ynys Môn. Yn y cyfnod hwnnw, cyn i drydan gyrraedd y pentref, byddai'r grŵp yn ymarfer dan olau lamp baraffin gan ymhyfrydu yn harmoni a lleisiau ei gilydd. Bryd hynny, roedd y cyfeiliant yn dilyn arddull sgiffl y cyfnod, gyda gitâr fas syml (sef llinyn tyn wedi ei gysylltu wrth gist bren), drymiau syml, pren golchi ac organ geg.

Roedd Lonnie Donegan a'i ganeuon sgiffl yn ddylanwad mawr arnynt ac o'r 1950au ymlaen roedd Radio Luxembourg yn cyflwyno cantorion gwlad megis Hank Williams i gynulleidfaoedd eang.

Gwelwyd dylanwad cerddoriaeth newydd o'r fath yn **Eisteddfod** Môn yn 1959 pan fu cystadleuaeth frwd rhwng Hogia Bryngwran a **Hogia Llandegai** gyda Hogia Bryngwran yn fuddugol (o dan yr enw Hogia'r Werin). O ganlyniad, tyfodd nifer y cynulleidfaoedd a'r cefnogwyr ar gyfer Hogia Bryngwran mewn nosweithiau llawen a chyngherddau, a thrwy gyfrwng radio a theledu yn ogystal.

Ymddangosodd y grŵp ar raglen gylchgrawn *Amser Te*, gyda Myfanwy Howell yn cyflwyno, rhaglen a gynhyrchwyd gan gwmni teledu TWW o'u stiwdio ym Mhontcanna, Caerdydd, a hefyd ar raglenni Cymraeg y byddai cwmni Granada yn eu darparu o'u stiwdio ym Manceinion ar gyfer cynulleidfa Gymreig yng ngogledd Cymru. Roedd gan yr Hogia eu swn unigryw, ac un o'u prif nodweddion oedd iodlo Idris Hughes. Yn yr 1960au, ymunodd Neville Jones (a ddaeth yn aelod o Draed Wadin) â hwy, a thrwy gyfrwng sain ei gitâr Hawaiaidd, datblygodd swn y grŵp ymhellach.

Ar adeg Eisteddfod Genedlaethol Cymru, Glynebwy yn 1958 roedd Hogia Bryngwran yn aros ym mhentref Cwm pan gawsant wahoddiad i deithio i Iwerddon i berfformio ar Radio Eire, gan droi'n grŵp 'rhyngwladol' os am ennyd yn unig. Rhyddhaodd y grŵp record ar label Cambrian yn 1968 gan dderbyn archeb bost am saith swllt a chwe cheiniog yn dâl.

Disgyddiaeth
Hogia Bryngwran [EP] (Cambrian CEP411, 1968)
[yn ymddangos ar] *Y Bois a'r Hogia* (Sain SCD2578, 2010)

Sarah Hill

Hogia Llandegai

Grŵp canu harmoni clos a sefydlwyd yng nghyfnod y sgiffl yn yr 1950au ac a fu'n perfformio am dros ddeugain mlynedd.

Tyfodd yr Hogia allan o'r wythawd Criw Sgiffl Llandegai a sefydlwyd yn 1957 ac a gynhwysai Neville [Nev] Hughes (gitâr a llais, cyflwynydd), Ronald Wyn [Ron] Williams (prif leisydd) ac Owen Glyn [Now] Jones (organ geg a llais). Ymunodd Roy Astley (gitâr a llais) yn ddiweddarach cyn i'r pedwarawd ddechrau recordio caneuon o dan yr enw Hogia Llandegai yn ystod yr 1960au.

Fel y Bois a'r Hogia eraill, roedd Hogia Llandegai yn dilyn traddodiad hir y Noson Lawen, gan ymhyfrydu mewn hiwmor a chyflwyno cymysgedd o gymeriadau lliwgar a geiriau cartrefol. Dechreuodd yr aelodau gydganu yng Nghôr Talgau. Gan fod y côr eisiau cynnig adloniant mwy amrywiol, penderfynodd wyth ohonynt brynu offerynnau rhad er mwyn perfformio caneuon sgiffl (a oedd yn boblogaidd ym Mhrydain ar y pryd): cist de, pren golchi ac organau ceg. Yn ogystal â'u perfformiadau gyda Chôr Talgau roeddynt hefyd yn derbyn gwahoddiadau i berfformio fel grŵp ar wahân gan ddechrau ym mis Ebrill 1957.

Gan nad oeddynt yn gerddorion wedi'u hyfforddi'n ffurfiol, roeddynt yn dra dibynnol ar ganeuon gwerin Cymraeg, a hefyd ar ganeuon Saesneg heb eu cyfieithu, er enghraifft caneuon poblogaidd Lonnie Donegan fel 'My Old Man's a Dustman'. Ar y cychwyn, byddent yn teithio ar fysiau cyhoeddus i'w cyngherddau gan gario'u hofferynnau ar eu cefnau. (Nid oedd y gydnabyddiaeth ariannol a gaent ond prin ddigon i dalu am y tocynnau bws.) Roedd i sgetsys le canolog yn eu perfformiadau, a bywiogid y cyfan gan allu Now fel chwibanwr a dynwaredwr synau anifeiliaid. Roedd yr un nodweddion i'w cael yn eu perfformiadau teledu a daeth llwyddiant mawr i ran Criw Sgiffl Llandegai rhwng 1957 ac 1964.

Roedd cyfnod sgiffl wedi hen ddod i ben ym Mhrydain erbyn 1964 gyda cherddoriaeth *beat* y Beatles a'r Rolling Stones yn prysur feddiannu'r tonfeddi radio. Roedd Criw Sgiffl Llandegai yn ymwybodol o'r newidiadau hyn a theimlent mai priodol oedd dwyn y criw i ben ar ôl cyfnod hir o lwyddiant. Wedi rhai misoedd, daeth pedwar o'r Criw Sgiffl ynghyd unwaith eto ar gyfer ymddangosiad ar y rhaglen deledu *Hob y Deri Dando*, ac fel Hogia Llandegai bu iddynt barhau i berfformio o 1965–73. Yn ystod y cyfnod hwn y recordiwyd eu holl senglau.

Yn 1971 dathlodd Hogia Llandegai eu milfed cyngerdd ym Mhlaza Bangor. Ddwy flynedd yn ddiweddarach, yn Rhagfyr 1973, perfformiwyd eu cyngerdd olaf yn yr un man. Ond, rhyw bum mlynedd wedi hynny, cawsant wahoddiad gan I. B. Griffith i ymddangos yn **Eisteddfod** Genedlaethol Cymru, Caernarfon yn 1979 ac fe arweiniodd y cyngerdd hwnnw at gyfnod pellach o berfformio. O neuaddau bach y gogledd i stiwdios teledu Caerdydd ac i Bafiliwn Pontrhydfendigaid, cyfrannodd Criw Sgiffl a Hogia Llandegai at gyfnod pwysig yn natblygiad **canu pop** Cymraeg, ac yn ôl adolygiad yn y *Rhyl and Prestatyn Gazette* yn 1969, roedd caneuon megis 'Defaid William Morgan' yn cyfleu 'hiwmor y Cymro gwledig ar ei orau' (Wyn 2002, 54).

Disgyddiaeth
'Trên Bach yr Wyddfa' [EP] (Teldisc PYC5433, 1966)

'Anti Henrietta o Chicago' [EP] (Teldisc PYC5434, 1967)
'Mynd i'r Fan a'r Fan' [EP] (Cambrian CEP426, 1968)
'Elen' [EP] (Teldisc PYC5435, 1968)
Caneuon Gorau (Cambrian CLP582, 1968)
'Mi Ganaf Gân' [EP] (Cambrian CEP453, 1969)
'Bangor '71' [sengl] (Sain 14, 1971)
'Mae Pawb yn Chwarae Gitâr' [sengl] (Sain 28, 1972)
Canu yn y Gwaed (Sain SCD2074, 1994)

Casgliadau:
Goreuon Hogia Llandegai (Sain SCD2016, 1992)
Y Goreuon Cynnar (Sain SCD2524, 2006)
[yn ymddangos ar] *Y Bois a'r Hogia* (Sain SCD 2578, 2010)

Llyfryddiaeth
Neville Hughes, *Hogia Llandegai: Y Llyfr* (Neville Hughes, 1996)
Hefin Wyn, *Be Bop a Lula'r Delyn Aur* (Talybont, 2002)

Sarah Hill

Hogia'r Gogledd

Grŵp canu ysgafn a ffurfiwyd yn yr 1940au. Yr aelodau gwreiddiol oedd Emrys Cleaver (gweinidog ac yna athro ysgol yn Nyffryn Clwyd), Meic Parri (gweinidog yng Nghapel Curig), Ifan O. Williams, W. H. Roberts (prifathro yn Sir Fôn), W. E. Thomas (tad yr Arglwydd Dafydd Elis-Thomas) a T. Gwynn Jones.

Canai Hogia'r Gogledd ganeuon ar bynciau cyfredol wedi'u gosod ar alawon cyfarwydd o'r Unol Daleithiau a Phrydain, gan droi hefyd ar brydiau at alawon Cymreig. Cawsant gynulleidfa gyson drwy gyfrwng **rhaglenni radio** a oedd yn cael eu darlledu o stiwdio'r BBC ym Mangor. Cynhyrchwyd y rhain gan Sam Jones a Nan Davies.

Sarah Hill

Hogia'r Wyddfa

Hogia'r Wyddfa oedd y grŵp canu harmoni clos mwyaf llwyddiannus yn hanes **canu poblogaidd** Cymraeg. Dechreuodd fel triawd yn yr 1960au cynnar gydag Elwyn Jones (bas), Arwel Jones (tenor) a Myrddin Owen (tenor). Yn ddiweddarach ymunodd Richard [Dic] Jones (piano) a Vivian Williams (gitâr). O'r 1990au ymlaen, bu'r pianydd amryddawn **Annette Bryn Parri** yn cyfeilio iddynt.

Er bod dylanwad Americanaidd grwpiau megis The Everly Brothers ar eu chwaeth gerddorol yn y dyddiau cynnar, cawsant hefyd eu hysbrydoli gan fandiau Cymraeg fel **Hogia Llandegai**, **Hogia Bryngwran**, Aled a Reg, ac, yn bennaf, **Triawd y Coleg**. Eu dawn amlycaf oedd gosod barddoniaeth gyfarwydd gan feirdd megis R. Williams Parry ('Tylluanod', 'Eifionydd'), Cynan ('Aberdaron') a T. H. Parry Williams ('Y Ferch ar y Cei yn Rio') ar alawon newydd, neu ddefnyddio cerddi newydd beirdd lleol megis Rol Williams ar gyfer eu harmonïau swynol. Nid oedd eu harfer o osod cerddi enwog at ddant pawb a chawsant eu cyhuddo gan rai puryddion llenyddol o lastwreiddio clasuron barddoniaeth Gymraeg.

Yn eu dyddiau cynnar, ystyriai Hogia'r Wyddfa eu bod yn cynnig rhywbeth gwahanol i fyd **canu pop** Cymraeg. Llwyddasant i feithrin cynulleidfaoedd eang mewn neuaddau dirifedi yn y gogledd a'r de. Cynhwysai eu set elfennau o'r hen noson lawen, er nad oedd sgetsys a jôcs yn acen gref Llanberis yn llwyddo i daro deuddeg ymhob man. Daeth cyfle iddynt ymddangos ar y teledu ar raglenni megis *Disg a Dawn* a rhoddodd cyngherddau Pinaclau Pop gyfle iddynt berfformio o flaen cynulleidfaoedd o hyd at ddwy fil o bobl. Cryfhaodd apêl eu recordiau a'u caneuon ymhellach yn nyddiau cynnar Radio Cymru, yn enwedig drwy gyfrwng rhaglenni Hywel Gwynfryn.

Derbyniodd Myrddin gryn lwyddiant y tu hwnt i Hogia'r Wyddfa hefyd fel un rhan o'r ddeuawd boblogaidd Rosalind a Myrddin, gyda Rosalind yn aelod cyn hynny o'r Perlau. Rhyddhawyd pedair record hir gan y ddeuawd rhwng 1979 ac 1986.

Dros gyfnod maith eu bodolaeth, teithiodd Hogia'r Wyddfa dramor, mor bell ag Awstralia, yr Almaen, yr Unol Daleithiau, Canada a Nigeria, yn aml i berfformio o flaen Cymry alltud. Hogia'r Wyddfa hefyd yw'r grŵp a werthodd y nifer mwyaf erioed o recordiau ar label Sain.

Disgyddiaeth

Hogia'r Wyddfa [EP] (Wren Records WRE1048, 1968)
Rhif 4 [EP] (Wren Records WRE1079, 1969)
Mr Pwy a Ŵyr [EP] (Wren Records WRE1105, 1971)
Hogia'r Wyddfa (Wren Records WRL538/S, 1972)

Casgliadau:
Goreuon Hogia'r Wyddfa (Sain SCD4094, 1991)
Pigion Disglair (Sain SCD2569, 2007)
Y Casgliad Llawn (Sain SCD2693, 2013)
[yn ymddangos ar] *Y Bois a'r Hogia* (Sain SCD2578, 2010)

Sarah Hill

Hopkin, Deian (g.1944)

Ganed Syr Deian Rhys Hopkin yn Llanelli ar 1 Mawrth 1944. Derbyniodd ei addysg gynnar yn ei dref enedigol cyn mynd i Goleg Llanymddyfri ar ysgoloriaeth. Graddiodd mewn Hanes o Brifysgol Cymru, Aberystwyth yn 1965. Ar ôl cyfnod byr yng Ngholeg Queen Mary, Llundain, dychwelodd i Aberystwyth, lle bu'n dysgu am 24 blynedd, gan ddod yn bennaeth adran. Bu hefyd yn diwtor yn y Brifysgol Agored.

Yn 1991 fe'i penodwyd yn Ddeon ym Mhrifysgol Guildhall Llundain (erbyn heddiw **Prifysgol** Metropolitanaidd Llundain). Fe'i gwnaed yn is-bennaeth y brifysgol yn 1996 cyn ei apwyntio'n Is-Ganghellor Prifysgol South Bank, Llundain rhwng 2001 a 2009. Bu ei waith yn bennaf ym maes polisïau addysg, ond mae'n bianydd **jazz** amryddawn, yn arbenigwr yn y maes, ac wedi perfformio am flynyddoedd gyda'i bedwarawd jazz y Deian Hopkin Quartet.

Hopkin, Mary (g.1950)

Cantores werin a phop oedd Mary Hopkin ac o blith cantorion a fu'n amlwg yn nyddiau cynnar **pop** Cymraeg, hi aeth bellaf o ran cynulleidfa, bri, enwogrwydd a llwyddiant.

Dechreuodd ganu fel plentyn yn y capel a'r ysgol Sul ym Mhontardawe, lle cafodd ei geni ar 3 Mai 1950. Erbyn iddi gyrraedd ei harddegau roedd yn ymddangos ar deledu Cymraeg, yn canu mewn **grŵp gwerin** o'r enw The Selby Set and Mary, ac yn 1968 yn recordio fel cerddor unigol ar gyfer label Cambrian. Roedd hefyd yn astudio canu yng Ngholeg Cerdd a Drama Cymru yng Nghaerdydd, ac ymhlith ei chyd-fyfyrwyr yno yr oedd y gantores bop, **Heather Jones**.

Ar gyfer ei record Cambrian gyntaf, *Llais Swynol Mary Hopkin* (Cambrian, 1968), gofynnodd i'w hathro ysgol, Gwyn Davies, gyfieithu geiriau cân werin boblogaidd yr Americanwr Peter Seeger 'Turn, Turn, Turn' i'r Gymraeg ('Tro, Tro, Tro'). Yn sgil ei diddordeb yn sŵn y **canu gwerin** Americanaidd cyfoes dewisodd 'Turn, Turn, Turn' ar gyfer ei hymddangosiad cyntaf yn 1968 ar raglen *Opportunity Knocks* ar ITV. Ymddangosodd ar y rhaglen am ddeg wythnos yn olynol gan ennill nid yn unig y gystadleuaeth ond hefyd sylw'r fodel enwog Twiggy (Lesley Lawson, g.1949). Awgrymodd Twiggy wrth gitarydd bas a lleisydd y Beatles, Paul McCartney, y dylai'r grŵp gynnig cytundeb i Mary Hopkin ar eu label newydd, recordiau Apple.

Aeth ei sengl gyntaf 'Those Were the Days' i frig y siartiau pop ym Mhrydain yn Awst 1968 (gan ddisodli 'Hey Jude' y Beatles), yn yr Unol Daleithiau a phob cwr o'r byd, a hynny drwy gyfrwng pum iaith (Saesneg, Sbaeneg, Almaeneg, Eidaleg a Ffrangeg). Gwerthodd y record dros filiwn a hanner o gopïau yn yr Unol Daleithiau yn unig.

Flwyddyn yn ddiweddarach, rhyddhaodd ei halbwm cyntaf *Post Card* (Apple, 1969) gyda Paul McCartney yn cynhyrchu. Gan gynnwys trefniannau o ganeuon oedd yn amrywio o Donovan a Gershwin i Irving Berlin, bu *Post Card* yn llwyddiant mawr, gan gyrraedd rhif 3 yn y siartiau Prydeinig. Ar ôl rhyddhau dwy sengl arall cynrychiolodd Mary Hopkin wledydd Prydain yng nghystadleuaeth Eurovision, gan ganu 'Knock Knock, Who's There?' ond daeth yn ail i'r gantores o Iwerddon, Dana (Dana Rosemary Scallon), a'i chân 'All Kinds of Everything'.

Roedd Hopkin weithiau'n anghyfforddus gyda'i henwogrwydd a hefyd ar adegau gyda'r gerddoriaeth a ddewiswyd ar ei chyfer gan eraill. Roedd ei hail albwm, *Earth Song/Ocean Song* (Apple, 1971), yn agosach at ei dant cerddorol personol ac yn cynnwys caneuon gan Cat Stevens a Ralph McTell. Y cerddor a'r canwr amryddawn Tony Visconti (g.1944) oedd yn cynhyrchu, ac o fewn y flwyddyn roedd y ddau wedi priodi. Penderfynodd Hopkin wedyn adael y byd pop a chanolbwyntio ar fagu teulu (ganed dau blentyn iddynt). Yn ystod yr 1970au, roedd llais Hopkin i'w glywed ar nifer o'r recordiau y bu Visconti'n eu cynhyrchu.

Fel cantores unigol, recordiodd ganeuon newydd yn achlysurol yn yr 1970au, ond fe gadwodd ei hun allan o lygaid y cyhoedd. Yn 1981 fe ysgarodd hi a Visconti. Ers hynny mae hi wedi dethol ei hymddangosiadau cyhoeddus yn ofalus, gan gymryd rhan mewn rhai sioeau llwyfan a'r ffilm *Very Annie Mary* (FilmFour, 2001). Ar ôl sefydlu'i label ei hun, Mary Hopkin Music, aeth ati i ailryddhau recordiau archif yn dyddio o'r 1970au a'r 1980au.

Disgyddiaeth

Senglau a recordiau estynedig:

Llais Swynol Mary Hopkin [EP] (Cambrian CEP414, 1968)

Mary ac Edward (gydag **Edward Morus Jones**) [EP] (Cambrian CEP 420, 1968)

'Those Were the Days' [sengl] (Apple 002, 1968)

'Aderyn Llwyd' [sengl] (Cambrian CSP703, 1969)

'Lontano Dagli Occhi' [sengl] (Apple 007, 1969 [heb ei ryddhau])

'Prince En Avignon' [sengl] (Apple 009, 1969 [heb ei ryddhau])

'Goodbye' [sengl] (Apple 010, 1969)

'Que Sera, Sera (Whatever Will Be, Will Be)' [sengl] (Apple 016, 1969 [heb ei ryddhau])

'Pleserau Serch (Plaisir D'Amour)' [sengl] (Cambrian CSP712, 1970)

'Temma Harbour' [sengl] (Apple 022, 1970)

'Knock, Knock Who's There?' [sengl] (Apple 026, 1970)

'Think About Your Children' [sengl] (Apple 030, 1970)

'Let My Name Be Sorrow' [sengl] (Apple 034, 1971)

'Water, Paper and Clay' [sengl] (Apple 039, 1971)

'Mary Had a Baby' [sengl] (Regal Zonophone RZ3070, 1972)

'If You Love Me (I Won't Care)' [sengl] (Good Earth GD2, 1976)

'Wrap Me In Your Arms' [sengl] (Good Earth GD11, 1977)

'Ave Maria' [sengl] (Trax 7TX13, 1989)

Recordiau Hir:

Post Card (Apple SAPCOR 5, 1969)

Earth Song/Ocean Song (Apple SAPCOR 21, 1971)

The Welsh World of Mary Hopkin (Decca SPA546, 1979)

Spirit (Trax Music MODEM1045, 1989)

Y Caneuon Cynnar/The Early Recordings (Sain SCD2151, 1996)

Live at Royal Festival Hall 1972 (Mary Hopkin Music MHM001, 2005)

[yn ymddangos ar]

Bert Jansch, *Moonshine* (Reprise Records K44225, 1971)

Ralph McTell, *Not Till Tomorrow* (Reprise Records K44210, 1973)

Sarstedt Brothers, *Worlds Apart* (Regal Zonophone SRZA8513, 1973)

Elfland Ensemble featuring Mary Hopkin, 'Lirazel' [sengl] (Chrysalis CHS2151, 1977)

Thin Lizzy, *Bad Reputation* (Vertigo 9102016, 1977)

David Bowie, *Low* (RCA Victor PL12030, 1977)

Cousins & Willoughby, *The Bridge* (RGFCD 020, 1994)

The Crocketts, *The Great Brain Robbery* (Blue Dog BDG1011812, 2000)

Julian Colbeck, *Back to Bach* (Voiceprint VP522CD, 2009)

Sarah Hill

Howell, Gwynne (g.1938)

Ganed Gwynne Howell yng Ngorseinon, ac er mai **jazz** oedd ei ddiddordeb cyntaf daeth i'r brig fel un o'r bas-baritoniaid uchaf eu parch yn nhai **opera**'r byd. Ei fwriad cyntaf oedd bod yn gynllunydd trefol ond ar ôl derbyn gwersi fel myfyriwr rhan-amser yng Ngholeg Cerdd Brenhinol Manceinion (y Royal Northern erbyn hyn) a chael cefnogaeth gan ei athro llais **Gwilym**

Gwalchmai Jones (1921–70), penderfynodd fynd yn ganwr proffesiynol.

Wedi derbyn cytundebau gan Sadler's Wells yn 1968 a'r Tŷ Opera Brenhinol yn 1970, datblygodd ei yrfa yn sydyn ac yn fuan roedd yn canu dan brif **arweinyddion** y byd. Ymhlith y rolau pwysicaf yn ei *repertoire* y mae'r rhan fwyaf o'r prif rannau yn operâu Verdi a Wagner – Miller, Sparafucile, Ferrando, Padre Guardino, Philip II, Hans Sachs, Gurnemanz ac yn y blaen. Ei hoff ran oedd Hans Sachs yn *Die Meistersinger* a chafodd ganmoliaeth yn gyson am ei berfformiadau yng ngweithiau Wagner, yn *Der Ring des Nibelungen* a *Parsifal* yn benodol.

Nid mewn operâu yn unig y bu'n canu, fodd bynnag. Ceir recordiad nodedig ohono o'r 1960au yn rhan Christus mewn perfformiad enwog o'r *Dioddefaint yn ôl Sant Ioan* (Bach) dan arweiniad Benjamin Britten. Yn y neuadd gyngerdd hefyd cofir am lawer perfformiad ganddo, er enghraifft yn *Y Greadigaeth* (Haydn), *Missa Solemnis* (Beethoven) dan arweinyddiaeth Josef Krips, ac Offeren Rhif 3 Anton Bruckner.

Cafodd yrfa anarferol o hir fel canwr, gan ei fod yn dal i ganu'n broffesiynol wrth iddo nesáu at ei 80 oed. Yn ei saithdegau mae wedi ei gyfyngu'i hun i rannau llai trwm (Simone yn *Gianni Schicchi*, er enghraifft), ond mae ei brysurdeb yn y maes recordio a'i ddycnwch yn teithio ar draws y byd (i ganu yn Houston yn *Billy Budd* gan Britten, er enghraifft) yn arwydd o'i ymroddiad proffesiynol, cryfder ei lais a'i frwdfrydedd cerddorol.

Richard Elfyn Jones

Hughes, Arwel (1909–1988)

Petai Arwel Hughes heb gyfansoddi yr un darn arall ac eithrio'r **emyn-dôn** odidog 'Tydi a roddaist' (1938), byddai ei enw fel cyfansoddwr yn para tra pery canu crefyddol. Ond roedd llawer mwy i fywyd a gwaith y cerddor a'r cyfansoddwr, yr organydd, yr **arweinydd** a'r gweinyddwr hwn. Un o fechgyn Rhosllannerchrugog ydoedd a datblygodd ei yrfa gerddorol yn gynnar iawn. Cafodd ei addysg yn Ysgol Ramadeg Rhiwabon cyn mynd i'r Coleg Cerdd Brenhinol yn Llundain lle daeth o dan ddylanwad Ralph Vaughan Williams (1872–1958) a derbyn yn ogystal wersi gyda Charles Herbert Kitson (1874–1944), awdur llyfrau ar harmoni a gwrthbwynt.

Roedd Arwel Hughes yn organydd dawnus ac am gyfnod bu'n chwarae yn Eglwys St Philip a St James yn Rhydychen cyn symud i Gaerdydd lle bu'n aelod o staff y BBC o 1935 ymlaen. Ynghyd â **Mansel Thomas** (1909–86) ac **Idris Lewis** (1889–1952), bu ei ddylanwad ar gerddoriaeth Cymru o'r pwys mwyaf, yn arbennig yn y cyfnod wedi'r Ail Ryfel Byd. Fe'i penodwyd yn bennaeth cerdd yn BBC Cymru yn 1965, i olynu Thomas, ac wedi ymddeol bu'n drefnydd cerdd **Eisteddfod** Ryngwladol Llangollen o 1978 hyd 1986. Derbyniodd MMus er anrhydedd gan Brifysgol Cymru a chafodd yr OBE yn 1969.

Mae'r gymhariaeth rhwng Arwel Hughes a'i gyfaill Mansel Thomas yn ddifyr ddigon. Gweithiau bychain yw'r mwyafrif o gyfansoddiadau Thomas, ond roedd Hughes yn hoffi gweithio ar raddfa fwy. Fel y dengys cofnodion y BBC yn Llundain, roedd y ddau'n brwydro'n galed dros fuddiannau cerddorol Cymru gyda'r awdurdodau yn Llundain a gellir dadlau bod pwysau galwedigaethol yn gyffredinol, ynghyd â'r ddyletswydd i hybu gyrfaoedd cyfansoddwyr eraill megis **Alun Hoddinott**, **William Mathias**, **Daniel Jones**, **Grace Williams** a **David Wynne**, wedi golygu na allent ymroi mor llwyr i gyfansoddi ag y byddent wedi dymuno. Ar sail eu cyfraniad yn annog eraill, cyflwynwyd Gwobr Goffa John Edwards i'r ddau yn eu tro gan **Gymdeithas Cerddoriaeth Cymru**.

Gadawodd Arwel Hughes gorff sylweddol o weithiau swmpus. Roedd dylanwad Vaughan Williams yn drwm arno ac yn ei weithiau gorau ceir naws gyfriniol, 'Geltaidd' hefyd. Roedd yn felodist naturiol, yn gyfansoddwr greddfol ar gyfer cerddorfa, yn dechnegol gywrain ac yn medru rheoli cynfasau eang trwy ei ddefnydd o'r telynegol a'r dramatig yn eu tro. Wrth iddo ddatblygu, daeth ei waith yn agosach at y brif ffrwd mewn moderniaeth a dechreuodd wneud defnydd dychmygus o anghytgordiau.

Mae dylanwad Vaughan Williams ar ei amlycaf mewn nifer o'i weithiau cynnar, megis y *Fantasia i Gerddorfa Linynnol* (1936) sy'n seiliedig ar hen alaw Gymreig. Felly hefyd un o'i weithiau mwyaf poblogaidd, *Gweddi* (1944), ar gyfer côr a cherddorfa, a'r *Preliwd i Gerddorfa* (1947). Ceir peth adlais o Jean Sibelius (1865–1957) yn y gwaith cerddorfaol *Anatiomaros* (1943). Erbyn yr 1950au cynnar roedd profiad blynyddoedd o drefnu ac ysgrifennu (yn aml ar fyr rybudd) ar gyfer cerddorfa'r BBC wedi talu ar ei ganfed iddo. Dyma gyfnod gweithiau mawr, megis yr operâu *Menna* (1954) a *Serch yw'r Doctor* (1960), addasiad gan Saunders Lewis o gomedi Molière, y ddwy yn gynyrchiadau Cwmni Opera Cenedlaethol

PSALM 148
I GÔR MEIBION a CHERDDORFA (neu PIANO)
For Male Choir and Orchestra (or Piano)

English translation by
EIFION POWELL

Music by
ARWEL HUGHES

Agoriad *Salm 148* gan Arwel Hughes (Cyhoeddiadau Oriana)

Cymru. Yn yr un cyfnod roedd yr oratorios *Dewi Sant* (1950) a *Pantycelyn* (1963) yn ffrwyth cydweithio rhwng y cyfansoddwr ac Aneirin Talfan Davies, a oedd hefyd ar staff y BBC, ac maent yn esiamplau nodedig o'i feistrolaeth ar adnoddau cerddorol ar raddfa fawr.

Rhai o'i weithiau pwysig eraill yw ei dri phedwarawd llinynnol (1948, 1976 a 1983), nifer helaeth o ddarnau **corawl** a chaneuon, a darnau i gorau meibion megis *Psalm 148* (1969), a gyhoeddwyd gan Ricordi, ac sy'n rhythmig ymwthiol o'r cychwyn.

Ymhlith ei ddarnau cerddorfaol amrywiol y mae ei *Simffoni* (1971) yn waith pwysig sy'n haeddu mwy o sylw. Mae ystod eang ei gerddoriaeth a chysondeb ei dechneg yn ddrych o feddylfryd cerddorol aruchel ar ei orau.

Disgyddiaeth
Dewi Sant [et al] (Chandos CHAN8890, 1990)

Through Gold and Silver Clouds [yn cynnwys ei *Fantasia in A minor*] (BIS BISCD1589, 2007)

Anatiomaros [yn cynnwys *Prelude for Orchestra, Suite for Orchestra,* agorawd i *Serch yw'r Doctor,* ayyb.] (BIS, BISCD1674, 2011)

Gwefannau
en.wikipedia.org/wiki/Arwel_Hughes
www.welshicons.org.uk/html/arwel_hughes.php
www.classical-composers.org/comp/hughes
www.last.fm/music/Arwel+Hughes

Llyfryddiaeth
John Davies, *Broadcasting and the BBC in Wales* (Caerdydd, 1994)

Malcolm Boyd a Meuryn Hughes, 'Hughes, Arwel', *New Grove Dictionary of Music and Musicians,* gol. Stanley Sadie (Llundain, 2001)

Lyn Davies

Hughes, John (1873–1932)
(gw. 'Cwm Rhondda')

Hughes, R. S. (1855–1893)

Ganed y cyfansoddwr a'r pianydd Richard Samuel Hughes yn Aberystwyth, yn fab i Benjamin ac Ann Samuel Hughes a oedd yn cadw siop nwyddau haearn wrth ymyl cloc y dref. Amlygwyd ei ddawn gerddorol yn ifanc ac erbyn iddo gyrraedd ei ben-blwydd yn 5 oed llwyddodd i greu cryn argraff fel pianydd.

Enillodd ar ganu'r piano yn **Eisteddfod** Genedlaethol Aberystwyth yn 1865 ac ymhlith y rhai a'i clywodd yr oedd **Ieuan Gwyllt** (John Roberts; 1822–77), **Owain Alaw** (**John Owen**) (1821–83) a **Brinley Richards** (1817–85) – swm o gini a gwerslyfr Richards ei hun ar ganu'r piano oedd y wobr. Yn 1870 symudodd i'r Academi Gerdd Frenhinol yn Llundain ond dychwelodd i Aberystwyth ar ôl blwyddyn a hanner. Am gyfnod bu'n cynorthwyo'r Dr Roland Rogers (1847–1927), organydd yr Eglwys Gadeiriol ym Mangor. Dychwelodd eto i Aberystwyth, lle dechreuodd gyhoeddi caneuon, sef ei brif waith fel cyfansoddwr. Daeth yr unawdau *Wyt ti'n Cofio'r Lloer yn Codi* a *Y Golomen Wen* yn hynod boblogaidd. Symudodd i fyw wedyn i Fethesda lle y'i penodwyd yn organydd yng nghapel Annibynwyr Bethesda yn 1887 a lle bu'n weithgar fel athro cerdd.

Mae ei ganeuon niferus ymhlith goreuon y cyfnod yn Gymraeg ac yn parhau'n boblogaidd hyd heddiw. Maent hefyd yn adlewyrchu chwaeth y dydd, gyda'r themâu yn ymwneud â byd natur, y môr, marwolaeth gynnar, canu serch, gwladgarwch ac ati. Ymhlith ei ganeuon mwyaf nodedig y mae *The Inchcape Bell, Y Tair Mordaith, Llam y Cariadau, Y Dymestl, Arafa Don,* y deuawdau *Gwŷs i'r Gad* a *Lle treigla'r Caveri,* a *Chwech o Ganeuon Gwladgarol.*

Ym mhob achos mae'r cyfeiliant yn nodedig idiomatig ac yn arddangos ei ddawn amlwg – meddylier er enghraifft am agoriad dramatig hir *Y Dymestl* (sy'n aml i'w chlywed ar Radio Cymru hyd heddiw, gyda'r baswr Richard Rees a'r pianydd **Charles Clements** yn ei pherfformio). Roedd R. S. Hughes hefyd yn deall sut yr oedd apelio at y gwrandawyr mewn cyngherddau ac yn dueddol o 'chwarae i'r galeri' ar ddiwedd ei ganeuon. Mae ei gynnyrch yn dangos dealltwriaeth lwyr o'r llais dynol, a gallai lunio alawon ffres, newydd er bod ei harmonïau'n aml yn dibynnu'n ormodol ar ailadrodd.

Mae ambell un o'i **emyn-donau** yn parhau'n boblogaidd a bu bri am gryn amser ar ei **anthem** *Wel, f'enaid, dos ymlaen.* Enillodd wobr am gyfansoddi pedwarawd llinynnol yn Eisteddfod Genedlaethol Wrecsam yn 1876, esiampl brin o gerddoriaeth offerynnol o Gymru, ond un sy'n anffodus ar goll. Claddwyd R. S. Hughes ym mynwent Glanogwen, Bethesda.

Lyn Davies

Hughes Jones, Gwyn
(gw. **Jones, Gwyn Hughes**)

Hughes-Jones, Llifon (1918–96)

Ganed Llifon Hughes-Jones yng Ngharmel ger y Groeslon, Sir Gaernarfon, a derbyniodd ei addysg ym Mhwllheli, Bangor, Coleg Cerdd Manceinion a Choleg Trinity, Llundain. Roedd yn adnabyddus fel **arweinydd**, organydd, cyfansoddwr (yn arbennig am ei ganeuon swynol i blant), awdur a beirniad mawr ei barch yng Nghymru a'r tu hwnt i Glawdd Offa. Cyhoeddwyd ei weithiau gan nifer o gwmnïau megis Cwmni Cyhoeddi Gwynn, Roberton, Y Lolfa a Curiad.

Mae ei waith yn perthyn i draddodiad cerddoriaeth ysgafn Prydain yn y cyfnod cyn ac ar ôl yr Ail Ryfel Byd ac yn ddeniadol, yn draddodiadol a thonyddol. Roedd Hughes-Jones yn meddu ar dechneg sicr ac yn deall y llais dynol (er iddo hefyd gyfansoddi peth **cerddoriaeth offerynnol** megis *Dau Ddarn Byr i'r Obo a'r Piano, Agorawd Langdon* a *Dau Breliwd i Gerddorfa*).

Roedd ei ddawn yn amlwg wrth gyfansoddi ar gyfer plant; llwyddai i ysgrifennu darnau addas heb ddangos agwedd nawddoglyd tuag atynt. Cenir llawer o'i ganeuon mewn **eisteddfodau** mawr a mân, ac maent yn arddangos adnabyddiaeth o derfynau lleisiol o fewn fframwaith tonyddol. Mewn casgliadau fel *Caneuon Llifon,* sef deuddeg o ganeuon a gyfansoddwyd yn 1987 ac sy'n cynnwys 'Cân y Melinydd', 'Cymylau' a 'Gwelais Bren', mae'r cyfansoddwr yn llwyddo i greu'r naws briodol.

Mewn casgliadau eraill o ganeuon megis *Carol yr Alarch a chaneuon eraill* a *Patapan: Deg o Ganeuon,* mae'n arddangos chwaeth ddewisol o fewn pob gosodiad. Cyfansoddodd yn ogystal nifer o weithiau **corawl** poblogaidd. Mae ei *How Far is it to Bethlehem?* (1977) a *Sleep* (1978) yn parhau'n boblogaidd. Mae ei ddarnau ar gyfer **corau meibion** hefyd yn ganadwy a chofiadwy – *Emyn Noswyl, Y March Glas, Coed y Glyn* a *Cwyn Cariad.* Mae'n esiampl nodedig o gerddor a oedd yn gwybod terfynau ei dalent gerddorol nid ansylweddol.

Llyfryddiaeth
Gwefannau cwmnïau cyhoeddi Gwynn, Roberton, Curiad a Gwasg y Lolfa
Archif Papurau Llifon Hughes-Jones (Prifysgol Bangor)

Lyn Davies

Humphreys, Alwyn (g.1944)

Cerddor, **arweinydd**, awdur a ffigwr hynod bwysig a dylanwadol ym maes **cerddoriaeth glasurol** yng Nghymru.

Yn dod yn wreiddiol o Ynys Môn, graddiodd mewn cerddoriaeth o **Brifysgol** Hull yn 1966 cyn mynd ymlaen i astudio yng Ngholeg y Drindod, Llundain. Bu'n darlithio am gyfnod yng ngholeg Mabel Fletcher yn Lerpwl cyn symud i fyd y **cyfryngau**, gan ddod yn ddarlledwr, cynhyrchydd a chyfarwyddwr teledu gyda'r BBC. Bu'n gyfarwyddwr cerdd ac arweinydd **Côr** Orpheus Treforys am 25 mlynedd gan roi'r gorau i'r gwaith yn 2005. Yn ystod y cyfnod yma llwyddodd y côr i dderbyn dwy ddisg aur gan gyrraedd deg uchaf y siartiau clasurol Prydeinig.

Bu'n wyneb cyfarwydd ar BBC Cymru ac S4C, yn sylwebu o lwyfan yr **Eisteddfod** Genedlaethol ac yn gyflwynydd rhaglenni megis *Prynhawn Da*, *Heno* a *Dechrau Canu, Dechrau Canmol*. Gyda'i osgo hamddenol ond gwybodus o'r maes, fe lwyddodd ei raglen radio glasurol *Cywair* ar Radio Cymru ar foreau Sul yn ystod yr 1980au i agor clustiau cenedlaethau o wrandawyr i gerddoriaeth glasurol a chelfyddydol o bob math, gyda sain nodweddiadol y cymbalom i'w chlywed yn y gerddoriaeth agoriadol: intermezzo allan o opera *Háry János* Zoltán Kodály.

Fel cyflwynydd teledu a radio fe wnaeth Alwyn Humphreys ymron mwy na neb arall i boblogeiddio **cerddoriaeth offerynnol, cerddoriaeth gorawl** a *repertoire* yr **opera** ymysg Cymry Cymraeg drwy ei ddarllediadau diddorol a deallus o'r maes. Derbyniodd MBE yn 2001 am ei wasanaeth i gerddoriaeth yng Nghymru.

Llyfryddiaeth
Alwyn Humphreys – Yr Hunangofiant (Talybont, 2006)

Pwyll ap Siôn

Hwiangerdd (Hwiangerddi)

Ystyr lythrennol hwiangerdd yw cân a genir i ddiben suo baban i gysgu. Yr hwiangerddi Cymraeg mwyaf adnabyddus yw 'Si Hei Lwli 'Mabi', 'Cysga Di', 'Suo Gân' (Huna Blentyn) a 'Myfi sy'n Magu'r Baban'.

Mae'n amhosibl gwybod pryd yn union y cyfansoddwyd y caneuon hyn, ond gellir yn rhesymol dybio eu bod ymhlith yr hynaf o **ganeuon gwerin** unrhyw wlad, a'u bod yn rhan bwysig o'r traddodiad llafar, a gafodd eu trosglwyddo o un genhedlaeth i'r llall.

Yr enghraifft Gymraeg hynaf, yn ddi-os, yw 'Pais Dinogad', cerdd sy'n ymddangos yn *Llyfr Aneirin* – llawysgrif ganoloesol ond un a allai fod wedi cael ei chyfansoddi mor gynnar â'r 7g. Mae'r gerdd fechan hon, sy'n cynnwys dwy ar bymtheg o linellau, wedi'i hymgorffori oddi mewn i gerdd arwrol enwog *Y Gododdin*, heb fod iddi berthynas amlwg gyda gweddill y gerdd honno, a cheir ynddi amryw o gyfeiriadau at hela. Tybir mai mam sydd yma yn canu i'w phlentyn. Crys neu siaced yw ystyr 'pais' yma:

> Pais Dinogad, fraith fraith,
> O grwyn balaod ban wraith:
> Chwid, chwid, chwidogaith,
> Gochanwn, gochenyn' wythgwaith.

Os gwir y dybiaeth mai hwiangerdd yw hon, nid annisgwyl yw bod yr alaw a genid ar y geiriau wedi hen ddiflannu. Yn Gymraeg, mae gan y gair 'hwiangerdd' hefyd ystyr fwy cyffredinol, sef rhigymau a chaneuon syml i blant (*nursery rhymes*) – rhai ohonynt gydag alaw gyfarwydd, ac eraill na fwriadwyd iddynt gael eu canu o angenrheidrwydd. Ymhlith y mwyaf adnabyddus yn y dosbarth cyntaf y mae'r penillion hyn:

> Si hei lwli 'mabi,
> Y gwynt o'r dwyrain chwyth;
> Si, fy mabi, lwli
> Mae'r wylan ar ei nyth;
> Si hei lwli, lwli lws,
> Cysga, cysga, 'mabi tlws,
> Si hei lwli 'mabi,
> Y gwynt o'r dwyrain chwyth.

Symlrwydd yw prif nodwedd y penillion a'r rhigymau, a chysondeb mydr ac odl – cyfuniad sy'n allweddol o ran eu serio ar gof y plentyn yn ogystal â'r sawl sy'n eu canu. Mae'r alawon hwythau'n syml, gyda chwmpas cyfyng o nodau, ac yn cydweddu'n berffaith â'r geiriau. Smala a direidus yw tôn llawer o'r rhigymau:

> Fe neidiodd llyffant ar un naid
> O Lansanffraid i Lunden,
> A neidiodd yn ei ôl drachefn
> Hyd ganllaw pont Llangollen,
> A lle disgynnodd y drydedd waith?
> Yng nghanol caerau Corwen.

Ar y cyfan, byd gwledig, amaethyddol a ddarlunnir. Mae llinellau fel 'y fuwch yn y beudy / yn brefu am y llo' neu 'mae gen i fochyn bychan' yn llawer mwy cyffredin na 'Bachgen bach o Ddowlais / Yn gweithio 'ngwaith y tân'. Awgryma hynny eu bod yn tarddu o

Yr Hwiangerdd 'Si Hei Lwli Mabi'

'Mi Welais Jac y Do'

'Dau Gi Bach'

gyfnod cyn y Chwyldro Diwydiannol, a chyn cyfnod y diwygiadau crefyddol hefyd. Eithriadau prin yw'r cerddi sy'n grefyddol eu naws.

Pan gyhoeddodd y bardd Ceiriog gasgliad o hwiangerddi Cymraeg yn *Yr Arweinydd* yn 1857 daeth dan lach rhai o arweinwyr crefyddol y dydd, ond meddai: 'Ffôl, gwag a phlentynaidd yn ddiamau, ac efallai pechadurus yng ngolwg rhai, yw'r cerddi annwyl hyn, a anadlwyd ac a suwyd i'n clustiau pan oeddym fabanod ar lin ein mamau. Ond yr wyf fi o'r farn mai plant mawr byddar i felystra cerdd a deillion i dlysni symlrwydd yw pob un na fedr deimlo swyn y math hwn o hen rigymau' (Hughes 1857).

Rhan annatod o'r traddodiad llafar oedd y rhigymau a'r alawon. Dyna sydd i gyfrif am yr amrywiadau a gofnodwyd yn y geiriau o ardal i ardal. 'Y cobler

coch o Ruddlan / A aeth i foddi cath' a geir mewn un pennill, ond ceir fersiynau eraill megis 'Y cobler coch o'r Hengoed', 'Siencyn Sion o'r Hengoed', 'Colin Coch o Gaio' a 'Llywelyn Fawr o Fawddwy'. Dyna sydd i gyfrif hefyd am yr hwiangerddi 'newydd' a gyfansoddwyd gan wahanol bobl ar batrwm yr hen rai – caneuon a dyfodd yr un mor gyfarwydd â'r hen rai cydag amser. Er enghraifft:

> Llywelyn bach tyrd yma,
> Ac ar fy nglin i dysga
> Hen iaith dy fam yn gyntaf un,
> Ac wedyn iaith Victoria.

Un o'r rhai mwyaf toreithiog yn y maes oedd y bardd **J. Glyn Davies** (1870–1953), gŵr yr oedd ganddo ddawn ddi-feth i gyfansoddi penillion a'u priodi gydag alaw syml, megis yn y gân 'Fuoch chi rioed yn morio?'

Y casgliad mwyaf arloesol o hwiangerddi Cymraeg oedd *Hwiangerddi'r Wlad* gan Eluned Bebb a gyhoeddwyd yn 1941. Meddai yn ei rhagymadrodd: 'Tybiaf fod gwerth triphlyg, o leiaf, i'n hwiangerddi ni'r Cymry. Yn sŵn eu geiriau, ac o'u clywed dro ar ôl tro, nid hir y bydd y plentyn cyn siarad ac ynganu'n groyw a chlir. Yn ail, o sicrhau'r hwiangerddi ar yr aelwyd gartref, rhoddir i'r plant gefndir i'w hiaith a bery ar hyd eu hoes, fel nas dadwreiddir ar chwarae bach. Ac yn olaf, dyma'r ffordd gyntaf oll i ddenu'r meddwl ifanc at lenyddiaeth a llên gwerin' (Bebb 1941).

Ychydig o ymdrech a wnaed gan neb i geisio dwyn sylw gweddill y byd at hwiangerddi Cymru drwy eu cyfieithu. Yr unig ymdrech sylweddol oedd cyhoeddiad Jennett Humphries yn 1894, *Old Welsh Knee Songs*. Defnyddiwyd amryw o alawon yr hwiangerddi Cymraeg gan **Grace Williams** yn sail i'w gwaith cerddorfaol *Fantasia on Welsh Nursery Tunes*, a gyfansoddwyd yn 1940.

Llyfryddiaeth

Huw Hughes ('Tegai') (gol.), *Yr Arweinydd* (1857)
Jennett Humphries, *Old Welsh Knee Songs* [1894] (Llundain, 2010)
Eluned Bebb (gol.) *Hwiangerddi'r Wlad* (Llandybïe, 1941)

Arfon Gwilym

Hywel, John (g. 1941)

Ganed y cyfansoddwr, yr **arweinydd** a'r cyfarwyddwr cerdd John Hywel yng Nghemaes, Môn, yn 1941 ac mae'n un o ddisgynyddion teulu adnabyddus o feddygon esgyrn ar yr ynys. Derbyniodd ei addysg yn Ysgol Syr Thomas Jones, Amlwch, cyn dilyn cwrs gradd mewn cerddoriaeth yng Ngholeg **Prifysgol** Gogledd Cymru, Bangor. Dyfarnwyd iddo radd BMus yn 1962 a gradd uwch (MMus) ddwy flynedd yn ddiweddarach. Yn 1963 sicrhaodd ddiploma o Goleg Brenhinol yr Organyddion (ARCO).

Parhaodd â'i hyfforddiant cerddorol wrth astudio arwain yn yr Academi Gerdd Frenhinol, lle derbyniodd Wobr Ernest Read yn 1965 ar sail ei ddawn a'i allu arbennig yn y maes. Ar ddiwedd yr 1990au fe'i hanrhydeddwyd â Diploma (er anrhydedd) yr Academi Gerdd Frenhinol. Yn dilyn blwyddyn fel athro ysgol yn Swydd Gaerlŷr, fe'i penodwyd yn 1966 yn ddarlithydd yn y Brifysgol ym Mangor. Fe'i dyrchafwyd yn uwch-ddarlithydd yn yr 1970au hwyr a bu'n bennaeth yr adran o 1987 hyd at 1991, cyn ei ymddeoliad yn 1998.

Yn ystod ei yrfa academaidd sefydlodd John Hywel nifer o ensemblau cerddorol ym Mangor, gan gynnwys Côr y Brifysgol, Cerddorfa Symffoni'r Brifysgol a Chwmni Opera'r Brifysgol. Enillodd ei Gôr Siambr (Cantorion Seiriol) gryn glod trwy gynnal cyngherddau ledled Cymru, ynghyd â darllediadau radio a theledu. Bu'n gyfarwyddwr cerdd nifer o gorau cymysg, **corau meibion** a **chorau merched** yng ngogledd Cymru. Bu'n gyfrifol hefyd am gynnal perfformiadau cyntaf nifer o weithiau **corawl** gan gynnwys perfformiadau gan Gôr a Cherddorfa Cymdeithas y Crynwyr yn y Royal Festival Hall ac yn y Symphony Hall, Birmingham. Cafodd gyfle yn ogystal i arwain Cerddorfa Ffilharmonig Llundain, **Cerddorfa Genedlaethol Gymreig y BBC**, Cerddorfa'r Northern Sinfonia a Philharmonia Gogledd Cymru.

Ymhlith ei recordiadau masnachol ceir *Contemporary Welsh Choral Music* (1968) gyda Chantorion Seiriol, yr unig recordiad cerddorfaol llawn o **opera** **Joseph Parry**, *Blodwen* (Sain, 1978), ac **oratorio**'r cyfansoddwr Tony Biggin, *The Gates of Greenham* (Sain, 1986), gyda Cherddorfa Ffilharmonig Llundain a Chôr **Gŵyl** y Crynwyr. Fel cyfeilydd, rhyddhaodd recordiad o *Caneuon Grace a Sian a chaneuon eraill i blant* (Sain, 1981) gan **Mansel Thomas** gyda Leah Owen a **Wynford Evans** fel unawdwyr.

Penodwyd ef yn gyfarwyddwr cerdd Eglwys Gadeiriol Bangor ac yn gyfarwyddwr artistig cyntaf Gŵyl Gerdd Menai (1978–1981), a bu'n olygydd cerddorol a chyfarwyddwr Cwmni Cyhoeddi Gwynn rhwng 1984 a 2003.

Ymysg ei gyfansoddiadau ceir *Rondo for orchestra* (1965), *Simon de Montford* (1966) sef **opera** ar gyfer yr ifanc, *The Seven Ages of Man* (1969) ar gyfer adroddwr a phedwarawd chwyth, *Cywydd y Mordan* (1995) ar gyfer adroddwr, Côr TTBB a phiano, *Rhyfeddod Bethlehem* (2005) sef **cantata** Nadolig ar gyfer unawdwyr ATBar, Côr SATB, cynulleidfa ac organ, *Nunc Dimittis* (2010) ar gyfer Côr SATB a phiano, a *Darluniau o'r Môr* (2013) sef wyth darn i biano.

Ymhlith ei drefniannau ceir cyfrol ddarluniadol, *Caneuon Enwog Cymru* (1987), ar gyfer llais a phiano, a gyhoeddwyd gan Gwmni Cyhoeddi Gwynn, ac mae ei gyhoeddiadau ymchwil yn cynnwys pennod yn dwyn y teitl 'Music during the Davies period' yn y gyfrol *Gregynog* (gw. Hughes, 1977).

Llyfryddiaeth

Glyn Tegai Hughes (gol.) *Gregynog* (Caerdydd, 1977)

Wyn Thomas

I

Iechyd a Lles, Cerddoriaeth mewn

Mae tarddiad cerddoriaeth mewn iechyd a lles yn ei chyd-destun mwyaf sylfaenol yn dyddio yn ôl i gyfnod y Groegiaid cynnar (Savill 1958, Horden 2000). Deillia hyn o syniadau, damcaniaethau a chredoau a amlygir yn astudiaethau athronwyr Groegaidd megis Plato (Evans 1956) ac Aristoteles (Mark 2002) sy'n honni bod i gerddoriaeth bwerau eang, a'r gallu i ddylanwadu ar gorff ac enaid. Honna West (2000) i'r pwyslais a roddwyd ganddynt ar gerddoriaeth mewn bywyd a chymdeithas baratoi'r ffordd ar gyfer y defnydd o gerddoriaeth mewn cyd-destun therapiwtig.

Er hyn, cydnabyddir diwedd y 19g. fel y cyfnod a osododd y sail ar gyfer datblygu proffesiwn modern therapi cerdd (Tyler 2000). O'r cyfnod hwn y dyddia un o enghreifftiau cynharaf Prydain o ddigwyddiadau cerddorol mewn ysbytai. Yn 1891, sefydlodd y Canon Frederick Harford *ensemble* o'r enw 'Guild of St. Cecilia', a deithiai o amgylch nifer o ysbytai Llundain i berfformio i gleifion. Ceir cofnod o'r perfformiadau mewn cyfnodolion o'r cyfnod (e.e. Harford 1891) a pharhaodd yr arlwy hyd farwolaeth Harford yn 1906.

Gwelwyd y datblygiadau arwyddocaol nesaf yn y maes yn ystod y ddau ryfel byd, pan gafwyd defnydd helaeth o gerddoriaeth mewn ysbytai er mwyn codi morâl milwyr a chleifion. Yn dilyn effeithiolrwydd cerddoriaeth mewn ysbytai yn ystod y cyfnod hwn, dechreuwyd cydnabod Therapi Cerdd fel galwedigaeth broffesiynol ym Mhrydain, a defnyddiwyd cerddoriaeth mewn ysbytai meddwl gan arbenigwyr ym myd seicotherapi (Tyler 2000). Arweiniodd hyn at sefydlu'r Society for Music Therapy and Remedial Music yn 1958, a newidiwyd i'r British Society for Music Therapy yn 1967 (Darnley-Smith & Patey 2003), gan y cerddor Ffrengig, a'r arloeswraig ryngwladol ym maes therapi cerdd, Juliette Alvin (1897–1982). Hithau hefyd ddatblygodd y cwrs cyntaf mewn Therapi Cerdd ym Mhrydain yn 1968, a hwnnw'n gwrs ôl-radd yn y Guildhall yn Llundain (Darnley-

Smith & Patey 2003). Yn y cyfnod hwn yn ogystal, sefydlwyd elusennau a ddarparai gerddoriaeth mewn lleoliadau gofal iechyd ar draws Prydain e.e. Music in Hospitals a ffurfiwyd yn 1948, ac yn ddiweddarach Live Music Now a ffurfiwyd yn 1977 gan y cerddor Yehudi Menuhin (1916–99), dwy elusen sy'n parhau yn weithgar yn y maes hyd heddiw.

Erbyn diwedd yr 20g., gwelwyd cynnydd yn y gydnabyddiaeth ryngwladol a roddwyd i broffesiwn Therapi Cerdd. Datblygwyd nifer o gyrsiau ôl-radd newydd yn y pwnc ar draws Prydain yn yr 1990au, ac yn 1996 derbyniodd Therapi Cerdd statws proffesiynol ym Mhrydain wrth i therapyddion cerdd gael cofrestru'n wladol am y tro cyntaf (Tyler 2000). Ar hyn o bryd ceir saith o gyrsiau Ôl-radd Therapi Cerdd ym Mhrydain (British Association of Music Therapy: www.bamt.org/training-in-music-therapy. html) gydag un o'r rhain wedi eu lleoli ym Mhrifysgol De Cymru, Casnewydd. Ceir rhwydweithiau Therapi Cerdd cenedlaethol a rhyngwladol niferus, a cheir cyfleoedd eang i rannu ymchwil yn y maes drwy gyfrwng cynadleddau a chyfnodolion rhyngwladol (World Federation of Music Therapy: http://www. musictherapyworld.net).

Mae Therapi Cerdd yn un gangen gydnabyddedig amlwg o faes cerddoriaeth mewn iechyd a lles, ond ers troad yr 21g., rhoddwyd mwy o bwyslais ar bwysigrwydd ymchwil i gydnabod rôl cerddoriaeth ym maes iechyd yn gyffredinol. Un o'r gweithiau allweddol cyntaf sy'n croniclo ac yn cydnabod yr ymchwil ymarferol yn y maes o safbwynt meddygol yw gwaith Rosalia Staricoff o Ysbyty Chelsea a Westminster, ar gyfer Cyngor Celfyddydau Lloegr (Staricoff 2004). Yn yr ymchwiliad hwn, edrychir ar 385 o gyhoeddiadau meddygol rhyngwladol rhwng 1990 a 2004. Daw Staricoff i gasgliadau pwysig sy'n dangos effaith y celfyddydau ar wahanol agweddau o iechyd a lles. Nodir y gall y celfyddydau ddylanwadu'n ffafriol ar ganlyniadau clinigol, gan leihau pwysau gwaed, straen a gofid meddwl.

Nodir hefyd fod cerddoriaeth yn benodol yn

effeithiol mewn amrywiol leoliadau arbenigol o fewn i'r Gwasanaeth Iechyd, gan gynnwys mewn unedau gofal dwys, unedau cardiofasgwlaidd, unedau babanod, unedau gofal canser ac mewn unedau llawdriniaethol amrywiol. Mae budd y celfyddydau ym maes iechyd meddwl yn un o'r prif ganfyddiadau a wneir, gyda cherddoriaeth yn benodol yn profi i fod yn llwyddiannus gyda chyflyrau megis Dementia ac Alzheimer. Yn ogystal, dengys ymchwil fod cerddoriaeth yn gallu dylanwadu'n ffafriol ar hyfforddiant, addysg a hapusrwydd staff yn eu gwaith bob dydd (Staricoff 2004).

Ers cyhoeddiad Staricoff gwelwyd toreth o adroddiadau llywodraethol, yn ogystal â chyfrolau ymchwil sy'n cydnabod pwysigrwydd cerddoriaeth wrth hybu iechyd a lles mewn bywyd bob dydd, ac fel modd o atal salwch a gwaeledd. Yn 2012, honna Macdonald *et al.* (2012) yn un o'r cyfrolau mwyaf allweddol sy'n cloriannu twf a datblygiad y maes mewn cyd-destun amlddisgyblaethol yn yr 21g., fod maes cerddoriaeth mewn iechyd a lles yn mynd ymhell y tu hwnt i therapi cerdd a cherddoriaeth mewn lleoliadau gofal iechyd. Mae addysg gerddorol, y defnydd cyffredinol o gerddoriaeth yn y gymuned, a cherddoriaeth mewn bywyd bob dydd, oll yn cael eu hystyried yn berthnasol i iechyd a lles bellach.

Cafwyd datblygiad allweddol yn y maes yng Nghymru yn 2009, pan gyhoeddwyd *Y Celfyddydau mewn Iechyd a Lles: Cynllun Gweithredu ar gyfer Cymru* (Cyngor Celfyddydau Cymru, 2009), cyhoeddiad a oedd yn benllanw cyfnod hir o ymchwilio a chywain gwybodaeth ar lefel genedlaethol gan Gyngor Celfyddydau Cymru (Ifan, 2012a). Yn y cynllun gweithredu – y trydydd brif gyhoeddiad a wnaed gan Gyngor Celfyddydau Cymru sy'n canolbwyntio ar y Celfyddydau mewn Iechyd a Lles – amlinellwyd pwysigrwydd y maes yng Nghymru, a'r modd y dylid mynd ati i ddatblygu'r arlwy i'r dyfodol. Fodd bynnag, yn sgil y cyni economaidd a brofwyd ers cyhoeddi'r cynllun, ni wireddwyd nifer helaeth o'r camau a nodir yn y cynllun oedd yn angenrheidiol ar gyfer cryfhau a sefydlogi'r arlwy.

Er hyn, gellir honni iddo esgor ar gyfnod cyffrous iawn yn natblygiad y maes yng Nghymru. Ers cyhoeddi'r cynllun gweithredu, datblygwyd nifer o brosiectau cerddorol pwysig ar lawr gwlad. Rhoddir pwyslais cynyddol ar fuddion canu **corawl** a chyd-ganu yn benodol mewn cyd-destun iechyd (Ifan 2012b), ac o'r herwydd mae nifer o elusennau cydnabyddedig wedi buddsoddi mewn rhaglenni

corawl a cherddorol er budd cleifion, megis grwpiau 'Singing for the Brain' y Gymdeithas Alzheimer, a chorau 'Sing with Us' elusen Tenovus. Mae'r ymchwil a wneir i effaith prosiectau o'r fath (gw. Williams 2012 a 2017) yn prysur ddwyn sylw a chydnabyddiaeth o bwysigrwydd y maes. Bydd canlyniadau'r ymchwil yn gwbl allweddol wrth fraenaru'r tir ar gyfer datblygiad pellach cerddoriaeth mewn iechyd a lles yng Nghymru i'r dyfodol.

Gwefannau

British Association of Music Therapy <www.bamt.org/training-in-music-therapy.html>

World Federation of Music Therapy <www.musictherapyworld.net>

Llyfryddiaeth

Frederick K. Harford, 'Music in Illness' [llythyr i'r golygydd], *The Lancet* (4 Gorffennaf 1891), 43

Agnes Savill, 'Music and medicine', *Music and Letters*, 4/3 (Gorffennaf, 1923), 282–89

Plato (cyf. D. Emrys Evans), *Y Wladwriaeth* (Caerdydd, 1956)

Helen Tyler, 'Music Therapy in Modern Britain' yn Horden (gol.), *Music as Medicine: The History of Music Therapy since Antiquity* (Aldershot, 2000), 375–94

Martin West, 'Music Therapy in Antiquity' yn Horden (gol.), *Music as Medicine: The History of Music Therapy since Antiquity* (Aldershot, 2000), 51–68

Michael L. Mark (gol.), *Music Education: Source Readings from Ancient Greece to Today* (Llundain, 2002)

Rachel Darnley-Smith & Helen M. Patey, *Music Therapy* (Llundain, 2003)

Rosalia Staricoff, *Arts in Health: A Review of the Medical Literature* (Llundain, 2004)

Cyngor Celfyddydau Cymru, *Y Celfyddydau mewn Iechyd a Lles: Cynllun Gweithredu ar gyfer Cymru* (Caerdydd, 2009)

Gwawr Ifan (a), 'Modd i fyw: Golwg ar gerddoriaeth mewn iechyd a lles yng Nghymru' (traethawd PhD Prifysgol Bangor, 2012)

———— (b), '"Un Llef Pedwar Llais": Dylanwad canu corawl ar iechyd a lles yng Nghymru', *Gwerddon*, 10/11 (2012), 15–39

Raymond Macdonald, Gunter Kreutz & Laura Mitchell, *Music, Health, & Wellbeing* (Rhydychen, 2012)

Nia Davies Williams, '"Y Golau a Ddychwel": Cerddoriaeth a dementia yng Nghymru', *Gwerddon*, 10/11 (Awst, 2012), 113–131

————, 'Canu i'r Cof: Effeithiau prosiect "Singing for the Brain" ar gof ac ansawdd bywyd pobl sydd â dementia yng ngogledd Cymru', *Gwerddon*, 23 (Mawrth 2017), 36–57

Gwawr Ifan

Ieuan Gwyllt (John Roberts; 1822–77)

Cerddor a golygydd a ddylanwadodd yn fawr ar ddatblygiad y traddodiad cerddorol yn y 19g. Fe'i ganed yn Nhanrhiwfelen, Capel Seion ger Aberystwyth ar 27 Rhagfyr 1822, ond cafodd ei fagu yn ardal Penllwyn ac wedyn ger Goginan yn nyffryn Melindwr; ei ffugenw gwreiddiol oedd 'Ieuan Gwyllt Gelltydd Melindwr'. Bu'n gweithio yn nhref Aberystwyth am gyfnod a dod dan ddylanwad traddodiad cerddorol capel y Tabernacl, lle'r oedd Pencerdd Ceredigion (Edward Edwards; 1816–98) yn arweinydd. Cafodd hyfforddiant athro yn Llundain ond aflwyddiannus fu ei ymdrechion i gadw ysgol. Yn 1852 symudodd i Lerpwl yn is-olygydd papur newydd Yr Amserau, lle datblygodd ei sgiliau golygyddol a newyddiadurol. Yn ystod ei gyfnod yn Lerpwl byddai'n mynychu cyngherddau yn y Neuadd Ffilharmonig ac hefyd yn teithio i Lundain i glywed perfformiadau yno; sylwcbai ar y rhain yn y wasg dan y ffugenw Arthur Llwyd. Yn 1858 symudodd i Aberdâr i olygu Y Gwladgarwr cyn cael ei sefydlu'n weinidog ym Mhant-tywyll ger Merthyr Tudful, a chael ei ordeinio yn 1861. Symudodd i Lanberis yn 1865 ac ymddeol yn 1869 i'r Fron ger Caernarfon, lle bu farw ar 14 Mai 1877.

Yn ystod ei gyfnod yn Lerpwl dechreuodd gasglu emyn-donau o amrywiol ffynonellau, gyda'r bwriad o ddarparu casgliad o emyn-donau safonol, 'tonau gorau'r byd', a fyddai'n fodd i godi safon canu cynulleidfaol. Ceisiai olrhain y tonau i'w tarddiad gwreiddiol, er mai fersiynau o ffynonellau diweddarach a gyhoeddodd yn aml. Ymddangosodd Llyfr Tonau Cynulleidfaol yn 1859 a chafodd dderbyniad brwd, nid yn unig oherwydd safon a newydd-deb y casgliad ond am ei fod ei ymddangosiad yn cyd-fynd â diwygiad crefyddol 1859 a arweiniodd at dwf yn niferoedd cynulleidfaoedd. Adargraffwyd y casgliad sawl gwaith; cyhoeddwyd Ychwanegiad yn 1870 a chafwyd argraffiad cyfansawdd yn cynnwys y casgliad gwreiddiol a'r ychwanegiad yn 1876.

Ym Mawrth 1861 sefydlodd Y Cerddor Cymreig, y cylchgrawn cerddorol Cymraeg cyntaf o bwys, a ymddangosodd yn fisol hyd ddiwedd 1873. Anelai Ieuan at adlewyrchu safonau'r Musical Times, a chynhwyswyd atodiad cerddorol gyda phob rhifyn, a roddai gyfle i gyfansoddwyr Cymreig gyhoeddi gweithiau corawl syml. Bu'r rhain yn fwyd maeth i'r traddodiad corawl a oedd yn datblygu yn y cyfnod hwn. Roedd Y Cerddor Cymreig hefyd yn cynnwys newyddion am ddatblygiadau a gweithgarwch cerddorol yng Nghymru a'r tu hwnt, a gwersi mewn cynghanedd a brofodd yn werthfawr i egin gyfansoddwyr amatur. Tua'r un adeg perswadiwyd Ieuan gan Eleazar Roberts o werth cyfundrefn y **Tonic Sol-ffa**, a bu'n ei hybu trwy gyfrwng Y Cerddor Cymreig a'r cylchgrawn Cerddor y Tonic Sol-ffa a olygodd o 1869 hyd 1874.

Er i Ieuan gyfansoddi rhai clasuron o emyn-donau, megis 'Moab', 'Liverpool' a 'Rheidol', a mân weithiau eraill, ei gyfraniad pennaf oedd fel golygydd ac addysgwr. Yn ei anterth cafodd Y Cerddor Cymreig ddylanwad mawr ar genhedlaeth gyfan o gerddorion a ddaeth i amlygrwydd yn ddiweddarach, megis **D. Emlyn Evans** (1843–1913) a **David Jenkins** (1848–1915). Yn yr un modd fe fu'r Llyfr Tonau Cynulleidfaol yn hwb i ddatblygiad canu cynulleidfaol pedwar llais ac yn sylfaen i draddodiad y gymanfa ganu a ddatblygodd wedi 1859 dan arweiniad Ieuan ac eraill.

Llyfryddiaeth

J. Eiddon Jones, Ieuan Gwyllt: ei fywyd, ei lafur, ei athrylith … (Treffynnon, 1881)

T. J. Davies, Ieuan Gwyllt, 1822–1877 (Llandysul, 1977)

Rhidian Griffiths, 'Y gymanfa ganu: ei gwreiddiau a'i natur', Bwletin Cymdeithas Emynau Cymru, 2/9 (1986–7), 273–83

———, '"Y cyfansoddwr gorau": Ieuan Gwyllt a'r alaw Gymreig', yn Sally Harper a Wyn Thomas (goln.), Cynheiliaid y Gân: Ysgrifau i Anrhydeddu Phyllis Kinney a Meredydd Evans (Caerdydd, 2007), 93–105

———, 'Ieuan Gwyllt a'r "Llyfr Tonau Cynulleidfaol", 1859', Y Traethodydd, 167 (2012), 30–44

Rhidian Griffiths

Ifan, Tecwyn (g. 1952)

Bu'r proffwyd Amos a'r bardd Waldo Williams yn ddylanwadau'r un mor bwysig ar y gweinidog-ganwr Tecwyn Ifan ag y bu cenedlaetholdeb yr 1960au a hynt brodorion cyntaf gogledd America. Fe'i ganed yn fab y mans yn 1952 pan oedd ei dad, y Parch Vincent Evans, yn weinidog yn Ystalyfera. Symudodd y teulu o Gwm Tawe i Ddyffryn Taf a mynychodd Tecwyn Ifan ('Tecs' i'w gyfoedion) Ysgol Ramadeg Hendy-gwyn ar Daf. Yn ystod y cyfnod hwnnw, ynghyd â'i frawd Euros Rhys a thair o ferched ardal Login, roedd yn aelod o'r grŵp **Perlau Tâf** a ffurfiwyd gan un o athrawon mathemateg yr ysgol, John Arfon Jones.

Wedi cyfnod byr yn gweithio mewn banc aeth Tecwyn Ifan i Goleg y Bedyddwyr, Bangor, gyda golwg ar fynd i'r weinidogaeth. Tra oedd yno ffurfiodd y **grŵp gwerin** Ac Eraill ar y cyd â Cleif Prendelyn (llais), Iestyn Garlick (llais) a Phil 'Bach' Edwards (gitâr). Adleisiai nifer o'i ganeuon, megis 'Tua'r Gorllewin' a 'Cwm Nant Gwrtheyrn', anogaeth Mudiad Adfer i ieuenctid grynhoi ym mroydd Cymraeg arfordir y gorllewin (am ddadansoddiad pellach o'r gân hon a dylanwad Adfer ar ganu pop y cyfnod, gw. ap Siôn 2002, 168–69). Yn ogystal, cyfansoddodd Tecwyn Ifan nifer o'r caneuon ar gyfer yr **opera** roc *Nia Ben Aur* a lwyfannwyd yn **Eisteddfod** Genedlaethol Cymru, Caerfyrddin yn 1974.

Erbyn yr Eisteddfod Genedlaethol ddilynol ym Mro Dwyfor, a gyda chwalu Ac Eraill, roedd Tecwyn Ifan yn canu ar ei ben ei hun. Gyda chefnogaeth Emyr Llewelyn, sefydlydd Mudiad Adfer, cyfansoddodd ganeuon ar gyfer y sioe gerdd *Heledd* y flwyddyn honno a'r sioe gerdd *Yr Anwariaid* a lwyfannwyd yn Eisteddfod Genedlaethol Aberteifi 1976. Flwyddyn yn ddiweddarach, rhyddhawyd ei record hir gyntaf, *Y Dref Wen* (Sain, 1977). Roedd yn cynnwys nifer o ganeuon o'r sioeau hyn ac yn ddatganiad clir o'i weledigaeth o'r perygl o ddifodiant broydd a cholli tir fel a ddigwyddodd yn hanes Cymry'r gororau a llwythau megis y Navaho. Daeth gwersyll Bosque Redondo yr un mor adnabyddus â Chatraeth. Fe ddaeth cân deitl y record, gyda'i hapêl at y Cymry i 'ail-adfer bro', yn anthem answyddogol y mudiad.

Yr un flwyddyn cafodd ei ordeinio'n weinidog yn ardal San Clêr, ac roedd y caneuon ar ei albwm nesaf *Dof yn Ôl* (Sain, 1978) yn cyfeirio at Amos trwy ei ddisgrifio fel bugail bro a welodd drallod bywyd dinesig gan annog ei bobl i ddychwelyd i burdeb y wlad. Rhyddhaodd Sain chwe albwm arall gan y canwr ar y themâu cyfarwydd a chan gyfeirio at dlodi ac anghyfiawnder yn Ne America a gwledydd y Trydydd Byd: *Goleuni yn yr Hwyr* (1979), *Edrych i'r Gorwel* (1981), *Herio'r Oriau Du* (1983), *Stesion Strata* (1990), *Sarita* (1997) ac *Y Wybren Las* (2004), yn ogystal â *Y Goreuon* (1995) a'r casgliad cyflawn *Llwybrau Gwyn* (2012).

Dyfarnwyd Tecwyn Ifan yn Brif Ganwr Unigol Gwobrau Sgrech yn 1979 ac 1980. Bu ei fab, Gruffudd, yn aelod o'r Texas Radio Band a'i wraig, Rhiannon, yn **arweinydd** y **côr cerdd dant** Parti'r Gromlech. Treuliodd gyfnod yn weinidog yn ardal Pontrhydfendigaid cyn dychwelyd i hen ofalaeth ei dad yn 1988 ac yna ymuno â Menter Iaith Sir

Benfro cyn symud i ardal Llanrwst i fod yn Ysgogydd Crefyddol. Profodd y jîns a'r trawswch trwchus yn gymaint o her i saint ei ofalaethau ag oedd negeseuon ei bregethau. Mynnai fod ei ganeuon yn estyniad o'i waith yn y pulpud am eu bod bob amser yn ceisio cyfleu neges.

Disgyddiaeth

[gydag Ac Eraill]
Tua'r Gorllewin [EP] (Sain S34, 1973)
Addewid [EP] (Sain S43, 1974)
'Nia Ben Aur' [sengl] (Sain S45, 1974)
Diwedd y Gân (Sain 1046, 1976)
[recordiau unigol]
Y Dref Wen (Sain 1071M, 1977)
Dof yn Ôl (Sain 1119M, 1978)
Goleuni yn yr Hwyr (Sain 1156M, 1979)
Edrych i'r Gorwel (Sain 1221M, 1981)
Herio'r Oriau Du (Sain 1272M, 1983)
Stesion Strata (Sain C447, 1990)
Sarita (Sain SCD2170, 1997)
Y Wybren Las (Sain SCD2453, 2004)

Casgliadau:
Goreuon Tecwyn Ifan (Sain SCD2096, 1995)
Llwybrau Gwyn – y casgliad llawn (Sain 2672, 2012)

Llyfryddiaeth

Tecwyn Ifan, *Caneuon Tecwyn Ifan* (Talybont, 2013)
Pwyll ap Siôn, '"Yn y Fro": Mudiad Adfer a'r Canu Pop Cymraeg yn ystod y 1970au', *Hanes Cerddoriaeth Cymru* 5 (2002), 162–89

Hefin Wyn

Iolo Morganwg (gw. **Williams, Edward**)

Isaac, Myfyr (g.1954)

Gitarydd amryddawn ynghyd â bod yn gynhyrchydd a cherddor dylanwadol ym maes **canu pop** Cymraeg o ddechrau'r 1980au ymlaen. Fe'i ganed yn Llanafan ger Aberystwyth. Y dylanwadau cynnar arno oedd cantorion roc a rôl megis Bill Haley a'r gitarydd, Hank Marvin. Pan oedd yn fachgen, dechreuodd chwarae'r ukulele ac yna'r gitâr ar ôl derbyn un yn anrheg gan gymdogion a oedd yn mynychu'r eglwys leol. Yn ei arddegau cynnar dechreuodd berfformio mewn band lleol o ardal Aberystwyth o'r enw Smokestack, a enwid ar ôl cân *blues* enwog Howlin' Wolf. Pan oedd yn ddeunaw, treuliodd gyfnod yn perfformio gyda'r band yn Bremerhaven yn yr Almaen, ac yna yn Amsterdam.

Ar ôl dychwelyd i Gymru symudodd i Gaerdydd, a

thrwy ei gysylltiadau gyda'r drymiwr Steve Williams daeth yn aelod o'r **grŵp roc** trwm **Budgie**. Rhwng 1975 ac 1978 teithiodd gyda'r band yn Ewrop, America a Sgandinafia. Ni recordiodd gyda Budgie, fodd bynnag, er ei fod yn derbyn cydnabyddiaeth ar glawr eu seithfed albwm, *Impeckable* (A&M, 1978).

Ar ôl byw am gyfnod yn Toronto dychwelodd i Gymru, gan weithio fel gitarydd sesiwn ar raglenni teledu megis *Sêr* (HTV). Daeth i gysylltiad â'r canwr a'r cyfansoddwr **Endaf Emlyn**, ac yn 1979 ffurfiodd y ddau y grŵp ffync blaengar, **Jîp**. Yr aelodau eraill oedd John Gwyn ar y gitâr fas (cyn-aelod o'r grŵp Brân a ddaeth wedyn yn gynhyrchydd ar raglen bop Sianel 4 *The Tube*), a dau o aelodau **Geraint Jarman** a'r Cynganeddwyr, Richard Dunn (allweddellau) ac Arran Ahmun (drymiau). Recordiodd Jîp un albwm, *Genod Oer* (Gwerin, 1980), a chlywir egni eu perfformiadau byw ar y gân 'Halfway' o'r albwm amlgyfrannog *Twrw Tanllyd* – detholiad o berfformiadau o nosweithiau Twrw Tanllyd yn **Eisteddfod** Dyffryn Lliw, 1980 (Sain, 1981).

Yn ystod yr 1980au cynnar bu Myfyr Isaac yn gyfrifol am gynhyrchu recordiau gan **Bando** a Crys, yn aml ar y cyd â'r peiriannydd Simon Tassano. Bu Tassano ac Isaac yn gyfrifol am record hir unigol olaf Endaf Emlyn yn ystod y cyfnod hwn, *Dawnsionara* (Sain, 1981), gydag Isaac hefyd yn cyfrannu'n helaeth; roedd ei allu i grefftio *solos* melodaidd iawn ar y gitâr yn amlwg yn y gân 'Rola'. Ymunodd Isaac gyda **Bando** gan gyd-gyfansoddi caneuon megis 'Nos yng Nghaer Arianrhod' a 'Saf ar dy Draed', gyda'r naill yn dangos ei feistrolaeth o'r gitâr Sbaenaidd (bu'n derbyn gwersi am gyfnod gan y gitarydd clasurol **Rhisiart Arwel**), tra oedd y llall yn arddangos ei ddealltwriaeth o'r arddull roc trwm anthemig.

Bu'n cydweithio'n agos gyda'i bartner, y gantores **Caryl Parry Jones**, ar recordiau hir megis *Shampŵ* (Sain, 1982), *Caryl a'r Band* (Gwerin, 1983) ac *Eiliad* (Sain, 1996). Bu hefyd yn recordio gyda'r canwr **Geraint Griffiths** ar ei recordiau unigol yntau, *Madras* (Sain, 1984), *Rebel* (Sain, 1986) ac *Ararat* (Sain, 1988), ynghyd â chyfansoddi cerddoriaeth ar gyfer **rhaglenni teledu**, megis yr arwyddgan i'r gyfres deledu *Dinas*.

Daeth Isaac â lefel uwch o safon a phroffesiynoldeb i ganu pop Cymraeg, nid yn unig fel gitarydd ond hefyd fel cynhyrchydd, ac roedd ei ddawn gerddorol naturiol ynghyd â'i allu i gydweithio a chyd-gyfansoddi gydag amryw o artistiaid yn ddylanwad pwysig ar fyd adloniant Cymraeg yn ystod yr 1980au a'r 1990au.

Pwyll ap Siôn

Iwan, Dafydd (g.1943)

Ers dechrau'r 1960au bu Dafydd Iwan yn un o'r ffigyrau amlycaf, mwyaf dylanwadol, lliwgar a dadleuol ym mywyd diwylliannol a gwleidyddol Cymru. Ac yntau'n **ganwr gwerin** a **phop**, yn wleidydd, yn weithredwr dros hawliau'r iaith Gymraeg, yn un o sylfaenwyr label recordiau Sain ac yn genedlaetholwr amlwg, mae gwleidyddiaeth a cherddoriaeth wedi eu gwau ynghyd yn hanes a gyrfa'r canwr poblogaidd.

Ganed Dafydd Iwan Jones ym Mrynaman. Roedd ei dad, Gerallt Jones, yn weinidog gyda'r Annibynwyr, ac yn fab i Fred Jones, yr hynaf o 'Fois y Cilie' – teulu adnabyddus o feirdd gwlad, llenorion a chenedlaetholwyr – ac yn un o sylfaenwyr Plaid Genedlaethol Cymru. Roedd mam Dafydd Iwan yn gerddorol, yn canu'r piano, ac fe anogodd ei mab i gystadlu mewn **eisteddfodau** lleol ac yn eisteddfodau'r Urdd pan oedd yn ifanc. Fodd bynnag, y wers ganu orau a gafodd oedd ychydig flynyddoedd yn ddiweddarach pan gyfarfu â'r gantores a'r gasglwraig cerddoriaeth werin, **Dora Herbert Jones** (1890–1974) (gw. Iwan 2015, 20–22).

Aeth yn gyntaf i Ysgol Ramadeg Rhydaman, cyn derbyn ei addysg yn Ysgol Tŷ Tan Domen, Y Bala, pan symudodd y teulu i Lanuwchllyn yn yr 1950au. Tua'r cyfnod hwn gosodwyd bil gerbron senedd San Steffan i greu argae ar draws Cwm Tryweryn ger y Bala er mwyn darparu cyflenwad dŵr i ddinas Lerpwl, gan foddi pentref Capel Celyn. Dyfnhaodd hyn angerdd Dafydd Iwan fel cenedlaetholwr, ac roedd efallai'n anochel – o ystyried ei gefndir diwylliedig – mai gadael ei ôl yn bennaf fel canwr protest y byddai'n ei wneud.

Dechreuodd chwarae'r gitâr yn ei arddegau gan berfformio'n anffurfiol yng ngwersyll yr Urdd Glan-llyn. Canai ganeuon poblogaidd y dydd, yn eu mysg caneuon cantorion gwerin Americanaidd fel Burl Ives (1909–95), Pete Seeger (1919–2014) a Woody Guthrie (1912–67), a chyfoeswyr pop megis Donovan (g.1946). Sylweddolodd yn fuan fod modd gosod geiriau Cymraeg i'r caneuon a'u troi'n berthnasol i'r Cymry. Un o'r caneuon cyntaf iddo'i chyfieithu oedd 'This Land Is Your Land' (Guthrie), ac fe ddaeth 'Mae'n Wlad i Mi' yn un o'i ganeuon mwyaf poblogaidd (am gymhariaeth rhwng fersiwn gwreiddiol Guthrie a threfniant Dafydd Iwan o'r gân gw. Hill 2007, 105–110).

Yn 1961, treuliodd Dafydd Iwan flwyddyn ragbaratoawl ym Mhrifysgol Aberystwyth cyn cwblhau gradd mewn pensaernïaeth yn Ysgol Bensaernïaeth Caerdydd. Tra yn Aberystwyth daeth i gysylltiad â'r mudiad protest iaith ac ystwyriadau cyntaf Cymdeithas yr Iaith. Tra yng Nghaerdydd, fodd bynnag, agorwyd ei lygaid ar yr un pryd i safle dinod y Gymraeg yn y byd ehangach a hynny am ei fod bellach yn byw mewn ardal lle'r oedd y mwyafrif llethol o'r trigolion yn siaradwyr Saesneg. Dyma oedd cyfnod *Tynged yr Iaith* – araith radio enwog Saunders Lewis yn Chwefror 1962 – a chyfnod sefydlu Cymdeithas yr Iaith. Roedd yn naturiol, felly, y byddai caneuon Dafydd Iwan yn ymdrin â phryderon dyfodol yr iaith ac effeithiau hynny ar y syniad o Gymreictod.

Yn fuan ar ôl ei gyfnod yn y coleg, cafodd Dafydd Iwan y cyfle i ganu i gynulleidfa genedlaethol wythnosol ar raglen deledu newyddion *Y Dydd* ar TWW. Byddai'n cyfansoddi caneuon cyfoes eu naws, a daeth rhai ohonynt – fel y gân gyntaf iddo'i chyfansoddi, 'Wrth Feddwl am fy Nghymru' – yn glasuron, gan gwmpasu nifer o faterion cyfoes y dydd, megis Tryweryn, argyfwng yr iaith a hunanlywodraeth i Gymru, tra'n cyfeirio nôl hefyd at ffigyrau hanesyddol pwysig, megis Owain Glyndŵr a Llywelyn ap Gruffudd. Daeth ei ganeuon i sylw John Edwards (1905–66), rheolwr recordiau Teldisc, a rhwng 1966 ac 1969 fe gyhoeddodd y cwmni wyth EP a dwy record sengl, gan gynnwys caneuon fel 'Wrth Feddwl am fy Nghymru', 'Mae'n Wlad i Mi', 'Carlo' a 'Croeso Chwedeg Nain', nifer ohonynt ar y cyd gyda'r canwr **Edward Morus Jones**.

O ystyried ysbryd protest byd-eang yr 1960au, nid yw'n rhyfedd fod rhai o ganeuon cynnar Dafydd Iwan yn benthyg ieithwedd ymgyrchoedd hawliau dinesig Unol Daleithiau America. Roedd pledio'r hawl i siarad a defnyddio'r Gymraeg hefyd yn cysylltu ei ganeuon gyda mudiadau ieithoedd lleiafrifol eraill ar draws Ewrop ac yn cyd-destunoli'r Gymraeg mewn brwydr ehangach. Nid oedd pob cân yn wleidyddol, fodd bynnag, gyda 'Pam Fod Eira Yn Wyn?' yn ymdrin â chysyniadau oesol, ysbrydol a damcaniaethol, ac yn arddangos aeddfedrwydd ei grefft gyfansoddol erbyn dechrau'r 1970au.

Rhwng 1968 ac 1971 bu'n gadeirydd Cymdeithas yr Iaith Gymraeg, ac fe gafodd ei garcharu fwy nag unwaith yn ystod ei yrfa am weithredu dros yr iaith a thros sefydlu sianel deledu Gymraeg. Bu'n feirniad di-flewyn-ar-dafod o arwisgiad dadleuol y Tywysog Siarl yng Nghastell Caernarfon yng Ngorffennaf 1969, ac yn ôl y canwr, fe werthodd 'Carlo' – ei deyrnged ddychanol i'r tywysog o Loegr – 'fwy nag unrhyw

record Gymraeg erioed', o bosib am iddi gael ei gwahardd am gyfnod gan y BBC (gw. Hill 2007, 114; am drafodaeth ynglŷn ag arwyddocâd cân arall gan Dafydd Iwan ynglŷn â'r arwisgiad, 'Croeso Chwedeg Nain', gw. Jones 2013).

Erbyn yr 1970au cynnar roedd momentwm pendant yn gwthio'r ymgyrch dros hunanreolaeth wleidyddol a statws i'r iaith ac fe ysgogodd hyn ddadeni o fewn y byd pop Cymraeg, gyda chanu protest yn rhan flaenllaw o'r deffroad. Amlygiad o'r dadeni cenedlatholgar oedd sefydlu Cwmni Recordiau Sain yn 1969 a hynny ar y cyd rhwng Dafydd Iwan, y canwr **Huw Jones** a'r gŵr busnes Brian Morgan Edwards. Roedd sefydlu Sain yn gam sylfaenol bwysig yn hanes datblygiad pop Cymraeg ac yn ymdrech i sicrhau dyfodol i'r diwylliant poblogaidd newydd drwy ei osod ar sylfeini masnachol cadarn (am fwy ynglŷn â dylanwad Sain a chaneuon Dafydd Iwan o'r cyfnod hwn, gw. Wallis a Malm 1983).

Aeth cynnal a datblygu Sain â chryn dipyn o egni Dafydd Iwan o'r 1970au ymlaen a bu hefyd yn un o brif ysgogwyr Cymdeithas Tai Gwynedd, yn ymgeisydd seneddol, yn gynghorydd lleol ar wahanol adegau, yn gadeirydd Plaid Cymru (1982–4) ac yn bregethwr cynorthwyol. Roedd yn parhau i ganu a recordio yn ystod y cyfnod, fodd bynnag, yn aml gyda'r cerddor amryddawn Hefin Elis (aelod o'r **grŵp roc Edward H Dafis**) yn cynhyrchu a chyd-gyfansoddi rhai o'r caneuon, gan ryddhau casgliad o'i ganeuon mwyaf poblogaidd o'r cyfnod: *Yma Mae Nghân* (Sain, 1973), *Mae'r Darnau yn Disgyn i'w Lle* (Sain, 1976) a *Carlo a Chaneuon Eraill* (Sain, 1977). Bu methiant refferendwm dros ddatganoli grym gwleidyddol i Gymru yn 1979 hefyd yn symbyliad ar gyfer rhai o'r caneuon ar y record hir *Bod yn Rhydd* (Sain, 1979), gan gynnwys y gân deitl heriol, a'r fwy myfyrgar a mewnblyg 'Weithiau Bydd y Fflam' a 'Hwyr Brynhawn'.

Gyda gweithgareddau Meibion Glyndŵr a'r ymgyrch losgi tai haf yn dwysáu yn dilyn refferendwm 1979 a'r galw am sianel deledu Gymraeg yn cynyddu, ymatebodd Dafydd Iwan i arweinyddiaeth awdurdodol y prif weinidog Margaret Thatcher drwy ryddhau'r sengl 'Magi Thatcher/Sul y Blodau'. Fel yn achos 'Carlo', fe waharddwyd y record ar donfeddi'r BBC, gan dynnu sylw pellach i'r gân.

Yn 1980 daeth Dafydd Iwan i gysylltiad â'r **grŵp gwerin Ar Log**, ac er mwyn nodi 700 mlwyddiant marwolaeth Llywelyn ap Gruffudd (Llywelyn Ein Llyw Olaf), trefnwyd 'Taith 700' ar y cyd yn 1982. Gofynnodd y gwleidydd Gwynfor Evans iddo ysgrifennu cân ac ynddi obaith. Fe gyfansoddodd 'Cerddwn Ymlaen' gan ei ddilyn flwyddyn yn ddiweddarach gyda 'Yma o Hyd' a'i recordio gyda Ar Log ar gyfer y record hir eponymaidd (Sain, 1983). Ynghyd â thraciau megis 'Gwinllan a Roddwyd' (cân deyrnged i Saunders Lewis), fe ddaeth 'Yma o Hyd' yn un o ganeuon mwyaf anthemig yr iaith Gymraeg: nid yn unig yn gân wladgarol boblogaidd a gafaelgar, ond hefyd yn anthem bwysig am hir barhad y genedl Gymreig (gw. ap Siôn yn Elis a Tudur 2017).

Nid oedd pob cân gan Dafydd Iwan yn ymdrin â Chymru a'r iaith Gymraeg, fodd bynnag. Cyfansoddodd nifer o ganeuon i blant, gan gynnwys y fytholwyrdd 'Mam Wnaeth Got i Mi'; ac yn dilyn newyn enbyd Ethiopia yn 1985 – wedi ei gyffwrdd wrth weld lluniau ar y teledu o blant y wlad yn dioddef – cyfansoddodd 'Hawl i Fyw', 'anthem' deimladwy mewn arddull gyfan gwbl wahanol i 'Yma o Hyd', oedd yn gofyn am ddiwedd ar yr holl ddioddef ac anghyfiawnder yn y byd.

Bu Dafydd Iwan yn parhau i berfformio'n gyson yn ystod yr 1990au a degawd cyntaf yr 21g. gyda'i fand ei hun y tro hwn, a'r aelodau yn cynnwys (ar wahanol adegau) Hefin Elis, **Euros Rhys**, **Pwyll ap Siôn** a Peter Williams (allweddellau), Charlie Britton (drymiau), Gari Williams (bas) a Tudur Morgan a Wyn Pearson (gitarau acwstig a thrydan). Yn 2001 a 2002 rhyddhawyd dau gasgliad o ganeuon byw i gofnodi awyrgylch trydanol y nosweithiau hyn.

Bu'n recordio yn y stiwdio o dro i dro, hefyd, gan gynnwys un o'i recordiau mwyaf personol, *Cân Celt* (Sain, 1995), ynghyd â *Dos i Ganu* (Sain, 2009), *Cana dy Gân* (Sain, 2012), y casgliad mwyaf cyflawn o'i ganeuon, ac yn fwyaf diweddar *Emynau* (Sain, 2015), casgliad o drefniannau traddodiadol a chyfoes. Bu hefyd yn cyflwyno tair cyfres deledu yn sôn am yr ysbrydoliaeth i nifer o'i ganeuon o'r enw *Yma Mae 'Nghân* (S4C). Fe'i hanrhydeddwyd gan Brifysgolion Bangor ac Aberystwyth yn 1998, am ei gyfraniad gwerthfawr i ddiwylliant Cymru dros hanner canrif a mwy.

Disgyddiaeth
Senglau ac EPs:
Rwy'n Gweld y Dydd (Teldisc TEP865, 1966)
[gydag Edward Morus Jones] *Wrth Feddwl am Fy Nghymru* (Teldisc TEP861, 1966)
[gydag Edward Morus Jones] *Mae'n Wlad i Mi* (Teldisc TEP864, 1966)

[gydag Edward Morus Jones] *Clyw Fy Nghri!* (Teldisc TEP866, 1967)
Myn Duw, Mi a Wn y Daw! (Sain 2, 1969)
Carlo (Teldisc WD913, 1969)
Croeso Chwedeg Nain (Teldisc WD914, 1969)
Pam Fod Eira yn Wyn (Sain 18, 1971)
Magi Thatcher (Sain 86S, 1980)

Recordiau Hir:
Yma Mae 'Nghân (Sain H1002, 1973)
[gydag Edward Morus Jones] *Fuoch Chi Rioed Yn Morio* (Sain H1005, 1973)
Mae'r Darnau Yn Disgyn I'w Lle (Sain 1045D, 1976)
Bod Yn Rhydd (Sain 1150M, 1979)
Ar Dân (Sain 1217M, 1981)
Gwinllan a Roddwyd: I Gofio'r Tri (Sain 1385M, 1986)
Dal i Gredu (Sain, SCD4053, 1991)
Caneuon Gwerin (Sain SCD2062, 1993)
Cân Celt (Sain SCD2097, 1995)
Yn Fyw – Cyfrol 1 (Sain SCD2239, 2001)
Yn Fyw – Cyfrol 2 (Sain SCD2296, 2002)
Man Gwyn (Sain SCD2576, 2007)
Dos i Ganu (Sain SCD2600, 2009)
Emynau (Sain SCD2731, 2015)
[gydag **Ar Log**]
Rhwng Hwyl a Thaith (Sain 1252M, 1982)
Yma o Hyd (Sain 1275M, 1983)

Casgliadau:
Dafydd Iwan – Y Caneuon Cynnar (Sain SCD2180, 1998)
Goreuon Dafydd Iwan (Sain, SCD2400, 2006)
Dafydd Iwan – Cana dy Gân (Sain SCD2675, 2012)

Llyfryddiaeth
Roger Wallis a Krister Malm, 'Sain Cymru: The Role of the Welsh Phonographic Industry in the Development of a Welsh Language Pop/Rock/Folk Scene', *Popular Music*, 3 (1983), 77–105

Dafydd Iwan, *Cân Dros Gymru* (Gwynedd, 2002)

E. Wyn James, 'Painting the World Green: Dafydd Iwan and the Welsh Protest Ballad', *Folk Music Journal*, 8/5 (2005), 594–618

Sarah Hill, *'Blerwytirhwng?' The Place of Welsh Pop Music* (Aldershot, 2007)

Craig Owen Jones, '"Songs of Malice and Spite"?: Wales, Prince Charles, and an Anti-Investiture Ballad of Dafydd Iwan', *Music and Politics*, 7/2 (Haf, 2013)

Dafydd Iwan, *Pobol* (Talybont, 2015)

Pwyll ap Siôn, 'Yma o Hyd – Dafydd Iwan ac Ar Log' yn Elis Dafydd a Marged Tudur (goln.), *Rhywbeth i'w Ddweud: 10 o ganeuon gwleidyddol, 1979–2016* (Aberystwyth, 2017), 35–41

Sarah Hill a Pwyll ap Siôn

J

James, Eirian (g.1952)

Ganed Eirian James yn Aberteifi ac astudiodd yn y Coleg Cerdd Brenhinol gyda Ruth Packer. Yn gynnar yn ei gyrfa disgleiriodd fel mezzo-soprano eithriadol o addawol a bu galw mawr amdani. Datblygodd yrfa lwyddiannus mewn **opera**, yn y neuadd gyngerdd ac yn y stiwdio recordio.

Bu'n amlwg iawn ar lwyfannau opera'r byd, canodd gyda phob cwmni opera ym Mhrydain a bu'n unawdydd lawer tro yng nghyngherddau Proms y BBC. Bu'n ffefryn gan sawl **arweinydd** blaengar, er enghraifft Syr Roger Norrington yn Kent Opera, lle canodd rannau Cherubino (*Le Nozze di Figaro* Mozart), Poppea (*L'incoronazione di Poppea* Monteverdi), Dido (*Dido and Aeneas* Purcell), Olga, Meg Page (*Falstaff* Verdi), Polly Peacham (*The Beggar's Opera* John Gay) a Nero (*Agrippina* Handel). Teithiodd ar y cyfandir mewn cynyrchiadau dan arweiniad Syr John Eliot Gardiner, Jean-Claude Malgoire, Syr Colin Davis a Norrington, a gwnaeth enw iddi ei hun yn America, lle bu Houston Grand Opera yn ganolfan bwysig iddi.

Yn y neuadd gyngerdd cyfrannodd i lawer o gyngherddau a ganmolwyd yn fawr, yn eu plith *Lieder eines fahrenden Gesellen* (Mahler) yn Lyon, *Offeren yn C* (Beethoven) gyda Gardiner, yr *Offeren yn C leiaf* (Mozart) yng Nghaeredin a Pharis, a'r *Harmoniemesse* (Haydn) eto gyda Norrington. Bu'n canu'n gyson gydag Opera Cenedlaethol Cymru a chyda Cherddorfa Genedlaethol Gymreig y BBC, ac fe'i cofir yn arbennig am ei pherfformiadau hudolus ar sawl rhaglen deledu, gan gynnwys ei chyfres ei hun, ar S4C.

Richard Elfyn Jones

James, Peter (1940–2016)

Ganed Peter James yn Melbourne. Fe'i haddysgwyd yn Ysgol Ramadeg Dinefwr, Abertawe, a Phrifysgol Caerdydd, lle'r enillodd radd BMus yn 1963. Wedi blwyddyn o hyfforddiant fel athro ym Mhrifysgol Bryste dychwelodd i Gaerdydd i wneud ymchwil ym maes **anthem** wersi ar ddechrau'r 17g., a chwblhau ei PhD yn 1968. Fe'i penodwyd yn ddarlithydd yng Ngholeg Cerdd Birmingham yn 1970, ac yno daeth yn bennaeth cwrs BRSM a maes o law yn Gyfarwyddwr Astudiaethau. Yn 1983 gadawodd Birmingham i fynd yn Warden ac yna'n Is-brifathro'r Academi Gerdd Frenhinol yn Llundain.

Mae doniau cerddorol James yn amrywiol iawn. Mae'n ffidlydd a chwaraewr bas dwbl talentog, yn ganwr da a fu'n canu'n broffesiynol yn Eglwys Gadeiriol Caerlwytgoed ac yn **arweinydd** corau dawnus, talent a etifeddodd gan ei dad Haydn, sylfaenydd Côr Ffilharmonig Abertawe. Am flynyddoedd lawer, bu'n arwain Côr Palestrina **Prifysgol** Caerdydd, y côr 'cerddoriaeth gynnar' cyntaf yng Nghymru, a bu'n gymorth i'w dad i ddatblygu'r côr dull eglwys gadeiriol llwyddiannus yn eglwys y Santes Fair, Abertawe. Yno y datblygodd Peter am y tro cyntaf ei ddiddordeb dwfn mewn cerddoriaeth eglwysig Anglicanaidd, a fyddai'n chwarae rhan mor bwysig yn ei fywyd cerddorol.

Yn Birmingham bu'n arwain côr siambr y coleg ac yn ddiweddarach cyfarwyddodd Gorws y BSM mewn perfformiadau o weithiau **corawl** mawr fel *War Requiem* a *Spring Symphony* Britten. Am sawl blwyddyn bu'n gôr-feistr Corws y CBSO, yn eu paratoi ar gyfer recordiadau o *Gloria* Poulenc a *Coronation Te Deum* Walton. Parhaodd ei ddiddordeb mewn arwain corau yn yr Academi Gerdd Frenhinol, gydag amrywiaeth eang o gerddoriaeth, o *Offeren yn C Leiaf* Mozart i *Symphony of Psalms* Stravinsky.

Ers ei ddyddiau'n fyfyriwr, bu ymchwil yn rhan allweddol ym mywyd cerddorol James. Ef oedd y cyntaf i dynnu sylw'r cyhoedd at un o'r darnau mwyaf gan gyfansoddwr o Gymru. **Anthem Thomas Tomkins**, *Know you not*, a gyfansoddwyd ar gyfer angladd y Tywysog Harri yn 1612, yw anthem hwyaf a mwyaf *avant-garde* dechrau'r 17g; mae golygiad James o'r gwaith (Llundain, 1971) yn enghraifft wych o'r sgiliau **cerddoreg** rhagoraf. Yn sgil oriau lawer o ymchwilio amyneddgar, cafodd hyd hefyd i anthem goll William Byrd, *Exalt thyself, O God*, yn 1981, un o lawer darganfyddiad arwyddocaol ganddo. Efallai mai ei gyfraniad pennaf i ymchwil i gerddoriaeth Gymreig oedd y gwaith golygu ac ail-greu yr ymgymerodd ag ef wrth fynd ati i achub holl weithiau cysegredig Tomkins nad oeddynt wedi'u cynnwys yn y casgliad cyhoeddedig o gerddoriaeth eglwysig y cyfansoddwr, *Musica Deo sacra* (1668).

Yn ystod ei ymddeoliad, neilltuodd lawer o amser ac ymroddiad i ddatblygu Cathedral Press – gwasg fasnachol sy'n cyhoeddi **cerddoriaeth gynnar**. Bu golygiadau Peter o gerddoriaeth eglwysig o'r 16g. i'r 18g. o dan y gwasgnod hwn yn arloesol. Mae nifer fawr o gyhoeddiadau'r Wasg yn ganlyniad uniongyrchol i'w ymchwil a'i sgiliau ail-greu; llwyddodd ar ei ben ei hun i gyhoeddi llawer o gerddoriaeth werthfawr gan gyfansoddwyr Prydeinig a oedd wedi ei hesgeuluso cyn hynny.

Llyfryddiaeth

Peter H. James, 'A Study of the verse Anthem from Byrd to Tomkins' (traethawd PhD Prifysgol Caerdydd, 1968)

David Wulstan (gol.), *An Anthology of English Church Music* (Llundain, 1971)

Peter H. James, 'Thomas Tomkins: Sacred Music omitted from *Musica Deo sacra*', *Soundings*, 2 (1971), 29–43

———, 'Sacred Music omitted from *Musica Deo sacra*' yn Anthony Boden, *Thomas Tomkins: the last Elizabethan* (Aldershot, 2005), 285–300

David Evans

James, Richard (g.1975)
(gw. hefyd Gorky's Zygotic Mynci)

Fe'i ganed yng Nghaerfyrddin ac ef oedd cyd-sylfaenydd y grŵp seico-werin **Gorky's Zygotic Mynci** gydag **Euros Childs** a John Lawrence. Ffurfiwyd y grŵp yn 1991 yn Freshwater East, Sir Benfro. Cyfarfu'r tri pan oeddent yn ddisgyblion yn Ysgol Gyfun Bro Myrddin yng Nghaerfyrddin.

Chwarae'r gitâr fas yn y band a wnâi James i ddechrau. Yna yn 1999, pan ymadawodd Lawrence, cymerodd yr awenau fel gitarydd. Fodd bynnag, roedd yn nodweddiadol o'r grŵp fod yr aelodau yn cyfnewid offerynnau'n aml er mwyn arbrofi ac arddangos eu doniau. Byddai James yn cyd-ganu'n gyson gyda Childs hefyd. Recordiodd James gyfanswm o wyth albwm gyda Gorky's Zygotic Mynci dros gyfnod o dair blynedd ar ddeg, gan ennill edmygedd cefnogaeth troellwyr disgiau fel y diweddar John Peel a Mark Radcliffe am ei waith. Ar wahân i'r recordiau hir niferus, rhyddhaodd y grŵp nifer fawr o recordiau EP a rhai sengl hefyd. Ers chwalu'r grŵp ym Mai 2006, rhyddhaodd James bedair albwm unigol, sef *The Seven Sleepers Den* (Boobytrap, 2006), *We Went Riding* (Gwymon, 2010), *Pictures in the Morning* (Gwymon, 2010) ac *All the New Highways*, yn ddigidol yn 2015 ac yna ar finyl a CD yn 2016.

Un elfen sy'n nodweddiadol o'i waith yw ei fod yn hynod ddyfeisgar ac yn aml yn chwareus, yn hoff iawn o chwarae ac arbrofi gyda gwahanol fathau a *genres* cerddorol, gan gyfuno melystra a chwerwder, tynerwch a tharanu, a chymysgu *genres* yn greadigol hefyd wrth cwmpasu *blues* a roc swnllyd neu ganolbwyntio'n unig ar un offeryn syml megis y banjo gwledig. Bu hefyd yn gweithio gyda cherddorion o draddodiadau gwahanol, gan fynd ar deithiau i Swdan (2012) ac Awstralia (2014). Mae ei gyd-aelod o Gorky's Zygotic Mynci, Euros Childs, wedi ymddangos ar ambell un o recordiau James hefyd, megis *We Went Riding*, ac fe wnaeth **Cate Le Bon** – y gantores o'r un ardal â'r Gorky's – gyfrannu'n gynnar i'w gyrfa i albwm unigol cyntaf James, *The Seven Sleepers Den*.

Mae James hefyd wedi cyfansoddi ar gyfer ffilm, ac fe gafodd ei gerddoriaeth ar gyfer y gyfres ddrama *Cara Fi* (S4C, 2014) enwebiad Bafta Cymru. Bu hefyd yn cydweithio gydag Anthony Shapland, artist a churadur oriel G39 yng Nghaerdydd, i greu prosiect amlgyfrwng i ddathlu canmlwyddiant y bardd Dylan Thomas. Rhyddhawyd ei EP *In France* yn rhad ac am ddim yn 2011. Gyda'r awdur a'r nofelydd John Williams, sefydlodd James gydberchnogaeth greadigol ar ddigwyddiadau byrfyfyr, In Chapters, sy'n uno creadigrwydd llenyddol a cherddorol, gan ddyfeisio sioeau amlgyfrwng ar lwyfan Canolfan Chapter, Caerdydd, a hefyd ar-lein. James yw cyfarwyddwr cerddorol y prosiect hwn, sydd hefyd wedi esgor ar fand Pen Pastwn, ac ef sy'n curadu cynnwys cerddorol **Gŵyl** Talacharn yng ngorllewin Cymru.

Mae ei fand, Pen Pastwn, wedi teithio'n eang gan gynnwys wythnos o daith – dan nawdd y Cyngor Prydeinig – yn Swdan yn Chwefror 2012 ynghyd ag ymweliad i Mwmbai, India, lle perfformiwyd *The Colour of Saying* (sy'n seiliedig ar farddoniaeth Dylan Thomas) gan gydweithio gyda rhai o gerddorion y wlad. Yn 2013–14, bu'n cydweithio gyda **Gareth Bonello** (**The Gentle Good**) gan recordio caneuon acwstig tyner a'u perfformio'n fyw yn ogystal.

Disgyddiaeth

'My Heart's On Fire' [sengl] (Boobytrap Records, 2006)

The Seven Sleepers Den (Boobytrap Records BOOBREC018CD, 2006)

'When You See Me (In the Pouring Rain)' [sengl] (Gwymon CD011, 2010)

We Went Riding (Gwymon CD009, 2010)

Pictures in the Morning (Gwymon CD015, 2012)

All the New Highways (The state51 Conspiracy CON190CD, 2016)

Sarah Hill

James, Siân (g.1961)

Un o gantorion **gwerin** amlycaf Cymru o'r 1980au ymlaen, ond cantores sydd hefyd wedi arbrofi llawer gydag arddull **jazz** a *blues*. Mae hi'n adnabyddus hefyd fel actores, athrawes, hyfforddwraig a chyfansoddwraig. Cafodd ei geni a'i magu yn Llanerfyl, Sir Drefaldwyn, ar aelwyd ddiwylliedig lle'r oedd cerddoriaeth a barddoniaeth yn cael lle amlwg, a'r ardal hefyd yn ferw o ddiwylliant. Dechreuodd ganu'r piano yn chwech oed, y **ffidil** yn wyth oed, a'r **delyn** yn un ar ddeg oed. Ei hathrawes delyn oedd Frances Môn Jones. Yn ei harddegau roedd Siân James eisoes yn cyfansoddi ac yn trefnu ei chaneuon ei hun ac yn dechrau ymddiddori yn y byd **canu gwerin**.

Aeth i Brifysgol Bangor yn 1980 i astudio cerddoriaeth o dan law **William Mathias**. Tra oedd yn y coleg bu'n rhan o'r **grŵp gwerin**-roc Bwchadanas, a fu'n boblogaidd ledled Cymru am tua deng mlynedd, gan ryddhau sengl 'Eryr Eryri' (Bwchadanas, 1983) a record hir *Cariad Cywir* (Sain, 1984). Yn ystod y cyfnod hwn y tyfodd ei diddordeb ym myd y theatr, a chymerodd ran flaenllaw yng nghynyrchiadau drama'r coleg.

Dechreuodd ei gyrfa recordio fel artist unigol yn 1990 gyda'r albwm eclectig *Cysgodion Karma* (Sain, 1990), gyda Les Morrison yn cynhyrchu. Parhaodd y berthynas hon gyda'r ail albwm *Distaw* (Sain, 1993), a sefydlwyd partneriaeth ysgrifennu lwyddiannus gyda'r awdur a'r bardd Angharad Jones. Dilynwyd *Distaw* gan yr albwm gwerin *Gweini Tymor* (Sain, 1996), gyda'r cerddor amryddawn Geraint Cynan yn cynhyrchu, sef detholiad o ganeuon gwerin y bu Siân James yn eu canu ers ei phlentyndod. Ymddangosodd rhai o'r caneuon yn y ffilm *Tylluan Wen* (Ffilmiau'r Nant, 1997), a sgriptiwyd gan Angharad Jones, gyda Siân yn chwarae'r brif ran, Martha/Eirlys. Cynhyrchydd yr albwm nesaf, *Di-Gwsg* (Sain, 1996) – albwm arbrofol yn cyfuno seiniau gwerin gyda rhythmau dawns electronaidd – oedd Ronnie Stone, gŵr a oedd wedi gweithio gydag artistiaid megis **Anhrefn**, Enya, Mansun a'r Lotus Eaters. Profai'r

recordiau hyn ddawn gerddorol Siân James wrth symud rhwng *genres* cerddorol, ynghyd â'i hadnoddau lleisiol arbennig.

Yn 2001 sefydlodd stiwdio Recordiau Bos yn ei chartref gyda Gwyn Jones (drymiwr **Maffia Mr Huws**), ac ar label Bos y rhyddhawyd ei phedwar albwm nesaf, sef *Pur*, *Y Ferch o Bedlam*, *Adar ac Anifeiliaid* (casgliad o **hwiangerddi** a oedd yn gomisiwn gan y Mudiad Ysgolion Meithrin) a *Cymun*. Yn 1985 treuliodd flwyddyn yn gweithio yng Nghanolfan EPCOT, Disneyworld, Florida, ac yn ystod ei gyrfa bu'n teithio gyda'i chanu yn Japan, yr Unol Daleithiau, Canada, yr Almaen, yr Eidal, Llydaw, Ffrisia, Iwerddon, yr Alban a Lloegr.

Ymysg uchafbwyntiau ei gyrfa y mae taith yn 2000 i'r Unol Daleithiau gyda chyngherddau yn Chicago, Milwaukee, Dallas, Houston, San Fransisco, Denver ac Albuquerque, ei pherfformiad yn y cyngerdd mawreddog yn 2006 i ddathlu agor adeilad y Senedd ym Mae Caerdydd (gyda **Shirley Bassey** a **Tom Jones**), perfformiadau i Womad yng Ngŵyl Reading a Theatr y Globe yn Llundain, a chanu ar gerddoriaeth y ffilm *The Englishman who went up a hill and came down a mountain* (Miramax, 1995) a recordiwyd yn Stiwdio Abbey Road.

Yn 2011 bu ar daith trwy'r Iseldiroedd gyda'r band Gwyddelig poblogaidd Dervish, ac yn 2014 bu'n gweithio ar brosiect gyda grŵp lleisiol o Niwbia, yr Aifft, o'r enw Nuba Nour. Perfformiodd gyda'r grŵp yng Nghymru ac yng Nghairo. Y flwyddyn ganlynol cafodd y gwaith o gydlynu'r cyngerdd gwerin ym mhafiliwn yr **Eisteddfod** Genedlaethol ym Meifod a chyfansoddodd y gerddoriaeth ar gyfer cynhyrchiad Ysgol Theatr Maldwyn, *Noson Lawen Nansi*.

Y mae hefyd wedi cyfrannu i fyd y ddrama lwyfan a theledu. Yn yr 1990au cafodd rannau gyda Chwmni Theatr Gorllewin Morgannwg, cynyrchiadau amrywiol gyda Theatr Bara Caws, un o'r prif rannau yn y gyfres ddrama *Pengelli* a phrif ran yn y gyfres ddrama *Iechyd Da*. Cafodd gyfres o raglenni cerddorol ar S4C yn 1998 ac ar ddechrau'r 1980au bu'n cyflwyno'r rhaglen i bobl ifanc, *Larwm*.

Bu galw amdani gan fyd teledu fel cyfansoddwraig hefyd, fel y dengys y gyfres *Birdman* (BBC2, 2000), cyfres radio *Y Clwy* (2001), y ffilm *Llythyrau Ellis Williams* (2006, cyfarwyddwr cerdd), y rhaglen deledu *Ysgol Pendalar* (2007) a'r rhaglen ddogfen *Ann Griffiths* (2014). Yn 2013 roedd yn gyd-olygydd y gyfrol *Tant*, casgliad o 101 o alawon **telyn** Cymreig traddodiadol. Yn yr un cyfnod cafodd gomisiwn gan yr asiantaeth hyrwyddo traddodiadau gwerin *trac*, i gasglu hen ganeuon Sir Drefaldwyn, prosiect Canu yn y Cof.

Yn 2003 sefydlodd barti o fechgyn i gystadlu ar y Parti Cân Werin yn yr Eisteddfod Genedlaethol ym Meifod, sef Parti Cut Lloi a enwyd ar ôl ystafell arbennig yng ngwesty'r Cann Office, Llangadfan. Llwyddodd y parti i ennill yr wobr gyntaf a buont yn cynnal cyngherddau ar hyd a lled Cymru yn y blynyddoedd wedi hynny, gan ennill cryn boblogrwydd gyda'u nosweithiau hwyliog a gwerinol. Yn 2007 gwnaed Siân James yn Gymrodor er Anrhydedd gan Brifysgol Bangor am ei gwasanaeth i ddiwylliant Cymru, ac yn 2011 cyhoeddodd ei hunangofiant fel rhan o Gyfres y Cewri (Gwasg Gwynedd).

Disgyddiaeth
[gyda Bwchadanas]
'Eryr Eryri' [sengl] (Bwchadanas BW1, 1983)
Cariad Cywir (Sain 1306M, 1984)
[fel artist unigol]
Cysgodion Karma (Sain SCD4037, 1990)
Distaw (Sain SCD2025, 1993)
Gweini Tymor (Sain SCD2145, 1996)
Di-Gwsg (Sain SCD2153, 1996)
Birdman/Aderyn Prin (BBC WMSF6007-2, 2000)
Pur (Recordiau Bros RBOS001, 2001)
Y Ferch o Bedlam (Recordiau Bros RBOS006, 2005)
Adar ac Anifeiliaid (Recordiau Bros RBOS010, 2005)
Cymun (Recordiau Bros RBOS022, 2012)

Llyfryddiaeth
Siân James: Cyfres y Cewri: 34 (Caernarfon, 2011)

Arfon Gwilym

Jarman, Geraint (g.1950)

Ar sail ei gyfraniadau fel canwr a chyfansoddwr, bardd, cynhyrchydd fideo a rhaglenni ar **ganu pop** Cymraeg, daeth Geraint Jarman yn un o brif gymeriadau'r byd adloniant a diwylliant yng Nghymru o ddiwedd yr 1960au hyd at ddegawdau cyntaf yr 21g. Yn ystod y cyfnod hwn, roedd ei ddylanwad ar y diwylliant poblogaidd Cymraeg yn aruthrol. Llwyddodd i chwyldroi'r canfyddiad o'r hyn oedd y diwylliant a thrawsnewidiodd hefyd yr ymagweddu at broffesiynoldeb o fewn y diwydiant cerddoriaeth yng Nghymru.

Ganed Geraint Rhys Maldwyn Jarman yn Ninbych ond symudodd y teulu i Gaerdydd pan oedd yn bedair oed. Yno, cyflwynwyd ef i sŵn cerddoriaeth y byd yn ardal y dociau, Glan'rafon a Thre-biwt. Yn ddeg oed, yng nghwmni ei chwaer Tanwen, canodd ar raglen *Gwlad y Gân* ar TWW. Dechreuodd gyfansoddi

caneuon pan oedd yn bymtheg oed ac erbyn 1967 roedd yn ysgrifennu caneuon ar gyfer **Heather Jones**. Gwnaeth ei farc hefyd fel bardd gyda cherddi yn ymddangos yn *Burning The Hands Of The Clock* (1967) a *Zutique* (Second Aeon Publications, 1968), y naill yn gyfrol aml-gyfrannog tra bod y llall ar y cyd gyda'r bardd David Callard.

Yn 1967 enillodd ddwy wobr mewn cystadleuaeth bop newydd yn **Eisteddfod** Genedlaethol yr Urdd yng Nghaerfyrddin. Yn fuan wedi hyn, cyfarfu â'r canwr **Meic Stevens** ac arweiniodd hynny at gyfansoddi'r '**opera** roc' *Etifeddiaeth Drwy'r Mwg* (1970). Tua'r un cyfnod, ffurfiodd Geraint Jarman, Heather Jones a Meic Stevens grŵp o'r enw **Y Bara Menyn**. Er mai herio'r byd pop Cymraeg cyfredol oedd bwriad Y Bara Menyn, cawsant lwyddiant gyda'u sengl EP 'Caru Cymru' (Dryw, 1969).

Fe fyddai Jarman wedi gwneud ei farc ar ddiwylliant Cymraeg pe na bai ond wedi cyhoeddi y ddwy gyfrol o farddoniaeth, *Eira Cariad* (Dryw, 1970) a *Cerddi Alfred Street* (Gomer, 1976), ond fe'i cofir yn bennaf am y gyfres o recordiau hollbwysig a ymddangosodd yn ystod y degawd o ddiwedd yr 1970au ymlaen gyda'i grŵp Y Cynganeddwyr a ddaeth yn gerrig milltir yn hanes **canu roc** Cymraeg ar sail eu huchelgais gerddorol a'u gallu i lunio syniad eang ac agored o Gymreictod.

Cafwyd addewid o'r hyn oedd i ddod ar y ddwy record hir gyntaf unawdol, *Gobaith Mawr y Ganrif* (Sain, 1976) a *Tacsi i'r Tywyllwch* (Sain, 1977), a recordiwyd yn Stiwdio Stacey, Caerdydd, gyda chyfraniadau'r gitarydd amryddawn **Tich Gwilym** (Robert Gwilliam; 1950–2005) o Ben-y-graig, Rhondda, i'w glywed ar y gân epig 'Ambiwlans' o *Tacsi i'r Tywyllwch*, er enghraifft. Dilynwyd hyn gyda thrioleg o recordiau, y tro hwn gyda'r Cynganeddwyr, sef *Hen Wlad Fy Nhadau* (Sain, 1978), *Gwesty Cymru* (Sain, 1979) a *Fflamau'r Ddraig* (Sain, 1980), gan amlygu dylanwadau cerddorol megis *reggae* a'r don newydd am y tro cyntaf yn y Gymraeg mewn caneuon fel 'Methu Dal y Pwysau' ac 'Instant Pundits'.

Ar ei orau, fel yn y clasur o gân 'Ethiopia Newydd', llwyddodd Jarman i ddarlunio'r profiad dinesig o fod yn Gymro ar sail ei brofiadau personol – a thrwy wneud hynny, i gysylltu â phrofiadau nifer o Gymry Cymraeg ei genhedlaeth. Roedd ei ganeuon yn aml yn priodi'n effeithiol sefyllfa'r Cymry a'r iaith Gymraeg gyda delweddau geiriol ac arddulliau cerddorol a fodolai ymhell tu hwnt i ffiniau'r wlad, yn arbennig cred Rastaffaraidd Jamaica (am ymdriniaeth

Jarman o'r arddull *reggae*, gw. Wallis a Malm 1983, 80–81; ap Siôn 1997; Hill 2007, 123–42).

Amlyga'r recordiau hyn allu Jarman i gyrraedd at graidd yr hyn am Gymru oedd yn berthnasol iddo ef, boed yn sylwebaeth ddeifiol ynglŷn â rhagrith y sefydliad Cymraeg yn 'Gwesty Cymru', ymgyrch losgi tai haf Meibion Glyndŵr yn 'Fflamau'r Ddraig' neu chwedloniaeth y Mabinogion ar y record hir *Diwrnod i'r Brenin* (Sain, 1981). Yn hynny o beth, ac yn rhannol oherwydd ei fand cosmopolitan Y Cynganeddwyr – a oedd, ynghyd â Tich Gwilym, yn cynnwys cerddorion galluog megis Richard Dunn (allweddellau), Pete Hurley (bas), Neil White (gitâr rhythm) ac Arran Ahmun (drymiau) – fe drawsnewidiwyd yr arlwy cerddorol Cymraeg. Roedd yr elfennau newydd yn cynnwys darnau byrfyfyr a chyfraniadau offerynnol a oedd yn gyfartal â'r rhai lleisiol. Ym mherfformiadau'r Cynganeddwyr, roedd sŵn gitâr Tich Gwilym (neu'n ddiweddarach, gitâr Peredur ap Gwynedd) mor bwysig â llais Jarman a neges y gân.

Yn ystod yr 1980au, ac yn rhannol o ganlyniad i sefydlu S4C, dechreuodd Jarman ymddiddori yn y byd ffilm a theledu, yn gyntaf gyda'r ffilm *Macsen* (Sain, 1983), a oedd yn rhannol hunangofiannol, ac *Enka* (Sain, 1985), a adlewyrchai ei ddiddordeb mewn crefft ymladd ac ysbrydegaeth Ddwyreiniol, megis Aikido. Yn 1986 teithiodd Jarman a'i fand gyda'r grŵp roc ifanc o Fethesda, **Maffia Mr Huws**, er mwyn hyrwyddo'r EP *Taith y Carcharorion* (Sain, 1986), a oedd hefyd yn cynnwys teyrnged i'r bardd a'r dramodydd Saunders Lewis (1893–1985), 'Nos Da Saunders'. Clywid elfennau mwy electronaidd yn treiddio drwy ei ganeuon o'r cyfnod gyda defnydd helaeth o syntheseisyddion a sampleri. Yn ystod y cyfnod hwn fe gyd-gynhyrchodd raglen ddogfen ar hanes Maffia Mr Huws, *Awe Fo'r Micsar* (S4C, 1986), a dyma gychwyn ar elfen newydd yng ngyrfa Jarman fel mentor a lladmerydd ar ran grwpiau ifanc newydd Cymraeg.

Fe ddaeth hyn yn bennaf drwy gyfrwng ei waith fel cynhyrchydd y rhaglen deledu arloesol *Fideo 9* (1988–92). Drwy gyfrwng *Fideo 9* roedd cwmni cynhyrchu Jarman, Criw Byw, nid yn unig yn rhoi llwyfan i dalent ifanc ond hefyd yn hybu proffesiynoldeb y diwydiant pop drwy gynhyrchu fideos cerddorol o fandiau newydd, ffilmio cyngherddau byw yng Nghymru a thramor a dangos fideos pop gan fandiau Ewropeaidd. Er mai cefndirol oedd cyfraniad Jarman ar y cychwyn, erbyn y drydedd gyfres roedd yn fwy gweithredol o ran cynhyrchu a chyfarwyddo fideos a

sesiynau byw, ac o ganlyniad bu'n hyrwyddwr brwd o nifer o fandiau ifanc newydd megis **Ffa Coffi Pawb**, Beganifs (a ddaeth wedyn yn **Big Leaves**) a **Melys**.

Ar ôl dyddiau *Fideo 9* dychwelodd Jarman at ei yrfa recordio'i hun gan ryddhau nifer o ddisgiau ar label Ankst, gan gynnwys *Rhiniog* (Ankst, 1992), a oedd yn cynnwys cyfraniadau gan aelodau Maffia Mr Huws, *Y Ceubal y Crossbar a'r Quango* (Ankst, 1994), lle clywid chwarae gwych ap Gwynedd am y tro cyntaf ar ei recordiau, ac yn fwy diweddar y record bersonol, *Brecwast Astronot* (Ankst, 2011) sydd yn cynnwys cân deyrnged i Tich Gwilym, 'Baled y Tich a'r Tal', yr hunangofiannol *Dwyn yr Hogyn Nôl* (Ankst, 2014), a'r gwerin-roc *Tawel yw'r Tymor* (Ankst, 2016). Bu'n parhau i gynhyrchu *dub reggae* mewn recordiau megis yr EP *Morladron* (Sain, 2002) ac mewn cydweithrediad â grwpiau megis **Llwybr Llaethog**.

Adlewyrchwyd parch, edmygedd a chydnabyddiaeth cyfraniad Geraint Jarman i'r diwydiant pop gan y nifer helaeth o'i ganeuon a gafodd eu trefnu gan gerddorion a grwpiau Cymraeg, gan gynnwys ail fersiwn o *Hen Wlad Fy Nhadau* (Ankst, 1990) a recordiwyd gan gerddorion blaenllaw y cyfnod – megis **Steve Eaves**, **Llwybr Llaethog**, **Ffa Coffi Pawb**, Tŷ Gwydr, Jecsyn Ffeif a **Datblygu** – ac o bryd i'w gilydd recordiwyd ei ganeuon gan artistiaid eraill hefyd, megis Iwcs a Doyle ('Rhywbeth Bach') a Dafydd Dafis ('Gweithio Ar Wyneb Y Graig'). Fe enillodd ei record *Atgof Fel Angor* (Sain, 2008) wobr 'Casgliad Gorau' yng Ngwobrau'r Selar 2008.

Disgyddiaeth (am restr gyflawn gw. Jarman 2011)
[fel artist unigol]
Gobaith Mawr y Ganrif (Sain 1022M, 1976)
Tacsi i'r Tywyllwch (Sain 1096M, 1977)
Brecwast Astronot (Ankst 130, 2011)
Dwyn yr Hogyn Nôl (Ankst 137, 2014)
Tawel yw'r Tymor (Ankst 140, 2016)
[gyda'r Cynganeddwyr]
Hen Wlad Fy Nhadau (Sain 1128M, 1978)
Gwesty Cymru (Sain 1158M, 1979)
Fflamau'r Ddraig (Sain 1182M, 1980)
Diwrnod i'r Brenin (Sain 1123M, 1981)
Macsen (Sain 1289M, 1983)
Enka (Sain C948N, 1985)
Rhiniog (Ankst 029, 1992)
Y Ceubal y Crossbar a'r Quango (Ankst 050, 1994)
Eilydd Na Ddefnyddiwyd/Sub Not Used (Sain SCD2210, 1998)
Morladron [EP] (Sain SCD2363, 2002)

Casgliad:
Atgof Fel Angor (Sain SCD2531, 2008)

Llyfryddiaeth

Geraint Jarman, *Eira Cariad* (Llandybïe, 1970)

———, *Cerddi Alfred Street* (Llandysul, 1976)

Roger Wallis a Krister Malm, 'Sain Cymru: The Role of the Welsh Phonographic Industry in the Development of a Welsh Language Pop/Rock/Folk Scene', *Popular Music 3: Producers and Markets* (1983), 77–105

Pwyll ap Siôn, 'Gwrthleisiau: Geraint Jarman a Gwreiddiau Reggae mewn Cerddoriaeth Boblogaidd Gymreig', *Hanes Cerddoriaeth Cymru*, 2 (1997), 278–92

Sarah Hill, *'Blerwytirhwng?' The Place of Welsh Pop Music* (Aldershot, 2007)

Geraint Jarman, *Twrw Jarman* (Llandysul, 2011)

———, *Cerbyd Cydwybod* (Llandysul, 2012)

Sarah Hill a Pwyll ap Siôn

Jazz

Mae ceisio diffinio jazz yn gymhleth gan fod nifer o elfennau gwahanol yn perthyn i'r grefft. Ni ellir galw jazz yn gerddoriaeth werin, bop neu roc, nac ychwaith yn gerddoriaeth gelfyddydol, er ei fod yn ymrannu oddi wrthynt i gyd ar brydiau. Gwelir fod jazz yn dylanwadu mewn ffyrdd gwahanol ar bob un o'r categorïau hyn wrth gwrs, ond efallai mai'r hyn sy'n ei wneud yn anodd i'w gategoreiddio yw'r ffaith ei fod yn ffurf amryfal sy'n gyfuniad o elfennau Affricanaidd, Ewropeaidd ac Affro-Americanaidd.

Er mor lluosog yw gwreiddiau jazz, gellir adnabod rhai nodweddion generig. Er enghraifft, mae'r pwyslais canolog ar berfformio'n fyrfyfyr yn bwysig, ac mae iaith harmonig a melodig jazz yn ddigon adnabyddus hefyd – y naill yn aml yn seiliedig ar gordiau estynedig (megis seithfedau a nawfedau) tra bod y llall gyda chysylltiadau agos â'r *blues*. Mae'r pwyslais ar rythm cyson yn nodwedd hefyd, un ai drwy gyfrwng y 'bas araf' (*walking bass*) neu'r defnydd o 'swing'.

Yn ei hanfod, mae jazz yn wahanol i gerddoriaeth 'glasurol' neu 'boblogaidd' yn y rhyddid a roddir i berfformwyr i gynnig eu dehongliad eu hunain o gyfansoddiadau. O fewn jazz ceir ystod eang o wahanol fathau o berfformiad, ar y naill law grwpiau bychain ac ar y llaw arall gerddorfeydd mawr, a'r dulliau'n ymestyn o chwarae'n gwbl fyrfyfyr i gyflwyno trefniant gofalus a disgybledig. Yn fras, ceir dosraniad amlwg rhwng ffurf 'draddodiadol' a dulliau a elwir yn 'ganolog' neu 'fodern', ond ar draws y rhaniad hwn ceir y *blues*, *swing*, *bebop* a dulliau arbrofol, 'rhydd'. Ceir enghreifftiau o bob un o'r dulliau hyn yng Nghymru a hynny ers yr 1930au hyd y cyfnod presennol. Ar yr un pryd, gwnaeth cerddorion o Gymru gyfraniad pwysig i feysydd jazz y tu hwnt i'r ffin.

Ymhlith gwreiddiau amlycaf jazz y mae canu crefyddol, efengylaidd yn ogystal â chanu'r caethweision ym meysydd cotwm taleithiau deheuol yr Unol Daleithiau. Awgrymir bod diddordeb y Cymry yn y datblygiadau cerddorol hyn wedi'i ysgogi trwy wrando ar grwpiau teithiol megis y Fisk Jubilee Singers ar ddiwedd y 19g. Yn ddiweddarach, oddeutu 1919, yr ymddangosodd y gair 'jazz' yn y wasg Gymreig, tua'r adeg pan gyrhaeddodd y band jazz cyntaf Ynysoedd Prydain, yr Original Dixieland Jazz Band o'r Unol Daleithiau. Mae'n annhebyg fod y band hwnnw wedi ymweld â Chymru ond yn sgil y Rhyfel Mawr roedd Cymru yn dechrau arbrofi â ffasiynau newydd o ran dillad a cherddoriaeth. Yn ddiweddar, bu twf sylweddol yn hanesyddiaeth jazz yng Nghymru, yn enwedig trwy ymchwil a chyhoeddiadau Jen Wilson (g.1944), pianydd jazz nodedig a sefydlodd y gymdeithas Menywod Mewn Jazz yn 1986. O'r gymdeithas hon, ac o dan gyfarwyddyd Wilson, yr esblygodd Treftadaeth Jazz Cymru yn Abertawe, canolfan unigryw yn cynnwys adnoddau clyweledol amrywiol a rhai o'r dillad lliwgar a wisgwyd gan berfformwyr jazz gynt, gan dystio i bwysigrwydd gwragedd yn nhwf jazz yng Nghymru.

Ar gyfer dawnsfeydd y chwaraeid jazz yn bennaf yn yr 1920au ac o ganlyniad ceid brwdfrydedd mawr yng Nghymru dros jazz 'poeth' (*hot jazz*). Gyda chynifer o geisiadau am drwydded cerdd wedi eu derbyn gan yr awdurdodau lleol roedd celfyddyd y *café* yn ffynnu. Rhwng 1919 ac 1926 roedd dros gant ac ugain o fandiau 'jazz' yn Abertawe yn unig, dan enwau fel y Kentucky Syncopators neu'r Sintsinazzie Syncopated Orchestra, yn chwarae yn y Café Chantant a mannau tebyg, ond hefyd mewn neuaddau ysgol, gerddi o fewn siopau, parciau ac, wrth gwrs, siop adrannol David Evans. Roedd bandiau carnifal yn ffenomen gymunedol a geid yng nglofeydd de Cymru ac yn nhrefi bach gogledd Lloegr, gyda'u gwreiddiau yn streiciau'r glowyr a Streic Gyffredinol 1926. Prif 'offeryn' y bandiau hyn oedd y *kazoo*, tebyg i'r hyn a welid ym mhlanigfeydd de'r Unol Daleithiau, ynghyd â drymiau o bob math. Gwisgai aelodau'r bandiau hyn ddillad unffurf cywrain, a cheid nifer o gystadlaethau ledled Prydain, gyda bandiau o Gymru, yn enwedig o Bort Talbot, Llansawel (Briton Ferry) a'r Gilfach Goch yn enillwyr mynych. Parhaodd y traddodiad hwn hyd yr 1970au ond bu dirywiad amlwg ar ôl i'r diwydiant glo ddiflannu.

Yn yr 1930au, sefydlwyd jazz fel ffurf neilltuol. Yn gyfochrog â chychwyn cylchgronau fel *Melody Maker* (1926–) a *Rhythm* (1927–), agorwyd nifer fawr o glybiau rhythm ar draws y wlad. Sefydlwyd y cyntaf yn Llundain yn 1933, ond o fewn blwyddyn ceid rhai yng Nghasnewydd, Caerdydd ac Abertawe, a'r flwyddyn ddilynol sefydlwyd Ffederasiwn Prydeinig Clybiau Rhythm. Ar draws de Cymru, ac i raddau'r gogledd hefyd, ymddangosodd bandiau a cherddorfeydd *swing*, a cheid adroddiad ar eu hynt a'u helynt mewn colofn ar Gymru yn y *Melody Maker*, o dan y teitl 'South Wales Look You'. Yng Nghaerdydd, roedd y cysylltiadau â'r Caribî wedi rhoi naws arbennig i ymddangosiad cyntaf cerddorion croenddu, yn bennaf y gitaryddion Frank a Joe Deniz a Victor Parker.

Harry Parry (1912–56) oedd yr amlycaf ymhlith cerddorion jazz Cymreig y cyfnod. Yn enedigol o Fangor, dechreuodd ei yrfa broffesiynol yn ugain oed wrth chwarae sacsoffon ym mand Eddie Shaw yn Llandudno. Ar ôl symud i Lundain arbenigodd yn y clarinet gan chwarae gyda bandiau adnabyddus yn y Locarno yn Streatham a mannau tebyg. Tyfodd ei enwogrwydd drwy gyfrwng ei ymddangosiadau gyda'r Jackdaws a recordiau mynych o'r Coconut Grove. Yn 1940, ar dro'r rhyfel, fe'i gwahoddwyd gan y BBC i ddarlledu fel rhan o driawd a oedd yn cynnwys y pianydd hynaws George Shearing (1919–2011). Wedi hyn cafodd gyfnod llwyddiannus yn arwain Chwechawd Clwb Rhythm y BBC. Yn dilyn cyfnod o wasanaeth milwrol, ailgydiodd yn ei yrfa gan arwain nifer o fandiau mawr ym Mhrydain a thramor, ond o dipyn i beth newidiodd chwaeth y cyhoedd, ac effeithiodd hynny ar y math o waith a gâi Harry Parry. Erbyn canol yr 1950au fe'i cafwyd yn chwarae mewn gwersylloedd gwyliau. Yn Hydref 1956 cafodd drawiad ar y galon a bu farw, yn ddim ond pedair a deugain oed.

Yn ystod yr Ail Ryfel Byd rhoddwyd cryn bwys ar adloniant gan y lluoedd arfog a chafodd amryw o gerddorion brofiad o chwarae a pherfformio, yn eu plith y cerddor jazz Cymreig mwyaf amlwg yn niwedd yr 1940au a thrwy gydol yr 1950au, Dillwyn Owen (Dill) Jones (1923–84). Yn frodor o Gastellnewydd Emlyn, ei dad yn oruchwyliwr banc a'i fam yn bianydd, bu'n ddisgybl yng Ngholeg Llanymddyfri, ac yno y'i cyflwynwyd i recordiau Fats Waller. Gwasanaethodd yn y llynges rhwng 1942 ac 1946 lle darganfu fwy am jazz, ac ar ôl y rhyfel fe'i hanogwyd i astudio yng Ngholeg Cerdd y Drindod yn Llundain. Trodd yn gerddor proffesiynol yn 1947

a datblygodd ei yrfa yn gyflym mewn bandiau megis rhai Derek Neville, Vic Lewis ac yn 1949–50 fand Harry Parry. Wedi iddo gychwyn fel pianydd dull *stride,* trodd at ddulliau mwy modern, yn null *be-bop,* a recordio gyda tho newydd o gerddorion, yn eu mysg Tony Kinsey, Tommy Whittle, Joe Harriot a Ronnie Scott. Yn 1956 cyfeiliodd i Louis Armstrong ar ei daith ym Mhrydain, ac ymddangosodd hefyd gyda'r feiolinydd enwog, Stéphane Grappelli (1908–97).

Ar ôl ennill prif wobrau cylchgronau fel *Melody Maker,* penderfynodd Jones ledu ei orwelion a mentro ar yrfa ehangach yn yr Unol Daleithiau. Yno, gan ddychwelyd at ddull mwy traddodiadol o chwarae, gweithiodd gydag enwogion megis Gene Krupa, Jimmy McPartland a Bob Wilber, a rhwng 1969 ac 1973 roedd yn aelod o Bedwarawd JPJ dan arweiniad y sacsoffonydd Budd Johnson (1910–84). Wrth ymweld â Phrydain o bryd i'w gilydd cydweithiodd yn bennaf gyda'r clarinetydd Wyn Lodwick (g.1927), cerddor amlwg mewn cylchoedd Cymreig am dros drigain mlynedd; a'r ddau a recordiodd y casgliad o gerddoriaeth jazz Cymreig ei hosgo, *The Welsh Connection* (SoSo, 1982). Yn yr 1980au cynnar cafodd Dill Jones afiechyd difrifol a bu farw yn Efrog Newydd ar 22 Mehefin 1984 yn 60 oed.

Tua diwedd yr 1940au ymrannodd jazz yn ddwy 'ysgol' heb fawr ddim cyswllt rhyngddynt. Jazz traddodiadol a ddenai'r gynulleidfa fwyaf, fel yn wir o hyd, yn bennaf am fod y ffurf yn hygyrch a'r tonau'n adnabyddus. Yn Llanelli, er enghraifft, y band jazz cyntaf oedd Paul Vincent a'r Rhythm Boys lle bwriodd Wyn Lodwick ei brentisiaeth ac erbyn 1954 roedd Cymdeithas Jazz Traddodiadol Orleans Newydd yn ffynnu yn y dref. Bu cynnydd mawr ym mhoblogrwydd 'Trad' ac erbyn diwedd yr 1950au a'r 1960au cynnar roedd bandiau ar gael ym mhob cwr o Gymru: y Memphis Seven yn y dwyrain, Mike Potts a'r Five Pennies yn y gogledd, ac yng Nghaerdydd y Speakeasy Band, Phillip/Hawkes All Stars, y Riverside Band ac yn bennaf, efallai, y canwr a'r trombonydd Mike Harries o Gaerdydd a'i amryw fandiau.

Cafodd Mike Harries yrfa lewyrchus dros gyfnod o hanner canrif; yn 1987, er enghraifft, ffurfiodd y Root Doctors, band y mae'r dylanwadau arno mor amrywiol â Bunk Johnson, Allen Toussaint a Dr John, ac sy'n dal i gyfareddu a difyrru. Am chwarter canrif bu'r Riverside Jazz Band yn llwyddiant mawr yn y brifddinas gan alluogi amryw gerddorion i ddatblygu gyrfa broffesiynol, fel y pianydd Keith Little a symudodd i Loegr i ymuno â Colin Dawson a'r Onward Jazz Band. Bu hefyd yn gysylltiedig â **Gŵyl** Jazz Aberhonddu.

Parhaodd yr ymlyniad i jazz 'Trad' am flynyddoedd, ond o dipyn i beth roedd ffurfiau newydd jazz yn ennill eu plwyf. Y rhwydwaith o glybiau jazz lleol a oedd yn gyfrifol am hyn i raddau, gan gynnig llwyfan i gerddorion lleol dawnus megis Russ Jones yn Abertawe neu Austin Davies ym Morgannwg, a hwythau'n cyfeilio i berfformwyr enwog o Brydain neu'r Unol Daleithiau a fynychai'r clybiau hynny. Yn aml, roedd y clybiau hyn o fewn gwestai neu glybiau aelodaeth, fel y Quebec, New Continental, Ghana Club a'r Great Western Hotel yng Nghaerdydd.

Un o'r rhai mwyaf llwyddiannus oedd Cymdeithas Jazz Abertawe a sefydlwyd yn yr 1950au yn y Colombo Club. Y trefnwyr, dros ddegawdau pellach, oedd Derek Morgan, drymiwr jazz proffesiynol a pherchennog siop gerdd, a Derek Gabriel, ffotograffydd a oedd yn arbenigo mewn tynnu lluniau perfformwyr jazz; llwyddodd y ddau i ddenu nifer fawr o sêr y byd jazz i'w cymdeithas, yn enwedig ar ôl symud i'r Glanmor Club ac yna St James' Club. Un arall a gyfrannodd at y gweithgarwch a'r bwrlwm yn yr ardal oedd perchen siop gerdd arall, John Ham, a ddaeth yn ffigwr amlwg yn y Gymdeithas Jazz Gymreig a'r Gerddorfa Jazz Gymreig, a arweinid gan aelod blaenllaw o'r BBC, Eric Wetherell (g.1925).

Brwdfrydedd a chefnogaeth perchnogion gwestai oedd yn bennaf gyfrifol am lwyddiant clybiau jazz mewn lleoliadau annisgwyl, fel y Coach and Horses yn y Fenni. Yno y cafodd y drymiwr John Gibbon yr ysbrydoliaeth i sefydlu Gibb's Club yn 1981; yn ôl George Melly (1926–2007), y canwr jazz enwog a groesawodd y clwb i'r ardal, 'does dim byd arall i'w wneud yn y dref ar wahân i yfed neu chwarae Bingo!' Ac eto, yma y daeth rhai o enwogion y dydd, Ronnie Scott o Lundain, Sonny Stitt o'r Unol Daleithiau a llu o rai eraill, gan gynnwys hyd yn oed Robert Plant o'r **band roc** trwm, Led Zeppelin.

Ar y llaw arall, disgwylid i Gaerdydd, fel prifddinas Cymru, fod yn flaenllaw yn y ddarpariaeth. Yn 1976 rhestrodd y *Jazz Centre Society Guide* nifer o ganolfannau jazz yn y ddinas, yn cynnwys gwestai fel y Quebec neu'r Great Western, ond hefyd Clwb y BBC a Theatr y Sherman. Yn 1978 penderfynodd nifer o selogion sefydlu Cymdeithas Jazz Cymru a'r gymdeithas honno a fu'n gyfrifol, tan 2001, am gynnal y Cwrs Haf Jazz hynod lwyddiannus ym Mro Morgannwg. Cyfarwyddwr cyntaf y gymdeithas oedd y trwmpedwr o Gaerdydd, Chris Hodgkins (g.1950);

ef hefyd, gyda Geoff Palser (1939–2001), a sefydlodd yr Ŵyl Jazz Gymreig yn 1974.

Yn yr 1980au cynnar symudodd Hodgkins i Lundain i ymestyn ei yrfa broffesiynol. Ar yr un pryd, datblygodd fel trefnydd jazz; bu am flynyddoedd lawer yn gyfarwyddwr Jazz Services, prif wasanaeth trefnu jazz ym Mhrydain a enillodd amryw o wobrau pwysig, a hefyd yn gadeirydd yr Archif Jazz Genedlaethol yn Loughton, Essex. Olynydd Chris Hodgkins fel rheolwr Cymdeithas Jazz Cymru oedd John Ellis Dowell (Jed) Williams (1952–2003), drymiwr a newyddiadurwr a sefydlodd y cylchgrawn *Jazz UK* yn 1981, cylchgrawn sydd bellach dan olygyddiaeth Chris Hodgkins.

Yn 1987, gyda chefnogaeth gan y bragwyr lleol S. A. Brain and Co., ac ar ran y Gymdeithas, agorodd Jed Williams y Four Bars Inn yn Heol y Castell, Caerdydd, fel canolfan ar gyfer cerddorion lleol ac ymwelwyr. Yn 2009 fe'i henwyd yn un o'r dwsin o ganolfannau mwyaf dylanwadol yn y byd jazz ym Mhrydain. Erbyn hynny roedd y Gymdeithas wedi symud ei gweithgaredd i'r Café-Jazz yng ngwesty'r Sandringham, Heol y Santes Fair, lle mae'n dal i gynnig perfformiadau jazz drwy'r flwyddyn, ynghyd â'r Preservation Jazz Society a Chymdeithas Jazz Caerdydd.

Yn ne Cymru, oherwydd maint y boblogaeth, y ceid y rhan fwyaf o'r gweithgarwch ym myd jazz ond cafwyd digon hefyd yn y gogledd trwy weithgaredd pobl fel Trefor Owen (g.1941), gitarydd ac **addysgwr** amryddawn a fu'n cyd-drefnu Cymdeithas Jazz Gogledd Cymru o 1990 ymlaen gan hybu perfformiadau mewn gwestai fel y Fictoria ym Mhorthaethwy, y Farmers' Arms yn Llanelwy a chanolfan y Lleng Brydeinig yn Wrecsam. Cynhaliodd Trefor Owen Ŵyl Ryngwladol Gitâr ac Ysgol Haf jazz am flynyddoedd lawer, ac mae'n dal i gynnal cyrsiau penwythnos jazz ym Mhrifysgol Glyndŵr, Wrecsam.

O'r 1980au ymlaen cynyddodd y nifer o wyliau jazz yng Nghymru yn dilyn yr ŵyl gyntaf yng Nghaerdydd yn 1975. Yr amlycaf o'r rhain yw Gŵyl Jazz Aberhonddu, a gychwynnodd trwy wahoddiad oddi wrth selogion y dref i Jed Williams a Chymdeithas Jazz Cymru i geisio efelychu gŵyl jazz hynod lwyddiannus yn Breda yn yr Iseldiroedd. Dan oruchwyliaeth Williams, datblygodd Gŵyl Aberhonddu yn un o achlysuron enwocaf y byd jazz, yn rhyngwladol ei naws ond hefyd yn cynnig cyfleoedd i gerddorion o Gymru ymddangos o flaen cynulleidfaoedd mawr a brwd. Yno, mewn safleoedd o bob math, neuaddau cyngerdd a gwestai, yn yr awyr agored ac ar y stryd, darperir pob math o jazz gan ddenu rhai o enwau mawr y byd.

Ar ôl marwolaeth annhymig Williams yn 2003 collodd yr ŵyl beth o'i hegni, yn enwedig ar ôl tywydd garw 2008. Ar yr un pryd, roedd elfennau gwrthgymdeithasol wedi dechrau amharu ar yr ŵyl gan fygwth ei henw da. Er hynny, diolch i gefnogaeth hael gan Gyngor y Celfyddydau, Llywodraeth Cymru ac am gyfnod trefnwyr Gŵyl Lenyddol y Gelli, mae'r ŵyl yn dal i gael ei chynnal bob mis Awst. Ceisiodd nifer o drefi eraill efelychu'r model yma mewn **gwyliau** amrywiol o ran hyd a ffurf, a chyda gwahanol raddau o lwyddiant. Yn 1993 cynhaliwyd Gŵyl Jazz Bae Caerdydd am y tro cyntaf. Roedd Llangollen eisoes wedi cynnal Gŵyl Jazz, ac ar ôl hyn ceid gwyliau yn Ninbych-y-pysgod, Abersoch, Aberystwyth, Porth-cawl a Llandeilo, a chyflwynwyd cyngherddau jazz o fewn achlysuron cerddorol ehangach, megis Gŵyl Gerdd Abertawe.

Ar wahân i gefnogaeth fasnachol, cafodd jazz gefnogaeth gan Gyngor y Celfyddydau a'r cynghorau celfyddydol rhanbarthol, ac roedd hynny'n galluogi neuaddau bach ledled Cymru i gynnig, o bryd i'w gilydd, gyngerdd jazz neu ddigwyddiad tebyg, yn enwedig lle'r roedd canolfan gelfyddydol yn bodoli eisoes, fel Theatr Taliesin yn Abertawe, Canolfan y Celfyddydau yn Aberystwyth, Theatr Gwynedd (ac yn fwy diweddar Canolfan Pontio dan ofal ei chyfarwyddwr artistig, y gantores Elen ap Robert) ym Mangor, Canolfan Chapter yng Nghaerdydd, Galeri yng Nghaernarfon a Theatr Ardudwy yn Harlech. Yng Nghaerdydd cynhelid cyngerdd jazz bob mis yn Neuadd Dewi Sant, dan yr enw 'Jazz ar y Lefel'.

O'r dechrau chwaraeodd y **cyfryngau** torfol rôl allweddol wrth gyflwyno jazz i gynulleidfaoedd ehangach. Aeth gyrfa Harry Parry o nerth i nerth ar ôl iddo ddarlledu ar y radio, a daeth Dill Jones yn wyneb cyfarwydd yn sgil ei waith fel cyflwynydd Clwb Jazz y BBC, y sioe radio *What's New* a'i ymddangosiadau ar y teledu. Bu Wyn Lodwick a'i fand yn perffformio yn rheolaidd ar raglen materion cyfoes a ddarlledwyd ar S4C yn ystod yr 1980au, *Y Byd yn ei Le*, ac esgorodd hynny ar record hir, *Y Band yn ei Le* (Recordiau 123, 1984). Cyflwynwyd jazz yn gyson ar yr orsaf leol Sain Abertawe, yn y rhaglen *Awr Jazz* ac o bryd i'w gilydd bu rhaglenni jazz ar BBC Radio Cymru a Radio Wales. Yn yr 1970au, yn wir, teithiodd y seren rygbi Cliff Morgan a'i wraig Nuala ar draws Cymru yn darlledu o glybiau jazz lleol. Ar y llaw arall, digon

dethol yw maint y gynulleidfa ar gyfer jazz a phrin yw'r sylw a gaiff ar y cyfryngau bellach.

Un rheswm am dwf a datblygiad jazz, yn enwedig jazz modern, fu'r cynnydd mewn darpariaeth addysgol yn y colegau a'r **prifysgolion**, yn adeiladu ar gynhaliaeth gerddorol yn yr ysgolion a thrwy'r amryw gerddorfeydd ieuenctid. Er na fu cwrs penodol ar jazz yng Nghymru am nifer o flynyddoedd roedd digon o gyfle i gerddorion arbrofi a datblygu yn anffurfiol. Yn Aberystwyth roedd y Clwb Rhythm wedi esgor ar nifer o gerddorion brwdfrydig. Ym Mangor roedd dylanwad yr Athro **William Mathias** yn bwysig yn hybu cerddorion fel Howard Riley (g.1943), sydd bellach yn un o gerddorion 'jazz-rhydd' amlycaf y byd, gŵr a ddatblygodd ei yrfa gynnar gyda'r cerddorion amryddawn John McLaughlin, Evan Parker, Tony Oxley a Keith Tippett, ac a fu hefyd yn addysgwr blaenllaw, yn enwedig yng Ngholeg Goldsmiths, Llundain.

Yn yr un cyfnod, roedd disgybl cerddoriaeth arall yn dechrau ar yrfa ddisglair. Ym Mhen-clawdd y ganwyd **Karl Jenkins** (g.1944) ac yno y cafodd ei addysg gerddorol gynnar dan nawdd ei dad, a oedd yn ysgolfeistr ac yn **arweinydd** côr. Ar ôl astudio dan **Alun Hoddinott** yng Nghaerdydd, ac ar ôl hynny yn yr Academi Gerdd Frenhinol, bu'n aelod o fandiau jazz pwysig Graham Collier, Ronnie Scott ac Ian Carr cyn ymuno a'r band jazz-roc blaengar Nucleus, a chydweithiodd gyda Keith Tippett ac amryw eraill. Yn bennaf, rhwng 1972 ac 1981 bu'n aelod o'r band dylanwadol Soft Machine ond ers hynny fel cyfansoddwr ar lwyfan ehangach y bu'n fwyaf cyfarwydd, yn enwedig yn sgil y prosiect nodedig *Adiemus* (1995) a'r gwaith pwysig *The Armed Man: A Mass for Peace* (1999).

Yn 1990, dechreuodd Prifysgol Abertawe gyrsiau undydd ar jazz a pherfformiadau Band Mawr dan nawdd yr Adran Efrydiau Allanol, gydag amryw diwtoriaid rhan-amser dan arweinyddiaeth Jen Wilson. Yn 2004, dechreuodd y Coleg Brenhinol Cerdd a Drama yng Nghaerdydd gwrs arloesol ar Astudiaethau Jazz. Mae'r cyfarwyddwr, Paula Gardiner (g.1961), yn enedigol o Landeilo Ferwallt (Bishopston), yn gynnyrch y Coleg ac yn adnabyddus fel perfformiwr ar y bas dwbl. Yn ei mebyd, roedd Gardiner yn aelod o Ysgol Haf Wavendon, dan oruchwyliaeth chwaer John Dankworth, y sacsoffonydd enwog, ac yn 1984 ymunodd â'r grwpiau Bomb and Dagger a Jazzuki. Yn ystod yr 1990au recordiodd gyda nifer o artistiaid pop Cymraeg, gan gynnwys **Meic Stevens**, **Bryn Fôn** ac Iwcs a Doyle, ynghyd â rhyddhau albwm unawdol ei hun o'r enw *Tales of Inclination* (Sain, 1995) oedd yn cynnwys cerddorion megis y gitarydd John Parricelli a Mark Edwards ar yr allweddellau. Mae Gardiner wedi cyfansoddi amryw ddarn comisiwn, yn aelod o Gerddorfa Cyfansoddwyr Jazz Cymreig ac wedi recordio cerddoriaeth yn seiliedig ar farddoniaeth Dylan Thomas ynghyd â grŵp jazz Jen Wilson.

Mae Gardiner yn eithriad o fewn maes sydd wedi cael ei ddominyddu gan ddynion dros y blynyddoedd, ond heb amheuaeth mae artistiaid benywaidd wedi gwneud cyfraniadau pwysig. Er enghraifft, mae Deborah Glenister o Lanelli yn arwain y Women in Jazz Allstars Swing Band, ac yn cynnal dosbarthiadau a gweithdai i annog menywod i ymgymryd â ffurf ar gerddoriaeth a oedd yn gymaint rhan o fywyd gwragedd ar un cyfnod.

Artist arall fu'n weithgar iawn yn y maes yw'r gantores Nia Lynn (g.1981). Yn enedigol o Bont-y-pŵl, ac yn ferch i Gregg Lynn gynt o Shwn a'r **grŵp gwerin** Yr Hwntws, aeth Nia Lynn i Lundain i astudio yng Ngholeg Cerdd a Drama'r Guildhall, gan ennill gradd meistr gydag anrhydedd yno yn 2007, cyn mynd yn hyfforddwraig leisiol yn y Coleg Cerdd Brenhinol. Ffurfiodd driawd Y Bannau gyda'r ffliwtydd Gareth Lockrane a'r pianydd Ross Stanley a rhyddhawyd tri albwm ganddynt, *Nia Lynn & Bannau Trio* (2006), *Bannau Trio* (33Jazz, 2009), a *Points of View* (Whirlwind, 2013) gyda'r olaf yn cael derbyniad arbennig o ffafriol gan y wasg gerddorol Brydeinig.

Un o gydweithwyr mwyaf sefydlog Paula Gardiner yw'r sacsoffonydd amryddawn Lee Goodall, sy'n dysgu ar y cwrs jazz yn y Coleg Cerdd a Drama (Caerdydd) ond sydd hefyd yn berchen ar Stiwdios Oakfield ger Casnewydd, fu'n gyfrifol am recordio rhai o gerddorion jazz gorau Cymru. Bu Goodall yn gweithio am flynyddoedd yn yr Unol Daleithiau gyda cherddorion fel Sahib Sarbib a Jess Roden, a bu'n rhan o fand teithiol Van Morrison am gyfnod. Yn 2009 fe enillodd bleidlais i ddewis y sacsoffonydd mwyaf poblogaidd yng Nghymru.

Un arall o gyn-fyfyrwyr y Coleg Brenhinol Cerdd a Drama (Caerdydd), sydd eisoes wedi gwneud enw iddo'i hun ledled Prydain, yw'r pianydd Dave Stapleton, a astudiodd gerddoriaeth glasurol i ddechrau cyn ffurfio pumawd jazz gyda Gardiner ac eraill. Y mae Stapleton hefyd yn gyfansoddwr ac yn gyfarwyddwr recordiau, ac mae'r cwmni a ffurfiodd, Edition Records, wedi cynhyrchu amryw record nodedig gan Keith Tippett, Tom Cawley a'r pianydd Cymreig Geoff Eales (g.1951).

O Aberbargoed y daw Eales, a'i dad, Horace, pianydd amlwg yn ei fro, a'i hanogodd i ymuno â Cherddorfa Genedlaethol Ieuenctid Cymru ar y corn Ffrengig. Ar ôl graddio ac ennill doethuriaeth ym Mhrifysgol Caerdydd, dechreuodd Eales ei yrfa mewn bandiau masnachol enwog fel Cerddorfa Joe Loss a Band Mawr y BBC, lle bu'n gyfarwyddwr cerdd am flynyddoedd. Bu'n byw ac yn gweithio yn yr Unol Daleithiau am gyfnod cyn dychwelyd i Brydain ac ailgydio mewn jazz; yn 1998 ymddangosodd ei albwm nodedig *Mountains of Fire* (Black Box, 1998) ac fe'i dilynwyd gan sawl albwm clodfawr arall, yn cynnwys albwm solo, *Synergy* (Basho, 2004).

Bu llawer o gerddorion Cymreig yn gweithio yn bennaf yn Lloegr. Un o'r rhain yw'r gitarydd bas a bas dwbl Laurence Cottle, sy'n enedigol o Abertawe lle mae ei frawd, Dave Cottle, yn un o hoelion wyth jazz y cylch. Treuliodd Laurence gyfnod cynnar ei yrfa ym myd cerdd ymdoddol (*fusion*); roedd yn aelod o'r band The Fents yn Los Angeles a bu'n perfformio a chyfansoddi gyda'r band **roc** metel trwm Black Sabbath. Bu'n rhan o Bill Bruford's Earthworks – band cyn-ddrymiwr y grŵp roc blaengar King Crimson – ac wedi ennill clod am ei waith gydag amryfal grwpiau bach a'i gyfansoddiadau ar gyfer sioeau teledu fel *Oprah Winfrey Show* a *Friend*.

Cydweithiwr mynych i Laurence Cottle yw'r drymiwr hunanddysgedig o Gaerdydd, Ian Thomas (g.1963). Yn aelod blaenllaw o Gerddorfa Jazz Genedlaethol Ieuenctid Prydain (NYJO), gadawodd Gymru am Lundain yn 1984 a bu galw mawr amdano fel drymiwr sesiwn, gan berfformio gydag artistiaid amlwg fel Cilla Black, Paul McCartney, Sting, Elton John, Mick Jagger a **Tom Jones**. Cyfansoddodd gerddoriaeth ar gyfer teledu a ffilm; bu'n aelod o'r grŵp Blind Faith ac mae'n ddrymiwr rheolaidd gydag Eric Clapton, ond gan gynnal gyrfa ym myd jazz hefyd.

Pianydd a ymddangosodd yn rheolaidd dros y blynyddoedd gyda Laurence Cottle a'r drymiwr Ian Thomas yw Gareth Williams (g.1968). Daw o deulu cerddorol, gyda'i dad-cu, a oedd yn Gymro Cymraeg, yn ganwr proffesiynol a fabwysiadodd yr enw Harcourt Meadows, ar ôl dwy stryd yn ei gartref yn Llandudno. Ar ôl graddio mewn Saesneg yng Nghaergrawnt ac mewn cerddoriaeth yn y Guildhall, Llundain, ymudodd Gareth Williams am gyfnod i'r Unol Daleithiau i ymuno â'r band hip-hop enwog Us3. Yn ôl yn Llundain, roedd yn gyfeilydd cyson yng Nghlwb Jazz Ronnie Scott gan chwarae gyda rhai o artistiaid gorau'r byd, a hefyd yn drefnydd i'r gantores Claire Martin. Yn ei ail record gyda

Laurence Cottle ac Ian Thomas, ceir cyfansoddiad ac ynddo gyfeiriadau uniongyrchol at farddoniaeth Hedd Wyn ac Alun Lewis.

Mae gogledd Cymru wedi cynhyrchu rhai o'r artistiaid jazz gorau. Daw Ian Shaw (g.1962) o Lanelwy ac fe gafodd ei addysg yn Ysgol Uwchradd y Fflint. Ar ôl graddio mewn cerddoriaeth ym Mhrifysgol Llundain dechreuodd fel pianydd ond buan y trodd at ganu, a bellach fe'i cyfrifir yn un o'r cantorion jazz gorau, yn perfformio ar draws Prydain, Ewrop a'r Unol Daleithiau. Ymhlith amryw recordiau llwyddiannus, rhyddhaodd un nodedig ar y cyd â'r pianydd byd-enwog Americanaidd Cedar Walton (1934–2013). Yn y gogledd hefyd ceir un o'r cerddorion mwyaf arbrofol ym Mhrydain.

Er ei fod yn enedigol o Abertawe, mae Huw Warren (g.1963) wedi ymgartrefu yn Llŷn. Ar ôl graddio yng Ngholeg Goldsmiths ac Ysgol Gerdd y Guildhall bu'n aelod o'r gerddorfa arloesol Loose Tubes. Bu hefyd yn recordio gyda'r gantores **werin** June Tabor. Yn yr 1990au, roedd yn aelod o Perfect Houseplants ac amryw fandiau eraill, ond yn y blynyddoedd ers hynny mae wedi ehangu ei orwelion, fel yn ei albwm *Hermeto +* (Basho, 2009), teyrnged i gerddoriaeth Sbaenaidd Hermeto Pascoal, a'i gasgliad o **emynau** Cymraeg ar y cyd â'r gantores **Lleuwen Steffan** a'r sacsoffonydd Mark Lockheart, *Duw A Ŵyr* (Sain, 2005).

Yr amlycaf o'r genhedlaeth ifanc o Gymry yw'r pianydd talentog Gwilym Simcock (g.1981). Yn enedigol o Fangor, aeth i Goleg y Drindod, Llundain, fel disgybl ifanc ac yna astudio yn Ysgol Gerdd Chetham's ym Manceinion cyn graddio yn yr Academi Gerdd Frenhinol (Llundain) lle'r enillodd radd dosbarth cyntaf a Gwobr y Llywydd ar gyfer myfyriwr gorau'r flwyddyn.

Yn feistr ar y piano ond hefyd y corn Ffrengig, mae Simcock wedi ennyn edmygedd mawr fel cerddor a chyfansoddwr **clasurol** yn ogystal â jazz. Fe'i disgrifiwyd fel 'athrylith' gan neb llai na'r cawr jazz Chick Corea (g.1941), ac mae ei amryw recordiau wedi derbyn canmoliaeth uchel iawn; mae wedi ennill gwobr Perrier, wedi'i enwi ymhlith y cyntaf o Genhedlaeth Newydd y BBC ac wedi'i enwebu am Wobr Mercury. Bu'n aelod o grŵp jazz y drymiwr Bill Bruford, Earthworks, rhwng 2004 a 2007. Fe'i cyflwynwyd fel cyfansoddwr **clasurol** yn y Proms yn 2008, ac yn 2013 roedd yn unawdydd yng Ngŵyl Jazz Ryngwladol Montreal, sy'n anrhydedd o'r mwyaf. Er 2010, bu'n aelod o'r grŵp rhyngwladol disglair Impossible Gentlemen, gyda Steve Swallow, Adam

Nussbaum a Mike Walker, a nhw oedd enillwyr Gwobr yr Ensemble Jazz Gorau yng Ngwobrau Jazz y Senedd yn 2013. Yn 2016 rhyddhaodd albwm o drefniannau'r grŵp King Crimson ar y cyd gyda phedwarawd sacsoffonau Delta, o'r enw *Crimson* (Basho, 2016) ac ers hynny mae wedi bod yn perfformio gyda'r gitarydd amryddawn o'r Unol Daleithiau, Pat Metheny (g.1954).

Mae Cymru yn dal i gynhyrchu doniau jazz eithriadol, megis y sacsoffonydd Osian Roberts (g.1976) o Gaerdydd a enillodd wobr jazz ieuenctid y *Daily Telegraph* yn 1992, ac yntau'n un ar bymtheg oed. Tra roedd yn astudio yn yr Academi Frenhinol cyfarfu â'r trwmpedwr Steve Fishwick a'i efaill Matt, a ffurfio pumawd llwyddiannus. Ar ôl astudio yn Efrog Newydd gyda'r sacsoffonydd byd-enwog Joe Lovano (g.1952), dychwelodd i Brydain, a bu'n un o'r chwaraewyr ar albwm y pianydd Richard Fairhurst, *Hungry Ants* (Babel, 1996), a enillodd wobr Perrier am albwm gorau'r flwyddyn. Ers hynny ymgartrefodd ym Mhrâg, lle bu'n gweithio gyda rhai o gerddorion jazz gorau'r Weriniaeth Tsiec. Parhaodd ei gysylltiad â Chymru wrth gydweithio gyda **Catrin Finch** a'i cherddorfa a dysgu yn y Coleg Brenhinol Cerdd a Drama.

Un arall a fu'n dysgu yn y Coleg Brenhinol Cerdd a Drama (Caerdydd) wrth wneud enw iddo'i hun yn rhyngwladol yw'r gitarydd Dylan Fowler (g.1956), sydd wedi cyfuno gyrfa lewyrchus fel perfformiwr gyda rhedeg Stiwdio Felin Fach yn y Fenni a'r label Taith Records. Cydweithiodd gydag artistiaid o bob cwr o'r byd, rhai a gynrychiolai amrywiaeth coeth o gerddoriaeth, megis Richard Thompson a Julie Murphy ym Mhrydain, Husna Arslan yn Nhwrci, Don Ross yng Nghanada ac Akash Deep yn Rajasthan, yn ogystal â cherddorfa'r bardd Ian McMillan. Yn 2004, ffurfiodd driawd Cymreig-Ffinnaidd o'r enw Taith, gyda Timo Väänänen a Gillian Stevens, a bu'n ddyfal yn ceisio archwilio'r berthynas rhwng jazz a barddoniaeth, er enghraifft trwy brosiect *Brân* gyda'r bardd Jeff Rees a chan gydweithio gyda'r feiolinydd Oliver Wilson-Dickson i ymchwilio i draddodiadau cyffelyb ym Mwlgaria a chanoldir Ewrop.

Bu'r berthynas rhwng jazz a **cherddoriaeth draddodiadol** Gymreig o ddiddordeb i nifer o gerddorion dros y blynyddoedd. Yn ystod yr 1980au, roedd Wyn Lodwick a'i fand yn datgan caneuon Cymreig mewn dull jazz ar y teledu. Ymhlith cerddorion cyfoes sy'n dilyn y trywydd hwn y mae'r band Burum dan arweinyddiaeth y sacsoffonydd a'r

ysgolhaig Daniel Williams a'i frawd, y trwmpedwr Tomos Williams. Caneuon cyfan gwbl Gymreig sydd yn eu halbwm *Alawon* (Fflach, 2007). Bu'r gantores werin **Siân James** hefyd yn cynnwys elfennau o jazz yn rhai o'i chaneuon, megis 'Gwyliwch y ferch' allan o *Distaw* (Sain, 1993).

Ffrwyth cydweithio rhwng Tomos Williams a'r delynores **Llio Rhydderch** yw *Carn Ingli* (Fflach, 2011) ac mae llawer o gerddorion eraill, megis Dylan Fowler, Huw Warren ac Osian Roberts, yn ymgyrchu yn yr un maes arbrofol. Un rheswm am hyn yw fod cynifer o'r to ifanc wedi eu **haddysgu**'n ffurfiol ac felly'n awyddus i gyfuno arddulliau cerddorol, traddodiadau a thechnegau perfformio gwahanol yn eu gwaith. Gwelir nifer o enghreifftiau o gysylltiadau rhwng jazz a roc cyfoes, megis recordiau'r gitarydd Dave Stephen o Wolverhampton – a ymgartrefodd yn ardal Bethesda yn yr 1990au a recordio dau albwm gyda'i grŵp, Hex, yn stiwdio Les Morrison, gan gynnwys *Big Bang Theory* (Label One, 1995) – neu'r albwm *Bysgars* (Ros, 2005), ffrwyth cydweithio rhwng y canwr **Neil Rosser** a Gareth Roberts, trombonydd sy'n hanu o Aberystwyth.

Yn ail ddegawd yr 21g. mae jazz yn dal i gael ei gyflwyno ledled Cymru, er nad yw efallai yn denu'r un cynulleidfaoedd ag a wnâi gynt. Mae Café Jazz yng Nghaerdydd yn cynnig jazz amrywiol drwy gydol y penwythnos ac mae cyn-aelodau'r Riverside Band, fel y pianydd Keith Little a'r trombonydd Pete Lock, yn chwarae'n gyson ym Mhenarth ond hefyd yn dal i berfformio dramor.

Yn Abertawe mae Dave Cottle yn cynnal Jazzland ac mae Cymdeithas Jazz Gogledd Cymru yn dal i ffynnu. Yn y cyfamser, mae cerddorion Cymreig yn barod iawn i gydweithio fel y gwelir yn yr albwm *Journeys* (DJT, 2010), a drefnwyd gan bianydd rheolaidd y band Burum, Dave Jones, ynghyd â Lee Goodall, Tomos Williams, Gareth Roberts a phedwarawd llinynnol Mavron; mae amryw ohonynt yn perthyn i sawl band gwahanol ond yn dod at ei gilydd yn gyson ar brosiectau penodol.

Amlinellir hynt a helynt jazz yng Nghymru ar wefan y BBC gan y newyddiadurwr a'r cerddor Dave Roberts, ac yn y cylchgrawn *Jazz UK* dan olygyddiaeth Chris Hodgkins, ac mae hyn oll yn arwydd o fywiogrwydd y maes, a chymaint o berfformiadau a chyngherddau sy'n digwydd hyd yn oed os yw'r ffrwd o gefnogaeth ariannol gyhoeddus a masnachol wedi lleihau. Ar y llaw arall, mae datblygiadau technolegol a dulliau cyfathrebu modern yn golygu bod mwy o gyfle nag erioed i flasu jazz ac i ymestyn y gynulleidfa, boed yn fyw neu'n rhithiol.

Disgyddiaeth

Harry Parry, *Radio Rhythm Club Sextet, Crazy Rhythm* (Sunflower SUN2162, 2004 [1955])

Dill Jones Trio, *BBC Jazz Club Rare Recordings, 1959, Vol. 1* (Vocalion CDEA6235 [1959])

Karl Jenkins [gyda Nucleus] *Elastic Rock/We'll Talk About It Later* (BGO BGOCD47, 1970)

Dill Jones, *Up Jumped You with Love* (Hep Hep2025, 1986)

Paula Gardiner, *Tales of Inclination* (Sain SCD2103, 1995)

Ian Shaw, *The Echo of a Song* (Ronnie Scott's Jazz House, JHCD048, 1996)

Huw Warren, *A Barrel Organ Far from Home* (Babel BDV9718, 1997)

Ian Shaw, *In a New York Minute* (Milestone Records MCD9297, 1999)

Ian Shaw, *Soho Stories* (Milestone Records MCD9316, 2001)

Gwilym Simcock, *Perception* (Basho SRCD24-2, 2007)

Paula Gardiner, *Hot Lament* (Edition Records EDN1004, 2008)

Geoff Eales, *Master of the Game* (Edition Records EDN1011, 2009)

Huw Warren, *Hermeto+* (Basho SRCD30-2, 2009)

Osian Roberts, *The Osian Roberts/Steve Fishwick Quintet … with Cedar Walton* (Hard Bop Records HBR33006, 2009)

Gwilym Simcock, *Good Days at Schloss Elmau* (Act 9501-2, 2011)

Gwilym Simcock [gyda Tim Garland ac Asaf Sirkis], *Lighthouse* (Act 9525-2, 2012)

Burum, *Caniadau* (Bopa Bopa001, 2012)

Chris Hodgkins, *Present Continuous* (Bell CD511, 2014)

Osian Roberts, *When Night Falls* (Hard Bop Records HBR33009, 2014)

Burum, *Llef* (Bopa Bopa002, 2016)

Burum, *Transience* (Fuzzy Moon FUZ008, 2016)

Ian Shaw, *The Theory of Joy* (Jazz Village JV550001, 2016)

Deian Hopkin

Jenkins, Cyril (1889–1978)

Cyfansoddodd Cyril Jenkins dros 600 o weithiau amrywiol, gan gynnwys **ffurfiau offerynnol** megis cerddoriaeth siambr, symffonïau, consierti, rhanganau a darnau sylweddol i fandiau pres ac i gôr a cherddorfa. Fe'i ganed yn Nynfant, Abertawe, cyn symud yn chwech oed i Gilfynydd, ger Pontypridd. Bu'n organydd capel Moriah yno am ddeng mlynedd, ac wedi hynny yn organydd ym Methania, Treorci, o 1908 hyd 1913. Yn y cyfnod hwn bu'n astudio gyda Harry Evans, yr organydd W. G. Alcock (1861–1947), y cyfansoddwr C. V.

Stanford (1852–1924) ac, yn ôl ei dystiolaeth ei hun, Ravel. Daeth yn fwyaf adnabyddus oherwydd ei feirniadaeth gyson a didrugaredd o **Joseph Parry**, a oedd yn dal i fod yn eilun yng Nghymru ganrif yn ôl. Ni faddeuodd ei gyd-genedl iddo.

Cafodd Jenkins yrfa liwgar: bu'n gyfarwyddwr cerdd Cyngor Sir Llundain (LCC) ac yn is-lywydd Cerddorfa Symffoni Llundain (LSO), yna'n arholi yn Awstralia lle'r aeth er lles ei iechyd. Am gyfnod wedyn bu'n gyfarwyddwr côr enwog Tabernacl y Mormoniaid, Salt Lake City yn Utah. Enillodd wobrau am gyfansoddi yn yr **Eisteddfod** Genedlaethol a pherfformiwyd llawer o'i weithiau yn y Brifwyl, mewn cyngherddau (e.e. *Young Lochinvar* i gerddorfa yng Nghaerfyrddin, 1911) ac fel darnau prawf (e.e. *Ode to the West Wind* ar gyfer **corau cymysg**, a *Sea Fever* i gorau meibion, yn Rhydaman, 1922). Bu deunaw o gorau meibion yn cystadlu ar ei *Fallen Heroes* ym Mhrifwyl y Fenni, 1913. Gosodwyd nifer o'i weithiau fel darnau prawf ym Mhencampwriaethau **Bandiau Pres** Prydain (e.e. *Coriolanus*, 1920; *Life Divine*, 1921; *Victory*, 1929) sydd yn tystio i'w feistrolaeth o'r cyfrwng hwnnw; a cheidw *Life Divine* ei boblogrwydd hyd heddiw.

Mynegodd yn ddi-flewyn-ar-dafod ei farn fod Cymru ymhell ar ei hôl hi'n gerddorol, a rhwng 1913 ac 1920 aeth ati i geisio gwella'r sefyllfa trwy hyrwyddo **gwyliau** cerddorfaol yn ne Cymru a denu pobl amlwg fel Henry Wood, Elgar a Vaughan Williams i'w harwain, er mai cynulleidfaoedd tila a gafwyd. Cymeriad cynhennus, dadleugar oedd Cyril Jenkins. Gwylltiodd ei gyd-Gymry trwy eu cyhuddo o fod yn hunanfodlon ac awgrymu bod 'mwy o gyfansoddwyr i'r filltir sgwâr yng Nghymru nag oedd areithwyr yn Athen gynt'. Dygwyd sawl achos cyfreithiol yn ei erbyn am gerdd-ladrad honedig ond roedd yn gerddor dawnus gyda syniadau blaengar ar sut i ddyrchafu safonau beirniadaeth yng Nghymru. Cofir amdano'n bennaf fodd bynnag oherwydd ei ymosodiadau digyfaddawd ar ei gyd-gerddorion Cymreig, ac ar enw **Joseph Parry** yn arbennig:

> Nid yw cerddoriaeth Parry ar ei gorau ond eilradd, ac ar ei gwaethaf is-law sylw. Ni wn am un tudalen a ddwg nodau athrylith. Ar y llaw arall gwn am ugeiniau, ie cannoedd o dudalennau sy'n druenus o wan, mor dlawd mewn syniadau, mor chwerthinllyd o ddiystyr, fel yr wyf wedi bod yn gwrido wrth eu chwarae, am eu bod wedi eu hysgrifennu gan Gymro … a bod fy nghydwladwyr … yn parhau i'w cyfri yn waith ysbrydoledig athrylith. Ni feddai Parry athrylith.' (Jenkins 1921, 239)

Llyfryddiaeth
G. Cumberland, 'Cyril Jenkins: Musician and Composer', *Wales,* v (1913), 34–8
Cyril Jenkins yn E. Keri Evans (gol.), *Cofiant Dr Joseph Parry* (Caerdydd, 1921)
A. J. Heward Rees, 'Cyril Jenkins, 1889–1978', *Cerddoriaeth Cymru/Welsh Music*, 5/9 (1978), 80

Gareth Williams

Jenkins, David (1848–1915)

Gwnaeth David Jenkins gyfraniad aruthrol i gerddoriaeth Cymru fel cyfansoddwr, **addysgwr**, **arweinydd**, golygydd, beirniad a threfnydd. Ond oni bai am y ffaith ei fod wedi'i drwytho'n ifanc mewn **sol-ffa**, mae'n bur annhebyg y byddai wedi symud o Drecastell, Sir Frycheiniog, lle y'i ganed a lle cafodd ei baratoi ar gyfer bod yn deiliwr. O leiaf fe gadwodd ei chwaeth at ddillad trwsiadus, fel y mae darluniau ohono'n awgrymu. Roedd ymhlith myfyrwyr cyntaf **Joseph Parry** (1841–1903) yn adran gerdd Coleg **Prifysgol** Cymru Aberystwyth yn 1874. Gan nad oedd modd sefyll arholiadau BMus Prifysgol Cymru ar y pryd, llwyddodd i ennill gradd MusBac Caergrawnt yn 1888. Daeth yn ddarlithydd pan ailagorwyd yr adran yn 1893 ac yn Athro yn 1910.

Daeth David Jenkins i amlygrwydd fel arweinydd cymanfaoedd canu – un o'r ychydig gyfleoedd i'r werin bobl ddod i gysylltiad â cherddoriaeth fyw. Roedd ganddo, yn ôl pob sôn, lais soniarus a gafael ar ei gynulleidfa. Yn dilyn marwolaeth **Ieuan Gwyllt** (John Roberts; 1822–77) cafodd rwydd hynt i deithio Cymru a chodi safonau canu. Ef yn wir oedd 'Kaiser y Gymanfa' uwchben torf o gantorion.

Ei brif weithiau yw gweithiau **corawl** ar raddfa fawr megis *Arch y Cyfamod*, *Dafydd a Goliath*, *A Psalm of Life*, *Dewi Sant*, *Job*, *Llyn y Morwynion*, *Yr Ystorm*, *Golygfeydd yn Hanes Moses*, *The Galley Slave*, yr **opera** *The Enchanted Isle* a'r opera anghyhoeddedig 'Aylwin'. Cyhoeddodd ei waith ei hun o Gastell Brychan yn Aberystwyth a bu farw'n unigolyn cyfoethog. Perffformiwyd *A Psalm of Life* yn y Palas Grisial yn Llundain gan gôr o 2,000 o gantorion ym mis Gorffennaf 1896 a chafodd dderbyniad da.

Y mae cyfanweithiau mawr David Jenkins yn dioddef o ddiffyg cysondeb mewn arddull. Fel yn achos ei athro **Joseph Parry**, ceir adrannau sy'n efelychu cyfansoddwyr o'r cyfnod Rhamantaidd, megis Felix Mendelssohn a Charles Gounod, ac yna ffiwg Handelaidd i ddilyn, a gorddefnyddiodd yr amseriad triphlyg yn y mwyafrif o'i weithiau. Ei wir allu fel cyfansoddwr (fel ei athro), oedd fel lluniwr **emyn-donau** effeithiol, 'Penlan' a 'Builth' yn eu plith.

Yn Aberystwyth cyflwynodd y myfyrwyr a'r cyhoedd i nifer helaeth o weithiau corawl mawr o dan ei arweiniad, megis *The Golden Legend* (Sullivan) yn 1887, *The Ancient Mariner* (Barnett) yn 1888, *Acis a Galatea, Messiah, Samson* (Handel), *Y Greadigaeth* (Haydn), *St Paul* a *Walpurgisnacht* (Mendelssohn), *The Revenge* (Stanford) a'i waith ef ei hun *A Psalm of Life* yn 1896. Arweiniodd sawl perfformiad o *Hiawatha's Wedding Feast* a *The Death of Minnehaha* gan Samuel Coleridge Taylor (1875–1912), ffefryn mawr yn y cyfnod.

Parthed ei waith fel trefnydd ei adran, dywedodd **J. Lloyd Williams** amdano ei fod yn 'fwy o bregethwr Cymanfa nag o fugail eglwys'. Ond o leiaf cynigiodd gyfleoedd i unigolion wella eu gallu offerynnol mewn ysgol haf gerddorol. Roedd Williams hefyd yn feirniadol ohono fel golygydd *Y Cerddor*, ond roedd Jenkins yn ddigon chwilfrydig fel cerddor i deithio i glywed operâu Richard Wagner yn Bayreuth ac i hysbysu ei ddarllenwyr am y profiad, er na chafodd hynny fawr o effaith ar ei gyfansoddi ef ei hun.

Llyfryddiaeth

J. Lloyd Williams, 'Y Diweddar Athro D. Jenkins', *Y Wawr*, III/2 (1916), iv

J. H. Jones (gol.), *Er Cof am yr Athro David Jenkins, 1935* (Lerpwl, 1935)

Gareth Williams, *Valleys of Song: music and society in Wales, 1840–1914* (Caerdydd, 1998)

Lyn Davies

Jenkins, John (Ifor Ceri; 1770–1829)

Gŵr a ddaeth yn brif ladmerydd a phrif weledydd cylch 'yr hen bersoniaid llengar' oedd **Ifor Ceri** ac ysbrydolodd yr achos o blaid casglu a chofnodi **alawon traddodiadol** Cymreig ar ddechrau'r 19g. Er ei amryfal gyfraniadau i fyd barddoniaeth a llenyddiaeth, cerddor ydoedd yn anad dim arall a thrwy gyfrwng ei waith hynafiaethol a chadwraethol ym maes **canu gwerin** gellir ei gyfrif yn ddilynwr clodwiw i **Iolo Morganwg**.

Fe'i ganed yng Nghilbronnau, Ceredigion, ac fe'i penodwyd i ficeriaeth Llanfihangel-yng-Ngheri ger y Drenewydd yn 1807, lle bu hyd ddiwedd ei oes. Gyda threigl amser tadogwyd enw'r plwyf hwnnw yn gynffon ar ei enw. Galwai ei hun yn 'Ioan Ceri', sef yr enw barddol a ddewisodd pan urddwyd ef

i'r Orsedd yn 1819. Ond oherwydd ei letygarwch a'i nawdd diledryw enillodd y ffugenw Ifor Hael o Geri – gan ddwyn i gof yr Ifor Hael a fu'n noddwr i Ddafydd ap Gwilym – a thalfyrrwyd yr enw maes o law i Ifor Ceri. Cynigiai lety i'w westeion a rhoddai nawdd i feirdd, cerddorion a chantorion gwerin lleol, megis Alun (John Blackwell), Ieuan Glan Geirionydd (Evan Evans), Taliesin Williams, Cawrdaf (William Ellis Jones), John Howell a Henry Humphreys.

Adwaenid yr offeiriaid llengar hyn fel aelodau 'cylch Ceri' am iddynt fabwysiadu cartref Ifor, sef *The Moat*, yn fan ymgynnull answyddogol. Gweithredai megis tŷ agored adeg y Calan, ond roedd yn ddisgwyliedig y medrai'r holl ymwelwyr 'gyfansoddi englyn, lleisio tôn, neu gyweiriaw telyn' (yn Jenkins a Lloyd (goln.) 1953, 409). Gwelwyd egin ddechreuad yr **eisteddfodau** taleithiol yn sgil trafodaethau a gafwyd ar aelwyd Ifor yn 1818 a bu'n drefnydd cyngherddau'r eisteddfodau cyn i **John Parry** (Bardd Alaw) ei olynu.

Dyma pryd y cyflwynodd Ifor un o'i gasgliadau llawysgrif o **alawon gwerin** i John Parry a ddaeth yn sail i'w gyhoeddiad *The Welsh Harper*, II (1848). Dywedai John Parry yn ei ragymadrodd i'r gyfrol mai alawon oeddynt, 'selected chiefly from manuscript collections presented to me, many years ago, by the late Owen Jones, Myvyr, and the Rev. **John Jenkins**, of Ceri' (gw. Parry 1848, i). Rhoddodd hefyd amryw o'i gasgliadau o alawon gwerin fel deunydd ar gyfer cyfrol **Maria Jane Williams** *Ancient National Airs* (1844). Llafur cariad oedd cofnodi'r alawon iddo a cheid cyfnewid a chymharu afieithus rhwng y casglwyr.

Er enghraifft, cyfoethogodd Ifor gasgliad John Parry o dros gant o alawon, ychwanegodd hefyd at gasgliad llawysgrifol **Mair Richards** (Darowen) drwy roi rhan o *Melus-geingciau Deheubarth Cymru* iddi yn rhodd yn 1820 (Huws 1985, 36; Ellis 1978, 20; Evans 2009, 35; Ellis yn ap Gwilym a Lewis (goln.), 1981, 111; perthyn y casgliad hwn i lawysgrif **J. Lloyd Williams** 36 yn **Llyfrgell Genedlaethol Cymru**, Aberystwyth). Gwnaeth Dewi Silin yr un fath i gasgliad Ifor, sef *Melus-seiniau Cymru* (perthyn y casgliad hwn i lawysgrif NLW MS 1940Ai). Apeliai'r elfen gymdeithasol yn fawr ato – casglai'r alawon nid yn unig er mwyn eu gosod ar gof a chadw ond hefyd er mwyn eu clywed a'u perfformio.

Dechreuodd gasglu alawon a phenillion yn ystod ei dymor fel myfyriwr yn Rhydychen, er honna **John Parry** (Bardd Alaw) yn ei ragymadrodd i'w ail gyfrol *The Welsh Harper*, II (1848), mai yn ystod degawd olaf y 18g. y dechreuodd Ifor o ddifrif (Evans 2009, 43; Williams yn Thomas 1982, 153; Ellis yn ap Gwilym 1979, 57; Stephens 1997, 373), ac fe'i hurddwyd yn ddiacon yn 1794 (Huws 1985, 32). Meddai Ifor ar 'lais canu peraidd' (Ellis 1976, 25) a chanai'r **delyn**, y clarinét, y corn a'r **crwth** (Williams yn Thomas 1982, 156 a 161; Ellis 1978, 14; Ellis yn ap Gwilym 1979, Ellis 1976, 25; Evans 2009, 37). Bu'n gurad i'w ewythr ar Ynys Wyth ac hefyd yn gaplan ar longau rhyfel lle chwaraeai alawon Gwent a Morgannwg i godi ysbryd ei gyd-deithwyr (Ellis 2008, 119).

Synhwyrodd fod oes yr alawon gwerin yn dirwyn i ben pe na gwneid ymdrech fwriadol i'w diogelu. Credai y dylai pobl ymddiddori yn niwylliant a llên gwerin eu cynefinoedd. Ymgais i bontio rhwng ymdrechion cynharach Cymdeithas y Gwyneddigion a gweithgarwch yr offeiriaid llengar yn ddiweddarach oedd sail ymdrechion cadwraethol Ifor. Casglai alawon o bob cwr o Gymru, o Geredigion, Darowen, de Cymru a Dyffryn Ceiriog (Huws 1986, 49). Bum mlynedd cyn ei farwolaeth, ar 20 Tachwedd 1829, yn eisteddfod daleithiol y Trallwng 1824, cyflwynodd Ifor y gystadleuaeth gyntaf a roddai flaenoriaeth i gasgliadau o **alawon gwerin** Cymreig.

Llyfryddiaeth

R. T. Jenkins a J. E. Lloyd (goln.), *Y Bywgraffiadur Cymreig hyd 1940* (Llundain, 1953)

B. L. Jones, *Yr Hen Bersoniaid Llengar* (Dinbych, 1963)

Mari Ellis, 'John Jenkins, Ifor Ceri, 1770–1829, Portread, Rhan I', *Yr Haul a'r Gangell*, 1 (Haf, 1976), 25–30

——, 'Ifor Ceri a'r 'Melus-Seiniau'', *Cerddoriaeth Cymru/Welsh Music*, 5/9 (Haf, 1978), 13–21

——, 'Rhai o Gymeriadau'r Eisteddfodau Taleithiol', yn G. ap Gwilym (gol.), *Eisteddfota 2* (Abertawe, 1979), 56–71

——, 'Rhai o Hen Bersoniaid Llengar Maldwyn', yn G. ap Gwilym a R. H. Lewis (goln.), *Bro'r Eisteddfod: Cyflwyniad i Faldwyn a'i Chyffiniau* (Abertawe, 1981), 85–116

S. J. Williams, 'Ifor Ceri – Noddwr Cerdd (1770–1829)', yn W. Thomas (gol.), *Cerdd a Chân: Golwg ar Gerddoriaeth Draddodiadol yng Nghymru* (Dinbych, 1982), 148–67

D. Huws, 'Melus-Seiniau Cymru', *Canu Gwerin*, 8 (1985), 32–50

M. Stephens (gol.), *Cydymaith i Lenyddiaeth Cymru* (Caerdydd, 1997)

Mari Ellis, 'Y Personiaid Llengar a Llên y Werin', yn E. W. James a T. V. Jones (goln.), *Gwerin Gwlad: Ysgrifau ar Ddiwylliant Gwerin Cymru*, 1 (Llanrwst, 2008), 113–39

Meredydd Evans, *Hela'r Hen Ganeuon* (Lolfa, 2009)

Leila Salisbury

Jenkins, Karl (g.1944)

Un o gyfansoddwyr mwyaf poblogaidd a llwyddiannus ei genhedlaeth, ganed Karl William Pamp Jenkins ym Mhen-clawdd ar benrhyn Gŵyr. Roedd ei dad, David Jenkins, yn organydd ac yn **arweinydd** côr capel Tabernacl, Pen-clawdd. Aeth i Ysgol Ramadeg Tre-gŵyr cyn mynd ymlaen i ddilyn cwrs gradd ym Mhrifysgol Caerdydd gan raddio yn 1967. Dilynodd gwrs ôl-raddedig yn yr Academi Frenhinol yn Llundain gan raddio gyda LRAM yn 1968. (Daeth yn Gymrawd o'r Academi yn 2003.) Yn ystod ei gyfnod fel myfyriwr daeth yn flaenllaw fel perfformiwr obo, a dangosodd ddiddordeb mewn cerddoriaeth **jazz**.

Yn 1967 ymunodd â chwechawd jazz y chwaraewr bas dwbl Graham Collier ac yna, ddwy flynedd yn ddiweddarach, cyd-sefydlodd y grŵp jazz-roc Nucleus gyda'r trympedwr Ian Carr. Rhwng 1970 ac 1971 rhyddhaodd Nucleus dair record hir – *Elastic Rock* (Vertigo, 1970), *We'll Talk About It Later* (Vertigo, 1971) a *Solar Plexus* (Vertigo, 1971) – gyda chyfraniad Jenkins yn amlwg ar yr obo, sacsoffonau ac allweddellau. Ystyrid eu cyfuniad o elfennau **roc** a jazz yn arloesol ar y pryd ac enillodd y band wobr gyntaf yng **Ngŵyl** Jazz Montreux yn 1970 wrth berfformio traciau o'u halbwm cyntaf.

Fodd bynnag, erbyn 1972 roedd Jenkins wedi ymuno â'r grŵp roc blaengar Soft Machine – grŵp a oedd wedi ei sefydlu ers 1966 gan yr allweddellydd Mike Ratledge – gan ymddangos ar *Six* (CBS, 1973) a *Seven* (CBS, 1973). Tra oedd yn aelod o'r band daeth Jenkins dan ddylanwad minimaliaeth, yn enwedig cerddoriaeth Terry Riley, ac roedd nifer o gyfansoddiadau'r band, megis 'Floating World' (1975), yn defnyddio prosesau graddol, amseroedd estynedig a ffigurau ailadroddus (am fwy ynglŷn â hanes Soft Machine, gw. Macan 1997).

Bu newid cyfeiriad ar ddechrau'r 1980au. Gyda'r diddordeb mewn roc blaengar yn cilio wedi dyfodiad roc pync ar ddiwedd yr 1970au a cherddoriaeth y don newydd ar ddechrau'r 1980au, sefydlodd Ratledge a Jenkins gwmni cynhyrchu cerddoriaeth yn Llundain o dan yr enw Mooz (Jenkins Ratledge yn ddiweddarach), gan gyfansoddi cerddoriaeth ar gyfer ffilmiau, trefnu cerddoriaeth a chynhyrchu recordiadau.

Enillodd y cwmni sawl gwobr am eu cerddoriaeth i hysbysebion Boots, Levis a De Beers (ysgrifennwyd y darn i linynnau, *Palladio* (1992–5), ar gyfer yr olaf o'r rhain), ond eu comisiwn mwyaf llwyddiannus oedd ar gyfer hysbyseb teledu gan Delta Airlines yn 1994. Datblygodd y comisiwn ar gyfer Delta Airlines yn brosiect newydd sylweddol, sef *Adiemus: Songs of Sanctuary*, a ddaeth â Jenkins i sylw ehangach. Yn ôl Pwyll ap Siôn, gyda'i gyfuniad o elfennau Celtaidd, sain drawiadol o leisiau benywaidd yn cynhyrchu sain heb fibrato, 'sefydlir yn ddiymdroi yn *Adiemus* dermau eclectig ei ôl-foderniaeth banethnig' (ap Siôn 2007, 283).

Yn gerddoriaeth sydd ar y ffin rhwng **canu pop** a **cherddoriaeth gelfyddydol**, *Adiemus* a'i hamlygodd fel cyfansoddwr **'clasurol'** adnabyddus a phoblogaidd. Cafodd y gwaith ei ryddhau ar label Virgin yn 1995, ac arweiniodd at ryddhau pum gwaith arall o dan yr un teitl: *Cantata Mundi* (Virgin, 1996), *Dances of Time* (Virgin, 1998), *The Eternal Knot* (Virgin, 2000), *Vocalise* (EMI, 2003) ac, yn fwyaf diweddar, *Colores* (Deutsche Grammophon, 2013). Mae'r gweithiau hyn yn benthyg nifer o elfennau o ddiwylliannau byd-eang a chânt eu perfformio gan gyfuniad o offerynnau Gorllewinol ac ethnig; defnyddir hefyd iaith ffonetig sy'n cael ei chanu gan grŵp o gantorion. Mae'r pedwerydd gwaith, *The Eternal Knot*, er enghraifft, yn cymhwyso elfennau o gerddoriaeth Geltaidd, a defnyddiwyd y gerddoriaeth fel trac sain i gyfres *Y Celtiaid* (S4C, 2000).

Ar droad y mileniwm newydd bu Jenkins yn cydweithio gydag amryw o gerddorion a sefydliadau cerddorol Cymreig. Comisiynwyd deuawd i **delyn**, *Over The Stone* (2002), a berfformiwyd am y tro cyntaf gan **Catrin Finch** ac **Elinor Bennett** i gyfeiliant BBC NOW. Flwyddyn yn ddiweddarach perfformiodd Finch 'Harpers Bizarre' ar ei halbwm *Crossing the Stone* (Sony, 2003), ac yn 2004 cafwyd perfformiad gyda **Bryn Terfel** o'r gwaith **corawl** a cherddorfaol *In These Stones Horizons Sing*, a gomisiynwyd i ddathlu agoriad swyddogol Canolfan Mileniwm Cymru gan ddefnyddio geiriau'r bardd Gwyneth Lewis.

Yn 2009 rhyddhawyd albwm Nadoligaidd, *Stella Natalis* (EMI, 2009), sy'n cynnwys y trac 'Cantus Triquetrus' a berfformiwyd am y tro cyntaf gan Gôr Seiriol. Yn 2006 rhyddhawyd yr albwm *Kiri Sings Karl* (EMI, 2006) gan y soprano o Seland Newydd, Kiri te Kanawa, gydag un gân yn Gymraeg ('Y Cyfrinwyr'). Yn 2008 ysgrifennodd Jenkins *Caerdydd 125* i ddathlu 125 mlynedd ers sefydlu **Prifysgol** Caerdydd, ac yn 2012 cyflwynwyd gwaith corawl ganddo i ddathlu'r Gemau Olympaidd, *Songs of the Earth*, a berfformiwyd gan Gorws a Cherddorfa Genedlaethol Cymru, ynghyd â chorau ieuenctid eraill o Gymru.

Gellir tybio bod diddordeb Jenkins mewn ysgrifennu cerddoriaeth ar gyfer **corau** (sydd o fewn cyrraedd grwpiau amatur a phroffesiynol) wedi datblygu o ganlyniad i gryfder y traddodiad corawl yng Nghymru. Ymhlith ei brif weithiau corawl y mae *The Armed Man: Mass for Peace* (2000), *Requiem* (2005), *Stabat Mater* (2008), ac yn fwyaf diweddar *Cantata Memoria* (2016), er cof am drychineb Aberfan yn 1966. Maent oll yn weithiau sy'n cyfuno elfennau o litwrgi grefyddol gydag elfennau o gerddoriaeth a diwylliant byd-eang.

Clywir testunau sy'n cyfeirio at erchyllterau rhyfel a'r gobaith am heddwch yn *The Armed Man*, tra mae'r *Requiem* – a gyfansoddwyd gan Jenkins ar ôl marwolaeth ei dad – yn cyfuno patrwm yr offeren i'r meirw gyda phum pennill Haiku o Japan, penillion cryno yn cynrychioli cylch bywyd a symbolau o ailenedigaeth. Gwneir defnydd o'r ffliwt *shakuhachi* yn ogystal. Tra clywir dylanwadau Japaneaidd yn *Requiem*, mae'r *Stabat Mater* yn cyfuno arddulliau ehangach. Caiff y testun crefyddol ei gyfuno gyda thestunau crefyddol canoloesol a chynharach, ysgrifau seciwlar o'r Dwyrain Canol ac offeryniaeth gynhenid mewn diwylliannau Arabaidd a Thwrcaidd megis y *mey*, y *riq* a'r *darabuca*. Ysgrifennwyd testunau cyfoes Saesneg gan wraig Jenkins, Carol Barratt, yn ogystal.

Er mor boblogaidd bu gwaith Jenkins yn fasnachol, bu rhai'n ei feirniadu gan fynegi'r farn mai symlrwydd arwynebol yw un o'i brif nodweddion (gw. Clark & Henley 2007). Fodd bynnag, mae arddull eclectig Jenkins wedi sicrhau llwyddiant iddo ymhell tu hwnt i Gymru. Efallai fod yr arddull yma yn deillio o'i brofiadau cynnar o weithio yn y **cyfryngau**, lle'r oedd angen iddo ymateb yn gyflym i ofynion hysbysebion. Roedd ei brofiad fel aelod o fandiau **jazz**, jazz roc a roc blaengar hefyd yn golygu ei fod yn barod iawn i wthio ffiniau a chyfuno arddulliau mewn modd arbrofol. Derbyniodd OBE yn 2005 a CBE yn 2010 am ei wasanaeth i gerddoriaeth, ynghyd â llu o raddau er anrhydedd. Yn 2015 fe'i hurddwyd yn farchog, y cyfansoddwr cyntaf o Gymru i dderbyn yr anrhydedd honno.

Disgyddiaeth

Adiemus: Songs of Sanctuary (Venture CDVEX925, 1995)
Cantata Mundi (Venture CDVEX932, 1996)
Dances of Time (Venture CDVE940, 1998)
The Eternal Knot (Virgin CDVE952, 2000)
Vocalise (EMI 7243-5, 2003)
Colores (Deutsche Grammophon 479-1067, 2013)

gyda Nucleus:
Elastic Rock (Vertigo 6360 008, 1970)
We'll Talk About It Later (Vertigo 6360027, 1971)
Solar Plexus (Vertigo 6360 039, 1971)

gyda Soft Machine:
Six (CBS 68214, 1973)
Seven (CBS 65799, 1973)
Land of Cockayne (EMI EMC3348, 1981)

Llyfryddiaeth

Edward Macan, *Rocking the Classics: English Progressive Rock and the Counterculture* (Rhydychen, 1997)

Pwyll ap Siôn, 'Cenedligrwydd a'r Cyfansoddwr Cymreig', *Hanes Cerddoriaeth Cymru*, 5 (2007), 265–84

Philip Clark a Darren Henley, 'What makes Karl Jenkins the Marmite man of music?', *The Times* (7 Mawrth 2008) <*http://www.thetimes.co.uk/tto/arts/music/article2414804.ece*>

Cyfweliad personol â'r awdur, 14 Mehefin 2007 <*http://www.karljenkins.com*>

Tristian Evans

Jenkins, Katherine (g.1980)

Ganed y mezzo-soprano Katherine Jenkins yng Nghastell-nedd. Ymunodd a chôr Eglwys Dewi Sant, Castell-nedd, yn saith mlwydd oed, gan fynychu'r ysgol gynradd eglwysig Ysgol Alderman Davies. Aeth ymlaen i dderbyn ei haddysg uwchradd yn Ysgol Gyfun Dŵr-y-Felin tra bu hefyd yn aelod o'r Ysgol Frenhinol Cerddoriaeth Eglwysig rhwng 1991 ac 1996. Derbyniodd hyfforddiant lleisiol gan y tenor John Hugh Thomas cyn ennill ysgoloriaeth i astudio yn yr Academi Gerdd Frenhinol, Llundain, yn 17 mlwydd oed; yno astudiodd gyda Beatrice Unsworth gan raddio yn 2002. Fe'i hetholwyd yn Aelod Cysylltiol o'r Academi (ARAM) yn sgil ei chyfraniad i gerddoriaeth. Yn 2014 derbyniodd OBE am ei chyfraniad i gerddoriaeth a gweithgarwch elusennol.

Tra oedd yn fyfyrwraig ac yn y blynyddoedd dilynol bu'n gweithio mewn meysydd amrywiol gan gynnwys addysgu canu mewn ysgol berfformio ac fel athrawes beripatetig, a chyfnod yn modelu. Yna derbyniodd gytundeb gan Universal Classics i ryddhau chwe albwm a ddaeth â hi i sylw fel artist a oedd yn croesi'r ffin rhwng **cerddoriaeth glasurol** a **cherddoriaeth boblogaidd** mewn marchnad ryngwladol.

Daeth i frig y siartiau albymau clasurol gyda'i recordiad cyntaf, *Premiere* (UCJ, 2004). Bu'r recordiadau dilynol, sef *Second Nature* (2004), *Living a Dream* (2005), *Serenade* (2006), *Rejoice* (2007) a *Sacred Arias* (2008), pob un dan label Universal, yn fasnachol boblogaidd yn ogystal. Wedi cwblhau'r cytundeb â chwmni recordio Universal aeth ymlaen i weithio gyda Warner Music yn 2009 gan gynhyrchu *Believe* (2009), *Daydream* (2011) a'r albwm Nadoligaidd *This is Christmas* (2012), cyn dychwelyd at un o is-labeli Universal, Decca Records, gyda *My Christmas* (2012) a *Home Sweet Home* (2014).

Bydd yn rhoi perfformiadau cyhoeddus ac elusennol yn rheolaidd. Ers 2003 mae wedi canu anthem genedlaethol Cymru cyn gemau rygbi rhyngwladol gan ymuno â thîm rygbi Cymru fel masgot yng Nghwpan y Byd, Awstralia. Perfformiodd yn Berlin yn un o gyngherddau elusennol Live 8 a drefnwyd gan Bob Geldof yn 2005, a derbyniodd wahoddiad gan Sefydliad y Lluoedd Prydeinig i berfformio mewn cyngherddau ar gyfer aelodau o'r lluoedd arfog yn Irac ac Affganistan. Daeth yn weithgar gyda'r Lleng Brydeinig Frenhinol trwy berfformio yng ngwasanaethau Sul y Cofio.

Fe'i gwelir yn rheolaidd ar y teledu – nid yn unig fel cantores ond hefyd fel actores – gan iddi ymddangos yn opera sebon *Emmerdale* yn ystod 2007 ac mewn rhifyn arbennig o *Doctor Who* yn 2010. Cystadlodd fel dawnswraig yn y gyfres Americanaidd *Dancing with the Stars* yn 2012; roedd y diddordeb mewn dawnsio wedi dod i'r amlwg rai blynyddoedd yn gynharach wrth iddi dreulio cyfnod ar daith adloniant *Viva La Diva* ledled Prydain gyda'r ddawnswraig Darcey Bussell yn 2008.

I rai beirniaid, cyfrifir poblogrwydd Jenkins fel arwydd pellach o'r awydd i apelio at y 'cyfenwadur lleiaf' o fewn y byd cerddoriaeth glasurol cyfoes. Er enghraifft, dywedodd Jeremy Nicholas mai hi a cherddorion tebyg (megis Russell Watson) oedd y peth agosaf i gantorion **opera** ym marn y 'person ar y stryd', lle ystyrir y gallu i chwarae darn clasurol syml fel *Für Elise* yn arwydd o ddawn anghyffredin (Nicholas 2015, 97). Fodd bynnag, yn nhermau gwerthiant recordiau bu Jenkins yn un o'r cantorion mwyaf llwyddiannus i ddod o Gymru yn ystod degawd cyntaf yr 21g. gan gipio'r wobr am y record hir orau yn y Classic Brit Awards ddwywaith yn olynol yn 2005 a 2006 – y person cyntaf erioed i wneud hynny.

Disgyddiaeth

Premiere (UCJ 986 606-4, 2004)
Second Nature (Universal 9869033, 2004)

Living a Dream (Universal 476 306-3, 2005)
Serenade (Universal 476 571-8, 2006)
Rejoice (Universal 476 620-0, 2007)
Sacred Arias (Universal 476 697-1, 2008)
Believe (Warner Music 825646828555, 2009)
Daydream (Warner Music 5249880582, 2011)
This is Christmas (Warner Music 5053105509225, 2012)
My Christmas (Decca 4765152, 2012)
Home Sweet Home (Decca 3773443, 2014)

Llyfryddiaeth

Alun Guy, *Cantorion o Fri: Ar Lwyfan y Byd* (Llandysul, 2005)

Katherine Jenkins, *Time to Say Hello* (Llundain, 2009)

Jeremy Nicholas, 'Adolygiad o *Sleeping in Temples* gan Susan Tomes', *Gramophone* (Mawrth 2015), 96–7

Tristian Evans

Jess

Grŵp roc o ardal Aberteifi oedd Jess. Ei aelodau oedd Brychan Llŷr [Jones] (llais), Chris Lewis (gitâr), Emyr Davies (gitâr fas) ac Owen Thomas (drymiau). Jess oedd un o'r bandiau **pop** Cymraeg cyntaf a benderfynodd o fwriad i grwydro y tu hwnt i Gymru er mwyn ennill eu bywoliaeth fel cerddorion proffesiynol.

Band ysgol oedd Jess yn wreiddiol a ffurfiwyd yn 1987. Roedd Brychan Llŷr, mab y bardd Dic Jones (1934–2009), ac Emyr Davies yn mynychu ysgol roc yn Ysgol y Preseli pan roeddynt yn ddisgyblion yn Ysgol Uwchradd Aberteifi. Rhoddodd yr ysgol roc gyfle iddynt weithio gydag aelodau'r band lleol poblogaidd, **Ail Symudiad**. Yn ystod eu dwy flynedd olaf yn yr ysgol aeth y ddau ati i brynu offer cerddorol trydanol. Yn y man, ymunodd Chris Lewis a Rhodri Bowen, eu drymiwr cyntaf, a bu'r pedwar yn chwarae gyda'i gilydd hyd nes yr aeth Rhodri Bowen i astudio ym Mhrifysgol Rhydychen. Daeth Owen Thomas i'w olynu wrth y drymiau a mabwysiadwyd yr enw Jess, sef enw'r gath ar y rhaglen deledu i blant *Postman Pat*.

Er bod 'sîn Teifi' ar ei hanterth ar y pryd, gydag **Ail Symudiad**, Rocyn, Y Diawled a Malcolm Gwion ymysg eraill yn hawlio sylw'r gynulleidfa bop Gymraeg, ychydig o gyngherddau pop Cymraeg oedd yn bodoli yn yr ardal. Byddai aelodau Jess yn aml yn teithio i Loegr, felly, i weld bandiau Saesneg a golygai hynny mai digon ymylol oedd y sîn roc Gymraeg iddynt hwy. Dyma un rheswm pam y dechreuodd Jess fel grŵp Saesneg, ond derbyniodd yr aelodau gyngor Wyn Jones o Recordiau Fflach (a gitarydd bas Ail Symudiad) a throi at y Gymraeg er mwyn cael gwaith teledu a radio. Apeliodd Jess at gynulleidfa Gymraeg yn ddiymdroi, ond roeddynt hefyd yn perfformio'n ddwyieithog er mwyn denu'r gynulleidfa ehangaf posibl, boed yng Nghymru neu y tu hwnt.

Roedd cynnal natur ddwyieithog y grŵp yn frwydr galed. Ar adegau, cawsant sylw cadarnhaol gan y **cyfryngau** Cymraeg. Er enghraifft, aethant ar daith i Brâg gyda **Geraint Jarman** a'i gwmni Criw Byw gan greu deunydd ar gyfer rhai o raglenni cynnar y gyfres *Fideo 9* ar S4C a chael cyfle i arddangos cerddoriaeth Gymreig mewn cyd-destun Ewropeaidd. Ond bryd arall, roedd ymateb y sefydliadau Cymraeg yn anffafriol. Yn ystod wythnos yr **Eisteddfod** Genedlaethol nid oedd Jess, er enghraifft, yn cael yr un cyfleoedd i berfformio â rhai bandiau eraill. Roedd eu hagwedd ieithyddol weithiau'n effeithio ar eu derbyniad yng Nghymru.

Rhyddhawyd eu record gyntaf, sef *mini-album* eponymaidd ar label Fflach yn 1988, gan gynnwys caneuon fel 'Pan Mae'r Glaw yn Dod i Lawr', a sefydlwyd y band yn fuan fel un o grwpiau mwyaf addawol Cymru. Roedd *Y Gath* (Fflach, 1989) yn adlewyrchiad pellach o'r graen a berthynai i'w perfformiadau byw, ac roedd safon y caneuon – a oedd yn aml yn aml-adrannol ac estynedig, gan roi sylw i ddoniau offerynnol y grŵp – yn amlwg.

Fe fyddai'n gamarweiniol i ddisgrifio Jess fel band roc blaengar (*progressive rock*), ond yn sicr roedd y pwyslais ar saernïo caneuon slic a soffistigedig yn nodwedd bwysig o'u harddull, ac fe amlygwyd hyn yn arbennig ar eu halbwm llawn cyntaf, *Mae'n Hyfryd i Fod yn Fyw* (Fflach 1990), lle rhoddwyd sylw amlwg i harmonïau lleisiol yng nghân deitl y record, ac wrth gyfansoddi caneuon trawiadol megis 'Pwy Sy'n Hapus' a'r ddeifiol 'Julia Gitar'. 'Eclectig' fyddai un ffordd o ddisgrifio arddull y band, gan symud yn ddiymdrech o ffync at sain fwy acwstig ac yna i gyfeiriad seicedalia.

Ar ôl rhyddhau *Paris Hotel* yn 1992, trodd Jess i ganu'n Saesneg, gan recordio fersiynau Saesneg o rai o'i caneuon ar gyfer *Sextravaganja* (1993). Daeth trobwynt yn hanes y band pan ddaethant yn rhan o brosiect newydd cyn-ganwr y band Eingl-Gymreig **The Alarm**, Mike Peters. Roedd Peters wedi penderfynu dilyn gyrfa fel perfformiwr unigol ac yn chwilio am fand newydd i gyfeilio iddo. Teithiodd Peters gyda Jess o dan yr enw Poets of Justice yn ystod 1994–5, gan ryddhau yr EP *Nôl i Mewn i'r System* (Crai, 1994) ac yna'r albwm dwyieithog *Aer* (Crai, 1994). Ni fu'r berthynas yn un gwbl lwyddiannus, fodd bynnag, gan nad oedd lle amlwg i flaenwr Jess, Brychan Llŷr, o fewn i'r band. Yn dilyn hyn, aeth Brychan Llŷr ati i ryddhau cynnyrch ar ei liwt ei hun neu fel rhan o brosiectau gwahanol megis U4Ria. Ail-ffurfiodd y grŵp yn 2009.

Roedd Jess yn grŵp arloesol, blaengar ac arbrofol a adlewyrchai ddylanwadau cerddorol Eingl-Americanaidd mewn dull Cymreig. Ym marn Owain Meredith, grŵp 'cabaret' oeddynt yn y bôn. O ganlyniad, roedd naws theatrig y gerddoriaeth – a oedd yn 'tueddu i fynd yn fwy cymhleth wrth iddyn nhw fynd ymlaen' – yn golygu ei bod yn anoddach gwerthfawrogi'n llwyr recordiau aeddfed y band, fel *Paris Hotel* (Meredith 1992, 21). Yn dilyn cael eu siomi gan elfen o'r **diwydiant** celfyddydol yng Nghymru, cawsant lwyddiant yn yr Eidal, nid yn unig drwy gyngherddau ac ymddangosiadau ar deledu cenedlaethol yn y wlad, ond hefyd o ran gwerthiant recordiau.

Mae Jess yn enghraifft arwyddocaol o allu'r byd pop Cymraeg i ymestyn y tu hwnt i ffiniau ieithyddol a daearyddol ac i sicrhau cydnabyddiaeth ryngwladol i gerddoriaeth o Gymru. Wedi i'r grŵp chwalu yn 1993, aeth Brychan Llŷr ati i ryddhau nifer o recordiau unigol. Bu hefyd yn cyfrannu'n gyson i raglenni radio a theledu Cymraeg ac yn 2013 cyhoeddodd ei hunangofiant.

Disgyddiaeth

Jess [casét] (Fflach 037, 1988)
Y Gath [casét] (Fflach C056C, 1989)
Hyfryd i Fod yn Fyw (Fflach C0091H, 1990)
Paris Hotel (001, 1992)
Sextravaganja [casét] (002, 1993) [yn cynnwys fersiynau Saesneg o rai o ganeuon *Paris Hotel*]

Brychan Llŷr:
[gyda *U4Ria*] *Contentment* [EP] (Crai CD054L, 1997)

fel artist unigol:
Vexed Fanatica (Irldea EZ/27, 1999)
Bad Pink Vibe (CYCP 2130, 2001)
Reel in Between (CYCP 2360, 2003)

Llyfryddiaeth

Owain Meredith, 'Adolygiad o *Paris Hotel*', *Sothach*, 45 (Hydref, 1992), 20–21
Brychan Llŷr, *Hunan-anghofiant* (Tal-y-bont, 2013)
Ymddangosiadau Brychan Llŷr ar *Beti a'i Phobol* (29 Ionawr 1995, 28 Ionawr 2013)

Sarah Hill a Pwyll ap Siôn

Jîp (gw. **Emlyn, Endaf**)

John ac Alun

Deuawd **canu gwlad** o Ben Llŷn yw John ac Alun a ddaeth yn boblogaidd yn ystod degawd olaf yr 20g. Bu'r pâr – John Jones ac Alun Roberts – yn aelodau o fandiau lleol yn ystod yr 1970au a'r 1980au, gyda John yn amlwg yn y **band roc**, Y Melinwyr. Y tro cyntaf iddynt berfformio fel deuawd oedd ar ddiwedd noson gymdeithasol yn 1989 a hynny yn nhafarn y Lion, Tudweiliog (y pentref lle magwyd y ddau), wrth iddynt chwarae set fyrfyfyr gyda'i gilydd. Yn dilyn perfformiadau cyson yn ardal Llŷn, daethant i sylw'r cyhoedd yng Nghymru yn sgil ymddangosiad ar raglen deledu ar sianel HTV.

Apeliodd agwedd ddidwyll y ddau ynghyd â'u caneuon gwlad di-ffws at Gymry cefn gwlad a Chymry'r dosbarth gweithiol fel ei gilydd. Cafodd eu halbwm cyntaf, *Yr Wylan Wen*, ei ryddhau gan Gwmni Sain yn 1991 ac fe'i dilynwyd gan *Chwarelwr* yn 1992 (yn ddiweddarach, cyfunwyd y ddwy record ar un gryno-ddisg). Daeth 'Chwarelwr' – eu trefniant o gân Rita MacNeil 'Working Man' – yn hynod boblogaidd, ac yr oedd eu recordiau yn cyfuno caneuon gwreiddiol gydag addasiadau o ganeuon Eingl-Americanaidd a ffefrynnau Cymraeg megis 'Bod yn Rhydd' (trefniant o 'Achy Breaky Heart' gan Don Von Tress) a '**Calon Lân**'. Bu'r ddau albwm yn llwyddiant ysgubol, gan werthu miloedd o gopïau o fewn misoedd, ac yn 1997 derbyniodd y ddeuawd 'Record Aur' gan Sain am werthu dros 25,000 o gopïau o'u recordiadau. Yn 1999, sefydlwyd Clwb Dilynwyr John ac Alun, ac roedd oddeutu 200 o aelodau wedi ymuno ag ef erbyn 2001.

Perfformiodd John ac Alun mewn cyngerdd arbennig yn y Pafiliwn, Pontrhydfendigaid, ym mis Medi 2009 i ddathlu ugain mlynedd ers eu sefydlu. Ers 1998, maent wedi bod yn cyd-gyflwyno rhaglen boblogaidd wythnosol ar BBC Radio Cymru. Er fod artistiaid megis Doreen Lewis, **Dafydd Iwan** a Traed Wadin wedi defnyddio arddulliau canu gwlad yn eu caneuon yn ystod yr 1970au a'r 80au, bu twf pellach ym mhoblogrwydd y ffurf yn ystod yr 1990au, gyda deuawdau fel Iona ac Andy, Dylan a Neil a Broc Môr yn profi cryn lwyddiant (gw. ap Siôn 1997, 42–3). Ond heb amheuaeth, John ac Alun fu'r mwyaf poblogaidd ym maes canu gwlad yng Nghymru yn ystod y cyfnod.

Disgyddiaeth

Yr Wylan Wen/Chwarelwr (Sain SCD2077, 1994)
Os Na Ddaw Yfory (Sain SCD2112, 1995)
Y 'Dolig Gorau Un (EP) (Sain SCD2176, 1997)

Un Noson Arall (Sain SCD2172, 1997)
Unwaith Eto (Sain SCD2184, 1998)
Crwydro (Sain SCD2242, 2000)
Tiroedd Graslon (Sain SCD2370, 2002)
Hel Atgofion (Sain SCD2496, 2006)

Casgliadau:
Goreuon/Best Of (Sain SCD2456, 2004)
John ac Alun – Y Goreuon Eto (Sain SCD2706, 2013)

Llyfryddiaeth
Pwyll ap Siôn, 'Canu Gwlad yng Nghefn Gwlad', *Barn*,
    413 (Mehefin 1997), 42–3
Caneuon John ac Alun (Talybont, 2003)

Craig Owen Jones a Pwyll ap Siôn

Jones, Aled (g.1970)

Canwr a darlledwr, yn wreiddiol o Landegfan,
Ynys Môn. Dechreuodd ar ei yrfa gerddorol yn
naw oed pan ddaeth yn aelod o Gôr y Gadeirlan
ym Mangor. Sylweddolwyd yn fuan fod llais
arbennig ganddo a chafodd lwyddiant eisteddfodol
yn gynnar iawn, gan gynnwys yr unawd **cerdd
dant** dan ddeuddeg yn **Eisteddfod** Genedlaethol
yr Urdd. Fe'i recordiwyd gan Gwmni Sain a daeth i
enwogrwydd rhyngwladol ar ôl perfformio fersiwn
cover o 'Walking in the Air' o ffilm animeiddiedig
The Snowman (Channel 4, 1982). Cyrhaeddodd y
record rif pump yn y siartiau Prydeinig yn 1985.
Yr un flwyddyn cynhyrchwyd rhaglen am ei
fywyd yng nghyfres ddogfen *Omnibus* y BBC dan
y teitl *The Treble* ac enillodd hon Wobr Emmy.
Cyhoeddwyd y cofiant cyntaf iddo yn y flwyddyn
ddilynol pan nad oedd ond yn bymtheg oed.

Yn 1985 torrodd ei lais ond erbyn hynny roedd
wedi recordio 16 albwm gyda gwerthiant o fwy na
chwe miliwn. Canodd o flaen y Pab John Paul II,
y Frenhines a'r Tywysog Charles a'r Dywysoges
Diana. Cymaint oedd ei lwyddiant fel bod dau albwm
clasurol ganddo wedi ymddangos ar yr un pryd yn
y siartiau **cerddoriaeth boblogaidd**. Parhaodd
i ganu darnau **clasurol** ac un o'i berfformiadau
clasurol mwyaf nodedig oedd yn *Chichester Psalms* dan
arweiniad cyfansoddwr y gwaith, Leonard Bernstein
(1918–90).

Cyn ailafael yn ei yrfa broffesiynol, y tro hwn
fel oedolyn, astudiodd Aled Jones yn yr Academi
Gerdd Frenhinol yn Llundain a'r Bristol Old Vic
Theatre School. Cafwyd pwyslais ar ganeuon gyda
naws grefyddol iddynt ond daeth y llwyfan theatrig
hefyd yn bwysig iddo. Cymerodd ran Huw Morgan
yn *How Green was My Valley* ac wedi hyn bu'n canu
mewn gweithiau fel *Joseph and the Amazing Technicolor
Dreamcoat* (Andrew Lloyd Webber).

Oherwydd ei bersonoliaeth agored a chyfeillgar
datblygodd ei sgiliau amlwg fel cyflwynydd yn y
cyfryngau, ac nid bob amser mewn rhaglenni
crefyddol, er i'w ymddangosiadau ar *Songs of Praise*
ennill poblogrwydd mawr iddo. Yn 2012 bu'n
llwyddiannus yn cyflwyno *Daybreak* ar ITV ac yn
2014 symudodd i gyflwyno *Weekend* gyda'r un sianel.
Cyflwynodd *Escape to the Country* i'r BBC a *Cash
in the Attic*, ac yn Awstralia bu'n cyflwyno *Classical
Destinations 3* ac *Aled Jones' Ultimate Travel Guide to
Classical Music*. Cyfrannodd yn gyson i amrywiol
raglenni ar S4C.

Bu'n gyflwynydd ar Classic FM, ar Radio Cymru
a Radio Wales. Fe'i clywir ar *The Choir* (Radio
3), *Friday Night is Music Night* (Radio 2) a llawer
o raglenni radio eraill. Yn 2005 cyhoeddwyd ei
hunangofiant, *Aled: The Autobiography,* ac yn 2013
cafwyd hunangofiant mwy swmpus dan y teitl
Aled Jones: My Story. Yn 2014 daeth yn Gymrawd
Anrhydeddus o'r Academi Gerdd Frenhinol, ac yn
yr un flwyddyn derbyniodd yr MBE.

Disgyddiaeth
Diolch â Chân (Sain 1294D, 1983)
Ave Maria (Sain 1304D, 1984)
Aled Jones with the BBC Welsh Chorus (BBC Records
    VVIP105, 1985)
Voices from the Holy Land (BBC Records REC564, 1985)
All Through the Night (BBC Records REH569, 1985)
An Album of Hymns (Telstar STAR2272, 1986)
Pie Jesu (10 Records AJCD2, 1986)
Aled (Music from the TV Series) (10 Records AJCD3, 1987)
Sailing (10 Records AJCD4, 1987)
Aled (Universal 064479-2, 2002)
Higher (Universal 986557-9, 2003)
Hear My Prayer (Sain SCD2426, 2003)
The Christmas Album (Universal 986864-9, 2004)
New Horizons (Universal 4763062, 2005)
Reason to Believe (Universal 1747937, 2007)

Casgliadau:
The Best of Aled Jones (BBC Records BBCCD569, 1985)
Memory – The Best of Aled Jones (Victor VDC-1300, 1988)

Llyfryddiaeth ddethol
bbc.co.uk/programmes
classicfm.co.uk
Aled: The Autobiography (Llundain, 2005)
Aled Jones: My Story (Llundain, 2013)

Richard Elfyn Jones

Jones, Caryl Parry (g.1958)

Cantores, cyfansoddwraig, actores a bardd a fu'n ffigwr amlwg iawn ym myd **adloniant** Cymru ers yr 1970au. Ganed Caryl Parry Jones ym Mhrestatyn. Roedd ei thad, **Rhys Jones** (1927–2015), yn gerddor, **arweinydd corawl** a chyfansoddwr adnabyddus a fu'n gynhyrchiol ym maes y sioe gerdd (er enghraifft *Ffantasmagoria* yn **Eisteddfod** Genedlaethol Wrecsam yn 1977). Pan oedd yn ddisgybl yn Ysgol Glan Clwyd, ffurfiodd Caryl Parry Jones y **grŵp pop** ysgafn, Sidan, gyda'r gantores a'r actores Sioned Mair (yr aelodau eraill oedd Meinir Evans, Gwenan Evans a Gaenor Roberts). Enillodd Sidan gystadleuaeth y grŵp pop yn Eisteddfod Genedlaethol Urdd Gobaith Cymru yn y Bala yn 1972. Aethant ati wedyn i recordio dwy EP ar label Sain, sef *Lliwiau* (1972) ac *Ai Cymro Wyt Ti?* (1973).

Nodweddion amlycaf Sidan ar y recordiau hyn oedd eu gallu cerddorol a'u trefniannau lleisiol cywrain – nodweddion a'u gosodai ar wahân i nifer o grwpiau eraill o'r cyfnod. Canodd y grŵp yng nghyngerdd Tafodau Tân yn Eisteddfod Genedlaethol Rhuthun yn 1973 – ceir eu cyfraniad ar y record *Tafodau Tân* (Sain, 1973) – ac ym mherfformiad yr **opera** roc, *Nia Ben Aur,* yn Eisteddfod Genedlaethol Caerfyrddin yn 1974 (rhyddhawyd y record *Nia Ben Aur* gan Sain yn 1975). Rhyddhaodd y grŵp eu hunig record hir yn 1975, eto ar label Sain, sef *Teulu Yncl Sam*, ac er mai arddull ysgafn, ganol-y-ffordd sy'n nodweddu'r rhan fwyaf o'r caneuon, ceir arwydd ym mherfformiad trydanol Caryl Parry Jones o gân Hefin Elis 'Dwi Ddim Isho' o'r llwybr y byddai'r gantores yn ei droedio wedi iddi ymuno â'r **grŵp roc**, Injaroc, yn 1976.

Cyfeirir yn aml at Injaroc fel *supergroup* cyntaf Cymru am ei fod yn cynnwys cyn-aelodau adnabyddus **Edward H Dafis** a Sidan. Ynghyd â Caryl Parry Jones a Sioned Mair, yr aelodau eraill oedd Charlie Britton, Hefin Elis, John Griffiths, Cleif Harpwood (Edward H Dafis), **Endaf Emlyn** a **Geraint Griffiths**. Er eu hymdrechion i ymestyn ffiniau **canu pop** Cymraeg trwy fabwysiadu arddulliau Eingl-Americanaidd megis ffync a disgo, byrhoedlog fu hanes Injaroc a chwalodd y band yn fuan ar ôl rhyddhau eu hunig record hir, *Halen y Ddaear* (Sain, 1976). Profodd un o ganeuon Caryl Parry Jones ar gyfer Injaroc adfywiad yn ystod yr 1990au pan recordiodd y grŵp Diffiniad fersiwn dawns o'r gân 'Calon' ar gyfer eu record hir, *Dinky* (Ankst, 1994).

Ar ôl cwblhau gradd mewn Cymraeg a Chymdeithaseg ym Mhrifysgol Bangor, aeth Caryl Parry Jones i Gaerdydd lle bu'n cyflwyno **rhaglenni teledu** megis *Bilidowcar* a *Sêr 2.* Yn 1980, sefydlodd grŵp newydd o'r enw Bando gyda Rhys Ifans (gitâr fas), Gareth Thomas (drymiau) a Huw Owen (sacsoffon) – cyn-aelodau o Josgin, **Hergest** a Shwn – ynghyd â Martin Sage a Steve Sardar (gitarau). Derbyniodd eu sengl gyntaf, gyda'r caneuon disgo egnïol 'Space Invaders' ac 'Wstibe' (Sain, 1980), gryn sylw ar donfeddi Radio Cymru, ac yn fuan wedyn dychwelodd y grŵp i stiwdio Sain i recordio eu record hir gyntaf, *Hwyl ar y Mastiau* (1980), a gynhyrchwyd gan Simon Tassano a **Myfyr Isaac**. Roedd dylanwad Tassano ac Isaac i'w glywed hefyd ar ail record hir Bando, *Shampŵ* (Sain), a ryddhawyd yn 1982.

Erbyn hyn, roedd Isaac yn aelod o'r band ynghyd â bod yn gynhyrchydd. Heb os, llwyddodd *Shampŵ* i dorri tir newydd o ran safon y perfformio, crefft y caneuon a slicrwydd a sglein y cynhyrchiad, gyda chaneuon cofiadwy megis 'Tybed Wyt Ti'n Rhy Hen?', 'Nos yng Nghaer Arianrhod' a'r gân gospel-roc hynod boblogaidd, 'Chwarae'n Troi'n Chwerw' yn derbyn darllediadau cyson ar Radio Cymru. Yn ystod 1982 hefyd, Caryl Parry Jones oedd prif leisydd un o ganeuon gorau cystadleuaeth **Cân i Gymru**, sef 'Nid Llwynog Oedd yr Haul' gan **Geraint Løvgreen** a Myrddin ap Dafydd.

Darlledwyd rhaglen ddogfen yn seiliedig ar *Shampŵ* yn 1983, gydag **Endaf Emlyn** yn cynhyrchu. Rhwng 1983 ac 1987 cafodd Caryl Parry Jones ei chyfres deledu ei hun (*Caryl*), a oedd yn amlygu ei doniau helaeth fel cantores, actores a chyfansoddwraig. Rhyddhawyd nifer o ganeuon y gyfres gyntaf, megis 'Saf ar dy Draed' ac 'Yr Ail Feiolin', ar record hir *Caryl a'r Band* (Gwerin) yn 1983, gyda cherddorion megis Graham Land (drymiau), Graham Smart (allweddellau) a'r amryddawn **Pino Palladino** (bas) yn cyfrannu arni.

Gyda dyfodiad S4C a llwyddiant cyfresi *Caryl*, aeth gyrfa Caryl Parry Jones yn fwy i gyfeiriad actio yn ystod yr 1980au a'r 1990au, ond parhaodd i ganu a chyfansoddi, gan ryddhau dwy record hir unigol o'r enw *Eiliad* ac *Adre* ar label Sain yn 1996 a 2004, gyda'r naill yn amlygu dylanwad arddulliau **roc a phop** Americanaidd tra bod dylanwadau acwstig a **gwerinol** i'w clywed yn y llall. Parhaodd Caryl i berfformio yn ystod y cyfnod hwn gyda'i band y Millionaires, a daeth cydnabyddiaeth i'w chrefft eiriol hefyd yn 2007 pan benodwyd hi yn Fardd Plant Cymru.

Disgyddiaeth

gyda Sidan:
'Lliwiau' [EP] (Sain 27, 1972)
'Ai Cymro Wyt Ti?' [EP] (Sain 40, 1973)
Teulu Yncl Sam (Sain S1017, 1975)

gyda Injaroc:
Halen y Ddaear (Sain C594, 1976)

gyda Bando:
'Space Invaders'/'Wstibe' [sengl] (Sain 74, 1980)
Hwyl ar y Mastiau (Sain 1198, 1980)
Shampŵ (Sain 1225, 1982)

gyda Caryl a'r Band:
Caryl a'r Band (Gwerin SYW 238, 1983)

fel artist unigol:
Eiliad (Sain SCD2144, 1996)
Adre (Sain SCD2462, 2004)

Pwyll ap Siôn

Jones, Daniel (1912–93)

Daniel Jenkyn Jones oedd un o gyfansoddwyr amlycaf Cymru yn y cyfnod wedi'r Ail Ryfel Byd. Fe'i hystyrir hefyd yn un o gyfansoddwyr mwyaf blaenllaw Prydain y cyfnod mewn **ffurfiau offerynnol** megis y symffoni a'r pedwarawd llinynnol.

Daeth i'r amlwg yn gynnar yn ei yrfa a bu'n hynod gynhyrchiol ar hyd ei oes. Fe'i ganed yn nhref Penfro ond symudodd y teulu'n fuan wedyn i Abertawe. Cafodd ei addysgu gartref cyn mynd, yn un ar ddeg oed, i Ysgol Ramadeg Abertawe lle cyfarfu â'r bardd Dylan Thomas. Anfarwolwyd y cyfarfod cyntaf hwnnw gan y bardd yn ei stori fer 'The Fight', a bu'r ddau'n gyfeillion mynwesol hyd at farwolaeth Dylan Thomas yn Efrog Newydd yn 1953. Ysgrifennent gerddi ar y cyd, a Daniel Jones a gyfansoddodd y gerddoriaeth ar gyfer y perfformiad cyntaf o'r ddrama radio, *Under Milk Wood* (1954), cerddoriaeth a sicrhaodd iddo Wobr Italia. Yn ddiweddarach, golygodd y cerddi (*The Poems*, 1971) ac yn 1977, cyhoeddodd *My Friend Dylan Thomas,* cyfrol liwgar sy'n datgelu cymaint am y cerddor ag y mae am y bardd.

Cyfansoddodd dros 350 o ddarnau amrywiol (gweithiau siambr a phiano gan fwyaf) cyn iddo gyrraedd ei ben blwydd yn ugain oed, ac maent yn arddangos ystod eang o gyfeiriadaeth gerddorol a dylanwadau amrywiol. Diystyrodd y gweithiau hynny yn ddiweddarach (mae'r **llawysgrifau** ar gadw yn Llyfrgell Genedlaethol Cymru): fe'i rhybuddiwyd gan **Henry Walford Davies**

(1869–1941) am beryglon gorgynhyrchu digyfeiriad. Oherwydd pwysau o du ei rieni, astudiodd Saesneg ym Mhrifysgol Cymru Abertawe a graddiodd gydag anrhydedd dosbarth cyntaf yn 1934, gan ennill gradd MA yn 1939 am ei waith ymchwil ar gerddi cyfnod Elizabeth I. Yn dilyn hyn, astudiodd y grefft o arwain cerddorfaol yn yr Academi Gerdd Frenhinol, Llundain (1935–9), o dan gyfarwyddyd Syr Henry Wood (1869–1944), ac yn ystod ei yrfa bu'n arwain nifer o berfformiadau cyntaf o'i gyfansoddiadau ef ei hun. Enillodd Ysgoloriaeth Mendelssohn yn 1935 a'i galluogodd i deithio ledled Ewrop yn y cyfnod cyn yr Ail Ryfel Byd.

Cyn iddo fynd i'r cyfandir, roedd nifer helaeth o'i weithiau siambr wedi derbyn gwrandawiad ffafriol yn Llundain. Cafodd wersi cyfansoddi gyda Goffredo Petrassi (1904–2003) yn Rhufain, a diau iddo hefyd brofi bywyd diwylliannol y gwahanol wledydd (yn ei ddyddiaduron mae'n sôn am glywed Hitler yn areithio yn Berlin ac yn rhestru'n fanwl yr holl ddarluniau a welodd mewn orielau celf). Priododd a ganed iddo ef a'i wraig gyntaf dair merch, ond fe'u hysgarwyd ar ddechrau'r rhyfel (ail-briododd flynyddoedd yn ddiweddarach a ganed iddynt ferch a bachgen mewn perthynas hir a hapus).

Fel Capten yng nghorfflu cudd-wybodaeth y Fyddin, bu'n gwasanaethu yn Bletchley Park, gan ddefnyddio ei allu fel ieithydd yn yr Adran Japanaeg a Rwmaneg i ddehongli negeseuon yr Almaenwyr. Dyma'r adeg y pwyllodd fel cyfansoddwr ac aeth ati i arbrofi ymhellach gyda mydr a rhythm – y 'mydrau cymhleth' a ddenodd gryn sylw iddo'n ddiweddarach. Ymhlith gweithiau nodedig y cyfnod hwn ceir y gyfres o ddarnau cerddorol sy'n seiliedig ar themâu o Geinciau'r Mabinogi.

Yn dilyn prentisiaeth faith yng nghyfnod arbrofol yr 1930au, fe'i hail-lansiodd ei hun fel cyfansoddwr wedi diwedd y Rhyfel. Dychwelodd i Abertawe lle bu'n ennill bywoliaeth drwy weithio'n llawrydd a hynny dan amgylchiadau digon anodd. Yn ystod y cyfnod hwn, ailgydiodd yng nghyfeillgarwch y 'Kardomah Set' – beirdd megis Dylan Thomas a Vernon Watkins, yr arlunwyr Alfred Janes a Mervyn Levy ac eraill.

Mae ei arddull yn geidwadol ac o fewn terfynau tonyddol gan amlaf, gyda'r pwyslais yn aml ar y trithon yn hytrach nag ar berthynas tonydd-llywydd fel y gwelir yn arddull llawer o'i gyfoeswyr yn Ewrop. Cyfansoddwr greddfol ydoedd. Y prif ddylanwadau cerddorol arno oedd Joseph Haydn, Henry Purcell a Leos Janáček ac er mawr syndod, nid oedd ganddo lawer o ddiddordeb yng ngherddoriaeth ei gyfoeswyr. Prin yw'r dylanwadau gwerinol yn ei waith, ac eithrio ar brydiau, fel yn ei ddarn cerddorfaol *Dobra Niva* (1956).

Mae ei arbrofion rhythmig yn adleisio ond nid yn efelychu tueddiadau tebyg yng ngweithiau cyfansoddwyr fel Boris Blacher, Elliott Carter a Witold Lutosławski. Roedd ei uniondeb fel cyfansoddwr yn debyg i'w gyfaill agos, **Grace Williams**, a gwrthodai waith comisiwn os oedd hynny'n golygu y byddai'n rhaid iddo ysgrifennu'n groes i'w reddf. Gadawodd 13 symffoni, 8 pedwarawd llinynnol, dwy **opera** (*The Knife* ac *Orestes*), *concerti* ar gyfer ffidil, obo a *cello* ynghyd â chorff sylweddol o gerddoriaeth siambr o bob math, darnau ar gyfer organ a phiano, **cantatas** fel *The Country Beyond the Stars*, Sonata i ddrymiau digyfeiliant, **oratorio** *St. Peter* a darnau cerddorfaol fel y *Pum Darn i Gerddorfa*, *Cloud Messenger*, *Agorawd Cyngerdd*, *Agorawd 'Ieuenctid'*, *Adar Rhiannon*, *Agorawd Orpheus & Bacchus* a chyfres nodedig o *Bagatelles* i'r piano.

Mae Symffonïau rhif 1–12 yn seiliedig ar bob un o'r nodau cromatig posibl (yr unig gyfansoddwr i wneud hynny) tra saif Symffoni Rhif 13, *Er Cof am John Fussell* ar wahân. Yn Symffonïau 1–5, mae'r raddfa'n eang a braidd yn rhamantaidd sy'n adlewyrchu'r cyfansoddwr Rhamantaidd, Anton Bruckner, yn amlwg ar brydiau yn y symudiadau araf. Yn y *Scherzi* y ceir y mydrau cymhleth (er enghraifft, grwpiau o 6/4+4/4+3/4+2/4 a'r naill yn dilyn y llall) ac yn yr un modd yn symudiadau cyflym nifer o'i weithiau eraill. Mae offeryniaeth y symffonïau'n sylweddol lle mae Jones yn defnyddio'r gerddorfa symffoni lawn. Yn dilyn hyn, mae Symffonïau 6–9 yn fwy cynnil mewn mynegiant ac yn arbrofi o fewn i'r strwythurau *Sonata Allegro* symffonig arferol. Erbyn Symffonïau 10–12, mae'r mynegiant yn fwy cynnil fyth, gyda thuedd gyffredinol i'r gweithiau hyn fod yn fyrrach.

Yn y gyfres o wyth pedwarawd llinynnol, ceir meddylfryd Daniel Jones ar ei orau. Mae hanes cyfansoddi'r wyth pedwarawd yn cwmpasu pob cyfnod o'i fywyd – yn wir, bu farw wrth ei ddesg tra'n gorffen yr olaf. Yn y cyntaf o'i bedwarawdau, fe'i gwelir yn creu cyfanwaith clos yn thematig gyda'r cymhleth yn amlwg yn y symudiadau cyflym a'r gwahanol amserau yn dilyn ei gilydd fesur wrth fesur ac yna'n ailadrodd mewn grwpiau gan greu amrywiaeth acennog. Mae'r ail a'r trydydd pedwarawd yn ffurfiol tra bod y pedwerydd yn amlygu newidiadau mawr yn naws a natur y ddadl

gerddorol. Yn y pumed, mae'r awyrgylch yn ddifrifol ond mae'r chweched yn amlygu dylanwad 'tad' y cyfrwng, Haydn, gyda'r ail symudiad yn seiliedig ar ddwy thema gan y cyfansoddwr hwnnw. Mae dwyster mynegiant yn dychwelyd yn y seithfed pedwarawd. Yn yr olaf o'r gyfres, crynhoir llawer o'i ddiddordebau cerddorol (cwblhawyd y gwaith gan Giles Easterbrook a Malcolm Binney).

Roedd Daniel Jones hefyd yn barod i ysgrifennu ar gyfer amaturiaid. Mae ei gantata *The Country Beyond the Stars* (1958) yn osodiad hynod effeithiol o gerddi Henry Vaughan. Mae agoriad y gwaith yn gwbl gydnaws â'r geiriau. Cyfansoddwyd y gantata gydag adnoddau lleisiol corau de Cymru mewn golwg.

Enillodd Jones wobr gyntaf y Gymdeithas Frenhinol Ffilharmonig yn 1950 a Gwobr Goffa John Edwards **Cymdeithas Cerddoriaeth Cymru**. Enillodd radd DMus **Prifysgol** Cymru ynghyd â gradd DLitt er anrhydedd; gwnaethpwyd ef yn FRSL a derbyniodd yr OBE yn 1968. Bu'n cyfansoddi ar gyfer **cerddorfeydd** o'r tu hwnt i Gymru a manteisiodd yn ogystal ar y fframwaith proffesiynol a ddatblygodd yn raddol yng Nghymru wedi 1945. Roedd ei gyfraniad unigryw yn rhan o'r deffro cyffredinol ar adeg allweddol. Yn y cyfnod diweddaraf, lle daeth tonyddiaeth eto'n ffasiynol, hwyrach y bydd ei lais yn denu'r sylw a'r parch y mae ei grefft a'i reddf gerddorol yn eu haeddu.

Disgyddiaeth

Symphony No. 6, Symphony No. 9, The Country Beyond the Stars (Lyrita SRCD326, 1996)
Complete String Quartets [Delmé String Quartet] (Chandos Chan9535(2), 1996)
Symphonies Nos. 4, 7 & 8 (Lyrita SRCD329, 2007)

Llyfryddiaeth

Daniel Jones, 'Some Metrical Experiments', *The Score*, 3 (1950), 32–48
———, 'Music In Wales' (Darlith Flynyddol y BBC yng Nghymru, 1961)
———, *My Friend Dylan Thomas* (Llundain, 1977)
Lyn Davies, nodiadau ar gyfer recordiau Lyrita SRCD326 a Lyrita SRCD329
en.wikipedia.org/wiki/Daniel_Jones_(composer)
www.musicweb-international.com/Jones_Daniel/index.htm
www.independent.co.uk/news/people/obituary-daniel-jones-1457920.html
www.bbc.co.uk/blog/wales/posts/daniel-jones-codebreaker
www.archiveswales.org.uk

Lyn Davies

Jones, Della (g.1946)

Ganed y mezzo-soprano Della Jones ym mhentref Tonna, Castell-nedd, ac astudiodd yn y Coleg Cerdd Brenhinol yn Llundain lle'r enillodd Wobr Kathleen Ferrier. Astudiodd hefyd yng Ngenefa, lle'r ymddangosodd gyntaf ar y llwyfan operatig proffesiynol yn 1970 yn rhannau Feodor (*Boris Godunov*) ac Olga (*Eugene Onegin*).

Ymunodd â Chwmni Opera Cenedlaethol Lloegr (ENO) yn 1977 a thra oedd gyda nhw fe'i canmolwyd am ei chyfraniad (yn rhan Dolly) mewn opera newydd gan Iain Hamilton, *Anna Karenina*. Yn 1983 cafodd gytundeb yn y Tŷ Opera Brenhinol a dechreuodd wneud enw iddi ei hun yn rhyngwladol, gyda theithiau cyson i Ffrainc, yr Eidal a'r Unol Daleithiau.

Mae ei *repertoire* yn eang ac yn ymestyn o gerddoriaeth gynnar, trwy'r cyfnod baróc i weithiau modern. Yng nghanol yr 1970au dechreuodd Della Jones ei chysylltiad hir gydag Opera Rara a'i galluogodd i berfformio ar lwyfan ac mewn recordiadau lawer o'r rhannau *bel canto* a oedd ers degawdau wedi eu hanwybyddu. Ymhlith yr operâu hyn y mae *Ugo, conte di Parigi*, *L'assedio di Calais* a *Maria Padilla* gan Donizetti, *Il crociato in Egitto* gan Meyerbeer a *Ricciardo e Zoraide* gan Rossini. Recordiodd albwm o unawdau poblogaidd, *Great Operatic Arias – Della Jones*, a gafodd dderbyniad gwresog yn y wasg gerddorol.

Edmygir ei thechneg *coloratura* berffaith a chynhesrwydd ei dehongliadau gan y wasg a chan gantorion eraill, ac yn ei dosbarthiadau meistr mae'n cael dylanwad ar y to newydd o gantorion **operatig** sydd ar fin gorffen eu hastudiaethau neu sydd ar gychwyn gyrfa broffesiynol.

Richard Elfyn Jones

Jones, Dora Herbert (1890–1974)

Ganed Dora Jarret Rowlands yn Llangollen, yr ieuengaf o bump o ferched a fagwyd ar aelwyd Gymraeg ac a ddilynodd gwrs gradd yn y Gymraeg yng Ngholeg **Prifysgol** Cymru, Aberystwyth. Yn 1916 priododd Herbert Jones o Langernyw. Canu oedd ei diddordeb pennaf a bu'n ymwneud â nifer o gymdeithasau cerddorol tra oedd yn y coleg. Er enghraifft, roedd hi'n aelod o bedwarawd a wahoddwyd i berfformio yn y Sorbonne ym Mharis yn 1913 a chanodd Dora **ganeuon gwerin** Cymreig yno yn ogystal. Dyma pryd y daeth i gyswllt â **Chymdeithas Alawon Gwerin Cymru** am y tro cyntaf, gan ganu enghreifftiau cerddorol fel rhan o ddarlith a draddodwyd gan **Mary Davies**, un o hoelion wyth y gymdeithas, yn Aberystwyth (Gibbard 2006, 123).

Gafaelodd diddordeb oes ynddi mewn canu traddodiadol o'r cyfnod hwnnw ymlaen, gan ennill ar gystadleuaeth **canu gwerin** yn **Eisteddfod** Genedlaethol Wrecsam yn 1912. Bu'n aelod blaenllaw o'r gymdeithas fel ysgrifenyddes, trysorydd a llywydd, sef swydd a ddaliodd hyd ei marwolaeth yn 1974 (Gibbard 2003, 13). Gwnaeth ei dawn fel unawdydd argraff ar Mary Davies a cheisiodd hithau annog y gantores ifanc i ddilyn gyrfa broffesiynol yn y maes, ond ystyriai Dora hyn yn ormod iddi (Gibbard 2003, 9). Yn 1913 wedi iddi raddio a dilyn cwrs ôl-radd aeth i Lundain yn ysgrifenyddes i Aelod Seneddol Sir y Fflint, Syr John Herbert Lewis. Tybir mai hi oedd y wraig gyntaf i gymryd swydd ysgrifenyddes yn Nhŷ'r Cyffredin.

Gwraig Herbert Lewis oedd y Fonesig **Ruth Herbert Lewis**, aelod amlwg arall o **Gymdeithas Alawon Gwerin Cymru**, ac yn ystod ei chyfnod yno daeth Dora i adnabod **Morfydd Llwyn Owen**, y gantores a'r gyfansoddwraig. Ymhen amser, rhannai'r ddwy lwyfan â'i gilydd wrth ganu **alawon gwerin** a byddai Dora yn cynorthwyo Ruth gyda'i gwaith casglu, sef un agwedd bwysig ar ei chyfraniad i gerddoriaeth draddodiadol Cymru.

Bu dylanwad y ddwy yn amlwg arni ac fe'i taflodd ei hun i weithgarwch y gymdeithas o'r cyfnod hwnnw ymlaen. Daeth yn llais canu poblogaidd yn eu cyfarfodydd blynyddol rhwng 1912 ac 1934 ac fe'i gwahoddwyd i ddatgan yr enghreifftiau cerddorol adeg eu darlithoedd cyhoeddus. Diddanai Dora gynulleidfaoedd ledled Prydain mewn cyngherddau a chyfarfodydd. Bu'n beirniadu mewn eisteddfodau ac erbyn 1918 teithiai ledled Ewrop yn canu ac yn traethu ar hanes a chyd-destun alawon gwerin Cymru. Ei phrif neges oedd pwysigrwydd gosod yr alawon yn eu cyd-destun cyn eu canu. O ganlyniad, roedd Dora yn 'gennad gloyw ac effeithiol' (Gibbard 2003, 20) dros y gymdeithas a daeth yn un o'r cyntaf i ddarlledu am gerddoriaeth Cymru yn y Gymraeg ar y **cyfryngau** (Gibbard 2006, 129).

Erbyn 1927, a hithau'n weddw gyda dau o blant, ymgartrefodd yng Ngregynog lle bu'n ysgrifenyddes bersonol i'r ddwy chwaer, Gwendoline a Margaret Davies. Er iddi ymgartrefu mewn sawl ardal arall cyn iddi ymddeol yn 1956, gan gynnwys Caerdydd ac Abertawe, dychwelyd i stad Gregynog a wnaeth Dora ac yno y bu weddill ei hoes. Aeth Gwendoline ar ofyn Gustav Holst a Ralph Vaughan Williams am drefniannau o alawon gwerin ar gyfer y côr a berfformiai adeg **Gŵyl Gregynog** (Gibbard 2003, 45–6), a dyma ddechrau cyfnod o gydweithio parod rhwng Dora a'r cyfansoddwyr hyn. Cawsant eu swyno gan ei chanu a rhoddodd hi gyd-destun a chefndir yr alawon i gynorthwyo Holst gyda'i drefniannau. O ganlyniad, llwyddodd i ddwyn sylw a bri i ganeuon gwerin Cymru ar lefel ryngwladol. Fe'i hadwaenid fel 'Brenhines Powys' (Gibbard 2003, 5; Gibbard 2006, 125) ac fel cantores a darlithydd hawliodd ei lle ymysg arbenigwyr pennaf Cymru ym maes yr alaw werin.

Llyfryddiaeth

Gwenan Gibbard, *Brenhines Powys: Cyfraniad Dora Herbert Jones i fyd yr alaw werin yng Nghymru* (Llanrwst, 2003)

——, 'Dora Herbert Jones, 1890–1974', *Transactions of the Honourable Society of Cymmrodorion*, 12 (2006), 121–35

Leila Salisbury

Jones, Edward (Bardd y Brenin; 1752–1824)

Roedd Edward Jones yn **delynor**, yn gyfansoddwr, yn hynafiaethydd ac yn gyhoeddwr. Fe'i ganed yn Henblas, Llandderfel, i deulu cefnog o ffermwyr. Roedd ei dad wedi'i ddysgu i ganu'r **delyn deires** ac aeth i Lundain i wasanaeth teulu pendefigaidd yr Herbertiaid, gan berfformio am y tro cyntaf yn Theatr y Brenin yn 1777. Ymwelodd â Pharis ac yno daeth yn gyfarwydd â'r delyn bedal. Wedi hynny, daeth llwyddiant i'w ran fel athro ac unawdydd yng ngherddorfa J. C. Bach-Karl Abel yng nghyngherddau Sgwâr Hanover. Bu'n llwyddiannus hefyd wrth gyfansoddi, trefnu a chyhoeddi caneuon, sonatas a dawnsfeydd ar gyfer y delyn a/neu'r allweddell.

Ar ymweliadau ag Eryri, aeth Jones ati i gasglu a chyhoeddi cerddoriaeth y werin bobl gan ddefnyddio **llawysgrifau**, llyfrau alawon cerddorion a thraddodiadau llafar. Roedd ganddo dri nod: gwrthsefyll dylanwad Anghydffurfiaeth a oedd (yn ei farn ef) yn andwyo egni cerddorol y genedl; diogelu cerddoriaeth y gorffennol er mwyn llunio dyfodol cerddorol Cymru; a hyrwyddo delwedd y Cymry fel pobl wâr a cherddorol. Awgrymodd hyd yn oed y gallai

'cerddoriaeth genedlaethol' sbarduno cyfnod newydd i gerddoriaeth Prydain gan mai dim ond 'chwarae â'r glust', meddai, yr oedd 'cerddoriaeth a gâi ei mewnforio' tra bod cerddoriaeth Cymru, yr Alban ac Iwerddon yn 'cyffwrdd â'r galon'.

Cyhoeddodd ei ymdrechion yn *Musical and Poetical Relicks of the Welsh Bards* (tair cyfrol 1784–1820) sydd yn cynnwys dyfyniadau o lenyddiaeth a hanes Cymru – llawer ohonynt wedi'u cyfleu yn ddwyieithog. Sicrhaodd y gyfrol gyntaf o'r *Relicks* (1784, 'ehangwyd' 1794) bron 300 o danysgrifwyr, gan gynnwys y Frenhines, Tywysog Cymru, pendefigion a chlerigwyr o'r naill ochr a'r llall i Glawdd Offa. Bu ymateb ar unwaith a pharhaodd yr effaith. Canmolwyd y *Relicks* yn *The European Magazine* (Mai, 1784) fel 'cyfansoddiadau modern' a hynny mewn adolygiad a oedd yn bathu'r term 'cerddoriaeth genedlaethol' am y tro cyntaf. Ymddangosodd yr ail gyfrol fel *The Bardic Museum* yn 1802, ac unwaith eto cafodd gefnogaeth tanysgrifwyr o fri; a chyhoeddwyd trydedd gyfrol, *Hên Ganiadau Cymru*, yn 1820.

Casglwyd 209 o alawon i gyd, llawer ohonynt gyda geiriau Cymraeg, 30 gydag amrywiadau a oedd (yn ei eiriau ef) yn cynnwys 'harmoni nodweddiadol' mewn 'dull brodorol'; roedd 39 ohonynt wedi ymddangos yng nghasgliadau **John Parry** (Parry Ddall) o Riwabon. Cyhoeddwyd y cyfrolau mewn argraffiadau ffolio hardd a'u cyflwyno i Dywysog Cymru, a ddaeth yn ddiweddarach yn George IV. Yn sgil agosrwydd Edward Jones at y teulu brenhinol, fe'i penodwyd yn 'Delynor Tywysog Cymru' (c. 1791) ac yn 'Fardd y Brenin' (1820).

Casglodd a chyhoeddodd alawon cenedlaethol gwledydd eraill o ffynonellau eilaidd fel, er enghraifft, yn *Popular Cheshire Melodies* (1798), *Lyric Airs* (1804) a *Musical Curiosities* (1811). Cefnogai'r **eisteddfod**, a beirniadodd gystadleuaeth y delyn (yn 1819 ac 1820) gan gyfrannu'r gwobrau o'i boced ei hun. Yn ddiweddarach yn ei oes, edwinodd ei yrfa wrth i'r delyn fynd yn llai poblogaidd; fe'i llethwyd gan afiechyd ac anawsterau ariannol a bu farw ar ei ben ei hun yn Llundain, a Chymdeithas Frenhinol y Cerddorion ddyddiau'n unig ynghynt wedi dyfarnu iddo flwydd-dal o £50.

Câi Edward Jones ei gydnabod yn un o brif delynorion ei gyfnod ac yn ffigwr pwysig ym maes **cyhoeddi cerddoriaeth**. Sefydlodd ganon o gerddoriaeth genedlaethol Cymru y bu casglwyr a chyhoeddwyr diweddarach yn cloddio ynddo: roedd yn rhagflaenydd dylanwadol i 'gyfansoddwyr cenedlaethol' y dyfodol, a threiddiodd ei ddylanwad ymhell y tu hwnt i Gymru.

Meirion Hughes

Jones, Edward Morus (g.1944)

Er mai drwy recordiau cynnar y canwr gwerin **Dafydd Iwan** y cysylltir llais a gitâr Edward Morus Jones yn bennaf, bu'n llwyddiannus hefyd fel artist unigol yn ystod cyfnod diwedd yr 1960au a dechrau'r 1970au. Clywir llais tenor swynol Edward yn canu mewn harmoni clos ar bedair EP gan Dafydd Iwan a ryddhawyd ar label Teldisc rhwng 1966 ac 1968, ynghyd â'r gitâr chwech a deuddeg tant. Bu'n cyfrannu ambell gân hefyd, ynghyd â chynorthwyo gyda'r gwaith o lunio cyfieithiadau Cymraeg i eiriau Saesneg. Clywir ffrwyth cydweithio'r ddau ar y casgliad *Carlo a Chaneuon Eraill* (Sain, 1977).

Cyn hyn bu'n cyfieithu geiriau caneuon poblogaidd Eingl-Americanaidd i'r Gymraeg, gan gynnwys "Rhen Shep', a ddaeth yn ffefryn gan ddilynwyr y canwr **Trebor Edwards**. Fel artist unigol, rhyddhaodd sawl record rhwng 1968 ac 1975, gan gynnwys un gyda'r gantores boblogaidd **Mary Hopkin**. Yn ystod yr 1970au bu'n rhyddhau recordiau **addysgol** yn bennaf tra'n parhau i gydweithio gyda Dafydd Iwan ar **hwiangerddi** a chaneuon plant, megis cyfres Cwm-Rhyd-y-Rhosyn, oedd yn cynnwys y gân boblogaidd 'Mam Wnaeth Got i Mi'.

Disgyddiaeth

fel artist unigol:
Ymlaen yr Awn [EP] (Cambrian CEP 410, 1968)
Yr Arwerthwr [EP] (Sain 5, 1970)
Steddfod y Jiwbili [sengl] (Sain 24, 1972)
Aros, Edrych, Gwrando! [EP] (Trytan TRF103E, 1975)

gyda **Dafydd Iwan**:
Wrth Feddwl am Fy Nghymru [EP] (Teldisc TEP861, 1966)
Mae'n Wlad i Mi [EP] (Teldisc TEP864, 1966)
Clyw Fy Nghri! [EP] (Teldisc TEP866, 1967)
A Chofiwn Ei Eni Ef [EP] (Teldisc TEP875, 1968)
Fuoch Chi Rioed yn Morio (Sain 1005D, 1973)
Carlo a Chaneuon Eraill (Sain 1108H, 1977)
Yn ôl i Gwm-Rhyd-Y-Rhosyn (Sain 1110D, 1977)
Gwyliau yng Nghwm-Rhyd-Y-Rhosyn (Sain 1208D, 1981)
Cwm-Rhyd-y-Rhosyn (Sain SCD2090, 1994)

gyda **Mary Hopkin**:
Mary ac Edward [EP] (Cambrian CEP 420, 1968)

Pwyll ap Siôn

Jones, Eric (g.1948)

Cyfeilydd a chyfansoddwr, hyfforddwr a beirniad sydd wedi cynnal ei weithgaredd cerddorol yn gyfochrog â'i yrfa yn y byd **addysg** ac ar ôl ymddeol. Cafodd ei eni a'i fagu ym Mhontarddulais. Derbyniodd ei addysg yn Ysgol Gynradd Gymraeg Pontarddulais ac Ysgol Ramadeg y Bechgyn Tre-gŵyr; ymhlith ei gyfoeswyr yno yr oedd y cyfansoddwr **Karl Jenkins** (g.1944) a'r canwr **Dennis O'Neill** (g.1948).

Wedi ennill ar yr unawd piano dan 18 oed yn **Eisteddfod** Genedlaethol y Drenewydd yn 1965, aeth i Goleg **Prifysgol** Caerdydd gan raddio yn 1970. Astudiodd ymhellach yng Ngholeg Cerdd y Drindod, Llundain, ac ennill diploma LTCL am astudio'r piano, a derbyn gwobr Coleman am farciau uchaf y flwyddyn yn 1972 a gwobr gyfansoddi yn 1976. Erbyn hyn, mae'n Gymrawd o'r coleg. Yn 1989, derbyniodd radd MPhil gan y Brifysgol Agored. Bu'n athro yn Ysgol Uwchradd Stebonheath, Llanelli, ac yn Ysgol Gyfun Mynyddbach, Abertawe, lle'r oedd yn bennaeth y gyfadran celfyddydau creadigol rhwng 1974 ac 1985. Wedi hynny, bu'n ddirprwy brifathro yn Ysgol Gyfun Gŵyr, Abertawe, hyd 1997 gan derfynu ei yrfa addysgol fel prifathro Ysgol Gyfun Bro Myrddin (1997–2006).

Daeth i amlygrwydd yn gyntaf fel hyfforddwr **corau**. Bu'n hyfforddi Côr Merched Ysgol Mynyddbach a thrwy ei waith ef daeth y côr i'r brig yn yr Eisteddfod Genedlaethol, Eisteddfod Ryngwladol Llangollen ac Eisteddfod Genedlaethol yr Urdd. Cyflwynodd y côr i *repertoire* ehangach a sicrhau eu bod yn cyrraedd safon uwch, gan eu paratoi ar gyfer perfformiadau cyhoeddus gyda cherddorfeydd proffesiynol dan **arweinyddion** megis Owain Arwel Hughes, David Willcocks ac Andrew Davis.

Ef oedd cyfeilydd Côr Meibion Pontarddulais rhwng 1973 ac 1991 a bu'n llywydd y côr ers 2004. Bydd yn beirniadu cystadlaethau lleisiol a chystadlaethau cyfansoddi yn yr Eisteddfod Genedlaethol yn gyson, ac fe'i hurddwyd yn aelod anrhydeddus o Orsedd y Beirdd yn 2010 am ei gyfraniad i'r Eisteddfod ac i gerddoriaeth yng Nghymru. Bydd hefyd yn beirniadu mewn **gwyliau** cerdd.

Derbyniodd gomisiynau gan nifer o gorau yng Nghymru a'r tu hwnt, a dewisir gweithiau ganddo'n gyson fel darnau prawf mewn cystadlaethau cenedlaethol (caneuon megis 'Min y Môr' ac 'Yr Alarch'), eu recordio ar gryno-ddisgiau a'u darlledu ar radio a theledu. Ymhlith ei gyfansoddiadau a'i drefniannau y mae darnau lleisiol amrywiol, pedair cyfrol o ganeuon i blant, dwy gyfrol o unawdau i leisiau amrywiol, darnau **corawl** ar gyfer **corau merched**, **corau meibion**, **cymysg** a **phlant**, dwy sioe gerdd a **chantata** Nadolig, sef *Great is the Story* (2012), ar gyfer côr cymysg, côr ieuenctid, unawdwyr a cherddorfa siambr. Cyhoeddir ei gerddoriaeth gan Gwmni Curiad, Sain, **Cymdeithas Alawon Gwerin Cymru**, Banks ac Alto Publications.

Ymhlith gweithiau mwyaf adnabyddus Eric Jones mae *Y Tangnefeddwyr*, gosodiad hynod effeithiol o gerdd Waldo Williams sydd wedi'i drefnu erbyn hyn ar gyfer corau amrywiol ac wedi ei recordio sawl gwaith. Mae'r gân yn nodweddiadol o arddull delynegol, donyddol echblyg y cyfansoddwr. Ef hefyd yw awdur y llyfrau *Maestro* (Gomer, 2007), sef cofiant Noel Davies, a *Brothers Sing On* (Y Lolfa, 2010), ar hanes Côr Meibion Pontarddulais.

Disgyddiaeth

'Y Tangnefeddwyr' ar Corau Ceredigion, *Corau Ceredigion* (Sain SCD2579, 2008)

'Y Tangnefeddwyr' ar The Fron Male Voice Choir, *Voices of the Valley Memory Lane* (Decca 2708449, 2009)

'Y Tangnefeddwyr' ar Côr Meibion Cymry Llundain, *Yn Fyw o Neuadd Bridgewater, Manceinion* (Sain SCD2619, 2010)

'Y Tangnefeddwyr' ar CF1, *Con Spirito* (Sain SCD2620, 2011)

Llyfryddiaeth

Carol yr Alarch a Chaneuon Eraill (Penygroes, 1996)

Dagrau Gorfoledd/Tears of Joy (Penygroes, 1999)

Canwn Fawl (Penygroes, 2000)

Maestro: Cofiant Noel Davies/A Biography of Noel Davies (Llandysul, 2007)

Brothers Sing On: A History of Pontarddulais Male Choir (1960–2010) (Talybont, 2010)

Sioned Webb

Jones, Gwilym Gwalchmai (1921–70)

Cymeriad agos at galon llawer o gantorion talentog yn y Gymru Gymraeg oedd Gwilym Gwalchmai, fel y câi ei adnabod. Er bod ganddo lais hyfryd a thechneg sicr ni wnaeth enw iddo'i hun ar y llwyfan; daeth yn enwog yn hytrach am ei effeithiolrwydd ym maes **addysg** fel athro llais dylanwadol.

Fe'i ganed yn Llanerfyl ac roedd yn frawd i'r darlledwr a'r ysgolhaig Gwyn Erfyl. Ar ôl ennill gwobrau mewn amryw o **eisteddfodau** dilynodd gwrs mewn cerddoriaeth yn y Coleg Cerdd Brenhinol ym Manceinion (1950–54), lle cipiodd rai o'r prif wobrau gan gynnwys bathodyn aur Curtis. Yn

ddiweddarach enillodd wobr yr Imperial League of Opera. Gan iddo benderfynu mai ei swyddogaeth gerddorol oedd hyfforddi cantorion yn hytrach na chanu, agorodd stiwdios canu yn y Rhyl, Wrecsam a Chaernarfon. Yn 1957 symudodd i Fanceinion pan benodwyd ef yn Athro llais yn ei hen goleg. Daeth amryw o'i ddisgyblion yn ffigyrau amlwg ym myd yr eisteddfod a'r cyngerdd a daeth rhai ohonynt yn enwog yn rhyngwladol. Mawr oedd eu gwerthfawrogiad ohono am ei ofal a'i hynawsedd fel athro.

Yn 1959 cychwynnodd gôr, Cantorion Gwalia, a oedd yn arbrawf gan fod pob aelod yn unawdydd profiadol. Bu hefyd yn weithgar fel **arweinydd** cymanfaoedd canu a beirniad eisteddfodol. Ychydig cyn ei farwolaeth annisgwyl cyflwynwyd iddo Gymrodoriaeth Er Anrhydedd gan ei goleg ym Manceinion.

Richard Elfyn Jones

Jones, Gwyn Hughes (g.1969)

Ganed y canwr **clasurol** Gwyn Hughes Jones yn Llanbedr-goch, Ynys Môn. Cychwynnodd ei addysg gerddorol trwy fynychu gwersi canu gyda Pauline Desch. Bu'n fuddugol mewn nifer o **eisteddfodau**, gan gynnwys Eisteddfod Genedlaethol Cwm Rhymni yn 1990. Erbyn hynny roedd wedi symud o'r ynys i astudio yn Ysgol Gerdd a Drama'r Guildhall, Llundain, lle'r enillodd Ysgoloriaeth Kathleen Ferrier yn 1992. Fel bariton y cafodd y llwyddiant hwnnw, ond aeth ymlaen wedyn i astudio gyda David Pollard fel tenor.

Yn 1995 chwaraeodd ran y Fferïwr mewn perfformiad o waith cysegredig Benjamin Britten, *Curlew River*, gydag adolygiadau ffafriol o'r recordiad yn cyfeirio at ei ddawn wrth bortreadu'r cymeriad. Yn yr un flwyddyn ymddangosodd am y tro cyntaf gydag Opera Cenedlaethol Cymru gan chwarae rôl Ismaele yn opera Verdi *Nabucco*, a derbyniodd glod yn y wasg gerddorol am berffformiad hynod addawol. Aeth ymlaen i wneud ymddangosiadau rheolaidd gyda'r cwmni mewn operâu fel *Rigoletto* (2005), *La Bohème* (2009), *Carmen* (2010) a *Manon Lescaut* (2014).

Perfformia'n rheolaidd gydag Opera Cenedlaethol Lloegr yn ogystal; fe'i canmolwyd yn y wasg am ei bortread dirdynnol ac angerddol o gymeriad Macduff yn eu cynhyrchiad o *Macbeth* gan Verdi, a rhyddhawyd y recordiad o'r perffformiad ar label Chandos yn 2014. Yn 2015 perfformiodd mewn cynhyrchiad o waith Wagner am y tro cyntaf, gan chwarae rhan Walter von Stolzing mewn cynhyrchiad Saesneg o *The Mastersingers of Nuremberg*; ystyriai'r tenor ei berfformiad o waith Wagner yn 'garreg filltir' bersonol iddo.

Ar lefel ryngwladol, mae wedi perfformio ledled Ewrop, gan gynnwys Paris a Lyon. Ymddangosodd ar lwyfannau theatrig yr Unol Daleithiau am y tro cyntaf mewn rôl yn *Falstaff* Verdi (Chicago, 1999) ac yna'r Opera Metropolitan, Efrog Newydd, ddwy flynedd yn ddiweddarach. Mae'n canu mewn gweithiau cyngerdd yn ogystal, gan gynnwys Symffoni Rhif 9 (Corawl) Beethoven, *Messiah* Handel a *Das Lied von der Erde* Mahler.

Mae wedi rhyddhau sawl albwm ar label Sain, sydd oll yn arddangos ei allu i addasu'n esmwyth i sawl *genre* cerddorol, boed yn ariâu operatig, **emyndonau** neu **alawon traddodiadol** Cymreig. Gydag **Annette Bryn Parri** fel cyfeilydd, rhyddhawyd *Tenor* (Sain, 1996), *Baner ein Gwlad* (Sain, 1998) a *Canu'r Cymry* (Sain, 2011); yn yr olaf o'r rhain telir teyrnged i'r cyfansoddwyr a fu'n flaengar yn y traddodiad Cymreig o ganu unawdau. Agora'r albwm gyda pherfformiad beiddgar a deinamig o 'Mentra Gwen', tra clywir sioncrwydd ac ysgafnder yn 'O Na Byddai'n Haf o Hyd', tristwch yn 'Yr Hen Gerddor', difrifoldeb ac angerdd yn 'Gweddi Pechadur' a balchder cenedlaethol yn 'Yr Ornest', 'Cymru Fach', 'Gwlad y Delyn' a 'Cymru Annwyl', sy'n cloi'r casgliad.

Cred y tenor fod perfformio'r caneuon hyn yn gydnabyddiaeth o *repertoire* canu Eisteddfodol ei ieuenctid; mae'n arddangos cryn hyder wrth ddychwelyd at ei wreiddiau cerddorol a theimla ei bod yn ddyletswydd arno i rannu ei ddiwylliant Cymreig â chynulleidfa ehangach.

Disgyddiaeth

Benjamin Britten, *Curlew River* (Koch/Schwann 3-1397-2, 1996)

Tenor (Sain SCD2124, 1996)

Baner ein Gwlad (Sain SCD2189, 1998)

Canu'r Cymry (Sain SCD2549, 2011)

Verdi, *Macbeth* (Chandos CHAN3180-2, 2014)

Llyfryddiaeth

Michael Oliver, 'Britten Curlew River, Op. 71', *Gramophone* (Mai, 1996), 115

'Canu dros Gymru: portread o Gwyn Hughes Jones', *Golwg* (26 Mehefin 1997), 26

Lisa Bowen, 'Gwyn Hughes Jones', *Opera Friend*, 78 (Ebrill, 2011), 8–9

Non Tudur, 'Cyfrifoldeb y tenor i'w wlad', *Golwg* (16 Chwefror 2012), 20

Rupert Christiansen, 'Verdi: *Macbeth*: "sharply energised",' *The Telegraph* (24 Ebrill 2014)

'Verdi *Macbeth*', *Gramophone* (Mehefin, 2014), 92

Sioned Webb, 'Colosws Cymraeg y Coliseum', *Barn*, 626 (Mawrth, 2015), 32–3

Tristian Evans

Jones, Heather (g.1949)

Cantores **werin** a **phop** a aned yng Nghaerdydd i deulu di-Gymraeg yw Heather Jones. Dechreuodd ddysgu'r Gymraeg yn yr ysgol a daeth i gysylltiad yn gyntaf â'r byd pop Cymraeg yng ngwersyll yr Urdd, Glan-llyn. Yno, cyfarfu â **Dafydd Iwan** a Dewi 'Pws' Morris a oedd yn rhan o'r ymgyrch i gyfieithu caneuon cyfoes yr 1960au i'r Gymraeg – ymgyrch y trodd ei bwyslais yn raddol at ysgrifennu caneuon gwreiddiol.

Cyfarfu Heather Jones â **Geraint Jarman** mewn ymarferion côr yn Ysgol Uwchradd Cathays yng Nghaerdydd. Yn 1966 ymddangosodd ar y rhaglen deledu adloniant *Hob y Deri Dando* yn canu 'Plaisir d'Amour'. Ar gyfer **Eisteddfod** Genedlaethol yr Urdd yng Nghaerfyrddin yn 1967 ysgrifennodd Jarman y gân 'Beth Sydd i Mi' ar ei chyfer ac enillodd y gystadleuaeth bop newydd honno, gan ddod i sylw **Meredydd Evans**, pennaeth adloniant ysgafn y BBC. Yn sgil hynny, dechreuodd Heather Jones berfformio ledled Cymru ynghyd â chael ei chyfres deledu gyntaf, sef *Gwrando ar Fy Nghân*.

Perthyn sain acwstig, ysgafn i'w record gyntaf, *Caneuon* (Teldisc 1968), gyda'r mwyafrif o'r caneuon yn gyfieithiadau, ac fe'i dilynwyd gyda'r sengl 'Ddoi Di'/'Fe Ddaw' (Cambrian, 1969). Yn 1968, cyfarfu Heather Jones â **Meic Stevens**, a chyda Jarman a Stevens ffurfiodd y tri Y **Bara Menyn**, grŵp a geisiai symud i fwrdd o'r math o ganu ysgafn a berthynai i grwpiau pop Cymraeg y cyfnod megis Y **Pelydrau** a'r **Diliau**. Daeth galw cynyddol am eu hadnoddau lleisiol nodedig, ac fe'u clywir yn canu ar nifer o recordiau Cymraeg o'r cyfnod, gan gynnwys 'Dŵr' gan **Huw Jones** (Sain, 1969). Bu'n dawel am gyfnod ar ôl ei phriodas gyda Geraint Jarman a genedigaeth eu plentyn, Lisa, lle cyfyngwyd ar ei chyfle i ddatblygu ei gyrfa gerddorol gan ei dyletswyddau teuluol, ond fe'i darbwyllwyd gan **Meic Stevens** i ailafael yn yr yrfa honno, ac fe ryddhaodd y ddau record hir 'fer' o'r enw *Heather* gyda phum cân yn unig arni (Newyddion Da, 1971).

Bu'n rhan o sioe seicedelig Cwmni Theatr Cymru

Sachliain a Lludw yn Eisteddfod Genedlaethol Bangor yn 1971, gyda Meic Stevens, Y **Tebot Piws** a'r **grŵp roc** o Ben-y-bont ar Ogwr, James Hogg, yn cyfrannu. Yn yr un flwyddyn, ar gyfer sioe lwyfan *The Green Desert* gyda'r Hennessys a'r actores adnabyddus, Margaret John (1926–2011), derbyniodd Heather Jones benillion 'Colli Iaith' gan Harri Webb a lluniwyd alaw briodol ar eu cyfer gan Meredydd Evans. Teimlai Heather Jones fod cyfeiliant gitâr yn anaddas i'r gân ac ar awgrym Geraint Jarman aeth ati i'w chanu'n ddigyfeiliant. Roedd hynny'n tanlinellu grym ac angerdd neges y geiriau – gyda natur fregus y llais yn adlewyrchu natur fregus yr iaith Gymraeg – a byth ers hynny bu 'Colli Iaith' yn un o ganeuon canonaidd yr ymgyrch iaith yng Nghymru. Parhaodd i gydweithio gyda Geraint Jarman, ac enillodd gystadleuaeth *Disc a Dawn* yn 1972 gyda'i gân 'Pan Ddaw'r Dydd'.

O ran ei gyrfa unawdol trodd Heather Jones o fod yn artist gwerinol ac acwstig i ganu gyda band trydanol. Clywid awgrym clir o'r hyn a oedd eto i ddod yn y gân **roc** trwm, 'Cwm Hiraeth', oddi ar ei EP *Gwrandewch Ar fy Nghân* (Sain, 1972) – cân a recordiwyd ychydig yn ddiweddarach gan y gantores roc Rhiannon Tomos – ac yna ar draciau megis 'Nos Ddu' oddi ar ei halbwm cyflawn cyntaf, *Mae'r Olwyn yn Troi* (Sain, 1974), a recordiwyd yn stiwdio Rockfield ger Trefynwy.

Roedd ei ail halbwm *Jiawl* (Sain, 1976) hyd yn oed yn fwy echblyg yn ei ddefnydd o arddulliau roc, gan gynnwys y gân eponymaidd ar y record ynghyd â 'Cân i Janis', ei theyrnged i'r gantores *blues* Americanaidd ddylanwadol, Janis Joplin (1943–70). Heather oedd 'Nia' yn y cynhyrchiad gwreiddiol o'r **opera** roc, *Nia Ben Aur* (1974). Wrth chwarae yn Aberystwyth un noson ar ôl rhyddhau *Jiawl* (1976) llwyddodd Heather Jones i berswadio Geraint Jarman i ddod i'r llwyfan i ganu rhai caneuon, gan ei fod yn gweithio ar ei albwm cyntaf, *Gobaith Mawr y Ganrif*, ar y pryd. Roedd ymateb y gynulleidfa mor ffafriol fel y penderfynodd Jarman barhau i ganu gyda'r un cerddorion, a dychwelodd Heather Jones at **ganu gwerin** am gyfnod.

Bu'n perfformio'n gyson ers yr 1960au ac mae'n un o leisiau mwyaf adnabyddus Cymru, gydag adnoddau lleisiol arbennig, gan symud yn gwbl ddidrafferth o sain gwerin 'Colli Iaith' at lais roc caled 'Jiawl'. Bu hefyd yn canu ar nifer o recordiau Saesneg, fel rhan o'r grŵp Hin Deg, ac ar draws y byd yn canu **caneuon traddodiadol** Cymreig. Parhaodd i ryddhau recordiau unawdol, gan gynnwys *Hwyrnos*

(Sain, 2000) ac *Enaid* (Sain, 2006). Rhyddhawyd casgliad o'i chaneuon gorau gan Sain yn 2004 ynghyd â'i hunangofiant *Gwrando Ar Fy Nghân* yn 2007. Urddwyd hi i Orsedd y Beirdd yn Eisteddfod Genedlaethol Caerdydd 2008, ac mae hefyd wedi derbyn Gwobr Cyfraniad Oes gan BBC Radio Cymru.

Disgyddiaeth

Caneuon [EP] (Welsh Teldisc TEP872, 1968)
'Ddoi Di'/'Fe Ddaw' [sengl] (Cambrian CSP704, 1969)
Heather (Newyddion Da ND2, 1971)
Colli Iaith [EP] (Sain 20, 1971)
Pan Ddaw'r Dydd [EP] (Sain 30, 1971)
Mae'r Olwyn yn Troi (Sain 1008M, 1974)
Jiawl! (Sain 1047M, 1976)
Hwyrnos (Sain SCD2268, 2000)
Goreuon/Best of (Sain SCD2374, 2004)
Enaid (Sain SCD2442, 2006)

Llyfryddiaeth

Heather Jones, *Gwrando Ar Fy Nghân* (Caerdydd, 2007)

Sarah Hill a Pwyll ap Siôn

Jones, Huw (g.1948)

Gadawodd Huw Jones ei ôl ym maes **cerddoriaeth boblogaidd** gyfoes Gymraeg fel canwr, cyfansoddwr, cyflwynydd a sylfaenydd label. Cafodd ei eni ym Manceinion yn 1948, ond roedd ei deulu'n hanu o ardal Meirionnydd ac fe'i magwyd yng Nghaerdydd. Astudiodd Ffrangeg yng Ngholeg Iesu, Rhydychen, ond cadwodd gysylltiadau agos â'r byd pop a oedd yn graddol ddatblygu yng Nghymru erbyn diwedd yr 1960au, gan ddychwelyd yno ar benwythnosau i ganu caneuon mewn arddull acwstig mewn cyngherddau. Roedd ymhlith yr artistiaid a chwaraeodd yn yr ŵyl bop Gymraeg gyntaf, y Pinaclau Pop, ym Mhontrhydfendigaid yn 1968.

Daeth i amlygrwydd yn fuan wedi hyn, ac ym mis Hydref 1968, rhyddhaodd ei EP gyntaf, *Cymru'n Canu Pop* (Welsh Teldisc, 1968). Erbyn 1969, fodd bynnag, roedd ef a **Dafydd Iwan** wedi penderfynu mynd ati i sefydlu label annibynnol newydd, sef Cwmni Sain. Ar gyfer record gyntaf y label aeth Huw Jones i stiwdio broffesiynol Central Sound yn Llundain, gyda **Meic Stevens** a **Heather Jones** yn cyfeilio.

Y canlyniad oedd 'Dŵr' – cân brotest rymus sy'n mynegi gwrthwynebiad i foddi Capel Celyn. Fe'i rhyddhawyd fel sengl ym mis Hydref 1969. Gyda chymorth un o fideos cerddoriaeth bop cyntaf y

Gymraeg – un a ffilmiwyd ar lannau Llyn Celyn – aeth y sengl, gyda'i threfniant cyfoethog (dyma'r gân gyntaf yn y Gymraeg i'w recordio ar beiriant amldrac) a'i chlawr seicedelig, i frig Deg Uchaf siart *Y Cymro*, gan sefydlu Sain fel cwmni mentrus (am hanes recordio'r gân, gw. Wyn 2002, 144–45). Roedd sengl arall, 'Paid Digalonni' (Sain, 1970), yn llwyddiannus hefyd; cafodd ei rhyddhau'n frysiog fel teyrnged i Dafydd Iwan, a oedd yn y carchar ar y pryd yn dilyn un o brotestiadau Cymdeithas yr Iaith, ac fe'i canodd tu allan i furiau carchar Caerdydd.

Cyn hir, ehangodd Huw Jones ei orwelion yn y byd **cyfryngol**. O 1970 hyd 1973 bu'n cyflwyno'r gyfres bop *Disc a Dawn*, gan ddiddanu gwylwyr gyda'i arddull gyflwyno ffraeth a phroffesiynol. Disgrifiwyd ei EP nesaf ar label Sain, *Daw Dydd y Bydd Mawr y Rhai Bychain* (Sain, 1972), gan un o adolygwyr y cylchgrawn *Sŵn* fel 'record berffaith'; ynghyd â'r gân deitl roedd hefyd yn cynnwys deuawd gyda Heather Jones ar 'Ble'r Aeth yr Haul', a gyfansoddwyd gan Dewi 'Pws' Morris. Sengl fwyaf llwyddiannus Huw Jones o'r cyfnod hwn oedd y gân ddychan hwyliog 'Dwi Isio Bod Yn Sais' (Sain, 1973), a fu ar frig Deg Uchaf *Y Cymro* am chwe mis gan werthu oddeutu 8,000 o gopïau (Wallis a Malm 1983, 88–90).

Ar ôl rhyddhau ei unig record hir, *Adlais* (Sain, 1976), rhoddodd Huw Jones y gorau i ganu a recordio er mwyn canolbwyntio ar fyd busnes. Parhaodd fel rheolwr gweithredol Sain hyd 1981 ac wedi hynny, yn dilyn sefydlu S4C yn 1982, roedd yn un o sylfaenwyr Teledu'r Tir Glas – y cwmni teledu annibynnol Cymraeg cyntaf – a chwmni adnoddau teledu Barcud yng Nghaernarfon. Bu'n gadeirydd Barcud hyd at 1993. Ers hynny, bu ganddo gyfrifoldebau amrywiol eraill yn y diwydiant cyfryngol gan gynnwys Prif Weithredwr S4C (1994–2005), cadeirydd yr Ŵyl Cyfryngau Celtaidd, a chadeirydd S4C (2011–19).

Efallai na fu Huw Jones mor gynhyrchiol â rhai o'i gyfoeswyr, ond mae graen ac ôl meddwl yn perthyn i'w recordiadau. Tra'r oedd Dafydd Iwan yn fwy parod i herio'r Cymry am eu hapathi ynglŷn â pharhad yr iaith Gymraeg, roedd agwedd Huw Jones o bosibl yn fwy cynnil, ac roedd yn grefftus yn y modd y llwyddai i gysylltu'r arddull bop newydd gyda thraddodiadau cerddorol a diwylliannol hŷn. O'r cychwyn, roedd ganddo genhadaeth glir i godi safon y byd pop Cymraeg, ac roedd mynnu agwedd broffesiynol tuag at y

gwaith o gynhyrchu recordiau yn rhan ganolog o hynny.

Disgyddiaeth

Cymru'n Canu Pop [EP] (Welsh Teldisc PYC5436, 1968)

'Y Ffoadur'/'Dewch i Ganu (La, La, La)' [sengl] (Welsh Teldisc WD912, 1969)

'Dŵr'/'Fy Ngwlad Fy Hun' [sengl] (Sain 1, 1969)

'Atgofion Llofft Stabal' (Recordiau Tŷ Ar Y Graig TAG LP 1003, 1970)

'Paid Digalonni'/'Ffoi' [sengl] (Sain 3, 1970)

'Gwylliaid Cochion Mawddwy' [sengl] (Sain 9, 1970)

Daw Dydd y Bydd Mawr y Rhai Bychain [EP] (Sain 21, 1971)

Dwi Isio Bod Yn Sais [EP] (Sain 33, 1973)

Llyfryddiaeth

Roger Wallis a Krister Malm, 'Sain Cymru: The Role of the Welsh Phonographic Industry in the Development of a Welsh Language Pop/Rock/Folk Scene', *Popular Music*, 3 (1983), 77–105

Hefin Wyn, *Be Bop a Lula'r Delyn Aur* (Talybont, 2002)

Craig Owen Jones

Jones, John (Eos Bradwen) (1831–99)

Un o gerddorion amlwg Cymru'r 19g. a phlentyn ei gyfnod oedd John Jones, neu Eos Bradwen fel y'i hadwaenid. Fe'i ganed yn Nhal-y-llyn, Sir Feirionnydd, cyn i'r teulu symud i Ddolgellau lle bu'n gyfrifol am *Y Seraph neu Gyfaill y Cerddor Ieuanc*, cyfrol o donau ac alawon. Fel **Ieuan Gwyllt** (John Roberts; 1822–77) a **Joseph Parry** (1841–1903) ar ei ôl, anelai at y patrwm Fictoraidd o gynhyrchu deunydd dyrchafedig, **addysgiadol** er mwyn codi safonau moesoldeb yn y gymdeithas. Symudodd i Aberystwyth yn 1858 cyn symud eto i Lanelwy lle bu'n gyfrifol am godi safonau **corawl** fel **arweinydd** yn yr Eglwys Gadeiriol.

Bu yn Llanelwy am bymtheng mlynedd a thra oedd yno enillodd wobr am gyfansoddi geiriau i'r gantata *Y Mab Afradlon* (1870). Cyfansoddodd gerddoriaeth y gantata *Owain Glyndŵr* a bu canu mawr ar ei unawdau 'Bugeiles yr Wyddfa' a 'Y Gŵr â'r Siaced Wen'. Enillodd yr **opera** *Dafydd ap Siencyn* wobr iddo yn **eisteddfod** Llandudno yn 1885. Yn 1878 symudodd i'r Rhyl cyn ymsefydlu'n ddiweddarach yng Nghaernarfon, lle treuliodd weddill ei oes.

Fel cymaint o'i gyfoeswyr cerddorol, mae ei fywyd yn batrwm o'r norm sef codi o gefndir cyffredin, hunanaddysgu a chynnig ei wasanaeth i gymdeithas. Nid yw ei weithiau creadigol wedi goroesi fodd bynnag. Gweithiwr tawel yn y winllan ydoedd, un o lawer na fyddai cerddoriaeth yng Nghymru wedi datblygu'r un fath hebddynt.

Llyfryddiaeth

Y Cerddor (Gorffennaf, 1899)

Y Geninen (Gŵyl Dewi), 1901, 23.

www.llgc.org.uk/en/s-JONE-Joh-1831.html

www.llechicymon.info/ComCultMusic.english.htm

Lyn Davies

Jones, John Owen (Owen Bryngwyn)
(1884–1972)

Ganed John Owen Jones (Owen Bryngwyn) yn Llangwm, Sir Ddinbych, yn un o bump o blant. Saer ac adeiladydd oedd ei dad, Owen Jones. Roedd ei fam, Esther (Essie) Roberts, yn unig ferch y Parchedig Ellis Roberts, rheithor Llangwm, a llenor, bardd a beirniad a oedd yn fwy adnabyddus wrth ei enw barddol, Elis Wyn o Wyrfai.

Cartref llawn cerdd a chân oedd cartref y teulu ym Mryngwyn, Llanegryn, a bu hyn o gryn arwyddocâd yn hanes a datblygiad Owen a'i frawd, William Ellis Jones (1883–1971). Wedi cyfnod yn Ysgol Ramadeg Tywyn, enillodd Owen ysgoloriaeth i fynd i Goleg **Prifysgol** Gogledd Cymru Bangor, lle canolbwyntiodd ar y gwyddorau a chemeg yn arbennig, gan raddio'n BSc yn 1907. Tra oeddynt yn fyfyrwyr ym Mangor daeth y ddau frawd yn aelodau o'r Canorion, cymdeithas o fyfyrwyr a sefydlwyd gan **J. Lloyd Williams** (1854–1945) i gasglu a chanu **caneuon gwerin** Cymru. Buont yn flaenllaw hefyd yng ngweithgareddau **corawl** y coleg, gydag Owen yn neilltuol o amlwg fel unawdydd yn rhai o'r cyngherddau.

Wedi iddo adael Bangor, a thra oedd yn dysgu gwyddoniaeth mewn ysgolion yn Lloegr, bu Owen yn canu am flynyddoedd lawer mewn cyngherddau a **gwyliau** cerddorol. Yn 1910 ymgeisiodd am swydd fel bariton ac athro cerdd yn Ysgol Gorawl Eglwys Gadeiriol Manceinion a honnodd y Prifathro Harry Reichel o Fangor – mewn tystlythyr – mai ef oedd y bariton amatur gorau a glywsai erioed, gan ychwanegu ei fod wedi cyfrannu'n helaeth at fywyd cerddorol y Coleg yn ystod ei gyfnod yno.

Er na chafodd y swydd, mae'n amlwg fod y llwyfan yn galw arno'n ddi-baid a chymerodd gam i gyfeiriad y byd proffesiynol wrth symud i Lundain yn 1919. Penderfynodd astudio yn y Coleg Cerdd Brenhinol gyda Walter Ford. Rhwng 1920 ac 1922 ymddengys

iddo fod yn athro yn Ysgol Emmanuel, Wandsworth. Ond yn 1922, wedi marwolaeth ei dad a chwalu'r cartref yn Llanegryn, trodd ei gefn ar fyd addysg a chychwynnodd ar yrfa fel canwr proffesiynol dan yr enw Owen Bryngwyn.

Parhaodd i wneud bywoliaeth o ganu hyd ddechrau'r Ail Ryfel Byd. Yn 1939, ac yntau'n 55 mlwydd oed, dychwelodd at ddysgu gwyddoniaeth, a hynny yn Epsom College, Surrey. Barnodd mai hon oedd y ffordd orau y gallai wasanaethu ei gymdeithas mewn cyfnod o argyfwng. Er mai dros gyfnod y rhyfel yn unig y bwriadai aros yn y swydd, bu ynddi hyd 1954. Parhâi i ganu ar benwythnosau ac yn ystod y gwyliau, a chyfrannodd yn fawr ar yr un pryd at fywyd cerddorol yr ysgol.

Ymhlith ei bapurau yn **Llyfrgell Genedlaethol Cymru** ceir llu o erthyglau ac adolygiadau sy'n tystio i'w ddawn fel canwr, yn eu plith nodiadau gwerthfawrogol gan R. Vaughan Williams, Dame Nellie Melba, **Walford Davies**, Sam Langford, Herbert Howells, Arthur Somervell a Keith Falkner (cyn-brifathro'r Coleg Cerdd Brenhinol). Ynddynt cyfeirir at ansawdd cyfoethog ei lais ac at ei ddehongli a'i gyflwyno deallus, disgybledig. Y cyngherddau a'r **gwyliau cerddorol** (crefyddol a seciwlar) oedd prif feysydd ei berfformio a threuliodd flynyddoedd lawer o'i oes yn crwydro Ynysoedd Prydain. Bu'n canu yn Llydaw hefyd ac ymddangosodd ar lwyfan gyda phrif gantorion ei gyfnod. Dechreuodd ei yrfa broffesiynol tua'r un adeg ag y sefydlwyd radio fel cyfrwng a chyn diwedd yr 1920au clywid ei lais yn bur aml ar y cyfrwng hwnnw wrth iddo ddarlledu ar nifer o'r rhwydweithiau rhanbarthol yn ogystal ag ar y rhwydwaith Prydeinig.

Bu'n recordio i Gwmni Recordio Decca a rhyddhaodd gyfanswm o wyth record, a chaneuon y Cymry a geir arnynt yn ddieithriad. Er ei fod yn artist prysur a thra derbyniol, mynnai'r athro ynddo frigo i'r wyneb yn aml a bu'n darlithio llawer i gymdeithasau amrywiol ac yn arbennig i ddisgyblion ysgol. Ymhlith ei bapurau ceir pedair darlith boblogaidd o'i eiddo: 'The joy and fun of singing', 'Aspects of the singer's art', 'Welsh characters and way of life depicted in song' a 'Diwylliannol werth alawon ein gwlad'.

Yn 1958, pan oedd **Cymdeithas Alawon Gwerin Cymru** yn dathlu ei hanner canmlwyddiant yn Llangollen, daeth y ddau frawd a thua chwech o aelodau gwreiddiol Y Canorion ynghyd i gyd-ganu'r hen ganeuon a gasglwyd ganddynt ac i ail-fyw peth o hwyl a helynt y dyddiau gynt. Canodd Owen

Bryngwyn yn y cyngerdd dathlu ac yntau erbyn hynny'n 74 mlwydd oed. Tystiai'r rhai a oedd yn bresennol fod ei ysbryd mor fywiog ag erioed a'i ganu yn parhau'n felys a chrefftus. Bu farw ar 24 Mawrth 1972 ac fe'i claddwyd ym medd y teulu yn Llanegryn.

Llyfryddiaeth

'Owen Bryngwyn', *Y Bangoriad* (Cylchgrawn Cymdeithas cyn-fyfyrwyr Prifysgol Bangor) (Mawrth, 1973)

Buddug Lloyd Roberts, 'John Morris – Casglwr Alawon Gwerin', *Y Faner*, 30 (Rhagfyr, 1977), 21

Meredydd Evans, 'Owen Bryngwyn', *Cerddoriaeth Cymru/Welsh Music*, 6/6 (Gaeaf, 1980–81), 54–60

D. Roy Saer, *Cymdeithas Alawon Gwerin Cymru: canrif gron/The Welsh Folk-Song Society: a whole century* (2006)

Meredydd Evans a Wyn Thomas

Jones, Joseph David (1827–70)

Cymwynaswr, cerddor ac athro a gŵr eithriadol o egnïol a gyflawnodd lawer yn ystod ei oes fer. Fe'i ganed ym Mryncrugog ym mhlwyf Llanfair Caereinion, Sir Drefaldwyn, yn fab i wehydd a oedd yn bregethwr achlysurol gyda'r Wesleaid. Roedd ei fam yn ei annog yn ei ddiddordebau cerddorol ond nid felly y tad, a oedd yn wrthwynebus iawn iddo ymhél â gweithgaredd o'r fath. Daeth yn chwaraewr sielo medrus a gwnaeth gyfraniad sylweddol i ganiadaeth y cysegr ac ym myd y gân Gymreig, yn ogystal ag fel golygydd ac **addysgwr**. Cyfansoddodd *Y Perganiedydd* cyn cyrraedd ei benblwydd yn ugain oed a bu'r gwaith yn llwyddiant masnachol.

Wedi marwolaeth ei fam, symudodd J. D. Jones i Dywyn, Meirionnydd, lle bu'n cynnal dosbarthiadau canu, a daeth yn athro yn Ysgol Frutanaidd y dref yn 1851 ar ôl dilyn cwrs hyfforddi yng Ngholeg Borough Road, Llundain. Yn 1865, aeth i fyw i Ruthun lle sefydlodd ysgol ramadeg breifat. Enillodd yn **Eisteddfod** Bethesda yn 1853 gyda'r **anthem** 'Ymddyrcha, O Dduw' ac yn dilyn hyn cafwyd nifer helaeth o ganeuon, anthemau ac **emyn-donau** ganddo, yn eu plith *Cydymaith y Cerddor*, *Y Delyn Gymreig*, *Caniadau Bethlehem* ac *Alawon y Bryniau*.

Yn ei ganeuon, paratodd y ffordd ar gyfer cyfansoddwyr eraill, fel **R. S. Hughes** (1855–93) a **Joseph Parry** (1841–1903), ac yn 1868, yn dilyn rhai blynyddoedd o ymchwil, cyhoeddwyd *Llyfr Tonau ac Emynau*, wedi'i gyd-olygu ganddo ef ac Edward Stephen (Tanymarian). Ei dôn

gynulleidfaol fwyaf adnabyddus, ac un sy'n parhau'n boblogaidd, yw 'Capel y Ddôl'. Bu farw yn 1870 yn gymharol ifanc ond gadawodd waddol gyfoethog ar ei ôl fel un o gymwynaswyr cerddorol amlycaf ei gyfnod.

Llyfryddiaeth

Y Gwyddoniadur Cymreig, 1889–96, x, 624

Y Cerddor, 1870, 78, 85; Mawrth a Medi 1893, Ebrill 1910

M. O. Jones, *Bywgraffiaeth Cerddorion Cymreig* (Cymdeithas yr Eisteddfod Genedlaethol, 1890)

yba.llgc.org.uk/en/s-JON-DAV-1827.html

Archif Tŷ Cerdd, Bae Caerdydd

Lyn Davies

Jones, L. D. (gw. Tegid, Llew)

Jones, Leah-Marian (g.1964)

Ganed Leah-Marian Jones yng Nghilgerran ac mae'n esiampl dda o sut y gall profiadau **eisteddfodol** cynnar arwain yn naturiol at yrfa lwyddiannus ym myd **opera**. Astudiodd yng ngholeg cerdd y Royal Northern ym Manceinion ac yn y National Opera Studio, Llundain. Bu'n brif unawdydd yn y Cwmni Opera Brenhinol yn Covent Garden am wyth mlynedd ac ers hynny cafodd gytundebau gyda bron pob un o'r cwmnïau opera Prydeinig. Dramor, fe'i clywyd mewn canolfannau pwysig yn Ffrainc (y Châtelet ym Mharis, Angers Nantes Opéra ac Opéra de Rennes), a bu'n canu mewn sawl canolfan yn yr Unol Daleithiau, yn eu plith Berkeley a'r Met, Efrog Newydd.

Er ei bod yn brysur y tu allan i Gymru ac wedi cydberfformio gyda rhai o fawrion enwocaf y byd canu (gan gynnwys Luciano Pavarotti a Placido Domingo), mae'n cadw ei chysylltiadau Cymreig a chyda'r Gymru Gymraeg. Cafwyd perfformiad trawiadol ganddi yn *Pelléas et Mélisande* Debussy i Opera Cenedlaethol Cymru, lle cymerodd ran Geneviève (gw. Davies 2015). Cofir hefyd am ei chyfres deledu ar S4C ar droad y ganrif pan ddangosodd ei hamlochredd cerddorol.

Ffaith hynod am Leah-Marian Jones yw ei bod, ar waethaf ei phrydferthwch, wedi cael ei chastio'n aml fel gwrach mewn rhai operâu, er enghraifft fel Jezibaba yn *Rusalka* (Dvořák) lle clywyd ochr dywyll i'w chrefft theatrig, a'r wrach yn *Hänsel und Gretel* (Humperdinck) mewn perfformiad a ganmolwyd yn fawr. Yn y rhannau hyn fe'i gwelwyd yn difyrru cynulleidfaoedd trwy actio'n smala yn ogystal â'u swyno gyda chanu cyfoethog a thelynegol.

Llyfryddiaeth

Carys Davies, 'Pelleas et Mélisande, [cyfweliad gyda] Leah-Marian Jones', *Art Scene in Wales*, 28 Mai 2015

Richard Elfyn Jones

Jones, Matthew (g.1974)

Feiolydd, feiolinydd a chyfansoddwr a aned yn Abertawe. Er iddo raddio'n ddisglair mewn mathemateg o Brifysgol Warwig rhoddodd ei fryd ar yrfa gerddorol ac erbyn hyn fe'i hedmygir yn rhyngwladol fel feiolydd o'r radd flaenaf. Disgrifiodd y cylchgrawn *The Strad* ef fel 'a worthy successor to Lionel Tertis'. Mae ei gywreinrwydd technegol a rhyddid telynegol ei fynegiant wedi plesio adolygwyr a chynulleidfaoedd fel ei gilydd. Mae'n feiolydd yn y Bridge Duo (gyda'i wraig, y pianydd Annabel Thwaite), Triawd Debussy ac Ensemble MidtVest. Teithia'r byd, ac mae'n comisiynu gweithiau newydd ac yn tynnu sylw at ddarnau a esgeuluswyd. Fel unawdydd mae'n perfformio'n gyson gyda'r prif gerddorfeydd ac ymhlith ei berfformiadau consierto y mae gweithiau gan Berlioz, Vaughan Williams a Walton.

Recordiodd ddeg cryno-ddisg, gan gynnwys gweithiau gan Debussy, Ravel, Vaughan Williams, Prokofiev, Frank Bridge, Arthur Bliss, Rebecca Clarke, York Bowen, **William Mathias** ac eraill. Gwerthfawrogir ei gyfraniad i **addysg** gerddorol ac mae'n Athro feiola yng Ngholeg y Drindod, Llundain, ac yn Athro feiolin, feiola a cherddoriaeth siambr yng Ngholeg Brenhinol Cerdd a Drama Cymru.

Fel cyfansoddwr mae Matthew Jones yn canolbwyntio ar ddrefniadau o weithiau ar gyfer y feiola ond mae hefyd wedi cyfansoddi pedwarawd llinynnol a sioe gerdd, *Slingshot!*, a berfformiwyd gan Music Theatre Warwick yn 1999. Mae agwedd holistaidd Matthew Jones mewn perthynas â pherfformio wedi dod ag ef i amlygrwydd ymhlith ei gyd-gerddorion ac eraill, gan ei fod yn cynnig cyngor a hyfforddiant yn nhechneg Alexander a Yoga Kundalini.

Llyfryddiaeth ddethol

matthewjonesmusic.guru
gsmd.ac.uk
wcmd.ac.uk
naxos.com

Richard Elfyn Jones

Jones, Nansi Richards

(gw. **Richards, Nansi**; Telynores Maldwyn)

Jones, Rhys (1927–2015)

Cyfeilydd, **arweinydd**, cyfansoddwr a ddaeth yn un o gerddorion mwyaf dylanwadol ei genhedlaeth. Fe'i ganed yn Nhrelawnyd, Sir y Fflint, ond er fod y pentref ei hun yn gwbl Gymraeg yn y cyfnod hwnnw fe'i haddysgwyd mewn ysgolion cynradd ac uwchradd Saesneg. Gan adnabod ei ddawn gerddorol, talodd ei rieni Elisabeth a Robert John Jones – nyrs a lengthman cyngor – gyflog chwe mis i gael piano i'r tŷ a gwersi ar gyfer eu mab.

Bu sawl amgylchiad a digwyddiad yn bwysig yn natblygiad cynnar Rhys Jones. Clywai **ganu corawl** yn feunyddiol a rhoddodd mynach gasgliad o recordiau clasurol iddo ar fenthyg unwaith. Gwrthododd ysgoloriaeth i Goleg y Brifysgol, Aberystwyth, gan droi'n athro ysgol ac yntau'n ddim ond pedair ar bymtheg oed. Bu'n bianydd cerddorfa ddawns yn ystod ei Wasanaeth Cenedlaethol gyda'r Fyddin ac yn 1948 cyfarfu â'i wraig, Gwen.

Roedd yn athro cerddoriaeth unigryw, un a gyflwynai ei bwnc mewn dull llawn hiwmor a chan dynnu'n helaeth ar ei gefndir a'i brofiad eang o fiwsig o bob math. Roedd yr un peth yn wir am ei gyfansoddiadau a'i drefniannau ar gyfer côr yr ysgol, y cyfan i gyfeiliant arddull biano ddisglair a ysbrydolwyd gan recordiau y pianydd **jazz**, Fats Waller (1904–43). Rhoddai gyfle i bob plentyn oedd ag awydd i gyfrannu, fel yn ei drefniant ysbrydoledig o 'O Mae'n Braf' i blant a dderbyniai wersi offerynnol yn yr ysgol. Ar arddull *big band* y seiliodd Rhys Jones y trefniant, gan alw, fel uchafbwynt, ar i res o chwaraewyr recorder sefyll i ddatganu'r thema mewn efelychiad o sacsoffonwyr jazz Glenn Miller.

Fel cyfansoddwr, gadawodd stôr helaeth a phwysig o ganeuon. Mae ei gyfrol yn y gyfres *Caneuon Newydd i Ysgolion* (Hughes a'i Fab, 1960) yn batrwm o'r hyn y dylai caneuon o'r fath fod, gyda gwreiddioldeb a ffresni yn yr alawon a'r gynghanedd gerddorol. Mae'r darnau i gôr deulais, fel 'Llan-y-Dŵr', wedi dod yn glasuron, ac mae un o'i ganeuon enwocaf, 'O, Gymru', yn enghraifft arall o'i wreiddioldeb fel cyfansoddwr. Dilynwyd hyn gan *Deg o Forwyr a Chaneuon Eraill* (Hughes a'i Fab, 1961), ac yn fwy diweddar, *Digon i Mi* (Gwynn, 2004).

Dangosai caneuon megis 'Arian, Arian' allan o'r

sioe *Ffantasmagoria* (1975) ei ddawn wrth ymdrin â ffurf y sioe gerdd, tra bod 'Cilfan y Coed' yn amlygu ei ddealltwriaeth o draddodiad a chrefft y gân glasurol Gymreig. Roedd cynulleidfaoedd hefyd yn gwerthfawrogi ei allu i gyfathrebu'n hwyliog – talent a'i gwnaeth yn ddiweddarach yn ddewis delfrydol i gyflwyno **rhaglenni radio** a theledu fel *Segura, Dechrau Canu, Dechrau Canmol* a *Taro Nodyn*. Torri tir newydd wnaeth *Canu'n Llon*, sef deg a thrigain o raglenni o Neuadd y Penrhyn, Bangor, gyda Meibion Menlli.

Roedd ei egni'n ddihysbydd. Yn ogystal â chyfansoddi, dysgu, arwain a chyflwyno, roedd yn feirniad, cyfeilydd gwadd a dirprwy brifathro mawr ei barch. Ym mhob un o'r swyddogaethau hyn amlygwyd yn ddi-feth ei athrylith fel cyfathrebwr. Bu ef a'i briod, Gwen, yn hyfforddi cannoedd o bobl ifanc, ac yn difyrru'r tyrfaoedd trwy gyfrwng nifer o gorau a phartïon mor amrywiol â Chôr y Glannau a Chantorion Gwalia. Yn ôl **Dafydd Iwan**, bu cyfraniad Rhys Jones yn un 'cwbl arbennig' i gerddoriaeth Cymru: 'Yr hyn oedd yn gwneud Rhys mor arbennig oedd ei agwedd tuag at gerddoriaeth, nid fel disgyblaeth neu bwnc academaidd, ond fel rhan annatod o hwyl a chreadigrwydd bywyd bob dydd. Bu ei ddylanwad ar gantorion a chyfansoddwyr yn anfesuradwy' (Iwan 2016).

Yn dilyn ei farwolaeth yn 2015, rhyddhaodd label Sain gasgliad o ganeuon Rhys Jones gan gynnwys 'Cilfan y Coed', 'Dal Ein Tir' a 'Y Ddraenen Wen', gyda chyfraniadau gan gantorion megis **Bryn Terfel**, **Rhys Meirion**, Trystan Llŷr Griffiths ac Aled Wyn Davies, ynghyd â threfniant arbennig o'i **emyn** 'Caryl' gan *ensemble* lleisiol y 4o5s a oedd yn cynnwys ei ferch, y gantores amryddawn a ddysgodd gymaint ganddo, **Caryl Parry Jones**.

Disgyddiaeth

Caneuon Rhys Jones [Artistiaid Amrywiol] (Sain SCD2747, 2016)

Llyfryddiaeth

Rhys Jones, Gwynne John, Gilmor Griffiths a Leslie Harries, *Caneuon Newydd i Ysgolion* (Wrecsam, 1960)

Rhys Jones a Leslie Harries, *Deg o Forwyr a Chaneuon Eraill* (Wrecsam, 1961)

———, *Digon i Mi* (Penygroes, 2004)

Siân Thomas, *Rhys Jones a Caryl Parry Jones* (Llandysul, 2004)

Dafydd Iwan [nodyn am *Caneuon Rhys Jones*] (2016) <http://www.sainwales.com/cy/store/sain/sain-scd2747> (cyrchwyd 25 Mai 2016)

Gareth Glyn a Pwyll ap Siôn

Jones, Richard Elfyn (g.1944)

Mae Richard Elfyn Jones, a aned ym Mlaenau Ffestiniog, yn un o gerddorion mwyaf amryddawn ei genhedlaeth, sydd wedi gwneud cyfraniad helaeth nid yn unig fel cyfansoddwr ond hefyd fel **arweinydd** ac organydd, darlithydd, awdur, athronydd, **ysgolhaig**, a beirniad cerdd, ac ymysg ei gyhoeddiadau ceir erthygl ar **David Wynne**, A. N. Whitehead, a llyfr ar y cysylltiadau rhwng cerddoriaeth ac athroniaeth (gw. Jones 1979, 2000 a 2007).

Astudiodd gyfansoddi gyda **William Mathias** (1934–92) a **Reginald Smith Brindle** (1917–2003) yng Ngholeg **Prifysgol** Gogledd Cymru, Bangor. Enillodd raddau BA ac MMus a bu'n fyfyriwr ymchwil yng Ngholeg y Brenin, Caergrawnt. Dyfarnwyd iddo Gymrodoriaeth gan Goleg Brenhinol yr Organyddion (FRCO) yn 1967 pan enillodd Wobr Limpus am ei berfformiadau. Yn 1978, dyfarnwyd iddo radd PhD am ei waith ar operâu y cyfansoddwr o Loegr, Michael Tippett (1905–98).

Treuliodd ei yrfa gyfan yn ddarlithydd yn Adran Gerddoriaeth Prifysgol Caerdydd. Yn ogystal â bod yn gyfansoddwr amryddawn ac eang ei ystod, bu'n awdur nifer o lyfrau, yn eu plith gyfrol ar waith ei gyfaill o gyfansoddwr **David Wynne** (1979) a *The Early Operas of Michael Tippett* (1996). Ond mae ei brif gyfraniad fel ysgolhaig ym maes athroniaeth cerddoriaeth, a gwelir hyn yn bennaf yn *Music and the Numinous* (2007), gwaith crefyddol ei naws sy'n trafod natur sylfaenol cerddoriaeth (ac i ryw raddau'r celfyddydau eraill) trwy dechnegau arloesol ymresymu athroniaeth Proses.

Yn gynnar yn ei yrfa, gwnaeth enw iddo'i hun fel organydd gan ymddangos fel datgeinydd bymtheg o weithiau ar BBC Radio 3. Fel arweinydd cerddorfaol, cyrhaeddodd rownd gyn-derfynol Cystadleuaeth Ryngwladol Guido Cantelli ym Milan yn 1980. Ond bu ei bwyslais mwyaf ar arwain **corawl**. Bu'n arweinydd Côr Poliffonig Caerdydd (1977–91) ac Ensemble Lleisiol Cymru. Bu'n gorws-feistr hefyd ar gyfer perfformiadau **teledu a radio** gan weithio'n agos gydag **arweinyddion** megis Colin Davis, Andrew Davies, Roger Norrington, John Eliot Gardiner a Neville Marriner.

Cyfansoddodd ar gyfer nifer o gerddorion cyfoes adnabyddus, yn eu plith **Bryn Terfel**, Gillian Weir, John Scott, Jack Brymer, Pedwarawd Llinynnol Britten, **Llŷr Williams**, Huw Tregelles Williams; ysgrifennodd hefyd ar gyfer **Cerddorfa**

Genedlaethol Gymreig y BBC. Yn yr 1990au bu'n ysgrifennu cerddoriaeth ar gyfer ffilm a theledu, a denodd ei gerddoriaeth ar gyfer cyfresi teledu Timeline ac *After the Warming* (Maryland PBS, 1990) yn yr Unol Daleithiau sylw rhyngwladol. Rhwng 1996 a 2004, ef oedd ymgynghorydd **cerddoriaeth glasurol** S4C.

O ran arddull ei gyfansoddiadau, mae ei grefft ofalus yn cwmpasu'r traddodiadol ac yn ddyledus i raddau i waith cyfansoddwyr y tir canol megis ei hen athro, William Mathias. Ceir hefyd elfen o arddull gynnar a chyfnod canol Tippett a Messiaen. Mae'r rhythmau yn aml yn gymhleth ond cyplysir hynny gydag awydd amlwg i gyfathrebu. Ysgrifennodd ymhell dros gant o weithiau bach a mawr. Mae'n cwmpasu *genres* megis gweithiau siambr a darnau allweddellol, corawl a cherddorfaol fel ei gilydd. Derbyniodd gomisiynau gan y prif wyliau cerdd yng Nghymru a thu hwnt. Daw ei dras Gymreig yn amlwg ar brydiau megis yn y trefniannau o **alawon gwerin**, *Tair Cân Werin Gymreig* ar gyfer mezzo-soprano a cherddorfa (a gymharwyd o ran arddull i'r *Songs of the Auvergne* gan Canteloube), a *Cyfaredd Bro* i gôr a cherddorfa a gyfansoddodd ar gyfer **Eisteddfod** Genedlaethol Abergwaun yn 1986.

Dangosodd allu arbennig yn y darnau corawl a lleisiol wrth osod geiriau gan Saunders Lewis, Vernon Watkins, Gerard Manley Hopkins a sawl bardd Cymraeg cyfoes. Ymhlith ei weithiau mwyaf nodedig y mae'r *Brangwyn Overture* (1981) a gyfansoddwyd ar gyfer organ Neuadd y Brangwyn, Abertawe, i'w berfformio gan Gillian Weir, ac a recordiwyd ar label Vienna Modern Masters gan Gerddorfa Symffoni Kraków. Mae'n waith hynod effeithiol ac idiomatig a ddylai gael ei berfformio'n amlach yn rhyngwladol ('a Proms must if not heard before on the South Bank,' yn ôl un adolygiad yn *The Sunday Times*).

Clywyd y **gantata** estynedig i soprano, côr a cherddorfa, *Goroesiad Cenedl*, yn Eisteddfod Genedlaethol Maldwyn a'r Gororau yn 2003. Roedd y gwaith hwn yn ffrwyth cydweithio llwyddiannus rhwng y cyfansoddwr a'r bardd Alan Llwyd. Gwaith tebyg ond gyda geiriau Saesneg yw *In David's Land* (2006), gwaith **corawl** cenedlatholgar arall ar raddfa eang i gôr, unawdwyr a cherddorfa a gomisiynwyd gan Ŵyl Gerdd Ryngwladol Abergwaun yn 2006. Mae'r ddau waith corawl hyn yn arddangos dawn y cyfansoddwr i greu cerddoriaeth emosiynol bwerus wrth drin cynfas eang.

Llyfryddiaeth

Richard Elfyn Jones, *David Wynne* (Gwasg Prifysgol Cymru, 1979)
———, 'AN Whitehead and Music: Real Time', *The Musical Times*, 14/1873 (Gaeaf, 2000), 47–52
———, *Music and the Numinous* (Rodopi, 2007)
Tŷ Cerdd (archifau a gwefan)

Lyn Davies

Jones, Tom (g.1940)

Seren **bop** a theledu a aned ym Mhontypridd. Gadawodd Thomas Jones Woodward yr ysgol yn un ar bymtheg oed ac o fewn wyth mlynedd rhyddhaodd ei sengl gyntaf, 'It's Not Unusual' (1965). Rhwng 1965 ac 1968, cafodd lwyddiant aruthrol gyda chaneuon megis 'What's New Pussycat', 'Green, Green Grass of Home' a 'Delilah'. Yn yr un cyfnod, aeth i'r Unol Daleithiau gan ymddangos ar raglen deledu Ed Sullivan a sicrhau cynulleidfa fawr, newydd. Rhwng 1969 ac 1971, bu'n cyflwyno ei raglen deledu ei hun, *This Is Tom Jones*, a ddarlledwyd yn yr Unol Daleithiau a Phrydain. Yn dilyn hyn, daeth yn un o sêr mwyaf amlwg yr 1970au.

Roedd ei dull canu yn hawdd ei adnabod, sef llais cryf, uchel a bombastig ar adegau. Ond bu newidiadau mawr yn hanes ac arddulliau y byd pop a roc yn ystod yr 1970au ac ymddangosai fod poblogrwydd Tom Jones yn mynd ar i waered. Fodd bynnag, daeth llwyddiant pellach iddo yng ngwledydd Prydain yn 1987 gyda'i sengl 'A Boy from Nowhere', ac roedd yn arwydd o adfywiad arwyddocaol yn hanes ei yrfa. Yn 1988, gyda'r band The Art of Noise, recordiodd fersiwn o gân boblogaidd Prince, 'Kiss', yn null cerdd ddawns electronig. Bu'r gân yn llwyddiant ysgubol ledled y byd, ar y radio ac ar MTV, a daeth hynny â sylw cynulleidfa newydd, ifanc iddo.

Fyth ers hynny, ni fu pall ar ei lwyddiant, o'i ymddangosiad ar y *Simpsons* i'w berfformiad ar brif lwyfan **Gŵyl** Glastonbury yn 1992. Yn 1999 rhyddhaodd un o'i recordiau mwyaf poblogaidd, *Reload* (V2, 1999). Roedd *Reload* yn nodedig nid yn unig oherwydd yr egni newydd a roddodd i hen ganeuon adnabyddus, ond hefyd gan fod ei hymddangosiad yn cyd-daro â chyfnod 'Cŵl Cymru'. Amlygiad clir o hynny oedd y ffaith fod y **Stereophonics**, James Dean Bradfield o'r **Manic Street Preachers** a **Cerys Matthews** o **Catatonia** oll wedi cyfrannu i'r recordiad.

Ar ddechrau'r 21g., y mae enwogrwydd Tom

Jones a'r parch i'w gyfraniad i fyd adloniant ledled y byd wedi'u cydnabod drwy wahanol wobrau ac anrhydeddau. Fe'i hurddwyd yn farchog yn 2006 ac mae wedi ymddangos ar lwyfan a theledu yng nghwmni sêr byd yr opera a sêr canu *blues*. Daliodd ati i berfformio mewn **gwyliau** pop ledled y byd, a recordiodd yn gyson yn unigol ac ar y cyd â chenhedlaeth newydd ac ifanc o gerddorion. Yn 2012 roedd yn un o feirniaid gwreiddiol rhaglen dalent y BBC, *The Voice*.

Disgyddiaeth ddethol

Along Came Jones (Decca LK4693, 1965)
What's New Pussycat? (Parrot PA61006, 1966)
Green, Green Grass of Home (Decca SKL4855, 1967)
Delilah (Decca LK4946, 1968)
This Is Tom Jones (Decca SKL5007, 1969)
Live in Las Vegas (Decca SKL5032, 1969)
I Who Have Nothing (Decca SKL5072, 1970)
Tom (Decca SKL5045, 1970)
Tom Jones Sings She's a Lady (Decca SKL5089, 1971)
Live at Caesar's Palace (Decca SKL1/1 & 1/2, 1971)
Close Up (Decca SKL5132, 1972)
The Body and Soul of Tom Jones (Decca SKL5162, 1973)
What a Night (EMI EMC3221, 1977)
At This Moment (Jive JHD121, 1992)
Carrying a Torch (Dover ADD20, 1991)
The Lead and How to Swing It (Interscope 92457-2, 1994)
Reload (Gut GUTCD009, 1999)
Mr. Jones (V2 VVR 1021072, 2002)
24 Hours (S-Curve Records 5099926515724, 2008)
Praise and Blame (Island 274129-7, 2010)
Spirit in the Room (Island 370182-0, 2012)

Sarah Hill

Jones, William Emrys (Emrys Jones, Llangwm) (1920–2009)

Datgeinydd **cerdd dant** a **chanu gwerin**, a chynheilydd y traddodiadau hynny; cymwynaswr diwylliant gwerin, bro a chenedl. Fe'i ganed ac fe'i magwyd yn fferm Pen-y-bont, Cwm Eithin, Llangwm, a bu'n byw yno ar hyd ei oes; fel un a fu'n rhan annatod o fywyd y pentref hwnnw, fel 'Emrys Jones, Llangwm' y câi ei adnabod.

Yn fab i Dafydd a Kate Ellen, ysgogwyd ei gariad at lenyddiaeth a hanes gan ei fam, a bu hynny'n rhan annatod o'i osodiadau cerdd dant. Derbyniodd ei addysg yn Ysgol Dinas Brân, Llangollen. Enillodd ei wobr genedlaethol gyntaf yn **Eisteddfod** yr Urdd Corwen yn 1929 ac yntau'n wyth oed. Aeth rhagddo i ennill llu o wobrau eraill lleol a chenedlaethol wrth gystadlu ar y gân werin a'r unawd cerdd dant, gan ennill

hefyd ar y ddeuawd gyda'i gyfaill John Owen, Hafod y Gân. Pinacl y cystadlu oedd ennill ar gystadleuaeth y gân werin agored yn Eisteddfod Genedlaethol Llangollen yn 1985 ac yntau'n 65 oed.

Yn 1947, fe briododd Anwen Jones o'r Gargoed, Glanrafon, ger Corwen. Ffermio, eisteddfota a'r capel oedd eu bywyd a derbyniodd y ddau Fedal Gee am ffyddlondeb i'r Ysgol Sul yn 2002. Bu'n ysgrifennydd Eisteddfod Llangwm am dros hanner can mlynedd ac yn un o sylfaenwyr *Llên y Llannau*, sef cynnyrch llenyddol eisteddfodau Llandderfel, Llanuwchllyn, Llanfachreth a Llangwm. Bu'n glerc y Cyngor Plwyf am hanner canrif, yn ddiacon yn ei gapel, Capel y Groes, ac yn **arweinydd** corau a hyfforddwr ieuenctid lleol ymysg llu o weithgareddau eraill. Yn 1948, sefydlodd barti cerdd dant Cwm Eithin a fu'n diddanu cynulleidfaoedd ledled Cymru, a bu'n aelod o Gôr Meibion Llangwm, a sefydlwyd gan ei dad, am dros drigain mlynedd.

Bu'n gyfrifol am ddatblygu ac ehangu'r eisteddfod yn Llangwm gan ymhyfrydu o weld sawl prifardd cenedlaethol yn ennill eu cadair gyntaf yno. Bu'n llywydd ac yn gadeirydd **Cymdeithas Cerdd Dant Cymru** gan gydweithio'n agos â'i fab, Dewi Jones, a oedd yn drefnydd y Gymdeithas. Yn 2002, ef oedd Llywydd y Dydd yng **Ngŵyl** Cerdd Dant Dolgellau wrth i'r ŵyl ddathlu ei phen-blwydd yn 60 oed, ac yntau wedi bod yn bresennol ym mhob un ŵyl ers y dechrau. Bu hefyd yn aelod selog o Orsedd y Beirdd, ac yn 1981 cyflwynwyd medal Syr T. H. Parry-Williams iddo am gyfraniad oes i'w fro ac i Gymru.

Ef oedd arweinydd y gân yn ei gapel a thystiai llawer i'w lais tenor dirodres eu cyfareddu sawl tro. Mae'r recordiad a wnaeth yn 2002 o 'Nico Annwyl' (i'r alaw werin 'Llwyn Onn') ac yntau'n 81 ar y pryd, yn enghraifft o'i lais arbennig, ei eirio clir a'i ddawn i ddatgan stori mewn dull naturiol ac ymddangosiadol ddiymdrech. Mae asbri ei ganu wedi ei gymharu ag arddull **Bob Roberts**, **Tai'r Felin** (1870–1951) o'i flaen. Yn 1997, cyhoeddwyd cyfrol bortread amdano o'r enw *Teulu, Bro a Thelyn* gan un arall o feibion yr ardal, Curadur Bywyd Gwerin Amgueddfa Werin Sain Ffagan ar y pryd, Robin Gwyndaf.

Disgyddiaeth

Emrys Jones, *Nico Annwyl* (Sain SCD2371, 2002)

Llyfryddiaeth

Robin Gwyndaf, *Teulu, Bro a Thelyn – portread o ganwr gwerin a chynheilydd traddodiad: Emrys Jones, Llangwm* (Aberystwyth, 1997)

Sioned Webb

Joshua, Rosemary (g.1964)

Ganed Rosemary Joshua yn Nhrelái, Caerdydd, a manteisiodd ar ddarpariaeth addysg gerddorol gampus y brifddinas er mwyn ei rhoi ar lwybr diogel i ddod yn un o gantorion Handel mwyaf cymeradwy ei chenhedlaeth. Ar ôl gorffen ei hastudiaethau yn y Coleg Cerdd Brenhinol cychwynnodd ei gyrfa trwy ganu rhan Angelica yn opera Handel, *Orlando*, yn Aix-en-Provence ac ar unwaith daeth i sylw'r wasg gerddorol fel cantores eithriadol o addawol. Er bod sopranos gwych eraill yn adnabyddus am ganu rhan Romilda yn *Serse* (Handel), barn y beirniaid oedd bod perfformiadau Rosemary Joshua yn amlwg yn rhagori. Mewn adolygiad o recordiad y Cwmni Opera Cynnar (Early Opera Company) o *Serse*, dywed Richard Wigmore, 'Joshua far eclipses her counterparts on … rival recordings, singing with sweet, sensuous tone and characterising deftly' (Wigmore 2013, 93).

Nid mewn cerddoriaeth faróc yn unig y bu'n llwyddiannus, fodd bynnag. Canodd rannau fel Adèle yn *Die Fledermaus* Johann Strauss yn y Metropolitan, Efrog Newydd, y brif ran yn *The Cunning Little Vixen* (Janáček) yn La Scala a Zerlina yn *Don Giovanni* (Mozart) yn Covent Garden. Yn anffodus, bu prysurdeb Rosemary Joshua mewn gwledydd eraill yn rhwystr iddi gael ei chlywed rhyw lawer yma yng Nghymru (ysbeidiol iawn fu ei hymddangosiadau gydag Opera Cenedlaethol Cymru, er enghraifft).

Recordiodd lawer o gerddoriaeth o'r 18g. (ar gyfer Chandos a Harmonia Mundi yn bennaf) ac yn aml mae'n canu'r gweithiau mawr baróc yn y prif neuaddau cyngerdd. Yn 2014, oherwydd ei hamlygrwydd fel mentor effeithiol i gantorion ifanc, fe'i penodwyd yn gyfarwyddwr artistig Academi Opera Genedlaethol yr Iseldiroedd (Dutch National Opera Academy), ond bu'n anodd iddi ddatblygu'r swyddogaeth bwysig hon oherwydd ei phrysurdeb rhyngwladol, ac ymddeolodd yn 2015.

Llyfryddiaeth

Richard Wigmore, 'Serse', *Gramophone* (Medi, 2013), 93–4

Richard Elfyn Jones

K

Keineg, Katell (g.1965)

Cantores, gitarydd a chyfansoddwraig ym maes **canu poblogaidd**, ganed Katell Keineg yn Llydaw. Roedd ei thad, y Llydäwr Paol Keineg, yn fardd a dramodydd adnabyddus ac yn un o sylfaenwyr yr Union Démocratique Bretonne, Plaid Genedlaethol Llydaw. Roedd ei mam, Judith Pritchard, yn athrawes Gymraeg a ddaeth yn ddiweddarach yn ymgeisydd Plaid Cymru. Cafodd Katell ei chyflwyno'n ifanc i gerddoriaeth genedlatholgar gwledydd megis Catalonia, yr Alban, Iwerddon, Gwlad y Basg, ynghyd â Chymru a Llydaw.

Yn wyth oed, symudodd Katell a'i brawd hŷn i Gwm Rhymni pan wahanodd ei rhieni, gyda'i thad yn ymgartrefu yn yr Unol Daleithiau. Roedd y Beatles yn ddylanwad cynnar – ysgrifennodd Katell ei chân gyntaf yn un ar ddeg oed ar ôl gwrando ar 'Eleanor Rigby' – ynghyd â recordiau a yrrai ei thad ati, yn eu plith Cisco Houston, Woody Guthrie ac Amália Rodrigues. Yn ddiweddarach cyfrifai gantorion fel y canwr *Qawwali* o Bacistan, Nusrat Fateh Ali Khan, neu gantorion gwerin o Ddwyrain Ewrop fel dylanwadau.

Daeth Keineg i amlygrwydd cynnar fel y gantores yn y gyfres deledu *Tan Tro Nesa* (S4C, 1985), stori am **grŵp pop** ffuglennol o ardal y cymoedd. Rhyddhawyd nifer o ganeuon oddi ar y gyfres ar record o'r un enw (Hebog, 1985), gan gynnwys tair cân gan Katell ('Un Ffordd', 'Y Dyn Arall', ac 'Ystrad Nova'), dwy ohonynt ar y cyd â'r gitarydd a'r cynhyrchydd Brian Breeze.

Ar ôl graddio yn y gyfraith o'r London School of Economics, daeth Katell yn ôl i Gymru am gyfnod cyn symud i Ddulyn yn 1990. Derbyniodd wahoddiad i ganu yn Sin-é, clwb yn ardal y Lower East Side yn Efrog Newydd. Symudodd i fyw yn y ddinas honno a bu'n perfformio'n rheolaidd mewn clybiau yno yn ystod yr 1990au cynnar. Cafodd ei pherfformiadau (roedd ei set o ganeuon mewn nifer o ieithoedd gwahanol, megis Saesneg, Sbaeneg, Ffrangeg, Cymraeg a Llydaweg) adolygiadau ffafriol mewn papurau newydd gan gynnwys y *Los Angeles Times*. Yn fuan wedyn rhyddhaodd sengl o'r enw 'Hestia' ar label SOL (1993). Yr un flwyddyn roedd ei llais i'w glywed ar albwm Iggy Pop *American Caesar* (Virgin, 1993), ar y gân 'Mixin' the Colours'.

Trwy ei chysylltiad ag Iggy Pop daeth Katell i sylw'r label recordiau Elektra. Clywid ei hadnoddau lleisiol unigryw ar ei halbwm cyntaf gyda'r label, *O Seasons, O Castles* (Elektra, 1994) – cwmpawd eang gyda'r gallu i liwio naratif, creu stori mewn cân a hoelio sylw'r gwrandäwr. Amlygwyd ar yr albwm hefyd ystod eang o ddylanwadau, gan gynnwys cantorion fel Joni Mitchell, PJ Harvey a Sinéad O'Connor, a'r arddull gerddorol yn symud yn esmwyth o roc i ganu gwlad, rhythmau Lladin-Americanaidd, llafarganu Gil Scott Heron yn y gân 'Partisan', ynghyd â'r **emyn** Cymraeg yn 'O Iesu Mawr'. Yn ddiweddarach recordiodd y gantores Natalie Merchant drefniant o'r gân 'The Gulf of Araby' ar ei record hir *Live in Concert* (Elektra, 1999).

Dilynwyd *O Seasons, O Castles* gan record orau Katell yn nhyb nifer, *Jet* (Elektra, 1997), gyda'r cylchgrawn *Esquire* yn ei disgrifio fel campwaith anghydnabyddedig y degawd. Mae cân olaf y record, 'There You Go', yn glasur, ac yn ymgorffori un o themâu amlycaf caneuon Katell, sef cerddoriaeth fel modd i gario rhywun y tu hwnt i'w unigrwydd. Fodd bynnag, ni chafodd *Jet* ei marchnata'n effeithiol gan Elektra, a oedd erbyn canol yr 1990au yn rhoi mwy o bwyslais ar ryddhau recordiau rap a hip hop nag ar hyrwyddo artistiaid 'amgen' fel y buont yn gwneud gynt.

Erbyn 2002 roedd Katell wedi symud at label o Brooklyn ar gyfer ei EP *What's the only thing worse than the End of Time?* (Field Recording, 2002). Dilynwyd y record honno gan ei thrydydd albwm, *High July* (Megaphone, 2004). Perthynai sain fwy rocaidd i *High July*, gyda rhai caneuon yn symud i gyfeiriad roc blaengar band fel Radiohead. Yn 2009 rhyddhaodd Katell EP ar label ei hun a oedd yn cynnwys trefniant o un o ganeuon y **Super Furry**

Animals, 'Y Gwynab Iau' – cân sydd, fel nifer o'i chaneuon cynharach, yn ymdrin â cholled a thorcalon – ac yna flwyddyn yn ddiweddarach ymddangosodd ei phedwerydd albwm, *At The Mermaid Parade* (Honest Jon's, 2010). Gyda'r pwyslais yn fwy ar sain roc-gwerin, a chaneuon a oedd yn plethu alaw a geiriau yn syml ond yn gywrain (fel 'Thirteen'), cafodd y record ei dewis yn 'CD yr wythnos' gan y *Sunday Times*.

Ni wnaeth Katell elwa o ffenomen Cŵl Cymru yn ystod yr 1990au, ac ni ddaeth llwyddiant i'w rhan yn yr un modd â rhai o artistiaid Cymreig eraill y cyfnod. Fodd bynnag, gellir clywed ei dylanwad ar nifer o gantoresau/gitaryddion Cymreig a'i dilynodd, o **Gwyneth Glyn** i **Cate Le Bon**, a bu'n ymgorffori emynau Cymraeg yn ei *repertoire* o ganeuon pop ymhell cyn i **Cerys Matthews** droi atynt ar ei halbwm *Hullabaloo* (Rainbow City Records, 2013). Dywedodd Nancy Jeffries, un a weithiodd gyda Katell pan oedd yn recordio ar label Elektra, amdani: 'She projects this combination of strength and fragility. It's really quite spellbinding: there she is, climbing these heights, and you have this fear she won't get there, but she always does' (gw. Frey 2006).

Llyfryddiaeth

Darcy Frey, 'Her Lonely Voice', *New York Times* (2 Gorffennaf 2006)

Disgyddiaeth

gyda Tan Tro Nesa:
Tan Tro Nesa (Recordiau Hebog HER001, 1985)

fel artist unigol:
'Hestia' [sengl] (SOL 245-7, 1993)
O Seasons, O Castles (Elektra 61657-2, 1994)
Jet (Elektra 62052-2, 1997)
What's the only thing worse than the End of Time? [EP] (Field Recording FLD155, 2002)
High July (Megaphone MEGA06, 2004)
'Y Gwynab Iau'/'Trouble' [EP] (Soul Tizzy STZ009, 2009)
At The Mermaid Parade (Honest Jon's HJRCD46, 2010)

Pwyll ap Siôn

Kinney, Phyllis (g.1922)

Ganed Phyllis Kinney yn ninas ddiwydiannol Pontiac, talaith Michigan, Unol Daleithiau America, yn 1922. Derbyniodd ei haddysg gynnar yn Pontiac High School cyn graddio mewn cerddoriaeth yn y Michigan State College yn East Lansing yn 1943. Oherwydd ei gallu cynhenid fel cantores, dyfarnwyd cymrodoriaeth dair blynedd iddi i astudio yn y Juilliard School of Music, Efrog Newydd, sef un o sefydliadau addysgol amlycaf y byd cerdd. Yn ystod ei chyfnod yno, derbyniodd hyfforddiant i fod yn berfformwraig broffesiynol, gan ddysgu Ffrangeg, Almaeneg ac Eidaleg yn ogystal â hanfodion cerddoriaeth (harmoni, cerddoriaeth, gwaith clust a.y.b.). Ei hathrawes leisiol oedd Queena Mario (1896–1951), a fu'n unawdwraig flaenllaw yng Nghwmni Opera'r Metropolitan am gyfnod o ddeunaw mlynedd.

Yn 1947, symudodd Phyllis Kinney i Loegr a chael ei phenodi'n brif soprano yng Nghwmni Opera Carl Rosa ac ar ei hymweliad â chanolfan ddarlledu'r BBC ym Mangor, cyfarfu â'i darpar-ŵr, **Meredydd Evans** (a oedd yn aelod o Driawd y Coleg). Priodwyd y ddau yn 1948 ond parhaodd Phyllis â'i gyrfa fel cantores drwy gyfrannu i raglenni radio y BBC (e.e. *The Light Programme*) ac fel unawdydd soprano mewn cyngherddau clasurol ym Mangor a thu hwnt. Dychwelodd Phyllis i'w mamwlad gyda'i phriod yn 1952, a thra astudiai Merêd ar gyfer ei ddoethuriaeth ym Mhrifysgol Princeton (New Jersey), parhaodd hithau i ddysgu canu (a cherddoriaeth, fel pwnc) mewn ysgolion cynradd ac uwchradd yn y gymdogaeth. Yr adeg honno hefyd daeth Phyllis i sylw'r cyhoedd drwy gyfrwng ei phortread o gymeriad 'The girl with the tablet' yn opera un-act *The Trial of Lucullus* (1947) o waith Roger Sessions (1896–1985) a oedd yn athro cyfansoddi ym Mhrifysgol Princeton.

Wedi dychwelyd i Fangor yn 1960, cyfrannodd i fywyd cerddorol y 'Coleg ar y bryn' drwy gyfrwng perfformiadau fel unawdydd soprano yng nghyngherddau **corawl** y brifysgol (gweithiau gan Purcell, Pergolesi, Vivaldi, J. S. Bach ac ati) yn ogystal â chanu **alawon gwerin** ar rai o raglenni Cymraeg y BBC. Ffrwyth y bartneriaeth agos rhwng Merêd a Phyllis, fodd bynnag, fu eu cyfraniad nodedig i faes **cerddoriaeth draddodiadol** Cymru – drwy gyfrwng darlithoedd, perfformiadau, erthyglau, adolygiadau, beirniadaethau, casgliadau o ganeuon brodorol wedi'u golygu a chyfrolau sy'n ymdrin â'r maes. Yn ôl y disgwyl, diddordeb pennaf Phyllis fu'r agweddau cerddorol ar ddatblygiad yr alawon gwerin Cymreig (e.e. tonau yr Hen Benillion, cysylltiad cerddoriaeth Gymreig a Gwyddelig, nodweddion a thueddiadau cerddorol y canu brodorol), ond cyhoeddodd hefyd ar agweddau **hanesyddiaeth, ysgolheictod a cherddoleg** rhai o brif gasgliadau cerddoriaeth Cymru'r 18g. a'r 19g. (e.e. casgliad **Iolo Morganwg** o ganeuon gwerin, **carolau plygain**

John Owen, alawon **ffidil** John Thomas a Morris Edwards a.y.b.).

Coron ar ei chyfraniad yw ei chyfrol *Welsh Traditional Music* a gyhoeddwyd yn 2011, sy'n ymdrin â'r traddodiad **canu gwerin** yn ei gyd-destun hanesyddol a chymdeithasol drwy gyfrwng cyfres o benodau ar gasglu a chofnodi alawon o'r 18g. hyd at waith a chyfraniad **Cymdeithas Alawon Gwerin Cymru** yn yr 20g., **cerdd dant**, caneuon defodol ac agweddau ar y traddodiad **offerynnol** yng Nghymru. Dyfarnwyd Cymrodoriaeth er Anrhydedd iddi am ei chyfraniad arbennig i gerddoriaeth Cymru gan Brifysgol Cymru, Bangor, yn 1997.

Llyfryddiaeth

Phyllis Kinney, *Caneuon chwarae* (Caerdydd, 1972)

———, *Caneuon gwerin i blant* (Llandysul, 1981)

———, *Canu'r Cymry/ Welsh Folk Songs*, Cyf. 1 (Penygroes, 1984)

———, *Canu'r Cymry/ Welsh Folk Songs*, Cyf. 2 (Penygroes, 1987)

———, *Hen Alawon (Carolau a Cherddi) – John Owen, Dwyran* (Aberystwyth, 1993)

Sally Harper a Wyn Thomas (goln.), *Cynheiliaid y Gân: Ysgrifau i Anrhydeddu Phyllis Kinney a Meredydd Evans* (Caerdydd, 2007)

Phyllis Kinney, *Welsh Traditional Music* (Caerdydd, 2011)

Wyn Thomas

L

Labeli Recordio (gw. **Cwmnïau Recordio yng Nghymru**)

Lark, Sarah (g.1983)

Ganed Sarah Lark yng Nghaerdydd ac erbyn hyn mae'n enw cyfarwydd ym maes theatr gerdd a sioeau cerdd. Dechreuodd ganu pan oedd yn ifanc. Yn 1995 perfformiodd mewn cynhyrchiad o'r sioe gerdd *Annie* gan gwmni theatr Starstruck. Chwaraewyd y brif ran yn y cynhyrchiad hwn gan **Charlotte Church**, hithau hefyd yn enedigol o Gaerdydd. Yng nghanol yr 1990au ymddangosodd Sarah yn *Biz*, cyfres boblogaidd y BBC a oedd yn seiliedig ar ysgol ddrama ddychmygol, ac yn fuan wedyn fe'i gwahoddwyd i ganu mewn cynhyrchiad cynnar o sioe gerdd Andrew Lloyd Webber, *Whistle down the Wind*, a lwyfannwyd ar ystâd y cyfansoddwr.

Ym mis Mehefin 2000 perfformiwyd y sioe gerdd *The Witches of Eastwick* am y tro cyntaf yn Theatr Frenhinol Drury Lane, Llundain, a dewiswyd Lark i chwarae rhan y Ferch Fach. Roedd hwn yn gyfnod prysur iddi; yn 2003 ymddangosodd yn y sioe gerdd *Beautiful and Damned* a'r gomedi *Snoopy! The Musical*. Yn dilyn cyfnod yn Academi Gerdd Frenhinol Llundain cafodd ran yn y sioe *Mamma Mia* a lwyfannwyd yn Theatr Tywysog Cymru yn y brifddinas.

Yn 2008 penderfynodd y BBC ddarlledu cyfres newydd o'r enw *I'd Do Anything* (a hynny, mae'n debyg, yn dilyn llwyddiant cyfresi megis *How do you Solve a Problem like Maria?* ac *Any Dream will Do*). Byddai'r ferch fuddugol ar ddiwedd y gyfres yn cael chwarae rhan Nancy mewn cynhyrchiad newydd o'r sioe gerdd *Oliver!* yn y West End. Er nad Sarah enillodd, cafodd gyfle i ymddangos yn y sioe fel dirprwy actores ar gyfer rhan Nancy (Jodie Prenger) ac mewn un rhan atodol arall. Yn dilyn ei hymddangosiad yn y gystadleuaeth roedd Sarah'n awyddus i ehangu ei *repertoire* ac i arbrofi mewn gwahanol *genres* cerddorol.

Derbyniodd wahoddiadau cyson i ymddangos mewn cynyrchiadau a chyngherddau, gan gynnwys rhan yn y pantomeim *Snow White* yn Theatr Churchill, Bromley. Cafodd gryn ganmoliaeth am ei pherfformiad, gan gynnwys y clod hwn yn *The Stage*: 'Sarah Lark's Snow White is simply wonderful – particularly vocally as she brings a real poignancy to Someday my Prince will Come'. Yn fuan wedyn gwahoddwyd Sarah i chwarae rhan Miss Mona mewn cynhyrchiad o'r sioe gerdd *The Best Little Whorehouse in Texas* yn Theatr yr Union, Llundain. Ym mis Mehefin 2012 dechreuodd ganu yn *Les Misérables* yn Theatr Queens, Llundain, fel aelod o'r *ensemble* a hefyd fel dirprwy actores. Cyfrannodd at dair cryno-ddisg, sef *The Witches of Eastwick* (rhan y Ferch Fach), *Oliver!* a *Bluebird* (rhan Roberta).

Disgyddiaeth

The Witches of Eastwick (First Night Records CAST CD79, 2000)
Oliver! (First Night Records CAST CD105, 2009)

Euros Rhys Evans

Le Bon, Cate (g.1983)

Cantores a chyfansoddwraig wreiddiol a dylanwadol o fewn y sîn *indie* ryngwladol, sy'n canu'n bennaf yn Saesneg. Ganed Cate Timothy (neu Cate Le Bon) ym Mhenboyr, Sir Gaerfyrddin.

Daeth Le Bon i amlygrwydd wrth gefnogi **Gruff Rhys**, prif leisydd y **Super Furry Animals**, ar ei daith unigol gyntaf o gwmpas gwledydd Prydain yn 2007. Yn yr un flwyddyn rhyddhaodd Le Bon ei sengl gyntaf ar ei liwt ei hunan, 'No One Can Drag Me Down'/'Disappear' (Randomonium, 2007), a oedd yn cynnwys cyfraniadau gan Megan Childs o **Gorky's Zygotic Mynci** ar y **ffidil** a John Thomas (a fu'n recordio gyda'r Super Furry Animals a'r Thrills) ar y gitâr ddur. Fe'i dilynwyd yn 2008 gyda'r EP *Edrych yn Llygaid Ceffyl Benthyg* (Peski Records, 2008), a oedd hefyd yn cynnwys cyfraniad gan brif leisydd y Gorky's, **Euros Childs**.

Yn wir, clywir arddull felodig, swreal y Gorky's yng nghaneuon cynnar Le Bon, ynghyd â chanu gwlad a chyffyrddiadau gwerinol. Fe ddywedodd yn ddiweddarach fod bandiau megis y Super Furry Animals a'r Gorky's wedi ei 'chyflwyno i fath o ryddid creadigol oedd yn teimlo fel *punk*' (Barlow, 2016). Roedd ei llais i'w glywed hefyd ar 'I Lust U' Neon Neon (Lex, 2008), deuawd greadigol Gruff Rhys a'r cynhyrchydd Boom Bip o Los Angeles.

Erbyn hynny roedd Le Bon yn derbyn gwahoddiadau i berfformio mewn sawl **gŵyl** ryngwladol, gan gynnwys Glastonbury, Latitude a Gŵyl y Dyn Gwyrdd. Yn 2009 rhyddhaodd ei halbwm cyntaf, *Me Oh My* (Irony Bored, 2009), ar label Gruff Rhys, ac er mai sain acwstig a berthynai i'r record yn gyffredinol, fe gymharodd rhai ei harddull leisiol gyda Nico o'r Velvet Underground. Y flwyddyn ganlynol fe ganodd ar ail albwm **The Gentle Good**, *Tethered for the Storm* (Gwymon, 2011). Yn 2011 defnyddiwyd ei llais drachefn ar y trac 'Do As I Do' ar yr albwm *Zig Zaj* (Lex, 2011) gan Boom Bip. Ymddangosodd ei hail albwm, *Cyrk*, yn 2012 (Control Group, 2012) ynghyd â'r EP *Cyrk II*.

Ar ddechrau 2013 symudodd Le Bon i Los Angeles er mwyn hybu ei gyrfa ymhellach. Perthynai arddull fwy uniongyrchol 'bopaidd' i'w thrydedd record hir, *Mug Museum* (Wichita, 2013), gyda Noah Georgeson a Josiah Steinbrick yn cynhyrchu, ei phartner Huw Evans ar y gitâr a Sweet Baboo (sef Stephen Black) ar y gitâr fas. Cyfrannodd lais cefndir i'r trac 'Slow Train' ar albwm *Harlem River* gan Kevin Morby. Yn Hydref 2013 aeth ar daith gyda'r **Manic Street Preachers** wrth iddynt hybu eu halbwm *Rewind the Film* (Columbia, 2013), a hi oedd y prif leisydd ar y trac '4 Lonely Roads'. Yn 2016 rhyddhaodd ei phedwerydd album, *Crab Day* (Turnstile, 2016), oedd yn cynnwys cyfraniadau gan y gitarydd Josh Klinghoffer, gynt o'r Red Hot Chili Peppers, a'r drymiwr Stella Mozgawa o'r grŵp *indie* o Galifforania, Warpaint. Disgrifiwyd *Crab Day* gan y *Guardian* fel 'siop hen bethau ryfeddol o record sy'n bleser i'w harchwilio'.

Disgyddiaeth

'No One Can Drag Me Down/Disappear' [sengl] (Randomonium 70300h, 2007)

Edrych yn Llygaid Benthyg [EP] (Peski 009, 2008)

'Hollow Trees House Hounds' [sengl] (Irony Bored BOREDCD002P, 2009)

Me Oh My (Bored BOREDCD001, 2009)

'Shoeing the Bones' [sengl] (Irony Bored BOREDCDOO3P, 2010)

Cyrk (Control Group CG0084, 2012)

Cyrk II [EP] (Ovni, 2012)

'Puts Me to Work' [sengl] (Ovni, 2012)

'Time Could Change Your Mind' [sengl] (Ovni OVNI011, 2012)

Mug Museum (Turnstile TS005, 2013)

Crab Day (Turnstile 2016 TS022CD, 2016)

Llyfryddiaeth

Eve Barlow, 'California State of Mind', *The Guardian* (12 Ebrill 2016)

<http://www.theguardian.com/music/2016/apr/12/welsh-pop-cate-le-bon-new-album-crab-day> cyrchwyd ar 19 Ebrill 2016

http://www.theguardian.com/music/2016/apr/17/cate-le-bon-crab-day-review

Sarah Hill

Lewis, Andrew (g.1963)

Cyfansoddwr o gerddoriaeth acwsmatig yn bennaf, sef cyfansoddiadau wedi eu creu mewn stiwdio recordio gan ddefnyddio offer a meddalwedd cyfrifiadurol. Yn enedigol o swydd Nottingham, cychwynnodd ei ddiddordeb mewn cyfansoddi electronaidd pan yn fyfyriwr ym Mhrifysgol Birmingham (1981–84). Aeth ymlaen i gwblhau PhD yno yn 1991 dan arolygaeth y cyfansoddwr Jonty Harrison, ac yn fuan wedyn fe'i penodwyd i swydd darlithydd ym Mhrifysgol Bangor, lle bu'n dysgu am dros 25 mlynedd.

Yn ystod y cyfnod hwn bu'n bennaf gyfrifol am ddatblygu cyfansoddi acwsmatig ym Mangor, gan droi'r adran gerdd yn un o brif ganolfannau astudio yn y maes (roedd statws yr adran ym maes cyfansoddi acwstig eisoes wedi ei sefydlu yn ystod yr 1960au a'r 70au yn sgil presenoldeb cyfansoddwyr megis **Reginald Smith Brindle** a **William Mathias**). Fe benodwyd Lewis yn Athro ym Mhrifysgol Bangor yn 2003.

Daeth sylw i'w gerddoriaeth yn dilyn llwyddiant *Scherzo* (1992), gyda'r defnydd o leisiau plant yn awgrymu dylanwad *Gesang der Jünglinge* (1955–56) Karlheinz Stockhausen. Ers hyn, aeth Lewis ati i gyfansoddi darnau sy'n gosod pwyslais ar ddefnyddio seiniau (yn aml o fyd natur) fel deunydd craidd ar gyfer ymdriniaeth soffistigedig, megis yn *Penmon Point* (2003). Mewn cyngherddau o'i gerddoriaeth, sydd gan amlaf yn cael eu trefnu o dan adain *Electroacoustic Wales* (grŵp a sefydlwyd gan Lewis yn ystod yr 1990au er mwyn hyrwyddo cerddoriaeth o'r fath), mae'r sain yn aml yn cael ei gwasgaru drwy system octaffonig, sef wyth o uchelseinyddion wedi eu gosod o amgylch yr ystafell, er mwyn ysbrydoli'r gwrandäwr i ymgolli'n llwyr yn effeithiau sonig y gerddoriaeth.

Bu Lewis hefyd yn awyddus i ddatblygu cerddoriaeth acwsmatig 'fyw', drwy greu darnau sy'n cyfuno cerddoriaeth gyfrifiadurol ac offerynnau acwstig, megis y piano. Ei ymgais fwyaf uchelgeisiol a llwyddiannus yn y maes hyd yma fu *Fern Hill* (2014), lle defnyddir recordiad o lais y bardd Dylan Thomas yn adrodd y gerdd enwog 'Fern Hill' fel sail ar gyfer cathl symffonig lliwgar a nwyfus. Perfformiwyd y gwaith am y tro cyntaf yn Hydref 2014 gan **Gerddorfa Genedlaethol Gymreig y BBC**, gyda Grant Llewellyn yn arwain, fel rhan o ddathliadau canmlwyddiant geni Dylan Thomas (gw. hefyd **Clasurol a Chelfyddydol, Cerddoriaeth**).

Pwyll ap Siôn

Lewis, Geraint (g.1958)

Cerddor amryddawn, cyfansoddwr ac ysgolhaig a aned yng Nghaerdydd. Derbyniodd ei addysg yn Ysgol Gynradd Bryntaf ac Ysgol Uwchradd Gymraeg Rhydfelen cyn dilyn cwrs gradd mewn cerddoriaeth yng Ngholeg Sant Ioan, Caergrawnt, rhwng 1977 ac 1980, lle bu'n astudio gyda'r cyfansoddwyr Alexander Goehr (g.1932), Gerald Hendrie (g.1935) a Robin Holloway (g.1943), ynghyd â'r **arweinydd** disglair **George Guest** (1924–2002).

Ar ôl cyfnod o ddarlithio yn adran gerdd Coleg **Prifysgol** Cymru, Bangor, yn ystod yr 1980au, aeth i gyfeiriad recordio a chynhyrchu clasurol, gan weithio'n bennaf i gwmni Nimbus yn Nhrefynwy fel cyfarwyddwr artistig. Bu'n cydweithio'n agos gyda rhai o brif gyfansoddwyr ail hanner yr 20g., megis Michael Tippett (1905–98), Jonathan Harvey (1939–2012) a George Benjamin (g.1960). Golygodd gyfrol deyrnged i Tippett ar achlysur ei ben-blwydd yn 80 yn 1985 (gw. Lewis 1985).

Cyhoeddodd yn helaeth ar gyfansoddwyr Cymraeg a Chymreig ail hanner yr 20g., gan gynnwys erthyglau ar ffigyrau pwysig megis **William Mathias** ac **Alun Hoddinott** yn y cylchgrawn *Cerddoriaeth Cymru* a'r *New Grove Dictionary of Music and Musicians*, ac yn fwy diweddar ei adolygiadau craff ar dudalennau *Barn* a *Gramophone*. Rhwng 1988 a 2001 bu'n gyfarwyddwr **Gŵyl** Gerdd Ryngwladol Llanelwy, ac ef oedd cadeirydd panel cerddoriaeth Cyngor Celfyddydau Cymru rhwng 1996 a 2002. Clywir ei lais yn aml ar Radio Cymru, yn arbennig fel sylwebydd ar

gystadlaethau'r **Eisteddfod** Genedlaethol yn *Pigion yr Wythnos*.

Fe'i cyfrifir ymysg un o gyfansoddwyr Cymreig pwysicaf ei genhedlaeth. Cafodd gomisiynau gan nifer o **wyliau cerdd** ar draws Cymru a thu hwnt, gan gynnwys Llanandras (Presteigne), Abertawe, Abergwaun a Biwmares. Perthyn sŵn unigryw i'w gerddoriaeth, sy'n deillio'n rhannol o'r ffaith ei fod wedi ymwrthod ag arddulliau ffasiynol y cyfnod diweddar, megis cyfresiaeth ar y naill law a minimaliaeth ar y llall.

Clywir cyfeiriadau yn ei gerddoriaeth at y traddodiad **corawl** Anglicanaidd a brofodd yn ystod ei amser yng Ngholeg Sant Ioan. Disgrifiwyd ei arddull fel un neo-Edwardaidd, ond mae ei ddehongliad o'r traddodiad yn gwbl wreiddiol ac yn un sydd wedi'i wreiddio – fel yng ngherddoriaeth gorawl John Tavener – yn y cyfnod diweddar.

Er iddo gyfansoddi ym mhob ffurf bron, gan gynnwys *concerto* i'r delyn ar gyfer **Catrin Finch** (yn ogystal â sonata ar ei chyfer, a berfformiwyd ar achlysur agoriad swyddogol Galeri, Caernarfon, yn 2005), **opera** ar stori Culhwch ac Olwen i eiriau gan y bardd Gwyn Thomas ar gyfer Gŵyl Cricieth yn 2001, ynghyd â chylch o ganeuon ar gyfer y tenor **Gwyn Hughes Jones**, ym maes cerddoriaeth leisiol a chorawl y clywir ei waith ar ei fwyaf effeithiol. Derbyniodd *The Souls of the Righteous* – gwaith a gyfansoddodd yn dilyn marwolaeth annhymig ei gyfaill agos, y cyfansoddwr William Mathias – lu o berfformiadau, gan ymddangos ar nifer o recordiadau. Dywed Carolyn Pirtle fod y gosodiad yn dyst nid yn unig i alar Lewis yn dilyn marwolaeth Mathias, ond hefyd i allu ffydd i gysuro a chymodi (Pirtle 2015). Clywir cydblethiad effeithiol o elfennau tonyddol a moddawl yng ngherddoriaeth leisiol Lewis, gan gynnwys *My Paradise Garden*.

Llyfryddiaeth

Geraint Lewis (gol.), *Michael Tippett, O.M.: a celebration* (Tunbridge Wells, 1985)

Carolyn Pirtle, 'Musical Mystagogy: All Souls Day' (2 Tachwedd 2015) <http://sites.nd.edu/oblation/tag/geraint-lewis/>

Disgyddiaeth

The Souls of the Righteous yn *The English Anthem*, Cyf. 7 (Hyperion CDA67087, 1999)

The Souls of the Righteous yn *War & Peace – Music for Remembrance* (Signum Classics SIGCD328, 2013)

Pwyll ap Siôn

Lewis, Idris (1889–1952)

Cyfansoddwr a phennaeth cerdd cyntaf BBC Cymru. Fe'i ganed yn Birchgrove, Llansamlet, Abertawe. Dangosodd addewid cerddorol yn ifanc, ac yn un ar ddeg oed yr oedd yn organydd capel yr Annibynwyr yn Llansamlet. Yn ddiweddarach daeth yn organydd capel Siloh, Llanelli, lle'r oedd ei frawd, D. H. Lewis, yn arweinydd y gân. Bu'n fyfyriwr yn y Coleg Cerdd Brenhinol yn Llundain, lle'r astudiodd gyda Frederick Bridge a Charles Wood, a chyfeiliodd i Gôr **Eisteddfod** Genedlaethol Llundain yn Neuadd y Frenhines yn 1909.

Bu am gyfnod ar daith gyfeilio yn y Dwyrain Pell cyn ymsefydlu yn Llundain a gwneud bywoliaeth ym myd y theatr. Rhwng 1915 ac 1927 yr oedd yn un o gyfarwyddwyr cerdd Theatr Daly, a gweithiodd hefyd yn theatrau'r Lyric a'r Gaiety. Ymunodd â staff stiwdios ffilm British International Pictures yn Elstree, a dod yn gyfarwyddwr cerdd yno yn 1931. Cyfansoddodd gerddoriaeth ar gyfer nifer o ffilmiau megis *Blossom Time*, *Maid of the Mountains* a *Royal Cavalcade*, a chydweithiodd yn agos â'r tenor adnabyddus Richard Tauber, gan drefnu ac arwain cerddoriaeth yn ei ffilmiau ac arwain **cerddorfeydd** i'w recordiau. Bu hefyd yn organydd dwy o eglwysi Presbyteraidd Llundain ac yn **arweinydd** Cymdeithas Gorawl Cymry Llundain.

Roedd Sam Jones, pennaeth y BBC yng ngogledd Cymru, wedi cael argraff dda o waith Idris Lewis ym myd ffilm, a phan hybysebwyd swydd Cyfarwyddwr Cerdd i ranbarth Cymreig newydd y BBC, fe'i cymhellodd i gynnig amdani. Yn 1935 penodwyd Idris Lewis o blith 70 o ymgeiswyr. Disgwylid i'r Cyfarwyddwr greu rhaglenni, cynnal clyweliadau ac arwain darllediadau cerddorfaol a darllediadau eraill. Daliodd y swydd o fis Rhagfyr 1935 hyd at ei ymddeoliad ym mis Tachwedd 1950.

Gyda dyfodiad Idris Lewis i Gaerdydd ffurfiwyd Cerddorfa Gymreig o 20 aelod a chorff o 50 o leisiau, y BBC Welsh Singers, a fyddai'n darlledu'n gyson. Ffurfiwyd hefyd wythawdau i ganu yn y gwasanaeth boreol dyddiol. Rhoddodd y Cyfarwyddwr gefnogaeth i gyfansoddwyr ifanc megis **Grace Williams**, **Mansel Thomas** ac **Arwel Hughes** a cheisio hybu cerddoriaeth Gymreig trwy ddarlledu. Yn sgil y gwaith o baratoi a chynllunio rhaglenni trefnodd lawer iawn o gerddoriaeth, ond daeth yn adnabyddus hefyd fel cyfansoddwr caneuon. Daeth rhai ohonynt, megis 'Bugail Aberdyfi' o'i rieingerdd *Alun Mabon* a 'Cân yr Arad Goch', yn wirioneddol boblogaidd, felly hefyd 'Llansteffan', ei drefniant o alaw Gymreig i eiriau gan Wil Ifan. Mae arddull y rhain yn syml a diaddurn ond yn gynnil effeithiol.

Yn 1945 cyhoeddodd gyfrol arloesol, *Cerddoriaeth yng Nghymru*, sy'n ymdrin â hanes cerddoriaeth Gymreig ac yn rhoi sylw i ddatblygiadau diweddar, gan alw am sefydlu cerddorfa a chôr cenedlaethol, datblygiad a hyrwyddwyd yn ddiweddarach gan y BBC ei hun.

Rhidian Griffiths

Lewis, Jeffrey (g.1942)

Un o gyfansoddwyr Cymreig amlycaf ei genhedlaeth. Fe'i ganed yn Aberafan a'i addysgu yng Ngholeg **Prifysgol** Cymru, Caerdydd. Bu'n astudio hefyd gyda György Ligeti (1923–2006) a Karlheinz Stockhausen (1928–2007) yn Darmstadt, Bogusław Schaeffer (g.1929) yn Kraków a Don Banks (1923–80) yn Llundain. Yn hynny o beth, derbyniodd addysg gan rai o'r athrawon mwyaf blaengar ar adeg allweddol yn ei hanes.

Cafodd gyfle i drosglwyddo'r hyn a ddysgwyd ganddo i fyfyrwyr Coleg Cerdd Leeds, lle bu'n gweithio rhwng 1969 ac 1972, a Choleg Prifysgol Gogledd Cymru, Bangor, lle bu'n darlithio rhwng 1973 ac 1992. Yn gynnar yn ei yrfa ysgrifennodd nifer o ddarnau a oedd yn torri tir go newydd o fewn y cyd-destun Cymreig. Gwelir ffrwyth ei astudiaethau tramor mewn nifer o weithiau o'r 1960au ymlaen, er enghraifft *Mutations 1* (1969), *Aurora* (1973), *Scenario* (1975), *Praeludium* (1975), *Memoria* (1978) a *Lumina Lucis* (1982) – darnau gafaelgar i gerddorfa sy'n llawn lliw a drama ond yn symud yn raddol tuag at lonyddwch gorffenedig o ran naws, yn fwyaf arbennig yn y ddau ddarn olaf. Tueddab i ddefnyddio rhythmau ymwthiol a harmonïau cymhleth, yn enwedig yn y gweithiau cynnar, ond mae'n cyferbynnu hyn gyda llonyddwch a symlrwydd ac yn ei weithiau diweddaraf yn consurio byd dychmygol, breuddwydiol, lle mae amser yn amherthnasol neu'n ddiderfyn.

Yn gynnar yn ei yrfa perfformiodd **Cerddorfa Genedlaethol Gymreig y BBC** ei *Fanfares with Variations* a'r *Chamber Concerto*, a chlywyd ei *Epitaphium – Children of the Sun* yng **Ngŵyl** Cheltenham yn 1967. Treuliodd gyfnod ym Mharis gyda'r New Music Ensemble yn perfformio cerddoriaeth newydd ac enillodd wobrau yng nghystadlaethau Stroud a Zwolle yn yr Iseldiroedd wrth i'w yrfa ddatblygu. Cafodd ei ddarn *Epitaph for Abelard & Heloise* (1979) dderbyniad da ac fe'i perfformiwyd gan Odaline de la Martinez a'r ensemble Lontano.

Ar gyfer doniau *virtuoso* Gillian Weir yr ysgrifennwyd dau o'i ddarnau organ, *Momentum* (1977) ac *Esultante* (1977), ac ynddynt ceir awgrym o allu allweddellol sylweddol y cyfansoddwr, sydd ei hun yn organydd medrus. Mae'n hoff o ysgrifennu ar gyfer unigolion y mae'n eu hadnabod, ac fe wnaeth y pianydd Jana Frenklova hyrwyddo gweithiau trawiadol fel *Tableau* (1980), *Fantasy* (1983) a *Threnody* (1990). Cyfansoddodd nifer o ddarnau **corawl**, yn arbennig *Carmen Paschale* (1981), *Hymnus Ante Somnum* (1985), *Westminster Mass* (1990), *Recordatio* (1999) ac yn ddiweddarach gyfres o un ar ddeg siant, *Sacred Chants* (2005). Un o'i weithiau mwyaf effeithiol yw *Silentia Noctis* ar gyfer llais uchel a phiano lle mae'r soprano'n gweu patrymau llesmeiriol wrth hofran uwchben y cyfeiliant. Gwaith uchelgeisiol yw'r Concerto i Biano (1989) lle ceir cyfeiriadaeth rythmig eang ac ysgrifennu idiomatig a thechnegol feistrolgar ar gyfer yr unawdydd.

Mae Jeffrey Lewis yn gyfansoddwr sydd wedi cymysgu dylanwadau allgerddorol gyda'r haniaethol trwy gydol ei yrfa, ac mae diffuantrwydd ei weledigaeth wedi ennyn parch mawr ymhlith llawer o'i gefnogwyr a gwybodusion cerddoriaeth fodern.

Llyfryddiaeth ddethol

D. Henshall, 'Memento Mori – an appreciation of Jeffrey Lewis's recent orchestral music', *Cerddoriaeth Cymru*, 6/6 (1980), 61–70; a 6/7 (1981), 32–40

C. Tommis, 'Y Gitâr Gymreig – Jeffrey Lewis', *Guitar International* (Gorffennaf, 1989), 22–7

D. K. Jones, nodiadau ar gyfer recordiad *Threnody, Cantus, Teneritas, Sonante* a *Trilogy* (Asc CSCD43, 2000)

————, 'A glimpse of infinity: time and stillness in the music of Jeffrey Lewis', *The Musical Times*, 145/1889 (Gaeaf, 2004), 65–74

————, nodiadau ar gyfer recordiad *Epitaph for Abelard and Heloise, Litania, Musica Aeterna* (Campion Cameo CAMEO2037, 2005)

————, *The Music of Jeffrey Lewis* (traethawd DPhil, Prifysgol Manceinion, 2011)

www.wrightmusic.net/pdfs/jeffrey-lewis.pdf http://en.wikipedia. org/wiki/Jeffrey_Lewis_(composer)

Lyn Davies

Lewis, Ruth Herbert (1871–1946)

Casglydd **caneuon gwerin**. Ganed Ruth Herbert Lewis (Ruth Caine oedd ei henw bedydd) yn Alexandra Drive, Princes Park, Lerpwl, a'i magu ar aelwyd gerddorol. Fe'i haddysgwyd yn gyntaf yn breifat, ac yna yn Ysgol Uwchradd Clapham i Ferched, Llundain, ac yng Ngholeg Newnham, Caergrawnt. Derbyniodd radd MA o Goleg y Drindod, Dulyn, yn 1906. Ar 8 Gorffennaf 1897 priododd yr Aelod Seneddol Rhyddfrydol John Herbert Lewis (1858–1933). Ymgartrefodd y ddau yn 23 Grosvenor Road, Llundain, a magu dau o blant, Alice Catherine 'Kitty' (1898–1984) a Herbert Mostyn (1901–85). Mynychent gapel Cymraeg y Methodistiaid Calfinaidd yn Charing Cross Road.

Fe'i cyflwynwyd i ganeuon gwerin gan **Mary Davies** (1855–1930), ond fel casglwr nid oedd yn fedrus wrth nodiannu perfformiadau nac ychwaith yn siarad Cymraeg yn rhugl. Rhwystrai ei hegwyddorion dirwestol cryf hi rhag chwilio am gantorion mewn tafarndai, ac fel menyw roedd syniad ei hoes o wedduster yn cyfyngu arni. Bu prynu ffonograff 'Gem' Edison-Bell yn fodd i ddatrys anawsterau trawsgrifio yn y maes; ei dibyniaeth ar y peiriant hwn oedd nod amgen ei gyrfa fel casglydd. Gan ddefnyddio silindrau cwyr brown, byddai'n cofnodi'n gywir y llu o fân amrywiadau ym mhob cân.

Yng Nghroeswian, ger Caerwys, ddechrau Hydref 1910 y cofnododd ei chân werin gyntaf, amrywiad Sir y Fflint ar y garol Gymreig 'O deued pob Cristion'. Yn 1912–3 bu'n casglu yn Sir Ddinbych, ac ym mis Mehefin 1913, gydag **Annie Ellis**, treuliodd dridiau'n casglu yn ardal Llandysul gan gynnwys Llangeler a Chastellnewydd Emlyn. Wrth i ragor o bobl glywed am ei diddordeb, câi caneuon gwerin eu hanfon ati hefyd.

Ffynhonnell unigol fwyaf cynhyrchiol ei chaneuon gwerin oedd Mrs Jane Williams o Wyrcws Treffynnon. Cofnododd lawer o ddatgeiniaid eraill hefyd gan gynnwys William Griffiths, Treffynnon (Wil Ffidler), a gyfeiliai i ddawnswyr y 'Cadi Ha', a Mrs Jane Williams (1864–1947), Berthengam (y ddau o Sir y Fflint); a hefyd Henry Vaughan Williams (1845–1932), Bryn Rhyd-yr-Arian, ac Isaac Jones (1829–1913), Llannefydd (y ddau o Sir Ddinbych).

Cofnodwyd y deuddeg eitem sy'n ymddangos yn ei chyfrol gyhoeddedig gyntaf, *Folk-Songs Collected in Flintshire and the Vale of Clwyd* (1914), yn ystod 1911–13; a'r saith enghraifft a geir yn *Second Collection of Welsh Folk-Songs* (1934) yn bennaf yn 1913. Mae pob cyfeiliant yn y gyfrol gyntaf, a'r tri cyntaf yn yr ail, gan **Morfydd Llwyn Owen** (1891–1918), a drawsgrifiodd lawer o'r recordiadau gwreiddiol; mae'r gweddill gan **Grace Gwyneddon Davies** (1879–1944).

Ar ôl i Ruth Lewis orffen ei phrif waith casglu yn

1914, daeth yn fwy amlwg fel darlithydd ar ganeuon gwerin Cymru. Wedi i'w gŵr gael ei wneud yn farchog yn 1922, câi ei hadnabod fel y Fonesig Lewis. Yn y blynyddoedd wedi'r rhyfel bu'n ymwneud fwyfwy â gweinyddu a threfnu **Cymdeithas Alawon Gwerin Cymru**. Roedd yn aelod cynnar o'r Gymdeithas, ac fe'i hetholwyd yn gyntaf yn gyd-ysgrifennydd (1915) gydag Amy Preece (1874–1961), daeth wedyn yn gadeirydd cyntaf y Gymdeithas (1927) ac, yn dilyn marwolaeth **Mary Davies**, bu'n llywydd arni hyd nes ei marwolaeth hithau ym Mhlas Penucha ar 26 Awst 1946. Ceidwadol oedd ei hamcangyfrif yn 1940 iddi gasglu rhwng deugain a hanner cant o alawon. Er 1955 fe'i coffeir yn flynyddol yn yr **Eisteddfod** Genedlaethol â Chwpan Coffa'r Fonesig Herbert Lewis.

Llyfryddiaeth

Kitty Idwal Jones, 'Adventures in Folk-Song Collecting', *Cerddoriaeth Cymru/Welsh Music*, 5/5 (1977), 33–52

David R. Jones, 'A Folk-song Romance: Ruth Herbert Lewis (1871–1946)' (traethawd MA Prifysgol Cymru, Bangor, 2002)

David R. Jones

Lloyd, David (1912–69)

Un o gantorion amlycaf a mwyaf poblogaidd Cymru yn ei ddydd. Fe'i ganed yn Nhrelogan, Sir y Fflint, 6 Ebrill 1912, yn fab i lôwr, ac ni chafodd addysg ffurfiol uwchlaw'r elfennol. Wedi gadael yr ysgol yn 14 oed fe'i prentisiwyd yn saer, ond dechreuodd ymddiddori mewn canu a derbyn hyfforddiant gan W. Matthews Williams yng Nghaer. Enillodd gannoedd o wobrau mewn eisteddfodau lleol, ac yn 1933 fe'i cymhellwyd gan John Williams, a oedd yn beirniadu yn eisteddfod Licswm, i ystyried gyrfa broffesiynol. Gyda chefnogaeth ariannol pobl ei ardal, teithiodd i Lundain i gystadlu am ysgoloriaeth yng Ngholeg y Guildhall; bu'n llwyddiannus, a dechrau ar ei yrfa yn y coleg yn 1934. Hyfforddwyd ef gan Walter Hyde (1875–1951), ac yn 1938 ymddangosodd fel unawdydd yn Glyndebourne, gan ennill cryn glod iddo'i hunan. Canodd yno eto yn 1939, ac yn Sadler's Wells yn 1940. Ymddangosodd hefyd yn Stockholm a Copenhagen yn y cyfnod hwn. Torrodd yr Ail Ryfel Byd ar ei yrfa a bu'n gwasanaethu yn y Gwarchodlu Cymreig, ond gan ddal i ganu mewn cyngherddau a pherfformiadau o oratorio.

Wedi'r Rhyfel dewisodd beidio â dychwelyd i fyd **opera**, a datblygodd yrfa fel tenor poblogaidd ar lwyfannau cyngerdd Cymru a thu hwnt. Ymddangosodd yng Ngŵyl Mozart a Verdi yn yr Iseldiroedd yn 1946 ac yng Ngŵyl Prydain yn 1951. Darlledai'n gyson a gwneud recordiau i gwmni Columbia rhwng 1940 ac 1949, a hefyd i Decca dan adain y **Welsh Recorded Music Society** yn 1948, pryd y recordiodd nifer o ganeuon Cymraeg adnabyddus. Yn 1952 cymerodd ran gyda Kirsten Flagstad mewn recordiad o *Dido and Aeneas* gan Henry Purcell. Bu ei boblogrwydd yn gryn straen arno ac amharodd ar ei iechyd. Dioddefodd ddamwain ddifrifol yn 1954, ac er iddo ailafael yn ei ganu yn 1960, ni chafodd yr un llwyddiant â chynt. Dirywiodd ei iechyd yn ystod yr 1960au, a bu farw o ganlyniad i godwm yn ei gartref, 27 Mawrth 1969.

Er iddo fethu cyflawni addewid mawr ei flynyddoedd cynnar, enillodd David Lloyd le unigryw iddo'i hun yng nghalonnau ei ddilynwyr, yn enwedig yng Nghymru. Cyfrifir ei lais telynegol prydferth yn un o'r goreuon a gynhyrchodd y genedl, ac mae'r recordiau a ddiogelwyd yn brawf o'i apêl a'i fedr technegol.

Disgyddiaeth

David Lloyd: y llais arian (Sain SCD2601, 2009)

Llyfryddiaeth

Hywel Gwynfryn, *David Lloyd: llestr bregus* (Llandysul, 2016)

Rhidian Griffiths

Lloyd (neu Floyde neu Flude), John (c.1475–1523)

Cerddor a chyfansoddwr a ddeuai, mae'n debyg, o Gaerllion: gadawodd roddion yn ei ewyllys (dyddiedig 18 Ionawr 1518/19, profwyd 9 Mai 1523) i Eglwys y Drindod ac Eglwys Sant Cadog yno, a hefyd i eglwys blwyf Sant Nicholas ym Mryste ac i Abaty Sant Awstin (Eglwys Gadeiriol Bryste bellach).

Ymddengys mai yn Lloegr y treuliodd ei yrfa i gyd. Erbyn 1499 roedd ganddo ddawnbwyd (lwfans am oes o fwyd a dillad) ym mynachdy Clywiniadd Thetford, East Anglia, ac yn 1512 cafodd ddawnbwyd arall yn Abaty Sant Awstin, Bryste (cysylltiad a barhaodd, fe dybir, mewn rhyw ffordd neu'i gilydd tan ei farw). Fe'i cyflogwyd gan Edward, Dug Buckingham, fel cyfarwyddwr *ensemble* o ddynion a bechgyn a ganai i'w ddiddanu'n breifat o 1504 hyd 1508, ac yn 1509 fe'i derbyniwyd yn Wrda'r Capel Brenhinol o dan Harri VIII, yr aeth gydag ef i Faes y Brethyn Aur yn

1520. Roedd yn dal yn gyflogedig yno pan fu farw ar 3 Ebrill 1523, ac fe'i claddwyd yng nghapel Ysbyty Savoy, Llundain.

Mae tri chyfansoddiad gan Lloyd ac iddynt gryn ddyfeisgarwch technegol yn goroesi yn un o lyfrau caneuon Harri VIII, dyddiedig *c*.1520: canon lleisiol tair-rhan yw un, ac mae'r ddau arall yn ffantasïas tair-rhan heb destun, gyda chyfarwyddyd mewn cod yn caniatáu ychwanegu pedwerydd llais. Ar un adeg credid mai Lloyd oedd cyfansoddwr y gosodiad cain o'r Offeren *O quam suavis est* a'r atepgan gysylltiedig *Ave regina celorum* hefyd, ond amheuir hynny bellach.

Llyfryddiaeth

John Caldwell a Roger Bray, 'John Lloyd [Floyd/Flude]', *New Grove Dictionary of Music and Musicians,* gol. Stanley Sadie (Llundain, 2001)

Roger Bowers, 'John Lloyd [Flude]', *Oxford Dictionary of National Biography,* gol. C. Matthew, B. Harrison et al., 60 cyfrol (Rhydychen, 2004; ar-lein <http://www.oxforddnb.com/>

Sally Harper

Geraint Løvgreen (g.1955)

Cerddor a chyfansoddwr yn bennaf ym maes **canu poblogaidd**, ac un a gyfrannodd nifer o ganeuon crefftus a chofiadwy mewn gyrfa sydd hyd yma wedi cwmpasu bron hanner canrif. Fe'i ganed yn Nhrefalun, Yr Orsedd, ger Wrecsam. Mynychodd ysgolion yn Wrecsam a'r Drenewydd cyn astudio'r Gymraeg yng Ngholeg **Prifysgol** Cymru, Aberystwyth, gan raddio yno yn 1977.

Gwnaeth ei ymddangosiad cyntaf yn chwarae'r allweddellau ar sengl Talcen Crych, 'Angharad' (Afon, 1975). Daeth i sylw fel canwr unigol yn sgil poblogrwydd ei gân 'Pump ar hugain oed', a ryddhawyd ar yr LP amlgyfrannog *Yn Dawel Hyd Nawr* (Legless, 1980), a gafodd ei chwarae'n rheolaidd ar Radio Cymru yn ystod yr 1980au cynnar. Daeth prawf pellach o'i ddawn i lunio caneuon trawiadol a gafaelgar pan enillodd gystadleuaeth **Cân i Gymru** yn 1980 gyda 'Golau tan Gwmwl', yn cael ei chanu gan y **grŵp gwerin Plethyn** i eiriau gan Myrddin ap Dafydd. Cipiodd y ddau y wobr am yr ail waith yn 1982 gyda 'Nid Llwynog oedd yr Haul' – un o'r caneuon mwyaf poblogaidd yn y Gymraeg. **Caryl Parry Jones** a'i chanodd yn y gystadleuaeth cyn i Løvgreen ei hun recordio'r gân yn ddiweddarach gyda'i fand Yr Enw Da.

Yn 1981 daeth yn aelod o'r grŵp ton newydd

Doctor, a oedd hefyd yn cynnwys Gwyn Williams (llais), Elwyn Williams (gitâr), Iwan Llwyd (gitâr fas) ac Owen Owens (drymiau). Ymddangosodd ar senglau megis 'Merch o Donegal' (Coch, 1981) a 'George Street' (Sain, 1983), y naill wedi ei rhyddhau ar label Y **Trwynau Coch** a'r llall yn rhan o sesiwn recordio ar gyfer rhaglen radio BBC Cymru, *Sosban.*

Ffurfiodd Geraint Løvgreen a'r Enw Da yn 1981, grŵp hwyliog, ffwrdd-â-hi a barhaodd i berfformio am dros 30 mlynedd gyda llu o offerynwyr gwahanol, megis y ddau gyn-aelod o Doctor, Elwyn Williams (gitâr) ac Iwan Llwyd (bas), ynghyd ag adran bres ddeinamig a oedd yn cynnwys Gwil John, Huw Owen ac Edwin Humphreys (sacsoffonau), John Keith Roberts a Bari Gwilliam (cornet a thrwmped), a Bob Morgan ac Owain Arwel Davies (trombonau), ymysg nifer o gerddorion eraill.

Roedd rhai o ganeuon mwyaf cofiadwy Løvgreen, fel 'Nid Llwynog oedd yr Haul' a enwyd eisoes, yn ffrwyth cydweithio gyda beirdd megis Myrddin ap Dafydd ac Iwan Llwyd, yn eu plith 'Babi Tyrd i Mewn o'r Glaw', 'Dyna lle nei di ffeindio fi' a 'Ffarwelio'. Bu'n cydweithio hefyd gyda nifer o feirdd ar deithiau barddol, er enghraifft Twm Morys, Ifor ap Glyn a Mei Mac (cyfansoddodd un o'i ganeuon gorau a mwyaf teimladwy gyda Mei Mac, sef 'Yma wyf finna i fod'). Er mai am eu perfformiadau byw egnïol y cofir Geraint Løvgreen a'r Enw Da yn bennaf, rhyddhaodd y band nifer o recordiau a chasetiau, gan gynnwys record hir eponymaidd yn 1985, *Os Mêts, Mêts* (1988), *Busnes Anorffenedig...* (2008), ynghyd â set CD ddwbl *Goreuon 1981–98,* i gyd ar label Sain.

Disgyddiaeth

Geraint Løvgreen a'r Enw Da (Sain C951N, 1985)

Os Mêts, Mêts [casét] (Sain C671N, 1988)

Enllib Jiwbilol 1990 [casét] (Gwalia GWA01, 1990)

Be ddigwyddodd i Bulgaria [casét] (Crai C019, 1993)

Busnes Anorffenedig... (Sain SCD2583, 2008)

casgliad:

Goreuon 1981–98 (Sain SCD2159, 1997)

Pwyll ap Siôn

Luff, Enid (g.1935)

Mae'r gyfansoddwraig Enid Luff, a aned yng Nglynebwy, wedi bod yn gynhyrchiol am gyfnod o dros ddeugain mlynedd. Astudiodd ieithoedd modern ym Mhrifysgol Caergrawnt ac yna cerddoriaeth yng

Ngholeg **Prifysgol** Gogledd Cymru, Bangor, lle graddiodd gyda MMus. Astudiodd gyfansoddi ym Mangor a hefyd gydag Elizabeth Lutyens (1906–83) ac Anthony Payne (g.1936) yn Llundain a Franco Donatoni (1927–2000) yn yr Eidal.

Mae ei llais cerddorol yn aml yn fyfyriol a thawel, ac yn cwmpasu ystod eang o emosiwn. Llwyddodd i ddyfalbarhau gyda'i gwaith creadigol tra oedd yn magu teulu, a gellir dadlau bod gogwydd fenywaidd yn ei gwaith ar brydiau, yn y crefftwaith sicr, y sensitifrwydd a'r teimladrwydd. Yn 2000 hi oedd un o sefydlwyr Cyfansoddwyr Cymru a gwnaeth lawer i hybu gweithgaredd y mudiad newydd.

Mae ei meddylfryd yn un agored ac eclectig, gan ddangos ymwybyddiaeth lwyr o'r cyfoes. Mae ei cherddoriaeth yn reddfol ond hefyd yn dechnegol gywrain, nad yw'n syndod o ystyried y rhai a'i dysgodd. Mae ei harddull gerddorol yn cwmpasu cyfresiaeth (neu o leiaf awgrym o hynny), canolbwyntiau cyweiraidd o bryd i'w gilydd ynghyd â'r gallu i greu cerddoriaeth siambr sgwrsiol. Darn myfyrgar yw *Sleep, Sleep, February* (1989) ar gyfer ffliwt, obo, clarinet a thelyn, a cheir elfen arbrofol yn *The Glass Wall* (1992) ar gyfer tri o ddawnswyr, *cello* a thâp electronig (adlais o waith ei hathrawes

Lutyens efallai) a oedd yn gomisiwn gan y Feeney Trust yn Birmingham.

Ymhlith ei gweithiau comisiwn eraill y mae'r sonata *Storm Tide* (1986) ar gyfer y pianydd Peter Lawson, sy'n gyfanwaith deniadol ac idiomatig. Yn '*… trees dropped forth pearls …*', gwaith ar gyfer gitâr acwstig sy'n seiliedig ar eiriau gan y bardd William Drummond o'r 17g. ('That zephyr every year …'), mae'r gerddoriaeth yn dal sensitifrwydd telynegol y gerdd am gariad a cholled gan orffen gydag awgrym o gloch angladd. Mae gweithiau mwy diweddar fel '*… the horror of war and the pity of it …*', y darn siambr *From Switzerland* a'r darn cerddorfaol *A Crack of Winter* oll yn arddangos meddylfryd cyson ymchwilgar y gyfansoddwraig.

Bu Cymru yn ffodus yn ei chyfansoddwyr benywaidd ac yn eu plith mae lle teilwng iawn i lais tawel, diymhongar Enid Luff.

Llyfryddiaeth ddethol
Archif a recordiau Tŷ Cerdd
www.composersofwales.org
www.impulse-music.co.uk/primavera.htm
www.myspace.com/primaveraalive
www.musicbook.com/Enid Luff

Lyn Davies

Ll

Llawysgrifau (gw. **Amgueddfeydd a Llyfrgelloedd**)

Llewelyn-Jones, Iwan (g.1959)

Pianydd sy'n hanu o Amlwch, Ynys Môn. Fe'i hedmygir am gywreinrwydd ei berfformiadau, yn enwedig yn y *repertoire* Ffrengig, a gweithiau newydd gan gyfansoddwyr Cymreig. Astudiodd gerddoriaeth yng Ngholeg Balliol, Rhydychen, a'r Coleg Cerdd Brenhinol yn Llundain, lle dyfarnwyd iddo Wobr Chopin, Gwobr Deuawd Offerynnol a Medal Aur Hopkinson. Cafodd lwyddiant mewn cystadlaethau tramor yn Sbaen, Ffrainc a'r Eidal. Astudiodd hefyd gyda Noretta Conci a Cecile Ousset (g.1936). Daeth i sylw ar ôl ei gyngerdd llwyddiannus cyntaf yn Neuadd Wigmore yn 1987.

Mae'n hoff o chwarae cerddoriaeth gan Debussy a Ravel ac mae ei ddehongliad o *Ondine* gan yr olaf yn hynod synhwyrus. Nid cerddoriaeth o Ffrainc yn unig sy'n apelio ato, fodd bynnag, a chofir am ei chwe datganiad yn 2004 o weithiau gan Chopin. Yn 2001 rhyddhaodd gryno-ddisg o weithiau cyfansoddwyr Cymreig, *Portreadau Cymreig*, gan ddilyn hyn ddeng mlynedd yn ddiweddarach gyda *Caneuon Heb Eiriau*, lle bu'n trefnu ac addasu cerddoriaeth Gymreig a'i chyflwyno ar newydd wedd.

Ymhlith y cyfansoddwyr a ysgrifennodd ddarnau ar ei gyfer y mae **Alun Hoddinott**, **Karl Jenkins**, **Richard Elfyn Jones**, **Geraint Lewis**, **John Metcalf** a **John Pickard**. Yn 2005 dyfarnwyd iddo Wobr Syr **Geraint Evans** gan Gymdeithas Cerddoriaeth Cymru am ei gyfraniad i gerddoriaeth yng Nghymru. Mae wedi perfformio lawer tro gyda **Cherddorfa Genedlaethol Gymreig y BBC** mewn gweithiau gan Chopin, Litolff a Mozart, ac mae'n cyfrannu'n gyson i arlwy Radio 3, Radio Cymru ac S4C.

Bu hefyd yn weithgar ym maes cerddoriaeth mewn **addysg**, gan gyhoeddi nifer o werslyfrau (e.e. ap Siôn a Llewelyn-Jones 2011). Derbyniodd ddoethuriaeth am ddatganiad a thraethawd hir ar gerddoriaeth Ravel o Brifysgol Caerdydd yn 2016. Daeth yn aelod o staff adran gerddoriaeth **Prifysgol** Bangor yn ystod yr un flwyddyn.

Disgyddiaeth
Portreadau Cymreig (Sain SCD2308, 2001)
Caneuon Heb Eiriau (Sain SCD2646, 2011)

Llyfryddiaeth
Alun Guy ac Iwan Llewelyn-Jones, *TGAU Cerddoriaeth – Llawlyfr y Myfyriwr* (Llundain, 2009)
Pwyll ap Siôn ac Iwan Llewelyn-Jones, *Cyfansoddi Cerddoriaeth Gyfoes: Canllaw i Fyfyrwyr* (Aberystwyth, 2011)

Richard Elfyn Jones

Llwybr Llaethog

Deuawd electronig yw Llwybr Llaethog. Cafodd John Griffiths a Kevs Ford eu magu ym Mlaenau Ffestiniog a daethant ynghyd i berfformio yn 1984, a hynny'n fuan ar ôl i Griffiths ymweld ag Efrog Newydd a chael cyfle i wrando ar hiphopwyr newydd y ddinas. Arbrofodd y ddeuawd am gyfnod cyn rhyddhau eu record gyntaf, y sengl 'Dull Di-Drais' (Anhrefn, 1986).

Roedd y trac teitl, a chân arall ar y record, 'Dyddiau Braf (Rap Cymraeg)', yn allweddol o ran gosod agenda'r ddau fel yr artistiaid cyntaf i greu rap yn yr iaith Gymraeg. Efallai nad oedd eu defnydd o beiriant drymiau yn gwbl newydd yn y byd roc Cymraeg, ond roedd helaethrwydd y defnydd ohono yn arloesol, a llwyddasant i gyfuno dylanwad hip-hop gyda thuedd i amrywio gwead y trac trwy'r defnydd o effeithiau megis *reverb*, a oedd yn nodweddiadol o gerddoriaeth dyb. Roedd yr EP, gyda'i defnydd o lais yr ymgyrchydd iaith Ffred Ffransis ar un trac a llais Margaret Thatcher ar y llall, hefyd yn nodweddiadol o'u hymlyniad wrth wleidyddiaeth radical y chwith.

Ni chafodd Llwybr Llaethog lawer o gyhoeddusrwydd ar Radio Cymru ar y pryd, ond yn 1987 daethant i sylw John Peel, DJ Radio 1, a estynnodd wahoddiad iddynt chwarae sesiwn ar gyfer ei sioe, sef y gyntaf o bedair sesiwn. Yn 1988 ymddangosodd y ddau am y tro cyntaf ar y rhaglen gerddoriaeth *Fideo 9*, a hynny gyda fideo ar gyfer eu trac 'Tour de France', a oedd yn dathlu buddugoliaeth y seiclwr Gwyddelig Stephen Roche. Roedd Griffiths a Ford yn byw yn Llundain ar y pryd, a chafodd eu halbwm cyntaf, *Da!*, ei ryddhau ar label annibynnol Seisnig, Side Effects, yn ystod yr un flwyddyn gan sicrhau adolygiadau ffafriol yn y wasg gerddorol Saesneg.

Recordiodd Llwybr Llaethog nifer o recordiau yn y cyfnod dilynol i amrywiol labeli, gan gynnwys *Be?* (1990), *LL.LL v T.G. MC DRE* (ar y cyd â **Datblygu**, 1991), a'r sengl 'Ni Fydd y Chwyldro ar y Teledu, Gyfaill' (1992) ar Ankst, gyda'r bardd Ifor ap Glyn yn darparu 'rap' a efelychai waith y bardd-rapiwr arloesol Gil Scott-Heron.

Roedd gan *Mad!* (Ankst, 1996) agwedd fwy rhyngwladol a chynhwysai gyfraniadau lleisiol yng Ngaeleg yr Alban ac mewn Pwnjabeg. Rhyddhawyd y casgliad *Hip-Dub Reggae-Hop* gan Ankst yn 2000 a chafodd adolygiadau ffafriol. Dilynwyd *Anomieville* (Crai, 2002) gan gyfnod byr fel rhan o Sherbet Antlers, **band roc** byrhoedlog a ffurfiwyd gan y ddau a chyn-aelodau **Catatonia**. Rhyddhawyd albymau pellach ar ôl hynny, sef *Mega Tidy* (Rasal, 2005), *Chwaneg* (Neud Nid Deud, 2009), *Curiad Curiad* (Neud Nid Deud, 2011) a *Dyb Cymraeg* (Neud Nid Deud, 2013).

Er na fu i arddull gerddorol heriol Llwybr Llaethog fwynhau'r un llwyddiant masnachol â'u cyfoedion megis **Super Furry Animals** a Catatonia, cydnabyddir cyfraniad Llwybr Llaethog gan lawer o artistiaid cyfoes yng Nghymru a thu hwnt. Yn 2012 derbyniodd y ddeuawd wobr am Gyfraniad Arbennig yng Ngwobrau Roc a Phop BBC Radio Cymru.

Disgyddiaeth
'Dull Di-Drais' [sengl] (Anhrefn 009, 1986)
'Tour De France' [sengl] (Anhrefn 011, 1987)
Da! (Side Effects SER13, 1988)
Be? (Pinpoint Records, 1990)
[gyda Datblygu a Tŷ Gwydr] *LL.LL v T.G. MC DRE* (Ankst 025, 1991)
[gydag Ifor ap Glyn] 'Ni Fydd y Chwyldro ar y Teledu, Gyfaill' [sengl] (Ankst 032, 1992)
Mad! (Ankst CD065, 1996)
Anomieville (Crai CD0087, 2002)
Mega-Tidy (Rasal CD007, 2005)
Chwaneg (Neud Nid Deud NND003, 2009)
Curiad Curiad (Neud Nid Deud NND004, 2011)
Dyb Cymraeg (Neud Nid Deud NND006, 2013)
casgliad:
Hip-Dub Reggae-Hop (Ankst CD094, 2000)

Craig Owen Jones

Llwyd, Owain (g.1984)

Cyfansoddwr yn bennaf ym maes cerddoriaeth ffilm a'r **cyfryngau**. Ganed Owain Llwyd yng Nglyndyfrdwy, ger Corwen. Derbyniodd ei addysg yn Ysgol Gynradd Glyndyfrdwy ac yn Ysgol y Berwyn, y Bala. Aeth wedyn i Brifysgol Bangor lle derbyniodd radd BMus gydag anrhydedd dosbarth cyntaf. Gan arddangos doniau cerddorol a chreadigol yn ifanc iawn, enillodd Dlws y Prif Gyfansoddwr yn **Eisteddfod** yr Urdd dair gwaith – yng Nghaerdydd a'r Fro (2002), Ynys Môn (2004) ac am yr ail waith yng Nghaerdydd (2005) – ynghyd â Thlws y Cerddor yn Eisteddfod Genedlaethol Maldwyn a'r Gororau (2003) a Chasnewydd (2004): yr unig gyfansoddwr i gyflawni'r gamp.

Aeth ymlaen i gwblhau PhD ym maes cyfansoddi ar gyfer ffilm a'r cyfryngau yn 2010, gan dderbyn ysgoloriaeth addysg uwch gan Mantais, cyn ei benodi'n ddarlithydd ym Mhrifysgol Bangor drwy'r Coleg Cymraeg Cenedlaethol. Er ei fod wedi cyfansoddi ymron pob *genre*, gan gynnwys darnau cerddorfaol, **corawl**, unawdol, **bandiau pres**, ynghyd ag **opera** mewn addysg (*Prospero*) ac opera gymunedol (*Cofi Opera*), daeth i sylw yn bennaf drwy ei waith ym maes cerddoriaeth ffilm a'r cyfryngau. Datblygodd bartneriaeth agos gyda nifer o gyfansoddwyr ffilm yn Llundain rhwng 2010–18, gan gyfrannu at gerddorfaeth cerddoriaeth *trailers* ar gyfer ffilmiau megis *The Hobbit* (gw. Morris 2015). Gwnacth farc arbennig ym maes cerddoriaeth llyfrgell, ac fe ddefnyddiwyd ei gerddoriaeth mewn rhaglenni fel *X-Factor*, *Top Gear*, *Big Brother*, *MasterChef*, a *Chef's Table France*.

Perfformiwyd a recordiwyd ei gerddoriaeth gan gerddorfeydd megis **Cerddorfa Genedlaethol Gymreig y BBC**, Cerddorfa Ffilharmonig Budapest, Cerddorfa Ffilm Berlin, Cerddorfa Symffonig Genedlaethol Slofacia a'r English Session Orchestra. Bu'n gyfrifol am drefnu caneuon gan y grwpiau pop **Swnami**, **Yr Ods**, **Yws Gwynedd** ac Alys Williams ar gyfer y Welsh Pops Orchestra mewn cyngherddau hynod boblogaidd ym mhafiliwn yr Eisteddfod Genedlaethol yn y Fenni (2016) ac yn Sir Fôn (2017).

Disgyddiaeth
Uncle Art – A Temporal Shift (UA001, 2016)

Llyfryddiaeth
Josh Morris, 'Man behind Hobbit score premiers [sic] new piece in North Wales', *Daily Post*, 16 Chwefror 2015

Pwyll ap Siôn

Llyfrgell Genedlaethol Cymru (gw. **Amgueddfeydd a Llyfrgelloedd**)

M

Maffia Mr Huws

Ffurfiodd Maffia Mr Huws (neu 'Maffia' i nifer) yn ardal Bethesda yn 1981, a daethant yn un o **grwpiau roc** mwyaf poblogaidd Cymru yn ystod yr 1980au. Yr aelodau gwreiddiol oedd y brodyr Siôn a Gwyn Jones (gitâr flaen a drymiau) a Deiniol Morris (gitâr fas), gynt o'r grŵp ysgol Weiran Bigog, a'r canwr Hefin Huws. Daeth y band i amlygrwydd yn ystod 1982 ar ôl cyfnod o gigio cyson ac yn dilyn recordio'r gân 'Ffrindiau' ar gyfer y rhaglen radio *Sosban*. Roedd sengl gyntaf y grŵp ar label Fflach yn 1982 yn rhagflas clir o'r hyn a oedd i ddod – cyfuniad o roc pwerus 'Gitâr yn y To' ynghyd â *reggae* hwylus, ffwrdd-â-hi 'Reggae Racs', gyda'r cynhyrchydd Richard Morris wrth y llyw (gŵr a fu'n gweithio gyda bandiau megis **Ail Symudiad** a Crys).

Yn 1983 rhyddhaodd y band EP pedair cân o'r enw 'Hysbysebion' ar eu llwt eu hunain (ariannwyd y record trwy osod hysbysebion gan siopau a busnesau ar y clawr), ac yn sgil llwyddiant yr EP aeth y band i Stiwdio Sain i recordio eu record hir gyntaf, *Yr Ochor Arall* (Sain, 1983). Parhaodd y band i berfformio'n gyson ledled Cymru, gyda'r gitarydd a'r lleisydd Neil Williams erbyn hyn yn aelod (aeth Hefin Huws i Lundain am gyfnod gan ddychwelyd yn 1986 i recordio'r sengl boblogaidd 'Dawns y Dail' gyda'r **grŵp pop** Llwybr Cyhoeddus cyn dilyn gyrfa amrywiol fel artist unigol a drymiwr i'r grŵp roc-gwerin **Bob Delyn a'r Ebillion**).

Perthynai gonestrwydd a diffuantrwydd ffres i Maffia, ac yn wahanol i nifer o fandiau 'coleg', rhoddai'r aelodau eu holl egni, arian ac ymdrechion i ddatblygu a hyrwyddo'r grŵp, gan fyw mewn bwthyn ym Methesda am gyfnod. Cynyddodd eu dilyniant yn sgil egni ac arddeliad eu perfformiadau byw, nodweddion sy'n amlwg ar ail ochr eu hail record hir, *Da Ni'm Yn Rhan O'th Gêm Fach Di* – recordiad ohonynt yn perfformio yng **Ngŵyl** Pesda Roc yn 1984. Roedd cân eponymaidd ar ochr gyntaf y record – beirniadaeth lem ar bolisi tramor

gweinyddiaeth arlywydd America ar y pryd, Ronald Reagan – hefyd yn brawf eu bod yn barod i ganu caneuon 'gwleidyddol' o bryd i'w gilydd, ac roedd 'Halen ar y Briw' yn deyrnged i'r rhai a fu'n rhan o streic fawr chwarel y Penrhyn (1900–3).

Bu'r grŵp yn fuddugol ddwy flynedd yn olynol yn 1983 ac 1984 fel Prif Grŵp Roc Cymru yn nosweithiau gwobrwyo'r cylchgrawn pop *Sgrech*, ynghyd ag ennill gwobr am y record orau yn 1983. Aeth y band i gyfeiriad mwy masnachol yn 1985 a chlywid synths yr allweddellydd Alan Edwards am y tro cyntaf ar eu hail sengl 'Newyddion Heddiw'/'Nid Diwedd y Gân' (Sain, 1985).

Flwyddyn yn ddiweddarach daeth cynnig i gydweithio, cydrecordio a theithio gyda **Geraint Jarman** a'r Cynganeddwyr, un o arwyr pennaf y grŵp. Canlyniad y cydweithio oedd casét EP *Taith y Carcharorion*. Yn fuan wedyn cydgynhyrchodd Jarman raglen ddogfen am hanes y band o'r enw *Awe 'Fo'r Micsar* (S4C, 1986). Cafodd nifer o ganeuon newydd ar gyfer y rhaglen eu rhyddhau dan yr un teitl yn 1987, ond daeth trasiedi pan laddwyd Alan Edwards mewn damwain car tra oedd y band ar daith yn Llydaw.

Dychwelodd Maffia i Fethesda i stiwdio Les Morrison (un a fu'n gysylltiedig â'r band o'r dechrau) i recordio *Twthpêst Ozone Ffrendli*, ond roedd poblogrwydd y band ar drai erbyn hyn. Erbyn dechrau'r 1990au roedd y gitarydd bas Deiniol Morris wedi ymgartrefu yng Nghaerdydd ac yn gweithio ar y gyfres animeiddiedig boblogaidd *Gogs* (HTV); chwaraeai'r gitarydd Siôn Jones gyda'r **Anhrefn** a'r band ffync-*reggae* Y Jecsyn Ffeif, a pherfformiai ei frawd Gwyn ar y drymiau gyda nifer o grwpiau ac artistiaid, gan gynnwys **Siân James**, Geraint Jarman a **Tich Gwilym**.

Ers yr 1990au ailffurfiodd y band ar gyfer gwahanol achlysuron gan berfformio yng Ngŵyl y Faenol yn 2000 a 2008, mewn **eisteddfodau**, a hefyd, yn dilyn marwolaeth eu ffrind agos, y cerddor Les Morrison, yn Pesda Roc 2011.

Disgyddiaeth

'Gitâr yn y To'/'Reggae Racs' [sengl] (Fflach 0013, 1982)

Hysbysebion [EP] (Pesda Roc R001, 1983)

Yr Ochor Arall (Sain 1286/C886, 1983)

Da Ni'm Yn Rhan O'th Gêm Fach Di (Sain 1307A/C907, 1990)

'Nid Diwedd y Gân'/'Newyddion Heddiw' [sengl] (Sain 115S, 1985)

[gyda **Geraint Jarman**] *Taith y Carcharorion* (Sain C963B, 1986)

Awe 'Fo'r Micsar (S4C, 1987)

Twthpêst Ozone Ffrendli (1989)

Casgliad:

Croniclau'r Bwthyn (Goreuon Maffia Mr Huws) (Sain SCD2553, 2008)

Pwyll ap Siôn

Manic Street Preachers

Un o **fandiau roc** Cymreig pwysicaf a mwyaf llwyddiannus y chwarter canrif diwethaf. Ffurfiwyd y Manic Street Preachers (neu'r *Manics* i nifer) yn 1986 yng Nghoed-duon, Caerffili, gyda James Dean Bradfield (llais, gitâr), Nicky Wire (Nicholas Allen Jones; bas) a Sean Moore (drymiau) fel y prif aelodau; cyn bo hir ymunodd Richey Edwards (gitâr rhythm) i gwblhau'r grŵp. Roedd y pedwar aelod yn ffrindiau ysgol, a bu'r arddegau yn gyfnod o ddarllen eang yn eu hanes; roedd Sefyllfâwriaeth (*Situationism*) a llenyddiaeth yr 20g. yn ddylanwadau pwysig arnynt. O safbwynt cerddorol, daeth y pedwar dan ddylanwad pync-roc yn ogystal â bandiau cyfoes megis Guns 'n' Roses.

Rhyddhaodd y band eu sengl gyntaf, 'Suicide Alley', yn 1988 ar label *ad hoc*, gan ennill clod yn y *New Musical Express*, ac erbyn 1991 roeddynt wedi arwyddo cytundeb gyda'r label annibynnol Heavenly Records, ar ôl ymgyrch gyhoeddusrwydd galed yn y wasg gerddorol Brydeinig wrth iddynt wneud datganiadau dadleuol am wleidyddiaeth a natur ddiflas y sîn gerddorol fel yr oeddynt yn ei gweld ar y pryd. Yn 1991 arwyddodd y band gytundeb gyda Sony/Columbia, ac yn 1992 cafodd eu halbwm cyntaf, *Generation Terrorists*, ei ryddhau; fe'i dilynwyd gan *Gold Against The Soul* (Sony, 1993). Er gwaethaf eu llwyddiant masnachol – cyrhaeddodd tair sengl oddi ar *Generation Terrorists* yr 20 Uchaf Prydeinig – adolygiadau cymysg a gafodd y ddau albwm.

Ystyrir trydydd albwm y band, *The Holy Bible* (Sony, 1994), yn drobwynt yn eu hanes, wrth iddynt gefnu ar eu nodweddion cerddorol gwreiddiol a chofleidio sŵn llawer mwy amrwd, gyda chaneuon yn archwilio pynciau megis anorecsia, natur crefydd, cyfalafiaeth, byw a marw, a'r Holocost; er na fu'r albwm yn llwyddiant masnachol derbyniodd glod yn y wasg. Roedd ymddygiad prif awdur geiriau'r band, Richey Edwards, wedi achosi pryder yn y gorffennol, yn enwedig yn 1991 pan aeth ati i hunan-anafu o flaen y newyddiadurwr Steve Lamacq, gan dorri'r slogan '4 REAL' i mewn i'w fraich gyda llafn, ac ar daith yn Thailand yn ystod 1994 fe hunan-anafodd eto gyda chyllell. Roedd natur dywyll ei feddyliau yn amlwg yng ngeiriau caneuon megis 'The Intense Humming Of Evil', 'Die In The Summertime' ac 'Archives Of Pain', cân herfeiddiol am greulondeb sylfaenol dynoliaeth ac amhosibilrwydd athronyddol achubiaeth ar ôl tröedigaeth foesol.

Ar 1 Chwefror 1995 diflannodd Richey Edwards yn Llundain. Ar ôl i'r heddlu ddarganfod ei gar mewn maes parcio ger Pont Hafren, tybiwyd ei fod wedi ei foddi ei hunan er na chafodd ei gorff erioed ei ddarganfod. Cafodd diflaniad Edwards effaith fawr ar dri aelod arall y band, ac ni welwyd record arall ganddynt hyd 1996. Roedd y pum mlynedd nesaf yn uchafbwynt masnachol a chreadigol i'r band, gyda saith sengl o'u heiddo'n cyrraedd y 10 Uchaf Prydeinig (yn cynnwys dwy sengl a fu'n Rhif 1), a gwerthiant albwm platinwm i *Everything Must Go* (Sony, 1996) a *This Is My Truth Tell Me Yours* (Sony, 1998). Yn 1999 chwaraeodd y band o flaen 80,000 o bobl yn Stadiwm y Mileniwm yng Nghaerdydd ar Nos Galan.

Ers 2000 mae'r band wedi parhau i recordio a theithio yn gyson. Roedd *Know Your Enemy* (Sony, 2001) yn llwyddiant masnachol, ond ar ôl methiant masnachol a beirniadol *Lifeblood* (Sony, 2004) – albwm ac iddo sŵn canol y ffordd – ni ryddhawyd unrhyw ddeunydd newydd hyd nes i *Send Away The Tigers* (Sony, 2007) ymddangos. Croesawyd yr albwm hwnnw fel adlewyrchiad o ddychweliad llwyddiannus (os nad mentrus) y band at eu gwreiddiau pync, a chyrhaeddodd un sengl oddi arno, 'Your Love Alone Is Not Enough', rif 2 yn y siart 10 Uchaf. Bu *Journal For Plague Lovers* (Sony, 2009) a *Postcards From A Young Man* (Sony, 2010) ymhlith y tri albwm uchaf yn y siartiau ac aeth eu halbwm *Rewind The Film* (Sony, 2013), i rif 4 ar ôl derbyn adolygiadau ffafriol. Dilynwyd yr album gyda *Futurology* flwyddyn yn ddiweddarach.

Cydnabyddir y Manic Street Preachers fel un o'r bandiau roc Prydeinig cyfoes mwyaf creadigol, ac mae'r pyncs a oedd unwaith wrth eu bodd os oedd eu hymddygiad herfeiddiol yn creu penawdau yn y papurau newydd bellach wedi aeddfedu'n gerddorion meddylgar a chanddynt ddawn i greu alawon anthemig. Mae eu hagwedd at eu Cymreictod, hefyd, wedi newid ers diwedd yr 1990au, gyda pharodrwydd i gofleidio a dathlu'r diwylliant Cymraeg wedi disodli agwedd lawer fwy negyddol gyda Richey Edwards yn datgan unwaith mewn cyfweliad yn y cylchgrawn *Sothach* yn 1992 fod yr iaith Gymraeg 'ond yn bwysig i ddeinosoriaid a phobl sy'n licio bwyta glo' (1992, 12). Fel un o nifer fach o fandiau roc Prydeinig yr 1980au sy'n parhau i greu gwaith creadigol gwerth chweil, mae eu camp i'w chydnabod.

Disgyddiaeth

Generation Terrorists (Columbia 471060 2, 1992)
Gold Against The Soul (Columbia 474064 2, 1993)
The Holy Bible (Epic 477421 2, 1994)
Everything Must Go (Epic 483930 2, 1996)
This Is My Truth Tell Me Yours (Epic 491703 9 1998)
Know Your Enemy (Epic 501880 4, 2001)
Lifeblood (Sony 518885 2, 2004)
Send Away The Tigers (Sony 88697075632, 2007)
Journal For Plague Lovers (Columbia 88697520582, 2009)
Postcards From A Young Man (Sony 88697741882, 2010)
Rewind The Film (Sony 88883745292, 2013)
Futurology (Columbia 88843049622, 2014)

Llyfryddiaeth

'Manic Street Preachers – go iawn, go wir, go go goch', *Sothach*, 44 (Medi, 1992), 12–13
Simon Price a Nicky Wire, *Everything: A book about Manic Street Preachers* (Llundain, 1999)
Martin Power, *Nailed to History: The Story of Manic Street Preachers* (Llundain, 2010)

Craig Owen Jones

Mathias, William (1934–92)

Un o brif gyfansoddwyr Cymru yn ail hanner yr 20g. ac un o'r ychydig i ennill bri rhyngwladol. Roedd yn frodor o Hendy-gwyn ar Daf a dechreuodd chwarae'r piano yn dair oed a chyfansoddi yn bump. Nid oedd cyfle i astudio cerddoriaeth yn Ysgol Ramadeg Hendy-gwyn (lle'r oedd ei dad yn athro hanes) ond cafodd wersi piano gan David Lloyd Phillips yn Llanfyrnach.

Aeth William Mathias i Goleg **Prifysgol** Aberystwyth yn 1952 gan raddio yn 1956 ac yna aeth i'r Academi Gerdd Frenhinol yn Llundain am dair blynedd i astudio gyda'r cyfansoddwr Lennox Berkeley (1903–89). Fe'i penodwyd yn ddarlithydd cerdd ym Mangor yn 1959 cyn iddo symud am gyfnod i Brifysgol Caeredin yn 1968. Dychwelodd i Fangor yn Athro cerdd yn 1970 gan ymddeol

i ganolbwyntio ar gyfansoddi yn 1987. Yn 1972 sefydlodd Ŵyl Gerdd Gogledd Cymru yn Llanelwy gan ei rhedeg tan ei farwolaeth annhymig yn 1992. Fel aelod dylanwadol o Gyngor Celfyddydau Cymru a nifer o bwyllgorau eraill bu'n ffigwr allweddol ym mywyd cerddorol Cymru yn gyffredinol a chafodd ei urddo'n CBE yn 1985.

Cyfansoddodd Mathias yn helaeth cyn mynd i'r coleg a chyfaddefodd ei fod yn 'hunanddysgedig cyn hynny ac wedyn hefyd i bob pwrpas'. Mae'r dylanwadau cynnar arno yn deillio'n amlwg o waith cyfansoddwyr Seisnig y cyfnod megis William Walton a Benjamin Britten, a dengys hefyd ymwybyddiaeth o feistri cyfandirol fel Bela Bartók a Paul Hindemith. Ond mae'r acen bersonol yn amlwg hefyd yn y gweithiau cydnabyddedig cyntaf fel y Concerto Piano Rhif 1 a'r Sonatina Clarinet. Yn Llundain aeth trwy gyfnod byr o arbrofi gyda chyfresiaeth ond buan y penderfynodd mai mewn iaith gyweiriol yr oedd ei reddf hanfodol ac erbyn y Divertimento i Linynnau a'r Darnau Byrfyfyr i'r delyn mae ei hunaniaeth arddulliol yn amlwg.

Dywedodd mai sefydlu techneg offerynnol a cherddorfaol gadarn oedd ei uchelgais gyntaf gan fod hyn yn brin yn y traddodiad amatur lleisiol yng Nghymru. Fel ei gyfoeswr **Alun Hoddinott** daeth y mwyafrif o'i lwyddiannau offerynnol cynnar yn Lloegr ac fel yntau roedd ennill cytundeb cyhoeddi fel cyfansoddwr 'preswyl' i Wasg Prifysgol Rhydychen yn gaffaeliad arbennig gan ei sefydlu yn un o enwau disgleiriaf ei genhedlaeth.

Fel Hoddinott hefyd sefydlodd Mathias berthynas werthfawr gyda **Gŵyl** Llandaf, a oedd, o dan gyfarwyddyd goleuedig Christopher Cory, yn comisiynu cyfansoddwyr Cymreig yn gyson. Wedi'r Ail Concerto Piano yn 1961 cafodd Mathias lwyddiant nodedig yno gyda St Teilo yn 1963, gwaith **corawl** ac iddo elfen o lwyfannu sy'n amlygu dawn arbennig i gyfathrebu ar gynfas eang. Yn seiliedig ar yr **emyn-dôn** hynafol 'Braint', mae Mathias yma yn arddel ei dreftadaeth Gymreig mewn modd anghyffredin ar y pryd. Erbyn hyn hefyd roedd wedi ennill bri fel cyfansoddwr corawl i'r Eglwys Anglicanaidd a hefyd am nifer o weithiau poblogaidd i'r organ megis yr Amrywiadau ar Emyn-dôn Gymreig.

Yn ystod y cyfnod hwn daeth dylanwad Michael Tippett i'r amlwg, yn enwedig y bydysawd sŵn sy'n perthyn i opera gyntaf Tippett, *The Midsummer Marriage* (1946–52), opera a welwyd gan Mathias yn ystod ei gyfnod yn Llundain yn 1957. Mae elfen Geltaidd gref yn perthyn i'r opera a dyma'r tirlun

3. Sun Dance

Eng.1. Tudalen gyntaf symudiad olaf y *Santa Fe Suite*, ar gyfer Telyn, gan William Mathias (© OUP)

a ddefnyddiwyd gan Mathias i greu naws o ddefod a chyfriniaeth mewn gweithiau cerddorfaol fel y Symffoni Gyntaf yn 1966. Daw hyn i benllanw yn y *Dawnsiau Celtaidd* a gyfansoddwyd i Gerddorfa Genedlaethol Ieuenctid Cymru yn 1972.

Yn 1974 daeth perfformiad cyntaf y **gantata** *This Worlde's Joie* yng Ngŵyl Abergwaun â sylw arbennig i Mathias ac yn sgil perfformiad a recordiad yn Llundain daeth yn ffefryn gan gymdeithasau corawl ledled Prydain. Yn 1974 hefyd digwyddodd y cyfansoddwr glywed drama radio gan Iris Murdoch, *The Servants and the Snow*, a ddaeth yn sylfaen i'r **opera** a gomisiynwyd gan Opera Cenedlaethol Cymru i'w pherfformio yn ystod tymor 1980. Mae'r awyrgylch tywyll, ond gloyw hefyd, sy'n gefndir i'r opera yn cyniwair yn yr un modd y tu cefn i'r gweithiau a

gyfansoddwyd tra bu'n saernïo'r libreto, rhai megis *Vistas*, *Helios* a *Requiescat* i gerddorfa. Mae'r dylanwad yn gryf yn ogystal ar nifer o'r darnau a ddilynodd, fel yr Ail Symffoni, *Lux aeterna* a'r Concerto Organ i Gillian Weir.

Ond ni bu derbyniad beirniadol ffafriol i opera *The Servants* er cymaint y mwynhad a fynegwyd gan gynulleidfaoedd, a chafodd hynny effaith ddwys ar Mathias. Cafodd hwb arbennig felly yn 1981 pan dderbyniodd wahoddiad i gyfansoddi **anthem** ar gyfer gwasanaeth priodas Tywysog Cymru yng Nghadeirlan St. Paul. Roedd *Let the People Praise Thee, O God* yn hollol nodweddiadol o arddull fachog Mathias ac yn gweddu'n berffaith i'r achlysur. Yn sgil y llwyddiant hwn daeth gwahoddiadau lu am anthemau amrywiol a galwadau cyson i'r cyfansoddwr ymweld ag amrywiol wledydd, yr Unol Daleithiau yn enwedig.

Nid fel elfen achlysurol yr ystyriai Mathias ei gyfraniad i gerddoriaeth yr eglwys a chyfeiriai'n aml at ei athroniaeth gynhwysol a oedd yn gweld undod di-syfl rhwng y byd a'r betws, y sanctaidd a'r seciwlar. Daeth hyn yn amlwg yn ei weithiau diweddaraf gan gyrraedd uchafbwynt yn y symffoni-gorawl *World's Fire* sy'n osodiad o eiriau Gerard Manley Hopkins i ddathlu canmlwyddiant marw'r bardd yn 1989. Dyma waith athrylithgar a agorodd borth at y gweithiau olaf meistrolgar a ddaeth cyn ei farw: y Drydedd Symffoni, y Concerto Feiolin i Gyorgy Pauk ac *In Arcadia*.

Erbyn cyfansoddi'r gweithiau hyn roedd Mathias yn deall bod ei amser yn prinhau ond cafodd fodlonrwydd wrth ymroi i greu synthesis ieithyddol sy'n cyfuno elfennau gwrthgyferbyniol mewn ysbryd agored. Gellir deall hyn yn awr fel cam blaengar tuag at estheteg newydd sydd bellach yn ffynnu'n rhyngwladol yn hytrach na'r dianc ceidwadol i'r gorffennol a fu'n sail gyson i feirniadaeth ar ei waith o'r 1960au ymlaen. Roedd ymwybyddiaeth gynnar y cyfansoddwr o ddylanwad ac o bosibiliadau **jazz** mewn iaith 'glasurol' yn perthyn i'r blaengarwch yn ei gymeriad ac yn elfen hollol newydd yng ngherddoriaeth Cymru.

Roedd Mathias yn hapus i arddel ei Gymreictod cerddorol ac o'r 1960au ymlaen fe geisiodd droi at y traddodiad barddol cynnar i greu cysylltiad celfyddydol ar draws y canrifoedd a oedd yn camu dros y cyfnodau hesb hynny pan na allai Cymru gymharu'n gerddorol â chyfandir Ewrop. Yn y Concerto Telyn i **Osian Ellis** yn 1970 a'r *Elegy for a Prince* i **Geraint Evans** yn 1972, mae'n creu cywaith eithriadol sy'n cyfannu elfennau o'r gorffennol gan arwain hefyd at ddyfodol egnïol a gobeithiol. Sefydlwyd Canolfan Gerdd William Mathias yng Nghaernarfon yn 2002 sy'n gofeb fyw i gerddor aruthrol.

Llyfryddiaeth
I. Parrott, 'The Music of William Mathias', *Anglo-Welsh Review*, xiv (1964), 74–8

M. Boyd, *William Mathias* (Caerdydd, 1978)

E. Forbes, 'The Choral Music of William Mathias', *American Choral Review*, xxi/4 (1979)

G. Lewis, 'Mathias: Towards the Second Symphony', *Musical Times*, cxxv (1984), 629–31

——, 'Mathias's Organ Concerto', *Musical Times*, cxxvii (1986), 107–8

——, 'Éloge and Elegy: Two New Works by William Mathias', *Musical Times*, cxxxiii (1992), 18–20

J. E. Andrews, 'The Vocal Works of William Mathias', *The Diapason*, lxxxiv/9 (1993), 16–17

B. L. Leach, 'The Organ Works of William Mathias', *The Diapason*, lxxiv/10 (1993), 14–15

J. E. McCray, 'The Choral Music of William Mathias', *The Diapason*, lxxxiv/9 (1993), 14–15

William Mathias 1934–1992, National Library of Wales, 1 Nov–31 Dec 1994 (Aberystwyth, 1994) [catalog arddangos]

S. R. Craggs, *William Mathias: a Bio-Bibliography* (Westport, CT, 1995)

Geraint Lewis

Matthews, Cerys (g.1969)

Cantores o Gaerdydd yw Cerys Matthews. Treuliodd ran o'i phlentyndod yn y ddinas honno yn ogystal ag yn Abertawe. Derbyniodd ei haddysg yn Ysgol St Michael's yn Llanelli ac yna yn Ysgol Bryanston yn Dorset. Daeth i'r amlwg fel cantores **roc a phop** yn ystod yr 1990au gyda'r grŵp llwyddiannus **Catatonia**, ond daeth yn enwog yn ei thro fel cantores unigol hefyd.

Yn ystod ei chyfnod gyda Catatonia bu iddi gydweithio ag ambell artist arall fel Space (ar y gân 'The Ballad of Tom Jones') a chyda **Tom Jones** ei hun ar y sengl Nadoligaidd 'Baby It's Cold Outside'. Ymddangosodd hefyd ar brif lwyfan Glastonbury gyda'r Pet Shop Boys yn 2000 gan ganu deuawd o'u cân 'What Have I Done to Deserve This'.

Ar ôl i Catatonia chwalu yn 2001 aeth ati i gychwyn gyrfa fel cantores unigol, gan symud i Nashville, Tennessee, yn 2002, a chanolbwyntio ar ganeuon gwerin-gwlad. Bu bwriad i greu albwm cyfan ohonynt, ond yn hytrach esblygodd *Cockahoop* (Blanco y Negro, 2003) i fod yn albwm mwy gwreiddiol, gan ddefnyddio'r *genre* a'i idiomau cerddorol fel sail. Ar ôl cyflawni prosiectau amrywiol yn Nashville ac ymddangos ar deledu Prydeinig ar raglenni fel *I'm a Celebrity…Get Me Out of Here* (ITV), penderfynodd y gantores ddychwelyd i Gymru ar drothwy rhyddhau EP uniaith Gymraeg, *Awyren = Aeroplane* (My Kung Fu, 2007). Ers 2008 bu'n cyflwyno sioe wythnosol ar orsaf radio BBC 6 Music, a bu'n cyflwyno rhaglenni dogfen cerddorol amrywiol ar yr orsaf hefyd.

Bu gan Cerys Matthews ddiddordeb mawr mewn **canu gwerin** Cymraeg ers ei phlentyndod. Rhyddhaodd albwm o ganeuon traddodiadol, sef *Tir* (2010), a hynny ar ei label personol Rainbow City. Mae'r albwm yn cynnwys llawer o ganeuon traddodiadol adnabyddus, yn eu plith ddeuawd o'r gân 'Migldi Magldi' gyda **Bryn Terfel**. Chwaraeodd

Matthews ran amlwg hefyd yng **ngŵyl** gerddoriaeth byd WOMEX a ddaeth i Gaerdydd yn 2013.

O'r 1990au ymlaen, felly, llwyddodd i bontio llawer o *genres* gwahanol a hynny fel cantores flaen, cantores unigol a darlledydd. Mae ei llais ysgafn, amrwd, yn nodweddu ei cherddoriaeth, ac yn ei gynnig ei hun ar gyfer amrywiaeth eang o arddulliau cerddorol.

Yn ôl rhai **ysgolheigion**, derbyniodd delwedd Cerys Matthews ormod o sylw gan y wasg bop a roc, a hynny ar draul ei gallu cerddorol (Davies 2001). Diau fod hynny'n wir am ei chyfnod fel cantores gyda Catatonia wrth i gwmni recordio'r grŵp geisio hyrwyddo ei delwedd er mwyn ymestyn poblogrwydd ac apêl y band. Fodd bynnag, gellir dadlau hefyd ei bod wedi cefnu ar ddelwedd y 'seren bop' yn ei gyrfa unigol, gan ei hailddyfeisio'i hun fel cantores werin ei natur. Amlygir hyn yn ei phenderfyniad i ailddehongli **caneuon gwerin** ac **emynau** Cymraeg, megis ei threfniant o'r **emyn-dôn** 'Arglwydd, Dyma Fi' ar *Cockahoop*.

Disgyddiaeth (gw. hefyd ddisgyddiaeth **Catatonia**)

Cockahoop (Blanco y Negro 2564-60306-2, 2003)

Never Said Goodbye (Rough Trade RTRADCD227, 2006)

Awyren = Aeroplane (My Kung Fu mykungfu030, 2007)

Don't Look Down (Rainbow City Recordings RCMCD001, 2009)

Tir (Rainbow City Recordings RCMCD005, 2010)

Explorer (Rainbow City Recordings RCMCD006, 2011)

Baby It's Cold Outside (Rainbow City Recordings RWMCDG007, 2012)

Hullabaloo (Rainbow City Recordings RCMCD008, 2013)

Llyfryddiaeth

David Owens, *Cerys, Catatonia and the Rise of Welsh Pop* (Llundain, 1999)

Helen Davies, 'All Rock and Roll Is Homosocial: The Representation of Women in the British Rock Music Press Author', *Popular Music*, 20/3 (2001), 301–319

Gethin Griffiths

Mealor, Paul (g.1975)

Ganed y cyfansoddwr Paul Mealor yn Llanelwy. Derbyniodd wersi cyfansoddi gan **William Mathias** yn ystod ei ieuenctid, ac yna treuliodd gyfnod fel disgybl i **John Pickard** a oedd yn ddarlithydd cerdd ym Mhrifysgol Bangor ar y pryd. Ar ôl astudio gyda Nicola LeFanu, graddiodd Mealor o Brifysgol Efrog yn 1997 gyda gradd BA a

derbyniodd ddoethuriaeth yn 2002. Astudiodd gyda Hans Abrahamsen a Per Nørgård yn Copenhagen yn 1998–99 yn ogystal. Fe'i penodwyd yn ddarlithydd ym Mhrifysgol Aberdeen yn 2003, lle mae bellach yn Athro mewn Cyfansoddi. Mae'n Gymrawd o Gymdeithas Frenhinol y Celfyddydau a dyfarnwyd iddo Gymrodoriaeth er Teilyngdod o Brifysgol Glyndŵr, Wrecsam, yn 2012 a Phrifysgol Bangor yn 2013.

Daeth Mealor i sylw rhyngwladol o ganlyniad i'r motét *Ubi Caritas* a berfformiwyd yn ystod seremoni priodas y Tywysog William, Dug Caergrawnt, a Catherine Middleton yn Abaty Westminster, Llundain, yn 2011. Dilynodd lwybr Mathias, felly, fel cyfansoddwr ar gyfer seremoni frenhinol (roedd Mathias wedi cyfansoddi'r **anthem** *Let the people praise Thee, O God* ar gyfer priodas Tywysog a Thywysoges Cymru yn 1981). Rhyddhaodd gasgliad o'i weithiau, gan gynnwys *Ubi Caritas*, ar yr albwm *A Tender Light* (Decca, 2011), yn cael eu perfformio gan y grŵp **corawl** Tenebrae. Roedd eisoes wedi rhyddhau dau albwm, sef *Borderlands* (Campion Cameo, 2006), a oedd hefyd yn cynnwys gwaith gan ei gyn-diwtor, John Pickard, a *Stabat Mater* (Campion Cameo, 2009).

Yn dilyn y sylw mawr i *Ubi Caritas* saethodd y gân 'Wherever you are' i frig siartiau senglau Nadolig 2011. Cyfansoddwyd y gân ar gyfer y Military Wives Choir, côr a sefydlwyd o dan arweiniad Gareth Malone yn dilyn cyfres deledu *The Choir* a ddarlledwyd ar y BBC. Perfformiodd Tenebrae y gân fel trac ychwanegol ar yr albwm *A Tender Light*. Fel y clywir ar yr albwm hwnnw, mae elfen ysbrydol ac emosiynol amlwg yn perthyn i weithiau corawl diweddar Mealor. Dywedir i'w ffydd Gristnogol gael ei hatgyfnerthu pan oedd yn naw mlwydd oed pan fu bron iddo foddi mewn llyn ar Ynys Môn, ac o ganlyniad i'r profiad hwn daeth cerddoriaeth a **chanu corawl** yn hollbwysig iddo. Roedd hefyd yn weithgar fel aelod o **fandiau pres** yng ngogledd Cymru yn ei ieuenctid, gan iddo ddysgu chwarae'r ewffoniwm.

Ers troad y ganrif mae nifer o'i weithiau wedi'u perfformio yng Nghymru a chan artistiaid Cymreig. Darlledwyd perfformiad **Cerddorfa Genedlaethol Gymreig y BBC** o'r gwaith *Rising of the Sixfold Sun* ar BBC Radio 3 yn Neuadd Dewi Sant, Caerdydd (2000); cyfeiriwyd mewn cyfweliad at elfen 'Fergaidd' a chromataidd yn y gwaith hwn, yn arddangos arddull eclectig y cyfansoddwr. Yn 2002 perfformiwyd un o'i weithiau corawl cynharaf, *A Prayer to Sunrise*, yn eglwys Neuadd Llaneurgain gan gôr ieuenctid Sir y Fflint.

Yr un flwyddyn cafwyd datganiad o ddau waith lleisiol, *Behold Again the Stars*, a berfformiwyd gan y bariton **Jeremy Huw Williams** a'r pianydd Harvey Davies yn ystod **Gŵyl** Gerddoriaeth Newydd Bangor, a'r gân … *of night and the stars…* a berfformiwyd gan Williams a'r pianydd **Iwan Llewelyn-Jones** yn Eglwys Gadeiriol Llanelwy. Cafodd ei Bedwarawd Llinynnol ei berfformio fel rhan o Ŵyl Bro Morgannwg hefyd. Yn 2003 cafwyd dehongliad o waith ar gyfer band pres, *Rhapsody on a Theme of Purcell*, gan Fand Brighouse & Rastrick yn Neuadd Parc a Dâr, Treorci. Bu saib o oddeutu pum mlynedd cyn i weithiau diweddarach y cyfansoddwr ymddangos ar lwyfannau Cymreig; comisiynwyd gosodiad o eiriau Shakespeare ar gyfer y gwaith corawl *Let Fall the Windows of Mine Eyes* a berfformiwyd yn ystod Gŵyl Lleisiau Shakespeare, Aberhonddu (2008).

Cyfrannodd Mealor ymhellach i gerddoriaeth yng Nghymru yn ystod ail ddegawd y ganrif. Cyfansoddwyd y gwaith siambr *The Way of the Cross*, wedi'i gomisiynu gan Gerddorfa Siambr Cymru, er cof am William Mathias ar gyfer Gŵyl Biwmares (2012). Yn 2013 cydweithiodd Mealor gyda Chôrdydd trwy gynnal cyngerdd ar y cyd â'r cyfansoddwr corawl Americanaidd Morten Lauridsen yn Eglwys Gadeiriol Tyddewi ac Eglwys Gadeiriol Llandaf. Eto yn 2013 cafwyd perfformiad cyntaf o *The Farthest Shore* yn Eglwys Gadeiriol Tyddewi, a chomisiynwyd Mealor i ysgrifennu *A Welsh Prayer* ar gyfer Gŵyl Gerdd Ryngwladol Gogledd Cymru fel teyrnged i'r Tywysog Siarl. Recordiodd **Bryn Terfel** ei gân 'Faith's Call' – darn sy'n arddangos symlrwydd hynod delynegol – ar ei albwm *Homeward Bound* yn ogystal, ar y cyd â Chôr Mormoniaid y Tabernacl, Salt Lake City (Deutsche Grammophon, 2013). Ym Medi 2013 clywyd cerddoriaeth Mealor yr ochr draw i'r Iwerydd pan berfformiwyd *Anthem to St David* mewn gwasanaeth gosber yn Eglwys Esgobol yr Holl Seintiau, Princeton, New Jersey. Trefnwyd y gwasanaeth fel rhan o ddathliadau canmlwyddiant geni'r bardd R. S. Thomas.

Perfformir gweithiau Mealor yn rhyngwladol. Comisiynwyd *Spirit of Hope* yn 2014 gan Ganolfan Mileniwm Cymru ac Only Kids Aloud ar gyfer perfformiad yn Theatr Artscape, Cape Town. Ymhlith ei weithiau diweddaraf y mae'r darn corawl a cherddorfaol *Celtic Prayers*, cylch o ganeuon sy'n plethu dylanwadau a thestunau Celtaidd, ar gyfer dydd Gŵyl Dewi 2014. Perfformiwyd y gwaith am y tro cyntaf yn Neuadd Dewi Sant, Caerdydd, gan Gerddorfa a Chorws Cenedlaethol y BBC ynghyd â llu o leisiau ieuenctid de Cymru.

Ers 2011 cyhoeddir ei weithiau gan gwmni Novello, gyda rhan o'i gatalog yn parhau i gael ei chyhoeddi gan Wasg Gerddoriaeth Prifysgol Efrog. Yn ogystal â'i waith fel cyfansoddwr, sefydlodd Ŵyl Gerdd Llaneurgain yn 1997, ac fe'i penodwyd yn is-lywydd Gŵyl Gerddoriaeth Ryngwladol Gogledd Cymru yn 2013.

Disgyddiaeth
A Tender Light (Decca 2781149, 2011)

Llyfryddiaeth
Adrian Edwards, 'New English Choral Music', *Gramophone* (Gorffennaf, 2014), 83
Cyfweliad personol â'r awdur
http://www.uymp.co.uk/news/uymp-welcomes-paul-mealor-43
http://www.paulmealor.com
http://www.abdn.ac.uk/music/people/profiles/p.mealor
http://www.4barsrest.com/articles/2012/1344.asp#.UwJbXkJPwfM

Tristian Evans

Megàne, Leila (1891–1960)

Margaret Jones oedd enw bedydd y gantores a dyfodd i fod yn un o oreuon ei chyfnod. Fe'i ganed ym Methesda yn un o ddeg o blant a derbyniodd ei haddysg gynnar ym Mhwllheli wedi i'r teulu symud yno yn 1894. Collodd ei mam pan oedd yn saith oed ond bu ei thad yn hynod gefnogol iddi yn ei hymdrech i ddod yn gantores.

Enillodd ar yr unawd contralto agored yn **Eisteddfod** Genedlaethol Bae Colwyn yn 1910 ac yn fuan wedyn aeth i astudio yn yr Academi Gerdd Frenhinol yn Llundain. Yno, daeth yn amlwg yng nghylchoedd Cymry Llundain gan ddod i adnabod nifer o'r rhai mwyaf blaenllaw, megis Lloyd George a'i deulu. Yn dilyn hynny bu'n fyfyrwraig ym Mharis gan astudio gyda'r enwog Jean de Reszke. Ef a awgrymodd ei bod yn newid ei henw i Leila Megàne ac ef hefyd a osododd sylfaen ei thechneg, yn enwedig mewn *repertoire* Ffrengig ac yn arbennig felly Massenet. Canodd Megàne yn yr Opéra Comique ym Mharis a bu'n difyrru milwyr clwyfedig adeg y Rhyfel Mawr gan ddenu sylw gwleidyddion amlwg fel Churchill a Bonar Law. Bu'n canu am flynyddoedd maith ym Mharis a Monte Carlo ac o 1919 yn Covent Garden, Llundain, hefyd. Yno, daeth i'r amlwg am ei dehongliad o *Thérèse* Massenet ac ymddangosodd yn ogystal yn Neuadd Aeolian a Neuadd y Frenhines dan arweiniad Syr Henry Wood.

Teithiodd Leila Megàne yn helaeth yn Ewrop gan ganu yn La Scala, Milan, a chyn belled â Mosgo. Yn 1923 ymddangosodd am y tro cyntaf yn y Metropolitan, Efrog Newydd, gan wneud argraff fawr. Y flwyddyn ddilynol priododd â'r cyfeilydd-gyfansoddwr T. Osborne Roberts a hi a recordiodd nifer o'i hunawdau poblogaidd megis 'Pistyll y Llan', 'Y Nefoedd' a 'Cymru Annwyl'. Cartrefodd y ddau ym Mhentrefoelas ac ymddeolodd Megàne o ganu proffesiynol yn 1939 ar drothwy'r rhyfel. Wedi marwolaeth ei gŵr priododd ag un o'i chyfeoedion sef William John Hughes a bu hithau farw'n ddisymwth yn gynnar ym mis Ionawr 1960.

Mae'r hyn a recordiwyd ganddi'n tystio i lais cyfoethog – mae'r sain gynnes, hudolus ar ei gorau yn nodweddiadol o leisio'r cyfnod – a geirio hynod eglur. Roedd ei haddysg estynedig fel cantores yn sicrhau nid yn unig dechneg gadarn ond ymwybyddiaeth fyw o fanylion cerddorol ac roedd ganddi hefyd ddawn i ddehongli'n ddramatig. Recordiodd lawer gan gynnwys *repertoire* Gymreig, Ffrengig a Seisnig, a chanddi hi y cafwyd un o'r dehongliadau gorau o *Sea Pictures* Elgar, o dan arweiniad y cyfansoddwr ei hun. Manteisiodd amryw ar yr ysgoloriaeth a sefydlwyd yn ei henw yn yr Academi Gerdd Frenhinol ar gyfer cantorion o Gymru.

Disgyddiaeth
Leila Megàne (Sain SCD 2316, 2001)

Llyfryddiaeth
Megan Lloyd Ellis, *Hyfrydlais Leila Megàne* (Llandysul, 1979)
Ilid Jones, *Leila Megàne 1891–1960* (Llanrwst, 2001)

Lyn Davies

Meirion, Rhys (g.1966)

Tenor **operatig** poblogaidd a aned yn Nhremadog ac sydd wedi ymsefydlu yn Sir Ddinbych. Daw o deulu cerddorol ac roedd ei dad yn aelod o Gôr Meibion Dwyfor. Gwnaeth ei farc ym myd **addysg** yn gyntaf gan dderbyn hyfforddiant yng Ngholeg y Drindod, Caerfyrddin, a dod yn bennaeth ar Ysgol Pentrecelyn, Rhuthun, yn ddim ond 26 oed.

Pan y'i gorfodwyd gan anaf i roi'r gorau i chwarae rygbi, trodd ei egni tuag at ganu. Enillodd y Rhuban Glas yn **Eisteddfod** Genedlaethol Llandeilo yn 1996 ac Ysgoloriaeth W. Towyn Roberts y flwyddyn ddilynol yn Eisteddfod Genedlaethol y Bala. Y flwyddyn honno rhoddodd y gorau i addysgu a chofrestru ar gwrs opera Ysgol Gerdd a Drama'r Guildhall yn Llundain. Ymunodd ag Opera Cenedlaethol Lloegr yn 1999, gan ddod yn brif ganwr y cwmni o fewn dwy flynedd. Yn Llundain, bu'n perfformio nifer o'r rhannau mawr operatig ar gyfer tenor, yn amrywio o Mozart a Donizetti i Wagner, Puccini, Strauss a Shostakovich. Ers hynny bu'n canu gydag Opera Australia ac Opera Cenedlaethol Cymru. Mae i'w weld yn aml fel unawdydd ar y llwyfan **oratorio**, ac yn wyneb cyfarwydd iawn ar deledu, yn enwedig yn sgil ei gyfres boblogaidd *Deuawdau Rhys Meirion* ar S4C.

Rhyddhaodd ei CD eponymaidd gyntaf yn 2001 ar label Sain. Dilynwyd hyn gan chwe chasgliad arall, gan gynnwys albwm o ddeuawdau gyda'i gyfaill y bariton **Bryn Terfel** o'r enw *Benedictus* (Sain, 2005). Enwebwyd yr albwm ar gyfer gwobr Classical Brit yn 2006.

Cychwynnodd pennod newydd yng ngyrfa Rhys yn 2012 pan gwblhaodd ei daith gerdded gyntaf trwy Gymru er budd Ambiwlans Awyr Cymru. Aeth ar ddwy daith gerdded arall trwy'r wlad yn 2013 a 2014 gan godi cyfanswm o tua £400,000 i'r elusen.

Disgyddiaeth
Rhys Meirion (Sain SCD2272, 2001)
[gyda Bryn Terfel] *Benedictus* (Sain SCD2500, 2005)
Celticae (Sain SCD2490, 2007)

Chris Collins

Melys

Band roc o Fetws-y-coed a ffurfiwyd gan Andrea Parker (llais) a Paul Adams (allweddellau, gitâr) yn 1996. Cyfrannodd y band i'r EP amlgyfrannog *S4C Makes Me Want To Smoke Crack Vol. 2* a ryddhawyd gan Ankst yr un flwyddyn. Rhyddhaodd Ankst ddwy EP arall gan y band, sef *Fragile* (1996) a *Cuckoo* (1997), a oedd yn tystio i'w sŵn electronig, arallfydol ond chwareus.

Arwyddodd Melys gytundeb gydag Arctic Records yn ystod haf 1997, a rhyddhawyd eu halbwm cyntaf, *Rumours and Curses*, yn 1998. Derbyniodd adolygiadau da ac fe'i dilynwyd gan nifer o EPau a senglau, gan gynnwys *Ambulance Chaser* (Arctic, 1998) a *Diwifr* (Arctic, 1998) a oedd yn cynnwys cyfraniad gan gitarydd Ectogram Alan Holmes. Pan ddaeth Arctic i ben sefydlodd y band label annibynnol o'r enw Sylem yn 1998 gan ryddhau ail albwm, sef *Kamikaze*, yn 2000.

Roedd cefnogaeth John Peel ar BBC Radio 1 yn allweddol i lwyddiant Melys. Ar ôl iddo glywed gwaith cynnar y band, cawsant wahoddiad gan Peel i wneud sesiwn ar gyfer ei sioe yn 1997. Dyma'r gyntaf o wyth sesiwn ynghyd â nifer o ymddangosiadau pellach ar ei sioe. Yn wir, gosododd John Peel eu trac 'Chinese Whispers' ar frig ei siart bersonol 'Festive Fifty' ar gyfer y flwyddyn 2001. Roedd y cyfnod hwn yn un eithriadol o ffrwythlon i Melys. Yn Hydref 2000 buont yn chwarae gyda **Gorky's Zygotic Mynci** yng Nghlwb Ifor Bach, Caerdydd, fel rhan o'r gyfres 'One Live In …' gan Radio 1; yn Ionawr 2001 perfformiodd y band yng **Ngŵyl** Noorderslag yn yr Iseldiroedd.

Rhyddhawyd eu halbwm *Casting Pearls* ar label Sylem yn 2003, ac ymddangosodd eu pedwerydd albwm stiwdio, *Life's Too Short* – teyrnged i Peel, a fu farw yn 2004 – yn Chwefror 2005. Wedyn rhoddodd y band y gorau i recordio a chwarae'n fyw wrth i'r aelodau ganolbwyntio ar brosiectau eraill. Yn Hydref 2009, fodd bynnag, chwaraeodd y band ddau gig, un yn Neuadd Hendre ger Bangor, a'r llall yn yr Iseldiroedd fel rhan o ddathliadau Diwrnod John Peel. Ymddangosodd Melys hefyd yng Ngŵyl Sŵn, Caerdydd, yn 2010.

Disgyddiaeth

'Cysur', ar *S4C Makes Me Want To Smoke Crack Vol. 2* [EP] (Ankst 070, 1996)
Fragile [EP] (Ankst CD072, 1996)
Cuckoo [EP] (Ankst CD075, 1997)
Rumours and Curses (Arctic Records KOLD102CD, 1998)
Diwifr [EP] (Arctic FROST104CD, 1998)
Lemming [sengl] (Arctic Records FROST106CD, 1998)
Ambulance Chaser [sengl] (Arctic Records FROST107CD, 1998)
Kamikaze (Sylem CD4, 2000)
Casting Pearls (Sylem CD12, 2003)
Life's Too Short (Sylem CD14, 2005)

Craig Owen Jones

Metcalf, John (g.1946)

Ac yntau'n enedigol o Uplands, Abertawe, symudodd John Metcalf i Gaerdydd pan oedd yn chwech oed gan dderbyn ei addysg yn Ysgol Bryntirion, Pen-y-bont ar Ogwr, ac Ysgol Dean Close, Cheltenham. Astudiodd gyfansoddi gydag **Alun Hoddinott** ym Mhrifysgol Cymru, Caerdydd, gan dderbyn gradd BMus yn 1967 cyn astudio cerddoriaeth electronig yn 1970–1 yng Ngholeg Goldsmiths, **Prifysgol** Llundain, dan adain Hugh Davies. Yn ogystal derbyniodd wersi cyfansoddi yn breifat gan Don Banks.

Yn 1969 sefydlodd Ŵyl Bro Morgannwg sydd er 1991 wedi canolbwyntio'n benodol ar gerddoriaeth gan gyfansoddwyr byw; derbyniodd yr ŵyl gydnabyddiaeth genedlaethol i safon ei rhaglennu trwy Wobr Prudential i'r Celfyddydau yn 1994. Yn 1986 daeth Metcalf yn un o gyfarwyddwyr artistig Canolfan Gelf y Banff yng Nghanada ac yn gyfansoddwr preswyl ym maes theatr gerdd. Tra parhai i fod yn gyfarwyddwr artistig cyswllt yng Nghanolfan y Banff, dychwelodd i Gymru i fyw a rhwng 1996 a 2007 bu'n gyfarwyddwr artistig ar Ŵyl Gerdd a Chelfyddydau Abertawe.

Fe'i penodwyd yn gyfansoddwr cyswllt Canolfan Gerdd Canada ynghyd â'i urddo'n gymrawd er anrhydedd o brifysgolion Caerdydd, Llanbedr Pont Steffan a Choleg Brenhinol Cerdd a Drama Cymru. Yn 1995 derbyniodd Wobr Goffa John Edwards gan yr Urdd er Hyrwyddo Cerddoriaeth Cymru (**Cymdeithas Cerddoriaeth Cymru** bellach) am ei wasanaeth i gerddoriaeth yng Nghymru ac yn 2012 cafodd MBE am ei wasanaeth i gerddoriaeth.

Bu gwahanol ddylanwadau ei fentoriaid cyfansoddi yn amlwg iawn ar ei weithiau cynnar lle ceir defnydd helaeth o dechnegau'r gyfres deuddeg nodyn. Seiliwyd ei *Auden Songs* (1973) ar gyfres deuddeg nodyn esgynnol sy'n rhychwantu dau wythfed gyda'r nodyn olaf ym mha bynnag drawsgyweiriad yr un nodyn â'r cyntaf (gw. Eng.1).

Yn ogystal defnyddia *Dyad* (1976) y deuddeg nodyn cromatig i gyd ond y tro hwn mewn cyfresi esgynnol a gostyngol nid annhebyg i'r *raga* Indiaidd. Mae cromatyddiaeth fwy rhydd yn amlwg yn ei gomisiwn i Ŵyl Abertawe, *Boundaries of Time* (1985), sy'n waith ar raddfa fawr ar gyfer unawdwyr, corws a cherddorfa ac yn un cyfansoddiad ymysg nifer o'r 1980au lle mae Metcalf yn archwilio pryderon gwleidyddol ac amgylcheddol, nid annhebyg i *Or Shall We Die* (1983) gan Michael Berkeley. Yn ei **opera** *Tornrak* (1990) hefyd, gwaith sy'n adwaith dwys i'r un materion, ceir cerddoriaeth sy'n llawn dicter ac egni ar yr un pryd.

Mae'n debyg mai *Llyfr Lloffion y Delyn* (1992) yw'r gwaith cyntaf i gael ei ysgrifennu yn arddull fwy diweddar y cyfansoddwr, sy'n rhoi lle canolog i ddwy brif nodwedd. Y nodwedd gyntaf yw'r symleiddio ar yr harmoni a'r defnydd o harmonïau diatonig a moddawl, sy'n symud i ffwrdd oddi wrth ieithwedd dra chromatig ei gynnyrch yn ystod yr 1980au. Yn aml llenwir y cordiau cyfeiliol gyda nodau ychwanegol o'r un raddfa foddawl gan ffurfio cordiau clystyrog a rhai heb eu hadfer (megis gyda'r 4ydd gohiriedig) sy'n cyfoethogi'r harmonïau, fel y gwelir ym mm.32–44 (gw. Eng.2).

Eng.1. Y gyfres nodau mewn tair rhan gymesurol sy'n sail i *Auden Songs* John Metcalf

Eng.2. *Llyfr Lloffion y Delyn*, rhif 4 ('Astudiaeth Rhythmau'), mm. 28–52 (defnyddiwyd trwy ganiatâd y cyfansoddwr)

Yr ail nodwedd yw'r pwyslais cynyddol ar rythm yn yr ieithwedd gyfansoddi, lle dibynnir yn helaeth ar ailadrodd patrymau rhythmig croesacennog i greu llif cerddorol. Er enghraifft, yn dilyn rhagarweiniad araf a digyffro yn *Paradise Haunts…* (1995) ceir ffigwr cyson rhythmig sy'n cynnwys cwaferi yn sylfaen ddi-dor ddiddorol i'r gwaith. Yn ddiweddarach yn y gwaith ychwanegir rhythmau cymhleth (megis 5:4 neu 7:6) yn achlysurol, fel yr amlygir yn y dyfyniad allan o'r gwaith (gw. Eng.3).

Er iddo gyfansoddi nifer sylweddol o weithiau ar raddfa fawr, awgryma arddull Metcalf ei fod ar y cyfan yn fwy cyffordus yn creu cerddoriaeth unawdol neu *ensemble* ar raddfa lai. Mae ieithwedd symlach

ei arddull aeddfed a'r ailadrodd uniongyrchol yn eu cynnig eu hunain yn fwy naturiol i idiom siambr fwy personol, ac eisoes cafwyd ganddo dros hanner cant o ddarnau o'r fath.

Cyfansoddiadau (rhestr ddethol)
Cerddorfaol:
Dyad (1976), ar gyfer cerddorfa linynnol
Boundaries of Time (1985), ar gyfer tri unawdydd, corws a cherddorfa
Passus (2000), ar gyfer cerddorfa lawn
Cello Symphony (2004), ar gyfer soddgrwth unawdol a cherddorfa
In Time of Daffodils (2006), ar gyfer bariton a cherddorfa

Eng.3. *Paradise Haunts,* mm. 288–303 (defnyddiwyd trwy ganiatâd y cyfansoddwr)

Operâu:

The Journey (1979), a gomisiynwyd gan Opera Cenedlaethol Cymru

Tornrak (1990), a gomisiynwyd gan Opera Cenedlaethol Cymru

Kafka's Chimp (1996), a seiliwyd ar stori fer 'A Report to An Academy' gan Franz Kafka

A Chair in Love (2002–8)

Under Milk Wood (2012–13), addasiad o'r ddrama radio gan Dylan Thomas

Ensemble/ offerynnol:

Llyfr Lloffion y Delyn (1992)

Inner Landscapes (1994), ar gyfer piano

Never Odd or Even (1995), ar gyfer chwe phiano

Paradise Haunts… (1995), ar gyfer ffidil a phiano

Mapping Wales (2000), ar gyfer telyn a phedwarawd llinynnol

Transports (2000), ar gyfer clarinet, ffidil, soddgrwth a phiano

Three Mobiles (2001), ar gyfer sacsoffon a phiano (neu gerddorfa linynnol)

Pedwarawd Llinynnol – Llwybrau Cân (2007)

Septet (2008), ar gyfer ffliwt, clarinet, telyn a phedwarawd llinynnol

Lleisiol/corawl:

Auden Songs (1973), ar gyfer mezzo-soprano a phiano

Caneuon y Gerddi (1999), ar gyfer llais uchel/iscl a phiano

Plain Chants (2001), ar gyfer côr SATB digyfeiliant

Disgyddiaeth

Mapping Wales; Plain Chants; Cello Symphony (Nimbus NI5746, 2005)

In Time of Daffodils (Signum SIGCD103, *2007*)

Paradise Haunts … music by John Metcalf (Lorelt LNT111, 1997)

Paths of Song (Signum SIGCD203, 2010)

Llyfryddiaeth

Meic Stephens (gol.), *Artists in Wales* (Llandysul, 1971)

Malcolm Boyd, 'Metcalf and the Journey', *Musical Times* 122/1660 (Mehefin, 1981), 369–71

Meinir Llwyd Jones, 'John Metcalf: Y Gŵr a'i Grefft' (traethawd MA Prifysgol Cymru Bangor, 2001)

Geraint Lewis, 'John Metcalf', *New Grove Dictionary of Music and Musicians,* gol. Stanley Sadie (Llundain, 2001)

Paul Conway, 'CD Reviews', *Tempo* (Mawrth, 2005)

Peter Reynolds, 'The Intuitive Minimalist', *Planet,* 178 (Awst/Medi, 2006), 27–34

Susan Scheid, 'A conversation with Composer John Metcalf: Discovering the Paths of Song' (2010) *http://rainingacorns.blogspot.co.uk/2010/09/conversation-with-composer-john-metcalf.html*

Carl Griffin, 'Under Milk Wood: John Metcalf talks about his new opera', *Wales Arts Review,* 2/24. *http://www.walesartsreview.org/under-milk-wood-john-metcalf-talks-about-his-new-opera/* (03/2015)

Guto Puw

Meurig, Cass

Cafodd Cassandra Lucy Meurig addysg gerddorol eang gan dderbyn hyfforddiant clasurol ar y **ffidil**, feiola a'r piano. Tra'n astudio ym Mhrifysgol Bangor arbenigodd mewn **cerddoriaeth werin** gan gwblhau astudiaeth PhD yn 2001 ar lawysgrif John Thomas o 1752 o gerddoriaeth ar gyfer y ffidil yn ystod y 18g. Cyhoeddodd hefyd ar ddawnsfeydd traddodiadol yng Nghymru (gw. Meurig 2007). Bu'n chwarae'r ffidil mewn nifer o grwpiau gwerin, gan gynnwys Pigyn Clust a Fernhill (2000–4). Tra'n cwblhau ei gwaith ymchwil PhD dechreuodd ymddiddori yn y **Crwth**, gan ryddhau record hir o gerddoriaeth ar gyfer yr offeryn ar label Fflach Tradd yn 2004. Ers hynny bu'n perfformio a chydweithio gyda'r gwneuthurwr ffidlau o Ddinorwig, Nial Cain, gan ryddhau dwy record hir.

Disgyddiaeth

Crwth (Fflach Tradd CD272H, 2004)

[gyda Nial Cain] *Deuawd* (Fflach Tradd CD323H, 2009)

[gyda Nial Cain] *Oes i Oes* (2012)

Llyfryddiaeth

Cass Meurig, 'Composing Traditional Music', yn Sally Harper a Wyn Thomas (goln.) *Cynheiliaid y Gân: Ysgrifau i Anrhydeddu Phyllis Kinney a Meredydd Evans* (Caerdydd, 2007), 240–50

Miles, Bethan

Cerddor a cherddolegydd. Cwblhaodd ei thraethawd MA ar 'Swyddogaeth a Chelfyddyd y Crythor' ym Mhrifysgol Aberystwyth yn 1983. Gan ymddiddori yn bennaf ym maes cerddoriaeth gynnar (yn arbennig o gyfnod y Tuduriaid), cyhoeddodd erthyglau yn yr *Archaeological Journal* ynghyd â chyfrannu erthyglau ar 'Robert ap Huw' a'r 'Crwth' yn yr *Oxford Dictionary of National Biography* a'r *New Grove Dictionary of Music and Musicians*. Bu'n aelod o'r **grŵp gwerin-roc Bob Delyn a'r Ebillion**.

Mim Twm Llai (gw. **Toms, Gai**)

Moniars, Y (gw. hefyd **Wyn, Arfon**)

Grŵp roc-gwerin hwyliog o Ynys Môn a fu'n llwyddiannus yn bennaf am eu perfformiadau byw egnïol yn ystod yr 1990au a degawd cyntaf yr 21g. Ffurfiwyd y band yn 1990 gan **Arfon Wyn** (prif lais, gitâr) ac Einion Williams (congas, bongos a *bodhran*), dau o aelodau'r **grŵp gwerin**-roc blaengar **Pererin**.

Ar wahân i Arfon, Einion a Richard Synnott (sacsoffon), bu aelodaeth y band yn gymharol hyblyg dros y blynyddoedd, gan gynnwys cerddorion megis Barry Evans (llais cefndir), Malcolm Budd (**ffidil**, mandolin), Colin Roberts (gitâr fas), Brian Griffiths (drymiau), Siôn Llwyd (gitâr fas, piano, synths), Nathan Owen (gitâr), Gwion Gwilym (gitâr fas) a Deian Elfryn (drymiau). Bu'r gantores **Elin Fflur** hefyd yn aelod, ynghyd â Sara Mai a Mared Ellis Huws.

Adeiladodd y band ddilyniant yn bennaf drwy berfformio'n gyson yn ystod yr 1990au, gan ddatblygu sain werin-roc egnïol tebyg i grwpiau Gwyddelig megis y Pogues. Roedd eu *repertoire* yn gyfuniad o ganeuon gwreiddiol Arfon Wyn ynghyd â threfniannau o ganeuon poblogaidd ac **alawon traddodiadol** o Gymru a thu hwnt, megis 'Defaid William Morgan', 'Blaenau Ffestiniog', a 'Guantanamera', gyda'r trefniannau yn amrywio o pync-gwerin i arddulliau *reggae*, *cajun* a Lladin-Americanaidd. Rhyddhaodd y band saith record hir, gyda chaneuon gorau'r ddwy record hir gyntaf, *Fe Godwn Eto* (Crai, 1992) ac *I'r Carnifal* (Crai, 1993), yn ymddangos ar y casgliad *Y Gorau o Ddau Fyd* (Crai, 1995). Clywid cyffro eu perfformiadau byw ar *Hyd 'Noed Nain yn Dawnsio* (Crai, 1995), oedd yn cynnwys ffefrynnau cân Richie Valens, 'La Bamba', a 'Santiana'.

Rhoddwyd mwy o bwyslais ar faledi pop a chaneuon telynegol ar *Harbwr Diogel* (Sain, 2002), oedd yn cynnwys y gantores **Elin Fflur**, gyda'r gân a roddodd deitl i'r albym eisoes wedi ennill gwobr **Cân i Gymru** yn gynharach yn yr un flwyddyn. Gydag Elin Fflur yn dechrau gyrfa lwyddiannus fel cantores unigol, clywid llais y gantores o Gaernarfon, Sara Mai, ar yr albym *Edrych Ymlaen at Edrych yn Ôl* (Sain, 2005). Er i'r grŵp berfformio'n llai cyson yn ystod degawd cyntaf yr 21g., rhyddhawyd eu seithfed record hir, *Cyn I'r Haul Fynd Lawr*, yn 2015 i ddathlu 25 mlynedd ers sefydlu'r band.

Disgyddiaeth

Fe godwn eto (Crai C024A, 1992)
I'r carnifal (Crai C038,1993)
Hyd 'Noed Nain yn Dawnsio (Crai C052/CD052, 1995)
Methu Cadw Ni Lawr (Fflach CD208H, 1998)
Harbwr Diogel [gydag Elin Fflur] (Sain SCD2380, 2002)
Edrych Ymlaen At [gyda Sara Mai] (Sain SCD2435, 2005)
Cyn I'r Haul Fynd Lawr (Sain, 2015)

Casgliad:
Y Gorau o Ddau Fyd (Crai CD0451, 1995)

Pwyll ap Siôn

Morganwg, Iolo
(gw. **Williams, Edward**)

Morris, Haydn (1891–1965)

Cyfansoddwr a hyrwyddwr **cerdd dant** ac awdur llyfrau **addysgol** am gerddoriaeth. Fe'i ganed yn Llanarthne, Sir Gaerfyrddin, yr ieuengaf o saith o blant; dechreuodd weithio'n ddeuddeg oed ym mhwll glo New Cross Hands ond gadawodd yn 1916 i astudio cerddoriaeth, gydag athrawon lleol i ddechrau ac wedyn gyda **D. Vaughan Thomas** (1873–1934) yn Abertawe. Enillodd ei ARCM yn 1918 ac yn yr un flwyddyn aeth i'r Academi Gerdd Frenhinol lle dyfarnwyd iddo wobr Oliviera am gyfansoddi. Cafodd glod arbennig yno gan Edward Elgar (1857–1934) a graddiodd yn BMus yn 1923. Derbyniodd radd DMus gan Brifysgol Efrog Newydd yn 1943.

Er cynnig iddo swyddi yn yr Academi Gerdd Frenhinol ac yng Nghanada, penderfynodd yn hytrach ddilyn gyrfa yng Nghymru fel organydd a chôr-feistr, i ddechrau yn Eglwys Heol Undeb, Caerfyrddin (1923–6), yna yn Soar, Merthyr Tudful (1926–8), a maes o law yng Nghapel Als, Llanelli (1928–60). Ymddangosodd ei *Cân Moliant* yn 1926. Bu'n dysgu yn Llanelli hefyd ac yn 1924 cyhoeddodd *The Celtic Pianoforte Tutor*, yr unig gyhoeddiad o'i fath bryd hynny gan gyfansoddwr Cymreig. Mae ei ranganeuon, gan gynnwys *Y Gwanwyn Mwyn* (1935), *Y Blodau Aur* (1937) ac *Yr Ynys Wen* (1940), yn perthyn i gorff o dros 450 o gyfansoddiadau sy'n cwmpasu **operâu**, **cantatas** a darnau lleisiol, cerddorfaol ac offerynnol a gyhoeddwyd gan amryfal gyhoeddwyr, yn eu plith Hughes, Gwynn a Snell.

Yn ddi-os, un o'i gyfraniadau pwysicaf i gerddoriaeth yng Nghymru oedd ei waith yn hyrwyddo cerdd dant fel crefft, un o nifer fechan iawn o gerddorion proffesiynol i wneud hynny – un arall oedd **W. S. Gwynn Williams** (1896–1978). Ar 10 Tachwedd 1934, daeth nifer fawr o gerddorion a chefnogwyr o gyffelyb fryd at ei gilydd yn Neuadd Buddug, y Bala, a sefydlu'r **Gymdeithas Cerdd Dant**. Am dros ddeng mlynedd ar hugain cymerodd **Haydn Morris** ran flaenllaw ac egnïol yng ngweithgareddau'r Gymdeithas. Gan ddechrau yn 1936, trefnai'r Gymdeithas ysgolion haf blynyddol lle byddai ef, ac aelodau eraill, yn darlithio.

Yn 1937 enillodd yr wobr yn **Eisteddfod** Genedlaethol Cymru ym Machynlleth am gasgliad o drefniannau o osodiadau cerdd dant. Arweiniodd hynny at gyhoeddi dau ddarn ar hugain yn y ddwy gyfrol *Hen Ganu'r Cymry...* (1939 ac 1940). Roedd yr holl gerddoriaeth naill ai wedi'i hysgrifennu'n arbennig gan Morris neu ymhlith rhai o'i drefniannau cynnar. Bu hynny'n fodd i ehangu apêl cerdd dant ac annog astudio'r grefft ledled Cymru. Cafwyd casgliadau tebyg ganddo'n ddiweddarach, gan gynnwys dwy gyfrol *Telyn Cymru ...* (1948 ac 1951) ac *Alawon Telyn* (1961), a gynhwysai'n bennaf, unwaith eto, alawon gwreiddiol gan Morris. Ysgrifennodd hefyd lawlyfr i'r canwr penillion, *Gwerslyfr ar ganu Penillion* (1957). Ymhlith ei gyhoeddiadau eraill y mae *Caneuon Bob Tai'r Felin* (1959) a *Baledau Hen a Newydd* (1960).

Yn 1958–9 (ar y cyd ag Ithel Williams) ac yn 1960 (ar y cyd â Trebor Roberts) bu'n golygu cylchgrawn y Gymdeithas, *Allwedd y Tannau*, a oedd wedi ymddangos gyntaf ddiwedd 1936. Roedd hefyd yn feirniad ac **arweinydd** cyson, ac yn dad i'r arweinydd nodedig Wyn Morris (1929–2010).

Llyfryddiaeth

Aled Lloyd Davies, *Hud a Hanes Cerdd Dannau* (Y Bala, 1984)

Delyth G. Morgans, *Cydymaith Caneuon Ffydd* (Caernarfon, 2006)

Huw Williams, yn *Y Bywgraffiadur Ar-lein: wbo.llgc.org.uk*

David R. Jones

Mwyn, Rhys (g.1962)
(gw. hefyd Anhrefn)

Yn gerddor a gitarydd bas gyda'r grŵp pync roc, **Anhrefn**, bu Rhys Mwyn hefyd yn rheolwr ar label recordiau, yn hyrwyddwr nifer o artistiaid pop a roc, yn feirniad di-flewyn-ar-dafod ar y **diwylliant Cymraeg** a Chymreig, ac yn golofnydd dadleuol mewn nifer o gyhoeddiadau ers yr 1980au.

Ganed Gwynedd Rhys Thomas (Rhys Mwyn) yn yr Amwythig. Cafodd ei fagu yn Llanfair Caereinion. Astudiodd archeoleg ym Mhrifysgol Caerdydd, ond erbyn hynny roedd wedi dechrau ymddiddori mewn cerddoriaeth pync roc ac yn trefnu dawnsfeydd yn ardal Llanfair Caereinion gyda rhai o grwpiau pync mwyaf blaenllaw y cyfnod.

Wedi ei ddadrithio gan bolisi'r prif labeli recordiau yng Nghymru i ryddhau cerddoriaeth ddiflas, canol-y-ffordd, aeth ati i sefydlu ei label ei hun gyda'i frawd, y canwr a'r gitarydd Sion Sebon. I bob golwg, pwrpas Recordiau Anhrefn oedd rhyddhau cynnyrch y grŵp, ond bu'r label hefyd yn flaengar

wrth ryddhau recordiau hir amlgyfrannog megis *Cam o'r Tywyllwch* a *Gadael yr Ugeinfed Ganrif*, gan ddod â sylw i fandiau newydd oedd yn cael eu hanwybyddu gan gyfryngau Cymraeg ar y pryd, megis Tynal Tywyll, **Datblygu**, **Y Cyrff** a **Llwybr Llaethog**. Disgrifiodd **Gruff Rhys** y ddau albwm yn 'gerrig milltir i gerddoriaeth Gymraeg ac yn dystiolaeth i egni ac anarchiaeth gerddorol y cyfnod' (Mwyn 2006, 6), ac yn ôl Mwyn ei hun 'does dim dwywaith ... na fyddai **Catatonia** na'r **Super Furry [Animals]** wedi datblygu heblaw bod *Cam o'r Tywyllwch* wedi digwydd' (Mwyn 2006, 58).

Yn 1984, yn dilyn gwahoddiad gan Emyr Price, golygydd *Y Faner*, dechreuodd Rhys Mwyn gyfrannu erthyglau yn gyson i'r cylchgrawn. Bu'n fodd iddo leisio ei rwystredigaethau ynglŷn â thestunau oedd yn amrywio o gulni'r diwylliant Cymraeg i'r profiad o ddioddef o acne. Yn ddiweddarach daeth yn golofnydd i *Yr Herald Cymraeg*.

Wedi cyfnod prysur o deithio o gwmpas Ewrop gyda'r Anhrefn yn ystod yr 1980au, bu'n gweithio yn bennaf fel hyrwyddwr a rheolwr annibynnol. Bu'n hyrwyddo label Crai yn ystod yr 1990au, gan ddod â grwpiau megis Catatonia, **Big Leaves**, Gwacamoli ac **Anweledig** ar restr y label, ynghyd â datblygu gyrfaoedd **Siân James** a **Gwenno Saunders**. Bu hefyd yn gweithio ar brosiect ôl-Anhrefn o'r enw *Hen Wlad fy Mamau* gydag artistiaid amrywiol yn cyfrannu, megis Jamie Reid, Sion Sebon o'r Anhrefn, drymiwr y Super Furry Animals Dafydd Ieuan, a'r delynores glasurol **Elinor Bennett**. Yn y rhagair i hunangofiant Rhys Mwyn, *Cam o'r Tywyllwch*, dywed Gruff Rhys, canwr y Super Furry's: 'llwyddodd pync cegog ifanc o Lanfair Caereinion i greu rhwydwaith pan-Ewropeaidd i don newydd gyffrous o artistiaid ... ugain mlynedd cyn *myspace*' (Mwyn 2006, 5). Mae'r diolch yn bennaf i Rhys Mwyn am hynny.

Llyfryddiaeth

Rhys Mwyn, *Cam O'r Tywyllwch* (Talybont, 2006)

Pwyll ap Siôn

Mynediad am Ddim

Un o **grwpiau gwerin** mwyaf hirhoedlog Cymru. Fe'i sefydlwyd yn 1974, a thros ddeugain mlynedd yn ddiweddarach roedd yn dal i fynd.

Myfyrwyr yng Ngholeg y Brifysgol, Aberystwyth, oedd y chwe aelod gwreiddiol: tri lleisydd, sef Emyr Wyn, Robin Evans a Mei Jones, a thri offerynnwr, sef Iwan Roberts (gitâr a mandolin), Graham Pritchard (**ffidil**, mandolin a phiano) a Dewi Jones (corn Ffrengig). Yr unig fwriad ar y dechrau oedd cystadlu yn **Eisteddfod** Ryng-golegol Bangor 1974, ond yn dilyn eu llwyddiant yno rhaid oedd dal ati.

Roedd hiwmor a'r elfen 'ffwrdd-â-hi' yn nodwedd amlwg yn eu canu o'r dechrau a cheid ganddynt gyfuniad o ganu gwerinol ei naws, a oedd yn boblogaidd ymhlith myfyrwyr Cymraeg y coleg ar y pryd, a chaneuon gwreiddiol hwyliog. Roedd elfen gref o dynnu coes yn yr enw ei hun ac ymgais i ddrysu cyhoeddwyr a darllenwyr posteri cyngherddau a nosweithiau llawen.

Yn 1975 cafwyd ychwanegiad allweddol at y chwe aelod gwreiddiol, sef Emyr Huws Jones, gŵr ifanc a oedd eisoes wedi gwneud ei enw gyda'r **Tebot Piws**. Un o'i ganeuon ef, sef 'Padi', a ddewiswyd pan aeth y band i'r stiwdio recordio am y tro cyntaf i gyfrannu un trac at y record amlgyfrannog *Lleisiau* (Adfer, 1975).

Cafodd y band wythnos lwyddiannus iawn yn Eisteddfod Genedlaethol Cricieth 1975, a daeth cyfle yn fuan wedyn i recordio record hir ar label Sain, *Wa McSbredar*, ar ôl un o ganeuon mwyaf poblogaidd y cyfnod hwnnw. Yn fuan wedyn ymadawodd Dewi Jones ac ymunodd Alun 'Sbardun' Huws, un arall o gyn-aelodau'r **Tebot Piws**.

Rhyddhawyd ail record hir, *Mae'r Grŵp yn Talu* (Sain, 1976), ac roedd pob cân bron naill ai o waith Emyr Huws Jones neu'n ganeuon/**alawon traddodiadol**, cyfuniad a fu'n sail i *repertoire* y band o hynny ymlaen. Buont yn teithio'n helaeth yng Nghymru a hefyd yn Iwerddon. Yn 1976 penderfynodd Emyr Huws Jones gefnu ar berfformio, ond daliodd i gyfrannu caneuon. Llanwyd y bwlch gan Pete Watcyn Jones, gitarydd a mandolinydd profiadol.

Yn 1977 rhyddhawyd record hir arall, *Rhwng Saith Stôl* (Sain, 1977), a threfnwyd taith i Lydaw (gyda **Dafydd Iwan**). Ar ôl y recordiad hwn gadawodd Alun 'Sbardun' Huws er mwyn canolbwyntio ar gyfeilio i **Tecwyn Ifan**, a hefyd Mei Jones er mwyn canolbwyntio ar ei yrfa fel actor a dramodydd. Yn sgil profiadau Iwerddon a Llydaw, penderfynwyd canolbwyntio fwyfwy ar ganu gwerin traddodiadol. Trefnwyd taith arall gyda Dafydd Iwan – trwy Gymru y tro hwn – ac aed ati i recordio casgliad o ganeuon gwerin, gan anelu at farchnadoedd Celtaidd a thu hwnt yn ogystal â Chymru. Y canlyniad oedd rhyddhau *Torth o Fara* (Sain, 1978) – 17 o ganeuon, gyda phwyslais cyfartal ar y lleisiol a'r offerynnol. Teithiodd y grŵp i Lydaw eto dros yr haf. Yn sgil

yr holl brysurdeb trafodwyd y posibilrwydd o droi'n broffesiynol, ond ni ddigwyddodd hynny.

Yn sgil ymadawiad Pete Watcyn Jones, ymunodd Geraint Davies, un o gyn-aelodau **Hergest**, â'r band. Yn 1979 Mynediad am Ddim oedd un o brif atyniadau **Gŵyl** Guipavas ger Brest. Yn y cyfnod hwn recordiwyd y cyntaf o ddau gasét i'r Mudiad Ysgolion Meithrin, casgliad o **hwiangerddi** a chaneuon eraill i blant bach o'r enw *Hwyl Wrth Ganu* (dilynodd ail gasét, *Hwyl yr Ŵyl*, ar thema'r Nadolig, yn 1986).

Yn 1982 ymunodd Rhys Ifans (a fu gyda **Bando**) fel gitarydd bas. Yr aelodau hyn – Emyr Wyn, Robin Evans, Graham Pritchard, Geraint Davies a Rhys Ifans – oedd asgwrn cefn y band o hynny ymlaen. Yn niwedd yr 1990au ychwanegwyd Delwyn Siôn fel aelod achlysurol.

Yn 1992, i ddathlu pen-blwydd y band yn ddeunaw oed (a oedd yn cyd-daro â'r Eisteddfod Genedlaethol yn Aberystwyth), rhyddhawyd casgliad o'r caneuon mwyaf poblogaidd, a chyhoeddwyd yr un pryd lyfr lloffion, *Digon Hen i Yfed*, yn olrhain hanes y grŵp. Yna, yn 1993, cyhoeddwyd tâp fideo o berfformiad byw o flaen cynulleidfa yn stiwdio Barcud, Caernarfon, *Dyma Mynediad am Ddim*. Yn ystod yr 1980au hwyr a'r 1990au yr uchafbwyntiau oedd perfformio yng Ngŵyl y Cnapan bum gwaith, ac yna, yn 2003, ymddangos gerbron torf o tua 8,000 yng Ngŵyl y Faenol ger Bangor.

Yn 2010 cyhoeddwyd cryno-ddisg arall, *Hen, Hen Bryd* a gynhwysai draciau newydd i gyd, ac ers hynny bu Geraint Cynan (a fu'n aelod o Bwchadanas ac yn perfformio'n gyson gyda **Siân James**) hefyd yn cyfrannu mewn perfformiadau byw ar yr allweddellau.

Disgyddiaeth
Mynediad am Ddim (Sain 1021M, 1975)
Mae'r Grwp yn Talu (Sain 1064M, 1976)
Rhwng Saith Stôl (Sain 1103M, 1977)
Torth o Fara (Sain 1137M, 1978)
Hen, Hen Bryd (Sain SCD 2604, 2010)

Casgliad:
1974–1992 (Sain SCD2003, 1992)

Arfon Gwilym

Mynyddog (gw. Davies, Richard)

N

9Bach (ll., Nain Bach)

Band gwerin cyfoes. Ffurfiwyd y band ym Methesda yn 2005 gan Martin Hoyland (gitâr) a Lisa Jên Brown (llais). Canodd Lisa Jên ar albwm unigol **Gruff Rhys**, *Candylion* (Rough Trade, 2007), cyn i 9Bach ymddangos yng **Ngŵyl** Ryng-Geltaidd Lorient yn 2008.

Rhyddhawyd eu halbwm cyntaf, *9Bach*, ar label Gwymon yn 2009, a derbyniodd adolygiadau ffafriol yn y *Guardian*, *Uncut* a chyhoeddiadau Seisnig eraill (Denselow 2009). Cawsant eu cymharu â Portishead, Enya, a Tim Buckley. Yn 2012 perfformiodd y band yn Pesda Roc a Gŵyl y Gelli ac aethant i Awstralia fel rhan o brosiect 'Mamiaith/*Mother Tongue*', a drefnwyd gan yr Olympiad Diwylliannol, er mwyn cydweithio ar ganeuon gyda grŵp cynfrodorol y Black Arm Band. Canlyniad y cydweithio hwn oedd cyngherddau llwyddiannus yng Nghaernarfon a Llundain. Yn ystod yr un flwyddyn bu'r grŵp yn perfformio yn yr Ŵyl Hanner Cant ym Mhontrhydfendigaid, yng Ngŵyl Ryng-Geltaidd Lorient unwaith eto ac yng Ngŵyl Rhif 6 ym Mhortmeirion. Recordiwyd ail albwm yn Stiwdio Bryn Derwen, Bethesda, yn 2013.

Arwyddodd y grŵp i New World Records – label y cerddor a'r canwr Peter Gabriel – yn 2013 (Bevan 2013). Rhyddhawyd eu hail record hir *Tincian* ar label Real World flwyddyn yn ddiweddarach, cyn ei ddilyn yn 2016 gyda'u trydedd record hir, *Anian*, lle cafwyd cyfraniadau gan yr actores Maxine Peake, Rhys Ifans a Gabriel ei hun.

Disgyddiaeth

'Yr Eneth Ga'dd Ei Gwrthod' [sengl] (Gwymon CD003, 2008)
'C'weiriwch Fy Ngwely' [sengl] (Gwymon, CD005, 2009
9Bach (Gwymon CD007, 2009)
Tincian (Real World Records CDRW202, 2014)
Anian (Real World Records CDRWP214, 2016)

Llyfryddiaeth

Robin Denselow, '[adolygiad o] 9Bach', *The Guardian* (21 Awst 2009)

Nathan Bevan, 'Peter Gabriel snaps up 9Bach after chance meeting in London black cab', *Wales Online*, 27 Hydref 2013

Craig Owen Jones

Novello, Ivor (1893–1951)

Cyfansoddwr, actor a dramodydd. Ganwyd David Ivor Davies yng Nghaerdydd ar aelwyd gerddorol. Roedd ei fam, **Clara Novello Davies** yn **arweinyddes** ryngwladol nodedig i'r Côr Merched Brenhinol Cymreig ac yn hyfforddwraig leisiol gyda chanolfannau yng Nghymru, Llundain ac Efrog Newydd. Oherwydd cysylltiadau a dylanwadau ei fam, daeth ei mab i gymysgu a chymdeithasu â rhai o sêr cerddorol amlycaf y dydd, megis Clara Butt ac **Adelina Patti**, a hynny o'i blentyndod cynnar.

Derbyniodd Ivor Novello ei addysg mewn ysgol breifat leol ar Cathedral Road dan ofal Mrs Soulez. Pan oedd yn ddeg oed derbyniodd ysgoloriaeth i Goleg Magdalen, Rhydychen, a bu'n unawdydd trebl cyson gyda'r côr am dair o'r pum mlynedd a dreuliodd yn Rhydychen. Ni chanodd yn gyhoeddus fel unawdydd clasurol ar ôl y cyfnod hwn. Dychwelodd i gartref ei rieni yng Nghaerdydd ar ôl i'w gyfnod yn Rhydychen ddod i ben, a bu'n hyfforddi ar y piano a chyfeilio i gôr ei fam, y Côr Merched Brenhinol Cymreig cyn symud i Lundain yn 1913. O'r pwynt yna, ac eithrio cyfnod byr yn Hollywood, fe ddaeth Llundain yn gartref iddo am weddill ei fywyd.

Y gân 'Spring of the Year' (1908) oedd ei gyfansoddiad cyhoeddedig cyntaf. Fe'i perfformiwyd am y tro cyntaf yn gyhoeddus yn un o gyngherddau Clara Novello Davies yn yr Albert Hall gydag Ivor yn cyfeilio. Dyma lle y dechreuodd arddel yr enw Ivor Novello yn gyhoeddus; newidiodd ei enw'n swyddogol i Ivor Novello yn 1927.

'Keep the Home Fires Burning' oedd ei lwyddiant pennaf, cân a gyfansoddwyd yn 1914 i eiriau'r bardd Americanaidd, Lena Guilbert Ford (1870–1918). Bu'n llwyddiant ysgubol yn ystod y Rhyfel Byd Cyntaf. Perfformiwyd y darn am y tro cyntaf gan Sybil Vane, un o ddisgyblion Clara Novello Davies. Yn ôl yr hanes, roedd y gynulleidfa gyfan wedi ymuno yn y canu erbyn yr ail gytgan a galwyd am 16 *encore*. Derbyniodd Novello oddeutu £15,000 o elw o'r gân a daeth yn enw cyfarwydd ar aelwydydd ar hyd a lled y wlad fel cyfansoddwr. Ymunodd â llu awyr y llynges yn 1916 ond ar ôl dwy ddamwain awyren fe'i trosglwyddwyd i swyddfa'r Weinyddiaeth Awyr tan ddiwedd y Rhyfel.

Caiff Ivor Novello ei gydnabod yn bennaf am ei sioeau cerdd. Ei lwyddiant cyntaf oedd *Theodore & Co.* a berfformiwyd am y tro cyntaf yn Theatr y Gaiety yn 1916. Roedd yr 1930au yn enwedig yn gyfnod nodedig iddo. Yn ystod y degawd llwyfannwyd *Glamorous Nights* (1935), *Careless Rapture* (1936) a *The Dancing Years* (1939). Ychydig yn ddiweddarach daeth *Perchance to Dream* (1945) yn boblogaidd o ganlyniad i'r gân 'We'll gather lilacs'. Roedd ei sioe olaf, *King's Rhapsody* (1949), hefyd yn llwyddiant sylweddol. Novello ei hun fyddai'n chwarae'r brif ran yn ei sioeau, yn enwedig y rhai diweddar. Er na fu i lawer o'r sioeau oroesi eu cyfnod, *The Dancing Years* (1939) yw un o'r rhai mwyaf hirhoedlog, ac mae 'Waltz of my Heart' yn derbyn perfformiadau hyd heddiw ar lwyfannau ledled y byd.

Cyfunodd Ivor Novello ei gefndir yn y byd clasurol a baledi Oes Fictoria yn ei sioeau cerdd gan greu arddull a oedd yn unigryw i'r maes. Christopher Hassall oedd awdur y geiriau i *Glamorous Nights*, ei sioe gerdd gyntaf a berfformiwyd yn Theatr Drury Lane. Fe brofodd yn llwyddiant sylweddol a bu'r ddau yn cydweithio'n gyson.

The Call of the Blood (1919) oedd ffilm fud gyntaf Novello, ac er nad oedd yn cael ei gydnabod fel actor nodedig, gallai ddenu cynulleidfaoedd niferus pan ymddangosai ar y llwyfan, a llwyddodd i gael gyrfa lwyddiannus ym maes y ffilmiau mud oherwydd ei apêl a'i gyfaredd. Penderfynodd sefydlu ei hun fel actor-reolwr gyda'i arian ei hun gan lwyfannu y ddrama *The Rat* yn 1924. Dyma oedd ei ddrama gyntaf ac fe'i perfformiwyd dros 600 o weithiau yn y West End, Llundain ac fe'i troswyd yn ffilm yn 1925. Fe'i dilynwyd gan ffilm arall yn 1926, *The Triumph of the Rat* ac yna'r *Return of the Rat* yn 1928.

Symudodd Novello am gyfnod i Hollywood yn 1931, lle bu'n actor ac yn awdur ar gyfer y sgrîn. Fe'i cofir yn bennaf yn ystod y cyfnod hwn am ei waith ar sgript *Tarzan the Ape Man* a'r llinell hanesyddol (er iddi gael ei cham-ddyfynnu'n gyson) 'Me Tarzan. You Jane'.

Prynodd gartref arall ger Maidenhead yn 1927 a alwodd yn Redroofs. Ar ôl marwolaeth sydyn ei dad David Davies yn Hydref 1931, penderfynodd ddychwelyd i Lundain a Redroofs ac ymgartrefodd yno am weddill ei fywyd. Croesawodd rai o sêr amlycaf ei ddydd i'w gartrefi, megis Gladys Cooper, Noel Coward a Vivien Leigh, ac roedd yn enwog am ei fywyd cymdeithasol.

Fe'i carcharwyd am bedair wythnos yn 1944 am gam-ddefnyddio'i gar mewn cyfnod o ddogni yn ystod yr Ail Ryfel Byd. Fe gafodd hyn effaith gorfforol a meddyliol arno am flynyddoedd. Bu farw yn ei gartref o thrombosis coronaidd ar 6 Mawrth 1951, oriau yn unig ar ôl ymddangos mewn perfformiad o'i sioe, *King's Rhapsody*. Cynhaliwyd gwasanaeth coffa yn St Martin-in-the-Fields ar 28 Mai 1951 i dyrfa o rai miloedd.

Gwerthwyd Redroofs ar ôl ei farwolaeth ac fe'i hagorwyd fel cartref ymadfer i actorion. Yn 1956, sefydlwyd gwobrau The Ivor Novello Awards ('The Ivors') i anrhydeddu cyfraniad Ivor Novello i'r theatr. Hyd heddiw, maent yn dathlu ac yn cydnabod rhagoriaeth a chyrhaeddiad cerddorol ym maes cyfansoddi caneuon gan gyfoedion yn y diwydiant ac yn dyst i gyfraniad nodedig Ivor Novello i'r maes.

Disgyddiaeth

Ivor Novello: The Ultimate Collection (Prism Platinum 767, 2002)

Llyfryddiaeth

C. N. Davies, *The Life I have Loved* (Llundain, 1940)

P. Noble, *Ivor Novello: Man of the Theatre* (Llundain, 1951/R)

W. Macqueen-Pope, *Ivor* (Llundain, 1952)

R. Rose, *Perchance to Dream* (Llundain, 1974)

S. Wilson, *Ivor* (Llundain, 1987)

J. Harding, *Ivor* (Llundain, 1987)

P. Webb, *Ivor Novello: a Portrait of a Star* (Llundain, 1999)

Gwawr Jones

O

Ods, Yr

Grŵp indi-pop o Arfon ac Ynys Môn yw Yr Ods a ffurfiwyd gan Griff Lynch (llais, gitâr) a Gruffudd Pritchard (llais, gitâr) tra'r oeddynt yn fyfyrwyr ym Mhrifysgol Aberystwyth yn 2006. Yr aelodau eraill oedd Rhys Aneurin (allweddellau), Osian Howells (gitâr fas), a Gwion Llewelyn (drymiau).

Daeth y band i amlygrwydd ar ôl recordio sesiwn i raglen Huw Stephens yn 2008, gyda John Lawrence (o **Gorky's Zygotic Mynci**) yn cynhyrchu, oedd yn cynnwys y gân 'Gobeithio Heno'. Cipiodd y band gategori 'y grŵp neu artist ddaeth i amlygrwydd' yng Ngwobrau Roc a Phop Radio Cymru 2009, ynghyd â sengl orau'r flwyddyn am 'Fel Hyn am Byth' yng Ngwobrau'r Selar. Yn dilyn hyn, chwaraeodd y band ar lwyfan **Gŵyl** Glastonbury, yn ogystal â pherfformio yng ngwyliau Wakestock a Sŵn.

Rhyddhaodd y grŵp eu EP cyntaf pump trac yn 2010. Gan blethu elfennau o synth-pop melodig yr 1980au (megis Orchestral Manoeuvers in the Dark ac Ultravox) gyda sain fwy amrwd bandiau *Britpop* Pulp a Blur, mewn caneuon megis 'Cofio Chdi o'r Ysgol' ac 'Y Bêl yn Rowlio', derbyniodd y record ymateb hynod ffafriol, gan ennill gwobr EP gorau yng Ngwobrau'r Selar 2010. Rhyddhaodd y band eu record hir gyntaf, *Troi a Throsi*, gyda'r cynhyrchydd profiadol David Wrench wrth y llyw. Gyda'r pwyslais erbyn hyn yn llai ar yr elfen electronaidd ac yn fwy i gyfeiriad roc, enillodd albwm gorau'r flwyddyn yng Ngwobrau'r Selar 2011.

2012 oedd blwyddyn fwyaf Yr Ods, gyda'r band yn cipio tair gwobr yng Ngwobrau Roc a Phop BBC Radio Cymru: 'Band y Flwyddyn', 'Albwm y Flwyddyn' (am *Troi a Throsi*) a 'Cân y Flwyddyn' (am y gân 'Siân'). Yn dilyn cyfnod o berfformio'n gyson bu pethau'n dawelach wrth i'r band ganolbwyntio ar eu hail albwm *Llithro* (2013). Bu iddynt ddychwelyd i'r prif lwyfannau gyda pherfformiad ar nos Sadwrn olaf **Eisteddfod** Maldwyn 2015, gan ymddangos fel y grŵp olaf ar lwyfan perfformio'r maes ac yna fel rhan o gyngerdd llwyddiannus gig pafiliwn Eisteddfod Genedlaethol y Fenni yn 2016, gyda Cherddorfa'r Welsh Pops.

Disgyddiaeth

Nid Teledu Oedd y Bai (EP) (Copa CD012, 2010)
Troi a Throsi (Copa CD014, 2011)
Llithro (Copa CD019, 2013)

Gethin Griffiths

Offerynnau
(gw. **Organoleg ac Offerynnau**)

O'Neill, Dennis (g.1948)

Mae'r cerddor a'r canwr Dennis O'Neill, a aned ym Mhontarddulais, yn un o ddyrnaid bach o denoriaid mawr y byd **opera**. Mae wedi arbenigo ar ganu *repertoire* Eidalaidd gan berfformio dros ugain rôl o waith Verdi yn ystod ei yrfa. Astudiodd gyda Frederic Cox (1905–85) yn breifat ym Manceinion, yna yn Mantua gyda Ettore Campogalliani (1903–92) ac yn Rhufain gyda Luigi Ricci (1893–1981).

Dysgodd ei grefft yn ofalus ac araf, a bu'n cysgodi craill megis José Carreras, Plácido Domingo a Carlo Bergonzi cyn cael cyfle yn 1979 i ganu gyda Shirley Verret yn rôl Flavio yn *Norma* gan Bellini. Mae ei lais naturiol gyfoethog yn llenwi pob awditoriwm, ac mae ei ofal dros iaith ynghyd â thechneg sicr yn ei gadw yn rheng flaen cantorion ei faes. Ar sail ei gyfraniad derbyniodd Fedal Verdi gan Amici di Verdi yn 2005. Fel llawer o'i gyfoedion yng Nghymru mae'n ddyledus i'r cyfleoedd niferus a gafodd ar lwyfannau **eisteddfodau** Cymru yn gynnar yn ei fywyd.

Yn ystod ei yrfa hir mae wedi dal cysylltiad agos â'r Tŷ Opera Brenhinol yn Covent Garden, y Metropolitan yn Efrog Newydd, y Lyric yn Chicago a thai opera San Francisco, San Diego, Vancouver, y Bayerische Staatsoper yn Munich, Fienna, Sydney, Paris a thai opera yn Ne America. Yn ôl yn ei famwlad mae wedi perfformio droeon gydag Opera Cenedlaethol Cymru ac mae'n aelod o'u bwrdd rheoli.

Bu O'Neill hefyd yn unawdydd mewn cyngherddau gyda'r prif gerddorfeydd ar draws y byd a bu croeso mawr i'w berfformiadau yn *Requiem* Verdi. Perfformiodd fel unawdydd mewn uchel wyliau a recordiodd nifer helaeth o ganeuon a rolau operatig. Daeth yn gymeriad poblogaidd ymhlith y cyhoedd yn sgil cyfresi teledu megis *Dennis O'Neill* (1987) a *Dennis O'Neill a'i Ffrindiau* (1989). Derbyniodd DMus er anrhydedd gan Brifysgol Cymru; mae'n Gymrawd nifer o'r colegau cerdd ac yn 2000 fe'i hanrhydeddwyd â'r CBE. O 2007 ymlaen ef fu'n arwain yr Academi Llais Ryngwladol yng Nghaerdydd (rhan o Brifysgol Caerdydd yn wreiddiol ond bellach o dan Brifysgol Cymru y Drindod Dewi Sant), lle mae'n trosglwyddo'r hyn a ddysgodd i genhedlaeth newydd o gantorion. Mae hefyd yn ymddangos yn rheolaidd fel beirniad yn y prif gystadlaethau llais, gan gynnwys **BBC Canwr y Byd** Caerdydd.

Am restr o recordiau gw.: *http://www.prestoclassical.co.uk*

Llyfryddiaeth

Frank Lincoln, *Y Trwbadŵr: Cofiant Dennis O'Neill* (Llandysul, 2006)

A. Mourby, 'Dennis O'Neill: Barga – the town that changed my life', *The Independent,* 25 Tachwedd 2007

Lyn Davies

Opera

Er i'r disgrifiad 'Gwlad y Gân' gael ei gysylltu â Chymru er y 18g., prin fu operâu yn yr iaith Gymraeg ar hyd y blynyddoedd. Gellir olrhain gwreiddiau'r ffurf i ymdrechion cynnar Jacopo Peri (1561–1633) a Claudio Monteverdi (1567–1643) yn yr Eidal ar ddechrau'r 17g. (gyda *L'Orfeo* yr olaf o'r ddau yn cael ei pherfformio am y tro cyntaf yn 1607), ond bu'n rhaid disgwyl dros 250 mlynedd cyn clywed yr opera gyntaf yn y Gymraeg: *Blodwen* gan **Joseph Parry**, a berfformiwyd yn Aberystwyth yn 1878.

Er i *Blodwen* dorri tir newydd yn ieithyddol a chelfyddydol, ceidwadol oedd yr arddull gerddorol o gymharu ag operâu cyfoes y cyfnod, boed yn weledigaeth genedlatholgar Verdi neu gysyniad Wagner o'r gwaith celfyddydol cyflawn (yr hyn a alwai'n *Gesamtkunstwerke*). Clywir dylanwadau o hanner cyntaf y 19g. yn unawdau a chytganau opera Parry, o Rossini i Donizetti, tra mae'r ddeuawd gariadus rhwng Hywel a Blodwen, a oroesodd yn

llawer gwell na gweddill y gwaith, mewn arddull sy'n awgrymu Mozart o gyfnod *Y Ffliwt Hud* (1791) – opera a gyfansoddwyd bron canrif ynghynt.

Fodd bynnag, yn ei dydd roedd *Blodwen* yn llwyddiant ysgubol, a bu cannoedd o berfformiadau ohoni ledled gwlad lle'r oedd opera yn ffurf gwbl ddieithr i'r mwyafrif, ond gyda'r iaith Gymraeg yn dal yn gyfrwng naturiol. Rhaid bod rhywbeth yng nghyfuniad y gwaith o wisgoedd ffug-ganoloesol, canu angerddol Eidalaidd, rhith-ramant lliwgar a sentimentaliaeth a oedd yn taro tant gyda chenedl ynghanol chwyldro diwydiannol a diwylliannol degawdau olaf y 19g.

Ond er gwaethaf gallu telynegol amlwg **Joseph Parry**, ni wnaeth *Blodwen* argyhoeddi fel cyfanwaith operatig, ac ar ôl marwolaeth y cyfansoddwr yn 1903 ni fu perfformiad ohoni tan yr ymgais lew yn 1978 (ganrif wedi'r perfformiad cyntaf) i anadlu bywyd yn ôl i'r gwaith trwy help recordiad, gydag offeryniaeth newydd wedi ei darparu gan **Dulais Rhys** gyda **John Hywel** yn arwain. Nid oedd gan Parry na'r cefndir, y profiad na'r cyfle i feistroli holl hanfodion y cynfas mawr.

Prin fu'r ymdrechion i ddatblygu'r ffurf yng Nghymru yn yr hanner can mlynedd wedi ymgais Parry; eithriadau oedd dwy opera **David de Lloyd**, *Tir Na N'og* (1916) a *Gwenllian* (1924), y naill mewn tair act i libreto gan T. Gwynn Jones tra oedd geiriau'r llall yn gywaith rhwng Jones a T. Eurwedd Williams.

Daeth tro ar fyd wedi'r Ail Ryfel Byd pan sefydlwyd Cwmni Opera Cenedlaethol Cymru yn 1946. Bu hyn yn sbardun i gyfansoddwyr edrych o'r newydd ar y cyfrwng. A phan sefydlwyd yr Urdd er Hyrwyddo Cerddoriaeth Cymru (**Cymdeithas Cerddoriaeth Cymru** bellach) yn 1955, rhoddwyd ychydig mwy o bwyslais ar hyrwyddo operâu Cymraeg a Chymreig. Comisiynwyd **Arwel Hughes** gan y cwmni cenedlaethol i gyfansoddi'r opera *Menna* yn 1953. Cafodd y gwaith, a oedd yn seiliedig ar chwedl Gymraeg, ei berfformio ym Mhafiliwn Gerddi Sophia, Caerdydd, ac yn Sadler's Wells, Llundain.

Tua'r un cyfnod cwblhaodd **Ian Parrott** *Yr Hwrdd Du* (*The Black Ram*, 1951–3), opera mewn dwy act yn seiliedig ar hanes gwas ffarm o'r enw Siôn Philip a gafodd ei grogi tua chanol y 18g. am ddwyn defaid o dir yswain stad Peterwell, Llanbedr Pont Steffan. Cyfieithwyd libreto H. Idris Bell i'r Gymraeg gan T. H. Parry-Williams. Bu'r gwaith, a gafodd ei ddisgrifio fel 'opera werin gyfoes', yn dra llwyddiannus (Redlich 1956; Stephens 2012).

Arwel Hughes a arweiniodd berfformiad cyntaf *Yr Hwrdd Du* yn Chwefror 1957, ac ychydig flynyddoedd yn ddiweddarach fe'i comisiynwyd gan Gyngor Celfyddydau Cymru i gyfansoddi ei ail opera, *Serch yw'r Doctor*, ar gyfer **Eisteddfod** Genedlaethol Caerdydd yn 1960. Addasiad Saunders Lewis o ddrama Molière yw'r libreto, a hwn oedd y tro cyntaf ers dyddiau *Blodwen* i opera gael ei pherfformio yn y Gymraeg.

Er i Opera Cenedlaethol Cymru droi'n fwyfwy proffesiynol yn ystod yr 1960au a'r 1970au, prin fu operâu yn yr iaith Gymraeg. Troi i'r Saesneg ar gyfer eu *libretti* a wnaeth nifer o gyfansoddwyr a gomisiynwyd gan y cwmni yn yr 1960au, yr 1970au a'r 1980au. Ymhlith yr operâu hyn yr oedd *The Parlour* (1961) gan **Grace Williams**, *The Beach of Falesá* (1970–74) gan **Alun Hoddinott** a *The Servants* (1980) gan **William Mathias**, a berfformiwyd yn 1966, 1974 ac 1980 yn eu tro. Bu Hoddinott yn doreithiog yn y cyfrwng gan gyfansoddi chwe opera, gyda'r olaf, *Tower* (1998–9), a gynhyrchwyd gan Opera Box, yn seiliedig ar hanes Glofa'r Twr.

Yn eironig ddigon, er bod y byd opera yn hapus iawn i dderbyn cantorion Cymraeg a Chymreig i'w lwyfannau, pethau prin iawn o hyd oedd operâu yn y Gymraeg. Y rhesymau a roddwyd oedd prinder cynulleidfa, prinder cantorion a phrinder arian. Roedd agwedd nawddoglyd ac elitaidd tuag at y cysyniad o opera yn y Gymraeg yn dal i fodoli o'r tu allan. Er enghraifft, wrth drafod opera Parrott, *Yr Hwrdd Du*, canmolai H. F. Redlich y cyfansoddwr am lwyddo i anelu'r gerddoriaeth 'at an unsophisticated Welsh audience for whom opera is a new and unexplored medium of national self expression' (Redlich 1956, 102). Yn wir, credai rhai nad oedd gan Gymru gyfansoddwr digon abl i gyfansoddi opera safonol o gwbl, waeth bynnag ei bod yn Gymraeg. Parhau i noddi cyfansoddwyr y tu hwnt i'r ffin a wnaeth Opera Cenedlaethol Cymru ar ddiwedd yr 20g. a dechrau'r 21g., wrth gomisiynu operâu gan Peter Maxwell Davies (*The Doctor of Myddfai*, 1996) a James MacMillan (*The Sacrifice*, 2007), y naill yn seiliedig ar chwedl Llyn y Fan Fach a'r llall yn addasiad o stori 'Branwen Ferch Llŷr' o'r Mabinogi.

Efallai mai diffyg arian ac adnoddau fu'n gyfrifol am amharodrwydd yr Eisteddfod Genedlaethol i fentro i gyfeiriad opera, gan fodloni ar gynnig gweithiau ar raddfa lai, megis *Culhwch ac Olwen* (1966), 'difyrrwch' gan **William Mathias** ar gyfer adroddwr, corws, deuawd piano ac offerynnau taro, i eiriau gan Gwyn Thomas, a gomisiynwyd ar gyfer Eisteddfod Genedlaethol y Bala yn 1967. Yn 2000 gweithiodd Gwyn Thomas ar stori *Culhwch ac Olwen* am yr ail waith, y tro hwn gyda'r cyfansoddwr **Geraint Lewis**, ar gyfer perfformiad a lwyfannwyd yng **Ngŵyl** Cricieth. Ers hynny daeth operâu cymunedol yn fwy cyffredin, megis *Cofi Opera* (2008) gan **Owain Llwyd** – prosiect gydag ardal Sgubor Goch, Caernarfon – a'r opera ddwyieithog *Gair ar Gnawd* (2015) gan **Pwyll ap Siôn**, i libreto gan Menna Elfyn.

Yn ystod yr 1980au a'r 1990au aeth y genhedlaeth a ddilynodd Hoddinott a Mathias ati i ailddiffinio terfynau'r cyfrwng. Cafodd *The Journey* (1979) gan **John Metcalf**, a gomisiynwyd gan Opera Cenedlaethol Cymru, ei hysbrydoli gan athroniaeth hap a damwain yr *I Ching* (Boyd 1981; Lewis 2007), tra mae ei opera siambr swreal *A Chair in Love* (2002) yn cynnwys ci fel un o'r prif gymeriadau. Yn dilyn sefydlu'r cwmni Music Theatre Wales (MTW) yn 1988, cafwyd gweithiau a oedd yn archwilio arddulliau theatr gerdd gyfoes ar raddfa dipyn llai nag operâu clasurol. Cynhyrchwyd dwy o operâu John Hardy, *Flowers* (1994) a *The Roswell Incident* (1997), gan MTW, ac yn 2017 *Y Tŵr* gan **Guto Puw**, addasiad ar y cyd gyda Theatr Genedlaethol Cymru o ddrama Gwenlyn Parry o 1978 i libreto gan **Gwyneth Glyn**, ynghyd ag addasiad **Gareth Glyn** o nofel Islwyn Ffowc Elis, *Wythnos yng Nghymru Fydd*, i libreto gan Mererid Hopwood ar gyfer OPRA Cymru yn 2017. A hithau'n opera fodern a chyfoes yn yr iaith Gymraeg, derbyniodd *Y Tŵr* ymateb cadarnhaol ymysg cynulleidfaoedd a beirniaid yng Nghymru a thu hwnt (gw. Evans 2017, Titus 2017), gan awgrymu bod lle pellach i ddatblygu cyfrwng a gafodd ei esgeuluso yn y Gymraeg am amser rhy hir.

Llyfryddiaeth

H. F. Redlich, 'A New Welsh Folk-Opera', *Music & Letters*, 37 (1956), 101–106

Malcolm Boyd, 'Metcalf and "The Journey"', *The Musical Times*, 122/1660 (1981), 369–371

Richard Fawkes, *Welsh National Opera* (Llundain, 1986)

Meic Stephens, 'Ian Parrott: Modernist composer who drew on Welsh folk traditions', *The Independent* (3 Rhagfyr 2012)

Geraint Lewis, 'John Metcalf', *New Grove Dictionary of Music and Musicians,* gol. Stanley Sadie (Llundain, 2001)

Rian Evans, '*Y Tŵr* review – Welsh-language opera traces marriage's highs and lows', *The Guardian* (22 Mai 2017)

Llŷr Titus, '"Pam difetha drama dda?" Adolygiad o *Y Tŵr*, Music Theatre Wales a Theatr Genedlaethol Cymru', *O'r Pedwar Gwynt* (13 Mehefin 2017)

Pwyll ap Siôn a Geraint Lewis

Oratorio, Yr

Gosodiad estynedig o destun cysegredig ar gyfer unawdwyr, côr a cherddorfa, lle rhoddir mwy o bwyslais ar yr elfen gorawl ond heb olygfeydd, gwisgoedd na symud. Er bod oratorios nad ydynt yn grefyddol i'w cael (e.e. *Acis a Galatea* Handel neu *A Child of our Time* Michael Tippett), seilir y naratif fel arfer ar eiriau Beiblaidd.

Mae gwreiddiau'r oratorio yn yr eglwys Gatholig yn Rhufain yn yr 16g., a daw'r enw o'r gair *oratori*, sef addoldy lle offrymid gweddïau gydag elfennau dramatig a cherddorol yn perthyn iddynt. Datblygodd ac ymledodd yr oratorio i wledydd Protestannaidd, ac yn yr Almaen ym mlynyddoedd cynnar y 18g. daeth Handel o dan ei ddylanwad. Creadigaeth Handel, wedi iddo symud i Loegr i fyw, oedd yr oratorio Saesneg, ac enillodd ei *Messiah* (perfformiad cyntaf yn Nulyn, 1742) le canolog yng nghalonnau corau amatur a'u cynulleidfaoedd. Ar ôl 1800, prin oedd y cyfansoddwyr mawr a neilltuai eu hegnïon i'r oratorio (yn hytrach nag i'r Offeren [*Mass*] sydd yn ffurf wahanol) ond yng ngwyliau cerdd Lloegr roedd gweithiau Handel (*Messiah*, *Judas Maccabæus*, *Samson* ac *Israel in Egypt* yn bennaf) a Haydn (yn enwedig *Y Greadigaeth*) yn parhau mewn bri, gyda rhai Mendelssohn (*Elijah*, *St Paul* a'r *Emyn o Fawl*) yn ffefrynnau arbennig o'r 1840au, a rhai Spohr (*Last Judgment*) a Gounod (*Redemption*) hefyd o fewn cyrraedd corau amatur.

Efallai mai'r tro cyntaf oll i'r *Messiah* gael ei pherfformio yng Nghymru oedd yng **Ngŵyl** Gerddorol Gogledd Cymru yng Nghastell Rhuddlan ym mis Medi 1850, er mai digon Seisnig oedd yr achlysur ac mai o Loegr y deuai'r cerddorion a oedd yn cymryd rhan. Corau eglwysig oedd y mwyaf galluog i ganu gweithiau mawr ond gyda thwf trefi a lledaeniad **sol-ffa** yng Nghymru o'r 1860au, daeth yr oratorio yn ffurf boblogaidd. Roedd y gerddoriaeth, gyda'i chorawdau gafaelgar a grymus a'i chynganeddion diatonig cyfarwydd, a'r hanes ysgrythurol a ddisgrifid ynddynt, yn apelio'n ddirfawr at gymdeithasau **corawl** a ddenai eu haelodau'n helaeth o gorau capeli Anghydffurfiol Cymru a dyfodd mor gyflym yn ail hanner y 19g.

Nid oedd perfformiadau cyflawn yn gwbl ddieithr yn yr 1850au a'r 1860au – perfformiwyd sawl oratorio gan gôr capel Annibynwyr Bethesda dan arweiniad Alawydd (David Roberts), fel *Samson* Handel i gyfeiliant harmoniwm yng Ngorffennaf 1861. Yn yr un flwyddyn, clywyd *Y Greadigaeth* Haydn yn Aberdâr, a bu'r Prifathro Evan Davies, Abertawe,

yn arwain cyfres o gyngherddau oratorio ym mhrif drefi Morgannwg ar yr un adeg – ond o'r 1870au, pan godwyd capeli mawr gyda lle i gorau o nifer sylweddol a cherddorfa i gyfeilio iddynt, y daeth yr oratorio yn elfen bwysig yn y diwylliant corawl yng Nghymru. Pery dadlau ynglŷn â phryd yn union y cafwyd y perfformiad amatur cyntaf o'r *Messiah* yng Nghymru, pa un ai yn yr 1840au ym Merthyr dan **Ieuan Ddu**, neu yn yr 1860au cynnar yng Nghwm Tawe dan Ifander Griffiths neu yn Rhymni dan Heman Gwent. Honnir mai yn y Drenewydd ym mis Tachwedd 1870 y clywyd *Judas Maccabæus* Handel am y tro cyntaf yng ngogledd Cymru, ac *Elijah* am y tro cyntaf yng Nghymru gyfan pan berfformiwyd y gwaith gan y Neath Harmonic Society yn y dref honno ym mis Ebrill 1871. Dyna'n union pryd y cafodd yr oratorio gyntaf ei chanu yn ei chyfanrwydd yng Nghwm Rhondda, sef *Last Judgment* Spohr yn Nhreherbert ar 13 Ebrill 1871 dan arweiniad Caradog (Griffith Rhys Jones).

Cyn bo hir gwelid cerddorion Cymreig yn troi eu llaw at gyfansoddi oratorio yn 'y dull Almaenaidd'. Yr oratorio Gymraeg gyntaf i'w chyhoeddi (1855) oedd *Ystorm Tiberias* a gyfansoddwyd gan Edward Stephen (Tanymarian) yn 1851–2, gwaith a oedd yn drwm dan ddylanwad Handel ac a berfformiwyd am y tro cyntaf yn Eglwys y Plwyf, Blaenau Ffestiniog, ym Mehefin 1853 gyda'r cyfansoddwr yn arwain. Cafodd dderbyniad digon cynnes, ond pan berfformiwyd yr oratorio ym Methesda ym mis Hydref 1872 credid yn *Y Gerddorfa* mai 'dim ond tair gwaith drwy'r holl flynyddoedd' yr oedd wedi ei datgan yn gyflawn, a bod hyn 'yn warth arnom ni fel cenedl' (t.26). Cafodd ei hadolygu gyda chyfeiliant cerddorfa gan **D. Emlyn Evans** a J. H. Johnes yn 1886.

Erbyn hynny, roedd yr ail oratorio Gymraeg wedi ymddangos, sef *Jeremiah* gan **Owain Alaw** (John Owen) yn 1878, a berfformiwyd gyntaf yn **Eisteddfod** Genedlaethol Maldwyn, Machynlleth, ym Mehefin 1879. Ni fu canu mawr ar y gweithiau hyn fel gweithiau cyfan ond dewiswyd nifer o gytganau o *Ystorm Tiberias* yn ddarnau prawf eisteddfodol. Gellir dweud yr un peth am oratorios **Joseph Parry**, yr hirfaith *Emmanuel* (cafwyd y perfformiad cyntaf o'r rhan fwyaf ohoni gan Gôr Cymry Llundain yn St James's Hall, Llundain, yn 1880) a *Saul of Tarsus*, a berfformiwyd gyntaf yn Eisteddfod Genedlaethol y Rhyl yn 1892. Mae'n wir hefyd am oratorios (neu **gantatas**, hwyrach) **David Jenkins** fel *Arch y Cyfamod* (1878), *Dafydd a Goliath* (1884), *Dafydd a Saul* (1891), *Dewi Sant* (1894), *Salm*

Bywyd (1895) a *Job* (1904); prin eu bod wedi eu perfformio yn eu cyfanrwydd erioed, er i gytganau fel 'Nawr y chwyrn lif genllif gwyd' o *Arch y Cyfamod* a 'Gyrrwch wyntoedd' (i gorau meibion) o *Dewi Sant* ennill bri fel darnau cystadleuol.

Bu cryn ganu hefyd ar weithiau cyfansoddwyr o Loegr gan gymdeithasau corawl Cymru yn eu cyngherddau mynych ar ddiwedd oes Victoria, fel *The Prodigal Son* a *Light of the World* Arthur Sullivan, yr hynod boblogaidd *Crucifixion* gan John Stainer, a gweithiau Edward Elgar hwythau gan y corau mwyaf mentrus erbyn y Rhyfel Byd Cyntaf. Gweithiau llai uchelgeisiol ond rhai a ystyrid yn oratorios yn eu cyfnod oedd *Woman of Samaria* William Sterndale Bennett (1867), *Rose of Sharon* Alexander Mackenzie (1884) a *Ruth* Frederic Cowen (1887), a oedd yn ddigon cyfarwydd i'w cyfansoddwyr gael eu gwahodd i feirniadu yng nghystadlaethau corawl yr Eisteddfod Genedlaethol. Mae'n werth nodi mai Saesneg oedd iaith yr oratorio yng Nghymru, hyd yn oed gan gantorion yr oedd y Saesneg yn ail iaith iddynt, ac er i **Ieuan Gwyllt** drosi geiriau'r *Messiah* a *St Paul* i'r Gymraeg, ac er i J. D. Jones, Rhuthun, gyfieithu *Y Greadigaeth,* roedd yn well gan y Cymry ganu 'Worthy is the Lamb' na 'Teilwng yw yr Oen'.

O'r 1890au byddai capeli mwyaf Cymru yn llwyfannu oratorio flynyddol, ac erbyn 1914 roedd y mwyaf uchelgeisiol ohonynt yn cyflwyno nid yn unig y bythwyrdd Handel a Mendelssohn ond y campweithiau mwyaf heriol i gorau amatur fel y *Christmas Oratorio* gan Bach (e.e. gan gôr Capel Siloa, Aberdâr, yn Rhagfyr 1913, o dan W. J. Evans). Yn y cyfnod hwn yng Nghapel y Cwm, Llansamlet, Abertawe, perfformiwyd *Israel in Egypt* (lle mae angen corws dwbl), *Requiem* Brahms a'r *Dioddefaint yn ôl St Mathew* (Bach) o fewn ychydig flynyddoedd i'w gilydd. Rhwng y ddau ryfel daeth eglwys Noddfa, Treorci, lle'r oedd John Hughes yn organydd ac yn gôr-feistr, yn enwog am ei gŵyl oratorio flynyddol, gyda gweithiau Bach yn cael lle blaenllaw i'r capel, a oedd yn dal mil a hanner, dan ei sang.

Er bod cyfansoddwyr Cymreig mwy diweddar wedi cyfrannu at y ffurf, fel **Daniel Jones** (*St Peter*, 1962), **Arwel Hughes** (*Dewi Sant*, 1950, a *Pantycelyn*, 1963), **William Mathias** (*St Teilo,* 1962) a **Karl Jenkins** (*Dewi Sant*, 2000), anfynych y clywir yr oratorios hyn bellach. Deil y *Messiah* ac *Elijah* i gael eu canu'n aml ond mae'r oes aur yr oratorio yng Nghymru wedi mynd heibio ynghyd â'r diwylliant Anghydffurfiol yr oedd yn rhan ohono.

Gareth Williams

Organoleg ac Offerynnau

Yn y 6g. dechreuodd hanes Cymru fel tiriogaeth, gyda'i hiaith a'i diwylliant annibynnol o holl Geltiaid eraill gorllewin Ewrop. Yn ystod y cyfnod o fil o flynyddoedd a ddilynodd hynny, datblygodd cerddoriaeth yn bennaf trwy gyfrwng y traddodiad llafar. Mae'r casgliad ysgrifenedig cyntaf o gerddoriaeth offerynnol Cymru, sef casgliad y bardd a'r telynor **Robert ap Huw** (*c.*1580–1665) o Landdeusant, Ynys Môn, yn dyddio o 1613 ac mae'n cynrychioli'r ymgais gyntaf i groniclo agweddau cerddorol ar y traddodiad barddol cyn iddo ddiflannu'n gyfan gwbl.

Tystiolaeth hanesyddol a llenyddol sy'n profi bodolaeth cerddoriaeth a'r traddodiad offerynnol yng Nghymru yn y canrifoedd cynnar. Ceir cyfeiriadau ym mhregethau'r abad Gildas, *De Excidio et Conquestu Britanniae*, yn y 6g. at swyddogaeth y bardd teulu yn canmol ei noddwr i gyfeiliant **telyn** neu lyra, a hynny mewn dull tra gwahanol i arddull cerddoriaeth gysegredig yr eglwys bryd hynny. Yn yr un modd, cyfeiria'r Archesgob o Poitiers, Venantius Fortunatus (*c.*540–*c.*600), at ddefnydd y Brytaniaid o'r **crwth**:

> *Romanusque lyra, plaudat tibi barbarus harpa,*
> *Graecus Achilliaca, crotta Britanna canat*

Dwyn cymhariaeth y mae Fortunatus yn y dyfyniad hwn rhwng yr offerynnau tebyg eu sain a'u dull perfformio a oedd yn gyffredin ledled Ewrop yr adeg honno. Er nad oes cerddoriaeth ysgrifenedig nac enghreifftiau o offerynnau'r cyfnod wedi goroesi yng Nghymru, gwyddys fod y beirdd yn derbyn hyfforddiant trylwyr am gyfnod o oddeutu deuddeng mlynedd, yn ennill graddau barddol, yn arbenigo naill ai mewn cerdd dafod (sef barddoniaeth) neu **gerdd dant** (sef cerddoriaeth) cyn iddynt gael yr hawl i gyflwyno'u cerddi yn gyhoeddus a hynny i gyfeiliant y delyn neu'r tympan (*tympanum*). Fel y dengys Thurston Dart, telyn fach, telyn 'farddol' neu delyn pen-glin gydag oddeutu 25 o dannau oedd yr offeryn mwyaf cyffredin ymhlith y beirdd yn y cyfnod cynnar hwn (Dart 1968). Dadleua rhai mai tannau o goludd (*gut*) neu o rawn (blew ceffyl) a oedd yn gyffredin, tra mae ymchwilwyr eraill (Greenhill 1995) o'r farn y byddai offerynwyr proffesiynol o Gymru yn fwy tebygol o efelychu'r traddodiad Gwyddelig a defnyddio tannau o fetel er mwyn cyfoethogi naws y sain.

Er bod crefft y beirdd yn cynrychioli dwy wedd bwysig ar ddiwylliant y Cymry yr adeg honno, ceir dyfyniad yng Ngramadegau'r Penceirddiaid (sy'n ymddangos yn Llawysgrif Peniarth) sy'n brawf o amrywiaeth y traddodiad offerynnol yn y Gymru gynnar:

> Tri ryw brifgerd ysyd, nyt amgen: kerd dant, kerd vegin, a cherd dauawt.
> Teir prifgerd tant ysyd, nyt amgen: kerd grwth, kerd delyn, a cherd timpan.
> Teir prifgerd megin ysyd, nyt amgen: organ, a phibeu, a cherd y got.
> Teir prifgerd tauawt ysyd: prydu, a dachanu, a chanu gan delyn.

Cyn i'r wlad golli ei hannibyniaeth yn 1282, cyhoeddodd y clerigwr **Gerallt Gymro** (*c.*1146–*c.*1223) gronicl o'i daith o amgylch Cymru, *Itinerarium Cambriae* (1191) a *Descriptio Cambriae* (1194), sy'n cynnwys cyfeiriadau at y defnydd o gerddoriaeth ac offerynnau cerdd yn y diwylliant Cymreig ac sy'n pwysleisio arwyddocâd arbennig y delyn yn nhraddodiadau'r genedl.

Yn ôl Gerallt, a oedd yn deithiwr profiadol, ystyrid y grefft o ganu'r delyn uwchlaw unrhyw ddawn arall, ceid telyn ym mhob tŷ bonedd a byddai'n arferiad i delynoresau ifanc ddiddanu eu hymwelwyr yn ddyddiol. Gwelir cryn fanylder ynghylch y defnydd o offerynnau cerdd yng Nghymru yn y cyhoeddiad hwn – manylder nas cafwyd cyn hynny. Atega Gerallt yr hyn a geir yn neddfau Hywel Dda (*c.*880–950) a luniwyd yn y 10g., ond na chofnodwyd hyd nes y 13g. Erbyn cyfnod gweithredu'r deddfau cenedlaethol hyn, y delyn oedd prif offeryn y Cymry, tra cyfeirir hefyd at fodolaeth y **crwth** a'r pibau (**pibgorn**).

Er mai'r delyn a'r telynor a hawliai'r flaenoriaeth yn y diwylliant Cymreig bryd hynny, cafwyd ar rai adegau gystadlaethau rhwng y **telynorion**, y **crythorion** a'r chwaraewyr pibau fel ag a ddigwyddodd mewn **gŵyl** a drefnwyd gan yr Arglwydd Rhys yng Nghastell Aberteifi yn 1176. Ond ceir cydnabyddiaeth amlwg hefyd i allu a medr telynorion Cymreig y cyfnod yn rhai o storïau Ewropeaidd yr Oesoedd Canol.

Wrth drafod hanes Trystan ac Esyllt gan Gottfried von Strassburg (*fl.*1210), dywed **Sally Harper** fod yr arwr wedi ei swyno gan gerdd Lydewig a genid gan un 'a oedd yn feistr ar ei gelfyddyd, y gorau yn y byd, a hwnnw'n Gymro' ac mai 'gan ddau delynor o Gymru' y dysgodd Trystan yntau sut i ganu'r offeryn (Strassburg 1960; Harper 2007). Mewn cerdd a gopïwyd yn Llyfr Taliesin yn y 14g., ymddengys y dyfyniad 'Wyf bard ac wyf telynawr. / Wyf pibyd ac wyf crythawr / I seith ugein cerdawr'.

Wedi 1282 diflannodd llysoedd y tywysogion Cymreig ond daeth nawdd a chefnogaeth yr uchelwyr bonheddig (tirfeddianwyr dylanwadol oeddynt yn bennaf) i lenwi'r bwlch a chefnogi cerddoriaeth a barddoniaeth y beirdd. Ymysg y 24 crefft neu gamp yr oedd disgwyl i uchelwr eu meistroli yr oedd canu i gyfeiliant offeryn a chanu'r delyn. Ar yr adeg hon hefyd daeth yr hen drefn farddol dan fygythiad y rhai na chawsant raddau barddol nac ychwaith yr un brentisiaeth drwyadl â'u rhagflaenwyr.

Daeth dylanwad Eingl-Normanaidd yn fwy amlwg yng Nghymru; mudai cerddorion dawnus (offerynwyr yn bennaf, gan gynnwys telynorion, crythorion a thrwmpedwyr) i weithio yn y llysoedd yn Lloegr (Bullock-Davies 1978) a diflannodd cerddorion answyddogol ac anghymwys i afradu eu crefft y tu hwnt i'r ffin lle na wyddai'r gynulleidfa ddim am gerddoriaeth Gymreig. Er hynny, cyfeirir at y cyfnod rhwng diwedd y 13g. a'r Deddfau Uno (1536 ac 1542–3) fel 'Oes Aur' yn hanes llenyddiaeth Gymraeg. Llafarganwyd y cerddi i gyfeiliant cerddorol (y delyn, mae'n bur debyg) a thyfodd y datgeinydd yn gyfrwng moliant a diddanwch yng nghartrefi bonedd y genedl.

Er mai canu caeth oedd arbenigedd pennaf y bardd Dafydd ap Gwilym (*fl.* 1340–1370), ymddengys iddo dderbyn hyfforddiant cerddorol, efallai mewn *scola cantorum* yn Abaty Ystrad Fflur (**Kinney** 2011). Amlygir ei ddealltwriaeth drylwyr o'r maes ynghyd â'i ddefnydd o dermau cerddorol a'i gyfeiriadau at y delyn mewn rhai o'i gerddi gan gynnwys 'Y Bardd a'r Brawd Llwyd' a 'Telynores Twyll'. Yn yr un modd, ceir cyfeiriadau manwl yng ngwaith beirdd eraill o'r cyfnod at nodweddion y crwth, er enghraifft yng nghywydd Gruffydd ap Dafydd ab Hywel (*fl.*1480–1520):

> Chwe sbigod, o codwn
> A dynna holl dannau hwn;
> Chwe thant a gaed o fantais
> Ag yn y llaw yn gan llais,
> Tant i bob ysbys oedd
> A daudant i'r fawd ydoedd.

O bryd i'w gilydd, cynhaliwyd eisteddfod (neu ymryson cerdd dafod a thant) er mwyn gosod trefn ar yr arferion hyn, dyfarnu graddau i'r beirdd a'r cerddorion a chydnabod eu gallu proffesiynol yn y maes. Trwy orchymyn brenhinol Elizabeth I cynhaliwyd **Eisteddfod** Caerwys yn 1523 ac yn 1567 yn bennaf er mwyn cydnabod medr a gallu'r telynorion, y crythorion a'r beirdd, ond hefyd er mwyn diarddel y tinceriaid a'r cardotwyr na haeddent unrhyw gydnabyddiaeth gerddorol na'r hawl i ennill bywoliaeth yn y maes (Thomas 1968).

Er bod cyfeiriadau niferus at ffynonellau cerdd y cyfnod hwn, nid yw'r mwyafrif ohonynt wedi goroesi. Mae **llawysgrif** Robert ap Huw yn eithriad ac yn enghraifft o'r llawlyfr telyn cynharaf sydd ar gael yn y traddodiad Cymreig. Defnyddiwyd saith llythyren gyntaf yr wyddor Saesneg ('a' i 'g') i gynrychioli tannau'r delyn a cheir yn ogystal gyfarwyddiadau ynghylch dulliau cyweirio (neu 'ddiwnio') telyn ac eglurhad am addurniadau gwahanol a oedd yn nodweddu perfformiadau'r cyfnod. Y llawysgrif hon hefyd yw un o ffynonellau cynharaf cerddoriaeth telyn y cyfnod ac o ganlyniad, talwyd cryn sylw iddi gan arbenigwyr Ewropeaidd. Adlewyrchir y berthynas agos rhwng cerddoriaeth a barddoniaeth yr oes yn y modd y cyfeirir at ddarnau yn y llawysgrif trwy gyfrwng teitlau fel 'Profiad', 'Gosteg', 'Caniad' ac 'Erddigan'.

Parhaodd swyddogaeth ganolog y delyn yn nhraddodiad lleisiol (cerdd dant) yr 17g. a'r 18g. yn ogystal ag fel offeryn unawdol. Fodd bynnag, wrth i gerddoriaeth Ewropeaidd ddatblygu ac wrth i delynorion o Gymru fentro i Loegr i ennill eu bywoliaeth, mabwysiadwyd y **delyn deires** (a darddai o ddinas Bologna yn yr Eidal). Rhoddodd hyn fod i wneuthurwyr telynau o'r fath (e.e. John Richards, Llanrwst, a Bassett Jones, Caerdydd), telynorion proffesiynol (e.e. **John Parry**, Parry Ddall) a chasgliadau cyhoeddedig megis *Antient British Music* (1742) a *Musical & Poetical Relicks of the Welsh Bards* (1784) a adlewyrchai chwaeth a natur ddatblygedig y maes yng Nghymru'r cyfnod.

Er bod cyfeiriadau at y **pibgorn** yn ymddangos yng Nghyfreithiau Hywel Dda ac yn Llawysgrif Peniarth 20 (*Brut y Tywysogion*), yn y 18g. y croniclwyd hanes yr offeryn gan rai fel William Morris (1759), sy'n cyfeirio at weision fferm ym Môn yn defnyddio eu pibgyrn i ddwyn y gwartheg a'r defaid ynghyd ac yn chwarae'r alawon 'Meillionnen' a 'Mwynen Mai' i'w diddanu. Wrth drafod yr offeryn yn y cylchgrawn *Archaeologia* (1786), dywed Daines Barrington fod cystadleuaeth flynyddol yn cael ei chynnal ar gyfer chwaraewyr pibgorn ym Môn a bod 200 ohonynt wedi dod ynghyd mewn digwyddiad o'r fath ar Fferm Castellior, ger Pentraeth, sy'n arwydd o apêl yr offeryn erbyn diwedd y ganrif.

Wrth i boblogrwydd y crwth edwino, croesawyd y feiolin glasurol gan gerddorion y traddodiad Cymreig. Dwy ffynhonnell werthfawr sy'n dyddio o'r 18g. yw'r casgliad llawysgrifol (1752) o waith y ffidlwr John Thomas (Llyfrgell Genedlaethol Cymru, llsgr. J. Lloyd Williams AH1/36) a llawysgrif Morris Edwards o Ynys Môn (llsgr. Bangor 2294, dyddiedig 1778), sy'n adlewyrchu chwaeth gerddorol y dydd a'r alawon a oedd yn gyffredin – rhai tebyg i 'Lili ym mûsg y Drain', 'Dime gôch', 'Fflanti Too', 'Dadl dau' ac 'Ar hyd y nos'. Mabwysiadwyd y rhain yn y man gan delynorion a chasglyddion cerddoriaeth y delyn yng Nghymru trwy gyfoethogi'r gwead ac ychwanegu geiriau at rai ohonynt cyn eu cyhoeddi yng nghyfrolau'r 18g.

Ochr yn ochr â hyn, tyfodd poblogrwydd y delyn yn y 18g. trwy gyfrwng yr eisteddfod a defnyddiwyd yr offeryn fel cyfrwng cyfeiliant i ganu yn bennaf. Er bod cyfeiliannau ar gyfer y delyn a'r piano yn ymddangos yng nghasgliad cyhoeddedig **Maria Jane Williams** o ganeuon gwerin, *Ancient National Airs of Gwent and Morganwg* (Llanymddyfri, 1844), digon diddychymyg a digyfeiriad yw safon a chynnwys y cynnyrch offerynnol hwnnw.

Roedd diffyg **addysg** a hyfforddiant gerddorol ffurfiol yng Nghymru yn rhwystr i ddatblygiadau cerdd o sylwedd ond eto i gyd, ymddangosodd nifer o unawdau a chasgliadau o waith y telynor **John Thomas** (Pencerdd Gwalia), er enghraifft *Welsh Melodies* (1862) sy'n cyflwyno ceinciau Cymreig mewn arddull a diwyg Ewropeaidd-glasurol ei naws. Yn dilyn ei deithiau tramor i Ffrainc, Awstria, Tsiecoslofacia a'r Eidal (lle cyfarfu â rhai o brif gyfansoddwyr y dydd), lledodd yr ymwybyddiaeth o draddodiadau cerddorol y Cymry ynghyd â'i enw fel telynor mwyaf dawnus ei genhedlaeth.

Bu'r cynnydd syfrdanol ym mhoblogaeth de a gogledd-ddwyrain Cymru yn ystod y 19g. yn fodd i ymestyn y galw am gerddoriaeth o bob math, gan gynnwys cyngherddau, eisteddfodau, addysg a hyfforddiant cerddorol, cerddoriaeth gyhoeddedig ac ensemblau. Yn ystod teyrnasiad Victoria y sefydlwyd y **bandiau pres** cyntaf a gysylltwyd â'r gweithfeydd haearn a dur, glo a llechi, a thyfodd poblogrwydd yr harmoniwm yng nghyd-destun addoliad, ynghyd â'r organ bib fel modd i gyfeilio i ganiadaeth y cysegr, cymanfaoedd canu a pherfformiadau'r cymdeithasau **corawl** o weithiau fel *Messiah* (Handel) ac *Elijah* (Mendelssohn) a ddaeth mor gyffredin yn y cyfnod.

Mentrodd rhai cymunedau i gynnal perfformiadau o **oratorios** a **chantatas** y dydd i gyfeiliant bandiau pres (e.e. Band Cyfarthfa, Merthyr) ac yn raddol daeth ymweliadau gan gerddorfeydd clasurol o'r tu hwnt i'r ffin (o Lerpwl a Manceinion, Bryste a Chaerfaddon) yn fwy cyffredin yng ngogledd a deheudir Cymru. Erbyn canol y ganrif bu datblygu'r delyn bedal (arwaith sengl a dwbl) gan aelodau o deulu Erard yn Llundain yn fodd i gyflwyno offeryn mwy hyblyg a dibynadwy i'r traddodiad offerynnol yng Nghymru. Ni ddisodlwyd y delyn fach 'farddol' na'r delyn deires gromatig, ond bu dyfodiad y delyn bedal yn rheswm digonol i rai o delynorion proffesiynol y genedl newid eu techneg a'u *repertoire* yn gyfan gwbl. Y delyn bedal a cherddoriaeth fwy Ewropeaidd a chlasurol ei naws a aeth â bryd y mwyafrif o gerddorion mewn gwirionedd, er i rai barhau'n ffyddlon i'r delyn deires (e.e. **John Roberts**, Telynor Cymru).

Ar droad yr 20g. bu'r datblygiadau graddol ym myd addysg gerddorol yng Nghymru yn fodd i godi safonau perfformio offerynnol ac i ehangu'r diddordeb mewn offerynnau cerdd ar wahân i'r delyn. Yn dilyn sefydlu adrannau cerdd **Prifysgol** Cymru yn Aberystwyth, Caerdydd a Bangor, ffurfiwyd triawdau piano (feiolin, soddgrwth a phiano) a phedwarawdau llinynnol (dwy feiolin, fiola a soddgrwth) a fu'n perfformio'n gyson yn y cymdogaethau hynny ond y cyflawnodd eu haelodau waith fel athrawon offerynnol teithiol yn ogystal.

Henry Walford Davies (1869–1941) a'r Cyngor Cerdd Cenedlaethol fu'r dylanwad pennaf ar y maes ac a fu'n gyfrwng i ledaenu'r diddordeb mewn offerynnau cerdd (offerynnau cerddorfaol yn bennaf). Pwysleisiwyd pwysigrwydd cerddoriaeth ym maes llafur ysgolion cynradd ac uwchradd ac yn y man penodwyd ymgynghorydd cerdd cenedlaethol yn ogystal ag arolygwyr cerdd sirol i oruchwylio'r datblygiadau arwyddocaol hyn (Allsobrook, 1992).

Yn eu sgil, sefydlwyd y ddarpariaeth offerynnol beripatetig gyntaf o'i bath ym Mhrydain a fu'n ysbrydoliaeth i'r gwaith o sefydlu Cerddorfa Genedlaethol Ieuenctid Cymru (y gerddorfa ieuenctid gyntaf yn y byd) yn 1946–7. Roedd bodolaeth 'The National Orchestra of Wales' (1928–31) (gw. **Cerddorfeydd, Corau, Cerddorfeydd Ieuenctid ac Ensemblau**) a cherddorfeydd y BBC yng Nghymru (o 1933 hyd at y presennol) yn gyfrwng i ysbrydoli'r genhedlaeth ifanc a'u hargyhoeddi o werth a phwysigrwydd **cerddoriaeth offerynnol** hefyd.

Yn yr un modd, bu'r cynnydd sylweddol yn nifer y sefydliadau cerdd Cymreig (e.e. Cyngor Celfyddydau Cymru, Yr Urdd er Hyrwyddo Cerddoriaeth yng Nghymru, Cwmni Opera Cenedlaethol Cymru, Urdd Gobaith Cymru, Coleg Cerdd a Drama Cymru,

y BBC yng Nghymru ac Eisteddfod Genedlaethol Cymru) yn allweddol i'r adfywiad a oedd ar droed bryd hynny. Trwy gyfrwng cerddorfeydd a bandiau pres yn y mwyafrif o siroedd Cymru o'r 1970au hyd yr 1990au, cafwyd cyfle arbennig i feithrin y doniau offerynnol ifanc a oedd yn ymddangos ar lwyfannau'r genedl. Mentrodd rhai ohonynt i golegau cerdd Llundain a Manceinion i fireinio eu crefft, ond dychwelodd eraill i ddiwallu'r angen am athrawon ac offerynwyr o safon yn ensemblau Caerdydd, Abertawe a'r gogledd.

Er mai ym maes cerddoriaeth offerynnol glasurol y Gorllewin y profwyd y dadeni amlycaf yn yr 20g., cafwyd hefyd gryn gynnydd a diddordeb ym maes **cerddoriaeth draddodiadol** offerynnol wedi'r 1960au. Yn sgil cyfraniad **Nansi Richards** (Telynores Maldwyn) i fyd y delyn deires, cododd to newydd o delynorion traddodiadol, yn unawdwyr fel **Llio Rhydderch** a **Robin Huw Bowen** ac yn offerynwyr mewn grwpiau gwerin (e.e. Dafydd a Gwyndaf Roberts yn **Ar Log**).

Bu'r galw am offerynnau traddodiadol yn ysgogiad i nifer o wneuthurwyr **telynau teires** (e.e. John Weston Thomas, Cas-blaidd, Sir Benfro) a gwneuthurwyr crythau (e.e. Robert Evans, Caerdydd) a phibgyrn (e.e. Jonathan Shorland) fynd ati, crefftwyr a oedd yn ymddiddori yn hanes a datblygiad yr offerynnau brodorol hyn yn ogystal â'r grefft o'u hatgynhyrchu a'u canu. Yn dilyn sefydlu Cymdeithas Offerynnau Traddodiadol Cymru (Clera yn ddiweddarach) a *trac* a thrwy gyfrwng gweithdai, penwythnosau hyfforddi a'r **Glerorfa** (cerddorfa o offerynwyr traddodiadol), gwelwyd cynnydd sylweddol yn nifer yr offerynwyr a ymddiddorai yn y ceinciau a'r **alawon gwerin**.

Er bod dylanwad traddodiadau cerddorol Iwerddon yn amlwg yn yr 1990au a'r defnydd o'r mandolin, y gitâr, y *bodhran*, y *bouzouki* a'r chwisl dun yn lled gyffredin yng Nghymru, gwelir bod yr awydd i adfywhau offerynnau Cymreig y gorffennol – y **ffidil**, y delyn, y crwth a'r pibau – yn hawlio cryn sylw ymhlith cerddorion traddodiadol. Bu'r cynnydd yn nifer y clybiau gwerin, **gwyliau** gwerin (e.e. Gŵyl Werin Dolgellau) a sesiynau cyd-chwarae ledled Cymru, yn ogystal â pharodrwydd y cwmnïau darlledu (BBC Cymru ac S4C) a recordio (Recordiau Sain a Fflach Traddodiadol) i gyflwyno arlwy gerddorol eang yn gymorth i gefnogi'r maes ar drothwy'r 21g.

Llyfryddiaeth

Cyfreithiau Hywel Dda (Llsg. Llyfrgell Genedlaethol Cymru, Aberystwyth MS 20143A)

Gottfried von Strassburg, *Tristan: With the Surviving Fragments of the 'Tristran of Thomas'* (Llundain, 1960)

Thurston Dart, 'The Robert ap Huw Manuscript of Welsh Harp music (ca. 1613)', *The Galpin Society Journal,* 21 (Mawrth, 1968), 52–65

Constance Bullock-Davies, *Menstrellorum Multitudo* (Caerdydd, 1978)

Ernest Roberts, *John Roberts 'Telynor Cymru'* (Dinbych, 1978)

Gwyn Thomas, *Eisteddfodau Caerwys* (Caerdydd, 1978)

Lewis Thorpe (gol.), *Journey through Wales/The Description of Wales* (Llundain, 1978)

Ann Rosser, *Telyn a Thelynor: Hanes y delyn yng Nghymru 1700–1900* (Caerdydd, 1981)

Trevor Herbert, *Bands: the brass band movement in the 19th and 20th centuries* (Milton Keynes, 1991)

Gareth Williams, *Valleys of Song: music and society in Wales 1840–1914* (Caerdydd, 1998)

Cass Meurig, *Alawon John Thomas: a fiddler's tune book from eighteenth-century Wales* (Aberystwyth, 2004)

Wyn Thomas, *Cerddoriaeth Draddodiadol yng Nghymru: Llyfryddiaeth* (Llanrwst, 2006)

Sally Harper, *Music in Welsh culture before 1650: a study of the principal sources* (Aldershot, 2007)

Paul Whittaker, 'Ffurfiau Harmonig yn Llawysgrif Robert ap Huw', *Hanes Cerddoriaeth Cymru,* 7 (2007), 35–54.

Phyllis Kinney, *Welsh Traditional Music* (Caerdydd, 2011)

Wyn Thomas

Owain Alaw (gw. **Owen, John**)

Owen, David (**Dafydd y Garreg Wen**; 1711–41)

Telynor oedd David Owen, neu Dafydd y Garreg Wen. Yn fab i Gwen Roberts, Isallt Fawr, Llanfihangel-y-Pennant, Sir Gaernarfon, a'i gŵr cyntaf, Owen Humphrey o Ynyscynhaearn, ger Pentrefelin, yn yr un sir, roedd yn byw yn y Garreg Wen, ffermdy uwchlaw Llyn y Garreg Wen ger y ffordd rhwng Porthmadog a Morfa Bychan. Credir mai un o'i athrawon oedd Capten Williams, y Borth ('Y Smyglwr' fel y'i gelwid), un o nifer o delynorion a drigai yn yr ardal bryd hynny. Oherwydd bod cyn lleied yn hysbys am ei fywyd, mae traddodiad wedi tueddu i wneud iawn am y diffyg ffeithiau.

Mae'n enwog am un alaw yn arbennig ac am amgylchiadau ei chyfansoddi. Fe'i cyhoeddwyd gyntaf gan **Edward Jones** (Bardd y Brenin) yn *Musical and Poetical Relicks of the Welsh Bards* (1784), dros ddeugain mlynedd wedi marw Owen, lle mae Jones yn nodi:

Mae traddodiad cyffredin yn Sir Gaernarfon i fardd o'r enw hwn, ar ei wely angau, alw am ei delyn a chanu'r alaw brudd hon, gan ofyn iddi gael ei chanu hefyd yn ei angladd. Byth ers hynny, mae'r alaw wedi dwyn ei enw, ac enw'r Garreg Wen, y tŷ lle'r oedd yn byw yn y sir honno, tŷ sy'n dal i sefyll heddiw.

Yn ôl y telynor Lewis Roberts (Eos Twrog; 1756–1844) a oedd wedi siarad â rhywun a fu yn y cynhebrwng, gwireddwyd ei ddymuniad, ond mae Edward Jones yn betrus ynghylch dilysrwydd yr alaw, gan ychwanegu hyn amdani: 'Nid oes sicrwydd a oedd hi'n hen alaw, ynteu ai'r Bardd ei hun a'i cyfansoddodd wrth farw.' Yn wir, ceir adlais ynddi o rai elfennau sy'n debyg i'r *Andante* yn *Sonata yn D fwyaf* (1761) gan ŵr a oedd yn cydoesi bron a **John Parry** (Parry Ddall, Rhiwabon) (*c.*1710–82). Honnwyd hefyd fod tebygrwydd rhyngddi ac alaw werin Rwsiaidd adnabyddus, a rhyngddi ac alaw Albanaidd o'r enw 'July Jott'.

Awgrymir cysylltiad Albanaidd hefyd ag alaw arall a briodolir i Owen: 'Difyrrwch Gwŷr Cricieth'. Mae tebygrwydd rhyngddi mewn mannau a 'Roslin Castle', alaw a gasglwyd gan François Hippolyte Barthélémon (1741–1808) ar droad y 19g. ac sydd wedi ymddangos mewn nifer o gasgliadau ers hynny. Yn ôl un traddodiad, Owen a'i cyfansoddodd yn ystod ymweliad â pherthynas a oedd yn gweithio fel garddwr yng Nghastell Roslin, Midlothian, yn yr Alban; a thraddodiad arall yw mai gartref y'i cyfansoddodd fel 'Difyrrwch Gwŷr Cricieth', ac iddo'i hanfon at ei berthynas, a bod enw'r alaw wedi ei newid wedi hynny yn 'Roslin Castle'.

Priodolwyd trydedd alaw, 'Codiad yr Ehedydd', i Owen gyntaf mewn casgliadau yng nghanol y 19g., gan gynnwys *Cant o Ganeuon* (1863). Yn ôl un traddodiad fe'i cyfansoddodd ger y Garreg Wen wrth ddychwelyd adref ar doriad gwawr, ac yntau wedi bod yn canu'r delyn hyd yr oriau mân ym Mhlas-y-Borth gerllaw, ac yn clywed cân yr ehedydd wrth iddi wawrio.

Bu Owen farw'n ddibriod o'r diciâu ar 2 Awst 1741 ac fe'i claddwyd ym mynwent Ynyscynhaearn. Gosodwyd carreg newydd yn 1840 yn lle'r hen garreg arw (y credir bod llun o delyn arni) ag arian a godwyd drwy danysgrifiadau cyhoeddus, er y gwyddys bellach fod rhai o'r manylion sydd arni'n anghywir.

Llyfryddiaeth

John Edwards Griffith, *Pedigrees of Anglesey and Carnarvonshire families* (Horncastle, 1914)

William Rowland, 'Dafydd y Garreg Wen (1711–1741)', *Gwŷr Eifionydd* (Dinbych, 1953), 60–66

Huw Williams, *Canu'r Bobol* (Dinbych, 1978)

Geraint Jones, *Hen Gerddorion Eifionydd* (Caernarfon, 1993)

David R. Jones

Owen, John (Owain Alaw; 1821–83)

Ganed John Owen yn Crane Street, Caer, i rieni a hanai o Lanfachreth, Meirionnydd. Ar ôl cwblhau ei addysg fe'i prentisiwyd i gwmni gwneud cyllyll yng Nghaer, ond yn 1844 ymddiswyddodd er mwyn neilltuo'i holl amser i gerddoriaeth.

Ei athro cerddoriaeth cyntaf oedd Edward Peters o Gaer, ac yna aeth yn ddisgybl i'r cerddor nodedig o Lundain, Charles Lucas (1808–69), a olynodd Cipriani Potter fel **arweinydd** cerddorfaol (a phrifathro'n ddiweddarach) yn yr Academi Gerdd Frenhinol. Daeth John Owen yn organydd yng Nghapel yr Octagon yng Nghaer, un o'r nifer o gymrodoriaethau ledled y Deyrnas Unedig yr oedd Iarlles Huntingdon yn eu cefnogi (Hanshall 1817, 278), er iddo symud yn ddiweddarach i Eglwys Gymraeg y Santes Fair, Caer. Daeth i'r amlwg am y tro cyntaf yn **Eisteddfod** Rhuddlan, 1851, lle'r enillodd yr wobr gyntaf am yr **anthem** 'Debora a Barac'.

Yn ddiweddarach yr un flwyddyn, yn Eisteddfod Tremadog, daeth yn gyd-fuddugol am ei gantata, *Gweddi Habacuc*, â J. Ambrose Lloyd (Nicholls 1997). (Barnai S. S. Wesley mai cyfansoddiad Owain Alaw oedd y gorau, ond roedd ei gyd-feirniaid, y Parchedigion John Mills a J. D. Edwards, yn ffafrio J. Ambrose Lloyd.) Ac yntau'n unawdydd bariton arbennig, yn arweinydd, yn gyfeilydd ac yn gyfansoddwr, mae'n debyg mai Owain Alaw oedd cerddor Cymreig mwyaf amryddawn a blaengar y 19g.

Ym mis Mai 1857 cyhoeddwyd fod Eisteddfod Fawr Llangollen i'w chynnal y flwyddyn ddilynol ([di-enw] 1857, 4) – Eisteddfod nodedig a fyddai'n arwain yn uniongyrchol at sefydlu'r Eisteddfod Genedlaethol, ac un a ysbrydolwyd gan y rheithor Anglicanaidd John Williams (Ab Ithel; 1811–62) ac Owain Alaw. Fel cyfarwyddwr cerdd yr ŵyl, cyflwynodd Owain Alaw gystadleuaeth i lunio'r casgliad mwyaf niferus o alawon Cymreig anghyhoeddedig. Dyfarnodd y wobr gyntaf o £10 i'r telynor o Aberdâr, Thomas David Llewelyn (Llewelyn Alaw; 1828–79), er ei fod hefyd yn awyddus i ddiogelu'r casgliad a gyflwynwyd gan

'Orpheus' y dyfarnodd iddo'r ail wobr o £5 (Edwards 1989, 9). 'Orpheus' oedd ffugenw James James (Iago ap Ieuan; 1833–1902), cyfansoddwr y dôn 'Glan Rhondda', a ddaeth maes o law yn anthem genedlaethol Cymru '**Hen Wlad fy Nhadau**'.

Dechreuodd Owain Alaw baratoi ei gyfrol o **alawon Cymru**, *Gems of Welsh Melody* (Owen 1860), a chysylltodd â'r argraffydd o Ruthun, Isaac Clarke, cyd-eglwyswr a chyhoeddwr cerddoriaeth anadnabyddus ar y pryd, ynglŷn â chyhoeddi'r gwaith. Yn y cyhoeddiad hwn a argraffwyd gan Isaac Clarke yn Rhuthun yr ymddangosodd y copi printiedig cyntaf o 'Hen Wlad fy Nhadau' (gw. Williams 1978, 7). Roedd Owain Alaw yn flaenllaw yng nghylchoedd yr Eisteddfod a sicrhaodd boblogrwydd i 'Glan Rhondda' drwy ganu'r alaw mewn cyngherddau ledled y gogledd, yn aml yng nghwmni'r bardd John Jones (Talhaiarn; 1810–69), wrth i'r ddeuawd deithio o amgylch yn cyflwyno nosweithiau cerddorol o dan faner 'Noson gyda Tal ac Alaw.'

Roedd John Jones, a aned yn nhafarn yr Harp, Llanfairtalhaearn, Sir Ddinbych, yn bensaer eglwysi ac yn fardd; ef a ysgrifennodd eiriau Cymraeg y gantata *Llewelyn* (1863) a *The Bride of Neath Valley* (1866), ynghyd â'r geiriau ar gyfer alawon Cymreig yn *Welsh Melodies* **John Thomas** (Pencerdd Gwalia) ([di-enw] 1859, 4). Cyhoeddwyd *Gems of Welsh Melody* yn 1860. Ddeuddeng mis yn ddiweddarach fe'i hyrwyddwyd wrth arddangos doniau Cymreig yn Neuadd San Siôr, adeilad a dystiai i statws diwylliannol Lerpwl, ac o bosibl y lleoliad uchaf ei fri yng ngogledd-orllewin Lloegr ([di-enw] 1861, 1). Enillodd Owain Alaw wobr yn Eisteddfod Caernarfon 1862 am *Tywysog Cymru* ac erbyn diwedd y degawd roedd anthem genedlaethol Cymru'n cael ei chanu ar y dôn 'Glan Rhondda' a'r Eisteddfod Genedlaethol wedi ennill ei phlwyf yn gadarn.

Mae'n amlwg nad oedd enwadaeth yn mennu dim ar Owain Alaw, er i Caradog Roberts honni bod y cerddor wedi cael ei anwybyddu gan bobl Cymru a hynny oherwydd nad oedd ynghlwm wrth unrhyw un o enwadau Anghydffurfiol mawr y wlad. Roedd yn anffodus iddo ef, yn ôl Caradog Roberts, mai organydd yn Eglwys Loegr ydoedd! (Roberts 1922, 270)

Llyfryddiaeth

J. H. Hanshall, *The History of the County Palatine of Chester* (Caer, 1817)

[di-enw] 'Llangollen', yn *Wrexham Advertiser & North Wales Register* (23 Mai 1857), 4

[di-enw] 'Chirk', yn *Wrexham Advertiser & North Wales Register* (9 Mehefin 1859), 4

John Owen (Owain Alaw), *Gems of Welsh Melody: A selection of popular Welsh Songs, with English and Welsh words...* (Rhuthun, 1860)

[di-enw] Advertisements & Notices, yn *Liverpool Mercury* (13 Rhagfyr 1861), 1

Caradog Roberts, 'Ieuan Gwyllt and Tanymarian', *Y Cerddor Newydd*, 1/10 (Rhagfyr, 1922), 270

Huw Williams, 'Y Cyhoeddwr a anghofiwyd', *Y Casglwr*, 6 (Nadolig, 1978), 7

Oswald Edwards, *A Gem of Welsh Melody* (Rhuthun, 1989)

Robert G. Nicholls, 'Hanes yr Anthem Gysegredig yng Nghymru, 1850–1950', *Seren Cymru* (22 Awst 1997), 3

Godfrey Williams

Owen, Morfydd (1891–1918)

Cyfansoddwraig, mezzo-soprano, pianydd ac ethnogerddoregydd. Roedd Morfydd Llwyn Owen yn un o'r cerddorion mwyaf talentog ac amlweddog a gynhyrchodd Cymru erioed: ffigur canolog yn y broses o broffesiynoli cerddoriaeth Gymreig a ffigur chwedlonol yn niwylliant y wlad oherwydd ei thalent, ei harddwch, ei phersonoliaeth hoenus a'i bywyd trychinebus o fyr.

Hi oedd yr ieuengaf o blant William Owen, cyfrifydd ac asiant tai, a'i wraig gyntaf, Sarah Jane Jones, a'r unig ferch yn eu plith. Fe'i magwyd yn Nhrefforest mewn sawl cyfeiriad gwahanol; ar un cyfnod roedd y teulu'n byw uwchben y siop ddefnyddiau a gadwai ei mam yn Wain House, Park Street. Roedd y ddau riant yn gerddorol a daethant i sylweddoli bod gan Morfydd dalent gwbl ryfeddol ar ôl iddi eistedd wrth y piano yn bedair oed a dechrau cyfansoddi yn chwech oed. Yn un ar bymtheg, cafodd wersi preifat mewn cyfansoddi a'r piano gyda David Evans (1874–1948) cyn ennill Ysgoloriaeth Caradog i astudio wrth draed Evans yng Ngholeg y Brifysgol, Caerdydd (1909–12). Ymddangosodd fel unawdydd yn *Concerto i'r Piano* Grieg (1911) a chafodd ugain o'i chyfansoddiadau eu perfformio am y tro cyntaf yng nghyngherddau'r adran (1910–12). Ysgrifennodd un o'i chaneuon gorau, 'To Our Lady of Sorrows' (1912), ychydig cyn iddi raddio. Ymunodd â'r Orsedd yn **Eisteddfod** Genedlaethol Wrecsam (1912) fel 'Morfydd Llwyn-Owen', enw a oedd yn deyrnged i fan geni ei thad yn Llanbryn-mair, ac sy'n dal i gael ei ddefnyddio'n fynych.

Yn dilyn cyngor Eliot Crawshay-Williams, astudiodd Morfydd gyda Frederick Corder (1852–1932) yn yr Academi Gerdd Frenhinol, Llundain (1912–17), gan ennill Gwobr Oliveria Prescott am ragoriaeth gyffredinol (1913), Ysgoloriaeth Goring Thomas am gyfansoddi dramatig (1913–17) a Medal Arian Charles Lucas (1913) am *Nocturne* gerddorfaol a ddisgrifiwyd fel 'un o'r gweithiau mwyaf unigryw a glywyd gan fyfyriwr erioed' (Corder, 1918).

Nocturne oedd y gyntaf mewn cyfres o sgorau swmpus a berfformiwyd yn gyntaf yng nghyngherddau'r Academi yn Queen's Hall: *A Cycle of Sea Songs* (1913), y gerdd symffonig *Morfa Rhuddlan* (1914), *scena* yn dwyn y teitl *Toward the Unknown Region*, **cantata** *Pro Patria* (1915), a dau bâr o ganeuon gyda chyfeiliant cerddorfa, 'In Cradle Land' a 'The Fairies' Wedding' (1916) ac 'An Irish Lullabye' a 'Pitter Patter' (1917). Mae'r rhestr o weithiau Morfydd yn cynnwys rhyw 250 o sgorau, gan gynnwys cerddoriaeth gerddorfaol, gorawl, siambr, piano a llais ynghyd â threfniadau o ganeuon gwerin a thrawsgrifiadau. Meddai Alexander Mackenzie, Pennaeth yr Academi, 'You see that little monkey? There's nothing that little devil can't do!' (B. Jones, 1976).

Yn ogystal, datblygodd Morfydd yn gyflym fel cantores yn yr Academi, gan gymryd gwersi am y tro cyntaf ac ennill Gwobr Eisteddfod Abertawe (1913). Cyfansoddwyd 'Slumber-Song of the Madonna' a 'Spring' (a ysgrifennwyd ar yr un diwrnod yn 1913), y caneuon arbrofol 'Suo-Gân' (1913) a 'La Tristesse' (1915), ynghyd â'r gân eiconig 'Gweddi y Pechadur' (1913) ar gyfer ei llais hi ei hun, a chafodd y perfformiadau cyntaf – mewn lleoliadau fel Neuadd Bechstein (Neuadd Wigmore bellach, 1913) a'r Pump Room, Caerfaddon (1916) – adolygiadau rhagorol.

Ymysg ei pherfformiadau arwyddocaol eraill yr oedd *Requiem* Verdi yn Rhosllannerchrugog (1915) ac ymddangosiadau fel unawdydd yn Eisteddfodau Cenedlaethol Aberystwyth a Phenbedw (1916–17). Pan roddodd Morfydd ei pherfformiad proffesiynol cyntaf yn Neuadd Aeolian, y platfform uchaf ei fri yn Llundain ar gyfer datganiadau, ar 10 Ionawr 1917, rhagwelodd rhai o fewn y wasg fod 'ei thraed yn gadarn ar ysgol enwogrwydd' ([di-enw] 1917, 4). Cyhoeddwyd ei chaneuon gan y Cwmni Cerddoriaeth Eingl-Ffrengig, Boosey, Chappell a Snell, a chawsant eu canu yn y Proms a Palladium Llundain gan Robert Radford ac Ivor Foster.

A hithau'n byw y tu allan i Gymru, daeth Morfydd yn fwyfwy ymwybodol o'i mamwlad, ac ysbrydolwyd sawl cyfansoddiad o'i heiddo gan dirwedd a llenyddiaeth Cymru, yn cynnwys y miniaturau piano *Glantaf* a *Nant-y-Ffrith* a cherddoriaeth ar gyfer

The Passing of Branwen. Fe'i cyflwynwyd i hufen cymdeithas Cymry Llundain yng Nghapel Charing Cross, gan gynnwys Herbert Lewis, AS Rhyddfrydol Sir y Fflint, a'i wraig **Ruth Herbert Lewis**, **Mary Davies**, a David a Margaret Lloyd George. Roedd Morfydd yn westai rheolaidd yng nghartref y Lewisiaid, 23 Grosvenor Road, a bu'n lletya yno am dymor. Trawsgrifiodd a rhoddodd gyfeiliant piano i *Folk-Songs Collected in Flintshire and the Vale of Clwyd* (1914) Ruth Lewis a rhoddodd gyhoeddusrwydd i'w darganfyddiadau mewn cyngherddau a darlithoedd. I Herbert Lewis, ysgrifennodd **emyn-donau** i eiriau gan Thomas Jones, a chyhoeddwyd chwech o'r rheini yn *Cân a Moliant* (1916) H. Haydn Jones.

Roedd cylch cymdeithasol Morfydd hefyd yn cynnwys D. H. Lawrence, Ezra Pound a Felix Yusupov. Trawsgrifiodd ganeuon gwerin o ganu Alexis Chodak, cariad iddi o Rwsia, a gwnaeth gais am Gymrodoriaeth **Prifysgol** Cymru i baratoi 'astudiaeth feirniadol o'r elfennau mewn **canu gwerin** sy'n cael dylanwad parhaus ar ddatblygiad cerddorol cenedl, gyda chyfeiriad arbennig at Rwsia, Norwy a'r Ffindir ... a'r hyn a allai fod yn bosibl yng Nghymru.' ([di-enw] 1915, 12–13) Yn anffodus, ni fu'n bosibl iddi ymweld â St Petersburg i astudio, fel yr oedd wedi bwriadu; dryswyd ei chynlluniau gan y Rhyfel Byd Cyntaf ac yna'r Chwyldro Bolsiefic.

Mewn parti yn Hampstead yn fflat Eric Hiller, awdur y geiriau i'w chân 'William' (1916), cyfarfu Morfydd ag Ernest Jones (1879–1958), y seicdreiddiwr a bywgraffydd swyddogol Sigmund Freud. Synnwyd ei chyfoeswyr pan briododd y ddau yn gyfrinachol chwe wythnos yn ddiweddarach yn Swyddfa Gofrestru Marylebone ar 6 Chwefror 1917, heb neb o deulu na ffrindiau'r gantores yn bresennol – ac mae eu perthynas yn destun chwilfrydedd hyd heddiw. Roedd Morfydd yn dal ar lyfrau'r Academi hyd fis Gorffennaf 1917 ac enillodd ei ARAM (1918), ond prin fu ei chyfansoddiadau a'i chyngherddau wedi hynny wrth iddi ymroi i chwarae rôl gwesteiwraig ac ysgrifenyddes i'w gŵr.

Bu farw Morfydd ar 7 Medi 1918 yng nghartref ei rhieni-yng-nghyfraith yn Ystumllwynarth, ar ôl apendectomi aflwyddiannus dan amgylchiadau sy'n parhau'n ddirgelwch. Disgrifiodd David Evans ei marw fel 'colled ddifesur i gerddoriaeth Cymru – ni wn, mewn gwirionedd, am yr un cyfansoddwr ifanc arall o Brydain a ddangosai gymaint o addewid.' ([di-enw] 1918, 2)

Llyfryddiaeth
[di-enw] *Y Gorlan*, x, 8 (Awst, 1915), 12–13

[di-enw] *Western Mail* (11 Ionawr 1917), 4

[di-enw] *South Wales Daily News* (9 Medi 1918), 2

F. Corder, 'Obituary: Morfydd Owen', *R.A.M. Club Magazine*, 54 (Medi, 1918), 13–14

E. Crawshay-Williams, 'Morfydd Owen', *Wales*, iv (1958), 50–56

———, 'The tragedy of Morfydd', *Y Ddinas* (Mawrth, 1959), 17–18

E. Jones, *Free Associations: Memories of a Psycho-Analyst* (Llundain, 1959)

K. I. Jones, 'The enigma of Morfydd Owen', *Welsh Music/ Cerddoriaeth Cymru*, 5/1 (1975–76), 8–21

B. Jones, 'Letter, 30 May 1976', *Welsh Music/Cerddoriaeth Cymru*, 5/3 (1976), 99–100

R. Davies, *Yr Eneth Ddisglair Annwyl | Never So Pure a Sight: Morfydd Owen (1891–1918): Ei Bywyd mewn Lluniau/A Life in Pictures* (Llandysul, 1994)

———, '"A refined and beautiful talent": Morfydd Owen (1891–1918)' (traethawd PhD Prifysgol Cymru Bangor, 1999)

Rhian Davies

P

Palladino, Pino (g.1957)

Gitarydd bas amryddawn a aned yng Nghaerdydd yw Pino Palladino, neu Giuseppe Henry Palladino a rhoi iddo ei enw iawn. Daeth i amlygrwydd ar ddiwedd yr 1970au gan berfformio gyda'r pianydd *boogie-woogie* Jools Holland. Fodd bynnag, o ran recordio, gydag artistiaid pop Cymraeg megis **Endaf Emlyn** a **Caryl Parry Jones** y dechreuodd wneud ei farc. Roedd ei gyfraniadau i'w clywed yn amlwg ar recordiau hir megis *Dawnsionara* Endaf Emlyn (Sain, 1981), sy'n cynnwys *solo* gan Palladino ar drac-deitl y record, a *Ladi Wen* Caryl a'r Band (Gwerin, 1983).

Roedd sain y gitâr fas ddi-ffret (*fretless bass*) eisoes wedi ei datblygu yn yr 1970au ym maes **jazz**-roc ym mherfformiadau gitaryddion bas megis Jaco Pastorius (Weather Report) a John Patitucci (grŵp Chick Corea), ond llai cyffredin oedd ei defnydd yng nghyd-destun **pop a roc**. Gwnaeth Palladino lawer i amlygu a phoblogeiddio'r sain hon yn yr 1980au trwy bwysleisio ochr delynegol a melodig yr offeryn. Lle'r oedd yr offeryn yn aml yn chwarae rhan eilradd mewn caneuon pop, sicrhaodd perfformiadau medrus Palladino arno ei fod yn chwarae rhan bwysig yng ngwead cyffredinol cân.

Roedd yn hoff o ychwanegu cyfalawon uwchben nodau isel arferol y gitâr fas, neu linellau mewn wythfedau a chordiau o bryd i'w gilydd, megis yn y caneuon 'Whenever I Lay My Hat (That's My Hat)' ac 'Everytime You Go Away', a fu'n llwyddiannus yn siartiau Prydain ac Unol Daleithiau America i'r canwr Paul Young rhwng 1983–5. Profai Palladino y gallai'r offeryn di-ffret fod yn rhythmig hefyd, fel yn ei gyfraniadau deinamig ar record hir unawdol gitarydd The Who, Pete Townshend, *Quiet City (a Novel)*, hefyd o 1985, megis y gân 'Give Blood'.

O ganlyniad i'w berfformiadau meistrolgar bu cryn alw am wasanaeth Palladino fel cerddor sesiwn yn ystod yr 1980au a'r 1990au, a recordiodd gyda nifer o brif artistiaid pop a roc y cyfnod, gan gynnwys Joan Armatrading, Phil Collins, David Gilmour (Pink Floyd), Peter Gabriel, Don Henley, Chaka Khan a Tears for Fears. Yn ystod yr 1990au aeth ati i ddefnyddio'r gitâr fas arferol (gyda ffretiau) yn fwy rheolaidd, a gweithiodd gyda Richard Ashcroft o The Verve.

Yn dilyn marwolaeth annisgwyl y gitarydd bas John Entwistle yn 2002, daeth Palladino yn aelod o The Who, gan recordio a theithio gyda'r band. Bu hefyd yn teithio gyda Simon and Garfunkel gan recordio ar albwm unawdol Paul Simon, *Surprise* (2006). Wedi iddo recordio a pherfformio gyda'r band Nine Inch Nails yn 2013, fe'i disgrifiwyd gan ganwr a chyfansoddwr y band, Trent Reznor, fel 'gitarydd bas gorau'r byd'. Yn sicr, bu'n un o'r gitaryddion bas mwyaf prysur a chynhyrchiol yn ystod y 30 mlynedd diwethaf.

Pwyll ap Siôn

Parr-Davies, Harry (1914–55)

Pianydd a chyfansoddwr caneuon poblogaidd. Fe'i ganed yn Llansawel, Sir Forgannwg, yn fab i grydd ac fe'i haddysgwyd yn Ysgol Ramadeg Castell-nedd. Yno cyfarfu â **Henry Walford Davies**, a roddodd wersi iddo ar yr organ a'i annog i fynd i Brifysgol Rhydychen i astudio cerddoriaeth. Ni chymerodd y cyngor hwnnw, er bod ei ddoniau cerddorol yn rhyfeddol. Yn 1931 daeth yn gyfeilydd i'r gantores boblogaidd Gracie Fields. Roedd wedi ceisio ennill ei sylw fel cyfansoddwr, ond ei allu fel pianydd a wnaeth argraff arni. Parhaodd y bartneriaeth am dros ddeng mlynedd, ac yn ystod y cyfnod hwnnw ysgrifennodd Parr-Davies rai o ganeuon mwyaf llwyddiannus a hirhoedlog Fields, gan gynnwys 'Sing as we go' a 'Wish me luck as you wave me goodbye', y bu'r ddwy ohonynt yn eithriadol o boblogaidd yn ystod blynyddoedd y rhyfel.

Ar ôl y rhyfel, cyfansoddodd gerddoriaeth ar gyfer rhai o ffilmiau George Formby, ac yna cychwynnodd ar gyfres o fentrau lle bu'n cydweithio ag eraill ar sioeau theatr yn Llundain. Efallai mai'r fwyaf llwyddiannus oedd *The Lisbon Story* (1943) a oedd yn cynnwys y gân enwog 'Pedro the fisherman'. Bu farw'n sydyn ac yn annisgwyl yn Llundain o ganlyniad i effeithiau alcohol ar friw ar y stumog. Fe'i claddwyd ym mynwent Ystumllwynarth.

Dywedir ei fod yn eithriadol o swil a thawedog, ac roedd ei bersonoliaeth yn rhwystr iddo rhag datblygu'r enwogrwydd personol a haeddai ei waith; hyd yn oed yn ei oes ei hun, pan gâi ei ganeuon eu canu bob dydd, roedd yn gymeriad cymharol anhysbys, ac ar ôl ei farwolaeth annhymig aeth hyd yn oed yn llai adnabyddus.

Mewn gwirionedd, roedd yn un o'r cyfansoddwyr caneuon mwyaf dawnus a welodd yr 20g. Roedd yn gerddor gwych a lwyddodd i ddal ysbryd ei oes yn ei waith. Gallai llawer o'i ganeuon mwyaf poblogaidd weithio fel gorymdeithiau, ac efallai mai hynny, ynghyd â'u hoptimistiaeth wydn a chadarn, a apeliodd at y dycnwch cenedlaethol a dreiddiai drwy'r gymdeithas Brydeinig yn ystod blynyddoedd y rhyfel a'r cyfnod wedi'r rhyfel.

Trevor Herbert

Parri, Annette Bryn (g.1956)

Roedd y pianydd amryddawn Annette Bryn Parri yn un o dair o ferched a fagwyd ar aelwyd chwarelyddol yn Neiniolen, Gwynedd. Dechreuodd chwarae'r piano yn ifanc eithriadol, a bu ei hathrawes biano gyntaf, Rhiannon Gabrielson, yn gryn ysbrydoliaeth iddi. O Ysgol Brynrefail aeth i astudio'r piano yng Ngholeg Cerdd Brenhinol y Gogledd ym Manceinion gyda Marjorie Clementi gan ennill gradd dosbarth cyntaf yn 1984. Ar ôl priodi dechreuodd ar ei hastudiaethau ôl-radd ym Manceinion, ac fe'i penodwyd i ddysgu piano ym Mhrifysgol Bangor yng nghyfnod **William Mathias**. Penderfynodd roi'r gorau i'r cwrs ôl-radd er mwyn canolbwyntio ar ei gyrfa ym Mangor, lle parhaodd i weithio hyd at 2000.

Datblygodd ei gyrfa fel perfformwraig ac athrawes yn ystod yr 1980au gan berfformio gydag artistiaid blaenllaw Cymru, gan gynnwys **Margaret Williams**, Rosalind a Myrddin, **Trebor Edwards** a **Hogia'r Wyddfa**. Ymddangosodd ar y rhaglen adloniant ysgafn *Noson Lawen* am y tro cyntaf yn 1985 a pherfformiodd ar y rhaglen *Meistroli* gyda Syr **Geraint Evans** yn ogystal. Cystadlodd a chyfeiliodd mewn nifer sylweddol o **eisteddfodau**, gan ennill Rhuban Glas Eisteddfod Genedlaethol y Rhyl yn 1985.

Cyfeilia i nifer o gantorion enwog gan gynnwys Arthur Davies, **Rebecca Evans**, Timothy Evans, **Gwyn Hughes Jones**, **Aled Jones**, **Rhys Meirion** a **Bryn Terfel**, ac fe'i clywir yn perfformio ar o leiaf 80 o recordiadau ar label Sain. Cyfeiriwyd yn y wasg gerddorol at ei pherfformiad 'cydymdeimladol' wrth gyd-berfformio â Bryn Terfel ar y recordiad *Caneuon Meirion Williams* (Sain, 1993) ac fe'i canmolwyd yn arbennig am ei dehongliad synhwyrol o gerddoriaeth operatig Puccini ar y recordiad *Tenor* gan Arthur Davies a Susan Bullock (Sain, 1995).

Yn 1993 dechreuodd gyfeilio i'r ysgol berfformio Ysgol Glanaethwy. Chwe mlynedd yn ddiweddarach gwelwyd peth newid cyfeiriad yn ei gyrfa wrth iddi sefydlu siop asiant teithio yn Llanberis o'r enw Teithiau Peris; am ddwy flynedd bu'n trefnu teithiau i sioeau cerdd a chyngherddau clasurol a phoblogaidd, o gyngherddau **Bryn Terfel** i Westlife. Yn ystod y cyfnod hwn rhyddhawyd ei halbwm unawdol cyntaf, *Annette*, gan Sain (2000). Ddwy flynedd yn ddiweddarach fe'i penodwyd yn **arweinydd** Côr y Traeth, Ynys Môn, ac yn 2005 ffurfiodd y ddeuawd **telyn** a phiano Piantel gyda'r telynor **Dylan Cernyw**, gan ryddhau'r albwm *Un Enaid* yn 2012.

Yn ychwanegol at ei phrofiad fel perfformiwr, tiwtor piano a chyfarwyddwr busnes, enillodd brofiad sylweddol fel athrawes gerdd, cyfansoddwr, cyfarwyddwr cerdd a therapydd cerdd megis yn Ysgol Dyffryn Nantlle lle cyfansoddwyd y sioe *Nadolig Helo Pwy Sy 'Na?* tra oedd yn athrawes lanw yno. Yn 2008 dechreuodd weithio gyda phlant ag anawsterau dysgu ac anableddau yng Nghanolfan Addysg y Bont, Llangefni, ac Ysgol Pendalar, Caernarfon, ac yn sgil ei chyfraniad tuag at ddarparu therapi cerdd rhyddhaodd y gryno-ddisg *Myfyrdod* ar label Aran yn 2010. Cyhoeddodd wasg Y Lolfa hunangofiant yn 2010.

Disgyddiaeth
Caneuon Meirion Williams (Sain C2013, 1993)
Song Recital (Sain SCD2085, 1995)
Annette (Sain SCD2248, 2000)
Un Mondo a Parte (Sain SCD2368, 2005)
Myfyrdod (Aran, 2010)
Piantel, *Un Enaid* (Sain SCD2644, 2012)

Llyfryddiaeth
Annette Bryn Parri, *Bywyd ar Ddu a Gwyn* (Talybont, 2010)
'Stiwdio'r Cerddor: Annette Bryn Parri', *Golwg*, 23/xiii (25 Tachwedd 2010), 25
John B. Steane, Adolygiad o '*Caneuon Meirion Williams*', *Gramophone* (Awst, 1993), 74

John B. Steane, Adolygiad o 'Song Recital' gyda Susan Bullock (soprano) ac Arthur Davies (tenor), *Gramophone* (Tachwedd, 1995), 165

Tristian Evans

Parrott, Ian (1916–2012)

Yn gyfansoddwr, cerddor ac awdur, ganed Horace Ian Parrott yn Llundain, ond fe ymserchodd ym mywyd a diwylliant Cymru mewn bywyd hir a chyflawn. Cafodd ei addysg gynnar yn Ysgol Harrow cyn mynychu'r Coleg Cerdd Brenhinol a'r Coleg Newydd, Rhydychen. Treuliodd gyfnod yn y fyddin adeg yr Ail Ryfel Byd a bu'n arholi ar ran Coleg y Drindod, Llundain, yn ogystal â darlithio ym Mhrifysgol Birmingham. Fodd bynnag, yn 1950 fe'i penodwyd yn Athro Gregynog Coleg **Prifysgol Cymru Aberystwyth**, i olynu **David de Lloyd** (1883–1948), ac yno y bu hyd nes iddo ymddeol yn 1983.

Yn ystod y cyfnod hwn bu'n fawr ei ddylanwad ar nifer o fyfyrwyr a ddaeth wedyn yn ffigurau amlwg ym mywyd cerddorol Cymru, yn eu plith **William Mathias**, **David Harries** a **Kenneth Bowen**. Yr un pryd, bu iaith a diwylliant Cymru'n ddylanwad ar ei waith creadigol ef ei hun fel cyfansoddwr. Roedd yn gymeriad hoffus a bywiog, a thrwy ei waith diflino yn hybu cerddoriaeth ei wlad fabwysiedig daeth yn ffigwr adnabyddus ymhlith cerddorion Cymreig ei gyfnod. Roedd yn un o sylfaenwyr yr Urdd Er Hyrwyddo Cerddoriaeth Cymru (**Cymdeithas Cerddoriaeth Cymru** wedi hynny) yn 1955, ar y cyd â John Edwards.

Fel cyfansoddwr y daeth i'r amlwg gyntaf. Graddiodd gyda DMus (Rhydychen) yn 1940 ac ymhlith ei weithiau cynnar nodedig y mae *El Alamein,* Preliwd Symffonig i Gerddorfa Lawn (1944) a'i Symffoni Rhif 1 (1946). Yn 1947 cyfansoddodd un o'i weithiau gorau sef *Luxor,* Argraffiad Symffonig i Gerddorfa Lawn (1947), a enillodd iddo wobr gyntaf y Gymdeithas Ffilharmonig Frenhinol flwyddyn cyn ei benodiad i'r Gadair yn Aberystwyth; roedd y gwaith yn tynnu ar ei brofiadau seicig tra'r oedd yn y fyddin yn yr Aifft.

O ran ei arddull, fel llawer o'i gyfoedion Prydeinig, cadwodd o fewn terfynau tonyddiaeth ond gyda phwyslais ar y trithon sy'n aml yn creu amwysedd a ffrithiant nodweddiadol wedi'u cyplysu â rhythmau herciog. Yn *Luxor,* er enghraifft, defnyddiodd gordiau clwstwr cymhleth. Arbrofodd gyda strwythurau cerdd mewn gweithiau megis y Concerto i'r Cor Anglais

(1956) a *Pensieri,* Concerto Grosso i Linynnau (1950). Ffrwyth ei deithio mynych ar ran Coleg y Drindod, Llundain, fel arholwr oedd Symffoni Rhif 2 (*Round the World*) (1960) a Phumawd Chwythbrennau Rhif 2 (*Fresh About Cook Strait*) (1970).

Cyfansoddodd nifer helaeth o weithiau siambr megis Pedwarawd Llinynnol Rhif 4 (1963), un o'i weithiau mwyaf nodedig lle cywesgir mynegiant yn goeth a strwythurol effeithiol. Gwelir dylanwad themâu Cymreig mewn operâu fel *Yr Hwrdd Du* (*The Black Ram*, 1951–3), sy'n seiliedig ar themâu **gwerinol**, a *The Lady of Flowers* (1981), yn ogystal â'r agorawd *Seithenin* (1959), un o'i weithiau mwyaf trawiadol.

Mae ei arddull gerddorol hefyd yn adleisio'i ddiddordebau fel hanesydd cerdd – Elgar, Warlock, Cyril Scott (ysgrifennodd gyfrolau ar y tri yn ogystal â nifer helaeth o erthyglau mewn cylchgronau rhyngwladol) a cherddoriaeth Gymreig. Meddai ar feddwl chwim, treiddgar a thrwy arwahanrwydd ei bersonoliaeth liwgar taflodd oleuni newydd ar sawl maes, gan gynnwys Amrywiadau 'Enigma' Elgar. Yn gynnar yn ei yrfa roedd y dylanwadau arno yn draddodiadol a cheidwadol, ond wrth iddo ddatblygu lledwyd y dylanwadau hynny i gynnwys Béla Bartók (1881–1945) – cyflwynwyd gwaith yr Hwngariad iddo gan ei gyfaill Humphrey Searle tra oedd yn Rhydychen – harmonïau y cyfansoddwr Ffrengig Olivier Messiaen (1908–92) ynghyd â **jazz** traddodiadol.

Llyfryddiaeth

Lyn Davies, 'Ian Parrott', *Contemporary Composers* (Llundain a Chicago, 1992)

Ian Parrott, *Parrottcisms: The Autobiography of Ian Parrott,* British Music Society Monograph No. 5 (Essex, 2003)

Lyn Davies

Parry, John (Bardd Alaw; 1776–1851)

Cyfansoddwr toreithiog, **telynor**, Cymmrodor, awdur a chasglwr **alawon gwerin**. Fe'i ganed yn Ninbych a bu'n brentis i fferyllydd yn y dref. Derbyniodd ei hyfforddiant cerddorol cynharaf gan ddawns-feistr, gan ddysgu sut i ganu'r fflasioled a'r clarinét. Ymunodd â **band milisia** Sir Ddinbych a buan y'i penodwyd yn **arweinydd** arno, ond erbyn 1807 roedd wedi ymgartrefu yn Llundain lle bu'n ennill ei damaid drwy ddysgu'r fflasioled ac efallai chwythbrennau eraill.

Gan ddechrau yn 1809, bu'n cyfansoddi ac yn trefnu cerddoriaeth gerddorfaol ar gyfer cyngherddau yn Vauxhall Gardens ac, yn ddiweddarach, ar gyfer dramâu a gâi eu perfformio yn y Drury Lane Theatre hefyd. Ymhlith y rhain yr oedd *A Trip to Wales* (1826) y cyfansoddodd y geiriau ar ei chyfer yn ogystal, *Caswallon* (1829) a *The Welsh Girl* (yn y Royal Olympic Theatre) (1833). Roedd y rhain i gyd yn cynnwys trefniannau o **alawon Cymreig**, ac yn sgil hynny daethant yn boblogaidd yn Llundain.

Cafodd y teitl 'Bardd Alaw' yn dilyn **Eisteddfod** Powys a gynhaliwyd yn Wrecsam yn 1820. Yn 1822 fe'i penodwyd yn gofrestrydd cerddoriaeth Cymdeithas y Cymmrodorion, a oedd wedi'i hailsefydlu, ac erbyn 1836 ef oedd ysgrifennydd y Gymdeithas. Parry hefyd oedd prif symbylydd Y Canorion, a sefydlwyd i roi bywyd newydd i **ganu penillion**. Bu wrthi'n egnïol yn hyrwyddo'r delyn bedal Gymreig, a gyflwynwyd yn 1822 ac a gyfunai fanteision pedalau â dwy res o dannau fel bod modd chwarae unseiniau.

Roedd yn drefnwr eisteddfodau diflino, ac ymhlith ei lwyddiannau yr oedd Eisteddfod Fawr Dinbych, 1828. Ymunodd â'r Royal Society of Musicians ar 1 Awst 1813, bu'n drysorydd mygedol iddi o 1831 hyd 1849 a chynorthwyodd Syr George Smart (1776–1867) i drefnu **gŵyl** Abaty Westminster yn 1834. Erbyn 1848 honnai iddo gyhoeddi dros 700 o ddarnau i leisiau, a nifer tebyg o weithiau offerynnol; o'r rhain, yr unig rai sy'n dal i gael eu chwarae yw'r alawon **telyn** – 'Cadair Idris' (y teitl gwreiddiol oedd 'Jenny Jones'), 'Ab Shenkin', 'Llanover' a 'Cainc y Datgeiniad'.

Gwaddol Parry yw ei gasgliadau. Yn dilyn *A Selection of Welsh Melodies with appropriate English words...* (1809) a enillodd iddo fedal arian gan Gymdeithas y Gwyneddigion (y bu'n llywydd arni yn 1819 ac 1828), cyhoeddodd ddwy gyfrol a chanddynt deitlau tebyg (1823 ac 1829). Mae *The Welsh Harper...* (1839) yn ailargraffu llawer o gasgliadau **Edward Jones** a **John Parry** (Parry Ddall), ac yn cynnwys rhan o lawysgrif **Robert ap Huw** mewn ffacsimili. Fodd bynnag, ni ellir ymddiried yn yr adran ar 'Antiquity of Welsh Music'. Yn wahanol i'w ragflaenydd, mae *The Welsh Harper...* (1848) yn cynnwys nifer fawr o alawon nas cyhoeddwyd cyn hynny, a gymerwyd o lawysgrifau a gafwyd gan y Parchedig **John Jenkins** (Ifor Ceri; 1770–1829).

Bu Parry hefyd yn newyddiadura'n frwd – bu'n feirniad cerddoriaeth i'r *Morning Post* rhwng 1834 ac 1849, a chyfrannodd hefyd at *Trafodion Cymdeithas*

y Cymmrodorion, *The Cambro-Briton* a'r *Cambrian Quarterly Magazine*.

Priododd yn 1810 a daeth ei fab, **John Orlando Parry** (1810–79), yntau'n gerddor o fri. Dechreuodd ddioddef afiechyd o'r 1820au ymlaen, yn aml o ganlyniad i bwysau gwaith. Bu farw yn ei gartref yn Llundain ar 8 Ebrill 1851.

Llyfryddiaeth

R. T. Jenkins a Helen Ramage, *A History of the Honourable Society of Cymmrodorion... (1751–1951)* (Llundain, 1951)

Winston Gwynne John, 'John Parry 1776–1851' (traethawd MA Prifysgol Lerpwl, 1951)

Tecwyn Ellis, 'Welsh Music in Georgian Times', *Cerddoriaeth Cymru/Welsh Music,* 3/10 (1971), 11–19

David R. Jones

Parry, John (Parry Ddall; *c.*1710–82)

Telynor a chasglwr **alawon gwerin** Cymreig. Ganed John Parry ym Mryn Cynan ger Nefyn, Sir Gaernarfon, a daeth yn berfformiwr disglair a mawr ei fri ar y **delyn deires**. Cysylltwyd Robert Parry, perthynas o Lanllyfni, Sir Gaernarfon, a Stephen Shôn Jones, Traeth Mawr, Sir Feirionnydd, ill dau â'i astudiaethau cynnar ar y delyn. Mae'n bosibl iddo gael nawdd yn llanc gan deulu Griffith o blas Cefnamwlch gerllaw. Ymddengys ei fod wedi gadael yr ardal erbyn yr 1730au.

Cyfeiria William Morris (1705–63) at gyfnod a dreuliodd Parry yn Iwerddon, ac erbyn *c.*1733 roedd yn perfformio yn Llundain, yn Theatr Drury Lane ac yn Covent Garden. Yn 1734 fe'i penodwyd yn delynor i gartref Syr Watkin Williams Wynn (1692–1749), y 3ydd Barwnig, ac yn ddiweddarach i'w olynydd, ei fab o'r un enw, y 4ydd Barwnig (1749–89), y ddau o stad Wynnstay yn Rhiwabon, Sir Ddinbych. Roedd Parry i dreulio llawer o weddill ei fywyd yn byw naill ai yn Llundain neu yn Rhiwabon, lle'r oedd hefyd yn cael ei dalu fel organydd yn eglwys Rhiwabon. Yn Llundain bu'n chwarae i Dywysog Cymru (1738–1820), sef George III yn ddiweddarach (1760–1820).

Daliodd i berfformio ledled Prydain a gwyddom iddo gynnal cyngherddau yn Llundain, Caergrawnt, Rhydychen, Dulyn a Leeds. Ar ymweliad â Chaergrawnt yn 1757 ysbrydolwyd Thomas Gray (1716–71) gan ddatganiadau Parry i gwblhau ei gerdd 'The Bard', ac yn Wynnstay yn Hydref 1777 swynwyd yr actor David Garrick (1717–79) gan seiniau ei delyn. Gwyddys bod ei *repertoire* yn cynnwys

Corelli, Geminiani, Handel, Vivaldi ac alawon gwerin o Loegr, yr Alban a Chymru – ynghyd â'i gyfansoddiadau ei hun yn ddiamau.

Yn Llundain, roedd yn aelod egnïol o Gymdeithas y Cymmrodorion. Efallai i hynny ddylanwadu ar ei benderfyniad i gyhoeddi (gyda chymorth ei ysgrifennydd Evan Williams) rhan gyntaf ei *Antient British Music; or, a collection of tunes, never before published…* (1742), casgliad a ystyrid y cyntaf o'i fath, er nad oes sicrwydd mai alaw Gymreig yw pob un o'r pedair alaw ar hugain o alawon dienw. Mae'r drafft anghyhoeddedig o ail ran 'Antient British Music' (*c*.1745), a ddarganfu **Osian Ellis** yn llyfrgell y Coleg Cerdd Brenhinol (Llundain), yn cynnwys chwe darn yr ystyrir mai nhw yw'r enghreifftiau cynharaf o osodiadau **canu penillion**.

Mae *A Collection of Welsh, English and Scotch Airs, with New Variations, also Four New Lessons for the Harp or Harpsichord…* (1761) yn ddiddorol yn bennaf oherwydd y 'gwersi' neu'r Sonatas sy'n enghreifftiau o gyfansoddiadau gwreiddiol Parry. Tybir mai *British Harmony…* (1781) yw'r gwaith olaf a gyhoeddodd, ac mae'n cynnwys dwy a deugain o alawon ac iddynt deitlau Cymraeg.

Ymhlith ei ddisgyblion yr oedd **Edward Randles** (1763–1820) a William Williams (Wil Penmorfa; 1759–1828). Priododd Elizabeth Keene a chawsant ddau fab: William, artist dawnus a disgybl i Syr Joshua Reynolds, a David, cerddor a ganai'r delyn (chwaraeodd gyda'i dad gerbron George III), yr organ a'r harpsicord, gan chwarae weithiau yn lle ei dad yn Wynnstay. Er iddo gael ei eni'n ddall, roedd Parry yn chwaraewr drafftiau brwd. Bu farw yn Rhiwabon ar 7 Hydref 1782.

Llyfryddiaeth

T. W. Pritchard, 'Sir Watkin Williams Wynn, Fourth Baronet (1749–1789)', *Trafodion Cymdeithas Hanes Sir Ddinbych*, 27 (1978), 5–48; 28 (1979), 18–67

Osian Ellis, 'John Parry (*c*.1710–1782), y Telynor Dall', *Trafodion Anrhydeddus Gymdeithas y Cymmrodorion* (2000), 38–65

David R. Jones

Parry, John Orlando (1810–79)

Cyfansoddwr, perfformiwr, diddanwr a goganwr a oedd yn ffefryn gyda'r cyhoedd yn oes Victoria. Fe'i ganed yn Llundain ac astudiodd y piano a'r delyn gyda'i dad (**John Parry, Bardd Alaw**); yn fachgen byddai weithiau'n perfformio fel trebl yn ei gyngherddau.

Astudiodd y **delyn** o dan Nicolas Bochsa (1789–1856) yn yr Academi Gerdd Frenhinol gan ymddangos am y tro cyntaf fel unawdydd o delynor yn Llundain yn 15 oed ym mis Mai 1825. Fel 'Master Parry' perfformiodd yn **Eisteddfod** Powys (y Trallwng, 1824) ac yn Eisteddfod Gwent (Aberhonddu, 1826). Ymhlith ei gyfansoddiadau lleisiol y mae *The Flying Dutchman, The Inchcape Bell, Wanted a Governess, Oh, 'tis the Melody* a *The Polka Explained*. Roedd yn bianydd rhagorol, yn arlunydd dawnus (e.e. 'Stryd yn Llundain', 'Y Telynor Cymreig Dall') ac yn llenor difyr.

Mae ei ddyddlyfrau diddan yn dechrau ar 2 Medi 1828 gyda 'Tour in North Wales', sy'n adrodd hanes ymweliad tad a mab ag Eisteddfod Fawr Dinbych, 16–18 Medi, lle perfformiodd yn gyhoeddus am y tro cyntaf fel unawdydd bas. Mae'n rhoi manylion y darnau a gafodd eu chwarae yn y cyngherddau, y perfformwyr a'i ymddangosiadau ei hun fel telynor, pianydd, organydd a chanwr, gan gynnwys perfformiadau gyda'i dad yng nghyfansoddiadau'r tad.

Erbyn 1831 roedd yn adnabyddus fel canwr **baledau** o fariton a gyfeiliai iddo'i hun ar y delyn. O 4 Gorffennaf 1833 hyd 3 Ebrill 1834 teithiodd i Ewrop i gwblhau ei addysg gerddorol gan ymarfer Ffrangeg, Eidaleg ac arlunio, a chan aros ym Mharis a Napoli a chael gwersi canu yno gan Luigi Lablanche (1794–1858). Bu cyngerdd elusennol yn Posilipo ar 14 Mawrth 1834 yn hwb mawr i'w boblogrwydd ar y cyfandir. Ar 30 Mehefin 1835 priododd Anne Coombe. Ganed dwy ferch iddynt, Maria ac Emily. Canodd mewn budd-gyngerdd ym Mehefin 1836 gyda'r contralto operatig enwog, Malibran (1808–36). Roedd yn gyfaill i'r pianyddion Sigismond Thalberg (1812–71) ac Ignaz Moscheles (1794–1870).

Yn ystod 1840–48 bu'n teithio o amgylch Prydain yng nghwmni nifer o artistiaid cyngerdd o fri rhyngwladol, gan gynnwys Franz Liszt (1811–86) yn 1840–41. Teithiodd Parry ei hun o amgylch de Cymru ym mis Medi 1844 a gogledd-ddwyrain Cymru ym mis Awst 1848, ond yn 1849 rhoddodd y gorau i ganu mewn cyngherddau er mwyn canolbwyntio ar ei yrfa fel diddanwr comedi. Rhoddai berfformiad dwyawr bob dydd (caent eu cyd-ysgrifennu ganddo ef ac Albert Smith). Roedd y rhain yn cyfuno ei allu cerddorol ac artistig â'i ddawn fel perfformiwr a dynwaredwr a'i allu i sylwi'n fanwl ar agweddau hurt bywyd. Bu'n diddanu yn yr un modd yn 1850 ac 1852, gan ennill £1,000 y mis ar frig ei yrfa, ond erbyn haf 1853 roedd ei iechyd wedi torri ac fe'i gorfodwyd i orffwys am gyfnod hir. Symudodd i Southsea, Hampshire, ac yno daeth yn organydd yn Eglwys Sant Jwdas, bu'n addysgu a chyhoeddodd *Ridiculous Things…* (1854).

Dychwelodd i Lundain yn 1860 gan ailddechrau perfformio, ysgrifennu'r *Manual of Musical Terms* ffraeth (1863) ac ymddeol yn 1869. Ymddangosodd am y tro olaf yn broffesiynol mewn budd-gyngerdd a roddwyd i'w anrhydeddu yn Theatre y Gaiety ar 7 Chwefror 1877. Dirywiodd ei iechyd eto a bu farw yn East Molesey, Surrey, ar 20 Chwefror 1879.

Llyfryddiaeth

Janet Snowman, *John Orlando Parry and the Theatre of London* (Llundain, 2010)

Isaac J. Williams, 'The Diaries of John Orlando Parry', *Trafodion Anrhydeddus Gymdeithas y Cymmrodorion* (1938), 87–102

Winston Gwynne John, 'John Parry 1776–1851' (traethawd MA Prifysgol Lerpwl, 1951)

David Allsobrook, 'Liszt's Welsh Travelling-Companion: John Orlando Parry (1809–1879)', *Cerddoriaeth Cymru / Welsh Music*, 9/5 (1992), 57–71

David R. Jones

Parry, Joseph (1841–1903)

Cyfansoddwr ac **addysgwr**. Fe'i ganed yn Georgetown, Merthyr Tudful, yn fab i weithiwr yng Nghyfarthfa, gwaith haearn W. T. Crawshay. Dechreuodd Joseph ei hun weithio yno yn ddeuddeg oed, ac yntau eisoes wedi gweithio am dair blynedd mewn pwll glo. Ni chafodd fawr ddim addysg ffurfiol, ond honnai pan oedd yn hŷn iddo glywed band enwog Cyfarthfa (y band a gâi ei noddi gan R. T. Crawshay) yn perfformio yn yr awyr agored ac i hynny ennyn cariad ynddo at gerddoriaeth a fyddai'n pennu hynt ei fywyd.

Yn 1854 mudodd i America gyda'i fam a'i frodyr a'i chwiorydd i ymuno â'i dad, a oedd wedi mynd yno flwyddyn ynghynt i chwilio am well byd. Ymgartrefodd y teulu yn nhref Danville, Pennsylvania, lle'r oedd y nifer mwyaf dwys o fewnfudwyr o Gymru i ogledd America yn byw. Cafodd waith crefft yn lleol, ond yn Danville y

cafodd y cyfle i ddysgu cerddoriaeth yn ffurfiol dan gyfarwyddyd athrawon a oedd hefyd wedi mudo o Gymru. Dysgodd yn gyflym, ac erbyn 1860 roedd wedi ennill gwobr am gyfansoddi yn **Eisteddfod** Danville. Bu'r llwyddiant hwn yn anogaeth iddo anfon cyfansoddiadau i'w hystyried at eisteddfodau yng Nghymru. Ar ôl ennill gwobrau yn Abertawe yn 1863 ac yn Llandudno yn 1864, dychwelodd i Gymru y flwyddyn ddilynol ar gyfer Eisteddfod Aberystwyth, a derbyn yr enw barddol 'Pencerdd America'.

Yn 1868 cafodd le yn yr Academi Gerdd Frenhinol (Llundain). Roedd y rhan fwyaf o fyfyrwyr yr Academi yn cael eu noddi gan bendefigion, ond bu modd i Joseph Parry fynychu o ganlyniad i gymorth ariannol a gafodd gan amrywiaeth ehangach o Gymry. Astudiodd gyfansoddi gyda Sterndale Bennett, ac yn 1871 (dair blynedd ar ôl dechrau yn yr Academi) ef oedd y Cymro cyntaf i ennill gradd MusB o Brifysgol Caergrawnt, lle'r oedd Sterndale Bennett hefyd yn Athro.

Yna dychwelodd i Unol Daleithiau America, ond bellach roedd ei ymlyniad wrth ei wlad enedigol yn gryf, a'i enw da yno wedi'i sicrhau. Daeth yn ôl i Gymru yn 1874 yn Athro Cerddoriaeth cyntaf Coleg **Prifysgol** Cymru, a oedd newydd agor yn Aberystwyth. Roedd yn Athro bywiog ond anghonfensiynol a frwydrai'n ddiflino dros ei bwnc a'i gredoau, a bu aml i wrthdaro rhyngddo a'r coleg. Un achos anghydfod oedd ei fod yn mynnu y dylai menywod gael bod yn aelodau o'i adran – yn un peth am fod angen lleisiau merched ar ei gôr.

Gadawodd y brifysgol yn 1880 (wedi'i ddiswyddo i bob pwrpas gan awdurdodau'r coleg) am resymau sy'n dal heb eu llawn ddeall, ond bu ei gyfnod yno yn un pwysig. Plannwyd y syniad sylfaenol o gael addysg gerddorol ar lefel prifysgol yng Nghymru, a byddai eraill yn adeiladu ar y seiliau hyn. Cadarnhaodd hefyd ei enw da yn genedlaethol, yn enwedig wedi iddo gael ei wneud yn Ddoethur mewn Cerddoriaeth gan Brifysgol Caergrawnt. Ar gyfer ei ddoethuriaeth, cyfansoddodd gantata, *Jerusalem*, ar gyfer côr meibion, a pherfformiwyd y gwaith gan gôr o Aberdâr yng nghapel Coleg y Brenin.

Rhwng 1881 ac 1888 bu Joseph Parry'n byw

Mesurau Agoriadol yr Emyn-Dôn 'Aberystwyth' gan Joseph Parry

yn Abertawe, lle bu'n cynnal ysgol gerddoriaeth, Coleg Cerddorol Cymru. Bu'r ysgol yn gymharol lwyddiannus, ond gadawodd i gymryd swydd fel darlithydd mewn cerddoriaeth a phennaeth yr Adran Gerddoriaeth yng Ngholeg Prifysgol De Cymru a Sir Fynwy yng Nghaerdydd. Er bod hon yn swydd amser llawn, sefydlodd hefyd Goleg Cerddoriaeth De Cymru, a'i redeg, yr un pryd.

Cyfansoddodd Joseph Parry nifer sylweddol o ddarnau cysegredig a seciwlar, gan gynnwys chwe **opera**. Perfformiwyd un o'i operâu, *Blodwen*, am y tro cyntaf mewn cyngerdd yn Abertawe yn 1878, a hon oedd yr opera Gymraeg gyntaf i'w chyfansoddi. Dywedir iddi gael ei pherfformio mewn 500 o gyngherddau rhwng 1878 ac 1900. Cyfansoddodd ddwy **oratorio**, ac roedd yn gweithio ar drydedd pan fu farw, ynghyd â sawl **cantata** a gweithiau i gerddorfa ac i leisiau. Cyfansoddwyd a threfnwyd ei *Agorawd Tudful* i Fand Cyfarthfa, y band a oedd wedi'i ysbrydoli'n blentyn. Mewn gwirionedd, mae llawer o'r deunydd thematig ar gyfer y gwaith hwnnw yn deillio o rai o'i weithiau eraill.

Er gwaethaf enwogrwydd Joseph Parry a'i gynnyrch toreithiog, prin yw'r gweithiau o'i eiddo sy'n dal yn boblogaidd heddiw. Eithriadau yw'r rhangan 'Myfanwy' a'r **emyn-donau**, yn arbennig 'Aberystwyth'. Ei brif gyfraniad oedd ei benderfyniad di-ildio i gysylltu Cymru â thraddodiadau a sefydliadau **cerddoriaeth glasurol** y byd a hynny o'r *tu mewn* i'r wlad: dewisodd y llwybr hwnnw yn hytrach na'r llwybr haws yn Llundain, lle y gallasai, mae'n bur debyg, fod wedi llwyddo mewn *genres* cerddorol ysgafnach. Yn hynny o beth, rhaid ei farnu yng nghyd-destun y cyfnod y bu'n byw ac yn gweithio ynddo. Roedd wedi codi o ddechreuadau cwbl ddi-nod, cyfansoddai gerddoriaeth yn iaith ei famwlad, ac er gwaethaf y cyfleoedd niferus a fyddai'n sicr wedi dod i'w ran drwy ei gysylltiadau â Chaergrawnt, Llundain a'r enwogion a gyfarfu yno, dewisodd ddatblygu math o yrfa gerddorol yn ei wlad ei hun a oedd yn gyfan gwbl ddigynsail.

Yn ogystal â bod yn gyfansoddwr, roedd hefyd yn **arweinydd**, golygydd, awdur, athro, beirniad a gweinyddwr. Ef oedd cerddor Cymreig pwysicaf ei gyfnod o bell ffordd, a'r cyntaf i fod yn amlwg deyrngar i'r iaith Gymraeg ac i draddodiadau hynafol a phwysig ei wlad enedigol fel y gwelai ef hwy. Roedd un o'i feibion, Haydn, yn gyfansoddwr operetas llwyddiannus a ddaeth yn Athro Cyfansoddi yn Ysgol Gerddoriaeth a Drama'r Guildhall (Llundain).

Llyfryddiaeth

O. T. Edwards, *Joseph Parry, 1841–1903* (Caerdydd, 1970)

Dulais Rhys, *Bachgen bach o Ferthyr – Joseph Parry* (Caerdydd, 1998)

Trevor Herbert

Parry-Williams, Amy (1910–88)

Cantores ac **addysgwraig** a fagwyd ar aelwyd gerddgar ym Mhontyberem, Sir Gaerfyrddin. Graddiodd yn y Gymraeg o Goleg **Prifysgol** Cymru, Aberystwyth, yn 1932 a bu'n athrawes yn Ysgol Ramadeg y Merched, Caerfyrddin. Yn 1942 priododd â'i hathro yn y coleg, T. H. Parry-Williams. Parhaodd â'i hastudiaethau trwy gwblhau ymchwil ar y cysylltiad rhwng geiriau ac alawon yn y traddodiad gwerin Cymreig ar gyfer gradd meistr yng Ngholeg Hyfforddi y Barri, lle bu hefyd yn ddarlithydd. Dyma pryd yr eginodd ei diddordeb mewn **cerddoriaeth werin**.

Yn ogystal â'i gwaith beunyddiol a'i hymroddiad diflino i'w gŵr, cystadlai'n gyson fel cantores mewn **eisteddfodau** lleol a chenedlaethol, ac enillai wobrau am unawdau a chanu penillion o dan gyfarwyddyd ei thad. Nid syndod mai ei thad, Lewis Thomas, a'i hyfforddai gan mai ef oedd 'un o arloeswyr **canu penillion** yn ne Cymru yn hanner cyntaf yr 20g.' (Griffiths 2011, 8), ac ef hefyd oedd un o sylfaenwyr **Cymdeithas Cerdd Dant Cymru** yn 1934. Daeth Amy yn aelod o bwyllgor gwaith y gymdeithas honno yn 1946 a bu'n golygu *Allwedd y Tannau* ar y cyd â Dewi Mai o Feirion rhwng 1947 ac 1950, cyn iddi gael ei hethol yn llywydd. Cyfrannodd erthyglau i'r cylchgrawn ar hanes canu gyda'r tannau, gan dynnu ar ei phrofiadau personol o ganu a dehongli **cerdd dant**.

Agwedd arall ar ei chyfraniad i gerddoriaeth werin Cymru oedd ei chysylltiad â **Chymdeithas Alawon Gwerin Cymru**. Wedi iddi gael ei hethol yn aelod o bwyllgor gwaith y gymdeithas yn 1947, bu'n weithgar dros yr achos weddill ei hoes. Er enghraifft, rhoddai ddatganiadau lleisiol o'r alawon mewn cyngherddau a darlithoedd cyhoeddus a thraddodai yng nghynhadledd breswyl y Gymdeithas yn yr 1960au. Cyhoeddwyd ffrwyth ei hymchwil yng nghylchgrawn y Gymdeithas, *Canu Gwerin*, yn yr 1970au. Cyfrannodd gasgliadau o ganeuon i'w hychwanegu at *repertoire* y traddodiad, rhai wedi'u casglu ganddi o'r traddodiad llafar ac eraill wedi'u copïo ganddi o ffynonellau eraill. Fe'i hetholwyd yn llywydd Cymdeithas Alawon Gwerin Cymru yn 1986.

Edrychai am gyfleoedd i ddwyn sylw at draddodiad gwerin Cymru y tu hwnt i'r ffin, er enghraifft trwy gyfrwng darlledu. Bu'n flaenllaw ei chyfraniad i fyd y **cyfryngau** yng Nghymru trwy recordio **caneuon gwerin** ar gyfer y Welsh Recorded Music Society yn ystod yr 1940au a gafodd sylw yng nghylchgrawn *Gramophone* (gw. Harvey 1949, 63). O ganlyniad, sicrhaodd gynulleidfa ehangach ar gyfer traddodiad gwerin Cymru a'i cherddoriaeth. Yn ogystal â hyn, paratôdd a pherfformiodd raglenni o ganeuon gwerin ar gyfer Eisteddfod Ryngwladol Llangollen a chymdeithasau Cymry Llundain a rhyddhaodd record ar label Decca yn 1958 o osodiadau cerdd dant yn dwyn y teitl *Canu Penillion*. Lluniodd hefyd ganeuon i blant a'u canu ar y radio a'r teledu (gw. **Hwiangerdd**), a hi oedd un o gyfarwyddwyr cyntaf y cwmni teledu masnachol HTV (Griffiths 2009).

Gwasanaethodd fel beirniad yn yr Eisteddfod Genedlaethol a bu hi a'i gŵr yn gyfrifol am lunio'r geiriau ar gyfer y gân 'Beth yw'r haf i mi?' i'w gosod ar alaw delyn Gymreig o'r 18g. Trwy ddehongli ar gân a thraethu ar faes a oedd yn agos at ei chalon, gan addysgu plant, myfyrwyr a chymdeithasau am eu diwylliant gwerin cerddorol, llwyddodd i '[d]rosglwyddo rhin a gwerth diwylliant cenedl' (Griffiths 2011, 16) er mwyn cynnal y traddodiad hwnnw. Bu farw ar 28 Ionawr 1988 ac yn 1990 dechreuodd y Gymdeithas Alawon Gwerin gynnal darlithoedd er cof amdani.

Llyfryddiaeth

Trevor Harvey, 'Welsh Recorded Music Society', *Gramophone* (Medi, 1949), 63

Rhidian Griffiths, 'Amy Parry-Williams', *Y Bywgraffiadur Ar-lein*, 2009

———, 'Ledi Amy', *Canu Gwerin*, 34 (2011), 7–18

Leila Salisbury

Parry Williams, D. E.
(gw. **Williams, D. E. Parry**)

Patti, Adelina (1843–1919)

Cantores soprano **opera** fyd-enwog a fu'n byw am gyfnod hir yn ne Cymru lle gwnaeth argraff ddofn ar gymunedau Cwm Tawe a Chwm Nedd yn fwyaf arbennig. Fe'i ganed ym Madrid ac fel Jenny Lind a Thérèse Tietjens daeth yn adnabyddus yn

gynnar oherwydd ei llais pur a gloyw a'i thechneg *bel canto* ddiguro. (Hynny yw, yn llythrennol, 'canu prydferth': yr arddull Eidalaidd o ganu a ddatblygwyd yn ystod y 18g. a'r 19g. a roddai bwyslais ar gynhyrchiad legato perffaith ar draws y cwmpawd lleisiol, defnydd o sain ysgafn yn y cwmpawd uchel, ynghyd â hyblygrwydd a sioncrwydd lleisiol.)

Fe'i disgrifiwyd gan neb llai na Giuseppe Verdi fel y gantores orau a glywyd erioed. Yn ôl adroddiadau o'r cyfnod roedd llais Patti yn hynod hyblyg gyda llyfnder ar draws cwmpawd eang, stacato eglur, geirio a fyddai'n trosglwyddo'n glir ar draws yr awditoriwm mwyaf a gafael anarferol o sicr ar *bel canto* a *coloratura* fel ei gilydd. A hithau'n ferch i ganwr a chantores amlwg o'r Eidal, daeth Patti yn ddinesydd Ffrengig (bu'n briod â dau Ffrancwr) ond teithiodd y byd cyn ymgartrefu yng Nghraig-y-nos, Pen-wyllt, nid nepell o Gastell-nedd.

Gwnaeth ei *début* yn yr Academi Gerdd yn Efrog Newydd yn 1859 gan berfformio'r brif ran yn *Lucia di Lammermoor* Donizetti. Ddwy flynedd yn ddiweddarach perfformiodd rôl Amina yn *La sonnambula* Bellini yn Covent Garden a hithau'n ddim ond deunaw oed. Yn Llundain yr oedd ei phrif gartref am gyfnod wrth iddi deithio a gwneud argraff fawr ar y byd cerdd yn enwedig ym maes opera. Tra oedd yn yr Unol Daleithiau canodd 'Home Sweet Home' i Abraham Lincoln a'i deulu a daeth y gân yn ffefryn mawr ar draws y byd (recordiwyd y gantores yn canu'r unawd yng Nghraig-y-nos yn ddiweddarach) – hyd yn oed fel *encore* yng nghanol perfformiadau operatig.

Yn fuan daeth ei henw'n gysylltiedig â rhannau opera dwys-ddramatig ac emosiynol megis Gilda yn *Rigoletto*, Leonora yn *Il trovatore*, y brif ran yn *Semiramide* Handel, Zerlina yn *Don Giovanni* a Violetta yn *La traviata*. Yn ei hanterth roedd yn ennill pum mil o ddoleri yn nosweithiol a meddai ar synnwyr busnes cryf. Symudodd i fyw yng Nghraig-y-nos gyda'i hail ŵr, y tenor Ffrengig Nicolini. Cynlluniwyd y theatr ar yr un patrwm â theatr enwog Richard Wagner yn Bayreuth, a hynny gan gwmni o benseiri yn Abertawe ar gost enfawr yn y cyfnod o dros gan mil o bunnoedd. Agorwyd y theatr, sy'n dal tua 150 o bobl, ar 12 Gorffennaf 1891 a gosodwyd enwau hoff gyfansoddwyr y gantores ar y pileri o amgylch yr awditoriwm.

Yn dilyn marwolaeth Nicolini priododd Adelina Patti am y trydydd tro a hynny â'r Barwn Rolf Cederstrom (1870–1947). Erbyn hynny roedd yn hanner cant a phump oed ac yntau'n wyth ar hugain (mae'n debyg mai ef oedd ei *masseur* personol). Daeth Patti'n boblogaidd ymhlith y trigolion lleol yng Nghwm Nedd a Chwm Tawe a bu'n hael ei chefnogaeth i achosion da ei bro. Cyflwynodd Theatr Patti i ddinas Abertawe ac yn dilyn ei marwolaeth fe'i claddwyd ym mynwent enwog Père Lachaise ym Mharis, yn agos at ei hoff gyfansoddwr, Gioachino Rossini. Mae'r theatr yng Nghraig-y-nos yn parhau'n dyst i un o'r cyfnodau mwyaf llewyrchus ac anarferol yn niwylliant Cymru'r cyfnod.

Disgyddiaeth

The Era of Adelina Patti (Nimbus Records NI7840/1, 1994)

Adelina Patti: Complete Recordings (Marston Records 52011–12, 1998)

Gwefannau

en.wikipedia.org/wiki/Adelina Patti

www.bbc.co.uk/wales/music/sites/adelina-patti

www.craigynoscastle.com/page12htm

www.thetheatretrust.org.uk/resources/theatres/show/344-adelina-patti

Llyfryddiaeth

Hermann Klein (gol.) *The Reign of Patti* (Efrog Newydd, 1977)

Stanley Sadie (gol.), *The New Grove Dictionary of Opera* (Efrog Newydd, 1997), 918

Owen Jander ac Ellen T. Harris, 'Bel Canto', *The New Grove Dictionary of Music and Musicians,* gol. Stanley Sadie (Llundain, 2001)

Lyn Davies

Peers, Donald (1909–73)

Canwr poblogaidd a fu'n hynod lwyddiannus fel crwniwr baledi telynegol hyd yn oed wedi i arddull roc a rôl ddechrau trawsnewid **cerddoriaeth boblogaidd**. Roedd yn un o'r cantorion Prydeinig poblogaidd cyntaf wedi'r rhyfel i ennill llu o ddilynwyr. Roedd hefyd yn un o'r rhai cyntaf yn y cyfnod hwn i lwyddo ar sail recordiau gramoffon a darlledu ar y radio.

Roedd magwraeth Peers yn un anarferol. Er iddo gael ei eni yn Rhydaman, roedd ei deulu'n ddilynwyr ffyddlon i fudiad crefyddol y Plymouth Brethren, a hynny wedi i'w rieni gwrdd yn America pan oedd y ddau'n byw yno. Sais oedd ei dad, a aethai i America i wneud ei ffortiwn, a'i fam, a hanai o Ystalyfera, yno yn y gred y gwnâi'r hinsawdd les i'w hiechyd bregus. Ar ôl priodi, daethant yn ôl i Gymru a sefydlu cenhadaeth dros y Plymouth Brethren yn Rhydaman. Teimlai'r Donald ifanc fod y cod crefyddol y glynai

ei rieni wrtho, a'r tueddiadau diwylliannol a oedd ynghlwm ag ef, yn ei fygu. Ei unig ddihangfa fel llanc yn ei arddegau oedd y breuddwydion a gâi eu symbylu yn y sinema leol yr oedd un o'i ewythrod yn ei rhedeg, a'r casgliad gwych o recordiau gramoffon poblogaidd yr oedd ewythr arall yn caniatáu iddo'u defnyddio. Er iddo actio pan oedd yn ddisgybl yn Ysgol Ramadeg Dyffryn Aman, nid oes tystiolaeth iddo berfformio cerddoriaeth yn ei ieuenctid.

Roedd y rhwyg â'i deulu (ac â gwlad ei eni, maes o law) yn un ddramatig. Daethai Peers yn gyfeillgar â phaentwyr teithiol a oedd wedi eu cyflogi i baentio gorsaf reilffordd Rhydaman, a'r noson cyn ei benblwydd yn un ar bymtheg oed, a hithau'n amser i'r teithwyr adael Rhydaman ar ôl gorffen eu gwaith, cododd yntau ei bac a dianc gyda hwy. Ymddengys mai tra oedd yn gweithio fel peintiwr rheiliau a mân adeiladau cyhoeddus y dechreuodd ganu mewn lleoliadau digon cyffredin, fel clybiau gweithwyr, yng ngogledd Lloegr. Ac yntau'n peintio yn Aldershot (mewn barics o eiddo'r fyddin) cafodd gyfle i gystadlu yn un o ornestau talentau Fred Karno; enillodd, a'r digwyddiad hwnnw oedd y trobwynt yn ei yrfa.

Erbyn 1928 roedd yn cymryd rhan yn theatrau enwog Moss Empire ac yn perfformio ar raglenni radio'r BBC. Ar ôl y rhyfel y recordiodd ei gân fwyaf enwog, 'There's a shady nook by a babbling brook', a ddaeth yn eithriadol o boblogaidd yn fuan iawn. Am gyfnod, roedd yn un o'r sêr yr oedd mwyaf o alw amdanynt. Gyda dyfodiad roc a rôl, edwinodd ei boblogrwydd, ond hyd yn oed wedi i'r Beatles gyrraedd y brig cafodd ddau lwyddiant rhyfeddol: saethodd 'Please don't go' a 'Give me one more chance' ill dwy i'r siartiau i niwedd yr 1960au. Roedd hynny ychydig flynyddoedd yn unig cyn ei farwolaeth mewn cartref nyrsio yn Brighton.

Roedd Peers yn un o'r cantorion poblogaidd mwyaf a gynhyrchodd Cymru ac mae'n haeddu ei le wrth ochr **Tom Jones** a James Dean Bradfield fel enghraifft o gyfraniad y wlad i'r diwydiant cerddoriaeth. Mae'r tri hyn yn perthyn i'w cyfnodau: eu harddull yn unigryw, a hwythau wedi adlewyrchu a chreu chwaeth y cyfnodau y buont yn serennu ynddynt. Am gyfnod byr y bu Peers yn un o enwau mawr y diwydiant cerddoriaeth boblogaidd, ond mae'n debyg i'w fri barhau am gyfnod hwy nag y byddai llawer o sylwebyddion cyfoes wedi'i dybio.

Llyfryddiaeth

D. Peers, *Pathway* (Llundain, 1951)

Trevor Herbert

Peilin, Robert (*c*.1575–*c*.1638)

Bardd, **telynor** ac awdur traethawd cerddorol dysgedig yn Gymraeg o'r enw *Josseffüs*. Roedd yn frodor o Dir yr Abad, Hafod y Dref, ar gyrion Ysbyty Ifan ger Pentrefoelas. Cyfeirir ato fel pencerdd mewn cywydd a gyfansoddwyd yn 1605 gan Edwart ap Raff (bl.1578–1606), ac awgrymir ei fod yn agos at angau mewn cerdd o 1638 gan Watcyn Clywedog (bl.*c*.1630–50).

Bu Peilin yn gwasanaethu nifer o noddwyr, gan gynnwys Wiliam Gruffudd o'r Garreg Lwyd, Môn, ac Ambrose Thelwall (1570–1652) o Blas y Ward ger Dinbych. Yn ystod yr 1590au fe'i rhestrir fel telynor ymhlith gwŷr wrth gerdd eraill ym Miwmares, Môn a Lleweni (a oedd hefyd yng nghyffiniau Dinbych), cartref teulu dylanwadol Salusbury. Hyd yma, ni chafwyd hyd i enw Peilin ei hun yn unrhyw rai o gofnodion llys brenin Lloegr, er i sawl un o'i gyfoeswyr honni iddo wasanaethu (fel ei gydymaith **Robert ap Huw** – y cafodd ei gymharu ag ef gan y bardd Huw Machno yn y 'Cywydd i ofyn **telyn** gan **Robert ap Huw** dros Huw Llwyd' (*c*.1618)) fel telynor yn llys Iago, ac er bod ei statws fel 'telynor gras y goron' yn cael ei ailadrodd sawl gwaith. Ac mae ei ach (sy'n dilyn testun y traethawd *Josseffüs* yn Llsgr. Caerdydd Hafod 3) yn diweddu â'r geiriau 'Llyma Jach Robeart Peilin gwas y Brenin – Iago I'. Cadarnhaodd dau o'r beirdd fod i Peilin enw fel gŵr o ddysg. Honnodd Huw Machno ei fod yn dysgu'r 'desgant' ac awgryma ei ddealltwriaeth o theori gerddorol gynnar a gynrychiolir gan y cymeriadau mytholegol Groegaidd 'Amphion' ac 'Oreion'; cyfeiriodd Cadwaladr Caesail yntau at ei wybodaeth ddofn *c*.1620 – 'llwm oeddwn lle mae addysc / llawen oedd ef llawn o ddysc'.

Mae traethawd Peilin, *Josseffüs*, sy'n cynnwys 9,000 o eiriau, yn sicr yn amlygu'r ddysg honno. Nid yn unig y mae'r testun yn adlewyrchu dylanwad syniadau Ewropeaidd ehangach ond mae hefyd yn ymgorffori nodweddion geirfa a dysg **cerdd dant** yr Oesoedd Canol (gw. hefyd **Cynnar, Cerddoriaeth**). Y prif fodel, fodd bynnag, yw'r traethawd *Musice active micrologus* (Leipzig, 1517) a ysgrifennwyd gan Andreas Voglehofer neu 'Ornithoparcus' (ganed *c*.1490) – y mae bron yn sicr i Peilin droi at y cyfieithiad Saesneg diweddar gan John Dowland, *Andreas Ornithoparcus his Micrologus or Introduction containing the art of singing* (Llundain, 1609).

Serch hynny, mae dull Peilin o ymdrin â'r deunydd yn llawer mwy na chyfieithiad pur i'r Gymraeg,

a'i ffordd ychydig yn ddi-drefn. Fel y mae'n sefyll, mae testun *Josseffüs* yn defnyddio chwe phrif faes yn unig o destun gwreiddiol Ornithoparcus, gan hepgor pob un o benawdau'r penodau a'r isadrannau; mae'r fframwaith gwreiddiol hefyd yn aml yn mynd o'r golwg oherwydd mynych wyriadau Peilin. Cyfieithodd Peilin yn ogystal rannau o *Etymologiarum* Isidor o Sevilla a rhannau o waith Thomas Morley, *Plaine and Easie Introduction to Practical Musicke* (1597), gan efelychu ffurf yr olaf drwy gyflwyno rhannau o'i destun ei hun ar ffurf ymgom rhwng meistr a disgybl. Mae eu henwau'n adleisio dau awdurdod hanesyddol – 'Isiderys' (Isidor o Sevilla ei hun) a 'Josseffüs', yr hanesydd Iddewig-Rufeinig o'r ganrif gyntaf a ysgrifennodd *Hynafiaethau'r Iddewon* (*c*.94). Daeth y testun hwn yn hynod boblogaidd ym Mhrydain yn ystod oes Peilin: cyhoeddwyd fersiwn Groeg gyda sylwadau Lladin yn yr 1590au, ac ymddangosodd cyfieithiad Saesneg newydd sbon yn 1602, gydag ail argraffiad yn 1609.

Tynnodd Peilin yn helaeth hefyd ar ei dreftadaeth farddol Gymreig ei hun: yn wir, mae'n datgan mai ei fwriad oedd cyflwyno trafodaeth ar 'kerdd delyn' fel offeryn dysg ar gyfer ieuenctid yng Nghymru. Nid yw'n syndod fod ei destun yn adlewyrchu rhai o reolau Statud Gruffudd ap Cynan, a gysylltir ag **eisteddfodau** Caerwys 1523 ac 1567, er na chrybwyllir hynny'n uniongyrchol. Mae '*artist*' testun Dowland sy'n cyfansoddi ei ganeuon ei hun yn troi'n 'gwevthrawdr a wnelo kwlwm a chaniad' ('gwneuthurwr cwlwm a chaniad'), a '*poets*' Dowland sy'n creu penillion '*by natural instinct*' yn troi'n 'brydyddion ac sydd yn gwnevthr kowyddav ac odlav' ('beirdd sy'n gwneud cywyddau ac awdlau').

Ac yn lle'r 'cantor' a ddisgrifir gan Ornithoparcus a Dowland yntau, ceir y datgeiniad **cerdd dant**, sy'n canu deunydd parod. Mae'r dylanwad barddol brodorol yn arbennig o gryf yn adran olaf y traethawd, lle mae Peilin yn mynd ati ei hun i gysoni cyweiriau arbennig **cerdd dant** (y mae eu dehongli yn dal yn anodd i **ysgolheigion** a datgeiniaid heddiw) â'r system foddol a ddisgrifir gan Ornithoparcus, ac â theori chwechord fwy diweddar (a seilir yma i raddau helaeth ar waith Thomas Morley).

Llyfryddiaeth
Irwen Cockman, 'Traethawd ar Gerddoriaeth gan y Telynor Robert Peilin (c.1613)' (traethawd MPhil Prifysgol Cymru Aberystwyth, 1999)
———, 'Robert Peilin (c.1575–c.1638) "Josseffüs", ei Draethawd ar Gerddoriaeth'/'Robert Peilin (c.1575–c.1638) and his Essay on Music, "Josseffüs",' *Hanes*

Cerddoriaeth Cymru/Welsh Music History, 4 (2000), 39–
87

Sally Harper, *Music in Welsh Culture before 1650* (Aldershot,
2007), 121–30

Sally Harper

Pelydrau, Y

Bu'r **grŵp pop** Y Pelydrau yn perfformio yn y
cyfnod rhwng 1966 ac 1973 a'r aelodau oedd Susan
Dobbs, Edith Barker a Gwenan Jones (lleisiau),
Glenys Davies (llais a gitâr), a Gareth Williams (gitâr,
llais). Mae enw'r grŵp yn cyfeirio at yr atomfa yn
Nhrawsfynydd, bro eu mebyd, a ddechreuodd
gynhyrchu trydan yn 1965.

Roedd Susan Dobbs, Edith Barker, Glenys
Davies a Gwenan Jones yn gyd-ddisgyblion yn
Ysgol Gynradd Trawsfynydd. Cawsant gyfle yn
eu hieuenctid i gymryd rhan mewn dramâu a
digwyddiadau cerddorol lleol ac mewn gweithgaredd
diwylliannol a ysgogwyd gan y Parch. Gwyn Erfyl
[Jones]. Rhoddodd ymweliadau â gwersyll yr
Urdd yng Nglan-llyn gyfle iddynt hefyd ddysgu
caneuon gwerin. Ynghyd â Gareth Williams,
dechreuodd y merched ganu cyfieithiadau o
ganeuon Eingl-Americanaidd megis 'Rŷn ni ar y
ffordd i'r Nefoedd'. Yn 1964 ychwanegwyd y gitâr
yn gyfeiliant i'w canu a dechreuodd y grŵp gystadlu
mewn **eisteddfodau** lleol.

Yn sgil eu poblogrwydd lleol cafodd y grŵp
wahoddiad i ymuno â Pharti Prysor a oedd yn
cynnal nosweithiau llawen yn yr ardal. Yn 1967
enillodd y Pelydrau gystadleuaeth bop yn Eisteddfod
Genedlaethol yr Urdd yng Nghaerfyrddin, a hynny
gyda'u cân 'Y Bachgen Llygad Du' a gyfansoddwyd
gan Glenys Davies. Ar ôl eu llwyddiant penderfynodd
Gareth Williams ymadael â'r grŵp a chymerwyd ei
le gan John Arthur Ifans.

Rhyddhaodd Y Pelydrau saith record, pump gyda
Josiah Jones, Cambrian, a dwy gyda Dennis Rees,
Cwmni'r Dryw. Ym Mai 1969 cyhoeddwyd eu
sengl 'Roced Fach Ni', cân i blant am laniad dyn
ar y lleuad a'r ffaith nad oedd baner y ddraig goch
wedi ei gosod yno. Yn ychwanegol at boblogrwydd
y gân, roedd y sengl yn nodedig ar gyfrif cân yr ail
ochr, sef 'Dim ond fi sydd ar ôl', un o'r caneuon gan
Y Pelydrau sy'n defnyddio geiriau'r prifardd Gerallt
Lloyd Owen.

Erbyn hyn roedd Y Pelydrau yn wynebau
cyfarwydd ar y teledu yng Nghymru ac yn ymddangos
ar raglenni megis *Y Dydd*. Ym mis Tachwedd 1969

ymddangosodd y grŵp ar y rhaglen deledu Brydeinig
Opportunity Knocks gan ganu 'Hwrli-Bwrli,' sef geiriau
Glenys Davies ar alaw 'Mary Ann' (Ray Charles)
a boblogeiddiwyd gan Harry Belafonte. Daeth Y
Pelydrau yn ail yn y gystadleuaeth ac yn sgil eu
llwyddiant cawsant gynigion gwaith gan orsaf radio
ym Michigan yn yr Unol Daleithiau a gwahoddiad
gan Syr Billy Butlin i ganu yn ei wersyll gwyliau yn
Skegness.

Roedd Y Pelydrau yn nodedig ar sail eu
synnwyr ffasiwn yn ogystal â'u cerddoriaeth, gan
ymddangos mewn gwisgoedd unffurf wedi eu
cynllunio gan Marianne Jewel (Marianne Wales) o
Benrhyndeudraeth. Daeth y grŵp i ben yn 1973.

Disgyddiaeth

Y Pelydrau [sengl] (Cambrian CEP405, 1967)
Caneuon Serch [EP] (Cambrian CEP401, 1967)
Filiad i Wybod [EP] (Cambrian CEP416, 1968)
Dewch i Ddawnsio [EP] (Cambrian WRE1056, 1969)
'Roced Fach Ni'/'Dim Ond Y Fi Sydd Ar Ôl' (Wren
    Records WSP2002, 1969)
Hwrli Bwrli [sengl] (Wren Records WSP2003, 1970)
Coffa Hedd Wyn [EP] (Cambrian CEP487, 1973)

Sarah Hill

Penllyn, Wiliam
(gw. **Wiliam Penllyn**)

Pep Le Pew

Act hip-hop o Borthmadog oedd Pep Le Pew, a
fu'n weithgar rhwng 1999 a 2004. Ar ddechrau'r
mileniwm newydd roedd carfan fechan o artistiaid
rap a hip-hop yn gysylltiedig â'r ardal ac yn
cylch-droi o amgylch stiwdio Blaen-y-Cae yng
Ngarndolbenmaen, **gŵyl** flynyddol Miri Madog a
lleoliadau megis y Ship Inn a'r Clwb Chwaraeon
ym Mhorthmadog, ynghyd â'r Ring yn Llanfrothen
a oedd yn barod i gefnogi artistiaid hip-hop lleol. Yn
eu plith yr oedd Pep Le Pew.

Ffurfiwyd y band gan Dave Thomas ac Aron
Elias yn 1999; ymunodd Dylan Meirion Roberts
(Dyl Mei), Ed Holden a Danny Pierce yn ystod
y flwyddyn ganlynol. Roedd Steffan Cravos o'r
Tystion yn gefnogwr brwd, ac arwyddodd y band
i'w label Fitamin Un gan chwarae hefyd ar ei orsaf
ryngrwyd Radio Amgen. Eu sengl gyntaf oedd 'Y
Mwyafrif', a ryddhawyd yn Haf 2001 gan dderbyn
clod beirniadol. Daeth y band i sylw'r cyhoedd
trwy gyfres lwyddiannus o berfformiadau yn ystod

Eisteddfod Genedlaethol Dinbych yn ystod yr un flwyddyn.

Cafodd eu halbwm cyntaf, *Y Da, y Drwg, Ac yr Hyll*, ei ryddhau ar label *ad hoc* MPLP yn 2001. Roedd yn cynnwys dros ugain o draciau, ond o ganlyniad i ddiffyg ffocws a llacrwydd, derbyniodd adolygiadau cymysg, er bod arno draciau ardderchog megis 'Dysgwch Am Y Doethion', 'Ffacisto', a fersiwn hip-hopaidd o '**Sosban Fach**'.

Dilynwyd yr albwm gan sengl ddwbl, 'Hiphopcracy'/'Y Magwraeth' (Boobytrap, 2002), a derbyniodd y band dair gwobr yng Ngwobrau Roc a Phop BBC Radio Cymru yn ystod yr un flwyddyn, gan gynnwys Band Byw Gorau a Sengl Orau ('Y Mwyafrif'). Cafodd sgiliau cynhyrchu Dyl Mei eu cydnabod yr un flwyddyn – derbyniodd wobr fel Cynhyrchydd Gorau, y gyntaf o bump gwobr yn yr un categori rhwng hynny a 2006.

Roedd *Un Tro yn y Gorllewin* (Slacyr, 2004) yn llawer cryfach na'r albwm cyntaf. Heb os, roedd 'Gwynt a Glaw' – gosodiad o farwnad Gruffudd ab yr Ynad Coch i Lywelyn ap Gruffudd (m.1282) – yn gampwaith o safbwynt ffurfiol ac arddulliadol. Roedd Elias wedi cymharu ei waith fel rapiwr â gwaith Beirdd y Tywysogion gynt, ac roedd ei lwyddiant wrth rapio testun Cymraeg Canol heb golli dim o'i bŵer rhethregol yn arddangos ei ddealltwriaeth o rôl yr hip-hopwyr fel dehonglwyr y gwir ar ran y werin bobl.

Chwalodd y band tua diwedd 2004. Aeth nifer o'r aelodau ymlaen i ffurfio'r act hip-hop fyrhoedlog **Genod Droog** yn 2005, ac mae Dyl Mei bellach yn gynhyrchydd a chyflwynydd radio gyda'r BBC. Ffurfiodd Holden ac Aneirin Karadog act rap arall, Y Diwygiad, yn 2006. Ar ôl hynny enillodd Holden glod am ei allu i gynhyrchu curiadau, seiniau a rapio lleisiol mewn dull a elwir yn *freestyling*, a hynny'n ddwyieithog, yng nghylchoedd rap Prydain fel Mr Phormula.

Disgyddiaeth

'Y Mwyafrif' [sengl] (Fitamin Un Fit!011, 2001)

Y Da, Y Drwg, Ac Yr Hyll (MPLP Music MPLP002, 2001)

'Hiphocracy'/'Y Magwriaeth' (Boobytrap Records BOOB017CD, 2002)

Un Tro Yn Y Gorllewin (Slacyr SLAC002, 2004)

Craig Owen Jones

Pererin (gw. **Wyn, Arfon**)

Perlau Tâf

Sefydlwyd Perlau Tâf yn 1968 gan John Arfon Jones, athro mathemateg yn Ysgol Ramadeg Hendy-gwyn ar Daf. Yr aelodau gwreiddiol oedd Betty Williams (llais a gitâr), Carol Llewellyn (llais), Mary Rees (llais) a'r ddau frawd **Tecwyn Ifan** (gitâr) ac **Euros Rhys** (piano, gitâr a llais). Daeth Sian Williams (llais), Eirlys Davies (llais) a Peter Rees (gitâr 12 tant) yn aelodau erbyn canol yr 1970au, gyda **Tecwyn Ifan** yn dod yn aelod o'r **grŵp gwerin**-roc gwleidyddol Ac Eraill yn 1972.

Gan gyfuno caneuon ysgafn a chrefyddol gyda'r canu protest newydd a ddaeth i amlygrwydd yn ystod diwedd yr 1960au, rhyddhaodd Perlau Tâf sawl EP rhwng 1968 ac 1975 ar labeli Teldisc, Cambrian a Sain, gan gynnwys 'O Iesu Mawr' (Cambrian, 1972), a aeth i siart deg uchaf *Y Cymro* ym mis Rhagfyr 1972.

Disgyddiaeth

Mynd Mae Ein Rhyddid Ni [EP] (Teldisc Pops-Y-Cymro PYC5437, 1969)

'Câr Y Rhain I Gyd'/'Cymru Rhydd' [sengl] (Welsh Teldisc WD915, 1969)

Daeth y Dydd [EP] (Welsh Teldisc PYC5440, 1969)

Tyrd i Mewn [EP] (Teldisc Pops-Y-Cymro PYC5442, 1970)

Perlau Tâf [EP] (Cambrian CEP481, 1972)

O Iesu Mawr [EP] (Cambrian CEP486, 1972)

Coch Gwyn A Gwyrdd [EP] (Sain 51E, 1975)

Peters, Mike (gw. **Alarm, The**)

Pibgorn, Pibgod (gw. hefyd Organoleg ac Offerynnau)

Pibgorn

Offeryn gyda chorsen *idioglot* sengl yw'r pibgorn a chwaraewyd hyd at o leiaf ddiwedd y 18g. ym Môn, ac o bosibl hyd at y 19g. yn Sir Benfro. Cyfeirir ato'n hanesyddol fel **cornicyll** neu bib-corn. Yn 1824 cyfeiriodd y *Gentleman's Magazine and Historical Chronicle* at gerdd gan William o Lorris a ysgrifennwyd yn wreiddiol yng nghanol y 13g. ac a soniai am y defnydd o'r cornbib (*hornpipe*) yng Nghernyw yn ystod yr Oesoedd Canol; nodir bod yr offeryn yn gyfarwydd i nifer y tu hwnt i Gernyw hefyd, gan gynnwys 'yng Nghymru … lle y'i hadwaenir yn ôl yr enw Pib-gorn' (Cave a Nichols 1824, 412).

Ceir cyfeiriadau at **offerynnau** chwyth mewn

ysgrifau Cymraeg o'r Oesoedd Canol ymlaen, ond y pibgorn oedd yr unig offeryn cwbl unigryw Gymreig i oroesi o'r cyfnod. Cofnodir ei bwysigrwydd yng Nghymru yng nghyfreithiau Hywel Dda (*c.*940–50), sy'n datgan y dylai pob pencerdd ddarparu diddanwch ar gyfer ei feistr ar y delyn, y **crwth** a'r pibgorn. Mae tystiolaeth eiconograffig o'r Oesoedd Canol hefyd yn awgrymu nad yng Nghymru'n unig y chwaraewyd yr offeryn. Mae ffenestr Beauchamp (1447) yn Eglwys y Santes Fair, Warwig, yn dangos angel yn chwarae cornbib tra mae angel arall yn dal offeryn sy'n edrych yn debyg i'r pibgorn Cymreig. Yn Sallwyr Beauchamp (1372) gwelir ffigwr o fugail y tu allan i furiau Caerfaddon yn chwarae'r hyn sy'n ymdebygu i gornbib. Mewn cerfiadau ar furiau Eglwys Sant Eilian, Llaneilian, Môn, sy'n dyddio'n ôl i'r 15g., gwelir angylion yn chwarae pibgodau gyda chyrn troellog tebyg i'r pibgorn.

Ceir ambell gyfeiriad mewn cerddi o'r 14g. ymlaen at ddefnydd o'r pibgorn a'r bibgod mewn dawnsfeydd, ynghyd ag offerynnau eraill, megis y delyn (**Kinney** 2011, 24–5). Fodd bynnag, ni cheir cofnod ysgrifenedig o'r offeryn tan ail hanner y 18g. Mae cyfeiriadau o'r cyfnod hwn yn sôn am yr offeryn fel un bugeiliol a ddefnyddid yn ucheldiroedd Sir Feirionnydd, gogledd Sir Benfro ac mewn rhannau o ganolbarth Cymru, lle âi gweision fferm, porthmyn a bugeiliaid â'r offeryn gyda nhw i farchnadoedd, ffeiriau ac achlysuron tebyg. Fodd bynnag, erbyn 1770 nodai'r hynafiaethwr Daines Barrington (1727–1800) mai ym Môn yn unig y clywid y pibgorn, a rhoddid gwobr flynyddol am ei chwarae. Mewn un digwyddiad o'r fath yn ystod y 18g. mae'n debyg fod dros 200 o offerynwyr wedi perfformio ar yr offeryn. Yn yr un modd, dywed **Edward Jones** yn ei *Musical and Poetical Relicks of the Welsh Bards* mai offeryn unigryw i fywyd gwledig ac amaethyddol Môn oedd y pibgorn erbyn hynny (Jones, 1794).

O ran gwneuthuriad, roedd y pibgorn wedi ei greu o diwben bren neu asgwrn (gallai fod un ai'n grwn neu'n sgwâr yn allanol), gyda chwe thwll ar gyfer y bysedd ac un ar gyfer y bawd. Wrth geg yr offeryn roedd cap bychan ar gyfer y gorsen wedi ei wneud o gorn anifail, a byddai gwaelod yr offeryn wedi ei wneud o ddarn arall troellog a mwy estynedig o gorn anifail, a hwnnw'n aml wedi ei dorri gydag ochrau miniog. Roedd y gorsen wedi ei chreu o diwb silindraidd o ysgawen, yn debyg i'r hyn a ddefnyddid mewn dawnsfeydd ar gyfer y pibgod; defnyddir corsen wytnach erbyn heddiw.

Mae'r pibgorn yn perthyn i deulu offerynnol sydd i'w ganfod yn aml ar draws Ewrop, Asia a Gogledd Affrica; fe'i cysylltir gyda'r *alboka* yng Ngwlad y Basg a'r *stock and horn* Albanaidd. Ceir cornbeipiau dwbl mawr yng Ngogledd Affrica yn ogystal. Nid oes offeryn tebyg wedi goroesi yn Iwerddon, er y credai F. W. Galpin y gallai rhan o asgwrn carw (a gedwir erbyn hyn yn Amgueddfa Genedlaethol Iwerddon) fod yn diwben ar gyfer cornbib (Galpin, 1910).

O ran y pibgorn Cymreig, mae tri wedi goroesi ac i'w gweld yn **Amgueddfa Werin Cymru**, Sain Ffagan, gyda phob un yn chwarae'r radd fwyaf gan ddechrau ar un ai traw C (C 'ganol' ar y piano) neu F pedwerydd yn uwch. Mae'r offerynnau'n amrywio rhwng 41 a 52 cm o ran hyd; nid yw'r corsennau gwreiddiol wedi goroesi. Er nad oes cofnod o unrhyw foddau neu dechnegau perfformio o'r cyfnod, mae darlun ar banel mawr yn y **Llyfrgell Genedlaethol**, Aberystwyth, yn dangos dyn yn chwarae'r pibgorn gyda'i ddwy foch wedi ymchwyddo. Mae'r llun felly'n awgrymu'r posibilrwydd fod anadlu cylchol yn dechneg gyffredin ar yr offeryn; mae addasiadau diweddar o'r offeryn yn sicr yn eu cynnig eu hunain i'r modd yma o berfformio. Er diwedd yr 1970au mae Jonathan Shorland o Gaerdydd wedi cynllunio dros hanner cant ohonynt ac maent i'w clywed ar recordiau gan chwaraewyr megis Ceri Rhys Matthews o Saith Rhyfeddod, Antwn Owen Hicks o Garreg Lafar a **Stephen Rees** gyda'r grŵp **Crasdant**.

Pibgod

Mae'r cyfeiriad cyntaf at y bibgod (a elwir weithiau yn *cotbib*, *pibau cŵd* neu *piba cwd*) yn dyddio o'r 12g. Mae'n debyg fod pibyddion wedi cystadlu yn yr **Eisteddfod** gyntaf i'w chofnodi, a drefnwyd gan yr Arglwydd Rhys yn Aberteifi yn 1176. Tua'r un cyfnod nododd **Gerallt Gymro** (Giraldus Cambrensis; *c.*1146–1223) fod y Cymry'n chwarae'r **delyn**, y bibgod a'r **crwth**. Cyfeirir yn aml atynt ym marddoniaeth Gymraeg yr Oesoedd Canol (sonia Iolo Goch, er enghraifft, am 'chwibanogl a chod', neu bib a bag) tra mae cerddi dychanol gan feirdd a oedd hefyd yn delynorion yn ddirmygus o bibyddion a'u hofferynnau.

Cyfansoddwyd nifer o **alawon** ar hyd y blynyddoedd gyda'r bibgod mewn golwg, alawon y mae eu teitlau'n amlygu'r bwriad i'w perfformio ar yr offeryn, megis 'Erddigan y Pibydd Coch' a 'Conset y Peipar Coch'. Mae'r rhain yn dyddio o'r 17g. hyd at y 19g. Ceir cryn dystiolaeth eiconograffig o bibgodau a phibyddion yng Nghymru hefyd, yn amrywio o gerfluniau sy'n dyddio o'r 11g.

o bibyddion, gan gynnwys cornbeipiau dwbl, i ddarluniau o bibyddion ar gefn ceffylau mewn seremonïau priodasol yn y 19g. Yn ôl disgrifiadau o arferion pibyddion erbyn y 19g. dyma oedd y cyd-destun mwyaf cyffredin ar gyfer pibgodau. Mae'n debyg mai ucheldir anial Bannau Brycheiniog oedd cadarnle olaf y bibgod, gydag enwau dau chwaraewr wedi goroesi o'r cyfnod, sef Evan Gethin ac Edward Gwern y Pebydd. Chwaraeai'r ddau mewn priodasau yng Nglyn-nedd oddeutu 1860, neu o bosibl ychydig yn ddiweddarach. Lleoliad arall tebygol oedd tref Caerfyrddin, lle clywid pibgodau yn fwyaf aml mewn priodasau mawreddog.

Ni oroesodd unrhyw bibgodau cynhenid Gymreig o'r cyfnod. Un ai fe wnaethant ddiflannu neu fe'u difrodwyd. Cafodd cannoedd ohonynt eu llosgi neu eu claddu yn dilyn y Diwygiad Methodistaidd. Fodd bynnag, mae'r dystiolaeth eiconograffig, disgrifiadau ysgrifenedig a'r gerddoriaeth sydd wedi goroesi mewn **llawysgrifau** yn gyson â'r math o fagbib a oedd yn gyffredin yng ngogledd-orllewin Ewrop (e.e. Llydaw a Galicia), megis y *gaita*, y *veuze* a'r *binou*. Roedd gan rai offerynnau un drôn, rhai ddau ac eraill dri. Yn achos y ddau olaf roedd y dronau yn anghyfartal o ran hyd ac wedi eu tiwnio wythfed a phumed yn is na'r nodyn ar y chweched bys, er ei bod yn bosibl fod rhai dronau wedi eu tiwnio i'r pumed bys fel ag a geir yn Llydaw, yn arbennig wrth ystyried y *repertoire* cyffredin o alawon sy'n perthyn i'r traddodiadau hyn. Nid oes digon o dystiolaeth ynglŷn â gwneuthuriad mewnol y pibau eu hunain i wybod a oedd gorchwythu neu groesfyseddu yn bosibl. Mae gwneuthurwyr pibgodau cyfoes fel Jonathan Shorland yn creu pibau gyda gwahanol dyllfeddau ar gyfer defnydd gwahanol fel sy'n gyffredin ymysg gwneuthurwyr bagbibau ar y cyfandir.

Llyfryddiaeth

D. Barrington, 'Some Account of Two Musical Instruments used in Wales', *Archaeologia*, iii (1775), 30–34

E. Jones, *Musical and Poetical Relicks of the Welsh Bards* (Llundain, 1794)

E. Cave a J. Nichols (gol.), *Gentleman's Magazine and Historical Chronicle* (Llundain, 1824)

H. Balfour, 'The Old British "Pibcorn" or "Hornpipe" and its Affinities', *Journal of the Anthropological Institute*, xx (1890), 142–54

F. W. Galpin, *Old English Instruments of Music* (Llundain, 1910 [adolygwyd 1965 gan Thurston Dart])

M. S. Defus, 'The Pibgorn', *Welsh Music/Cerddoriaeth Cymru*, 4/1 (1972–5), 5–10

J. Shoreland, 'The Pibgorn', *Taplas*, 17 (1986), 15

T. Schuurmans a D. R. Saer, 'The Bagpipe', *Taplas*, 21 (1987), 12–15

P. Kinney, *Welsh Traditional Music* (Caerdydd, 2011)

Joan Rimmer, Wyn Thomas, Stephen Rees, Pwyll ap Siôn a Ceri Matthews

Pickard, John (g.1963)

Cyfansoddwr, **arweinydd** ac **addysgwr** a aned yn Burnley, Swydd Gaerhirfryn. Treuliodd flynyddoedd ei astudiaethau israddedig ac ôl-raddedig a chyfnod cychwynnol ei yrfa ym Mangor. Yn ystod ei blentyndod yn Swydd Gaerhirfryn bu John Pickard yn cyfansoddi'n doreithiog ac yn chwarae ym mandiau pres traddodiadol y cylch.

Amlygodd ddiddordeb cynnar yng ngwaith cyfansoddwyr Seisnig megis Edmund Rubbra (1901–86), Havergal Brian (1876–1972) a Robert Simpson (1921–97), a dewisodd astudio ym Mhrifysgol Bangor er mwyn cael cyfarwyddyd mewn cyfansoddi gan **William Mathias**. Bu am gyfnod ar ôl graddio yn astudio yn Conservatoire yr Hâg yn yr Iseldiroedd gyda'r cyfansoddwr minimalaidd Louis Andriessen (g.1939), er na fu'n ddylanwad amlwg ar ei gerddoriaeth. Daeth yn ôl i Fangor i gwblhau PhD ac i ddarlithio am gyfnod yn yr adran gerdd.

Cafodd lwyddiant mawr yn 1991 pan berfformiwyd ei gathl symffonig *The Flight of Icarus* gan **Gerddorfa Genedlaethol Gymreig y BBC**. Mewn erthygl ar y cyfansoddwr, defnyddiodd Guy Rickards y gair 'dazzling' i ddisgrifio'r gwaith (Rickards 1997, 2). Yn ddiweddarach cafodd *The Flight of Icarus* ei berfformio ar sawl cyfandir a hefyd yn y Proms yn Llundain. Perfformiwyd *Channel Firing* gan y Gerddorfa yng **Ngŵyl** Gerdd Gogledd Cymru yn 1993 a chomisiynwyd y Drydedd Symffoni gan y BBC yn 1995.

Symudodd Pickard o Gymru i Fryste yn 1993 fel darlithydd yn adran gerdd y Brifysgol yno lle mae bellach yn Athro. Ef yw prif olygydd yr Elgar Edition ac mae'n weithgar yn yr adran fel arweinydd cerddorfaol. Cyfansoddodd bump o bedwarawdau llinynnol a nifer o weithiau ar gyfer **bandiau pres**. Recordiwyd llawer o'i gyfansoddiadau ar label BIS o dan yr arweinydd Martyn Brabbins. Cyhoeddir ei weithiau gan Bardic Edition.

Llyfryddiaeth

Guy Rickards, 'Icarus Soaring: The Music of John Pickard', *Tempo*, 201 (Gorffennaf, 1997), 2–5

Geraint Lewis

Plethyn

Triawd gwerin o ardal Pontrobert a Meifod yn Sir Drefaldwyn a wnaeth gryn argraff yn ystod yr 1980au a'r 1990au, ac a fu'n bennaf cyfrifol am ddwyn y traddodiad o ganu harmoni yn null y **Plygain** i ganol prif ffrwd y **canu gwerin** cyfoes Cymraeg. Eu camp oedd poblogeiddio dwsinau o ganeuon traddodiadol yn ogystal â chyflwyno nifer fawr o ganeuon newydd.

Y tri aelod oedd Roy a Linda Griffiths, brawd a chwaer, a John Gittins, un o'u cymdogion yn ardal Meifod. Un o'r dylanwadau arnynt oedd Elfed Lewys, gweinidog yn yr ardal a oedd yn gredwr mawr mewn cyflwyno'r traddodiad gwerin mewn arddull naturiol ac anffurfiol. Cyfrinach eu llwyddiant yw llais unigryw Linda, gyda Roy (tenor) a John (bas) yn ffrâm berffaith iddi. Roedd canu'n ddigyfeiliant yn dod yn hawdd iddynt, ond fel arall defnyddiwyd gitâr a mandolin, pib a chonsertina fel cyfeiliant. Yn y cyfnod diweddarach ychwanegwyd allweddellau hefyd (Beryl Watkins). Trefniannau lleisiol ac offerynnol o ganeuon gwerin yw rhan fawr o'u *repertoire*, ond roedd beirdd megis Myrddin ap Dafydd hefyd yn cyfansoddi caneuon newydd ar eu cyfer.

Roedd y triawd yn eu hanterth rhwng 1978 ac 1995. Yn y cyfnod hwnnw rhyddhawyd wyth record a chryno-ddisg i gyd ar label Sain: *Blas y Pridd* (1979), *Golau Tan Gwmwl* (1980), *Rhown Garreg ar Garreg* (1981), *Teulu'r Tir* (1983), *Caneuon Gwerin i Blant* (1984), *Byw a Bod* (1987), *Drws Agored* (1990) a *Seidir Ddoe* (1994). Yna, yn **Eisteddfod** Genedlaethol Maldwyn 2003 (ym Meifod), rhyddhawyd *Goreuon Plethyn*, eto ar label Sain.

Fel pedwarawd y gwnaethant eu perffformiad cyntaf, gyda Kathy Gittins, un arall o'u cymdogion, a hynny yn hen ysgol Pontrobert yn Nhachwedd 1974. Ond fel triawd y daethant yn adnabyddus, gan wneud eu hymddangosiad teledu cyntaf ar y rhaglen *Twndish* (cynhyrchydd, Ruth Price) yn canu **carolau plygain**. Buont yn perffformio'n rheolaidd ar hyd a lled Cymru, yn enwedig ar ôl rhyddhau *Blas y Pridd*. Teithiodd y grŵp y tu hwnt i Gymru hefyd. Buont yn cynrychioli Cymru ddwywaith yng **Ngŵyl** Lorient yn Llydaw, yn Iwerddon (cystadleuaeth **Cân i Gymru** 1980), Paris, Sardinia, California, Seattle a Vancouver. Un o'r uchafbwyntiau oedd recordio rhaglen deledu ym Methlehem. Ymddangosodd y tri yn gyson ar y teledu, gan gynnwys cyfres o chwe rhaglen *Teulu'r Tir*.

Arbenigrwydd mwyaf Plethyn yw eu perffformiadau byw, sy'n aml yn ennyn ymateb brwd oherwydd swyn eu lleisiau a naturioldeb eu cyflwyniadau. Roedd y noson yng ngwesty'r Victoria yn Llanberis adeg Eisteddfod Genedlaethol Caernarfon 1979, yn fuan wedi rhyddhau *Blas y Pridd*, yn un gofiadwy i lawer oedd yno. Felly hefyd, 36 o flynyddoedd yn ddiweddarach, berfformiad yng Nghlwb Rygbi Cobra ym Meifod adeg Eisteddfod Maldwyn a'r Gororau yn 2015, lle'r oedd cenhedlaeth newydd wedi datblygu'n gefnogwyr brwd. Gellir olrhain y twf diweddar mewn canu plygain ymysg cantorion megis Gwilym Bowen Rhys (gynt o'r **Bandana**), yn rhannol i ymdrechion Plethyn i boblogeiddio'r ffurf yn ystod degawdau olaf yr 20g. Dilynodd Linda Griffiths yrfa lwyddiannus fel cantores unigol hefyd, gan ryddhau nifer o recordiau ar label Sain, gan gynnwys *Plant y Môr* (1994), *Ôl ei droed* (2003) a *Storm Nos* (2009), yn aml yn cydweithio gyda'r cynhyrchydd a'r gitarydd talentog Tudur Morgan.

Disgyddiaeth

Blas Y Pridd (Sain 1145M, 1979)
Golau Tan Gwmwl (Sain 1188M, 1980)
Rhown Garreg Ar Garreg (Sain 1226M, 1981)
Teulu'r Tir (Sain 1274M, 1983)
Byw A Bod (Sain 1393M, 1987)
Drws Agored (Sain SCD4033, 1990)
Seidir Ddoe (Sain SCD2083, 1994)

Casgliadau:
Blas Y Pridd/Golau Tan Gwmwl (Sain SCD6045, 1990)
Goreuon (Sain SCD2375, 2003)
Popeth Arall Ar CD… (Sain SCD2437, 2004)

Arfon Gwilym

Plowman, Lynne (g.1969)

Cyfansoddwraig a ffliwtydd a aned yn Dorking, Surrey. Astudiodd yng Ngholeg Cerdd a Drama Cymru yng Nghaerdydd gyda'r bwriad o astudio'r Ffliwt. Tra yno, derbyniodd wersi cyfansoddi oddi wrth Andrew Wilson-Dickson a Gary Carpenter. Ymgartrefodd yng Nghaerdydd gan rannu ei gyrfa rhwng perffformio a chyfansoddi. Daeth i sylw yn gyntaf pan dderbyniodd ei darn cerddorfaol *Blue* (1995) wobr cystadleuaeth cyfansoddwr ifanc **Cerddorfa Genedlaethol Gymreig y BBC**. Cafodd lwyddiant pellach pan berfformiodd Music Theatre Wales ei **opera** i blant, *Gwyneth and the Green Dragon* (2002), i libreto gan Martin Riley. Yn dilyn hyn comisiynodd y cwmni ail opera ganddi, *House of the Gods* (2005).

Mae ei harddull gerddorol – sydd yn cyfuno

elfennau o'r idiom fodern, gyfoes gyda naws theatrig nwyfus – wedi dod â chryn sylw a chlod iddi. Mae'n aelod o staff adran gyfansoddi y Coleg Cerdd a Drama ac enillodd wobr Cymru Greadigol i astudio cyfansoddi a cherddoriaeth ymhellach gyda Syr Harrison Birtwistle (g.1934) yn Wiltshire.

Geraint Lewis

Plygain (gw. Canu Plygain)

Poblogaidd, Cerddoriaeth

Rhaid i unrhyw drosolwg o gerddoriaeth boblogaidd gynnig esboniad o'r hyn y mae 'cerddoriaeth boblogaidd' yn ei olygu, oherwydd defnyddir yr ymadrodd mewn gwahanol ffyrdd. Yr esboniad symlaf yw bod cerddoriaeth boblogaidd yn cwmpasu unrhyw gerddoriaeth y mae trwch y boblogaeth yn ei mwynhau. Fodd bynnag, caiff yr ymadrodd ei ddefnyddio hefyd i ddisgrifio *categori* o gerddoriaeth sy'n targedu marchnad boblogaidd yn benodol: mae cerddoriaeth o'r fath fel arfer yn ysgafn, heb fod yn gofyn llawer o'r gwrandäwr. Mae hyn yn wahanol i gategorïau eraill – er enghraifft, nid yw cyfansoddwyr '**cerddoriaeth glasurol**' yn ceisio poblogrwydd torfol ac mae eu cerddoriaeth yn aml yn heriol a deallusol. Nid wrth ei apêl boblogaidd y mae mesur llwyddiant darn o gerddoriaeth glasurol ond wrth y gymeradwyaeth *feirniadol*: ei fod wedi cael derbyniad ffafriol gan gynulleidfa elît a gwybodus (am fwy ynglŷn â diffiniadau o'r term 'cerddoriaeth boblogaidd' gw. Middleton 1990, 3–7).

Yn yr oes hon mae'r gwahaniaeth rhwng y diffiniadau hyn yn llai amlwg nag a fu. Mae rhai darnau a ystyriwyd yn ddarnau o 'gerddoriaeth glasurol' wedi ennill poblogrwydd eang – mae '*Nessun Dorma*' yn enghraifft dda o hyn, cân a gyfansoddwyd yn wreiddiol fel aria ddramatig ar gyfer yr opera *Turandot* (1924) gan Puccini. Fodd bynnag, yn 1990 daeth y gân yn boblogaidd iawn ledled y byd pan ddefnyddiodd y BBC hi yn arwyddgan ei rhaglenni pêl-droed ar gyfer Cwpan y Byd yn yr Eidal. Dim ond un enghraifft yw hon o gerddoriaeth a ddaeth i'r byd mewn un categori ond a ffeindiodd ei ffordd i gategori arall am iddi ddenu'r fath sylw ar lefel boblogaidd; bathwyd y term 'trawsgroesi' (*crossover* yn Saesneg) yn y byd modern i ddisgrifio'r ffenomen hon.

Mae deall y gwahanol ystyron hyn yn bwysig am eu bod yn uniongyrchol berthnasol i hanes cerddoriaeth boblogaidd yng Nghymru. Ond mae

angen crybwyll un categori arall: 'cerddoriaeth bop'. Mae cerddoriaeth bop yn derm cymharol fodern: ni châi ei ddefnyddio'n helaeth cyn yr 1950au. Ar y cyfan mae'n disgrifio cerddoriaeth sy'n targedu'r farchnad ifanc neu hyd yn oed farchnad yr arddegau. Fodd bynnag, nid dim ond pobl yn eu harddegau sy'n gwrando ar gerddoriaeth bop, am y rheswm amlwg fod pobl yn eu harddegau yn tyfu'n hŷn a bod y gerddoriaeth a'u swynodd yn eu glasoed yn dueddol o atseinio'n felys yn eu cof ar hyd eu bywydau.

Yn ddiweddarach yn hanes cerddoriaeth boblogaidd yng Nghymru, bu tueddiadau yn debyg i'r rhai ar draws y byd gorllewinol, ond nid oes rhaid chwilio'n hir i ddarganfod elfennau sy'n arbennig iddi. Mae'n ddefnyddiol ystyried cerddoriaeth boblogaidd yng Nghymru fel cyfres o gyfnodau cronolegol; cyflwynir tueddiadau newydd ym mhob cyfnod, ond mae pob cyfnod newydd yn dal gafael ar y tueddiadau mwyaf blaenllaw ar y pryd ac yn ymhelaethu arnynt, yn hytrach na'u disodli. Er enghraifft, bu **cerddoriaeth draddodiadol** o hyd yn boblogaidd mewn cymunedau gwledig, ac er i'r cymunedau hynny amsugno tueddiadau newydd fel y caent eu cyflwyno, parhaodd y traddodiadau hŷn yn boblogaidd.

1. Cerddoriaeth draddodiadol

Y gerddoriaeth boblogaidd – cerddoriaeth y bobl – gynharaf y mae gennym unrhyw gofnod ohoni yw'r hyn y cyfeirir ato heddiw fel 'cerddoriaeth draddodiadol'. Mae hyn yn cwmpasu cerddoriaeth a gâi ei chanu a cherddoriaeth a gâi ei chwarae ar **offerynnau**, gan gynnwys miwsig ar gyfer **dawnsio**. Anaml y câi cerddoriaeth draddodiadol ei hysgrifennu. Yn hytrach, roedd yn dibynnu ar ei throsglwyddo'n llafar: traddodiad sy'n seiliedig ar wrando a chofio. Mae'r hyn a wyddom am y gerddoriaeth hon yn seiliedig ar yr hyn y mae casglwyr o'r 19g. yn ei ddweud wrthym amdani, casglwyr fel **Maria Jane Williams**, a welodd gerddoriaeth o'r fath yn cael ei pherfformio, gan ei thrafod sawl gwaith gyda phobl leol ac ysgrifennu'r alawon a'r geiriau. Bu gwaith y casglwyr hyn ym maes cerddoriaeth draddodiadol Cymru o gryn bwysigrwydd i dreftadaeth ddiwylliannol Cymru, fel y mae hyd heddiw.

Gellir cyffredinoli'n fras mewn sawl ffordd am gerddoriaeth boblogaidd ymysg y bobl gyffredin cyn y cyfnod diwydiannol trwy astudio gwaith y casglwyr hyn. Gweithgaredd cymunedol oedd canu a chwarae cerddoriaeth yn aml, a thueddai i fod yn gysylltiedig â digwyddiadau blynyddol fel y Nadolig, y Flwyddyn Newydd a diwedd y cynhaeaf. Ond roedd hefyd draddodiadau cerddorol nad oeddynt yn gofyn rheswm penodol ac a oedd yn breifat, fel caneuon serch, caneuon naratif (storïau) a genid yn y cartref a **hwiangerddi**. Roedd rhai caneuon ac alawon yn rhai lleol a gellir eu holrhain i rannau penodol o'r wlad, ond mae hefyd dystiolaeth y gallent deithio. Wrth i ganeuon ymledu trwy'r wlad, byddai eu naws leol yn aml yn newid neu'n cael ei haddasu ryw ychydig, ond gyda'i gilydd daethant i ffurfio rhyw fath o *repertoire* cenedlaethol. Manteisiodd cyhoeddwyr o'r 19g. (yn Llundain yn bennaf) ar y syniad hwn, cyhoeddwyr casgliadau o ganeuon ethnig o Gymru a chanddynt deitlau fel *Songs of Wales* (gw. '**Cyhoeddi**' o dan **Diwylliant a'r Diwydiant Cerddoriaeth**).

2. *Cerddoriaeth y bobl yn ardaloedd diwydiannol y 19g.*
Newidiodd arferion cerddoriaeth boblogaidd o ganlyniad i newidiadau yn y boblogaeth a newidiadau eraill a ddaeth wrth i ddiwydiant trwm newydd ddatblygu yn ne a gogledd Cymru yn y 19g. O ganlyniad i fudo i'r ardaloedd hyn o'r tu mewn i Gymru ac o'r tu allan iddi gwelwyd demograffeg newydd lle'r oedd niferoedd mwy nag erioed o bobl dosbarth gweithiol yn byw yn agos at ei gilydd. Cafodd y newid hwn sgil-effeithiau diwylliannol pellgyrhaeddol. Arweiniodd y capeli Anghydffurfiol, a godwyd i wrthsefyll yr hyn a ystyriwyd yn heriau ysbrydol a moesol a ddaeth yn sgil y newidiadau hyn, yn uniongyrchol ac yn anuniongyrchol at gyfnod newydd o gerddoriaeth boblogaidd pan oedd canu cynulleidfaol (gyda chymorth y nodiant **sol-ffa** newydd) yn flaenllaw: i bob pwrpas, roedd hyn yn enghraifft gynnar o 'drawsgroesi'. Efallai mai **cerddoriaeth grefyddol** oedd **emynau** yn wreiddiol, ond buan y daethant yn gerddoriaeth boblogaidd seciwlar. Cyn diwedd y ganrif roedd emynau Anghydffurfiol yn gerddoriaeth boblogaidd y tafarnau a'r terasau rygbi. Daeth canu emynau mewn gemau rygbi yn un o'r gweithgareddau hamdden cerddorol mwyaf poblogaidd, a chyfrannodd at yr hyn a ddisgrifiodd yr hanesydd Kenneth Morgan fel 'pwysigrwydd meseianaidd emosiynol y gêm'.

Yn y cyfnod hwn ac ar ddechrau'r 20g. bu dau ddatblygiad pwysig arall hefyd. Y cyntaf o'r rhain oedd twf yn yr amrywiaeth o gerddoriaeth boblogaidd a fodolai. Ymddangosodd **bandiau pres** a mathau eraill o gerddoriaeth offerynnol amatur o tua 1850 ymlaen, a chreodd hyn ganolbwynt arall i gerddoriaeth boblogaidd gyfranogol a ffordd arall o

wrando ar weithiau poblogaidd. Prynodd llawer o deuluoedd bianos unionsyth. Caent eu masgynhyrchu ac roeddynt yn gymharol rad; gallai pobl y dosbarth gweithiol eu fforddio trwy gynlluniau newydd ar gyfer taliadau wedi'u gohirio. Darparai cyhoeddwyr o Loegr a rhai o Gymru lif cyson o gerddoriaeth ddalen ysgafn boblogaidd, hawdd ei dysgu, ar gyfer y farchnad hon.

Yr ail ddatblygiad, ar yr un pryd, oedd dyfodiad diddanwch cyhoeddus proffesiynol o fewn cyrraedd trwch y boblogaeth. Cyflwynwyd y cysyniad o gynulleidfa yn talu tâl mynediad, a daeth y cyhoedd yng Nghymru, er eu bod yn dal yn driw i lawer o'u traddodiadau cerddorol cymunedol, yn *brynwyr* cerddoriaeth boblogaidd. Hyd yn oed yn yr 1840au byddai sioeau'n teithio o amgylch y trefi a'r pentrefi mwy yng Nghymru. Ymysg y mwyaf adnabyddus yr oedd *Wombwell's Circus and Menagerie*, ac er bod anifeiliaid egsotig y syrcas wedi ennyn chwilfrydedd, roedd eu band enwog a berfformiai'r holl gerddoriaeth ddawns ddiweddaraf yn gystal atyniad.

Erbyn yr 1870au roedd tair neuadd gerddoriaeth yng Nghaerdydd yn cynnig adloniant ysgafn chwe noson yr wythnos a pherfformiadau dydd rai diwrnodau, ac ymddangosodd neuaddau cerddoriaeth tebyg yn y cymoedd a threfi'r arfordir. Caent eu gwasanaethu gan artistiaid cerddorol crwydrol a berfformiai mewn sioeau adloniant a sioeau *minstrel*. Yn wir, bu band yr arweinydd/cyfansoddwr poblogaidd o'r Unol Daleithiau, John Philip Sousa, a gynhwysai yn ei *repertoire* yr arddull Americanaidd gymharol newydd *ragtime*, ar daith yng Nghymru yn 1903.

3. *Adloniant y cyfryngau torfol*
Erbyn dechrau'r 20g. roedd y llif o ddiddanwyr proffesiynol wedi helpu pobl Cymru i arfer â thueddiadau rhyngwladol mewn cerddoriaeth boblogaidd, ond parhaodd hoffterau ac arferion cynhenid ei thraddodiadau hŷn, yn anad dim trwy **eisteddfodau** cenedlaethol a lleol. Byddai'r broses o ryngwladoli yn cyflymu o ganlyniad i fathau newydd o gyfryngau. Datblygwyd y gramoffon yn yr 1890au ond nid oedd ar gael yn eang yng Nghymru yn negawdau cyntaf ei fodolaeth. Yn 1926 gwelwyd ffilmiau sain a darlledu am y tro cyntaf yng Nghymru. Cafodd y cyhoedd weld ffilmiau sain yn fuan am fod yr isadeiledd angenrheidiol eisoes wedi cael ei sefydlu ar gyfer dangos ffilmiau mud. Roedd pris mynediad i sinemâu yn rhad ac roedd ffilmiau a oedd yn cynnwys cerddoriaeth boblogaidd yn denu llawer.

Byddai radio'r BBC (a elwid ar y cychwyn yn ddarlledu di-wifr – neu 'weiarles') yn cael effaith amlwg. Erbyn diwedd yr 1920au roedd signalau di-wifr ar gael yn 70% o ardaloedd poblog Cymru, ond golygai cost y cyfarpar a dderbyniai'r signal a chost y drwydded mai llai na hanner cartrefi Cymru a oedd â thrwydded, hyd yn oed erbyn diwedd yr 1930au. Byddai llawer yn gwrando ar ddarllediadau di-wifr o gerddoriaeth boblogaidd gyda'i gilydd mewn neuaddau cymunedol.

Tra oedd y BBC yn darlledu cerddoriaeth a oedd yn boblogaidd ar draws Prydain o'i phrif orsaf yn Llundain, datblygodd gorsaf BBC Cymru gynnyrch a oedd yn darparu ar gyfer pobl Cymru. *Noson Lawen* oedd y rhaglen gerddoriaeth fwyaf poblogaidd, rhaglen a oedd yn uniongyrchol seiliedig ar y fformat a oedd yn adnabyddus mewn cymunedau Cymraeg eu hiaith. Yn 1938 cyflwynwyd rhaglen adloniant cerddorol newydd Saesneg ei hiaith o'r enw *Welsh Rarebit*. Y cynhyrchydd oedd Mai Jones (1899–1960), cyfansoddwr y gân '**We'll keep a welcome**'; hon oedd y rhaglen fwyaf poblogaidd yn yr 1940au a chyflwynodd sêr newydd fel Harry Secombe (1921–2001) i gynulleidfa eang.

4. *Eiconau Cymreig cerddoriaeth boblogaidd cyn yr 1970au*

Un o nodweddion hynotaf hanes cerddoriaeth boblogaidd Cymru yw'r modd y cynhyrchodd yr hyn a oedd yn aml, yn y bôn, yn draddodiad ynysig a chymunedol gynifer o sêr rhyngwladol. Hyd yn oed cyn diwedd y 19g., roedd **corau meibion** gyda'u hunawdwyr brodorol yn teithio Gogledd America ac yn cyfareddu cynulleidfaoedd. Ceid **corau merched** a **chorau cymysg** hefyd; un o'r rhai mwyaf llwyddiannus oedd y *Royal Welsh Ladies Choir* o dan arweinyddiaeth garismatig **Clara Novello Davies**. Ei mab David Ivor, a aned yng Nghaerdydd ac a gymerodd yr enw **Ivor Novello**, oedd archseren ryngwladol gyntaf cerddoriaeth boblogaidd Cymru. Roedd ei sioeau a'i ganeuon (yn cynnwys yr enwog 'Keep the Home Fires Burning') yr un mor boblogaidd ar Broadway ag yr oeddynt yng Nghymru. Byddai mwy yn dilyn yn y traddodiad poblogaidd neu ysgafn: Dai Francis (1930–2003), seren y rhaglen deledu *Black and White Minstrel Show*; Ivor Emmanuel (1927–2007), yr oedd ei sioe gerddoriaeth ar ITV, *Land of Song*, y fwyaf poblogaidd yn ei chyfnod; a **Donald Peers** (1908–73), paentiwr ffensys o Rydaman ac enillydd y gystadleuaeth ddoniau *Opportunity*

Knocks, a aeth yn ei flaen i fod yn un o sêr mwyaf ei ddydd.

Wrth i oes cerddoriaeth bop wawrio yn yr 1960au, ymddangosodd grŵp o gantorion a fyddai'n cael llwyddiant rhyngwladol hirdymor. Roedd y rhain yn cynnwys **Dorothy Squires** (1915–98), **Shirley Bassey** (g.1937), **Mary Hopkin** (g.1940) a **Tom Jones** (g.1940). Os oedd i'r perfformwyr tra amrywiol hyn un nodwedd yn gyffredin, y nodwedd honno oedd eu bod wedi llwyddo nid yn unig am eu bod wedi'u cysylltu, trwy siawns, gyda chân arbennig neu o ganlyniad i ymgyrch farchnata graff, ond ar sail eu doniau gwirioneddol fel cantorion telynegol: i bob diben, roeddynt wedi trosi traddodiad **canu poblogaidd** Cymru i idiomau cerddorol newydd. Ond megis cychwyn oedd hyn; wrth i'r mileniwm agosáu, byddai cenhedlaeth o **grwpiau pop a roc** o Gymru yn ymddangos ac yn ffurfio sîn bop ddwyieithog Gymreig ffyniannus a oedd mor wahanol y byddai'n symbylu'r epithet 'Cŵl Cymru'.

5. *Cerddoriaeth Boblogaidd ers 1950*

Gellid dadlau bod y rhaglen radio boblogaidd *Noson Lawen* yn sylfaen i ddiwylliant poblogaidd cenedlaethol Cymraeg. Pan oeddynt yn fyfyrwyr **prifysgol** ym Mangor, gofynnwyd i **Meredydd Evans**, Robin Williams a Cledwyn Jones – sef **Triawd y Coleg** – gyfrannu eitemau cerddorol i'r sioe. Yn aml byddai'r caneuon hyn yn ddigrif, byddent weithiau yn tynnu ar y traddodiad **gwerin**, a chaent eu canu'n ymddangosiadol ddiymdrech mewn harmoni tair rhan. Trwy'r sioe **adloniant** hon a roddai lwyfan newydd i dalentau lleol, creodd *Noson Lawen* gynulleidfa genedlaethol ar gyfer cerddoriaeth boblogaidd, a daeth Meredydd Evans yn y pen draw yn gyfarwyddwr adloniant ysgafn gyda'r BBC. Llwyddodd Triawd y Coleg hefyd i boblogeiddio arddull gerddorol a oedd yn gyfarwydd ac yn newydd ar yr un pryd, a'r arddull hon oedd prif ffrwd cerddoriaeth boblogaidd Gymraeg drwy gydol yr 1950au a dechrau'r 1960au pan oedd cerddoriaeth sgiffl yn ei hanterth.

Cafodd datblygiad pellach cerddoriaeth boblogaidd Gymraeg yn yr 1950au a'r 1960au ei symbylu hefyd i raddau helaeth gan y **cyfryngau** Cymraeg. Tra oedd Bois a Hogia'r cyfnod sgiffl ar hyd a lled Cymru yn dal i gael llwyddiant yn lleol ac yn genedlaethol (megis **Hogia Bryngwran** a **Hogia Llandegai**), perfformiadau cynnar **Dafydd Iwan** ar *Y Dydd* gan TWW a unodd adloniant ysgafn gyda sylwebaeth gymdeithasol, ac a gydblethodd hefyd weithgaredd

Cymdeithas yr Iaith Gymraeg yn ei dyddiau cynnar a cherddoriaeth boblogaidd.

Roedd y ddwy wedd ar bop Cymraeg yn y cyfnod hwn – actifiaeth wleidyddol ac adloniant ysgafn – yn rhannu'r un gynulleidfa, serch hynny. Yn wahanol i gerddoriaeth boblogaidd Eingl-Americanaidd, a oedd yn ymrannu'n nifer o wahanol arddulliau a *genres* yn ail hanner yr 1960au, roedd pop Cymraeg yn apelio at ystod eang o'r boblogaeth am resymau ideolegol, nid rhai cerddorol o anghenraid. Ac am i gyfrifiad 1961 ddangos cwymp enbyd yn y nifer o siaradwyr Cymraeg yng Nghymru, ni ellir ond ystyried bod twf y 'sîn' bop Gymraeg yn ail hanner y degawd yn beth cadarnhaol.

Yn sgil poblogrwydd cynyddol cerddoriaeth boblogaidd Gymraeg yn yr 1960au sefydlwyd **rhaglenni teledu** (*Disg a Dawn*) a radio (yn cynnwys y sioe 'ieuenctid' boblogaidd a gyflwynwyd gan Hywel Gwynfryn) a oedd yn ymwneud â cherddoriaeth bop. Roedd sefydlu Recordiau Sain yn 1969 yn gam cyntaf pwysig wrth greu **diwydiant** recordiau Cymraeg, a chefnogodd hynny dwf pop yn yr iaith trwy gydol yr 1970au. Mae sawl un wedi galw hanner cyntaf yr 1970au yn 'oes aur' pop Cymraeg, ond amgenach erbyn heddiw efallai fyddai ystyried y cyfnod yn sylfaen i'r hyn a'i dilynodd: cerddoriaeth a ymgorfforodd ystod ehangach o ddylanwadau, o'r *blues* i roc gwerin i *reggae* i 'supergroups'; defnydd mwy dyfeisgar o dechnoleg recordio gyfoes; agwedd aeddfed at grefft ysgrifennu geiriau i ganeuon; ymbellhau oddi wrth arddull **canu traddodiadol**, **Eisteddfodol**, a nesáu at arddull a ymgorfforai dueddiadau pop cyfredol ehangach.

Wrth i ganu pop Cymraeg ddatblygu, tyfodd diwydiant pop Cymraeg hefyd. Roedd Recordiau Fflach, a sefydlwyd yn Aberteifi yn 1981, yn hyrwyddwr pwysig i gerddoriaeth y don newydd (*new wave*). Bu i fandiau Cymraeg tanddaearol (megis **Anhrefn**) yn arbennig, osgoi'r diwydiant Cymraeg yn llwyr a dechrau hyrwyddo eu cerddoriaeth, a cherddoriaeth bandiau eraill o'r un anian, i gynulleidfaoedd y tu hwnt i'r gymuned Gymraeg. Bu'r ymdrechion annibynnol hyn, *Cam o'r Tywyllwch* (Anhrefn, 1985) a *Gadael yr Ugeinfed Ganrif* (Anhrefn, 1985), yn bwysig yn natblygiad 'ail genhedlaeth' o gerddorion pop Cymraeg, a dyma pryd y daeth y brif ffrwd Eingl-Americanaidd yn raddol iawn yn ymwybodol o gerddoriaeth boblogaidd Gymraeg.

Dechreuodd y DJ Radio 1 John Peel hyrwyddo bandiau Cymraeg fel **Datblygu**, a chyda sylfaenu'r label annibynnol Recordiau Ankst yn Aberystwyth

(1988) gwawriodd cyfnod newydd mewn cerddoriaeth boblogaidd Gymraeg. Yn fuan wedi sylfaenu MTV yn Eingl-America, fe'i hefelychwyd ar S4C gyda'r rhaglen ddylanwadol *Fideo 9* (1988–1992), a hyrwyddwyd yr amrywiaeth aruthrol o fandiau annibynnol ar raglenni nos Radio Cymru, fel *Heno Bydd yr Adar yn Canu* (1991–95).

Roedd cerddoriaeth bop frodorol trwy gyfrwng yr iaith Saesneg hefyd yn ffynnu yng Nghymru ac yn ail hanner yr 20g. roedd llawer o gerddorion a groesai'n rhwydd o'r naill fyd i'r llall. Recordiodd **Mary Hopkin** a **Meic Stevens** yn llwyddiannus yn y ddwy iaith, a rhyddhaodd y band o'r Rhyl, **The Alarm**, gyfieithiadau Cymraeg o ddau albwm, *Newid* (Crai, 1989) a *Tân* (Crai, 1991). Roedd poblogrwydd y bandiau Saesneg o Gymru, Man a **Budgie**, yn rhagflaenu'r hyn a fyddai'n cael ei alw yn yr 1990au yn 'Cŵl Cymru', sef yr cnw a fathwyd gan y **cyfryngau** i gyfleu poblogrwydd y bandiau Cymreig a greodd gerddoriaeth getndir, fel petai, i'r Gymru newydd ddatganoledig: y bandiau Saesneg **Manic Street Preachers** a **Stereophonics**, a'r bandiau dwyieithog **Catatonia**, **Super Furry Animals** a **Gorky's Zygotic Mynci**. Roedd y bandiau hyn i gyd yn rhai a arwyddodd gytundebau recordio gyda labeli mawr; cawsant oll hefyd lwyddiant yn siartiau Prydain; ac roeddynt yn cynrychioli gwahanol agweddau ar hunaniaeth Gymreig ar droad y mileniwm.

Tanseiliwyd poblogrwydd Cŵl Cymru i raddau gan hen ddrwgdybiaeth yn y byd pop Cymraeg tuag at ddwyieithrwydd. Câi cerddorion Cymraeg eu hiaith a recordiai yn y Saesneg o'r 1960au ymlaen eu cyhuddo'n aml o gefnu ar eu gwreiddiau, a châi rhai cerddorion pop eu hanwybyddu gan drefnwyr digwyddiadau am iddynt berfformio yn Lloegr. Pan fu i fandiau uniaith gynt fel **Y Cyrff** a **Ffa Coffi Pawb** ailffurfio fel y bandiau dwyieithog Catatonia a Super Furry Animals yn yr 1990au, a phan fu i Gorky's Zygotic Mynci chwarae'n deg gyda'r Gymraeg a'r Saesneg gan dorri trwodd i'r farchnad ryngwladol yn sgil hynny, mynegodd rhai yn gyhoeddus eu bod yn poeni bod y byd pop Cymraeg mewn perygl, ac y byddai'r gynulleidfa Saesneg yn denu'r talentau Cymraeg gorau oddi wrth eu cartref ieithyddol a diwylliannol. Er i rai bandiau droi o'r Gymraeg i'r Saesneg, rhai'n fwy llwyddiannus na'i gilydd, profodd llwyddiant albwm Cymraeg y Super Furry Animals, *Mwng* (2000), a blesiodd y gynulleidfa a'r beirniaid yr un pryd, ei bod yn bosibl i bop Cymraeg gystadlu mewn marchnad fyd-eang heb gyfaddawdu'n ieithyddol nac yn ddiwyllianol.

Ers 2000 mae cerddoriaeth boblogaidd Gymraeg wedi gweld adfywiad creadigol a beirniadol. Mae cynifer o *genres* yn y byd pop Cymraeg ag sydd yn y byd Saesneg: mae cerddoriaeth hip-hop, arbrofol, gwerin newydd a chymysg yn dangos yn glir ddylanwadau o Eingl-America a gweddill y byd. Mae clywed cerddoriaeth Gymraeg ar orsafoedd radio prif ffrwd y BBC yn beth llawn mor gyffredin â chlywed cerddoriaeth Saesneg ar Radio Cymru. Mae cynulleidfaoedd pop Cymraeg yn dal i ymgynnull nid yn unig ar Faes B ond hefyd yn y **gwyliau** lleol, cenedlaethol a rhyngwladol sy'n croesawu pop Cymraeg ar ei delerau ei hun ac yn ôl ei gryfderau ei hun.

Llyfryddiaeth

Roger Wallis a Krister Malm, 'Sain Cymru: The Role of the Welsh Phonographic Industry in the Development of a Welsh Language Pop/Rock/Folk Scene', *Popular Music*, 3 (1983), 77–105

Steve Eaves (gol.), *Y Trên Olaf Adref* (Talybont, 1984)

Richard Middleton, *Studying Popular Music* (Gwasg y Brifysgol Agored, 1990)

Damian Walford Davies, 'Ailysgrifennwn y Llyfraith': Barddoniaeth y Canu Pop', *Hanes Cerddoriaeth Cymru*, 1 (1996), 180–205

Pwyll ap Siôn, 'Gwrthleisiau: Geraint Jarman a Gwreiddiau Reggae mewn Cerddoriaeth Boblogaidd Gymreig', *Hanes Cerddoriaeth Cymru*, 2 (1997), 263–77

Dai Griffiths, ''Home is Like a Man on the Run': Iwerydd Cymreig John Cale', *Hanes Cerddoriaeth Cymru*, 4 (2000), 159–85

Sarah Hill, 'Teuluoedd Tebygrwydd: Cerddoriaeth Boblogaidd Gymreig ac Ymylnodau Eraill', *Hanes Cerddoriaeth Cymru*, 4 (2000), 138–47

Meic Llewellyn, 'Popular Music in the Welsh Language and the Affirmation of Youth Identities', *Popular Music*, 19/3 (2000), 319–39

Pwyll ap Siôn, ''Yn y Fro': Mudiad Adfer a'r Canu Pop Cymraeg yn ystod y 1970au', *Hanes Cerddoriaeth Cymru*, 5 (2002), 162–89

Craig Owen Jones, 'Beatbox Taffia': Welsh Underground Music in the 1990s' (traethawd MA Prifysgol Bangor, 2002)

Hefin Wyn, *Be Bop a Lula'r Delyn Aur* (Talybont, 2002)

Craig Owen Jones, ''Beatbox Taffia'': Cerddoriaeth Danddaearol Gymraeg yn y 1990au', *Hanes Cerddoriaeth Cymru*, 6 (2004), 239–59

———, 'Y Cantorion Newydd? A Study of Contemporary Welsh Popular Music' (traethawd PhD Prifysgol Bangor, 2006)

Rhys Mwyn, *Cam o'r Tywyllwch* (Talybont, 2006)

Hefin Wyn, *Ble Wyt Ti Rhwng?* (Talybont, 2006)

Sarah Hill, *'Blerwytirhwng?' The Place of Welsh Pop Music* (Aldershot, 2007)

Rebecca Jayne Edwards, ''To show from where I came':

Cool Cymru, Pop and National Identity in Wales during the 1990s' (traethawd PhD Prifysgol Abertawe, 2008)

Pwyll ap Siôn, ''Ysgrifen ar y mur?'' Traddodiadau'r Canu Pop Cymraeg 1979-1997', *Ysgrifau Beirniadol*, 29 (2011), 110–32

Geraint Jarman, *Twrw Jarman* (Llandysul, 2011)

Craig Owen Jones, ''Ar y brig unwaith eto'': siartiau pop iaith Gymraeg cynnar', *Gwerddon*, 14 (Ebrill, 2013), 29–45

———, ''Songs of Malice and Spite''?: Wales, Prince Charles, and an Anti-Investiture Ballad of Dafydd Iwan', *Music and Politics*, 7/2 (Haf, 2013)

———, 'Brwydr Iaith, Brwydro Iaith: Terminoleg y byd pop Cymraeg fel dull protestio yn y 1960au a'r 1970au', *Gwerddon*, 16 (Hydref, 2013), 10–27

Gethin Griffiths, ''Heb y Barnu Na'r Cystadlu'': Cerddoriaeth Boblogaidd a'r Eisteddfod Genedlaethol' (traethawd MA Prifysgol Bangor, 2016)

Craig Owen Jones, 'Papurau bro cynnar gogledd Cymru a cherddoriaeth roc Gymraeg', *Gwerddon*, 22 (Hydref, 2016), 11–30

———, ''Still here'?: A Geospatial Survey of Welsh-Language Popular Music', yn Sarah Cohen a Robert Knifton et al. (goln.), *Sites of Popular Music Heritage: Memories, Histories, Places* (Llundain 2014), 62–77

Hannah Way, ''Ai heddiw yw oes aur canu Roc a Phop Cymraeg?' Astudiaeth o agweddau cyfoes ar ddiwydiant, diwylliant a'r Sin Roc a Phop yng Nghymru rhwng 1980–2014' (traethawd MRes Prifysgol Bangor, 2016)

Trevor Herbert a Sarah Hill

Pope, Mal (g.1960)

Ganed Mal (Maldwyn) Pope ym Mrynhyfryd, yn Abertawe. Cafodd ei fagu mewn tŷ a oedd yn llawn cerddoriaeth, gyda'i fam yn bianydd a'i fam-gu yn chwarae'r piano a'r organ. Pan oedd yn fachgen mynychai'r Gospel Hall yn ardal Manselton o'r ddinas, lle'r oedd yr oedfaon yn cynnwys canu digyfeiliant.

Yn 1967 daeth ei frawd David â gitâr yn ôl o'i wyliau, a dechreuodd Mal Pope chwarae'r offeryn a gwrando ar gasgliad recordiau ei frawd. Roedd y casgliad yn cynnwys Cat Stevens, Simon & Garfunkel a Donovan. Ddwy flynedd yn ddiweddarach dechreuodd ysgrifennu ei ganeuon ei hunan a hynny gyda chefnogaeth frwd un o'i athrawon, Peter Williams.

Anfonwyd un o ganeuon Mal Pope at John Peel, y troellwr disgiau ar Radio 1. Fe'i gwahoddwyd gan Peel i Lundain i recordio ar gyfer y rhaglen *Sounds of the Seventies*. Ymunodd Mal Pope â label newydd a oedd wedi'i sefydlu gan Elton John, sef y Rocket Record Company. Bu gyda'r label am dros chwe mlynedd. Cafodd gefnogaeth bersonol Elton John, a gynhyrchodd un o recordiau Pope yn absenoldeb Gus Dudgeon, y cynhyrchydd arferol.

Tra'r oedd Mal Pope yn astudio ym Mhrifysgol Caergrawnt ymadawodd â Rocket Records. Yn y cyfnod hwn ymunodd â chwmni Harvey Goldsmith, sef A.M.P, a dechrau cyd-gyfansoddi gyda cherddor a oedd o dan ofal yr un cwmni, sef Andy Piercy, prif leisydd y grŵp After the Fire. Aeth un gân o'u heiddo, sef 'Der Kommissar', i rif pump yn siartiau'r Unol Daleithiau. Cynlluniwyd record hir ynghyd â thaith o gwmpas y wlad. Fodd bynnag, oherwydd newidiadau yn y cwmni recordio, ni wireddwyd y bwriadau hyn. Siomwyd Pope i'r fath raddau fel y bu iddo adael y **diwydiant** a mynd i weithio fel ymchwilydd radio i'r BBC, cyn cael ei benodi'n gynhyrchydd ym maes rhaglenni cerddorol. Symudodd i weithio ym myd teledu ond gan fod ei ganeuon yn cael eu chwarae ar Radio 1 cynigiwyd cytundeb recordio iddo gan y cynhyrchydd o fri Larry Page a ocdd wedi gweithio gyda'r Troggs a'r Kinks yn yr 1960au.

Am y pum mlynedd nesaf bu'n ymwneud â sawl prosiect gwahanol, gan gynnwys ffeinal *Song for Europe*, cynhyrchu rhaglenni **Aled Jones** a chanu'r prif ganeuon i'r cartwnau *Sam Tân/Fireman Sam* a *Superted*. Bu'n cyflwyno ac yn cynhyrchu **rhaglenni teledu**, o rai arbennig am y Pasg i'r gyfres *The Mal Pope Show* lle ymddangosodd gwesteion megis Cliff Richard, The Bee Gees a **John Cale**. Enillodd y gyfres sawl gwobr gan gynnwys BAFTA Cymru. Cyfansoddodd Pope sioe gerdd y *Copper Kingdom* fel rhan o Flwyddyn Llenyddiaeth 1995 yn Abertawe a dilynwyd honno gan y sioe gerdd *Amazing Grace*.

Disgyddiaeth

'I Don't Know How To Say Goodbye' [sengl] (The Rocket Record Company PIG6, 1974)

'When You're Away' [sengl] (The Rocket Record Company ROKN505, 1976)

'If I Wasn't There' [sengl] (The Rocket Record Company ROKN529, 1977)

Reunion Of The Heart (Kingsway Music KMCD2074, 1998)

Dream Out Loud (OTR Records OTRCD5012, 2003)

Sarah Hill

Powell, George (o Nanteos)
(1842–82)

George Powell oedd unig fab y Cyrnol W. T. R. Powell, ysgwier Nanteos, ger Aberystwyth. Astudiodd yn Eton ac aeth i Goleg Brasenose,

Rhydychen, yn 1860, lle'r oedd ei ddiddordebau'n rhai amrywiol iawn; dangosodd yn arbennig gryn allu mewn llenyddiaeth Saesneg, Hen Islandeg a cherddoriaeth. Cynhyrchodd Powell dair cyfrol o farddoniaeth Saesneg a dwy gyfrol o gyfieithiadau o sagâu Islandeg rhwng 1861 ac 1866. Daeth hefyd yn gyfaill agos i'r bardd Swinburne, yr oedd yn edmygu ei gerddi synhwyrus yn fawr.

Mae'r dystiolaeth ddogfennol gynharaf o'i weithgareddau cerddorol yn dyddio o 1865. Roedd Powell yn bianydd o allu gwell na'r cyffredin a roddai ddatganiadau cyhoeddus yn gyson, gan gynnwys yn aml yn ei raglenni gerddoriaeth gan gyfansoddwyr fel Robert Schumann. Cadwai dŷ yn Llundain gan feithrin cylch eang o gyfeillion cerddorol dylanwadol gartref a thramor, yn eu plith Richard Wagner, Clara Schumann, Syr John Stainer, S. S. Wesley a Syr Frederick Gore Ouseley. Dengys llythyrau gan ei gyfeillion cerddorol proffesiynol ei fod yn fwy na diletant, ac y gallai drafod materion cerddorol technegol ar yr un lefel â hwy.

Credai Powell mai uchafbwynt ei fywyd byr oedd ei ymwneud clos â pherfformiad cyntaf *Der Ring des Nibelungen* Wagner yn Bayreuth yn 1876. Yn ystod y paratoadau maith ar gyfer y fenter chwyldroadol hon, roedd Powell yn un o bianyddion ymarfer Wagner. Ysgrifennodd adroddiadau brwdfrydig am y perfformiadau cyntaf, a ymddangosodd yn y wasg Saesneg, ac anfonodd gyfres o lythyrau at Swinburne yn sôn yn llawn cynnwrf am ei ymweliadau â thŷ Wagner a'i sgyrsiau â'r cyfansoddwr. Bu llawer o ddyfalu ynghylch y cysylltiad posibl rhwng y ffaith mai Powell oedd perchennog 'Cwpan Nanteos' (yr honnir mai ef oedd cwpan y Swper Olaf) ac opera olaf Wagner, *Parsifal*, y seiliwyd ei libreto ar yr ymchwil am y Seint Greal.

Gadawodd Powell ei gasgliad helaeth o lyfrau, paentiadau a sbesimenau gwyddonol i **archif** Llyfrgell **Prifysgol** Aberystwyth. Rhoddwyd rhan o'i gasgliad i'r Llyfrgell yn 1872, cyn ei farwolaeth annhymig. Mae ei lyfr lloffion personol a 5 darlun o Wagner (sydd bellach wedi'u colli), y manion i gofio'i ymweliad â Bayreuth (1876) a chyfres o lythyrau gan gerddorion enwog, gan gynnwys 16 a ysgrifennwyd gan Mendelssohn, yn rhoi sawl cipolwg inni ar ei fywyd cerddorol cofiadwy. Efallai mai ei rodd bennaf i'r Brifysgol oedd rhyw 26 o lawysgrifau cerddoriaeth, rhai yn llawysgrifen y cyfansoddwyr, a gasglodd yn Llundain neu yn ystod ei deithiau tramor.

Mae'r casgliad yn un amrywiol, yn cynnwys cerddoriaeth eglwysig a siambr, **opera**, **oratorio**, bale, a cherddoriaeth gerddorfaol o'r 17g. i'r 19g. Mae'r **llawysgrifau**'n cynnwys cerddoriaeth gan Benevoli, Blow, Bononcini, Corelli, Alessandro Scarlatti, Albinoni, Croft, D'Astorga, Handel, Porpora, Leo, Hasse, Boyce, Glück, Puglielmi, Sarti, Martini, Salieri, Paisiello, Salomon, Portogallo, Tomaschek, Neukomm, Mendelssohn ac Ouseley. Cedwir llythyrau eraill o'i eiddo, a llawysgrif o gerddoriaeth eglwysig gan Bononcini, yn **Llyfrgell Genedlaethol Cymru**. Cedwir llawysgrif un o **gantatas** Handel, *Languia di bocca lusinghiera,* a fu unwaith yn eiddo i Powell, yn Llyfrgell Gyhoeddus Efrog Newydd.

Llyfryddiaeth

David R. A. Evans, 'George Powell: "An enthusiast for the highest order of music"', *Welsh Music/Cerddoriaeth Cymru,* 7/1 (1982), 41–48

———, 'Wagner a Nanteos', *Taliesin,* 62 (1988)

———, 'The Powell Collection of Music Manuscripts', *Current Musicology,* 52 (1993), 64–74

David R. A. Evans, Larry Todd a Judith Olson, 'A Welsh Collection of Mendelssohniana: Letters at Aberystwyth', *Current Musicology,* 65 (2001) 116–140

Gerald Morgan (gol.), *Nanteos: A Welsh House and its Families* (Llandysul, 2001)

David Evans

Prifysgol (gw. **Prifysgolion a Cherddoriaeth yng Nghymru**)

Prifysgolion a Cherddoriaeth yng Nghymru

Y term cywir yn ieithwedd heddiw fyddai 'Addysg Uwch a Cherddoriaeth yng Nghymru', ond ni fyddai hynny'n llawn gyfleu pwysigrwydd parhad cyfundrefn y brifysgol i gerddoriaeth Cymru. Defnyddir y term hwn i olygu'r cyrff sy'n dyfarnu neu a fu'n dyfarnu graddau mewn cerddoriaeth, hynny yw, y prifysgolion a'r hyn a elwir wrth fynd i'r wasg yn Goleg Brenhinol Cerdd a Drama Cymru.

Hyd 1992, yr unig brifysgolion yng Nghymru oedd y rhai a oedd wedi dechrau'n annibynnol ond a ddaeth at ei gilydd i ffurfio ffederasiwn o golegau Prifysgol Cymru. Roedd gan dri o'r colegau hynny adrannau cerddoriaeth: Coleg Prifysgol Cymru Aberystwyth, Coleg Prifysgol De Cymru a Sir Fynwy (Prifysgol Caerdydd yn ddiweddarach) a Choleg Prifysgol Gogledd Cymru (Prifysgol Bangor yn

ddiweddarach). Daeth newid ar ôl 1992 o ganlyniad i basio'r Ddeddf Addysg Bellach ac Uwch y flwyddyn honno, a roddodd yr awdurdod i ragor o sefydliadau ddyfarnu graddau bagloriaeth. Disgrifir canlyniadau'r newid hwn isod.

Mae'n anodd gor-ddweud pa mor bwysig fu'r prifysgolion i gerddoriaeth yng Nghymru ers diwedd y 19g., a gellir nodi tair nodwedd i danlinellu'r pwysigrwydd hwn. Yn gyntaf, roedd modd i fyfyrwyr dawnus o Gymru gael hyfforddiant arbenigol o safon uchel mewn cerddoriaeth yng Nghymru heb orfod teithio allan o'r wlad. Yn ail, darparai sefydliadau lle gellid astudio a pherfformio cerddoriaeth Cymru, gan gynnwys gosodiadau o destunau Cymraeg, ochr yn ochr â chlasuron Ewrop. Ac yn drydydd, ac efallai mai dyma'r nodwedd bwysicaf oll, mae'r prifysgolion wedi darparu llawer o'r seilwaith sefydliadol creiddiol sydd wedi cynnal a hyrwyddo'r holl ymdrech gerddorol. Maent wedi cynhyrchu cyfansoddwyr, perfformwyr, academyddion, gweinyddwyr ac athrawon sydd wedi mynd rhagddynt i weithio ar lefelau rhyngwladol, cenedlaethol a chymunedol, gan ennill clod a bri ond hefyd gan gynnal yn aml draddodiadau amatur y wlad.

Efallai fod Cymru'n unigryw yn hyn o beth: fel yr awgrymir isod, dylid mesur ymdrechion arloeswyr cynnar **addysg** gerddoriaeth mewn prifysgol yn erbyn amrywiaeth ehangach o lwyddiannau na'r rhai a enillwyd ganddynt yn unigol fel cyfansoddwyr neu **ysgolheigion**. Fel addysgwyr cynigient addysg gerddoriaeth soffistigedig i bobl ifanc, o gefndiroedd hynod dlawd yn amlach na pheidio, na fyddent y mae'n debyg wedi cael cyfleoedd o'r fath fel arall. Cyn dyfodiad y BBC i Gymru, cyfundrefn y brifysgol a'r rhwydweithiau cyn-fyfyrwyr a ddarparai'r prif seilwaith sefydliadol ar gyfer bywyd cerddorol yn y wlad.

Sefydlwyd yr adran gerddoriaeth brifysgol gyntaf yn Aberystwyth fel Coleg Prifysgol Cymru yn 1874. Penodwyd **Joseph Parry** yn Athro Cerddoriaeth a gwnaeth y pwyllgor gwaith ef yn gyfrifol am 'godi safon cerddoriaeth yn y genedl yn gyffredinol [a gweithredu fel] carreg sarn [i symud cerddorion Cymru] o gôr y pentref i'r Academi Gerdd Frenhinol'. Mewn gwirionedd roedd y pwyllgor gwaith yn rhoi mwy o glod i'r Academi Frenhinol nag a haeddai mae'n bur debyg, ond ni wnaeth hynny ddim i rwystro Parry (un o'i chyn-ddisgyblion) rhag rhoi pwyslais ar gwricwlwm a fyddai'n gwneud cyfiawnder â chlasuron y canon yn ogystal â meithrin cerddoriaeth Cymru. Yn anffodus, gadawodd

Aberystwyth yn 1880, dan dipyn o gwmwl, ac fe'i holynwyd gan **David Jenkins** (hyd 1915), **Walford Davies** (1919–26), **David de Lloyd** (1927–48), **Charles Clements** (1948–50), **Ian Parrott** (1950–1983) a David Wulstan, a oedd yn y gadair pan gaewyd yr adran yn 1989 gan beri cryn alar.

Dim ond dwy brifysgol arall yng Nghymru a oedd yn meddu ar adrannau cerddoriaeth cyn diwedd yr 20g. Un oedd Prifysgol Caerdydd (yn wreiddiol Coleg Prifysgol De Cymru a Sir Fynwy), a wnaeth hefyd benodi Joseph Parry yn bennaeth ei hadran gerddoriaeth yn 1888, i olynu Clement Templeton, a oedd yn bennaeth yr adran pan sefydlwyd y coleg yn 1883. Y pennaeth adran a fu yn ei swydd hwyaf oedd yr Athro David Evans, a benodwyd yn 1908 yn Athro cerddoriaeth cyntaf y Brifysgol ac a wasanaethodd am dros ddeng mlynedd ar hugain. Ymhlith yr Athrawon diweddarach bu'r ysgolhaig Palestrina, Joseph Morgan, a'r cyfansoddwr **Alun Hoddinott**.

Sefydlwyd Prifysgol Bangor fel Coleg Prifysgol Gogledd Cymru yn 1884, ond ni sefydlwyd yr adran gerddoriaeth tan 1921. Sefydlwyd yr adran gerddoriaeth gan Brifysgol Cymru (y Brifysgol ffederal a ffurfiwyd yn 1893), yr oedd ei Chyngor wedi penodi **Walford Davies** y flwyddyn honno yn Gyfarwyddwr Cerddoriaeth Prifysgol Cymru (yr unig berson i ddal y swydd honno) ac yn Athro cerddoriaeth yn Aberystwyth yr un pryd. Roedd gweithredu fel cadeirydd Cyngor Cerddoriaeth Cenedlaethol Cymru hefyd yn rhan o gyfrifoldebau Walford Davies. Rhan o'r bwriad wrth ehangu darparu graddau cerddoriaeth y tu hwnt i Aberystwyth a Chaerdydd hefyd oedd cael adrannau cerddoriaeth y Brifysgol i wasanaethu cymunedau lleol y colegau. Ymhlith yr Athrawon cerddoriaeth ym Mangor bu **D. E. Parry Williams** a'r cyfansoddwr **William Mathias**.

Ni fu adrannau cerdd erioed yng ngholegau cyfansoddiadol eraill Prifysgol Cymru, sef Abertawe a Llanbedr Pont Steffan, ond bu cerddorion ar staff eu hadrannau allanol, a bu gan Brifysgol Abertawe Gyfarwyddwr Cerddoriaeth a drefnai gerddoriaeth ymarferol ac a gyfrannai at rai o'r rhaglenni rhyngddisgyblaethol. Gwnaed cyfraniad pwysig i fywyd cerddorol hefyd gan y colegau hyfforddi athrawon yng Nghymru, a leolwyd ar wahanol adegau ym Mangor, Wrecsam, Caerfyrddin, Abertawe, Y Barri, Caerdydd a Chaerllion.

Sefydlwyd y Brifysgol Agored yng Nghymru yn 1969 fel cangen 'ranbarthol' (un genedlaethol Gymreig yn ddiweddarach) i'r sefydliad ym Mhrydain gyfan, a defnyddiai ddull dysgu o hirbell radical ac amlgyfrwng. Bu cerddoriaeth bob amser yn rhan o gwricwlwm amlddisgyblaeth y Brifysgol.

Daeth pasio Deddf Addysg Bellach ac Uwch 1992 â sawl newid i'r sector addysg uwch a gafodd ddylanwad pwysig ar gerddoriaeth. Y ddau newid pwysicaf oedd sefydlu prifysgolion newydd drwy godi statws y colegau polytechnig a'u gwneud yn brifysgolion (cyn hynny, nid oedd gan golegau polytechnig bwerau dyfarnu graddau a chaent eu dilysu gan gorff a gwmpasai'r Deyrnas Unedig, sef y Cyngor Dyfarniadau Academaidd Cenedlaethol). Y newid mawr arall oedd codi statws Coleg Cerdd a Drama Cymru a'i wneud yn gorff dyfarnu graddau. Yn 2002, fe'i gwnaed yn Goleg Brenhinol Cerdd a Drama Cymru, a'i alinio maes o law â Phrifysgol Morgannwg (sef Coleg Polytechnig Morgannwg yn flaenorol).

Sefydlodd Prifysgol Morgannwg, a ailenwyd yn Brifysgol De Cymru yn 2013, hefyd adeilad mawr a thrawiadol yng nghanol Caerdydd dan yr enw ATRiuM, ond a elwir yn ffurfiol yn Ysgol Diwydiannau Creadigol a Diwylliannol Caerdydd. Mae'r Adran Cerddoriaeth a Sain, fel yr awgryma'r teitl, wedi'i neilltuo'n fwy i idiomau poblogaidd modern nag i'r traddodiadau **cerddoriaeth gelfyddydol**, ac mae'n arbenigo mewn dylunio a chynhyrchu technegol a graddau mewn technoleg cerdd.

Trevor Herbert

Protheroe, Daniel (1866–1934)

Cyfansoddwr a aned yn Ystradgynlais, Sir Frycheiniog. Cafodd ei fagu yn sŵn cerddoriaeth capel y teulu yng Nghwmgïedd, a dylanwadodd y traddodiad hwnnw yn drwm arno: tystiai fod cynifer â saith o gymanfaoedd canu yn cael eu cynnal yn yr ardal ar ddydd Llun y Pasg yn unig. Roedd **canu corawl** hefyd yn ymddatblygu yng nghyfnod ei blentyndod, a bu ei dad a'i fam yn aelodau o Gymdeithas Gorawl Dyffryn Tawe, dan arweiniad William Griffiths (Ifander). Dylanwad arall oedd y bandiau drwm a phib a deithiai i'r ardal i berfformio ar y strydoedd (gw. hefyd **Bandiau Militaraidd**).

Fe'i prentisiwyd yn ddeiliwr yn siop ei ewythr, ond dysgodd **sol-ffa** ac elfennau cerddoriaeth yng nghapel Cwmgïedd gyda Philip Thomas a **J. T. Rees**. Ymddangosodd fel unawdydd yn canu alto ac ennill yn **Eisteddfod** y Deheudir yn 1880. O fewn ychydig, dechreuodd **arwain**, ac yn ddeunaw oed aeth â chôr o Gwmgïedd i gystadlu mewn eisteddfod yn Llandeilo a chael gwobr gyntaf. Flwyddyn yn ddiweddarach, yn 1886, wedi clywed gan berthynas iddo am y cyfleoedd a oedd ar gael yn y Byd Newydd, ymfudodd i Scranton, Pennsylvania, a bu'n byw yn Unol Daleithiau America weddill ei oes. Roedd Scranton yn ganolfan i fywyd Cymraeg yn y cyfnod hwnnw, a dechreuodd Protheroe arwain corau ymhlith y Cymry. Dywedir mai ef oedd y cyntaf i berfformio **oratorio** gyda cherddorfa yn Scranton. Daeth yn ddinesydd Americanaidd yn 1891. Priododd Hannah Harris, un o Gymry Scranton a oedd wedi'i geni yn Nhredegar, a chawsant ddwy ferch a mab.

Yn 1890 graddiodd yn MusBac ym Mhrifysgol Toronto, ac yn 1910 cafodd ddoethuriaeth gan Brifysgol Talaith Efrog Newydd. Yna yn 1894 symudodd i Milwaukee, lle bu'n arwain y gân yn yr Eglwys Fedyddiedig. Oddi yno aeth yn 1908 i Chicago yn gyfarwyddwr cerdd y Central Church, un o eglwysi mwyaf y ddinas, ac i ddysgu yn rhai o'r ysgolion cerdd lleol. Arweiniodd nifer o gorau yn Milwaukee ac yn Chicago, ac yn 1926 sefydlodd gôr meibion Cymreig yno. Yn 1918 golygodd lyfr **emynau** a thonau dwyieithog, *Cân a Mawl*, at ddefnydd Eglwys y Methodistiaid Calfinaidd yng Ngogledd America.

Astudiodd Protheroe gyda dau o gerddorion blaenllaw yr Unol Daleithiau, Edward Macdowell (1860–1908) a Dudley Buck (1839–1909). Datblygodd yn gyfansoddwr toreithiog, ond cerddoriaeth leisiol oedd ei gryfder. Ei weithiau mwyaf arhosol yw ei gytganau grymus i gorau meibion, megis *Nidaros* (i eiriau gan Longfellow) a *Milwyr y Groes*, a'r caneuon i blant a luniodd i eiriau Nantlais, sy'n cynnwys caneuon megis 'Mynd drot drot' a 'Lili wen fach', y daethpwyd i'w hystyried bron yn **ganeuon gwerin** (gw. hefyd **Hwiangerddi**). Cenir rhai o'i **emyn-donau** o hyd, megis 'Price', 'Wilkesbarre', 'Cwmgïedd' a 'Milwaukee'. Credai'n gryf ym mhwysigrwydd alaw ac mae ei waith yn felodaidd heb gymhlethdod technegol.

Dychwelodd i Gymru'n rheolaidd i feirniadu mewn eisteddfodau ac i arwain cymanfaoedd canu a **gwyliau** corawl. Bu farw yn Chicago.

Llyfryddiaeth

Daniel Protheroe, *Nodau damweiniol a d'rawyd o dro i dro* (Lerpwl, 1924)

Rhidian Griffiths

Prys, Edmwnd (1542/3–1623)

Offeiriad a bardd. Fe'i cofir yn bennaf am ei gyfieithiadau i'r Gymraeg o'r **Salmau Cân**. Ganed yn Llanrwst yn 1542 neu 1543. Derbyniodd ei addysg fore yn ysgol ramadeg esgobaeth Llanelwy. Yn 1565 aeth yn efrydydd i Goleg Sant Ioan, Caergrawnt, lle bu'n gyd-fyfyriwr gyda William Morgan. Ordeiniwyd ef yn ddiacon yn eglwys Conington, Sir Gaint yn 1567. Graddiodd gyda BA yn 1568 ac MA yn 1571. Fe'i hurddwyd yn offeiriad Ffestiniog a Maentwrog yn 1573. Yn 1576 daeth yn rheithor yn Llwydlo, Sir Amwythig, ac yna'n archddiacon Meirionnydd yn 1576. Yn 1580 rhoddwyd bywoliaeth ychwanegol iddo yn Llanenddwyn, tua wyth milltir o Faentwrog i gyfeiriad Abermaw. Fe'i gwnaed yn un o ganoniaid Llanelwy yn 1602.

Ychydig o ffeithiau sydd ar gael o hanes ei fywyd. Bu'n cynorthwyo'r esgob William Morgan gyda'r gwaith o gyfieithu'r Beibl. Ysgrifennodd Prys lawer o farddoniaeth yn y mesurau caeth, ac hefyd rai darnau yn y mesur rhydd. Bu'n ymryson gyda rhai o feirdd cyfoes y cyfnod. Ceir gan Prys hefyd rai cywyddau ar destunau crefyddol. Dichon mai propaganda yw'r rhain dros y grefydd Brotestannaidd newydd. Ond yn y cywyddau sy'n cynnwys ei sylwadaeth ar fywyd y gwelir ei farddoniaeth orau, yn arbennig ei gywydd 'yn erbyn anllywodraeth y cedyrn.'

Fodd bynnag, fe'i cofir yn bennaf am iddo gyfieithu'r Salmau Cân i'r Gymraeg ar gyfer canu cynulleidfaol, er nad oes sicrwydd pendant mai ef ei hun a gwblhaodd y gwaith. Cyhoeddwyd argraffiad cyntaf *Llyfr y Salmau* – y Sallwyr mydryddol printiedig cynharaf yn y Gymraeg – yn Llundain yn 1621. Cyhoeddwyd o leiaf 19 o argraffiadau wedi hyn. Er fod eraill (megis Sternhold a Hopkins) wedi gwneud yr un gwaith yn Lloegr, ac eraill yng Nghymru, llwyddodd Prys i greu salmau ar fesur mwy canadwy na'r gweddill, ac yn ei lyfr cynhwysodd hefyd rai tonau, gan ei wneud y llyfr cyntaf yn y Gymraeg i'w gyhoeddi gyda cherddoriaeth.

Mae dwy o'r deuddeg salmdon fonoffonig a geir yno yn unigryw i'r cyhoeddiad, ac yma y gwelodd dwy arall ohonynt olau dydd am y tro cyntaf. Bu i rai o'r alawon (megis 'St Mary') barhau yn boblogaidd hyd heddiw, ac fe gyfieithwyd fersiwn Prys o Salm 23 i'r iaith Saesneg, sef yr **emyn** poblogaidd 'The King of Love My Shepherd Is'. (Am archwiliad llawn, a thrawsgrifiad o'r alawon, gw. Harper 2003, 221–67.)

Llyfryddiaeth

Sally Harper, 'Tunes for a Welsh Psalter: Edmwnd Prys's Llyfr y Psalmau', *Studia Celtica*, 37 (2003), 221–67

Adrian Morgan, 'Astudiaeth o Salmau Cân (1621) Edmwnd Prys' (traethawd PhD Prifysgol Aberystwyth, 2011)

Sally Harper

Pughe-Evans, David
(gw. **Evans, David Pugh**)

Puw, Guto (g.1971)

Un o gyfansoddwyr mwyaf nodedig ei genhedlaeth yng Nghymru ym maes **cerddoriaeth gelfyddydol**. Daw Guto Puw o'r Parc ger y Bala ac mae'n perthyn i deulu cerddorol gyda'i dad, Dan Puw, yn adnabyddus fel hyfforddwr a beirniad **cerdd dant** ac **alawon gwerin**.

O Ysgol y Berwyn aeth Guto i Brifysgol Bangor lle astudiodd o dan **John Pickard**, **Andrew Lewis** a **Pwyll ap Siôn** gan ennill PhD mewn cyfansoddi yn 2002. Cafodd ei benodi'n ddarlithydd yn adran gerdd Bangor yn 2004. Yn 2000 sefydlodd Ŵyl Gerdd Newydd Bangor, sydd wedi datblygu'n un o brif ddigwyddiadau'r ardal ac sy'n rhoi cryn sylw i gerddoriaeth electronaidd ac arbrofol.

Yn 1995 daeth i sylw cenedlaethol pan enillodd Dlws y Cerddor yn **Eisteddfod** Genedlaethol Cymru; fe enillodd yr wobr hon eto yn y Bala yn 1997. Yn sgil hyn daeth amryw o gomisiynau i'w ran gan wyliau cerdd megis rhai Bro Morgannwg, Gogledd Cymru, Caerfaddon a Huddersfield.

Yn dilyn llwyddiant *Reservoirs* (2002) – darn cerddorfaol pwerus a ysbrydolwyd gan gerdd enwog R. S. Thomas – cafodd gyfle gwych i ddatblygu'r grefft o ysgrifennu ar gyfer cerddorfa drwy gael ei ddewis yn gyfansoddwr preswyl cyntaf **Cerddorfa Genedlaethol Gymreig y BBC** rhwng 2006 a 2010. Un o uchafbwyntiau'r cyfnod oedd cyfansoddi darn newydd i'r Proms yn Llundain yn 2007, lle perfformiwyd '... *onyt agoraf y drws* ...' yn Neuadd Frenhinol Albert, gwaith sy'n gwneud defnydd effeithiol o ofod arbennig y neuadd. Ymddangosodd cryno–ddisg o'i waith yn 2014 a oedd yn ffrwyth ei gyfnod o weithio gyda'r BBC.

Yn 2007 enillodd darllediad o'i *Gonsierto ar gyfer Obo a Cherddorfa* (2006) wobr gwrandawyr Radio 3, ac yn 2009 derbyniodd wobr Cymru Greadigol gan Gyngor Celfyddydau Cymru a'i galluogodd i weithio ar **opera** ar gyfer Music Theatre Wales yn seiliedig ar ddrama Gwenlyn Parry *Y Tŵr*, a hynny i libreto gan **Gwyneth Glyn**. Cafodd yr opera ei pherfformio am y tro cyntaf yn 2017 i adolygiadau ffafriol.

Disgyddiaeth

Reservoirs: Gweithiau Cerddorfaol gan Guto Puw (Signum SIGCD378, 2014)

Geraint Lewis

Pwnco

Pwnco yw'r ymryson ar gân a geir yn ystod defod y Fari Lwyd a defodau eraill sy'n rhan o'r traddodiad **canu gwasael**. Fel arfer roedd y canu yn gyfres o holi ac ateb, ac ynddo elfen gystadleuol gref, gyda'r sawl oedd y tu allan i'r tŷ yn herio'r rhai oedd oddi mewn nes bod un blaid yn trechu'r llall. Os byddai'r cwmni tu allan yn fuddugol, caent fynediad i'r tŷ, ond os trechid hwy gan y cwmni oddi mewn, gallent fethu cael mynediad. Fel arfer caent ddod i mewn beth bynnag fyddai canlyniad yr ymryson.

Roedd pwnco yn arbennig o gyffredin yn Sir Aberteifi yng nghyswllt defodau priodas. Byddai gwŷr y priodfab, sef gwŷr y 'shigowt' (*seek-out*), yn marchogaeth yn fore ar ddydd y briodas i gartref y briodferch i geisio mynd â hi i'r eglwys. Codid rhwystrau ar y ffordd, ac yna pan fyddent yn cyrraedd drws y tŷ byddai gofyn iddynt bwnco o flaen y drws gan ddefnyddio'r mesur triban, nes cael caniatâd i ddod i mewn. Nid holi ac ateb oedd natur y caneuon bob tro: ceid caneuon pos neu ganeuon gorchest hefyd. Enghraifft o gân bos sydd efallai'n gysylltiedig â phwnco priodas yw 'Beth wneir â'r ferch benchwiban?'

Rhidian Griffiths

R

Randles, Edward (1763–1820) ac Elizabeth Randles (1798–1829)

Ganed y **telynor** a'r organydd Edward Randles yn Wrecsam; roedd yn ddall o oedran cynnar ond meddai ar ddawn gerddorol. Astudiodd y delyn gyda **John Parry**, Rhiwabon (*c.*1710–82), ac efallai iddo gael gwersi ganddo ar yr organ hefyd. Yn 1788 fe'i penodwyd yn organydd yn Eglwys Blwyf Sant Silin, Wrecsam, swydd y bu ynddi hyd ei farwolaeth ar 23 Awst 1820 yn 57 oed.

Yn Rhagymadrodd ei gyfrol 1809, dywed George Thomson (1757–1851), a glywodd Randles yn perfformio, ei fod yn canu'r delyn yn osgeiddig, yn fywiog ac yn llawn mynegiant. Ategir hynny gan **John Parry** (Bardd Alaw; 1776–1851), a oedd yn adnabod y teulu, wrth ysgrifennu yn ei gyfrol *A Selection of Welsh Melodies …* (1809):

> y mae nid yn unig yn crisialu arddull egnïol ei feistr, ond yn gwneud hynny â gosgeiddrwydd a cheinder, ac ef bellach yw'r telynor mwyaf gwyddonol yng Nghymru; gellir ei restru'n haeddiannol ymysg y gorau yn y deyrnas.

Roedd tair merch Edward Randles a'i wraig Mary (a fu farw o'i flaen yn 1803 yn 44 oed) yn gerddorol, ond Elizabeth Randles oedd y fwyaf enwog, fel 'plentyn rhyfeddol', pianydd, telynores ac athrawes. Yn ôl Palmer fe'i ganed ar 28 Awst 1798. Buan y daeth ei doniau'n amlwg, a pherfformiodd yn gyhoeddus am y tro cyntaf (fel pianydd) yn ddwy oed. Mae sylw Parry, y medrai 'daro unrhyw nodyn ar y piano, y gallai llais ei ganu, heb oedi dim', yn awgrymu bod traw perffaith ganddi. Mae'n debyg mai yn sgil diddordeb Syr Watkin Williams Wynn y perfformiodd (gyda'i thad) gerbron y Brenin George III, y Frenhines Charlotte ac aelodau eraill o'r teulu brenhinol, gan dderbyn can gini gan y brenin a chynnig i'w mabwysiadu gan Dywysoges Cymru – cynnig a wrthodwyd gan ei thad.

Ddydd Sadwrn 18 Mehefin 1803 rhoddwyd budd-frecwast ar ei chyfer yn Cumberland Gardens (ger Vauxhall) a'r nawdd dan arweiniad Tywysog Cymru. Roedd ei rhaglen yn cynnwys sawl alaw ag amrywiadau, rondos a deuawdau (gyda'i thad) a chodwyd dros 500 gini i hyrwyddo addysg gerddorol y ferch dair a hanner oed. Yr un flwyddyn rhoddodd ei pherfformiad cyhoeddus cyntaf fel cantores. Yn chwech oed mae Parry'n dweud y gallai chwarae'r cyfansoddiadau mwyaf gwyddonol, a chanu unrhyw gân ar yr olwg gyntaf. Denodd ei henwogrwydd Moses Griffith (1749–1819) i beintio miniatur ohoni *c.*1804.

Teithiodd o amgylch Prydain yn 1807 ac 1808 fel aelod o driawd gyda'i thad a Parry. Ym mis Mehefin 1808 perfformiodd yn ystafelloedd Hanover Square, unwaith eto gyda Thywysog Cymru'n arwain y nawdd. Yn 14 oed, dywedwyd ei bod yn canu'r piano'n 'feistrolgar'. Roedd hefyd wedi dysgu canu'r delyn a'r organ a dywedir iddi'n aml gymryd lle ei thad fel organydd yn Wrecsam a chynnwys perfformiadau ar y delyn yn ei chyngherddau cyhoeddus.

Pan fu farw ei thad yn 1820 aeth i fyw gyda'i chwiorydd yn 5 Great Newton Street, Brownlow Hill, Lerpwl, ac oddi yno bu'n dal i roi cyngherddau ledled y wlad. Dechreuodd wneud enw hefyd fel athrawes. Dirywiodd ei hiechyd a bu farw ym mis Mai 1829. Fe'i claddwyd ym mynwent Eglwys Sant Silin.

Llyfryddiaeth
Alfred Neobard Palmer, *The History of the Parish Church of Wrexham…* (Wrecsam a Chroesoswallt, 1886; Wrecsam, 1984)

David R. Jones

Rea, John Meirion (g.1964)

Cyfansoddwr, perfformiwr a threfnydd y mae ei waith wedi llwyddo i bontio rhwng cerddoriaeth ffilm a theledu, dawns, theatr a cherddoriaeth boblogaidd. Fe'i ganed yn Llantrisant, er bod ei rieni'n dod o ardal Blaenau Ffestiniog.

Cafodd ei addysg yn Ysgol Gynradd Garth Olwg

ac Ysgol Gyfun Llanhari. Dechreuodd chwarae'r piano pan oedd yn wyth oed a'r corn Ffrengig pan oedd yn un ar ddeg. Bu'r profiad o chwarae'r corn mewn **cerddorfeydd** sirol yn ystod ei arddegau yn fodd iddo ymgyfarwyddo â sain y gerddorfa. Yn 16 oed dechreuodd ddysgu'r gitâr.

Astudiodd gerddoriaeth ym Mhrifysgol Caerdydd gyda'r cyfansoddwyr **Alun Hoddinott** a **Richard Elfyn Jones**. Yno fe'i cyflwynwyd i gerddoriaeth *avant-garde* yr 20g. ynghyd â cherddoriaeth fwy diweddar, megis minimaliaeth. Cafodd diddordeb Hoddinott mewn lliwiau cerddorol gryn argraff arno; yn ddiweddarach cofiai iddo 'sefyll yn ôl ychydig a gwrando ar y lliwiau cerddorol' (Llwyd 2015). Aeth Rea ymlaen yn 1987 i astudio cwrs meistr yng Nghaerdydd gyda Hoddinott. Disgrifiodd ei gyfnod yno fel un pan fu iddo ddarganfod palet o '*sorbet* cerddorol' wrth ymwneud â dau fyd y **clasurol** a'r **poblogaidd**.

Ar ôl graddio symudodd i Lundain gan gydweithio â'i gyfaill, y cerddor Alan Reekie, mewn stiwdio yn ardal Brixton. Gwelodd gyfle i arbrofi gyda phosibiliadau technegau stiwdio trwy gyfansoddi a pherfformio ar yr allweddellau a'r gitâr. Derbyniodd waith fel **arweinydd** a threfnydd llinynnau ac offerynnau pres ar gyfer Anxious Records, sef cwmni Dave Stewart, cerddor, cynhyrchydd ac aelod o'r **grŵp pop** llwyddiannus Eurythmics. Roedd y gwaith o drefnu ar gyfer grwpiau pop ac ensemblau amrywiol (megis y London Chamber Orchestra a'r band pres Kick Horns) yn cyd-fynd gyda'i gomisiwn cyntaf i gyfansoddi, a hynny ar gyfer y gyfres ddrama gomedi Gymraeg *Slac yn Dynn* (S4C, 1988).

Ers hynny enillodd sawl gwobr ryngwladol am ei gerddoriaeth, gan gynnwys gwobr Buma/Stemra yn yr Iseldiroedd am y cynhyrchiad gorau ar gyfer albwm o gerddoriaeth lyfrgell o'r enw *Art Music and the Minimal* (KPM, 1993) a dwy wobr BAFTA Cymru, yn 1994 ac 1999. Tua'r un cyfnod defnyddiodd dechnegau minimalaidd yn ei agorawd gerddorfaol *Illuminare* (1994), sef comisiwn **Cerddorfa Genedlaethol Gymreig y BBC** ar gyfer dathliadau Dydd Gŵyl Ddewi.

Bu'n ddiwyd hefyd ym maes cerddoriaeth ffilm. Dengys ei gerddoriaeth ar gyfer y ffilm *One of the Hollywood Ten* (Karl Francis, 2000) ei allu i arbrofi gan ddefnyddio sain gerddorfaol, sacsoffon soprano, sampl o biano wedi ei baratoi (dyfais y cyfansoddwr arbrofol o Unol Daleithiau America, John Cage, a fu'n ddylanwad mawr ar Rea) ynghyd â cherddorfa sesiwn o Budapest. Darn sy'n crisialu ei allu i gyfosod

elfennau pop cyfoes megis hip-hop a *dub* gyda thechnegau modern clasurol yw *Breakbeat* (1995) ar gyfer cerddorfa linynnol a throellfyrddau.

Derbyniodd Rea wobr Cymru Greadigol gan Gyngor Celfyddydau Cymru yn 2011–12 er mwyn cyfuno deunydd **archif** sain a delweddau oedd wedi eu lleoli yn **Amgueddfa Werin Cymru** yn Sain Ffagan. Roedd yn gyfle iddo blethu gwaith theatr, cerdd a sain gan ddefnyddio *ensemble* llinynnol, **offerynnau** Cymreig traddodiadol, perfformwyr a recordiadau o'r archif, a'r canlyniad oedd y gwaith amlgyfrwng *Atgyfodi* (2015). Yn 2015 comisiynwyd Rea i gyfansoddi cerddoriaeth ar gyfer dathlu Dengmlwyddiant Canolfan Mileniwm Cymru mewn sioe awyr-agored o'r enw *Ar Waith Ar Daith*.

Mae John Rea yn un o gyfansoddwr mwyaf blaenllaw ei genhedlaeth, a'i gyfansoddiadau hynod ddyfeisgar yn aml yn gwthio ffiniau cerddorol gan gadw'n driw ar yr un pryd i bwrpas, amcan a chyd-destun y gwaith. Mae'n parhau i weithio o'i stiwdio yng Nghaerdydd.

Cyfansoddiadau (detholiad)

Cerddoriaeth Ffilm:
One of the Hollywood Ten (Karl Francis, 2000)
The Last Musketeer (Bill Britten, 2000)
Crosscurrent (Byw yn dy Groen) (Pip Broughton, 2001)
Five Fingers (Laurence Malkin, 2006)

Cerddoriaeth Deledu:
Slac yn Dynn (Gareth Potter, 1988)
Sunny Spells – A Game for Optimists (Ceri Sherlock, 1999)
The Choosen (Philip John a Conor Morrissey, 2004)
Young Dracula (Josephine Ward, 2006–7)

Cerddoriaeth ar gyfer rhaglenni dogfen ac adloniant:
In Extreme Danger (Mike Kleinstube, 1999)
The Big Picture (Ceri Sherlock, 1999)
The Real Macaw (Mark Flowers, 2000)
Sensitive Sharks (Mark Brownlow, 2001)
The Living Year (Ingrid Kvale, 2003)
Coal House & Coal House At War (Paul Islwyn-Thomas, 2007/8)

Hybysebion Teledu a Cherddoriaeth Llyfrgell (detholiad):
Alton Towers – Ugland (J. Walter Thompson, 1999)
Welsh Water (JPH, 2000)
Dairy Lea – Maneuvers (J. Walter Thompson, 2003)
Cardifferent (Cardinal Film & TV, 2005)
WAG (Moonoo Animation, 2009)

Disgyddiaeth
Art Music and the Minimal (KPM 232, 1993)

Llyfryddiaeth
Owain Llwyd, 'Cyfweliad gyda John Rea' (26–28 Mehefin 2015)

Owain Llwyd

Recordiadau a Labeli Pop (gw. Cwmnïau Recordio yng Nghymru)

Rees, A. J. Heward (g.1935)

Cerddor eang ei ddiddordebau, darlithydd a hanesydd cerddoriaeth yng Nghymru a fu'n flaenllaw ac yn allweddol yn yr adfywiad cerddorol a gafwyd yn ail hanner yr 20g. Ganed Arwyn John Heward Rees yn Felin-foel a derbyniodd ei addysg gynnar yn Ysgol Ramadeg y Bechgyn, Llanelli.

Yn dilyn cryn lwyddiant **eisteddfodol** fel pianydd, sicrhaodd Ysgoloriaeth Gerdd Genedlaethol **Joseph Parry** a'i harweiniodd i ddilyn gyrfa fel myfyriwr yng Ngholeg **Prifysgol** Cymru, Aberystwyth. Rhwng 1953 ac 1956, bu'n astudio gradd mewn cerddoriaeth (ynghyd â chyfoeswyr fel **William Mathias** a **David Harries**) cyn treulio cyfnod hynod gyffrous ym Mharis (1956–7) fel myfyriwr yn y Sorbonne a'r *Conservatoire de Paris*.

Yno y clywodd rhai o weithiau Poulenc am y tro cyntaf a phrofi datblygiadau arloesol ym maes cerddoriaeth Ewropeaidd y dydd. Dychwelodd i'r brifysgol a chwblhau gradd anrhydedd mewn Ffrangeg rhwng 1957 ac 1958, ond erbyn hynny roedd cerddoriaeth Chopin (a'r iaith Bwyleg) wedi tanio ei ddychymyg. Treuliodd gyfnod yn athro cerddoriaeth yn Ysgol Grove Park (Wrecsam) cyn ymuno â staff y Coleg Normal, Bangor, lle bu'n darlithio ym maes addysg cerddoriaeth o 1963 hyd at 1983.

Fel cyfarwyddwr cyntaf Canolfan Hyrwyddo Cerddoriaeth yng Nghymru yn adran gerdd Prifysgol Cymru, Caerdydd, bu'n ddyfal yn sefydlu **archif** o gerddoriaeth gyfoes gan gyfansoddwyr Cymreig. Gyda chymorth ariannol Cyngor Celfyddydau Cymru, sicrhaodd **lawysgrifau** cerdd, deunydd cyhoeddedig, lluniau, recordiadau sain yn ogystal â chynnyrch **rhaglenni radio** a theledu a oedd yn gysylltiedig â'r maes.

Bu'n olygydd ar y cyfnodolyn *Cerddoriaeth Cymru/Welsh Music* o 1973 a fu'n gyfrwng i ymestyn y ddealltwriaeth o'r maes ac yn fodd o fesur cyfraniad neilltuol y traddodiad a'i ddylanwad ar gymeriad y genedl. Cyfwelodd nifer o gerddorion blaenllaw y cyfnod (yn eu plith **Grace Williams**, **Alun Hoddinott**, **David Wynne** ac **Arwel Hughes**) a chroniclodd eu hanes ar dudalennau'r cylchgrawn. Cyhoeddodd gasgliadau o ganeuon **Morfydd Llwyn Owen**, *Caneuon o Gymru* (1990)

ynghyd â chyfansoddiadau cyfoes ar gyfer offerynnau llinynnol.

Fel awdur toreithiog a beirniad, cyfrannodd adolygiadau i'r *Musical Times* a'r *Western Mail* ac erthyglau ar gyfansoddwyr o Gymru ar gyfer geiriadur *Grove*, ac fel aelod o'r Urdd er Hyrwyddo Cerddoriaeth yng Nghymru (gw. **Cymdeithas Cerddoriaeth Cymru**) bu'n flaenllaw yn y gwaith o sefydlu cystadleuaeth Tlws y Cerddor yn yr **Eisteddfod** Genedlaethol a sicrhau bod cyfansoddwyr ifanc yn derbyn cydnabyddiaeth deilwng am eu crefft. Traethodd yn huawdl ar anghenion y byd cerdd yng Nghymru a chyhoeddwyd un o'i ddarlithoedd, *Ein trydedd iaith? Our Third Language?* gan Gymdeithas Gelfyddydau Gogledd Cymru yn 1991. Fe'i hurddwyd â'r Wisg Wen ym Mhrifwyl Llanelli 2000 am ei gyfraniad nodedig i ysgolheictod cerddorol yng Nghymru, am ei ymdrech yn hyrwyddo'r maes ac am chwifio baner y traddodiad trwy gyfrwng darlithoedd a chynadleddau yn Hong Kong a thynnu sylw Cymry alltud ato hefyd trwy gyfrwng cyhoeddiadau fel *Y Drych*.

Llyfryddiaeth

A. J. Heward Rees, *Ein Trydedd Iaith? Our Third Language?* (Bangor, 1991)

———, 'Henry Brinley Richards (1817–1885): Propagandydd cerddorol o'r 19eg ganrif', *Hanes Cerddoriaeth Cymru*, 2 (1997), 173–92

Wyn Thomas

Rees, J. T. (1857–1949)

Cyfansoddwr a aned ar fferm teulu ei fam yng Nghwmgïedd, Sir Frycheiniog, oedd John Thomas Rees. Ei enw gwreiddiol oedd John Morgan Rees. Fe'i magwyd mewn awyrgylch cerddorol a daeth dan ddylanwad cerddorion lleol megis Silas Evans, **arweinydd** Cymdeithas Gorawl Abertawe, a David Prosser (Eos Cynlais), arweinydd Côr Ffilharmonig Rhondda yn ddiweddarach. Yn ystod ei blentyndod hefyd y gwelwyd sefydlu Cymdeithas Gorawl Dyffryn Tawe, ac mae'n debyg iddo glywed y bandiau Almaenig a'r bandiau pib a drwm a fyddai'n ymweld â'r ardal, er nad oedd ganddo lawer i'w ddweud wrth y math hwn o gerddoriaeth. Yn wyth oed bu'n rhaid iddo fynd i weithio dan ddaear, a newidiodd ei enw i John Thomas Rees i osgoi dryswch rhyngddo a glöwr arall o'r enw John Morgan Rees yng nglofa Abergorci. Dychwelodd i Gwmgïedd yn 1871 ac ymaelodi â dosbarth **sol-**

ffa y cerddor Philip Thomas (1857–1939): daeth yn rhugl yn y ddau nodiant a dysgu eraill, gan gynnwys **Daniel Protheroe**.

Symudodd i Gwmaman, Aberdâr, yn 1876 a pharhau i astudio, gan ennill A.C. (*Advanced Certificate*) y Coleg Tonic Sol-ffa. Yn sgil ei lwyddiant yn ennill gwobr am gyfansoddi mewn **eisteddfod** yn Nhreherbert cododd ei gyfeillion arian er mwyn iddo fynd i astudio gyda **Joseph Parry** yng Ngholeg **Prifysgol** Cymru, Aberystwyth. Yn 1882 symudodd i Emporia, Kansas, ac aros yno am flwyddyn cyn dychwelyd i Gymru ac ymsefydlu yn Bow Street, Ceredigion, i weithio fel athro a beirniad cerdd yn lleol ac yn Ysgolion Sir Tregaron a Machynlleth. Enillodd radd MusBac o Brifysgol Toronto yn 1889.

Daeth i amlygrwydd fel cyfansoddwr pan enillodd wobr am bedwarawd llinynnol yn Eisteddfod Genedlaethol Aberdâr yn 1885, dan feirniadaeth John Stainer a **John Thomas** (Pencerdd Gwalia), mewn cyfnod pan oedd **cerddoriaeth offerynnol** gan gyfansoddwyr Cymreig yn beth prin iawn (gw. **Ffurfiau Offerynnol**). Yn 1890 enillodd wobr yn Eisteddfod Genedlaethol Bangor am osodiad **corawl** o Salm 46, ac yn 1893 perfformiwyd agorawd o'i waith yn Eisteddfod Genedlaethol Pontypridd. Yn 1912 ymwelodd â Pharis i arsylwi ar y Gystadleuaeth Gerddorol Ryngwladol.

Fe'i cyfrifid yn feirniad cytbwys, a chyfrannodd nifer o ysgrifau ar gerddoriaeth Gymreig i amryw gyfnodolion. Arweiniodd gymanfaoedd canu ledled Cymru ar hyd ei oes. Roedd yn gyfansoddwr toreithiog, yn bennaf ym maes **cerddoriaeth grefyddol**: er gwaetha'r llwyddiannau cynnar ni ddatblygodd ei ddawn fel cyfansoddwr offerynnol. Ychydig o'i waith sydd wedi para'n adnabyddus. Mae'n debyg mai ei **emyn-dôn** 'Llwynbedw' (enw'r fferm lle y'i ganwyd) yw ei gyfansoddiad mwyaf cyfarwydd erbyn heddiw, ynghyd â'r dôn 'Pen-parc', a gyfansoddodd pan oedd yn Unol Daleithiau America ac a fu'n boblogaidd ymhlith Cymry America.

Golygodd *Perorydd yr Ysgol Sul* (1915), casgliad o emynau a thonau i blant, a *Detholiad o donau, anthemau a rhanganau ... Dafydd Lewis, Llanrhystyd* ([1930]). Bu'n aelod o fyrddau golygyddol *Hymnau a Thônau y Methodistiaid Calfinaidd* (1897) a *Llyfr Emynau a Thonau y Methodistiaid Calfinaidd a Wesleaidd* (1929), a chyfrannodd donau i'r ddau gasgliad.

Llyfryddiaeth

D. H. Lewis, *Cofiant J. T. Rees* (Llandysul, 1955)

Rhidian Griffiths

Rees, Stephen (g.1963)

Cerddor ac ysgolhaig. Ganed Stephen Powell Rees yn Rhydaman, Sir Gaerfyrddin. Aeth i Ysgol Gyfun Dyffryn Aman cyn astudio cerddoriaeth yng Ngholeg Selwyn, Caergrawnt. Astudiodd y piano gyda Beate Popperwell yng Ngholeg Cerdd a Drama Cymru rhwng 1977 ac 1981.

Fe'i penodwyd yn ddarlithydd mewn cerddoriaeth ym Mhrifysgol Bangor yn 1988, ac ers hynny bu'n dysgu ystod eang o bynciau hanesyddol o'r oesoedd canol hwyr i'r ugeinfed ganrif, gan arbenigo'n bennaf ym maes cerddoriaeth yng Nghymru ac arddulliau **ffidil** traddodiadol. Mae ganddo ddiddordeb arbennig yng ngherddoriaeth draddodiadol Cymru ac wedi perfformio a recordio'n broffesiynol ar hyd a lled Prydain, Ewrop, a Gogledd a De America, yn ystod yr 1980au a'r 90au fel aelod o'r **grŵp gwerin Ar Log**, ac yna'n fwy diweddar gyda **Crasdant**, gan chwarae amrywiaeth o **offerynnau**, megis y ffidil, acordion, chwibanogl, clarinét, allweddellau, ac yn fwy diweddar, y **Pibgorn**. Bu hefyd ynghlwm â sefydlu *trac* (asiantaeth datblygu traddodiadau gwerin Cymru) a cherddorfa wedi ei chreu o offerynnau gwerin traddodiadol, **Y Glerorfa**.

Rees, W. T. (**Alaw Ddu**; 1838–1904)

Roedd William Thomas Rees yn un o'r ffigurau amlycaf ym mywyd cerddorol Cymru yn Oes Victoria, yn weithgar fel **arweinydd**, cyfansoddwr, awdur a golygydd cylchgronau cerdd. Fe'i ganed ym Mhwll-y-glaw ger Pont-rhyd-y-fen ac yn 1851 symudodd i fyw i Aberdâr er mwyn gweithio yn y lofa. Dylanwadwyd arno gan **Ieuan Gwyllt** (John Roberts; 1822–77), a thrwy gyfrwng y **tonic sol-ffa** dechreuodd ei drwytho'i hun yn elfennau cerddoriaeth. Yn 1861 symudodd i Dinas, Cwm Rhondda. Am gyfnod byr bu'n gweithio i Arglwyddes Llanofer ac ef fyddai'n arwain y canu yn ei chapel. Yn 1870 symudodd am y tro olaf, y tro hwn i Lanelli, lle cafodd waith yn y pen draw fel arolygwr iechyd cyhoeddus. Yng Nghwm Rhondda y cyfansoddodd yr **emyn-dôn** 'Glanrhondda' sy'n dal i gael ei chanu'n weddol aml.

Yn Llanelli sefydlodd y Llanelli Philharmonic Society a bu'n amlwg ar bwyllgor **Eisteddfod Genedlaethol** Llanelli yn 1895. Ef hefyd a baratodd tua 45 aelod o Undeb Corawl De Cymru ar gyfer cystadlaethau mawr y Palas Grisial yn 1872 ac 1873. Ei is-arweinydd oedd R. C. Jenkins (neu 'R.C.')

a fu'n weithgar iawn dros gerddoriaeth yn y dref wedi hynny.

Bu'n olygydd *Y Gerddorfa* (1872–9), *Yr Ysgol Gerddorol* (1878–9), *Cyfaill yr Aelwyd* (1880–1), *Cerddor y Cymry* (1883–94) a *Cofiant Ieuan Gwyllt* (gyda J. Owen). Ysgrifennodd yn helaeth ar gerddoriaeth a daeth yn boblogaidd fel arweinydd cymanfaoedd canu a beirniad eisteddfodol llym ond adeiladol. Bu'n godwr canu mewn nifer o gapeli yn ardal Llanelli a gwnaeth lawer i godi ymwybyddiaeth o gerddoriaeth ymhlith ei gydwladwyr.

Cyfansoddodd yn helaeth yn ôl ffasiwn y cyfnod er nad yw'r gweithiau mawr ganddo wedi goroesi. Ysgrifennodd ddwy **oratorio**, *Ruth a Naomi* a *Brenin Heddwch*, **cantatas** megis *Llywelyn ein Llyw Olaf* (testun poblogaidd yn y cyfnod ymhlith cyfansoddwyr Cymreig), *Cantre'r Gwaelod* a'r *Bugail Da*. Enillodd ei fotét *Gweledigaeth Ioan* y wobr gyntaf iddo yn Eisteddfod Genedlaethol Conwy yn 1877, a chyfansoddodd yn ogystal bedair offeren *Requiem*, cytganau ac **anthemau** niferus. Roedd ei geinciau 'Y Gwlithyn' a 'Ffynnon ger fy Mwth' yn boblogaidd iawn yn eu dydd.

Mae bywyd a gwaith Alaw Ddu yn ddrych ardderchog o'r cyfnod ac yn nodweddiadol o'r math o gymwynaswyr a fu gan y diwylliant cerddorol Cymreig bryd hynny – y cefndir cyffredin, yr hunan-ddysg, yr argyhoeddiad fod cerddoriaeth yn gallu gwneud lles mewn cymdeithas a'r gred ym mhwysigrwydd canu cynulleidfaol a datblygu cerddoriaeth gerddorfaol (gw. **Ffurfiau Offerynnol** a **Clasurol a Chelfyddydol, Cerddoriaeth**). Enillodd ei draethawd 'Pa fodd i godi safon cerddoriaeth offerynnol yng Nghymru' wobr yn Eisteddfod Genedlaethol Llundain yn 1887. Heb ei ddyfalbarhad, ei ddycnwch a'i ynni byddai cerddoriaeth ei fro a'i genedl yn ei gyfnod yn dipyn tlotach.

Llyfryddiaeth ddethol

Y Bywgraffiadur Cymreig hyd 1940 (Llundain, 1953) a'r fersiwn ar-lein o'r Bywgraffiadur

Rhidian Griffiths, 'Alaw Ddu: o'r pwll at y gân', *Y Casglwr*, 35 (1988), 3

A. J. Heward Rees, 'Cerdd a Cherddorion Tref Llanelli: Rhai Agweddau' yn Hywel Teifi Edwards (gol.), *Cwm Gwendraeth*, *Cyfres y Cymoedd* (Llandysul, 2000), 197–224

Lyn Davies

Reynolds, Peter (1958–2016)

Cyfansoddwr a aned yng Nghaerdydd. Graddiodd mewn cerddoriaeth yng Ngholeg y Brifysgol, Caerdydd, yn 1979. Yn 1983 derbyniodd radd MA mewn dadansoddi cerddoriaeth fodern. Astudiodd gyfansoddi yn Ysgol Haf Ryngwladol Dartington, yn fwyaf arbennig gyda Peter Maxwell Davies (yn 1984), Morton Feldman (yn 1986) a Gordon Crosse (yn 1987). Bu'n weithgar fel gweinyddwr yn ogystal ag fel cyfansoddwr ac ef oedd cyfarwyddwr y PM Ensemble o Gaerdydd, a ffurfiwyd ganddo yn 1991. Bu'n gyfarwyddwr artistig Gŵyl Machen Isaf rhwng 1997 a 2009, a chyhoeddodd lawer fel awdur a cholofnydd. Ysgrifennodd lyfr sy'n croniclo hanes **Cerddorfa a Chorws Genedlaethol Gymreig y BBC**. Bu'n gysylltiedig â Choleg Brenhinol Cerdd a Drama Cymru o 1994 a bu'n diwtor cyfansoddi yno o 2002 hyd ei farwolaeth annhymig yn 2016.

Cyfansoddodd Reynolds ym mhob *genre* fwy neu lai. Oherwydd iddo astudio am gyfnod byr gyda Feldman efallai fod dylanwad yr athro hwnnw i'w weld yn ei waith, yn enwedig yn y llonyddwch telynegol a'r symlrwydd sydd, ynghyd ag elfen chwareus, yn nodweddu ei arddull, er enghraifft ei *The Head of Brass* (2010) ar gyfer adroddwr a phedwarawd sacsoffon. Ni cheir ganddo rethreg ymwthgar ac mae tuedd i'w ddarnau fod yn gryno. Yn 1993 cofnodwyd ei **opera** *The Sands of Time* yn y *Guinness Book of Records* fel yr opera fyrraf a gyfansoddwyd erioed. A hithau'n 3 munud 34 eiliad roedd yr opera tua hanner hyd *Deliverance of Theseus* gan Darius Milhaud, a gyfansoddwyd yn 1928. Er bod *The Sands of Time* wedi'i lleoli yn yr 1990au clywir dylanwad operâu Eidalaidd y 19g. ar y gwaith, sy'n cynnwys wyth aria.

Fodd bynnag, mae darnau eraill ganddo yn haeddu mwy o sylw. Ymhlith ei weithiau mwyaf llwyddiannus y mae *Bye, Baby Bunting* (1993) i driawd llinynnol, Pedwarawd Rhif 1 (1996), *Beiliheulog* (2009) ar gyfer ffliwt, feiola a thelyn, *Bayvil* (2011) ar gyfer piano, *footsteps quiet in the shadows* (Pedwarawd Llinynnol Rhif 2, 2012) a *Moon-Ark* (2013) ar gyfer soddgrwth a cherddorfa linynnol. Mae *Partishow* (2014), ar gyfer ffliwt, feiolin, gitâr a bas dwbl, yn enghraifft o agwedd anghyffredin Reynolds, lle mae'n cysylltu lleoliad penodol gan ddefnyddio ffilm ac elfennau technolegol i greu synthesis artistig.

Mae'r ffilm *Cippyn* (2015), gyda cherddoriaeth i fas dwbl a seiniau electronig, yn enghraifft bellach o'r math hwn o fenter. Cydweithiodd ar *Cippyn* gydag aelodau o Gyfadran y Diwydiannau Creadigol yn ATRiuM, **Prifysgol** De Cymru, Caerdydd. Yn y gwaith ceir portread o gapel anghyfannedd ger Aberteifi. Fe'i perfformiwyd yn ATRiuM fel digwyddiad anffurfiol, a phrif nodwedd y gerddoriaeth yw'r seiniau electronig sy'n cynnwys recordiadau o seiniau naturiol o'r tu mewn i'r capel. Cyn iddo farw bu'n cyfansoddi **ymdeithgan** ar gyfer cyrn hen geir ar gyfer **Gŵyl** Bro Morgannwg 2016.

Richard Elfyn Jones

Richards, Brinley (1817–85)

Pianydd a chyfansoddwr a aned yng Nghaerfyrddin, yn fab i organydd eglwys a gwerthwr cerddoriaeth. Gyrfa feddygol a oedd wedi'i chynllunio ar gyfer Henry Brinley Richards, ond yn sgil llwyddiant yn **Eisteddfod** Gwent a Morgannwg yn 1834 rhoddodd y gorau i'r cwrs hwnnw ac ymuno â'r proffesiwn cerddoriaeth y rhoesai ei fryd arno.

Yn 1835 aeth i'r Academi Gerdd Frenhinol, a oedd wedi'i sefydlu yn ystod y degawd blaenorol. Bryd hynny roedd yr Academi yn sefydliad llai o lawer nag y byddai'n ddiweddarach, a dibynnai hi a'i myfyrwyr ar nawdd gan uchelwyr. Sicrhaodd Brinley Richards nawdd gan Ddug Newcastle. Disgleiriai ymysg y myfyrwyr eraill ac enillodd gyfres o wobrau. Am gyfnod byr ar ôl gadael yr Academi astudiodd ym Mharis, lle bu'n cymysgu â rhai o'r cymeriadau cerddorol blaenllaw a weithiai yno, gan gynnwys Chopin. Ond buan y dychwelodd i Lundain i gymryd swydd fel athro yn yr Academi. Erbyn hynny, roedd yn adnabyddus fel pianydd (un hynod o feistrolgar yn ôl y sôn), ac oherwydd hynny ni fyddai byth yn brin o ddisgyblion yn yr Academi.

Er mai yn Llundain y treuliodd Brinley Richards dros hanner ei oes ac mai yno y bu farw, cadwodd gyswllt agos â Chymru. Gellid dweud iddo ddefnyddio'i gysylltiadau Cymreig er budd iddo'i hun, ond roedd ganddo wir gariad at ei wlad enedigol. Roedd yn aelod blaenllaw o'r Cymmrodorion ac yn feirniad cyson ar y cylch **eisteddfodol**. Ailargraffwyd ei *Songs of Wales* (1873) bedair gwaith mewn chwe blynedd, ac roedd y rhagymadrodd, er bod ei gywirdeb hanesyddol yn ansicr, yn cynnwys datganiad pwysig ynglŷn â bywyd cerddorol Cymru a'i threftadaeth.

Ei gyfansoddiad enwocaf yw 'God Bless the Prince of Wales'; ysgrifennwyd y geiriau Cymraeg, 'Ar Dywysog Gwlad y Bryniau', gan J. Ceiriog Hughes, a'r rhai Saesneg gan G. Linley. Fe'i perfformiwyd gyntaf gan yr unawdydd tenor enwog Sims Reeves yn Llundain ym mis Chwefror 1863, ac yn ddiweddarach yr un flwyddyn fe'i perfformiwyd ym mhriodas mab y Frenhines Victoria, Albert, Tywysog Cymru.

Cyfeiriwyd at 'God Bless the Prince of Wales' fel tystiolaeth nad oedd Brinley Richards yn fawr mwy na chynffonnwr a ddefnyddiai ei Gymreictod fel ffordd o ennill ffafr y crach yn Llundain. Nid yw hynny'n deg nac yn gywir. Mewn gwirionedd, roedd mor ddylanwadol ag unrhyw un o ran hyrwyddo cerddoriaeth a thraddodiadau Cymru ym mhrifddinas Prydain, ac nid oes amheuaeth ynglŷn â'i ddawn fel pianydd.

Llyfryddiaeth
A. J. Heward Rees, 'Henry Brinley Richards (1817–1885): A Nineteenth-Century Propagandist for Welsh Music', *Welsh Music History*, 2 (1996), 173–92

Trevor Herbert

Richards, Mair (1787–1877)

Mae'n deg disgrifio Mair Richards, a aned yn Llanymawddwy, Sir Drefaldwyn, fel cofnodydd **alawon gwerin** cyntaf Cymru. Medrai ganu pum offeryn, arweiniai gôr a cherddorfa eglwysi Darowen a Llangynyw a'i chyfraniad pennaf i draddodiad cerddorol Cymru oedd ei gwaith cadwraethol trwy ei **llawysgrifau** toreithiog. Roedd yn un o wyth o blant ar aelwyd gerddgar Thomas Richards (1754–1837) a Jane Lloyd (1756–1840), ac roedd ei thad yn offeiriad Anglicanaidd nodweddiadol o'r oes, yn Eglwyswr i'r carn ond yn Fethodist wrth reddf. Cyfrifid y tad a'r brodyr ymysg yr 'hen bersoniaid llengar' (Jenkins 1933, 115) tra gwnaeth Mair ei chyfraniad trwy warchod llawysgrifau'r teulu. Cedwir y llawysgrifau hynny bellach yng nghasgliad Cwrtmawr yn **Llyfrgell Genedlaethol Cymru**.

Bu hi a'i chwiorydd, Jane ac Elizabeth, yn gaeth i'w rhwymedigaethau teuluol ond profodd Mair wir ryddid yn ystod ei hymweliad â Llundain, rhwng gaeaf 1818 a gwanwyn 1819 (Davies 2006, 80). Roedd hi'n ferch egwyddorol, annibynnol ei barn, ac ysgrifennai ei llythyron yn y Gymraeg yn ddi-ffael. Torrodd ei chwys ei hun gan ennill parch offeiriaid llengar, beirdd amlycaf ei hoes a gwŷr dysgedig ei dydd, mewn oes pan nad oedd llais y ferch yn hyglyw mewn cymdeithas. Medrai fod yn heriol ei natur ac yn sicr nid 'mwynder Maldwyn' a'i nodweddai; galwodd Robin Ddu Eryri hi mewn cerdd a gyfansoddodd 8 Awst 1860 fel 'rhosyn o ddynes' (NLW 1860, 189). Ar y llaw arall creodd enw nid bychan iddi ei hun fel un a gynhaliai ymrysonau afieithus wrth ddiddanu ar y delyn. Disgrifiodd Ieuan Glan Geirionydd hi fel '[m]enyw fechan yn draed ac yn dafod i gyd' (Ellis

1981, 112–13). Gwnâi lawer ag Angharad Llwyd o fewn cylch goleuedig y merched llengar.

Cynhwysa ei llawysgrifau cerddorol donau a phenillion **plygain**, **alawon gwerin**, **emyn-donau** ac **anthemau**. Cyfrannai at draddodiad hirhoedlog y plygain trwy ei dawn canu, **arwain** a chofnodi, er enghraifft gwelir cofnod ganddi ar ffurf dyddiadur sy'n cwmpasu chwarter canrif a mwy o draddodiad byw ei hardal, sef y dystiolaeth llygad-dyst orau o hanes gwasanaethau plygain Maldwyn rhwng 1828 ac 1871. Bu'n arwain cantorion ar gyfer gwasanaethau'r plygain am flynyddoedd di-dor a cheir ymysg ei chasgliadau hynafiaethol nifer helaeth o hen fesurau'r **carolau** y cenid y penillion plygain arnynt.

Bu Mair hefyd yn casglu a chofnodi alawon gwerin dirifedi, gyda'r dyddiad 1813 ar un o'i chasgliadau cynharaf (sef NLW Cwrtmawr MS 21). Cyfrifid hi a'i brawd Dewi Silin ymysg casglwyr alawon gwerin amlycaf eu dydd ym Maldwyn a bu'r ddau'n ymwneud yn helaeth â **John Jenkins** (Ifor Ceri) trwy eu gweithgarwch casglu. Byddent ill tri'n cymharu casgliadau a derbyniodd Mair gasgliad cynharaf Ifor yn rhodd ganddo. Roedd y teulu diwyd hwn, a weithiai mewn modd hynaws a dirodres, yn destun edmygedd ar lawr gwlad. Etholwyd Mair yn aelod o Gymdeithas y Cymmrodorion yn 1821 am ei chyfraniad i lenyddiaeth Gymraeg (Ellis 1977, 21; Ellis 1981, 112).

Câi Mair ei hadnabod fel prif gynheilydd llawer agwedd ar gynulliadau diwylliedig ei dydd a dilyn ôl ei throed a wnaeth casglyddion alawon gwerin yr 20g., er enghraifft **Mary Davies**, **Grace Gwyneddon Davies** a **Ruth Herbert Lewis**. I Mair ei bywyd oedd ei milltir sgwâr. Hawliai Darowen le arbennig yn ei chalon ac nid syndod iddi ddewis yr enw barddol Mair Darowen pan y'i hurddwyd yn Ofyddes yng Ngorsedd y Beirdd yn 1824 (Ellis 1954, 77).

Llyfryddiaeth

NLW Cwrtmawr MS 298B

R. T. Jenkins, *Hanes Cymru yn y Bedwaredd Ganrif ar Bymtheg* (Caerdydd, 1933)

Mari Ellis, 'Teulu Darowen', *Journal of the Historical Society of the Church in Wales*, III/8 (1953), 120–39

———, 'Teulu Darowen (parhad)', *Journal of the Historical Society of the Church in Wales*, IV/9 (1954), 58–88

———, 'Mair Richards Darowen (1787–1877): Portread', *Yr Haul a'r Gangell*, 6 (Hydref, 1977), 21–5

———, 'Mair Richards Darowen (Ail ran)', *Yr Haul a'r Gangell*, 2 (Gwanwyn, 1978), 28–34

———, 'Rhai o Hen Bersoniaid Llengar Maldwyn', yn G. ap Gwilym ac R. H. Lewis (goln.), *Bro'r Eisteddfod: Cyflwyniad i Faldwyn a'i Chyffiniau* (Abertawe, 1981), 85–116

———, 'Y Personiaid Llengar a Llên y Werin', yn E. W. James a T. V. Jones (goln.), *Gwerin Gwlad: Ysgrifau ar Ddiwylliant Gwerin Cymru*, I (Llanrwst, 2008), 113–39

Sioned Davies, '"Far From the Madding Crowd": A Montgomeryshire Lady in London', *Transactions of the Honourable Society of Cymmrodorion*, 13 (2006), 74–93

Leila Salisbury, '"Melusder Mwyn ar Danau Per Odlau": Mair Richards Darowen (1787–1877) a thraddodiad gwerin Maldwyn' (PhD Prifysgol Bangor, 2012)

Leila Salisbury

Richards, Nansi (Telynores Maldwyn; 1888–1979)

Telynores draddodiadol a cherddor amlochrog a ddylanwadodd ar faes cerddoriaeth frodorol yng Nghymru yn yr 20g.

Ganed Nansi Richards Jones ar fferm Pen-y-bont ym Mhen-y-bont-fawr, Sir Drefaldwyn. Dan gyfarwyddyd ei thad (Thomas Richards), aelodau o deulu'r sipsiwn Cymreig a'i hathro **telyn** cyntaf, Tom Lloyd (Telynor Ceiriog), llwyddodd i feithrin techneg a gallu perfformio digymar a fu'n gyfrwng iddi sicrhau bri eisteddfodol a chyfle, yn 1910, i astudio yng Ngholeg Cerdd y Guildhall, Llundain, lle canolbwyntiodd ar ddysgu *repertoire* y traddodiad clasurol Ewropeaidd. Treuliodd gyfnod yn Unol Daleithiau America (1923–5) yn diddanu cynulleidfaoedd ac unigolion amlwg (gan gynnwys Henry Ford a William Kellogg) gyda'i dawn a'i hathrylith gerddorol. Fel aelod blaenllaw o Gôr Telyn Eryri a chyd-sylfaenydd yr *ensemble*, treuliodd drigain mlynedd yn perfformio mewn **gwyliau**, **eisteddfodau** lleol, rhanbarthol a chenedlaethol fel cyfeilyddes (i ddatgeinwyr **cerdd dant**) ac fel unawdydd telyn yng Nghymru a'r tu hwnt.

Cyflawnodd waith gorchestol fel athrawes telyn yn ogystal, a rhannodd ei dealltwriaeth o'r maes gyda chenedlaethau o gyw-delynorion drwy drosglwyddo ceinciau, amrywiadau, technegau a hanes y traddodiad Cymreig iddynt. Yn ystod cyfnod yr Ail Ryfel Byd ymaelododd ag ENSA (Entertainments National Service Association) ac ymunodd â charfan o ddiddanwyr proffesiynol a weithiai yng ngwersylloedd milwrol y lluoedd arfog ym Mhrydain. Yn 1954 cyhoeddodd cwmni Snell yn Abertawe gyfrol o drefniannau newydd gan Nansi, *Wyth o Geinciau Cerdd Dant*, oedd yn cynnwys alawon fel 'Eryri Wen', 'Cainc y Clogwyn' a 'Mantell Siani'. Yn yr un modd, lluniodd ddarnau unawdol ar gyfer y delyn (e.e. 'Gaeaf', 'Cainc Dona', 'Cainc Iona' a

'Melfyn'), ac er i'r rhain gael eu recordio gan gwmni Decca/**Qualiton**, erys y mwyafrif ohonynt mewn llawysgrif yn bennaf am eu bod yn anghyflawn ac yn anorffenedig o safbwynt nodiant.

Fel llythyrwraig, bu Nansi'n gohebu trwy gydol ei gyrfa ar faterion cerddorol, hanesyddol, ieithyddol a llenyddol, a hynny gyda rhai fel **Osian Ellis**, Joan Rimmer, Iorwerth Peate, Edith Evans, Edward Witsenberg, Erfyl Fychan ac Elfed Lewys. Yn y llythyrau hyn bu Nansi'n olrhain achau nifer o delynorion Cymreig y gorffennol, yn dadlau achos rhai o geinciau ac alawon y traddodiad yng Nghymru ac yn esbonio dulliau canu gyda'r tannau i rai o ddieithriaid y grefft.

Yn 1967 fe'i hanrhydeddwyd â'r MBE ym Mhalas Buckingham ac yn 1977 dyfarnwyd doethuriaeth anrhydeddus iddi gan Brifysgol Cymru am ei chyfraniad neilltuol i gerddoriaeth. Yn 1972 y cyhoeddwyd ei hunangofiant, *Cwpwrdd Nansi*, sy'n amlinellu ei phrofiadau fel cerddor Cymreig yn llinach yr hen delynorion crwydrol. Cyfrannodd drefniannau cerddorol i'r ffilmiau *The Last Days of Dolwyn* (a gyfarwyddwyd gan Emlyn Williams) a *Noson Lawen*/*The Fruitful Year*, ac yn dilyn cyfarfod teyrnged iddi ym Mhafiliwn Corwen (a drefnwyd gan Gymdeithas yr Iaith Gymraeg) yn 1976, sefydlwyd Ymddiriedolaeth Nansi Richards i gefnogi telynorion ifanc yng Nghymru. Roedd yn gymeriad lliwgar a diwylliedig ac yn ymgorfforiad o'r traddodiad cerddorol Cymreig ar ei anterth.

Disgyddiaeth

Celfyddyd Telynores Maldwyn/*The Art of Nansi Richards* (Sain/Decca DCRC331, 1987 [1973])

Llyfryddiaeth

Nansi Richards Jones, *Cwpwrdd Nansi* (Llandysul, 1972)
Marged Jones, *Nansi* (Llandysul, 1981)
Joan Rimmer, 'Telynores Maldwyn – Nansi Richards', *Welsh Music*/*Cerddoriaeth Cymru*, 7/10 (1982), 18–32
Nia Gwyn Evans, *Nansi Richards, Telynores Maldwyn* (Caernarfon, 1996)

Wyn Thomas

Roberts, Alwena (Telynores Iâl; 1899–1981)

Roedd Alwena Roberts yn delynores ac yn athrawes **telyn** ddylanwadol a ysbrydolodd ddwsinau o ddisgyblion telyn o'r 1930au ymlaen. Cafodd ei geni a'i magu yn Lerpwl a Wallasey, ar aelwyd Gymraeg a diwylliedig. Roedd ei rhieni yn hanu o Fryneglwys,

un o bum plwy cwmwd Iâl yn yr hen Sir Ddinbych. Dyna sut y dewisodd yr enw 'Telynores Iâl' pan y'i hurddwyd i Orsedd y Beirdd yn **Eisteddfod** Genedlaethol yr Wyddgrug yn 1923.

Drwy ddylanwad ei mam, dysgodd chwarae tri offeryn, sef y piano, yr organ a'r delyn. Y delynores a'i hysbrydolodd yn y lle cyntaf oedd Bessie Jones, Telynores Gwalia (Madame Diverres yn ddiweddarach), ond drwy symbyliad parhaus ei mam yn bennaf y llwyddodd i ennill prif wobr y delyn yn Eisteddfod y Gadair Ddu ym Mhenbedw yn 1917. Roedd hi'n dyst i'r seremoni ddramatig lle cyhoeddwyd mai Hedd Wyn oedd y bardd cadeiriol, ac yntau wedi ei ladd yn y Rhyfel Mawr. Yn Eisteddfod Genedlaethol Corwen ddwy flynedd yn ddiweddarach, enillodd brif wobr y delyn unwaith eto, ac yn 1927 cafodd gyfle i berfformio mewn cyngerdd yn Eisteddfod Genedlaethol Caergybi gyda Cherddorfa Symffoni Llundain.

Yn 1931 roedd ganddi gôr o ddeg o delynorion yn chwarae mewn Cyngerdd Celtaidd yn Eisteddfod Genedlaethol Bangor. Yn Eisteddfod Genedlaethol Wrecsam ymhen dwy flynedd roedd hi'n perfformio gyda Cherddorfa'r Hallé. Bu'n delynores sawl gwaith gyda Cherddorfa Ffilharmonig Lerpwl o dan **arweinyddion** megis Thomas Beecham, Adrian Boult, Henry Wood, Malcolm Sargent a John Barbirolli. Cafodd gyfle fwy nag unwaith hefyd i chwarae o flaen y teulu brenhinol. Bu'n feirniad yn yr Eisteddfod Genedlaethol droeon a bu hefyd yn arholi telynorion ar gyfer arholiadau'r Orsedd.

Wedi iddi ennill diploma LRAM fel perfformydd, fe'i penodwyd yn athrawes telyn yng Ngholeg y Brifysgol, Bangor. Telyn 'fenthyg' oedd ganddi yno ar y dechrau – telyn y Fonesig Olwen Carey Evans – hyd nes i Lady Gladstone, Penarlâg, gyflwyno telyn gothig yn rhodd i'r coleg. Oherwydd bygythiad awyrennau'r Almaen, gorfodwyd teulu Alwena Roberts i symud i Eifionydd yn 1940, ac yn fuan wedyn chwalwyd eu cartref yn Wallasey gan fom. Roedd y teulu'n gapelwyr selog a bu Alwena yn organydd yng Nghapel New Brighton, Wallasey, am 25 mlynedd. Yn 1948 roedd hi'n bresennol mewn cwrdd gweddi yn Nolgellau lle 'disgynnodd yr Ysbryd Glân', profiad a'i gwnaeth yn berson dwys a defosiynol iawn am weddill ei bywyd. Symudodd hi a'i chwaer i Aberystwyth ar ddechrau'r 1950au.

Fe'i cofir fel gwraig ddiymhongar gyda sêl a brwdfrydedd heintus dros y delyn. Roedd ganddi safonau uchel, a gofal eithriadol am bob disgybl. Teithiai ymhell ac agos i roi gwersi telyn. Ar un

adeg dysgai mewn pedair sir wahanol bob wythnos, a
hynny gan ddibynnu ar drafnidiaeth gyhoeddus.

Dylanwadodd yn drwm ar do cyfan o delynorion,
yn eu plith **Osian Ellis**, Frances Môn Jones,
Gwenllian Dwyryd, **Elinor Bennett**, Huw Lewis
Jones, Delyth Evans, Morfudd Maesaleg a Susan
Drake. Bu ei chyfraniad yn allweddol i'r twf a welwyd
ym mhoblogrwydd y delyn fel offeryn yng Nghymru
yn ail hanner yr 20g.

Arfon Gwilym

Roberts, John (Alaw Elwy, Telynor Cymru; 1816–94)

Cerddor a chyfarwyddwr *ensemble* offerynnol a
ddaeth i amlygrwydd yng Nghymru yn y 19g., a
disgynnydd i deulu'r sipsiwn Cymreig, oedd John
Roberts. Fe'i ganed yn Rhiwlas Isaf, Llanrhaeadr,
Sir Ddinbych, yn fab i John Roberts, Pentrefoelas.
Sarah, merch William Wood a chwaer i Archelaus
Wood, oedd ei fam.

Wedi cyfnod o naw mlynedd yn y Gatrawd
Gymreig (Royal Welch Fusiliers), lle cafodd
brofiadau cerddorol gwerthfawr, ymgartrefodd yn
y Drenewydd, a bu'n byw yno hyd ddiwedd ei oes.
Twf diwydiannol yr ardal, poblogaeth gynyddol a
lleoliad daearyddol y dref nid nepell o Glawdd Offa
a barodd iddo ymsefydlu yn y gymdogaeth honno.
Fe'i dysgwyd i ganu'r **delyn deires** gan aelod o
deulu'r sipsiwn ac o ganlyniad roedd ganddo arddull
berfformio liwgar ac egnïol. Yn 1836 priododd
Eleanor Wood Jones, merch **Jeremiah Wood** (Jerry
Bach, telynor stad Gogerddan, Aberystwyth) (gw.
Woodiaid, Teulu'r).

Bu'n ddisgybl i **Richard Roberts**, Caernarfon, a
daeth yn delynor adnabyddus ac yn ganwr **penillion**
amlwg. Er iddo ennill bri fel unawdydd (enillodd
delyn deires yn **Eisteddfod** Cymreigyddion y
Fenni, 1842, ac yn Eisteddfod Caerdydd, 1850),
ei waith fel cyfarwyddwr cerddorol y **Cambrian
Minstrels** a ddaeth â sylw cenedlaethol i'w ran. Yr
ensemble proffesiynol hwn oedd y cyntaf o'i fath yng
Nghymru'r cyfnod. Ei naw o feibion oedd yr aelodau
(gw. **Kinney** 2011, 178), a theithient o amgylch prif
drefi gwyliau Cymru – Y Bala, Aberystwyth, Tywyn,
Dolgellau, Porthmadog a Llandudno – yn ystod yr
haf yn diddanu ymwelwyr gan dreulio misoedd y
gaeaf yn perfformio mewn gwestai a thai bonedd yng
Nghymru a Swydd Amwythig.

Fel un o brif delynorion teires ei gyfnod,

perfformiodd o flaen y Frenhines Victoria yn
Portsmouth (1834) a Chaer-wynt (1835 ac 1847), o
flaen y Dug Constantine o Rwsia yn Aberystwyth, a
brenin Gwlad Belg yn Abertawe (1848). Dysgodd ei
blant i ganu'r delyn, y **ffidil** a'r ffliwt, a'r Cambrian
Minstrels a fu'n diddanu'r Frenhines ym mhlasty Palé,
Llandderfel, yn 1889. Siaradai Romani, Cymraeg a
Saesneg, a'i gyswllt gyda'r anthropolegwyr Francis
Hindes Groome a Dora Yates a fu'n sail i'w gasgliad
helaeth o lythyrau a dogfennau sydd ar gadw ym
Mhrifysgol Lerpwl heddiw.

Yn Arwest Fawr Glan Geirionnydd (1886) fe'i
hurddwyd gan Gwilym Cowlyd yn 'Delynor Cymru'.
Ar adeg pan oedd y Cymry'n gwrthod y delyn deires
oherwydd poblogrwydd y delyn bedal Ewropeaidd,
cyfrannodd John Roberts i'w hadfywiad ac o
ganlyniad i'w barodrwydd i fentro fel perfformiwr,
diogelodd yr offeryn ar gyfer cerddorion yr 20g.
gan gynnwys rhai fel **Nansi Richards** (Telynores
Maldwyn) a **Robin Huw Bowen** a ddaeth i'w
olynu.

Llyfryddiaeth

Ifor ap Gwilym, 'John Roberts "Telynor Cymru", 1816–
    1894', *Welsh Music/Cerddoriaeth Cymru*, 5/1 (1976),
    34–41
E. Ernest Roberts, *With harp, fiddle and folktale* (Y
    Drenewydd, 1981)
Robin Huw Bowen, 'John Roberts "Telynor Cymru"
    (1816–1894)', *Taplas*, 64 (Mehefin–Gorffennaf, 1994),
    16–17
Wyn Thomas, 'John Roberts (Telynor Cymru) 1816–
    1894', *Hanes Cerddoriaeth Cymru*, 1 (1996), 172–9
Phyllis Kinney, *Welsh Traditional Music* (Caerdydd, 2011)

Wyn Thomas

Roberts, John (1822-77)
gw. Ieuan Gwyllt

Roberts, John Henry (Pencerdd Gwynedd) (1848–1924)

Organydd, cyfansoddwr, **addysgwr** a golygydd
cerddorol. Fe'i ganed ym Mhen'rallt, Y Gefnan,
ar lethrau Mynydd Llandygái ger Bangor. Yn fab i
Harri ac Elizabeth Roberts, yn fachgen fe weithiodd
yn y chwarel a chael gwersi ar yr organ gan Evan
Thomas. Yn bedair ar ddeg oed daeth yn organydd
capel y Wesleaid Cymraeg, Seilo, Tre-garth. Dan
ddylanwad bywyd diwylliannol y gymdogaeth,
chwarelwyr a cherddorion Bethesda a'r fro (rhai fel

David Roberts (Alawydd), Robert Williams, Cae Asaeth, ac Owen Humphrey Davies (Eos Llechid)), dysgodd hanfodion y grefft o gyfansoddi **emyn-donau** ac **anthemau**.

Fel organydd ifanc yng nghapeli Anghydffurfiol yr ardal, cynhaliai ddosbarthiadau i ddysgu darllen cerddoriaeth (dull **sol-ffa** Hullah ac nid Curwen). Ymddiddorai mewn cyfansoddi ac enillodd ei gantata, *Y Mab Afradlon*, wobr yn **Eisteddfod** Caer yn 1867. Yn ugain oed, symudodd i gyffiniau Tywyn, Meirionnydd, i fod yn ysgrifennydd chwarel Bryneglwys ger Abergynolwyn. Bu'n weithgar yno yn sefydlu cymdeithas **gorawl** ac yn gyfeilydd yn yr ardal, a gwnaeth gymaint i godi safonau darllen cerddoriaeth a chanu ymhlith y trigolion fel y gallodd y côr gyfrannu i Ŵyl Gerdd Harlech, a oedd yn ei hanterth bryd hynny.

Dan anogaeth Samuel Sebastian Wesley (1810–76), organydd Eglwys Gadeiriol Caerloyw, a **Brinley Richards** (1817–85), astudiodd yn yr Academi Gerdd Frenhinol (1870–4). (Yn 1886 ysgrifennodd ddwy erthygl ar Brinley Richards a ymddangosodd yn *Y Geninen*.) Bu'n ddisgybl i'r athro piano a chyfansoddi, William Sterndale Bennett (1816–75), a derbyniodd wersi organ gan Charles Steggall (sylfaenydd Coleg Brenhinol yr Organyddion). Enillodd radd MusBac o Brifysgol Caergrawnt (1882), a daeth yn Gymrawd o'r Coleg Tonic Sol-Ffa, Llundain.

Fe'i hurddwyd yn Gymrawd yr Academi Gerdd Frenhinol (FRAM). Dychwelodd i'w gynefin yn 1874 a'i benodi'n organydd Capel yr Annibynwyr Bethesda. Daeth yn organydd i nifer o enwadau yn eu tro: Capel yr Annibynwyr Cymraeg, Bethesda, Sir Gaernarfon (canol 1874–8); Eglwys y Presbyteriaid Saesneg, Turf Square, Y Maes, Caernarfon (1878–83).

Dan oruchwyliaeth Syr George Macfarren (pennaeth yr adran gerdd), graddiodd yn 1882 gyda BMus o Brifysgol Caergrawnt cyn derbyn swydd organydd Capel y Presbyteriaid Saesneg Castle Square, Caernarfon (1883–97). Symudodd i Lerpwl fel organydd a chôr-feistr Eglwys Bresbyteraidd Gymraeg Chatham Street (1898–1924), lle y'i dilynwyd gan yr organydd un ar bymtheg oed, a'r cyfansoddwr tra dawnus, **W. Albert Williams** (1909–46).

Un o'i gyfansoddiadau mwyaf poblogaidd oedd 'Cwsg, Filwr, Cwsg' (1875), ac fe'i disgrifiwyd gan **T. Hopkin Evans** yn *Y Brython* fel 'y cyfansoddwr rhan-ganeuon gorau i genedl y Cymry ei gynhyrchu erioed.' Aeth llawer o'i gynnyrch – a oedd yn

cynnwys dros 400 o **gantatas**, anthemau, emyn-donau, rhan-ganeuon, unawdau a darnau ar gyfer piano a cherddorfa – yn angof ers blynyddoedd, mae rhan helaeth o'i waith allan o brint, a'i lyfrau emynau a'i werslyfrau cerddorol wedi'u disodli, er bod nifer o'i emyn-donau i'w clywed o hyd, gan gynnwys 'Aberafon', 'Gwynfa', 'Port Penrhyn' ac 'Uxbridge'.

Bu'n ymwneud â'r llyfrau emynau a'r casgliadau cysegredig canlynol: *Cydganau y plant* (1870); *Llawlyfr Moliant* (1880 ac 1890); *Llawlyfr Elfennau Cerddoriaeth* (1890); *Hymnau yr Eglwys* (1893); *Llyfr Anthemau* (1896); *Llyfr Hymnau a Thônau y Methodistiaid Calfinaidd* (1897); *Llawlyfr Moliant yr Ysgol Sul* (1897) (gyda W. T. Samuel); *Llyfr Tonau y Methodistiaid Wesleyaidd* (1904) (gyda **D. Emlyn Evans** a Wilfrid Jones). Cyfrannodd i'r *Cerddor* ac anfonodd ddymuniadau da at **W. S. Gwynn Williams** pan lansiwyd *Y Cerddor Newydd* yn 1922.

Cymaint ei awydd i eraill gael addysg gerddorol fel y sefydlodd ym Methesda yn 1874 Goleg Hyfforddiant Cerddorol Gogledd Cymru, ac yna, yn Lerpwl, y Cambrian School of Music ac, ar gyfer argraffu cerddoriaeth, y J. H. Roberts Music Publishing Company. Yn 1877 fe'i derbyniwyd yn aelod o Orsedd y Beirdd. Treuliodd oes gyfan yn dysgu, beirniadu, cyfansoddi, cyhoeddi, arwain a chyfeilio. Fel cefnogwr brwd nodiant y sol-ffa, cyfrannodd erthyglau'n gyson i'r wasg, gan gynnwys cyhoeddiadau fel *Y Cerddor*, *Y Genedl* a'r *Brython*, ar faterion fel canu cynulleidfaol, canu **corawl**, **arwain**, cerddoriaeth a'r eisteddfod, a dadleuai dros sefydlu **cerddorfeydd** yng Nghymru. Dylanwadodd ei gyfrol, *Llawlyfr Elfennau Cerddoriaeth* (1890), hefyd ar gynnwys a chyfeiriad **addysg gerddorol** ymhlith amaturiaid ledled Cymru.

Yn 1878 priododd Annie Williams a chawsant saith o blant. Daliodd i gyfrannu i fyd cerddoriaeth Gymreig hyd ddiwedd ei oes trwy gyfansoddi, cyhoeddi ac ymchwilio. Bu farw yn Lerpwl ar 6 Awst 1924 ac fe'i claddwyd ym mynwent Smithdown Road y ddinas.

Llyfryddiaeth
'Ein Cerddorion Cymreig', *Yr Ymwelydd Misol*, IV/12 (Rhagfyr, 1906), 140–1

'John Henry Roberts, Mus. Bac (Cantab) 1848–1924', *Y Brython* (7 Awst 1924), 3

'Ein Cerddorion', *Y Cerddor*, XII/48, 39–40

'Pencerdd Gwynedd', *Y Traethodydd*, XVII (Cyfres 3), 22–8

Delyth G. Morgans, *Cydymaith Caneuon Ffydd* (2006)

David R. Jones a Wyn Thomas

Roberts, Rhydian (Rhydian; g.1983)

Erbyn hyn mae enw Rhydian Roberts yn un cyfarwydd iawn ym maes adloniant ysgafn ac mae wedi ennill cryn boblogrwydd fel canwr. Caiff ei gysylltu bellach ag arddull sioeau cerdd a cherddoriaeth ysgafn er iddo gael gael hyfforddiant mewn **cerddoriaeth glasurol**. Fe'i ganed ym Mhontsenni, ger Aberhonddu, a chafodd ei addysgu yn Ysgol Gynradd y Bannau, Aberhonddu. Oddi yno aeth i Goleg Llanymddyfri lle bu'n brif swyddog. Er iddo ganu a chystadlu pan oedd yn ifanc, chwaraeon a aeth â'i fryd yn Llanymddyfri a'i uchelgais oedd bod yn chwaraewr rygbi proffesiynol. Daeth tro ar fyd pan enillodd ysgoloriaeth i astudio'r llais yn y Conservatoire yn Birmingham ac ymrodd yn llwyr i ddatblygu ei lais bariton cyfoethog o hynny ymlaen.

Tra oedd yn fyfyriwr yn Birmingham cafodd gryn lwyddiant gan gipio nifer o wobrau ac ysgoloriaethau, megis Bwrsari Kathleen Ferrier a gwobr Reginald Vincent am ganu *lieder*. Er na chafodd lwyddiant ar gyfres y BBC, *Any Dream Will Do,* cyrhaeddodd y rownd derfynol yng nghyfres yr *X Factor* a ddarlledwyd gan ITV, a daeth yn agos at gipio'r wobr gyntaf (a enillwyd gan Leon Jackson). Yn ystod y cyfnod hwn parhaodd i gystadlu'n llwyddiannus iawn mewn **eisteddfodau**.

Er iddo ganolbwyntio'n bennaf ar berfformio o flaen cynulleidfaoedd yng Nghymru, mae hefyd wedi canu yn rhai o brif neuaddau cyngerdd y Deyrnas Unedig, yn eu plith Neuadd Albert a Chanolfan y Barbican yn Llundain, Neuadd Symffoni Birmingham a Thŷ Opera Buxton. Yn ogystal, teithiodd o gwmpas neuaddau a theatrau mewn cynyrchiadau fel *Rocky Horror Show, Grease* a *We Will Rock You.* Rhyddhaodd bedair cryno-ddisg; y gyntaf oedd *Rhydian* (Sony, 2008), a ymddangosodd yn sgil ei lwyddiant ar y gyfres *X Factor* ac a werthodd dros 500,000 o gopïau. Rhyddhawyd *O Fortuna* (hefyd ar label Sony) flwyddyn yn ddiweddarach.

Ar y gryno-ddisg hon a gynhyrchwyd gan **Karl Jenkins** cafodd Rhydian gyfle i gydweithio gyda cherddorion byd-enwog gan gynnwys Kiri Te Kanawa, **Bryn Terfel** a **Catrin Finch**. Mae'r ddisg *Waves* a ryddhawyd yn 2011 yn torri cwys newydd gan fod elfennau electronig, mwy arbrofol yn perthyn iddi. Yn fuan wedyn recordiodd ddisg o ganeuon Cymraeg. Yn ogystal, rhyddhaodd dair disg sengl: *The Impossible Dream* yn 2008, *The Prayer* yn 2010 a *Parade* yn 2011.

Mae'n frwd ei gefnogaeth i elusennau a bydd yn perfformio mewn cyngherddau er budd mudiadau megis Ymddiriedolaeth y Tywysog, Cymorth Cristnogol, *Help for Heroes* a'r NSPCC. Yn 2013 bu ar daith o gwmpas theatrau Cymru a rhannau o Loegr gan berfformio unawdau operatig a chaneuon poblogaidd yn Saesneg a Chymraeg i gyfeiliant band byw ac ail-adroddwyd hynny yn 2017.

Disgyddiaeth

Rhydian (Sony 88697418512, 2008)
O Fortuna (Sony 88697596492, 2009)
Waves (Conehead CONE27, 2011)

Llyfryddiaeth

Cyfweliadau personol gyda John Quirk
www.bbc.co.uk/music/artists
www.thisissouthwales.co.uk/interview-Rhydian-Roberts
www.rhydian-roberts.co.uk
www.rhydianroberts.com

Euros Rhys

Roberts, Richard (Caernarfon) (1769–1855)

Telynor, datgeinydd, athro a beirniad eisteddfodol yng Nghymru ddiwedd y 18g. a dechrau'r 19g. Fe'i ganed yn Nhaltreuddyn, Dyffryn Ardudwy, ac er iddo fwrw ei brentisiaeth fel telynor yng Nghefn Mein ym mhlwyf Llannor, Llŷn, a Phlas Hen, Llanystumdwy (sef Talhenbont bellach), treuliodd gyfran helaeth o'i yrfa broffesiynol yn arfer ei grefft yng Nghaernarfon, lle'r oedd cynulleidfa barod a phoblogaeth fwy sylweddol i'w gefnogi. Fel un o delynorion amryddawn ei ddydd, cysylltir ei enw fel athro â'r to ifanc o gerddorion a fu'n cynnal y **delyn deires** yng Nghymru'r 19g., rhai fel **John Roberts** (Telynor Cymru), John Wood Jones (gw. **Woodiaid**, Teulu'r) a Huw Pugh o Ddolgellau.

Collodd Richard Roberts ei olwg yn ystod ei blentyndod o ganlyniad i'r frech wen ond mynnodd ennill ei fywoliaeth trwy ddiddanu a pherfformio'n gyhoeddus, gan ddilyn ôl troed rhai fel **John Parry Ddall** (Rhiwabon). William Williams (Wil Penmorfa) oedd ei athro pennaf ond daliai gyswllt agos â **John Parry** (Bardd Alaw) a edmygai ei grefft a'i allu yn fawr fel y nododd yn *The Welsh Harper* (Cyf. 2, 1848). Daeth Richard Roberts i enwogrwydd, fodd bynnag, yn sgil ei lwyddiant eisteddfodol fel telynor yn Wrecsam (1820) ac yn Ninbych (1828) a hefyd fel beirniad yn **Eisteddfodau**'r Fenni (1843), y Drenewydd, Aberffraw a Rhuddlan (1850).

Ei gyfraniad mwyaf i fyd telynori yng Nghymru oedd ei ymdrechion i hyrwyddo'r defnydd o'r offeryn yn Llundain (e.e. ymhlith aelodau Cymdeithas y Gwyneddigion) a'i gasgliad cyhoeddedig *Cambrian Harmony* (1829) a oedd yn ffrwyth blynyddoedd lawer o gasglu ceinciau'r traddodiad Cymreig. Gwelir bod y gyfrol hon yn wahanol iawn i brif gasgliadau cerddorol y 19g. Ynddi ceir 30 cainc ar gyfer y delyn deires sy'n gynnyrch y traddodiad llafar (wedi eu copïo gan gerddor cymwys, oherwydd dallineb Richard Roberts) a oedd yn dal mewn bri yr adeg honno, deunydd sy'n seiliedig ar geinciau ar gyfer y **ffidil** a welir hefyd yn Llawysgrif Morris Edwards (Llsgr. Bangor 2294) o gerddoriaeth, ynghyd â rhai ceinciau ac atgynhyrchwyd o gasgliadau cerddoriaeth y 19g.

Ymddengys rhai o'r alawon (e.e. 'Difyrrwch y brenin', 'Morfa Rhuddlan' a '**Dafydd y Garreg Wen**') ar ffurf Thema ac Amrywiadau tra mae eraill (e.e. 'Hufen y cwrw melyn' a 'Breuddwyd Dafydd Rhys') yn dilyn trefn gwbl gonfensiynol. Ceir trefniant ar gyfer dwy delyn deires o'r gainc 'Sweet Richard' ar ddiwedd y gyfrol, sef yr alaw a berfformiwyd gan Richard Roberts yn Eisteddfod Wrecsam, 1820, ac Eisteddfod Dinbych, 1828, pan ddyfarnwyd iddo'r Delyn Arian a'r Delyn Aur. Bu farw yn 1855 ac fe'i claddwyd ym mynwent Eglwys Llanbeblig, Caernarfon.

Llyfryddiaeth

Richard Roberts, *Cambrian Harmony, being a collection of Welch airs never before published. Arranged as they were originally performed by the ancient Britons, adapted for the harp and piano forte* (Dulyn a Chaernarfon, 1829)

M. O. Jones, *Bywgraffiaeth Cerddorion Cymreig* (Caerdydd, 1890)

Robert Griffith, *Llyfr Cerdd Dannau, ymchwiliad i hanes hen gerddoriaeth a'r dulliau hynaf o ganu* (Caernarfon, 1913)

Ann Rosser, *Telyn a Thelynor: Hanes y Delyn yng Nghymru, 1700–1900* (Caerdydd, 1981)

Wyn Thomas

Roberts, Robert (Bob Tai'r Felin; 1870–1951)

Etifeddodd Bob Roberts, neu Bob Tai'r Felin, gorff o ganeuon gwerin lleol gan ei deulu a'i gymdogion yn ardal Cwmtirmynach, gerllaw'r Bala. Yn ddiweddarach roedd yn gyfrifol am eu cadw'n fyw trwy eu canu mewn nosweithiau llawen ac ar y gyfres radio *Noson Lawen*. Cawsant gynulleidfa eang hefyd trwy gyfrwng recordiau yn yr 1940au ar label Decca ac yn sgil y ffilm *Noson Lawen / A Fruitful Year* (1950) flwyddyn cyn ei farwolaeth.

Am hanner canrif roedd yn arweinydd y gân yng nghapel Cwmtirmynach ac yn athro Ysgol Sul yno hefyd. Fel aelod gweithgar yn ei filltir sgwâr, cymerai ran flaenllaw yn lleol mewn digwyddiadau cerddorol, llenyddol ac eisteddfodol. Yn **Eisteddfod** Genedlaethol Bangor yn 1931 enillodd y gystadleuaeth **canu gwerin**. Am gyfnod ar ôl hynny, gyda'i ferch Harriett, Robert Lloyd (Llwyd o'r Bryn), John Thomas a Lizzie Jane Thomas, bu'n aelod o Barti Tai'r Felin, gan deithio i ddiddanu cynulleidfaoedd ledled Cymru ynghyd â chymdeithasau Cymreig yn Lloegr. O 1944 ymlaen cyfrannodd at y rhaglen radio *Noson Lawen* gan ddod i sylw cynulleidfa genedlaethol. Bu'r rhaglen hon, a'i berfformiadau ef, yn allweddol ym mharhad traddodiadau canu gwerin a phoblogrwydd caneuon gwerin.

Yn dilyn ei farwolaeth yn 1951 dadorchuddiwyd cofeb iddo yn 1961 ar fin y ffordd gerllaw'r hen felindy teuluol. Golygodd a threfnodd **Haydn Morris** ei ganeuon ar gyfer Snell and Sons yn 1959, ac yn ddiweddarach rhyddhaodd Sain CD o recordiau Bob Roberts o archif y BBC.

Disgyddiaeth

Bob Roberts, *Tai'r Felin* (Sain SCD2608, 2009)

Llyfryddiaeth

Caneuon Bob Tai'r Felin (gol. Haydn Morris) (Abertawe, 1959)

Sarah Hill

Roc a Phop, Canu (gw. Poblogaidd, Canu)

Rosser, Neil (g.1964)

Canwr a chyfansoddwr pop a ddaeth i amlygrwydd yn bennaf yn ystod yr 1990au gyda'r grŵp Neil Rosser a'i Bartneriaid. Yn enedigol o Gwm Tawe, ei ddylanwadau cynnar oedd ffigyrau unigryw, gwreiddiol a mwy ymylol y byd canu pop Eingl-Americanaidd, fel Tom Waits, Ian Dury ac Elvis Costello. Bu Van Morrison hefyd yn ysbrydoliaeth, a daeth trefniant Rosser o gân Van Morrison 'Brown Eyed Girl' (o dan yr enw 'Merch o Port') yn un o'i ganeuon mwyaf poblogaidd.

Mae nifer o ganeuon Rosser wedi eu hysbrydoli gan gymeriadau neu leoliadau lliwgar ei fro enedigol. Rhoddir sylw i gymunedau tlawd a difreintiedig yr ardal, ynghyd a'u cefndir aml-ddiwylliannol. Un o'i ganeuon mwyaf effeithiol i ymdrîn â'r syniad yma yw 'Ochor Treforys o'r Dre', sy'n cyfeirio at 'Clydach a Glais, Birchgrove, Bonymaen', y Gwyddelod a'r 'Jacs', at Sipsiwn a Tincars y fro, ac at olion ac adfeilion hen ddiwydiannau mawr yr ardal, megis y ffwrneisi a'r pyllau glo. Mae geiriau ei ganeuon hefyd yn defnyddio iaith a ddafodiaith Gymraeg ardal Abertawe megis 'pwtru', 'wilod' a 'gatel', ac felly'n cynnig darlun o hanes ac ardal bwysig sydd wedi ei eithrio a'i anwybyddu i raddau helaeth gan ganu pop Cymraeg.

Bu Neil Rosser a'i Bartneriaid yn fwyaf cynhyrchiol rhwng 1987–2011, gan ryddhau cynnyrch ar label Ankst, record hir ar label Crai, a nifer o recordiau ar ei label ei hun, Recordiau Rosser.

Disgyddiaeth

Ni Cystal Â Nhw [EP] (Ankst 001, 1988)

Shoni Bob Ochr [casét EP] (Ankst 008, 1989)

Gwynfyd (Crai CD043, 1994)

Swansea Jack (Recordiau Rosser Ross 001, 1999)

Casgliad o Ganeuon, 1987–2004 (Recordiau Rosser Ros 003, 2004)

Yr Ail Ddinas [EP] (Recordiau Rosser Ros 004, 2006)

Caneuon Rwff (Recordiau Rosser Ros 006, 2011)

Gwrthgyferbyniad (Recordiau Rosser Ros 007, 2015)

Casgliad o Ganeuon 2005–2018 (Recordiau Rosser Ros 008, 2018)

Ruth, Georgia
(gw. **Williams, Georgia Ruth**)

Rh

Rhaglenni Teledu Pop

Ymddangosodd artistiaid pop ar raglenni teledu mor bell yn ôl ag 1964 – yr un flwyddyn â darllediad cyntaf *Top of the Pops* – pan ddarlledwyd *Hob y Deri Dando* am y tro cyntaf. Sioe gerdd oedd honno gyda phwyslais ar gerddoriaeth canu gwlad ar y cyfan. Erbyn 1968 roedd TWW wedi herio rhaglen y BBC gydag *Ysgubor Lawen*. Roedd y ddwy raglen yn canolbwyntio ar gerddoriaeth a oedd yn addas i'r nosweithiau llawen. Yn wir, yn ddiweddarach, o ddyddiau cynnar S4C, cafodd nosweithiau o'r fath eu darlledu yn yr un diwyg o dan y teitl *Noson Lawen*.

Cafodd cyfresi i artistiaid penodol hefyd eu comisiynu gan y BBC a TWW/HTV o ganol yr 1960au ymlaen, gyda sioeau megis *Dyma Dafydd* (**Dafydd Iwan**; 1966), *Tony ac Aloma* (1969), a *Gwrando ar fy Nghân* (**Heather Jones**; 1972). Fodd bynnag, *Disc a Dawn* (1966) a wnaeth y cyfraniad pwysicaf i foderneiddio'r byd pop. Dechreuodd fel rhaglen gylchgrawn i ieuenctid a gynhwysai berfformiadau **canu pop**, ond trodd yn rhaglen gerddoriaeth benodol erbyn 1968.

Cafodd *Disc a Dawn* effaith aruthrol ar y byd pop Cymraeg a rhoddodd hwb enfawr i artistiaid. Darparodd fersiwn Cymraeg o'r 'Hit Parade' – sef Deg Uchaf *Y Cymro,* a gyhoeddid bob wythnos – a bu'n fodd i hyrwyddo rhyddhau recordiau a digwyddiadau byw ledled Cymru. Gyda chymaint o gantorion protest megis **Dafydd Iwan** a **Huw Jones** yn ymddangos yn rheolaidd ar y sioe, derbyniodd feirniadaeth hallt gan rai – George Thomas yn enwedig – a chyhuddwyd y cynhyrchwyr o roi llwyfan wythnosol i Blaid Cymru. Erbyn yr 1970au, fodd bynnag, roedd y rhaglen yn wynebu cystadleuaeth o gyfeiriad y byd pop ei hunan. Derbyniad llugoer a gafodd y newid i ddiwyg 'disgo' yn 1972. Cwynai eraill fod ymddangosiad artistiaid 'hŷn', megis **Hogia'r Wyddfa**, yn tanseilio perthnasedd y sioe i'r gynulleidfa ifanc.

Yn 1974 disodlwyd *Disc a Dawn* gan *Gwerin '74.* Er gwaetha'r enw rhoddodd y rhaglen lwyfan i **gerddoriaeth roc** megis **Edward H Dafis**. Yn ddiweddarach llwyddodd *Twndish* a *Seren Wib* i roi sylw i fandiau pync a thon newydd (*new wave*) yr 1970au hwyr, er i *Twndish* gythruddo llawer drwy estyn gwahoddiadau i fandiau Saesneg megis X-Ray Spex.

Cafwyd nifer o raglenni byrhoedlog yn ystod yr 1980au, rhai megis *Roc ar ôl Te, Sêr, Larwm* a *Stid*, ond gyda darllediad cyntaf *Fideo 9* yn 1988 cychwynnodd oes newydd yn hanes y sîn roc. Roedd artistiaid megis **Huw Jones, Y Dyniadon Ynfyd Hirfelyn Tesog** a'r **Bara Menyn** eisoes wedi arbrofi gyda chlipiau gweledol ar gyfer eu caneuon, ond *Fideo 9* – gweledigaeth **Geraint Jarman** – oedd y rhaglen Gymraeg gyntaf i arbenigo mewn creu fideos cerddoriaeth. Drwy roi sylw i fandiau megis **Anhrefn, Ffa Coffi Pawb** a Traddodiad Ofnus, bu'n gyfrifol am ehangu ystod creadigol canu poblogaidd Cymraeg. Daeth *Fideo 9* i ben yn 1992, ond fe'i dilynwyd gan sioeau megis *Garej* ac *i-dot.* Ers 2000 mae sioeau megis *4trac* (2000–02), *Y Sesiwn Hwyr* (2000–03), *Y Set* (2003), *Bandit* (2004–11) a *Stiwdio Gefn* (2012–17) wedi parhau i roi cyfle i fandiau ac artistiaid Cymraeg ddatblygu eu gyrfaoedd.

Craig Owen Jones

Rhydderch, Llio (g.1937)

Telynores yn y dull traddodiadol Gymreig yw Llio Rhydderch. Fe'i magwyd ar fferm Coed Mawr, Bangor, ar aelwyd gerddorol. Yn blentyn ifanc dysgodd ganeuon a **cherddoriaeth werin, canu penillion,** y gynghanedd a **sol–ffa,** a byddai'n mynychu nosweithiau llawen ac **eisteddfodau** lleol yng nghwmni ei thad, **baledwr** a chanwr **cerdd dant** o fri.

Dechreuodd chwarae piano'n gynnar a'r delyn pan oedd yn wyth oed. Derbyniodd wersi gan **Nansi Richards** (Telynores Maldwyn), gan ddysgu alawon a thechnegau traddodiadol Gymreig yn ôl y glust;

trwy hynny daeth yn gyfarwydd â thechnegau'r **delyn deires**, er mai telyn *Grecian* oedd ganddi ar y dechrau. Tra oedd yn Ysgol Ramadeg y Merched, Bangor, cafodd wersi **telyn** gan Freda Holland, merch-yng-nghyfraith i Delynores Cybi ac etifeddes i draddodiad chwarae telynorion Ynys Môn. Daeth hefyd dan ddylanwad ei hathrawes gerdd, Megan Morris, hithau'n ogystal yn hyddysg yn y traddodiad gwerin, a bu'n aelod o Gôr Telyn Eryri.

Daeth Llio'n gyfarwydd â pherfformio mewn cyngherddau, nosweithiau llawen ac eisteddfodau ar hyd a lled y wlad gan brofi llwyddiant wrth ganu'r delyn, **canu gwerin** a **chanu penillion** i'w chyfeiliant ei hun. Ymddangosodd ar lwyfannau Eisteddfod yr Urdd a'r Eisteddfod Ryng-golegol yn 1952, ac yn ystod yr un flwyddyn bu'n fuddugol yng nghystadleuaeth y delyn yn Eisteddfod Genedlaethol Aberystwyth. Cyfeiliodd i **ddawnswyr gwerin** a pherfformio ar sawl achlysur yn Neuadd Albert, y Royal Festival Hall a'r Queen Elizabeth Hall. Cafodd ei hurddo'n aelod o'r Orsedd yn Eisteddfod Genedlaethol Pwllheli, 1955.

Ar ôl graddio o Goleg y Brifysgol, Aberystwyth, yn 1960 bu'n dysgu Cymraeg a cherddoriaeth ym Mhontarddulais, y Sblot a'r Bont-faen. Parhaodd yn weithgar yn gerddorol gyda Merched y Wawr a'r Urdd, a chadwodd gysylltiad â Nansi Richards, gan berfformio gyda hi yn America yn 1973. Priododd yn 1961 a chafodd ddau o blant, gan symud yn ôl gyda'r teulu maes o law i Fôn, lle bu'n dysgu'n rhan-amser yn Ysgol David Hughes, Porthaethwy.

Ailafaelodd yn y delyn yn yr 1990au a bu ynghlwm â sefydlu Cymdeithas Offerynnau Traddodiadol Cymru gan ddysgu technegau traddodiadol y delyn deires mewn gweithdai ac i'w grŵp o ddisgyblion ei hun, sef Telynorion Llio. Gyda Huw Roberts cyhoeddodd y gyfrol *Telynorion Llannerch-y-medd* (Cyngor Sir Ynys Môn, 2000) a ffurfiodd **grŵp gwerin** o'r enw Penceirddiaid Cymru. Daeth i gysylltiad â'r cerddor a'r cynhyrchydd Ceri Rhys Matthews, ac yn 1997 rhyddhaodd ei CD cyntaf, *Telyn,* ar label Fflach Tradd. Casgliad o alawon Cymreig ydoedd, gan gynnwys amrywiadau yn y dull traddodiadol a thechnegau arbennig y delyn deires.

Bu'r CD yn arbennig o boblogaidd, gan dderbyn darllediadau cyson ar raglenni megis *Late Junction* ar Radio 3. Yn dilyn llwyddiant *Telyn* bu'n gyfnod prysur i Llio o gadw cyngherddau, recordio a chyfansoddi. Rhyddhaodd *Melangell* (2000), *Enlli* (2002) a *Gwenllian* (2005) ar label Fflach Tradd, pob un yn ei dro yn cynnwys elfen fwy estynedig o'i

chyfansoddiadau ei hun yn seiliedig yn harmonig ar **alawon gwerin** ac alawon telyn o'r traddodiad **cerdd dant**.

Mentrodd arbrofi mwy yn 2011 gyda *Carn Ingli*, lle clywir hi'n chwarae, weithiau'n fyrfyfyr, gyda'r trwmpedwr **jazz** Tomos Williams. Cyfrannodd hefyd at sawl recordiad arall gan gynnwys *Journey* gan Donal Lunny (2000), *Ochre* gan Andrew Cronshaw (2003) a *Blodeugerdd* (2009), ac ymddangosodd gyda'r cerddor **John Cale** ar y ffilm *Beautiful Mistake* (2001).

Bu'n cyngherdda'n rhyngwladol gan gynnwys chwarae yn Celtic Connections (Rhufain, 2001), **Gŵyl** Caeredin (2002) a Chyngres Telyn y Byd (Dulyn, 2005), a bu'n rhannu llwyfan gyda cherddorion byd-enwog megis y telynor Andrew Lawrence-King, Justin Vali o Fadagasgar a Baba Maal o Senegal. Dyfarnwyd iddi Gymrodoriaeth er Anrhydedd, Prifysgol Bangor yn 2018 fel arwydd o'i chyfraniad i fyd cerddoriaeth y genedl. Cydnabyddir Llio heddiw fel cerddor o bwysigrwydd rhyngwladol ac yn enwedig am ei chyfraniad i barhau ac ymestyn traddodiad y **delyn deires** yng Nghymru.

Dyfarnwyd Cymrodoriaeth er Anrhydedd iddi gan Brifysgol Bangor yn 2018 am ei chyfraniad i gerddoriaeth yng Nghymru.

Disgyddiaeth
Telyn (Fflach CD196H, 1997)
Melangell (Fflach CD234H, 2000)
Enlli (Fflach CD250S, 2002)
Gwenllian (Fflach 287H, 2008)
'Bedd F'anwylyd' ar *Blodeugerdd* (Smithsonian Folkways SFW40552, 2009)
Carn Ingli ('Hud ar Ddyfed') [gyda Tomos Williams] (Fflach CD331H, 2011)

Cass Meurig

Rhydian (gw. **Roberts, Rhydian**)

'Rhyfelgyrch Gwŷr Harlech'

Oherwydd ei naws ryfelgar a'r geiriau gwlatgar a genir iddi, hoff gan rai gredu bod yr alaw enwog hon yn dyddio o gyfnod gwrthryfel Owain Glyndŵr (*c.*1400) neu ryfeloedd annibyniaeth Cymru cyn hynny. Yn ei *Songs of Wales* (1873) mae **Brinley Richards** yn ei dyddio i'r flwyddyn 1468. Serch hynny, yn y 18g. y gwelodd y gân olau dydd am y tro cyntaf pan gyhoeddwyd hi gan **Edward Jones** (Bardd y Brenin) dan y teitl 'Gorhoffedd Gwŷr Harlech' yn ei gasgliad *Musical and Poetical Relicks of the Welsh Bards*

Brawddeg agoriadol y gân 'Rhyfelgyrch Gwŷr Harlech'

(Llundain, 1784). Daeth yn boblogaidd yn y ganrif ddilynol, diolch i drefniant **corawl** ohoni (1867) gan **Ieuan Gwyllt** ar y geiriau 'Wele goelcerth wen yn fflamio'. Prin y clywir **corau cymysg** yn ei chanu erbyn heddiw, ond deil yn ffefryn gan **gorau meibion** sy'n canu trefniannau naill ai Harry Evans neu John Guard i'r geiriau 'Harlech cyfod dy faneri, / gwêl y gelyn ennyn ynni'. Fel *march* mae'n boblogaidd gan **fandiau militaraidd**, a honnodd y Kaiser Wilhelm yr Ail mai 'Harlech' oedd yr **ymdeithgan** orau oll.

Daeth i sylw cynulleidfa fyd-eang pan glywyd hi yn y ffilm *Zulu* (1964) sy'n adrodd hanes brwydr Rorke's Drift (1879) yn Natal, De Affrica, a gwrthsafiad arwrol carfan fechan o filwyr Prydeinig, nifer ohonynt yn Gymry (y South Wales Borderers yn ddiweddarach), yn erbyn byddin lawer mwy niferus o Zwlws. Yn y ffilm ysbrydolir yr amddiffynwyr i gyd-ganu 'Gwŷr Harlech' gan yr actor a'r canwr Ivor Emmanuel o Bont-rhyd-y-fen. Cenid y gân yn y ffilm, ac ar achlysur ei *premiere* yn sinema'r Olympia yng Nghaerdydd yn 1964, gan barti meibion Ferndale Imperial, o'r pentref yn y Rhondda lle ganed seren a chynhyrchydd y ffilm, Stanley Baker. Erbyn heddiw daeth yn arwyddgan i gefnogwyr amhersain clwb pêl-droed Dinas Caerdydd.

Gareth Williams

Rhyngrwyd, Cerddoriaeth a'r

Amcan yr erthygl hon yw olrhain yn gyffredinol hanes a datblygiad cerddoriaeth a'r Rhyngrwyd yn ystod dau ddegawd cyntaf ei esblygiad, gan graffu yn benodol ar ei effaith ar y diwydiant cerddoriaeth yng Nghymru.

Hyd at ddyfodiad y Rhyngrwyd roedd recordiadau yn yr iaith Gymraeg yn dibynnu fwy neu lai'n gyfan gwbl ar werthiant mewn siopau lleol (a oedd yn stocio cynnyrch Cymraeg yn bennaf), gwerthu recordiau mewn cyngherddau byw, neu gyflenwi archebion trwy'r post. Byddai rhai cwmnïau a oedd yn arbenigo mewn hyrwyddo cynnyrch Celtaidd (er enghraifft yng Ngogledd America) yn sicrhau archebion mawr oddi wrth gwmnïau Cymraeg o dro i dro, ond roedd cyfran helaeth o drosiant y diwydiant yn aros oddi mewn i Gymru. Erbyn heddiw mae'r farchnad bosibl ar gyfer cynnyrch Cymraeg yn llawer mwy ond mae'r gystadleuaeth o fewn y pentref rhithiol byd-eang yn un chwyrn, a chyda'r diwydiannau Eingl-Americanaidd yn tra-arglwyddiaethu dros yr economi rhaid i'r lleisiau sydd ar y cyrion weiddi'n uchel er mwyn cael eu clywed.

Sain ar-lein: hanes cryno
Mae'r twf mewn cerddoriaeth ar y Rhyngrwyd yn gymysgedd o ddatblygiadau technolegol newydd a hen gysyniadau. Yn nyddiau cynnar y We Fyd-eang roedd y rhan fwyaf o gysylltiadau rhyngrwyd ar fodemau deialu i fyny at radd o 56k ac roedd yn amhosibl trosglwyddo ffeiliau mawr; felly'r profiad sonig mwyaf tebygol ar-lein oedd ffeil MIDI yn cynhyrchu sain trydar afluniedig, tebyg i hen dôn ffôn symudol.

Fodd bynnag, yn 1995 bu meddalwedd chwarae'n-ôl Winamp yn fodd i alluogi defnyddwyr cartref i gymryd mantais o ffeiliau Mpeg Haen 3: system wedi'i chynllunio i gywasgu ffeiliau awdio anferth i faint y gellid ei reoli trwy gael gwared ar wybodaeth awdio. O'i ddefnyddio'n synhwyrol, nid oedd y broses hon yn effeithio mewn unrhyw fodd amlwg ar ansawdd y sain, gan ei gwneud yn ymarferol bosibl gyrru ffeiliau MP3 llawer llai, hyd yn oed ar fodemau 56k.

Yn sgil dyfodiad band eang daeth modd i gyfathrebu'n llawer cyflymach, a chyn bo hir roedd ffeiliau MP3 o ganeuon yn cael eu cyfnewid ar sawl fforwm ar-lein, yn debyg i'r syniad o gyfnewid tapiau casét rhwng ffrindiau yn nyddiau analog yr 1980au. Mae'r ffaith fod y cyfan yn digwydd yn ddigidol yn profi mai'r hyn yr oedd y dechnoleg newydd yn ei greu mewn gwirionedd oedd syniadau newydd allan o hen gysyniadau.

Dilynwyd y datblygiad hwn gan ddyfodiad meddalwedd cyfoed-at-gyfoed (*peer-to-peer*) megis Napster yn 1999. Roedd Napster, a safleoedd tebyg, yn galluogi defnyddwyr i gysylltu eu cyfrifiaduron yn uniongyrchol â'i gilydd er mwyn rhannu ffeiliau'n ddigidol, gan wneud y broses o gyfnewid cerddoriaeth yn gyflymach fyth. Yn sgil hyn cafwyd cenhedlaeth a oedd wedi'i magu gyda'r cysyniad fod cerddoriaeth ar-lein – yn ddamcaniaethol o leiaf – yn rhad ac am ddim.

Yn rhesymegol, pe bai popeth ar gael ar-lein, pam ddylai rhywun fynd allan i'w brynu? Fodd bynnag, roedd artistiaid pop a roc megis Madonna a Metallica yn amharod i dderbyn y golled hon mewn incwm; cytunodd y diwydiant cerddoriaeth â'u dadl a bu'n rhaid i Napster ddirwyn y gwasanaeth i ben yn 2001 ar ôl nifer o achosion llys ynglŷn â thor hawlfraint. Ond roedd y cwmni wedi dangos bod modd cael darparu cerddoriaeth ar-lein yn ddi-dâl, a daeth nifer o safleoedd tebyg i gymryd lle Napster.

Gellir dadlau mai'r datblygiad pwysig nesaf mewn cerddoriaeth ar-lein oedd ar Myspace. Roedd Myspace yn nodweddiadol o'r math newydd o wefan a oedd yn cyfuno busnes gyda rhwydweithio cymdeithasol. Byddai defnyddwyr yn ymaelodi ac yn chwilio am ffrindiau a chanddynt ddiddordebau cerddorol tebyg. Roedd modd gosod blogiau personol a lluniau ar y dudalen, ac i grwpiau pop roedd y wefan yn cynnig y cyfle i integreiddio fideos, cyhoeddi rhestr gigiau a chwarae sampl o'u cerddoriaeth. Byddai dod yn ffrindiau gyda band yn rhoi mynediad i hyn oll, ac felly daeth Myspace yn erfyn hyrwyddo pwysig i grwpiau. Redd y ffaith fod y safle'n un rhyngweithiol hefyd yn creu cyswllt byw ac uniongyrchol rhwng y cefnogwr a'r artist.

Rhwng 2005 a 2006 roedd stori lwyddiant Myspace yn y newyddion yn aml, gyda grwpiau ac artistiaid megis yr Arctic Monkeys, Lily Allen ac Enter Shikari yn defnyddio system adborth er mwyn cyfathrebu â'u cynulleidfa yn uniongyrchol, fel mai prin oedd yr angen am neb yn y canol, boed yn gynrychiolydd cwmni recordio a/neu asiant cyhoeddusrwydd. Fodd bynnag, ochr yn ochr â datblygu eu presenoldeb ar-lein, roedd grwpiau'n parhau i hyrwyddo eu gwaith yn y ffyrdd traddodiadol, megis cynnal gigiau'n rheolaidd, a thrwy gyfrwng teledu, radio a phrint; camgymeriad, felly, fyddai synio am Myspace fel 'siop un stop'.

Cyflwynodd *Amazon.com* y cysyniad o 'argymhellion cyfoedion' ar sail dadansoddiad o arferion prynu cynnyrch yn ystod yr 1990au. Byddai pob ymweliad â gwefan Amazon i brynu eitem benodol yn arwain at awgrymiadau am nwyddau eraill y byddai'r darpar brynwr yn debygol o'u hoffi. Er enghraifft, petai rhywun yn prynu record gan Elvis Presley, byddai'n debygol o gael cynnig prynu albwm gan **Tom Jones** neu Carl Perkins.

Chwaraeodd meddalwedd argymhellion cyfoedion wedi'i awtomeiddio ran allweddol yn natblygiad *last. fm*, safle awdio ar-lein a alluogai ddefnyddwyr i glywed traciau wedi'u ffrydio dros y we, yn seiliedig ar y pethau yr oeddynt yn eu hoffi neu beidio, a fyddai wedi'u 'tagio' yn flaenorol. Yn yr un modd, roedd Spotify yn galluogi tanysgrifwyr i rannu eu cynnwys awdio gydag eraill gyda'r cynnwys yn cael ei ffrydio yn hytrach na'i lawrlwytho, wedi'i drwyddedu gan gwmnïau recordio fel cost hyrwyddo ac wedi'i ariannu trwy hysbysebion.

Cerddoriaeth o Gymru ar y Rhyngrwyd

Fel y dangosir uchod, mae cerddoriaeth wedi dod yn rhan annatod o'r profiad ar-lein. Yn ddiddorol, un o nodweddion safleoedd argymhellion cyfoedion a'r safleoedd rhwydweithio cymdeithasol oedd bod 'tagio' tarddle daearyddol y gerddoriaeth wedi dod yn elfen bwysig iawn. O ran grwpiau pop ar Myspace, er enghraifft, mae man ar dudalen y band ei hun sy'n dweud o ba ardal y maent yn dod yn wreiddiol. Felly mae chwilio o dan 'Cymru' ar Myspace yn arwain rhywun at nifer o grwpiau cwbl amrywiol o ran y math o gerddoriaeth a dulliau perfformio. Fodd bynnag, gan nad oes sicrwydd o ansawdd, mae'n dal yn anodd darganfod bandiau da yn rheolaidd. Mae'n bwysig felly fod gan y gwefannau hyn warchodwyr dibynadwy, ac yn achos y diwydiant cerddoriaeth mae'n bwysig hefyd fod **cwmnïau recordio** yn parhau i gael eu cynrychioli ar-lein.

Mae chwilota ar Myspace yn profi bod gwybodaeth am gerddoriaeth o Gymru ar gael ar-lein, er ei bod yn bwysig nodi, o safbwynt demograffaidd, mai'r grŵp oedran 18–35, yn cynrychioli 58.81% o ddefnyddwyr y wefan, yw'r grŵp mwyaf niferus (gw. gwefan <*www.marketingcharts.com*>). Yn yr un modd, gellir darganfod gwybodaeth am gerddoriaeth o Gymru ar wefannau megis y BBC a safleoedd archif pwrpasol megis Link2Wales, ffynhonnell answyddogol ar gyfer gwybodaeth am grwpiau'r gorffennol a'r presennol (gw. gwefan <www.link2Wales.co.uk>). Mae chwiliad syml gan ddefnyddio Google yn arddangos y safleoedd pwysicaf, oherwydd bod algorithm *PageRank* Google yn trefnu tudalennau ar sail eu poblogrwydd a'u defnydd gan ystyried amryw o ffactorau, er enghraifft pa safleoedd eraill sy'n cysylltu â'r dudalen o dan sylw a pha mor aml y mae'r tudalennau wedi cael eu gweld ar y safle.

Gan ddefnyddio hyn fel pwynt cychwynnol (termau chwilio: '*Music*' a '*Wales*'), gellir nodi bod y mwyafrif llethol o dudalennau, ar wahân i Wikipedia (sydd o dan reolaeth Google), wedi'u priodoli nid i gerddoriaeth bop ond i ffurfiau mwy traddodiadol o gerddoriaeth. Mae cerddoriaeth werin yn cael ei chynrychioli'n dda a gellir dadlau bod hyn, yn rhannol o leiaf, oherwydd bod cerddoriaeth o'r fath wedi bod, yn hanesyddol, yn destun sylw academaidd; er enghraifft, mae safle megis *www.contemplator.com/wales*, ar gyfer eu samplau MIDI o ganeuon gwerin, yn cynnig cyd-destun hanesyddol ynghyd â geiriau'r caneuon. Mae **cwmnïau recordio** fel Fflach a'r band poblogaidd Ffynnon yn ymddangos yn aml, ac mae hynny'n wir hefyd am sefydliadau **addysgol**, siopau recordiau a thudalennau ar gyfer twristiaid. Ymddengys fod y termau chwilio '*Music*' a '*Wales*', yn ôl Google a'u defnyddwyr, ynghlwm i raddau helaeth iawn wrth gerddoriaeth werin, **cerddoriaeth draddodiadol** a hanes y cyfryw gerddoriaeth, gyda sylw amlwg i academia, a bod gan y mwyafrif o ddefnyddwyr sy'n chwilio yn y ffordd yma ddiddordeb mewn cerddoriaeth draddodiadol, gydag ychydig ohonynt â diddordeb mewn **cerddoriaeth glasurol**.

Mae **cerddoriaeth boblogaidd** yn cael ei chynrychioli ar y We trwy nifer o wahanol ddulliau; mae canlyniadau chwilota cychwynnol yn cynnig safleoedd a nodwyd uchod, ynghyd â chyfarwyddo'r defnyddiwr tuag at safleoedd lle byddai rhywun, er enghraifft, efallai'n prynu llyfr **Sarah Hill**, *Blerwytirhwng* (Ashgate, 2007), sy'n olrhain datblygiad cerddoriaeth bop Gymraeg.

Mae'r Rhyngrwyd wedi dibynnu erioed ar chwiliad cyntaf yr unigolyn i ddarganfod beth sydd ar gael, ond tra mae gwefannau pwrpasol yn bodoli i drafod cerddoriaeth glasurol, draddodiadol a gwerin, mae gan gerddoriaeth boblogaidd set o ofynion gwahanol sy'n gofyn am ychydig mwy o ymgysylltu ar ran y chwiliwr. Anaml iawn y methir darganfod band ar y Rhyngrwyd, ond mae'n ddiddorol nodi'r amrywiaeth o ddulliau ar-lein sy'n fodd i adlewyrchu presenoldeb bandiau ac artistiaid.

Cerddoriaeth bop

Mae dwy ffrwd o gerddoriaeth o Gymru i'w hystyried wrth drafod **cerddoriaeth boblogaidd** ac er y byddai archwiliad trwyadl o'r cysyniad y tu hwnt i derfynau'r cofnod hwn, gellir nodi bod cerddorion sy'n perfformio trwy gyfrwng yr iaith Gymraeg a/neu yn y sîn gerddoriaeth Gymraeg (o fewn y wlad) a hefyd gerddorion sy'n perfformio yn Saesneg ac yn ymgysylltu â'r byd canu pop Saesneg a hynny y tu mewn a'r tu allan i Gymru.

Mae grwpiau neu is-grwpiau oddi mewn i'r diwydiant cerddoriaeth yng Nghymru yn rhannu adnoddau sydd wedi'u cynllunio i helpu gyda chyhoeddi eu hunain. Un o'r rhain oedd y Sefydliad Cerddoriaeth Gymreig, fu'n cynnal llyfrgell busnesau cerddoriaeth yn cynnwys cysylltiadau ar gyfer yr holl elfennau perthnasol – rheolaeth, asiantau, lleoliadau, **cyfryngau** ac yn y blaen – ac yn helpu busnesau newydd yng Nghymru, cyn i'r sefydliad ddod i ben yng Ngorffennaf 2014 oherwydd diffyg nawdd cyhoeddus. Roedd eu presenoldeb ar-lein yn hanfodol i gychwyn busnes gan eu bod yn gallu cynghori ar nifer o agweddau gan gynnwys podlediadau, marchnata digidol a dosbarthu ar-lein. Gweithredu ar ddefnyddio'r we'n strategol yw'r peth mwyaf allweddol o ran lledaenu gwybodaeth am fandiau yng Nghymru.

Yn gysyniadol, felly, yr un yw'r broses o ledaenu gwybodaeth am gerddoriaeth waeth beth yw'r iaith, boed yn ganu Cymraeg, yn ganu Saesneg o Gymru neu'n ganu Swahili. Ymddengys fod yr hen systemau ar gyfer dosbarthu a chylchredeg gwybodaeth, a oedd gynt yn dra chaeedig, wedi'u disodli gan rai llawer mwy agored yn sgil natur hunanddewisol y math o gyfathrebu ar y We sydd wedi'i wneud yn bosibl gan safleoedd megis Myspace, Facebook a *last.fm*, sydd oll yn fodd i ddilynwyr bandiau, mathau o gerddoriaeth a grwpiau wedi'u 'tagio' ar sail ddaearyddol gysylltu â'i gilydd.

Enghreifftiau: *Cerdd X*, 'John Owen' a *Label X*

Defnyddir ffugenwau ar gyfer yr enghreifftiau canlynol, gyda'r wybodaeth yn seiliedig ar gyfweliadau a gynhaliwyd rhwng yr awdur, y cwmnïau a'r unigolion yn 2009. Mae'r label annibynnol o ogledd Cymru, *Cerdd X*, yn priodoli llawer o'u llwyddiant parhaus i'r cynnydd a fu ymhlith defnyddwyr y We yn eu cynnyrch, sy'n bennaf yn yr iaith Gymraeg. Mae eu gwefan yn un eithaf sylfaenol a heb newid fawr ddim ers iddynt sefydlu presenoldeb ar-lein. Yn syml, mae'n cynnwys 'datganiadau i'r wasg ac ychydig o luniau'n unig – dim byd rhyngweithiol o bell ffordd', yn ôl perchennog y label. Wrth gynnig gwybodaeth am gynnyrch *Cerdd X*, ynghyd â lluniau a dolenni, mae'r wefan wedi dod yn fath o 'linell amser hanesyddol' ar gyfer y label yn hytrach nag unrhyw beth sy'n rhyngweithio neu'n arbennig o fywiog; felly storfa o wybodaeth ydyw'n bennaf am ddeunydd a ryddhawyd a gweithgareddau cysylltiedig fel teithiau, ymddangosiadau teledu ac ati.

Yn wir, adlewyrcha'r bensaernïaeth syml hon wefan Myspace, sy'n galluogi bandiau i roi cerddoriaeth, lluniau, fideos, dyddiadau gigiau a blogiau i fyny'n gyflym i bawb eu gweld. Llais dylanwadol arall yn y sîn gerddoriaeth Gymraeg yw 'John Owen', sydd dros y blynyddoedd wedi bod yn rheolwr bandiau, yn berchennog labeli, yn aelod o fandiau ac yn asiant y wasg yn gweithio yn y Gymraeg a'r Saesneg. Gwelai ef fod defnydd effeithiol o'r Rhyngrwyd yn seiliedig yn ei hanfod ar syniadau eithaf traddodiadol ynglŷn â sut i ddosbarthu cerddoriaeth: 'mae'n ddiwydiant cartref gyda hen syniadau wedi profi'n eithaf llwyddiannus: mae angen caneuon da, addysgu neu adlonni, ymgysylltu â'r cyhoedd ac yna gwerthu. Mae'r Rhyngrwyd yn gatalydd i hyn ac mae'r dechnoleg rad yn ei wneud yn fodel busnes cynaliadwy.'

Mae busnes presennol 'John Owen' yn seiliedig ar reoli, hyrwyddo a recordio ac, fel yn achos *Cerdd X*, mae'r posibilrwydd o ddefnyddio'r Rhyngrwyd i hysbysebu bandiau'n golygu bod costau wedi lleihau ac felly does dim angen gwerthu cymaint o gynnyrch er mwyn parhau'n weithredol. Mae pwyslais y safle ar gyflwyno gwybodaeth mewn modd syml, gyda dolenni at gerddoriaeth, bywgraffiadau, rhestrau gigiau a safleoedd y bandiau eu hunain.

O safbwynt y 'diwydiant' felly, y ffactorau allweddol yw hygyrchedd, y gallu i symud yn rhwydd o gwmpas y safle a sicrhau bod gwybodaeth yn cyrraedd pob rhan o'r farchnad bosibl. Mae cwmni recordio o Gymru sy'n fwy o ran maint ac wedi'i sefydlu ers cyfnod hirach na'r rhai a grybwyllwyd uchod (cwmni a elwir yma yn *Label X*) yn gallu manteisio ar ei enw a'i hanes i ddenu pobl i'w safle. Yn debyg i bresenoldeb cerddoriaeth werin ar-lein, mae llawer o ddiddordeb yng nghynnyrch y label. Mae eu gwefan wedi'i rhannu'n nifer o isadrannau ar gyfer pedwar is-label o dan brif faner *Label X*, a defnyddia pob un ryngwyneb syml sy'n arddangos gwaith celf yr albwm dan sylw, siop ar-lein lle gellir prynu recordiadau'n rhwydd ac adran ar gyfer

gwerthu fersiynau lawrlwythadwy trwy iTunes, sef rhyngwyneb lawrlwytho poblogaidd ar gyfer chwaraewyr MP3. Eto, gwelwn hwylustod mynediad yn cael blaenoriaeth dros systemau ymgysylltu cymhlethach. Mae'n rhyngwyneb economaidd yn hytrach nag un digidol soffistigedig.

Mae cwsmeriaid y siop ar-lein yn eithaf amrywiol; prynwyr un-tro yw nifer o'r 1,200 cwsmer cofrestredig, yn hytrach na 'dilynwyr' y label. Hefyd, mae llawer o'r cwsmeriaid hyn yn geidwadol eu chwaeth; maent yn tueddu i brynu cynnyrch y bandiau cyfarwydd, sefydledig gan lynu wrth gatalog o recordiadau blaenorol neu gasgliadau; yn gyffredinol, prin yw eu diddordeb yn y bandiau iau, tanddaearol a mwy annibynnol. Yn aml, y cwsmeriaid gorau yw'r rhai o dramor – mae'r cwsmeriaid hynny ar y cyfan yn ymddiddori mwy yn yr hyn sy'n dod allan nesaf ac yn gyffredinol maent yn prynu mwy o gynnyrch na chynulleidfaoedd Prydain.

Ymddengys fod y model ym mhob achos yn un ceidwadol oherwydd pwysigrwydd gwerthiant. Nid yw'r safleoedd yn gwneud unrhyw beth i ddenu dilynwyr i brynu'n reddfol neu fympwyol gan fod eu pwyslais ar helpu cwsmeriaid i ddarganfod yr hyn y maent eisoes wedi'i brynu gan geisio gwerthu cynnyrch tebyg iddynt ar sail hynny. Y cwestiwn, felly, yw sut y gellir diwygio'r safleoedd hyn i greu diddordeb a denu dilynwyr newydd?

Ar wahân i wefannau, mae gan y Rhyngrwyd nifer o wasanaethau eraill o ddiddordeb yn gerddorol. Erbyn hyn mae modd lawrlwytho'r rhan fwyaf o gerddoriaeth sydd ar y farchnad o iTunes, ond gyda'r gwasanaeth ffrydio Spotify ar gael ar ffonau symudol erbyn hyn, mae wedi dod yn ddewis dichonadwy arall i iTunes. Mae'n hollbwysig fod labeli o Gymru'n ymgysylltu gyda'r gwahanol wasanaethau lawrlwytho cerddoriaeth er mwyn parhau i ddod â'u cynnyrch i sylw defnyddwyr cerddoriaeth, sydd â mwy o ddewis o fiwsig ar gael iddynt yn ddigidol nag erioed o'r blaen.

Cynnwys Digidol Pellach

Er bod labeli efallai'n gyndyn o fuddsoddi'r holl amser sydd ei angen i ddarparu a datblygu cynnwys digidol pellach, mae safleoedd megis Myspace, trwy gynnig modd o rannu fideos a rhoi mynediad at gyfryngau ffrydio, yn creu cyswllt pellach rhwng y cerddor a'r darpar wrandäwr, a fyddai efallai, o ganlyniad, yn treulio mwy o amser ar wefan neu dudalen y band neu'r artist. Gall hyn yn y pen draw arwain at don newydd o ddiddordeb mewn band gan gynyddu gwerthiant eu cynnyrch. Gall lawrlwythiadau unigryw, penodol o ran amser, o draciau newydd, perfformiadau byw a deunydd prin gael eu huwchlwytho ar-lein fel y gall dilynwyr eu lawrlwytho'n rhad ac am ddim gan greu diddordeb pellach. Gellir cymharu hyn â'r recordiad answyddogol o gig byw, rhywbeth sydd erioed wedi creu diddordeb mawr ymysg dilynwyr.

Gall y traciau 'prin' hyn, wrth gwrs, gael eu rheoli'n ofalus gan bwy bynnag sy'n rhedeg y safle Myspace/Facebook/Twitter. Mewn sawl achos, y band ei hun fydd yn gwneud hyn, gan gysylltu â'u dilynwyr trwy flogiau, a hyd yn oed – os yw amser yn caniatáu – trwy ohebiaeth bost electronig. Mae hyn oll yn ennyn rhagor o ddiddordeb ar ran y dilynwyr ac yn cynyddu eu teyrngarwch. Prin, bellach, yw band sydd heb y fath safle, neu safleoedd. Mae'r labeli'n gwerthu'r gerddoriaeth yn 'ffisegol' tra bydd grwpiau'n cymryd cyfrifoldeb dros yr ochr greadigol. Mae'n werth crybwyll Second Life, gwefan rhyngweithio cymdeithasol sydd rywle rhwng Myspace a'r gêm gyfrifiadurol *The Sims*, lle mae defnyddiwr yn creu *avatar* (delwedd 3D) o'u persona ar-lein, gan 'fyw' o fewn byd rhithwir. Mae hwn yn fyd 3D rhyngweithiol ac yn cynnwys tai, siopau a lleoliadau y gall yr *avatar* ar-lein ymweld ac ymgysylltu â hwy. Mae Second Life a safleoedd tebyg yn galluogi bandiau i berfformio mewn 'gigiau rhithwir' ar gyfer dilynwyr dethol, ac er nad oes cymaint wedi manteisio ar y cyfle ag sy'n ymweld â safleoedd 'dau ddimensiwn' megis Facebook a Twitter, mae'n parhau i fod yn ddewis ychwanegol wrth farchnata.

Casgliadau

Gyda phresenoldeb technoleg fand eang a ffonau symudol pwerus y genhedlaeth nesaf, mae ffrydio **cyfryngau** byw – hynny yw cyfryngau sy'n cael eu rheoli'n ganolog a'u cyflwyno'n fyw i sylw pwy bynnag sy'n mynd ar y wefan – wedi dod yn rhan bwysig o'r Rhyngrwyd. Mae Youtube wedi cornelu'r farchnad fideo-ar-alw, ac mae'r ras i ddarganfod marchnad gerddorol gyfatebol yn parhau rhwng iTunes a Spotify. Daw gwefan o'r enw Modlife â'r elfennau hyn ynghyd mewn rhyngwyneb un-stop, ond hyd yma mae eu model yn seiliedig ar danysgrifiad, sydd braidd yn groes i'r graen i'r genhedlaeth bresennol sy'n disgwyl cael mynediad am ddim i bopeth ar y We.

Mae'n hanfodol i'r diwydiant cerddoriaeth presennol yng Nghymru beidio â bod ar ei hôl hi

wrth ddefnyddio'r safleoedd hyn, gan fod ganddynt ran hanfodol i'w chwarae o ran gwerthiant, marchnata a hyrwyddo, fel safleoedd lle mae dilynwyr **cerddoriaeth boblogaidd** yn ymgysylltu gyda bandiau am y tro cyntaf. Mae dilynwyr pop o bob math yn fwy gwybodus am y Rhyngrwyd nag erioed ac yn cael eu cyffroi gan ddatblygiadau yn nhechnoleg y We yn hytrach na'u hofni; maent yn rhagweld y fath ddatblygiadau ac yn manteisio arnynt. Ar hyn o bryd mae rhaniad amlwg rhwng ymddangosiadau **cwmnïau recordio** ar-lein, sy'n dueddol o ddefnyddio safleoedd syml a 'diogel', a'r profiad llawer mwy cyfoethog a gynigir gan safleoedd rhyngweithio cymdeithasol y bandiau sy'n tueddu i fod yn agosach at elfen flaengar y We.

Mae ymwybyddiaeth o fodolaeth cerddoriaeth yn hollbwysig ac felly dylai bandiau a labeli weithio'n agosach at ei gilydd er mwyn gwneud y gorau o'u presenoldeb ar y We. Er bod labeli, a'u safleoedd sylfaenol a swyddogaethol, efallai'n deall eu cynulleidfa bresennol ac yn rheoli gwerthiant, y grwpiau pop sydd yn awr yn rheoli'r berthynas rhyngddynt eu hunain a'r brîd newydd o'r hyn yr arferid ei alw'n brynwyr recordiau.

Mae'r berthynas gyda'r cyfryngau'n parhau i fod wedi'i seilio ar gyfnewid gwybodaeth rhwng bandiau a ffynonellau print, y We, teledu a radio, ond mae'n awr yn bosib cyfuno cyfweliad testun gyda pherfformiadau awdio neu fideo ar-lein ac mae'n hollbwysig fod y cwmni recordio, neu gynrychiolwyr cyhoeddusrwydd priodol, yn llwyddo i gynnig y cynnwys hwn i'r cynnyrch dan sylw. Mae'r dyddiau pan oedd **cwmnïau recordio**'n gwarchod y gerddoriaeth yn ofalus wedi mynd, er fod datblygiad gwasanaeth ffrydio Apton gan gwmni Sain yn arwydd fod cwmnïau yn ymateb i newidiadau yn y farchnad. Mae darparu cynnwys rhad ac am ddim a fydd ar gael ar-lein yn hanfodol i greu a meithrin dilynwyr ar gyfer y band ac, yn y pen draw, i werthu recordiadau a nwyddau perthnasol.

Bu cynnydd yn ystod y degawd diwethaf mewn astudiaethau sy'n edrych ar y defnydd o'r rhyngrwyd, e-farchnad, cyhoeddi a hawlfraint, a'r defnydd o gerddoriaeth ar-lein yng Nghymru (gw. ap Siôn 2008, Carr 2010 a Thomas 2015). Fodd bynnag, ond megis cychwyn mae'r gwaith yn y maes. Mae'r We ar flaen y symudiad seismig yma mewn ymwybyddiaeth ddiwylliannol a rhaid i'r diwydiant cerddoriaeth Cymraeg anelu felly at weithredu ar raddfa fyd-eang yn hytrach na lleol, gan gadw ei hunaniaeth gynhenid trwy'r ochr greadigol. Mae'r neges yn syml: 'ymgysylltwch yn llawn gyda'r Rhyngrwyd ac fe ddaw'r dilynwyr atoch'.

Gwefannau

<http://www.marketingcharts.com/demographics-and-audiences/youth-and-gen-x-8602>
<http://www.link2Wales.co.uk>

Llyfryddiaeth

Pwyll ap Siôn (et al.), *Adeiladu Strategaethau Busnes Newydd ar gyfer y Diwydiant Cerdd yng Nghymru* (Bangor, 2008)

Paul Carr, *Investigating the Live Music Industry within Wales: A Critical Analysis* (adroddiad ar gyfer Sefydliad Cerddoriaeth Cymru) (Caerdydd, 2010)

Steffan Wyn Thomas, 'A consumer investigation: monetising, marketing and distributing digital music in a niche and minority language market – the situation in Wales' (traethawd PhD Prifysgol Bangor, 2015)

Joseph Shooman

Rhys, Dulais (g.1954)

Cerddor a chyfansoddwr gydag amrediad eang o ddiddordebau ymarferol ac academaidd ar draws nifer o feysydd a chyfnodau. Derbyniodd radd BA dosbarth cyntaf mewn cerddoriaeth o Goleg **Prifysgol** Gogledd Cymru Bangor yn 1974 gan gwblhau MMus o'r un sefydliad flwyddyn yn ddiweddarach.

Wedi cyfnod yn astudio yn y Peabody Conservatory of Music, Baltimore, yn yr Unol Daleithiau, ym maes cyfansoddi, arwain a cherddoriaeth electronig (1977–78), bu'n athro cerddoriaeth yn Ysgol Rhydfelen (1979–85) cyn dod yn bennaeth adran gerddoriaeth Ysgol Bro Myrddin, Caerfyrddin (1985–95). Bu hefyd yn darlithio ym Mhrifysgol Abertawe am gyfnod.

Mae ei gyfraniad yn nodedig yn bennaf am ei waith ar gerddoriaeth **Joseph Parry**. Bu ynghlwm â darparu fersiwn cerddorol newydd o opera'r cyfansoddwr *Blodwen* ar gyfer perfformiad cyntaf yn 1978 (ganrif wedi'r perfformiad cyntaf). Cwblhaodd PhD ar Parry o Brifysgol Cymru yn 1986. Cyhoeddodd nifer o lyfrau ac erthyglau ar y cyfansoddwr. Fel Parry ei hun, treuliodd gyfnod yn yr Unol Daleithiau, ac ers 2012 bu'n dysgu ac yn gyfarwyddwr cerdd yn Ysgol Gerddoriaeth Amabile yn San Francisco.

Llyfryddiaeth

Dulais Rhys, *Joseph Parry: Bachgen Bach o Ferthyr* (Caerdydd, 1998)

Dulais Rhys a Frank Bott, *To Philadelphia and back: the life and music of Joseph Parry* (Llanrwst, 2010)

'Joseph Parry: cerddor a Christion', *Y Traethodydd*, 158 (2003), 76–88.

Rhys, Euros (g.1956)

Yn dod o deulu cerddorol ac yn frawd i'r canwr gwerin adnabyddus **Tecwyn Ifan**, astudiodd Euros Rhys Evans yng Ngholeg Gogledd **Prifysgol** Cymru, Bangor. Aeth wedyn i'r Academi Gerdd Frenhinol yn Llundain i gwblhau tystysgrif diploma ar y piano. Daeth yn athro cerdd yn Ysgol Gyfun Llanhari ac yna'n bennaeth adran yno rhwng 1984 ac 1987. Rhwng 1988 a 2006 bu'n gweithio fel cerddor llawrydd yn bennaf ar gyfer BBC Cymru ac S4C, ac yn gyfarwyddwr cerdd ar gyfer y rhaglen grefyddol *Dechrau Canu, Dechrau Canmol* rhwng 1998 a 2005.

Gan arddangos doniau cerddorol er pan yn ifanc (daeth ei osodiad o eiriau Eifion Wyn 'Dod ar Fy Mhen' yn hynod boblogaidd ymysg yr enwadau Cristnogol), bu'n aelod o'r grŵp poblogaidd **Perlau Tâf** o 1969 hyd at ganol yr 1970au tra'n ddisgybl yn Ysgol Ramadeg Hendy-gwyn ar Daf. Yn ddiweddarach daeth yn fuddugol yng nghystadleuaeth **Cân i Gymru** yn 1985 gyda'r gân 'Ceiliog y Gwynt' a berfformiwyd gan **Siân James** o'r **grŵp gwerin** Bwchadanas. Yn 1996 derbyniodd wobr BAFTA Cymru am y gerddoriaeth wreiddiol orau ym maes ffilm a theledu ar gyfer y ffilm *Streic*, ynghyd â cherddoriaeth ar gyfer rhaglenni drama megis *Y Palmant Aur* a'r ffilm *Nel*.

Bu'n weithgar ym maes **addysg cerddoriaeth** fel arholwr gyda'r ABRSM (*Associated Board of the Royal Schools of Music*) ers 1993. Yn 2006 cafodd ei benodi'n uwch-ddarlithydd ym Mhrifysgol Cymru y Drindod Dewi Sant, gan greu rhaglenni gradd BA ac MA mewn Astudiaethau'r Llais ar y cyd ag Academi Llais Ryngwladol Cymru, a sefydlwyd gan y canwr **Dennis O'Neill**.

Rhys, Gruff (g.1970)
(gw. hefyd Super Furry Animals)

Cafodd Gruff Maredudd Bowen Rhys ei eni yn Hwlffordd. Ar ôl i'w deulu symud i Ddyffryn Ogwen yng Ngwynedd, cafodd ei addysgu yn Ysgol Dyffryn Ogwen, Bethesda, ac yna'n ddiweddarach ym Mhrifysgol Fetropolitan Manceinion mewn celfyddyd gain. Ef oedd prif leisydd y **Super Furry Animals** a bu'n aelod hefyd o **Ffa Coffi Pawb**. Bu'n cydweithio gyda'r offerynnydd trydanol

Americanaidd Boom Bip (fel rhan o'r ddeuawd Neon Neon) gan ymddangos hefyd ar recordiau sawl cerddor pop Saesneg, megis Gorillaz (prosiect Damon Albarn o'r **grŵp pop** Blur).

Dechreuodd Gruff Rhys ddysgu chwarae drymiau pan oedd yn chwech oed. Yn ystod ei arddegau roedd **Maffia Mr Huws**, y band o Fethesda, yn ddylanwad mawr arno. Pan oedd yn fachgen ysgol ffurfiodd fand gyda'i ffrind Rhodri Puw ac roedd y ddau yn rhannu'r un chwaeth gerddorol. Mynychodd Ysgol Roc yn y clwb ieuenctid ym Methesda ac yno cyfarfu â Dafydd Ieuan a fyddai'n dod, yn ddiweddarach, yn aelod o Ffa Coffi Pawb a Super Furry Animals. Bu'r ddau yn aelodau o Machlud am gyfnod. Sefydlodd Gruff Rhys a Rhodri Puw ffansîn am y sîn roc Gymraeg yn Nyffryn Ogwen ac – o dan ddylanwad grwpiau pync amgen ac arbrofol megis Sonic Youth – aethant ati hefyd i adeiladu gitârs yng ngarej tad Rhodri Puw. Un noson, ar ôl methu gweld y Smiths yn perfformio yn Llandudno, penderfynodd y ddau recordio cancuon ar gasét. Byddai gyrfa recordio fwy swyddogol yn dechrau yn fuan ar ôl hynny.

Fel aelod o Ffa Coffi Pawb a Super Furry Animals bu Gruff Rhys ar flaen symudiad arbrofol yn y sîn roc Gymraeg ac mac'n un o'r ccrddorion Cymraeg/Cymreig mwyaf blaengar yn y byd roc Eingl-Americanaidd. Dechreuodd recordio a theithio fel artist unigol yn 2005, gan ryddhau tri albwm unigol a dau fel rhan o'r ddeuawd Neon Neon. Ymddangosodd hefyd ar recordiau artistiaid eraill a sefydlodd Irony Board, ei label recordiau ei hun, a fu'n gyfrifol am ryddhau albwm cyntaf **Cate Le Bon**.

Mae Gruff Rhys wedi cael ei gydnabod yn eang am ei gerddoriaeth (yn 2008 cafodd *Stainless Style* gan Neon Neon ei enwebu ar gyfer Gwobr Gerddorol y Nationwide Mercury ac yn 2011 enillodd *Hotel Shampoo* Wobr Cerddoriaeth Gymreig). Fe'i hurddwyd yn Gymrawd Er Anrhydedd o Brifysgol Bangor yn 2015. Mae ei waith wedi ymestyn hefyd i fyd ffilm (cyd-gyfarwyddodd *Separado!*) ac i fyd theatr gyda *Praxis Makes Perfect* yn cael ei berfformio ar lwyfannau ledled Prydain gan National Theatre Wales yn 2013.

Disgyddiaeth
fel artist unawdol:
Yr Atal Genhedlaeth (Placid Casual PLC10CD, 2005)
'Gwn Mi Wn'/'Ni Yw y Byd' [sengl] (Placid Casual PLC11, 2005)

Candylion (Rough Trade RTRADCD371, 2007)
Hotel Shampoo (Ovni OVNI003, 2011)
'Sensations in the Dark' [sengl] (Ovni OVNI004, 2011)
'Honey All Over' [sengl] (Ovni OVNI005, 2011)
Atheist Xmas [EP] (Ovni ,OVNI008, 2011)

gyda Neon Neon:
[gyda Boom Bip] *Stainless Style* (Lex LEX067CD, 2008)
Praxis Makes Perfect (Lex LEX091CD, 2013)

yn ymddangos ar:
Mogwai, 'Dial: Revenge', *Rock* Action (Southpaw PAWCD1, 2001)
FC Kahuna, 'Fear of Guitars', *Machine Says* Yes (City CITYROCK2CD, 2002)
Dangermouse and Sparklehorse, 'Just War,' *Dark Night of the* Soul (Parlophone 5099964813622, 2010)
Simian Mobile Disco, 'Cream Dream,' *Temporary Pleasure* (Wichita WEBB216CDL, 2009)
Gorillaz [gyda De La Soul], 'Superfast Jellyfish,' *Plastic Beach* (Parlophone 5099962616720, 2010)

Traciau Sain:
Separado! (Soda SODA118, 2010)
'Space Dust #2/Whale Trail' [trac sain i gêm gyfrifiadurol] (Ovni OVNI007, 2011)

Sarah Hill

Rhys-Evans, Tim (g.1972)

Arweinydd, sylfaenydd a chyfarwyddwr cerdd y corau Only Men Aloud ac Only Boys Aloud. Bu Rhys-Evans hefyd ynghlwm â sefydlu Only Kids Aloud yn 2012. Yn enedigol o Dredegar, bu'n athro lleisiol yng Ngholeg Brenhinol Cerdd a Drama Cymru am gyfnod. Cyn sefydlu Only Men Aloud, bu'n arwain **corau meibion** y Black Mountain Male Chorus of Wales a chôr meibion Dynfant. Cychwynnodd Only Men Aloud yn 2006, a dwy flynedd yn ddiweddarach fe ddaethant i sylw cenedlaethol gan ddod yn fuddugol yng nghystadleuaeth *Last Choir Standing*. Yn ystod y blynyddoedd diwethaf bu'n sianelu'r rhan fwyaf o'i egni at weithgaredd Only Boys Aloud, ac fe dderbyniodd MBE yn 2013 am ei waith diflino wrth godi arian ar gyfer achosion da.

Disgyddiaeth
gydag Only Men Aloud:
Band of Brothers (Decca 2712706, 2009)
Live From Wales (Denon COZ17785, 2010)
In Festive Mood (OMA Records OMACD1, 2011)

S

Saer, Roy (g.1936)

Mae David Roy Saer yn arbenigwr ym maes **cerddoriaeth draddodiadol** Cymru, yn awdur ac ymchwilydd a fu'n flaenllaw yng ngwaith a chenhadaeth **Cymdeithas Alawon Gwerin Cymru** ac yn gyn-aelod o staff **Amgueddfa Werin Cymru**, Sain Ffagan. Fe'i ganed ar gyrion pentref Hebron yn Nyffryn Taf, ar ffin siroedd Penfro a Chaerfyrddin. Cafodd ei addysg yn Ysgol Ramadeg Hendy-gwyn ar Daf a bu'n ddisgybl i'r athro piano D. Lloyd Phillips (Tegryn) a oedd hefyd yn athro i'r cyfansoddwr **William Mathias** yn yr un cyfnod. Yn 16 oed dysgodd ei hun i chwarae llwyau fel offer taro, ac yn ystod ei flynyddoedd fel myfyriwr gradd ac ôl-radd yng Ngholeg **Prifysgol** Cymru, Aberystwyth (1954–60), arweiniodd hyn at chwarae bwrdd golchi (*washboard*) yng ngrŵp sgiffl y Pennsylvanians. Ar yr un pryd ef oedd pianydd band **jazz** traddodiadol y Coleg.

Yn 1963 fe'i penodwyd i swydd yn Adran Traddodiadau Llafar a Thafodieithoedd Amgueddfa Werin Cymru a threuliodd ei yrfa gyfan yn paratoi a chynllunio arddangosfeydd, trefnu gweithgareddau ac ymchwilio ym maes **canu gwerin** Cymru. Oddi ar yr 1960au hefyd bu'n aelod gweithredol o **Gymdeithas Alawon Gwerin Cymru**, ac er 2000 ef yw ei llywydd. Yn dilyn cyfnodau o gyflawni gwaith maes yng Nghymru (yn ardaloedd Dyffryn Tanad, Llŷn, Ceredigion a Phenfro yn enwedig) yn ystod yr 1960au a'r 1970au, taniwyd ei ddiddordeb ym myd **carolau plygain** (ynghyd â'r gwasanaethau a'r arferion sy'n gysylltiedig â hwy), Adrodd Pwnc (gan gynnwys y dulliau gwahanol o ganu a chyflwyno adrannau o'r Ysgrythur) a chaneuon y llofft stabl (**baledi** storïol, caneuon treth tafod, serch a charwriaethol ac ati).

Ffrwyth y teithiau casglu hyn fu'n sail i'w ymchwil a'i gyhoeddiadau niferus mewn cylchgronau Cymraeg a rhyngwladol. Yn ogystal, cynhaliodd gyfres o gyfweliadau gyda **Nansi Richards** (Telynores Maldwyn) yn 1965 a 1970 a fu'n gychwyn i'w waith ar eiconograffeg y **delyn** yng Nghymru ac a roes fod i'w gyfrol *Y Delyn yng Nghymru mewn lluniau* (Gomer, 1991). Bu'n gohebu'n gyson gyda chasglyddion a pherfformwyr alawon traddodiadol o Gymru, hoelion wyth Cymdeithas Alawon Gwerin Cymru, gwneuthurwyr **offerynnau** cerdd, archifdai a **llyfrgelloedd** ledled y byd a bu hefyd yn gwneud recordiadau maes (sydd ar gadw yn Amgueddfa Werin Cymru) a recordiadau masnachol (a ryddhawyd mewn cydweithrediad â chwmni Sain, Llandwrog).

Ef oedd golygydd *Cylchgrawn Cymdeithas Alawon Gwerin Cymru* rhwng 1977 ac 1988, a darlithiodd a darlledodd yn eang. Trwy hyn oll gwnaeth gyfraniad allweddol at ddiogelu cyfoeth y traddodiad canu gwerin brodorol gan sicrhau bod y maes yn ennill ei blwyf ym myd y **cyfryngau**, yr eisteddfod a'r prif wyliau ynghyd â byd **addysg ac ysgolheictod** Cymreig.

Disgyddiaeth

Carolau Plygain (Traddodiad Gwerin Cymru 1) [recordiad a phamffled mewn cydweithrediad ag Amgueddfa Werin Cymru, Sain Ffagan] (Sain C700, 1977)

Caneuon Llofft Stabal (Sain C764, 1980)

Caneuon Plygain & Llofft Stabal (Sain SCD2389, 2003)

Llyfryddiaeth

'Y Traddodiad Canu Carolau yn Nyffryn Tanad', *Cylchgrawn Cymdeithas Alawon Gwerin Cymru*, 5/3 (1971), 99–112

Caneuon Llafar Gwlad/Songs from Oral Tradition, Cyf. 1 (Caerdydd, 1974)

'Tôn "Hen Ddarbi" a'i theulu', *Canu Gwerin*, 1 (1978), 17–26

Cymdeithas Alawon Gwerin Cymru, 1908–1983 (Caedrydd, 1985)

Y Delyn yng Nghymru mewn lluniau (Llandysul, 1991)

Caneuon Llafar Gwlad/Songs from Oral Tradition, Cyf. 2 (Caerdydd, 1994)

Cymdeithas Alawon Gwerin Cymru: Canrif Gron (Aberystwyth, 2006)

Canu at Iws ac Ysgrifau Eraill (Talybont, 2013)

Wyn Thomas

Salmau Cân (gw. **Prys, Edmwnd**)

Samuel, Rhian (g.1944)

Cyfansoddwr o Aber-nant, ger Aberdâr, yw Rhian Samuel. Wedi astudio gydag Andrew Byrne ym Mhrifysgol Reading enillodd ei BA yn 1966 a'i BMus yn 1967. Parhaodd â'i hastudiaethau ôl-radd yn Unol Daleithiau America gyda Robert Wykes (g.1926) a Paul Pisk (1893–1990) ym Mhrifysgol Washington, St Louis, gan dderbyn MA yn 1970 a PhD yn 1978. O 1977 hyd 1983 bu'n dysgu yn Conservatoire Cerdd St Louis cyn dychwelyd i Brydain yn 1984 pan gafodd ei phenodi'n ddarlithydd ym Mhrifysgol Reading; hi oedd pennaeth yr adran gerdd yno rhwng 1993 ac 1995. Roedd yn gyd-enillydd Gwobr Rudolph Nissim gyda Chymdeithas y Cyfansoddwyr, Awduron a Chyhoeddwyr Americanaidd yn 1983 am *La belle dame sans merci* a chyd-olygodd (gyda Julie Anne Sadie) y *New Grove Dictionary of Women Composers* (1994). Yn 1995 daeth yn ddarllenydd ym Mhrifysgol y Ddinas, Llundain, gan ddod yn Athro Emeritus Cerdd yno yn 2010 ynghyd â'i gwahodd fel tiwtor cyfansoddi yng Ngholeg Magdalen, Rhydychen.

Daeth Samuel i sylw'r cyhoedd gyda *The Hare in the Moon* (1978) ar gyfer soprano a phiano, a oedd yn osodiad o destun gan yr awdur Japaneaidd Ryokan. Mae rhan y llais yn aml yn amlygu cyfyngau penodol (megis seithfedau lleiaf a mwyaf) ac yn defnyddio technegu estynedig a melisma i atgyfnerthu ystyr y geiriau (gw. yr enghraifft gerddorol).

Yn ogystal, mae nifer o'i gweithiau lleisiol a chorawl yn rhoi llais i brofiad menywod, gan osod testunau gan feirdd, er enghraifft gwaith Ann Stevenson yn *Daughters' Letters* (1997), neu destun lle mae merched yn 'siarad drostynt eu hunain' (Pendle 2001, 243–44), gan fynegi eu hing o fewn darnau ar raddfa fawr megis yn *Clytemnestra* (1994), neu'r cylch o ganeuon *Cerddi Hynafol* (2001) sy'n defnyddio barddoniaeth Gymraeg gynnar.

Yn gynnar yn ei gyrfa cafodd Rhian Samuel gryn lwyddiant gyda gweithiau ar raddfa fawr, sy'n cynnwys *Elegy-Symphony* (1981) i gerddorfa a *La belle dame sans merci* (1983) ar gyfer corws a cherddorfa. Mae'r darnau hyn yn idiomatig o'u cyfnod, wedi eu hysgrifennu mewn arddull uniongyrchol gan ychwanegu technegau modern ar gyfer effaith a lliw. Fodd bynnag, mae ei darnau

cerddorfaol diweddarach yn dibynnu ar arddull fwy tonyddol a neo-ramantaidd sy'n aml yn ymwneud ag elfen o natur, megis *Dawnsiau'r Nant* (1999) a *Tirluniau* (2000), a berfformiwyd am y tro cyntaf yn y Proms.

Cyfansoddiadau (rhestr ddethol)

Cerddorfaol:

Elegy-Symphony (1981), ar gyfer cerddorfa
Clytemnestra (1994), ar gyfer soprano a cherddorfa
Dawnsiau'r Nant (1999), ar gyfer cerddorfa
Tirluniau (2000), ar gyfer cerddorfa

Ensemble/offerynnol:

Quartet: Light and Water (2003), ar gyfer piano a llinynnau
Threaded Light (2012), ar gyfer pedwarawd llinynnol

Lleisiol/corawl:

The Hare in the Moon (1978), ar gyfer soprano a phiano
La Belle Dame Sans Merci (1982/1987), ar gyfer corws SATB a cherddorfa
Lovesongs and Observations (1989), ar gyfer côr SATB
Daughters' Letters (1996), ar gyfer soprano ac *ensemble*
Cerddi Hynafol (2001), ar gyfer mezzo-soprano a phiano
Nantcol Songs (2003), ar gyfer llais uchel/cymharol uchel a phiano
The Flowing Sand (2006), ar gyfer bariton a phiano
Summer Songs (2012), ar gyfer llais uchel/cymharol uchel a phiano

Disgyddiaeth

Ariel (HAL004, 2008)
Shadow Dance [yn *British Music for Flute, Oboe and Piano*] (Dutton CDLX7181, 2006)
Blythswood [yn *British Rhapsody*] (Stone Records 5060192780352, 2013)
Traquair Music [yn *Daystream Dances*] (Hester Park CD7707, 2000)
Nantcol Songs: A Perfect View [yn *A Garland for Presteigne*] (Metronome METCD1065, 2004)
The Gaze [yn *Love said to me...*] (Stone Records 5060192780451, 2014)
Songs of Earth and Air: The Kingfisher ac *April Rise* [yn *Music by Women*] (Capstone CPS-8714, 2003)
Threnody with Fanfares yn *North Star* (Deux-Elles DXL1097, 2006)
Light and Water (Deux-Elles DXL1128, 2007)

Gwefannau

http://www.rhiansamuel.com/
http://www.stainer.co.uk/samuel.html

Llyfryddiaeth

Karine Pendle (gol.), *Women and Music: A History* (Indiana, 2001)
Elaine Barkin, 'A Response to Rhian Samuel', *Perspectives of New Music*, 40/2 (Mehefin, 2002), 275–77
Sharon Mabry, *Exploring Twentieth-Century Vocal Music* (OUP, 2002)

The Hare in the Moon gan Rhian Samuel (mm.7–17) (© Stainer & Bell)

Joyce Andrews, 'Composer Rhian Samuel: the Female Viewpoint and Welsh Influences in her Vocal Music,' *Women & Music*, 8 (2004), 61–73

Guy Rickards, 'Rhian Samuel's Quartet, Light & Water,' *Tempo*, 58 (Hydref, 2004), 58–60

Nicholas Williams, 'Composer focus: Rhian Samuel,' *Mastersinger* (Gwanwyn 2004), 22–3

Guto Puw

Saunders, Gwenno (g.1981)

Cantores a fu'n gweithio'n bennaf ym maes **canu pop** amgen electronaidd. Ganed yng Nghaerdydd. Yn ferch i'r bardd Cernyweg a'r ieithydd Tim Saunders, roedd Gwenno yn rhugl mewn Cymraeg a Chernyweg. Pan yn ifanc derbyniodd hyfforddiant yn academi ddawns Iwerddon gan ddod yn rhan o gynhyrchiad Michael Flatley *Lord Of The Dance*. Yn ei hugeiniau cynnar daeth i sylw **Rhys Mwyn**, gan ryddhau y sengl 'Môr Hud' yn 2002 ar label Crai a chydweithio gyda **Llwybr Llaethog** yn 2004 ar y gân Gernyweg 'Vodya.'

Flwyddyn yn ddiweddarach ymunodd â'r triawd pop retro-indie benywaidd The Pipettes, grŵp a ysbrydolwyd gan recordiau y cynhyrchydd Phil Spector gyda grwpiau benywaidd o'r 1960au megis The Ronettes a The Crystals. Bu'n aelod o'r grŵp hyd at 2010, gan ganu prif lais ar 'Pull Shapes', eu sengl fwyaf poblogaidd. Yn 2008, daeth ei chwaer y gantores Ani Glass, hefyd yn aelod.

Wedi cyfnod o deithio gydag artistiaid megis y ddeuawd electronaidd Pnau ac Elton John, rhyddhaodd Gwenno albwm cysyniad synth-pop yn 2014 o'r enw *Y Dydd Olaf*. Gan gymryd y teitl o nofel ddyfodolaidd Owain Owain ynglŷn â grym globalyddiaeth a thechnoleg yr oes ôl-fodern, ac wedi ei gynhyrchu gan ei phartner Rhys Edwards (gynt o Jakakoyak), derbyniodd *Y Dydd Olaf* adolygiadau hynod ffafriol, gyda Laura Snapes o'r *Guardian* yn datgan fod swyn oesol yn perthyn iddo: 'only a minority will understand this very modern protest album, but its motorik spin and soft synths recall Broadcast and Chromatics, and shimmer with universal magic' (Snapes 2015).

Disgyddiaeth

Vodya [EP] (Crai CD089, 2003)
Y Dydd Olaf (Peski PESKI030, 2014)

gyda The Pipettes:
'ABC' [sengl] (Transgressive Records TRANS005, 2005)
We Are The Pipettes (Memphis Industries MI072CD, 2006)
Earth vs. The Pipettes (Fortuna Pop! FPOP92CD, 2010)

Llyfryddiaeth

Laura Snapes, 'Gwenno: the ex-Pipette is leading the Welsh-speaking music revival', *The Guardian* (8 Medi 2015)

Pwyll ap Siôn

Sefydliadau a Chymdeithasau (gw. **Diwylliant a'r Diwydiant Cerddoriaeth**)

Shakin' Stevens (g.1948)

Canwr pop a ddaeth i sylw ar ddechrau'r 1980au a hynny'n bennaf ar sail caneuon a efelychai arddull gynnar Elvis Presley o'r 1950au. Ef oedd un o enwau mawr **canu pop** ym Mhrydain rhwng 1980 ac 1990.

Ganed Michael Barratt (neu Shakin' Stevens) yn Nhrelái, Caerdydd, yn un o 12 o blant. Bu'n canu mewn sawl grŵp yn ystod yr 1960au hwyr a'r 1970au cynnar, gan ryddhau recordiau ar labeli Parlophone a CBS o dan yr enw Shakin' Stevens and the Sunsets. Fodd bynnag, yn 1977 aeth ar ei liwt ei hun fel canwr unigol. Yr un flwyddyn daeth i sylw'r label rhyngwladol CBS wrth chwarae rhan Elvis yn sioe gerdd eponymaidd Jack Good a Ray Rooney a lwyfannwyd yn Theatr yr Astoria, Llundain, ac yna wrth berfformio yn y gyfres deledu *Let's Rock* (Associated Television, 1981).

Er gwaethaf ei boblogrwydd ar y sgrin ac ar lwyfan, ni fu gwerthiant mawr i'w recordiau cynnar, ond daeth tro ar fyd yn 1980 pan lwyddodd trefniant ei gynhyrchydd Stuart Colman o un o ganeuon y Blasters, 'Marie Marie', i gyrraedd 20 uchaf siartiau Prydain. Flwyddyn yn ddiweddarach daeth llwyddiant pellach gyda threfniant *rockabilly* hwyliog Colman o 'This Ole House', cân a recordiwyd yn wreiddiol gan Rosemary Clooney yn 1954. Aeth recordiad Stevens i rif un yn y siartiau am dair wythnos ym Mawrth 1981, a daeth yntau'n enw adnabyddus dros nos.

Rhwng 1981 ac 1987 llwyddodd 32 o senglau Stevens i gyrraedd y 40 uchaf yn y siartiau Prydeinig gan ei wneud yn un o artistiaid mwyaf poblogaidd y degawd (gw. Larkin 2011). Profodd lwyddiant y tu hwnt i Brydain hefyd, megis yn Sweden, ond ni chafodd ei recordiau fawr o effaith ar y siartiau pop yn Unol Daleithiau America. Ymysg ei ganeuon mwyaf poblogaidd yr oedd 'Green Door' (1981) a 'Merry Christmas Everyone' (1985). Er mai dehongli caneuon pobl eraill a wnâi Stevens gan amlaf, ef ysgrifennodd 'Oh Julie' (1982), a aeth hefyd i frig y siartiau. Yn 1984 recordiodd y ddeuawd 'A Rockin' Good Way (To Mess Around and Fall in Love)' gyda'r gantores Gymreig **Bonnie Tyler**. Apeliai ei ddehongliadau bywiog, canol-y-ffordd, at gynulleidfa eang, yn amrywio o ganeuon ysgafn *crooners* megis

Bing Crosby i roc a rôl Elvis a chanu *soul* grwpiau fel y Supremes.

Lleihaodd poblogrwydd Stevens ar ddechrau'r 1990au. O'r pum sengl a ryddhaodd yn 1990, un yn unig (sef 'I Might') a lwyddodd i gyrraedd yr 20 uchaf. Gwaethygodd pethau i Stevens yn 1993 pan benderfynodd aelodau'r Sunsets – y grŵp a fu'n cyfeilio iddo yn ystod yr 1970au – ddwyn achos cyfreithiol yn ei erbyn am beidio â thalu hen freindaliadau. Yn sgil hyn bu Stevens yn dawel am rai blynyddoedd cyn ailafael yn ei yrfa ar ddiwedd yr 1990au. Fodd bynnag, bu'n rhaid disgwyl tan 2007 cyn iddo ryddhau *Now Listen*, ar label Sony, a ddilynwyd naw mlynedd yn ddiweddarach gan albwm hunangofiannol, *Echoes of Our Times*, a aeth i gyfeiriad y *blues* gan ddefnyddio **offerynnau** fel y mandolin, y banjo, y dobro a'r harmonica (Griffiths 2016).

Disgyddiaeth

Shakin' Stevens (Track Records 2406 011, 1978)
Take One! (Epic EPC 83978, 1980)
Marie, Marie (Epic EPC 84547, 1980)
This Ole House (Epic EPC 84985, 1980)
Shaky (Epic EPC 10027, 1981)
Give Me Your Heart Tonight (Epic EPC 10035, 1982)
The Bop Won't Stop (Epic EPC 86301, 1983)
Lipstick, Powder and Paint (Epic EPC 26646, 1985)
Let's Boogie (Epic 460126 1, 1987)
A Whole Lotta Shaky (Epic MOOD 5, 1988)
There Are Two Kinds of Music … Rock 'N' Roll! (Telstar STAC 2454, 1990)
Merry Christmas Everyone (Epic 469260 2, 1991)
Now Listen (Sony BMG 82876890012, 2007)
Echoes of Our Times (HEC HEC101 CD, 2016)

Llyfryddiaeth

Colin Larkin (gol.), 'Shakin' Stevens', yn *The Encyclopedia of Popular Music* (Llundain, 2011), 7020–3
Kris Griffiths, 'Shakin' Stevens interview: "I'd rather not be confined to only performing past hits",' *The Independent* (20 Medi 2016)

Pwyll ap Siôn

Sibrydion (gw. **Big Leaves**)

Sinfonia Cymru (gw. **Cerddorfeydd, Corau, Cerddorfeydd Ieuenctid ac Ensemblau**)

Smith, Robert (1922–98)

Ganed Robert (Bob) Charles Smith yn yr Eglwys Newydd yng Nghaerdydd a derbyniodd ei addysg gynnar yn Ysgol Lewis Pengam lle'r oedd y cyfansoddwr **David Wynne** (1900–83) yn athro cerdd. (Ei ragflaenydd yntau yn y swydd oedd y cerddor **D. E. Parry Williams**.) Er bod Bob yn aelod selog o gôr yr ysgol ac yn canu'r *cello*, roedd dylanwad yr eglwys Anglicanaidd leol ynghyd â'i gweithgaredd cerddorol yn drwm iawn arno, i'r graddau iddo gael ei dderbyn yn ymgeisydd i'r offeiriadaeth eglwysig yn un ar bymtheg oed. Fodd bynnag, yn 1940, cyn diwedd ei gyfnod yn y chweched dosbarth, dyfarnwyd iddo Ysgoloriaeth Gerdd Agored Sir Forgannwg i astudio cerddoriaeth fel pwnc gradd yng Ngholeg y Brifysgol, Caerdydd. Yn wyneb anawsterau'r Ail Ryfel Byd a'r tebygrwydd y byddai gorfodaeth arno i ymuno â'r fyddin, cychwynnodd Bob ar ei gwrs prifysgol yn ddwy ar bymtheg oed dan gyfarwyddyd yr Athro John Morgan Lloyd ac yn ddiweddarach yr Athro Joseph Morgan.

Rhwng 1942 ac 1945 treuliodd gyfnodau yng Ngwlad Belg, yr Iseldiroedd a'r Almaen fel peiriannydd ac aelod o'r Royal Corps of Signals cyn dychwelyd i gwblhau ei radd Gyffredin yn 1946 a'i radd Anrhydedd (BMus) yn 1947. Wedi tair wythnos aflwyddiannus fel athro yn Swydd Caint, fe'i penodwyd yn ddarlithydd cynorthwyol yn adran gerdd Coleg **Prifysgol** Gogledd Cymru, Bangor, dan oruchwyliaeth y pennaeth, **D. E. Parry Williams**, rhwng 1947 ac 1969, gan ei ddyrchafu'n uwch-ddarlithydd yn 1969.

Roedd ei gyfrifoldebau yn cynnwys dysgu harmoni, gwrthbwynt, ffiwg, cerddoriaeth a hanes yn ogystal ag arwain côr a cherddorfa'r Brifysgol. Bu'n darlithio ar destunau cerddorol i'r adran efrydiau allanol ar hyd gogledd Cymru, a gweithiodd yn ddiflino ar ran Cyd-Bwyllgor Addysg Cymru fel arholwr ymarferol (Safon Gyffredin a Safon Uwch) ac fel Prif Arholwr Cerddoriaeth gan osod cyfeiriad a safon y maes ymhlith cenedlaethau lawer o ddisgyblion ei ddydd. Sicrhaodd barch ac edmygedd athrawon cerdd y cyfnod yn ogystal.

Fel awdur, cyfrannodd yn gyson i gyfnodolyn yr Urdd er Hyrwyddo Cerddoriaeth yng Nghymru, *Cerddoriaeth Cymru*, yn enwedig drwy gyfrwng ei adolygiadau a'i erthyglau ar waith Béla Bartók. Fel golygydd *The Catalogue of Contemporary Welsh Music* (sef rhestr gynhwysfawr o gyfansoddiadau gan gerddorion Cymreig ym mhob cyfrwng), bu'n hyrwyddo maes cerddoriaeth gyfoes yng Nghymru yn ei amrywiol weddau o ran **hanesyddiaeth ac ysgolheictod**. Er mai hwyrfrydig iawn y bu i gyfrannu fel cyfansoddwr, eto i gyd bu ei lwyddiant cynnar mewn cystadleuaeth ryngwladol yn 1955 (*Passacaglia* i gerddorfa mewn arddull ddigywair) yn gyfrwng i'w ysgogi. Cyfansoddodd weithiau sy'n gyfuniad o arddull rhythmig ac egnïol Bartók a swyn **alawon gwerin** Cymreig, er mai anaml iawn y byddai'n cynnwys dyfyniadau uniongyrchol ohonynt, e.e. clywir adlais o 'Bugeilio'r Gwenith Gwyn' yn ei *Divertimento for Strings* a chaiff 'Y Gelynnen' sylw yn y *Pedwarawd llinynnol* (1973).

Fel cyfansoddwr gweithiau **corawl** y gwnaeth yr argraff bennaf, fodd bynnag. Mae ei osodiad o 'Cwyn y Gwynt' (geiriau Syr John Morris-Jones) i gôr cymysg yn cynrychioli ei arddull leisiol odidog, a sicrhaodd ei 'Sweet was the song the Virgin sang' (William Ballet) a 'Who is this?' ('Pa Fab yw hwn?', cyf. Gwyn Thomas) iddo dderbyniad rhyngwladol. Bu farw Robert Smith yn 1998 wedi oes gyfan o weithgaredd cerddorol. Dyfarnwyd iddo Wobr Goffa John Edwards yn 1972 am ei gyfraniad arbennig i gerddoriaeth yng Nghymru. Nid atebodd yr alwad i wasanaeth eglwysig, a da o beth am hynny!

Cyfansoddiadau (rhestr ddetol)
Pan Oeddwn Fachgen (1962), ar gyfer côr SATB a piano
Cathl i'r eos (1975), ar gyfer côr SATB a piano
Y Gylfinir (1985), ar gyfer côr SA a piano
Cwyn y Gwynt (1991), ar gyfer unawd Soprano a chôr SATB
Two pieces for guitar [dim dyddiad]
Winter Song, ar gyfer côr SATB a piano [dim dyddiad]
In Excelsis Gloria, ar gyfer côr merched [dim dyddiad]
Star of Bethlehem ar gyfer côr SATB a phiano [dim dyddiad]

Wyn Thomas

Smith Brindle, Reginald
(1917–2003)

Cyfansoddwr ac ysgolhaig a aned yn Caterham, Surrey, ond a fu'n gysylltiedig ag adran gerddoriaeth **Prifysgol** Bangor am ymron chwarter canrif rhwng 1946 ac 1970. Fe'i hyfforddwyd yn wreiddiol fel pensaer, ond wedi i'r Ail Ryfel Byd ddod i ben aeth i gyfeiriad cerddoriaeth. Enillodd wobr yn Rhufain yn 1946 am *passacaglia* yr oedd wedi ei chyfansoddi yn ystod ei gyfnod yn y fyddin.

Astudiodd gerddoriaeth ym Mhrifysgol Bangor rhwng 1946 ac 1949. Parhaodd â'i astudiaethau yn yr Eidal, o dan athrawon fel Ildebrando Pizzetti (1880–1968) a Luigi Dallapiccola (1904–75). Trwy ei gysylltiad â Dallapiccola datblygodd ddiddordeb mewn cyfresiaeth fynegiannol, a chlywir dylanwad y dull 12-nodyn o gyfansoddi mewn gweithiau cynnar ar gyfer cerddorfa linynnau, megis *An Epitaph for Alban Berg* (1955) a *Via crucis* (1960).

Erbyn iddo gwblhau *Via crucis* roedd Smith Brindle wedi ymgartrefu yn ôl ym Mangor, lle'r oedd wedi ei benodi'n ddarlithydd yn yr adran gerddoriaeth yn 1957. Yn ôl David Wright, roedd hwn yn gyfnod creadigol a chynhyrchiol iawn yn ei hanes, pan gyfansoddodd weithiau megis y *Concerto Cambrensis* (1961) ar gyfer llinynnau, y *Three Japanese Lyrics* (1966) ar gyfer llais ac *ensemble*, gwaith yn dwyn y teitl *Discoveries* (1967) ar gyfer côr SATB, i eiriau gan y bardd Eingl-Gymreig Vernon Watkins, ac opera sy'n cyflwyno trasiedi Roegaidd, *The Death of Antigone* (1969) (Wright 2004). Cafodd ei ddyrchafu i'r Gadair Gerddoriaeth ym Mangor yn 1967. Aeth o Fangor i Brifysgol Surrey yn 1970, lle bu'n Athro hyd ei ymddeoliad yn 1985.

Nododd Gerald Larner mewn erthygl yn y *Musical Times* fod arddull gerddorol Smith Brindle yn anodd i'w disgrifio oherwydd ei bod mor hynod wreiddiol (Larner 1971, 543). Aeth y cyfansoddwr Bernard Rands, a fu'n ddisgybl i Smith Brindle ym Mangor yn ystod yr 1950au, ymhellach, gan ddweud nad oedd tebyg iddo ymysg cyfansoddwyr Prydeinig y cyfnod am ymdriniaeth o liw a soniarusrwydd cerddorfaol (yn Wright 2004). Fodd bynnag, ar wahân i'w gynnyrch sylweddol ar gyfer gitâr clasurol unawdol, ni oroesodd ei gerddoriaeth yn y blynyddoedd wedi ei farwolaeth. Yn hytrach, fe'i cofir heddiw yn bennaf am ei werslyfr ar gyfresiaeth, *Serial Composition* (Rhydychen, 1966) a'i drosolwg dadlennol o dechnegau *avant-garde* yr 1950au a'r 1960au, *The New Music: the avant-garde since 1945* (Rhydychen, 1975), a ailargraffwyd yn 1987.

Cyfansoddiadau (rhestr ddetol)
Sonata senese (1950), ar gyfer gitâr unawdol
Symffoni Rhif 1 (1954)
Variations on a Theme by Dallapiccola (1955)
An Epitaph for Alban Berg (1955), ar gyfer cerddorfa linynnol
Via Crucis (1960), ar gyfer cerddorfa linynnol
Concerto Cambrensis (1961), ar gyfer cerddorfa linynnol
Diversions (1965), ar gyfer telyn a harpsicord
3 Japanese Lyrics (1966), ar gyfer Soprano ac ensemble
Discoveries (1967), ar gyfer côr SATB
[opera] *The Death of Antigone* (1969)
Worlds without End (1973), ar gyfer adroddwyr, côr SATB, ensemble a thâp

Sonata Rhif 2 'El verbo' (1976), ar gyfer gitâr unawdol
Consierto i gitâr a cherddorfa (1976)
Sonata Rhif 3 ('The Valley of Esdralon') (1978)
Sonata Rhif 4 ('La breve') (1978)
Sonata Rhif 5 (1979)
Symffoni Rhif 2 ('Veni Creator') (1989)

Llyfryddiaeth
Gerald Larner, 'The Music of Reginald Smith Brindle', *The Musical Times*, 112/1540 (Mehefin, 1971), 543–5
David Wright, 'Reginald Smith Brindle' (2004) yn *https://www.wrightmusic.net/pdfs/reginald-smith-brindle.pdf*

Pwyll ap Siôn a Geraint Lewis

Sobin a'r Smaeliaid
(gw. **Fôn, Bryn**)

Sol-ffa (gw. **Tonic Sol-ffa**)

'Sosban Fach'

Cân nonsens a gysylltir â'r maes rygbi ac â chlwb Llanelli a rhanbarth y 'Scarlets' yn bennaf; y gred yn draddodiadol oedd iddi gael ei chanu gyntaf ar Barc y Strade, maes rygbi Llanelli, yn ystod tymor 1895–6 er bod ei hanes ychydig yn hŷn na hynny mewn gwirionedd. Nid oes sicrwydd pwy biau'r geiriau na'r dôn ond tybir bellach i'r gân gael ei chanu yn 1895 yn un o gyngherddau nosweithiol gweithwyr dur ac alcam o Lanelli a oedd ar eu gwyliau yn Llanwrtyd, pentref yn yr hen Sir Frycheiniog a oedd yn fath o Lourdes i nifer fawr o Gymry'r cyfnod ar bwys ei ffynhonnau iachusol.

Deil dirgelwch hyd heddiw ynglŷn â tharddiad y dôn er y gellir gweld arni ddylanwad modd lleddf **emynau**'r cyfnod. Er ei bod yn ymddangos mai i'r bardd **Richard Davies** (Mynyddog; 1833–77) y perthyn gwreiddyn y gân (Davies, 2000), i Talog Williams, gŵr o Ddowlais a oedd ar ei wyliau yn Llanwrtyd yn 1895, y priodolid fersiwn cynnar o'r hyn a ddisgrifiwyd gan bapur dyddiol y *Cambrian Daily Leader*, a argraffodd y gân am y tro cyntaf yn 1896, fel 'the epic of the withered finger', er mai bys Mari Ann sydd wedi brifo erbyn hyn yn hytrach na'r Catherine Ann a oedd gan Mynyddog. Ond yn 1915 honnodd y Parch. D. M. Davies o Waunarlwydd, Abertawe, a fu'n gweithio am gyfnod yn Llanelli, mai ef a'i cyfansoddodd ym mis Awst 1895 wrth ochr un o'r ffynhonnau yn Llanwrtyd, ac ef a arweiniodd y côr anffurfiol a'i canodd hi yno am y tro cyntaf.

Hwyrach nad yw'n gyd-ddigwyddiad fod 200 o weithwyr tunplat o Lanelli ar streic yn 1895, a hwy a fanteisiodd ar y cyfle i gludo'r gân o Lanwrtyd yn ôl i dre'r sosban lle amrywiwyd arni, ei haddasu i'r dafodiaith leol ac ychwanegu ati benillion eraill yn ôl y galw, fel 'Who beat the Walla-wallabies?' ar ôl buddugoliaeth y Scarlets dros Awstralia yn 1908, ac wedi hynny yr 'All Blacks' yn 1972. Yr unig beth y gellir ei ddweud i sicrwydd yw bod y gân smala hon, sydd yn **anthem** arbennig tref Llanelli, yn enghraifft olau o'r traddodiad llafar ac nad oes un 'awdur' iddi.

Llyfryddiaeth
Sioned Davies, *O'r Pair i'r Sosban* (Y Ddarlith Lenyddol, Eisteddfod Genedlaethol Llanelli 2000, cyhoeddwyd gan Lys yr Eisteddfod)

Gareth Williams

Squires, Dorothy
(Edna May Squires; 1915–98)

Ganed Edna May Squires ym Mhontyberem, Sir Gaerfyrddin, yng ngharafán ei mam, Emily, a'i thad, Archibald James, a oedd yn weithiwr dur ym Mhontyberem. Tra oedd hi'n blentyn yn tyfu i fyny yn Nafen cafodd *ukulele* yn anrheg gan ei mam, ond roedd hi'n dyheu am biano. Pan welodd Al Jolson yn *The Jazz Singer* penderfynodd ei bod hithau am fynd i fyd perfformio. Tra oedd hi'n gweithio yn Woolworths ac yna yn y gwaith alcam yn Llanelli, dechreuodd ymddangos ar lwyfannau clybiau nos yn yr ardal.

Symudodd i Lundain yn ddeunaw oed i weithio fel nyrs ac i feithrin ei gyrfa ym myd perfformio. Yno y cyfarfu â'r asiant Joe Kay a lwyddodd i sicrhau gwaith iddi mewn amrywiol glybiau nos, gan gynnwys cytundeb tymor hir yn y Burlington Gardens Club. Bu hefyd yn perfformio gyda Charlie Kunz, y pianydd o America, yn y Casani Club. Hwn oedd y cyfnod pan fabwysiadodd yr enw Dorothy Squires. Dechreuodd weithio gyda cherddorfa Billy Reid a byddai'r berthynas hon yn parhau am yn hir. Yn 1936 ymunodd â'r gerddorfa a dechreuodd Reid ysgrifennu caneuon ar ei chyfer. Hon oedd y flwyddyn pan recordiodd ei record gyntaf, sef *When the Poppies Bloom Again*.

Bu'n hynod boblogaidd yn yr 1940au yn sgil caneuon megis 'The Gypsy', 'I'll Close My Eyes', 'It's a Pity to Say Goodnight' ac 'I'm Walking Behind You'. Ar ôl yr Ail Ryfel Byd bu'n perfformio ar y radio, ar *Variety Bandbox*, gan dderbyn tâl anrhydeddus iawn am wneud hynny. Prynodd dŷ enfawr gyda Reid yn Bexhill-on-Sea, a chyrhaeddodd un o'i ganeuon ef, 'A Tree in the Meadow', rif un yn yr Unol Daleithiau mewn fersiwn gan Margaret Whiting. Yn ystod yr 1950au ymunodd Dorothy Squires â label Nixa Records, gan ryddhau nifer o recordiau sengl ynghyd â'i halbwm cyntaf, *Dorothy Squires Sings Billy Reid*, yn 1957. Gwahanodd hi a Reid gan rannu'u heiddo rhyngddynt, Squires yn cadw'r tŷ yn Bexley, Swydd Caint, a Reid yn derbyn Theatr yr Astoria yn Llanelli.

Yn un o'i phartïon rhwysgfawr cyfarfu Squires â'r actor Roger Moore a phriododd y ddau yn New Jersey yn 1953. Parhaodd y briodas hyd 1961, ond wrth i yrfa Moore fynd o nerth i nerth, dirywio a wnaeth ei gyrfa hi. Ar ôl dychwelyd i Brydain cafodd Squires lwyddiant cymharol gyda thair record sengl, gan gynnwys *Say It With Flowers* a recordiwyd gyda'r pianydd poblogaidd Russ Conway (cyrhaeddodd y record honno y 40 uchaf). Yn 1966 recordiodd albwm hunangofiannol yn y Ritz yn Llanelli a ryddhawyd gan Decca. Daeth albwm arall, *Till / The Seasons Of* y flwyddyn ganlynol. Llogodd Squires y London Palladium ar gyfer cyfres o gyngherddau a gwerthodd 2,300 o docynnau o fewn oriau'n unig. Rhyddhaodd albwm dwbl ar sail y perfformiadau byw hyn.

O hynny allan, fodd bynnag, byddai Squires yn cael sylw'r **cyfryngau** am resymau negyddol. Treuliodd egni ac arian sylweddol yn dwyn achosion cyfreithiol dirifedi yn erbyn unigolion a phapurau dyddiol. Ni bu ffawd o'i phlaid ychwaith. Yn 1974 llosgodd ei thŷ yn Bexley i'r llawr. Symudodd i Bray, ond dair wythnos yn ddiweddarach gorlifodd Afon Tafwys drwy ei chartref newydd. Yn 1988 collodd y tŷ hwnnw'n derfynol yn dilyn achos o fethdaliad. Trefnwyd ei chyngerdd olaf yn 1990 a hynny er mwyn codi arian ar gyfer talu bil Treth y Pen. Yn ystod ei blynyddoedd olaf cafodd loches gan un o'i hedmygwyr, Esme Coles, yn Nhrebanog, y Rhondda, gan encilio o'r byd. Yn 1998 bu Dorothy Squires farw yn 83 mlwydd oed o ganser yr ysgyfaint yn Ysbyty Llwynypïa.

Disgyddiaeth

This Is My Life! (Ace Of Clubs ACL-R1230, 1967)
Reflections (Marble Arch Records MALS1211, 1968)
Say It With Flowers (President Records PTLS1023, 1968)
The Seasons of Dorothy Squires (President Records PTLS1032, 1969)

Dorothy Sings Squires (Joy Records JOYS172, 1970)
At The London Palladium (President Records PTLS1049/50, 1971)
Rain, Rain, Go Away (Decca TXS.122, 1977)

Sarah Hill

Steffan, Lleuwen (g.1979)

Wedi'i geni a'i magu yn Rhiwlas, Dyffryn Ogwen, derbyniodd Lleuwen Steffan fagwraeth gerddorol. A hithau'n ferch i'r canwr **Steve Eaves**, bu cerddoriaeth **roc**, **clasurol** a **jazz** (yn enwedig Ella Fitzgerald) yn ddylanwadau cryf a naturiol arni. Mynychodd ysgol berfformio Glanaethwy cyn treulio cyfnod yn Unol Daleithiau America gan astudio jazz yn Central College, Iowa. Dychwelodd i Gymru i astudio theatr, cerdd a'r cyfryngau yng Ngholeg y Drindod, Caerfyrddin. Treuliodd gyfnod fel perfformwraig jazz yn Llundain, gan berfformio mewn sefydliadau fel clwb Ronnie Scotts. Ymunodd a'r grŵp Acoustique gan ryddhau'r albwm *Cyfnos* yn 2002 gyda'r pianydd Jochen Eisentraut a'r chwaraewr bas dwbl Owen Evans.

Rhyddhaodd Lleuwen yr albwm *Duw a Ŵyr* gyda'r pianydd Huw Warren a'r sacsoffonydd Mark Lockheart yn 2005. Gan fenythca **emynau** adnabyddus o gyfnod diwygiad crefyddol 1904–5, anelai'r casgliad at gyfleu rhywfaint o gynnwrf y symudiad gan dalu 'teyrnged i'r emynwyr', tra oedd ar yr un pryd yn gwthio'r ffiniau trwy drawsffurfiad creadigol o'r deunydd. Daeth yr albwm â Lleuwen i sylw'r wasg Brydeinig, ac fe'i disgrifiwyd fel recordiad 'anarferol' a 'rhyfeddol brydferth' gyda'r ansawdd lleisiol yn llwm a gwerinol ac yn dwyn i gof arddull ganu Sinéad O'Connor.

Aeth y gantores ymlaen i gyhoeddi ei halbwm unigol cyntaf, *Penmon* (2007), a chyfeiriwyd ati fel 'un o'r cantorion mwyaf anghyffredin ddiddorol yn y sîn gerdd gyfoes yng Nghymru'. Yn 2009 derbyniodd Ddyfarniad Cymru Greadigol gan Gyngor Celfyddydau Cymru ac yn sgil yr wobr hon rhyddhawyd yr albwm *Tân*, sy'n plethu arddulliau ieithyddol a cherddorol Cymreig a Llydewig. Cydweithiodd Lleuwen gyda'r chwaraewr bas dwbl Vincent Guerin, ac ystyrir yr albwm yn arbrofol iawn yn y defnydd o offeryniaeth, gyda Guerin yn defnyddio bas dwbl trydanol wedi'i greu ganddo ef ei hun. Nododd y gantores fod sŵn y geiriau yn hollbwysig yn ystod y broses greadigol. Enillodd *Tân* glod fel Albwm y Flwyddyn yng ngwobrau Teledu FR3 Ffrainc.

Yn ddiweddarach derbyniodd Lleuwen wahoddiad i gynrychioli Cymru yng **ngŵyl** WOMEX 2014 a gynhaliwyd yn Santiago de Compostela, Sbaen, a pherfformiodd yng Ngŵyl Interceltique de Lorient gyda'i chwaer, y gantores a'r awdures Manon Steffan Ros, yn ystod Awst 2015.

Yn 2018 rhyddhaodd ei phedwerydd record hir o'r enw *Gwn Glân a Beibl Budr*, gyda'r cerddorion yn cynnwys **Llio Rhydderch**, Neil Cowley, Owen Evans, Dafydd Hughes o **Cowbois Rhos Botwnnog**, a **Rhys Meirion**.

Disgyddiaeth

Duw a Ŵyr (Sain SCD2507, 2005)
Penmon (Gwymon CD001, 2007)
'Hwiangerdd Mair' [sengl] (Gwymon LL006, 2009)
Tân (Gwymon CD014, 2011)

Llyfryddiaeth

http://www.artscouncilofwales.org.uk/73784?diablo. lang=eng
http://www.peterconwaymanagement.com/artists/ lleuwen-steffan
http://americymru.net/profiles/blogs/an-interview-with-welsh-singer
http://brightyoungfolk.com/records/tan-lleuwen
Non Tudur, 'Dwlu ar David Lloyd', *Golwg*, 18/10 (3 Tachwedd 2005), 18–19
Stuart Nicholson, *Observer Music Monthly* (20 Tachwedd 2005)
Time Out, 16–23 Tachwedd 2005
http://www.theguardian.com/music/2007/aug/10/folk. shopping2 (10 Awst 2007)
Eurof Williams, 'Lleuwen yn llwyddo yn Llydaw', *Golwg*, 23/14 (2 Rhagfyr 2010), 22–3
Pethe, S4C (31 Gorffennaf 2013)

Tristian Evans

Stereophonics

Grŵp roc o Gwm Cynon a ffurfiwyd yn 1992 yw'r Stereophonics. Cychwynnodd y band yn wreiddiol yn 1986, a hynny o dan yr enw Zephyr, gan Kelly Jones (llais/gitâr) a Stuart Cable (drymiau), a oedd yn byw yn yr un stryd yng Nghwmaman. Ar ôl cyfnod yn canu o dan yr enw Tragic Love Company, daeth yr enw Stereophonics wedi iddynt gael eu harwyddo gan label Richard Branson, V2, gyda Richard Jones (bas) ac Adam Zindani (gitâr) yn cwblhau'r pedwarawd gwreiddiol.

Yn 1996 rhyddhawyd eu sengl gyntaf, *Looks Like Chaplin/More Life In A Tramp's Vest*, a gwelwyd y grŵp yn cael ei gymharu gan y wasg â'r **Manic Street Preachers**. Ar ôl hynny daeth albwm cyntaf llwyddiannus, *Word Gets Around* (1997), a aeth i rif 6 yn y siartiau Prydeinig, a thaith fyd-eang. Cafodd eu hail albwm, *Performance and Cocktails* (1999), dderbyniad brwd hefyd, a daeth 50,000 i wrando arnynt yn perfformio yn Stadiwm y Morfa, Abertawe, yn ddiweddarach yn ystod y flwyddyn honno. Llwyddodd y band i gythruddo rhai o gefnogwyr tîm rygbi Lloegr trwy berfformio'r gân ddychanol 'As Long as We Beat The English'. Rhyddhawyd y perfformiad ar ffurf DVD yn 2000.

Erbyn 2000, felly, roedd Stereophonics yn un o'r grwpiau Cymreig mwyaf llwyddiannus yn y diwydiant. Er na ryddhawyd albwm ganddynt yn ystod y flwyddyn honno, cyrhaeddodd eu fersiwn o gân Randy Newman, 'Mama Told Me Not to Come', a hynny ar y cyd â'r canwr **Tom Jones**, rif 4 yn y siartiau ym mis Mawrth. Dros y blynyddoedd nesaf tyfodd eu poblogrwydd yn sgil sawl albwm cryf a pherfformiadau cofiadwy. Er mwyn hyrwyddo eu halbwm *Just Enough Education to Perform* (V2, 2001) trefnodd y grŵp ddau berfformiad mewn un penwythnos (ym mharc Donington a Stadiwm y Mileniwm) gan lwyddo i werthu dros 200,000 o docynnau. Roedd yr albwm yn cynnwys y gân boblogaidd 'Have a Nice Day'. Daeth rhagor o lwyddiant wrth i'r sengl 'Dakota', o'r albwm *Language. Sex. Violence. Other?* (V2, 2005), gyrraedd rhif 1 yn y siartiau. Dyma oes aur y band (er i Stuart Cable ymadael) ac yn 2008 rhyddhawyd albwm o'u caneuon gorau, sef *Decade in the Sun* (V2, 2008). Er i gyfnod distawach ddilyn, aeth yr albwm *Keep the Village Alive* (Stylus, 2015), y cyntaf gyda Jamie Morrison fel drymiwr, i rif 1 yn y siartiau Prydeinig.

Disgrifir *genre*'r grŵp fel 'roc amgen' neu 'roc indie' a nodweddir eu sain gan lais cryg Kelly Jones. Fe'i cymharwyd ef â chantorion fel Rod Stewart ac amlygiad penodol o hynny yw'r sengl 'Handbags and Gladrags' (2001) a recordiwyd yn flaenorol gan Stewart yn 1969. Ar wahân i 'Dakota', dyma'r unig sengl arall gan y grŵp a dderbyniodd statws 'aur' o ganlyniad i'w llwyddiant masnachol.

Disgyddiaeth

Word Gets Around (V2 VVR1000432 1997)
Performance and Cocktails (V2 VVR1004492, 1999)
Just Enough Education to Perform (V2 VVR1015842, 2001)
You Gotta Go There to Come Back (V2 VVR1021902, 2003)
Language. Sex. Violence. Other? (V2 VVR1031052, 2005)
Pull the Pin (V2 VVR1048562, 2007)

Keep Calm and Carry On (Mercury 00602527197753, 2009)

Graffiti on the Train (Stylus STYLUSCD3, 2013)

Keep the Village Alive (Stylus STYLUSCD8, 2015)

Scream Above The Sounds (Parlophone 0190295767990, 2017)

Gethin Griffiths

Stevens, Meic (g.1942)

Ganed Louis Michael James Stevens yn Solfach. Fel gitarydd, canwr a chyfansoddwr a lwyddodd i bontio **canu gwerin**, **roc** a **phop**, bu'n ffigwr blaenllaw yn y sîn roc Gymraeg o'r 1960au hyd heddiw.

Yn wahanol i nifer o gantorion eraill yn nyddiau cynnar y sîn bop Gymraeg, dechreuodd Stevens ei yrfa recordio yn Saesneg, yn Lloegr, ar label mawr, gan dderbyn cytundeb gyda chwmni Decca yn 1965 a Warner Brothers yn 1970. Ymddangosai ar un cyfnod fel petai â'i fryd ar ddilyn llwybr cantorion gwerin newydd Eingl-Americanaidd megis Bob Dylan a Paul Simon i'r llwyfan byd-eang. Er hynny, roedd ganddo awydd i ganu yn y Gymraeg a recordiodd sawl sengl ar labeli bach Cymreig rhwng 1965 ac 1970. Yn hytrach na chadw at ei gytundeb recordio Saesneg, aeth Stevens yn ôl at ei wreiddiau diwylliannol, gan wneud cyfraniad pwysig tuag at greu a meithrin diwydiant recordio a phop Cymraeg cynnar.

Cynhyrchydd gwreiddiol Stevens ar ei sengl gyntaf 'Did I Dream'/'I Saw a Field' (Decca, 1965) oedd John Paul Jones, yn ddiweddarach o'r band Led Zeppelin, ac felly mae'r recordiau cynnar yn dangos elfennau o gerddoriaeth bop gyfoes y cyfnod, gyda thinc seicedelig. Roedd diddordebau cerddorol Stevens yn cydgordio â rhai **Geraint Jarman** a **Heather Jones**, ac fe aeth y tri ati i ffurfio'r grŵp Y **Bara Menyn** yn 1969, gan herio ynghyd â dychanu natur geidwadol pop Cymraeg cyfoes. Roedd Stevens ei hun yn gymeriad gwahanol iawn i'r stereoteip a geid ar y pryd, yn ôl **Meredydd Evans**, a fu'n gweithio aml gyda'r canwr fel cynhyrchydd y rhaglen *Disc a Dawn* yn ystod yr 1960au. Roedd yn gerddor anghyffredin, o ran delwedd ynghyd â medr offerynnol, gyda llais 'nad oedd ei debyg i'w gael ymysg perfformwyr Cymraeg y cyfnod, yn gyfuniad o grasder grymus a thynerwch rhyfedd' (yn Ebenezer 1993, 5).

Mae'r cyfuniad o 'grasder' a 'thynerwch' yn perthyn i allbwn o dros gant o ganeuon sy'n pontio oddeutu hanner canrif. Roedd y baledi cynnar – megis 'Tryweryn' (cân am foddi Capel Celyn a Chwm Tryweryn yn 1965), 'Cân Walter' a 'Ddaeth Neb yn Ôl' – yn brawf o allu telynegol Stevens a'i ddawn wrth lunio a chyfuno alaw gyda geiriau. Er enghraifft, yn 'Tryweryn' clywir y brawddegau cerddorol (ar ôl naid o gyfwng y pumed ar ddechrau'r llinell gyntaf a naid o chweched ar ddechrau'r ail) yn disgyn yn llinellau 1, 3 a 4 ym mhob pennill, gan efelychu'n hynod effeithiol lif y dŵr i lawr y cwm.

Mae symlrwydd y mynegiant yn aml yn cuddio'r grefft a'r cynildeb sydd wrth wraidd caneuon Stevens. Ar un olwg, portread o'r gorffennol a diniweidrwydd yr oes a fu sydd yn perthyn i symlrwydd mynegiant 'Merch o'r Ffatri Wlân', ond mae natur ailadroddus y gân yn ddelwedd o waith caled ac ailadroddus y ffatri, gyda'r 'merched … yn gwneud gwaith dyn ond am gyflog llai' (Stevens yn Ebenezer 1993, 15). Ar y llaw arall, mae'r hyfryd 'Môr o Gariad' o'r record hir *Nos Du Nos Da* (Sain, 1982) yn graddol ddatguddio perthynas a ddaeth i ben, tra bod diffuantrwydd y gân i gofio Bobby Sands – aelod o Fyddin Weriniaethol Iwerddon a fu farw ar ôl bod ar streic newyn yng ngharchar Long Kesh yng Ngogledd Iwerddon – yn dawel ddirdynnol.

Daw'r 'crasder' sy'n perthyn i ganeuon eraill Stevens o'i etifeddiaeth o arddull y *blues*. Datblygodd y rhain drwy wrando ar gerddorion *blues* megis Leadbelly, Big Bill Broonzy, Jesse Fuller a Gary Davis, ond hefyd drwy feithrin cysylltiadau gyda cherddorion a oedd yn perfformio yn y tafarndai a'r clybiau ger dociau Caerdydd, lle bu'n byw ers yr 1970au, megis y gitarydd **jazz** Victor Parker. Yn ogystal â'r baledi, mae yna ddwyster yn aml yn perthyn i ganeuon *blues* Stevens. Dywedodd am ei gân *blues* gyntaf yn y Gymraeg, 'Gwely Gwag', 'mae na fwy o ddyfnder ynddi nag ma neb yn feddwl. Ond fel 'na ma'r *blues*. Mae nhw'n ganeuon cwbwl syml ond ma nhw'n cuddio llawer iawn o deimlad' (Stevens yn Ebenezer 1993, 17). Rhwng y ddau begwn, roedd gan Stevens y ddawn i gyfansoddi caneuon bachog, ffwrdd-â-hi yn ogystal, megis 'Y Brawd Houdini' (a boblogeiddiwyd yn ddiweddarach gan y **Super Furry Animals**) ynghyd â chaneuon wedi eu hysbrydoli gan gyfnod hapus tua diwedd yr 1970au lle bu'n byw yn Llydaw, fel 'Rue St Michel' a 'Douarnanez'. Roedd 'hwyl' y canu yn bwysig iawn i Stevens, a phan ar ei orau, roedd ei berfformiadau byw – un ai ar ei ben ei hun neu gyda'i fand – yn brofiadau bythgofiadwy.

Chwaraeodd Meic Stevens rôl bwysig yn hanes cwmni recordiau Sain, gan ddefnyddio'i gysylltiadau yn Llundain i logi stiwdio i recordio sengl gyntaf y cwmni, *Dŵr* gan **Huw Jones**, gyda Geraint Jarman a Heather Jones yn y cefndir. Yn ei gerddoriaeth fel artist unigol mae Meic Stevens yn llwyddo i gamu o'r tyner i'r garw a'r grymus, ac mae ei themâu yn cwmpasu byd gwleidyddiaeth, serch a mwy; bydd yn aml hefyd yn canu am unigolion a wnaeth argraff arno. Ers degawdau mae wedi datblygu ei arddull hawdd ei hadnabod ef ei hun o ganu a chwarae'r gitâr, a bu ganddo ddylanwad digamsyniol ar gerddorion gwerin a phop Cymraeg ers dros hanner canrif.

Disgyddiaeth

'Did I Dream' [sengl] (Decca F.12174, 1965)
Meic Stevens [EP] (Wren WRE1045, 1968)
Mwg [EP] (Wren WRE1073, 1969)
'Ballad of Old Joe Blind' [sengl] (Warner Bros WB8007, 1970)
Outlander (Warner Bros WS3005, 1970)
Y Brawd Houdini [EP] (Sain 4, 1970)
Byw yn y Wlad [EP] (Wren WRE1107, 1971)
Gwymon (Wren WRL536, 1972)
Gôg (Sain 1065M, 1977)
Nos Du Nos Da (Sain 1239, 1982)
Gitâr yn y Twll Dan Stâr (Sain 1273M, 1983)
Lapis Lazuli (Sain 1312M, 1985)
Gwin a Mwg a Merched Drwg (Sain C608N, 1987)
Bywyd ac Angau (Fflach C052D, 1989)
Ware'n Noeth (Sain SCD4088, 1991)
Er Cof am Blant y Cwm (Crai CD036, 1993)
Casgliadau:
Dim Ond Cysgodion – Y Baledi (Sain SCD2001, 1992)
Ghost Town (Tenth Planet TP028, 1997)

Llyfryddiaeth

Lyn Ebenezer (gol.), *I Adrodd yr Hanes: 51 o Ganeuon Meic Stevens* (Llanrwst, 1993)
Meic Stevens, *Meic Stevens: Hunangofiant y Brawd Houdini* (Talybont, 2009)
———, *Crwydryn â mi: Hunangofiant Meic Stevens* (Talybont, 2009)
———, *Mâs o Mâ: Hunangofiant Meic Stevens (Rhan 3)* (Talybont, 2011)
Hefin Wyn, *Ar Drywydd Meic Stevens – Y Swynwr o Solfach* (Talybont, 2015)

Sarah Hill a Pwyll ap Siôn

Stevens, Shakin'
(gw. **Shakin' Stevens**)

Super Furry Animals

Grŵp pop arbrofol a ffurfiwyd yng Nghaerdydd gan Gruff Rhys (llais, gitâr), Huw Bunford (gitâr, llais), Guto Pryce (gitâr fas), Cian Ciaran (allweddellau, llais) a Dafydd Ieuan (drymiau, llais).

Pan chwalodd y band **Ffa Coffi Pawb** yn 1993, ffurfiodd Dafydd Ieuan a Gruff Rhys fand newydd gydag aelodau o fandiau Cymraeg eraill, sef Huw Bunford a Guto Pryce o U Thant a Cian Ciaran o Wwzz. Bu'r grŵp yn recordio gyntaf gydag Ankst, ond o fewn blwyddyn roeddynt wedi llofnodi cytundeb gyda label Creation Records.

Yn y cyfnod hwn roedd pryder cyffredinol ynghylch y nifer o fandiau a oedd yn troi cefn ar lwyddiant sicr yn y byd Cymraeg er mwyn mentro yn y byd pop Eingl-Americanaidd. Llwyddodd Super Furry Animals i ddiogelu'r iaith yn eu cytundeb recordio gyda Creation a chadw'r hawl i ryddhau dwy sengl neu EP y flwyddyn yn y Gymraeg ar label Ankst. Ar hyd y blynyddoedd, felly, parhaodd y grŵp i gyfansoddi caneuon Cymraeg.

Ar ôl iddynt ryddhau eu pedwerydd albwm gyda Creation daeth y label i ben. Yn 2000 trodd Super Furry Animals at eu casgliad o ganeuon Cymraeg gan ryddhau'r albwm uniaith Gymraeg *Mwng* ar eu label eu hunain. Cafodd yr albwm dderbyniad brwd ym Mhrydain a thu hwnt, nid fel record Gymraeg ei hiaith ond fel record bop fyd-eang. Symudodd Super Furry Animals at label Epic ar gyfer *Rings Around the World* (2001). Hwn oedd yr albwm cyntaf erioed gan unrhyw grŵp i gael ei ryddhau ar yr un pryd ar CD yn ogystal â DVD, a chafodd ei enwebu ar gyfer Gwobr Gerddorol Mercury.

Gyda'u halbwm nesaf, *Phantom Power* (2004), trodd Super Furry Animals at arddull gerddorol fwy syml cyn symud ymlaen at wahanol brosiectau, megis albwm unigol Gruff Rhys, *Yr Atal Genhedlaeth* (2005). *Love Kraft* (2005) oedd yr albwm olaf iddynt ei ryddhau gydag Epic a rhyddhawyd dau albwm arall ar ôl hynny ar label Rough Trade. Yn 2015 ailffurfiodd y band ar gyfer cyfres o berfformiadau i ddathlu pymtheng mlynedd ers rhyddhau *Mwng* a daeth eu sengl 'Bing Bong' (a'r fideo) yn hynod boblogaidd yn ystod ymgyrch lwyddiannus tîm peldroed Cymru yn rowndiau terfynol Cwpan Ewrop, 2016. Cyflawnodd pob aelod o Super Furry Animals hefyd brosiectau cerddorol y tu allan i'r grŵp.

Yn gerddorol mae'n anodd iawn diffinio Super Furry Animals a gosod labeli taclus arnynt. Er bod yn eu gwaith, o ran strwythur caneuon ac alawon lleisiol, elfennau sy'n gynefin a chyfarwydd, yn eu sŵn – ac o gân i gân – ymglywir â dylanwadau eithriadol o eclectig. Yn eu perthynas â'r byd pop Cymraeg a'r diwydiant pop Eingl-Americanaidd bu Super Furry Animals hefyd yn eithriadol o anghydffurfiol ac annibynnol eu hysbryd. Er mwyn osgoi rheolaeth Lundeinig cadwasant eu hunaniaeth Gymraeg. Ond wrth gofleidio cerddoriaeth bop fyd-eang dangosodd Super Furry Animals hefyd nad band pop Cymraeg yn unig oeddynt, ond band pop y byd.

Disgyddiaeth

Moog Droog [EP] (Ankst 062, 1995)
Llanfairpwllgwyngyllgogerychwyndrobwllantysiliogogogochynygof od (In Space) [EP] (Ankst 057, 1995)
God! Show Me Magic [EP] (Creation CRESCD231, 1996)
Fuzzy Logic (Creation CRECD190, 1996)
'The Man Don't Give a Fuck' [sengl] (Creation CRESCD247, 1996)
Radiator (Creation CRECD214, 1997)
'The International Language of Screaming' [sengl] (Creation CRESCD269, 1997)
'Ice Hockey Hair' [EP] (Creation CRESCD288, 1998)
Guerrilla (Creation CRECD242, 1999)
Mwng (Placid Casual PLC03CD, 2000)
Rings Around the World (Epic 502413 2, 2001)
'Juxtapozed With U' [EP] (Epic 671224 2, 2001)
Phantom Power (Epic 512375 2, 2004)
Phantom Phorce (Placid Casual PLC07CD, 2004)
Love Kraft (Epic 520501 1, 2005)
Hey Venus! (Rough Trade RTRADLP346, 2007)
Dark Days/Light Years (Rough Trade RTRADCD546, 2009)
'Bing Bong' [sengl] (Strangetown Records STR030, 2016)

Casgliadau:
Out Spaced (Creation CRECD229, 1998)
Songbook (The Singles, Vol. 1) (Epic XPCD2957, 2004)
Under the Influence (DMC UTICD006, 2005)

Llyfryddiaeth

Ric Rawlins, *Rise of the Super Furry Animals* (Llundain, 2015)

Sarah Hill

Sŵnami

Grŵp pop *indie* o ardal Dolgellau yw Sŵnami a ffurfiwyd yn 2010. Aelodau gwreiddiol y band oedd Ifan Davies (llais a gitâr), Ifan Ywain (gitâr), Gerwyn Murray (gitâr fas), Huw Ynyr Evans (allweddellau, llais) a Tom Ayres (drymiau). Bu newid yn yr aelodaeth yn 2012 pan ymunodd Lewis Williams (drymiau), gynt o'r grŵp Helyntion Jôs y Ficar, a Gruff Jones (allweddellau).

Mewn cyfnod pan oedd bandiau *indie* megis Two Door Cinema Club a Phoenix yn cael llwyddiant yn y byd Saesneg, daeth Sŵnami i amlygrwydd cenedlaethol yn 2011 wrth ennill cystadleuaeth Brwydr y Bandiau yn **Eisteddfod** Genedlaethol Wrecsam. Lledaenwyd eu hapêl ymhellach yn dilyn ymddangosiadau ar S4C ar raglenni pop *Bandit* a *Y Lle*, ynghyd â recordio sesiwn ar gyfer sioe Huw Stephens ar Radio Cymru, gyda'r gân 'Ar Goll' yn dod yn arbennig o boblogaidd. Wedi hyn rhyddhawyd y senglau 'Mynd a Dod' (Copa, 2012), 'Eira' (Copa, 2012) ac yna'r EP *Du a Gwyn* (Copa, 2013).

Erbyn 2014, gyda chorff o ganeuon pop egnïol a osodai bwyslais ar alawon bachog, cofiadwy i'r llais a'r gitâr, a rhai a oedd yn aml yn creu gwrthgyferbyniadau trawiadol rhwng cytganau anthemig a phenillion tawelach (megis y gân effeithiol 'Gwreiddiau'), daeth Sŵnami yn un o fandiau ifanc mwyaf poblogaidd a phrysuraf Cymru. Yr un flwyddyn cawsant wahoddiad i ddod yn rhan o gynllun Gorwelion, a sefydlwyd gan BBC Cymru mewn partneriaeth â Chyngor Celfyddydau Cymru i ddatblygu cerddoriaeth gyfoes annibynnol a thalent newydd yng Nghymru – un o'r grwpiau cyntaf i fod yn rhan o'r prosiect.

Arwyddodd Sŵnami gytundeb gyda label I Ka Ching yn 2014, gan ryddhau dwy sengl yn yr un flwyddyn, 'Cynnydd' a 'Gwenwyn'. Hwy oedd prif berfformwyr Maes B yn Eisteddfod Genedlaethol Llanelli 2014. Yn 2015 rhyddhawyd eu halbwm cyntaf, *Sŵnami* (I Ka Ching, 2015), a oedd yn tystio i allu'r band i gynhyrchu pop gafaelgar wedi'i adeiladu'n grefftus allan o haenau o synau. Cafwyd rhagflas o'r albwm pan chwaraewyd y trac 'Magnet' ar Radio 1. Roedd y band ar eu ffordd ar y pryd i Groningen yn yr Iseldiroedd i gynrychioli Gorwelion yng **Ngŵyl** Eurosonic 2014. Neilltuwyd rhaglen arbennig o'r gyfres bop *Ochr 1* ar S4C i ddilyn hynt a helynt y band yn yr Iseldiroedd.

Rhwng 2011 a 2015 bu'r band yn llwyddiannus yng Ngwobrau'r Selar gan ennill gwobr y Band Newydd Gorau yn 2011, y Record Fer Orau am 'Du a Gwyn' a'r Fideo Cerddoriaeth Gorau am 'Mynd a Dod' yn 2013, a'r Record Fer Orau am 'Cynnydd'/'Gwenwyn' a'r Fideo Cerddoriaeth Gorau am 'Gwenwyn' yn 2014. Yn ogystal, enillodd drymiwr y band, Lewis Williams, wobr Offerynnwr y Flwyddyn yn 2014. Yn 2015 enillodd Sŵnami wobrau'r Band Gorau, y Record Hir Orau, y Gwaith Celf Gorau am eu halbwm *Sŵnami* a'r Gân Orau ('Trwmgwsg') – y tro cyntaf erioed yn hanes Gwobrau'r Selar i un grŵp ennill pedair gwobr mewn un flwyddyn. Uchafbwyntiau eraill yn ystod 2014–15 oedd recordio sesiwn ym Maida Vale, Llundain, a pherfformio yng Ngŵyl Rhif 6. Mae prif leisydd a gitarydd Sŵnami, Ifan Davies, hefyd yn aelod o fandiau **Yws Gwynedd** a'r Eira.

Aeth ei gân 'Dydd yn Dod', a gyfansoddwyd ar y cyd â'r cerddor Gethin Griffiths, i rownd derfynol cystadleuaeth **Cân i Gymru** yn 2014.

Disgyddiaeth
'Mynd a Dod' [sengl] (Copa LL015, 2012)
'Eira' [sengl] (Copa LL016, 2012)
Du a Gwyn [EP] (Copa CD020, 2013)
'Gwenwyn' [sengl] (I Ka Ching, 2014)
'Cynnydd' [sengl] I Ka Ching, 2014)
Sŵnami (I Ka Ching IKACHING016, 2015)

Nia Davies Williams a Pwyll ap Siôn

T

Taflenni cerddorol

Ar ffurf llyfrau y cyhoeddwyd y gerddoriaeth Gymreig gynharaf sy'n brintiedig, mewn casgliadau megis *Llyfr y Psalmau* (1621) gan **Edmwnd Prys**, *Musical and Poetical Relicks of the Welsh Bards* (1784) gan **Edward Jones** (Bardd y Brenin), a chasgliadau o gerddoriaeth grefyddol megis *Caniadau y Cyssegr* (1839) gan John Roberts, Henllan. Byddai'r rhain yn cael eu pwrcasu a'u defnyddio gan unigolion a hyfforddai eraill. Byddai gweithiau hefyd yn cael eu hargraffu fesul rhan a'u rhwymo at ei gilydd gan y sawl a'u prynai; ar adegau byddai'r cyfrolau hyn yn anghyflawn gan na feddai'r prynwr ar bob rhan o waith, ac weithiau ceir rhannau unigol o weithiau wedi goroesi. Enghraifft o waith a gyhoeddwyd mewn rhannau yw *Y Salmydd Cenedlaethol* (Llanidloes, 1846), casgliad o donau, **anthemau** a cherddoriaeth grefyddol a gynullwyd gan Thomas Williams (Hafrenydd; 1807–94): deuir ar draws rhannau unigol o'r casgliad mewn **llyfrgelloedd** ac ar y farchnad ail-law.

Yn ystod y 19g., wrth i'r mudiad **corawl** fagu momentwm o'r 1840au ymlaen ac wrth i'r galw am gerddoriaeth i unawdwyr gynyddu yng nghanol y ganrif, datblygodd yr arfer o argraffu a chyhoeddi darnau byrion a'u gwerthu ar daflenni, yr hyn a elwir yn Saesneg yn *sheet music*. Byddai perchenogion yn aml yn pwytho'r rhain at ei gilydd neu yn eu rhwymo mewn cyfrol, gan greu cyfrolau 'amryw' o gerddoriaeth. Wedi diddymu'r trethi ar bapur yn nechrau'r 1860au, gellid argraffu darnau fel hyn yn rhad, a'u gwerthu am ychydig geiniogau: roeddynt felly o fewn cyrraedd cynulleidfa ehangach o brynwyr.

Y cyhoeddwr Cymreig cyntaf i gyhoeddi unawdau unigol oedd Isaac Clarke, Rhuthun. Hysbysebir ei gyhoeddiadau yn *Y Cerddor Cymreig* (cylchgrawn yr oedd Clarke ei hun yn ei argraffu) o'i ddechreuad yn 1861. Yn rhifyn Mawrth 1861 mae'n hysbysebu, dan y pennawd 'New Music: Vocal and Instrumental', ddwy unawd, un ganig a dwy gân a chytgan, y

cyfan ohonynt â geiriau Cymraeg a Saesneg. Pris y rhain oedd pedair neu chwe cheiniog yr un. Yr un pryd roedd cyfansoddwyr yn cyhoeddi darnau byrion unigol: ymhlith yr un bloc o hysbysebion ceir hysbyseb i 'Y Nefoedd' (y geiriau gan **Ieuan Gwyllt** a'r dôn gan Joseph Mainzer), 'ar gerdyn tlws a chryf' am ddimai neu bedair ceiniog y dwsin. Dilynodd *Y Cerddor Cymreig* arfer y *Musical Times* o gyhoeddi darn o gerddoriaeth leisiol – canig neu anthem fel arfer – yn atodiad i bob rhifyn misol, a dechreuwyd gwerthu'r rhain ar wahân i destun y cylchgrawn, gan greu corff o daflenni cerddorol Cymreig. Pan gymerodd Hughes a'i Fab, Wrecsam, gyfrifoldeb am gyhoeddi *Y Cerddor Cymreig* yn 1865, ychwanegwyd y darnau hyn at eu catalog o gerddoriaeth.

Yn yr un modd ychwanegwyd y darnau **sol–ffa** a gyhoeddwyd yn fisol gyda *Cerddor y Tonic Sol-ffa* (1869–74) ac *Y Cerddor Sol-ffa* (1881–6), gan greu corff parod o daflenni cerddorol at ddefnydd corau yn bennaf, a gwerthwyd y rhain ar wahân i'r cylchgrawn ei hun. Cynhyrchodd Hughes gyfresi eraill o daflenni, megis 'Y Gyfres Gerddorol Gymreig' dan olygyddiaeth **John Owen** (Owain Alaw) a **J. D. Jones**, a gynhwysai anthemau, cytganau a darnau corawl eraill, a byddai ambell gyhoeddwr yn cynhyrchu cyfres fer o daflenni. Ymddangosodd rhangan enwog **Joseph Parry** i leisiau meibion, 'Myfanwy', yn un o chwe darn gan y cyfansoddwr a gyhoeddwyd gan Isaac Jones, Treherbert, yn 1875 ac y rhoddwyd iddynt y teitl cyfres 'Telyn Cymry'.

O'r 1870au hefyd dechreuodd yr unawd leisiol gael mwy o amlygrwydd wrth i boblogrwydd cyngherddau, **eisteddfodau** a chyfarfodydd cystadleuol gynyddu. Cyfrifir *Bedd Llewelyn* gan **D. Emlyn Evans** yn fan cychwyn yr unawd Gymraeg. Fe'i gwobrwywyd yn Eisteddfod Genedlaethol yr Wyddgrug, 1873, a'i chyhoeddi gan Isaac Jones yn 1874. O hynny ymlaen gwelir nifer fawr o gyhoeddwyr yn cyhoeddi unawdau newydd gan gyfansoddwyr Cymreig – Hughes a'i Fab (a brynodd gyhoeddiadau Isaac Clarke); Isaac Jones; John Jones, Bethesda; Jane ac Elisabeth Jones, Llannerch-y-medd; D. Trehearn, y Rhyl; Benjamin Parry, Abertawe; D. L. Jones (Cynalaw), Llansawel ac Aberteifi; J. R. Lewis, Caerfyrddin; y North Wales Music Co., Bangor; a D. J. Snell, Abertawe, ymhlith eraill. Cyhoeddai'r un cwmnïau ddarnau corawl i ddiwallu anghenion corau, a darnau prawf eisteddfodol a werthid yn helaeth. Taflenni cerddorol eraill lluosog a phoblogaidd oedd anthemau at ddefnydd cymanfaoedd canu: dywedir i anthem Thomas Davies, *Dyddiau dyn sydd fel glaswelltyn*, werthu 320,000 o gopïau.

Erbyn cyfnod y Rhyfel Byd Cyntaf roedd diwydiant cyhoeddi taflenni cerddorol yn llewyrchus iawn yng Nghymru fel mewn gwledydd eraill, a datblygiad prosesau argraffu wedi rhwyddhau cyhoeddi darnau o'r fath yn gymharol rad. Byddai cyhoeddwyr Cymreig yn argraffu 500 neu 1,000 o gopïau o gân newydd fel arfer, a mwy yn achos darnau corawl lle'r oedd y gwerthiant yn seiliedig ar brynu nifer o gopïau gyda'i gilydd. Ond roedd peryglon gorgynhyrchu hefyd: cynhyrchwyd llawer o ddarnau nad oeddynt yn gwerthu, y rhain yn aml wedi eu cyhoeddi gan y cyfansoddwyr eu hunain. Erbyn yr 1920au roedd llawer o gyfansoddwyr yn gwerthu eu stoc a'u hawlfreintiau i dai cyhoeddi mwy o faint oherwydd na allent fforddio eu storio. Prynodd D. J. Snell laweroedd o daflenni cerddorol felly a'u hailwerthu dan ei argraffeb ei hun.

Gyda thwf y diwydiant **cerddoriaeth boblogaidd** yn yr 20g. cynhyrchwyd nifer fawr iawn o ganeuon ysgafn ar daflenni, yn aml gyda lluniau cantorion adnabyddus ar y blaen. Am fod cerddoriaeth o'r fath yn cael ei hystyried yn effemeraidd, nid bob amser y diogelwyd darnau felly mewn cyflwr da, ac mae rhai taflenni cerddorol Cymreig yn gymharol brin erbyn heddiw. Yn ail hanner yr 20g. tanseiliwyd gwerth taflenni cerddorol gan y peiriant llungopïo, a byddai'n arfer gan gorau i atgynhyrchu copïau printiedig o ddarnau cerddorol drwy eu llungopïo (er bod hynny'n anghyfreithlon) yn hytrach na phrynu cyflenwad llawn o gopïau gwreiddiol. Roedd hyn yn rhannol am fod costau cynhyrchu cerddoriaeth yn uchel oherwydd gofynion cysodi arbenigol, a darnau unigol yn ymddangos yn ddrud i'r prynwr. Gyda datblygiad technegau cyfrifiadurol, fodd bynnag, daeth yn haws i gerddorion gysodi eu cerddoriaeth eu hunain a'i hatgynhyrchu ar daflenni yn ôl y galw yn hytrach na gorfod argraffu rhyw nifer penodol o gopïau.

Rhidian Griffiths

Tangi, Lleuwen
(gw. **Steffan, Lleuwen**)

Tann, Hilary (g.1947)

Ganed y cyfansoddwr Hilary Tann yn Llwynypia yn yr hen Sir Forgannwg. Astudiodd gerddoriaeth ym Mhrifysgol Caerdydd gydag **Alun Hoddinott** gan dderbyn ei gradd BMus yn 1968 cyn ymgymryd â chwrs ôl-radd gyda'r cyfansoddwr Jonathan Harvey ym Mhrifysgol Southampton. Wedi astudiaethau pellach ym Mhrifysgol Princeton yn Unol Daleithiau America (UDA) yn 1972 gyda Milton Babbitt a James K. Randall derbyniodd ei PhD yn 1981. Bu cyfnod wedyn o ddarlithio yn UDA tra'n treulio amser yn teithio i Japan, Korea a China gan ymchwilio i draddodiadau perfformio y *nô* a'r *shakuhachi*. A hithau wedi ymgartrefu yn UDA, ar hyn o bryd hi yw Athro Cerddoriaeth John Howard Payne yn Ngholeg Undebol Schenectady.

Mewn gyrfa lewyrchus sydd hyd yma wedi esgor ar ragor na 75 o gyfansoddiadau, gwelir bod Tann yn cael ei hysbrydoli gan amrywiaeth eang o themâu. Bu tirwedd neu leoliadau Cymreig ynghyd â'r byd natur a berthyn iddynt yn symbyliad i nifer o'i chyfansoddiadau siambr, megis *The Cresset Stone* (1993) ar gyfer *cello* unawdol neu *The Walls of Morlais Castle* (2002) ar gyfer obo, feiola a soddgrwth. Yn ogystal, arweiniodd ei diddordeb yn y traddodiad cerddorol Japaneaidd at gyfansoddiadau sy'n meddu ar naws ddwyreiniol sy'n awgrymu yn hytrach na dyfynnu, gan gynnwys *Of Erthe and Air* (1990) ar gyfer ffliwt, clarinet ac offerynnau taro a'r darn cerddorfaol *From Afar* (1996).

Cyfansoddiadau (rhestr ddethol)
Cerddorfaol:
The Open Field (In memoriam Tienanmen Square) (1990)
From Afar (1996)
The Grey Tide and the Green (2001)
From the Feather to the Mountain (2004)
Shakkei (2007) ar gyfer obo unawdol a cherddorfa siambr

Ensemble/offerynnol:
Doppelgänger (1984), ar gyfer piano unawdol
Winter Sun, Summer Rain (1986), ar gyfer ffliwt, clarinet, feiola, *cello* a *celesta*
Of Erthe and Air (1990), ar gyfer ffliwt, clarinet ac offerynnau taro
The Cresset Stone (1993), ar gyfer *cello* unawdol
The Walls of Morlais Castle (1998), ar gyfer obo, feiola a *cello*

Gardens of Anna Maria Luisa de Medici (2004), ar gyfer ffliwt, cello a phiano

Some of the Silence (2010), ar gyfer pedwarawd sacsoffon

Lleisiol/corawl:

Mother and Son (1996), ar gyfer soprano, clarinet yn Eb, feiola, soddgrwth (neu soprano gyda triawd llinynnol)

Songs of the Cotton Grass (1999–2005), cylch o ganeuon ar gyfer soprano ac obo

Disgyddiaeth

American Tapestry (North/South Recordings NSR1037, 2004)

American Women Composers (North/South Recordings NSR1043, 2006)

British Women Composers Volume II (Lorelt LNT103, 1993)

Celtic Connections (Capstone CPS8640, 1997)

Gardens of Anna Maria Luisa de Medici (Profil PH05019, 2005)

Here, The Cliffs (North/South Recordings NSR1056, 2012)

Landscapes for Chamber Orchestra (North/South Recordings NSR1048, 2009)

Millennium Overture (North/South Recordings NSR1027, 2003)

Musical Landscapes of Hilary Tann (Centaur Records CRC 3357, 2014)

Seven Poems of Stillness (Tŷ Cerdd TCR011, 2015)

Songs of the Cotton Grass (Deux-Elles DXL1132, 2008)

These Visions (Signum Classics SIGCD233, 2010)

Unto thee I burn (Centaur Records CRC 3395, 2014)

Llyfryddiaeth

Hilary Tann, 'Coming to Terms: (Futai – ken) Reibo', *Perspectives of New Music*, 27/2 (Haf, 1989), 68–9

A. J. Heward Rees, 'Hilary Tann', *New Grove Dictionary of Music and Musicians,* gol. Stanley Sadie (Llundain, 2001)

Arthur Margolin a Hilary Tann, 'Why Probe – A Conversation', *IAWM Journal*, 20/1 (Gwanwyn, 2014), 9–12

Guto Puw

Tanner, Philip (1862–1950)

Brodor o Fro Gŵyr oedd Philip (neu Phil) Tanner a chynheilydd pennaf y traddodiad **canu gwerin** Saesneg yn y gymdogaeth honno. Daeth i enwogrwydd yng Nghymru a Lloegr drwy gyfrwng ei recordiadau masnachol a'i berfformiadau radio. Fe'i hystyrir ymhlith cantorion brodorol mwyaf gwreiddiol a gwybodus ei gyfnod a'i *repertoire* yn gyfuniad o **faledi**, caneuon tymhorol, caneuon gwaith a chanu defodol.

Ganed Phil Tanner yn Llangynydd, Sir Forgannwg, yr ieuengaf o saith o blant Isaac a Jennet Tanner. Roedd ei gyndeidiau a'i rieni yn adnabyddus fel cantorion a dawnswyr traddodiadol a dilynodd yntau yn ôl eu traed. Arddull a chaneuon Saesneg a oedd yn gyffredin yn y rhan orllewinol o Fro Gŵyr yr adeg honno oedd sail ei grefft, a hynny'n arwydd o ddylanwad mewnfudwyr o Wlad yr Haf flynyddoedd lawer ynghynt. Ffermio, pysgota, melinau blawd, melinau gweu a'r chwareli llechi oedd cyfrwng diwydiant yr ardal a'r rhain hefyd fu'n ffynhonnell ac yn ysbrydoliaeth i ganu Phil Tanner am weddill ei oes.

Roedd Llangynydd ('Tipperary Bro Gŵyr' yn nhyb rhai) yn enwog am ei dathliadau Gwylmabsant (5 Gorffennaf) ac am rialtwch y dawnsio a'r canu ar Ddydd Sant Cennydd. Ar adeg y Nadolig a'r flwyddyn newydd cynhelid traddodiad y Fari Lwyd, cystadlaethau chwaraeon y Mudchwaraewyr (*Mummers*) yn ogystal â defodau gwaseila yn y pentref (gw. **Gwasael, Canu**). Tyfodd Tanner yn arbenigwr ar yr arferion traddodiadol hyn a chofir amdano fel yr olaf o'r gwahoddwyr (*bidders*) priodasol yn y gymdogaeth. Ar adegau o'r fath byddai'r **ddawns** *The Gower Reel* yn cael ei pherfformio (i gyfeiliant **ffidil** ac i gyfeiliant *mouth music* Phil Tanner). Tystia rhai i'w sêl a'i arddeliad fel canwr gwerin, ond roedd hefyd yn adnabyddus fel storïwr a digrifwr ffraeth ei dafod.

Yn 1937 y daeth ei ddawn fel canwr gwerin i sylw'r cyhoedd y tu hwnt i Fro Gŵyr pan wahoddwyd ef gan Maud Karpeles i recordio rhai o'i ganeuon ar gyfer archif sain The English Folk Song Society (Llundain) cyn iddo eu darlledu ar raglen y BBC, *In Town Tonight*. Recordiodd 'The Banks of the Sweet Primroses', 'Henry Martin', 'Gower Reel' a'r 'Gower Wassail' ar gyfer Cwmni Columbia yn 1937 a rhyddhaodd record hir yn 1949 a oedd yn cynnwys ei ddehongliadau unigryw o 'The Oyster Girl', 'The Bonny Bunch of Roses', 'The Parson and The Clerk', 'Barbara Ellen', 'Young Roger Esquire', 'Swansea Barracks', 'Fair Phoebe and The Dark Eyed Sailor', 'Four-Handed Reel' ac 'Over The Hills To Gowerie'.

Ailgyhoeddwyd y rhain ar label Cwmni Caedmon (Unol Daleithiau America) yn y gyfres *Folksongs of Britain* (1961) ond coron ar ei yrfa fu'r casgliad o'i ganeuon, *The Great Man of Gower*, a ryddhawyd gan gwmni Folktracks Recordings yn 1975. Meddai ar gasgliad o oddeutu 80–90 cân a ddysgodd oddi wrth ei daid, ei dad, ei ewythredd a'i frodyr, yn ogystal â'r gweithwyr a'r sipsiwn crwydrol a ddeuai i'r ardal. Parhaodd i ganu a diddanu ei gyd-bentrefwyr wedi iddo ymddeol ac fe'i hystyrid yn geidwad traddodiadau llafar-gwlad bro ei febyd.

Llyfryddiaeth

J. Mansel Thomas, 'Profile … Phil Tanner', *Gower*, 1 (1948), 16–19

John Ormond Thomas, 'The Old Singer of Gower', *Picture Post* (19 Mawrth 1949)

Doug Fraser a Tony Green, 'Phil Tanner', *Traditional Music*, 7 (1977), 4–9

David Rees, 'Phil Tanner and the Royal Commission', *Gower*, 31 (1980), 4–10

Doug Fraser, 'Phil Tanner, 1862–1950', *Taplas*, 98 (Chwefror–Mawrth, 2000), 12–14

Roy Harris, 'Phil Tanner – an appreciation', *Taplas*, 98 (Chwefror–Mawrth, 2000), 15

———, 'Tanner sings again', *Taplas*, 120 (Hydref–Tachwedd, 2003), 10

Wyn Thomas

Tebot Piws, Y

Grŵp pop/gwerin hwyliog a dychanol a fu'n perfformio'n gyson rhwng 1969 ac 1972. Er iddynt ymddangos mewn nosweithiau llawen yn aml, roedd Y Tebot Piws yn wahanol iawn i'r artistiaid a arferai ymddangos yn y nosweithiau hynny. Yn eu jîns a'u crysau-T, ni hidient am barchusrwydd ac roedd eu hymarweddiad ar lwyfan yr un mor anffurfiol â'u gwisg; wrth ganu eu cyfansoddiadau gwreiddiol eu hunain i gyfeiliant gitarau acwstig, byddent yn aml yn gwamalu ac yn barotach i symud o gwmpas y llwyfan nag i sefyll yn stond wrth feic. Fel y **Dyniadon Ynfyd Hirfelyn Tesog**, eu heneidiau hoff cytûn o ran hiwmor a grŵp a berfformiai'n aml ochr yn ochr â hwy, torrent yn rhydd o'r hualau moesol disgwyliedig a osodwyd gan sefydliadau'r capel, yr Urdd a'r **Eisteddfod**.

Myfyrwyr yng Ngholeg Hyfforddi Cyncoed, Caerdydd, oedd y pedwar aelod. Hanai Emyr 'Ems' Huws Jones o Langefni, Stanley Morgan-Jones o Walchmai, Ynys Môn eto, Alun 'Sbardun' Huws o Benrhyndeudraeth, Meirionnydd, a Dewi 'Pws' Morris o Dre-boeth, Abertawe.

Potiwrs Gwynedd oedd enw'r grŵp yn wreiddiol ond penderfynwyd nad oedd yn enw gweddus ar gyfer cystadlu mewn Steddfod Bop a gynhelid gan gapel Methodistaidd yn Ninbych ym mis Ebrill 1969. Enillwyd y wobr o £5 trwy ganu am John Jones 'Yr Hogyn Pren'. Erbyn diwedd y flwyddyn roedd y gân wedi ymddangos ar record, ynghyd â thair cân arall, wedi'u recordio'n amrwd mewn ystafell ffrynt yng nghyffiniau Lerpwl a'u rhyddhau ar label Recordiau'r Dryw.

Rhyddhawyd y tair record fer arall ar label Sain ac roeddynt yn cynnwys y cymysgedd arferol o'r gwirion a'r dwys. Ochr yn ochr â'r caneuon hwyliog megis 'Blaenau Ffestiniog', 'Godro'r Fuwch' a 'Ie, Ie, 'Na Fe' ceid 'O Arglwydd Mae'n Uffern yn y Pwll' (yn dychanu arddull **Meic Stevens**), ynghyd â'r hyfryd 'Dilyn Colomen', 'Nwy yn y Nen' a 'Lleucu Llwyd', sydd wedi hen sefydlu ei hun fel **cân werin**. Roedd 'D'yn ni Ddim yn Mynd i Birmingham' yn gân brotest yn erbyn bwriad BBC Cymru i recordio rhaglenni'r gyfres deledu *Disc a Dawn* y tu allan i Gymru.

Daeth gyrfa'r Tebot Piws i ben yn Eisteddfod Hwlffordd 1972. Cyhoeddwyd Llyfr Pocad Tîn gan Dafydd Meirion yn olrhain hanes y grŵp. Blodeuodd Ems, Sbardun a Pws fel cyfansoddwyr gyda grwpiau eraill. Bu Sbardun yn gyd-olygydd y cylchgrawn pop *Sŵn*. Canolbwyntiodd Stan ar ei yrfa fel athro. Rhyddhaodd Sain gryno-ddisg *Y Gore a'r Gwaetha o'r Tebot Piws* yn 1993. Ailffurfiodd y band yn 2008 a rhyddhawyd cryno-ddisg o ganeuon newydd, *Twll Du Ifan Saer,* yn 2011 ar label Labelabel.

Disgyddiaeth

Yr Hogyn Pren [EP] (Dryw WRE1091, 1970)

Blaenau Ffestiniog [EP] (Sain 11, 1970)

Mae Rhywun Wedi Dwyn Fy Nhrwyn [EP] (Sain 19, 1971)

Byrmingham [EP] (Sain 25, 1972)

Casgliad:

Y Gore a'r Gwaetha o'r Tebot Piws (Sain SCD2049, 1994)

Llyfryddiaeth

Dafydd Mei, *Y Tebot Piws* (Penygroes, 1974)

Hefin Wyn

Tegid, Llew (1851–1928)

Ganed Llew Tegid yn Ffriddgymen, ger y Bala, a'i enw bedydd oedd Lewis David Jones. Daeth yn wyneb cyfarwydd ar lwyfannau'r **Eisteddfod** Genedlaethol yn annerch cynulleidfaoedd wrth **arwain** ac fel eisteddfodwr y'i hadwaenid yn bennaf. Bu'n fyfyriwr yn y Coleg Normal (Bangor) rhwng 1872 ac 1873 cyn cael ei benodi'n athro ym Methesda. Prin flwyddyn yn ddiweddarach, yn 1875, dychwelodd i Fangor fel athro yn Ysgol y Garth a bu yno am 27 mlynedd. Cynhyrchodd waith llenyddol pwysig ond ei ddiddordeb pennaf oedd ei alwedigaeth fel **arweinydd** eisteddfodol, fel yr atega T. I. Ellis isod:

Yr oedd ganddo fedr arbennig i drin tyrfa fawr; meddai ar lais soniarus, treiddgar, arabedd parod, a phersonoliaeth hoffus. (Ellis 2009)

Bu'n weithgar ym myd yr eisteddfod rhwng 1902 ac 1925 (Stephens 1997, 403), a hyd at 1916 bu'n ddyfal yn codi arian ar gyfer adeiladu newydd Coleg **Prifysgol** Gogledd Cymru (Ellis 2009). Erbyn troad y ganrif daeth i ymwneud yn helaeth â'r Athro **J. Lloyd Williams**, sef cyd-sylfaenydd **Cymdeithas Alawon Gwerin Cymru** a sefydlwyd yn 1906.

Yn sgil dylanwad J. Lloyd Williams arno aeth ati i 'gasglu alawon a hen benillion' i'w cyhoeddi yng Nghylchgrawn y Gymdeithas (Stephens 1997, 403). Ambell dro, gwnâi hyn ar ei liwt ei hun ond yn amlach na pheidio âi i'w cofnodi ar y cyd â'i gyfaill. Bu'n cyfansoddi geiriau ar gyfer yr alawon a gasglai er mwyn eu gosod ar glawr. Yn ogystal â hyn, ei eiriau ef a osodwyd ar ddwy opereta fechan o eiddo J. Lloyd Williams sy'n dwyn y teitlau *Aelwyd Angharad* a *Cadifor*, sef 'cynhyrchion mwyaf adnabyddus' (Roberts 2009) cyfnod diweddarach yr Athro. Datblygodd partneriaeth amlwg rhwng y ddau, gyda'r naill yn ysbrydoli'r llall; byddai Lloyd Williams yn llunio trefniannau ar gyfer yr alawon a Llew Tegid yn cyfansoddi geiriau ar eu cyfer. Defnyddiai'r naill ei allu a'i grebwyll cerddorol tra tynnai'r llall ar ei ddawn fel llenor.

Roedd gosod geiriau ar ganeuon llafar gwlad yn gyfraniad pwysig i draddodiad **canu gwerin** Cymru gan ei fod yn cyfoethogi'r traddodiad ymhellach wrth ategu casgliadau cynharach. Roedd hefyd yn fodd o roi geiriau newydd sbon i hen alawon, nad oeddynt, o reidrwydd, yn cynnwys geiriau yn y gwreiddiol. Dyma lle amlygir dawn lenyddol Llew Tegid.

Ymhen blynyddoedd gwelwyd ei gyfraniad at fywyd a gwaith Cymdeithas Alawon Gwerin Cymru yn cynyddu'n sylweddol, nid yn unig trwy ei waith cadwraethol yn casglu a chyfansoddi ond hefyd drwy ei waith gweinyddol. Fe'i penodwyd yn ysgrifennydd cyntaf i'r Gymdeithas a dadleuai rhai y gellir ei gyfrif ymysg ei chyd-sylfaenwyr, ochr yn ochr â J. Lloyd Williams (**Kinney** 2011, 205). Bu farw ym Mangor ar 4 Awst 1928.

Llyfryddiaeth

W. E. Penllyn Jones (gol.), *Byywgraffiad Llew Tegid gyda detholiad o'i weithiau* (Wrecsam, 1931)

M. Stephens (gol.), *Cydymaith i Lenyddiaeth Cymru* (Caerdydd, 1997)

Thomas Iorwerth Ellis, 'Lewis Davies Jones', *Y Bywgraffiadur Ar-lein* (2009) <*http://yba.llgc.org.uk/cy/c-JONE-DAV-1851.html?query=l lew+tegid&field=name*>

R. A. Roberts, 'John Lloyd Williams', *Y Bywgraffiadur Ar-lein* (2009) <*http://yba.llgc.org.uk/cy/c2-WILL-LLO-1854.html*>

Phyllis Kinney, *Welsh Traditional Music* (Caerdydd, 2011)

Wyn Thomas

Telyn

Offeryn cerdd gyda 47 o dannau a gaiff ei chwarae gyda chnawd y bysedd yw'r delyn bedal. Cyfeirir yn fwy rheolaidd at y delyn yn hanes llenyddiaeth Gymraeg nag unrhyw offeryn arall, ac fe'i hystyrir yn offeryn traddodiadol y Cymry. Credir mai'r term Nordig am offeryn llinynnol oedd y gair *harpa* yn wreiddiol, ond mae'r term wedi'i fathu ar gyfer yr offeryn penodol hwn bellach.

Ceir saith o bedalau ar y delyn sy'n cysylltu gyda pheirianwaith yn ei gwddf. Trwy symud y pedalau gyda'r traed, gellir newid y donyddiaeth wrth dynhau a llacio'r tannau, yn hytrach nag aildiwnio'r delyn i'r cyweirnod gofynnol bob tro. Georges Cousineau a Jean Henri Naderman oedd dau o wneuthurwyr cyntaf y delyn bedal ym Mharis yn y 18g., ac iddynt hwy y priodolir dyfais y bachau sy'n gyfrifol am hapnodau a newid cyweirnodau. Er gwaethaf yr addasiadau a wnaethpwyd i'r telynau arwaith-sengl (*single-action*) wrth eu datblygu, cyfyngid ar y gerddoriaeth y gellid ei chwarae gan y ffaith mai wyth cywair mwyaf a phum cywair lleiaf yn unig a oedd ar gael i delynorion yr adeg honno. Mewn ymateb i anfodlonrwydd y telynorion, datblygodd teulu Cousineau delyn a fedrai gael ei chanu mewn unrhyw gyweirnod. Roedd 14 o bedalau, wedi'u gosod ar ben ei gilydd mewn dwy res, yn nodweddu'r delyn honno.

Sebastian Erard o Baris a fu'n gyfrifol am ddatblygu'r delyn arwaith-dwbl (*double-action*) yn 1810, cynllun sy'n cael ei efelychu o hyd yn nhelynau heddiw i raddau helaeth. Gyda'r cynllun hwn, gellid addasu traw pob tant o'r llonnod, i'r naturiol, ac i'r meddalnod, gan gynnig amrywiaeth o gyweirnodau, yn ogystal â'r gallu i chwarae hapnodau yn ystod y darn.

Y dull arferol o chwarae'r delyn yw gyda'r bys bawd a'r tri bys cyntaf ar y ddwy law. Ni ddefnyddir y bys bach o gwbl, yn bennaf oherwydd ei fyrder o'i gymharu â'r bysedd arall yn ogystal â'r ffaith nad yw'n ddigon cryf i dynnu'r tannau.

Ceir nifer o dechnegau amrywiol y gellir eu defnyddio ar gyfer y delyn bedal, gan gynnwys taro'r seinfwrdd; chwarae gyda'r ewinedd yn hytrach na chnawd y bysedd; a chwarae'r tant wrth y seinfwrdd sy'n creu sain wahanol iawn i'r hyn a geir wrth chwarae yng nghanol y tannau yn unol â'r arfer. Techneg a ddefnyddir yn rheolaidd, yn enwedig mewn cyd-destun cerddorfaol, yw *glissando*, lle mae'r bysedd yn sgubo dros y tannau. Gellir hefyd greu *glissando* gyda'r pedalau a ddefnyddir yn gyson, yn enwedig mewn *genres* megis jazz. Drwy symud pedal wrth i'r tant ddirgrynu, clywir atsain yr ail nodyn yn canu. Mae'r defnydd o *arpeggios* a chordiau wedi'u taenu yn nodwedd arall o ganu'r delyn, un sy'n gweddu i'r offeryn ac i siâp y llaw wrth chwarae.

Yr unig gyfyngiad technegol ar y delyn yw'r ffaith na ellir chwarae gwahanol hapnodau mewn wythawdau gwahanol. Er enghraifft, ni ellir chwarae F llonnod ac F naturiol ar yr un pryd oni bai fod y perfformiwr yn defnyddio nodau enharmonig.

Dynion oedd y mwyafrif helaeth o delynorion proffesiynol hyd at ddiwedd y 19g. Ar yr aelwyd yn unig y gwelid y gwragedd yn chwarae'r offeryn o'r 17g. hyd at ddiwedd y 19g. Erbyn yr 21g. caiff y delyn ei chwarae gan ddynion a gwragedd fel ei gilydd ar hyd a lled y byd.

Bu'r **delyn deires** a'r delyn bedal yn cydoesi am gyfnod yn y 19g. yng Nghymru ond yn y man disodlwyd y naill gan y llall. Trwy ddylanwad telynorion megis **John Thomas** (Pencerdd Gwalia) a **John Parry** (Bardd Alaw) y daethpwyd â'r delyn bedal i Gymru. Wrth i'r cerddorion hyn astudio yn Llundain a theithio i gyfandir Ewrop i berfformio, roedd yn ofynnol iddynt gydymffurfio â ffasiynau a datblygiadau cerddorol y cyfnod ac roedd y delyn bedal yn fwy addas na'r delyn deires ar gyfer perfformio **cerddoriaeth glasurol a chelfyddydol** y 19g. A hwythau mewn cysylltiad cyson gyda chymdeithasau ac unigolion yn eu mamwlad, arweiniodd eu brwdfrydedd dros y delyn bedal at ffafrio'r delyn honno yng Nghymru hefyd a chollodd y delyn deires ei bri.

Ffynnodd y delyn bedal yn ystod yr 20g. a gwelwyd unigolion megis **Osian Ellis**, **Elinor Bennett**, Ann Griffiths a **Sioned Williams** yn sicrhau statws rhyngwladol iddynt eu hunain fel telynorion ac yn cyfiawnhau lle'r delyn bedal fel offeryn cenedlaethol y Cymry. Mae'r offeryn yn parhau i ffynnu, ac ymysg rhai o delynorion amlycaf yr 21g. y mae **Catrin Finch**, Claire Jones a Hannah Stone, ill tair yn eu tro wedi bod yn delynorion i Dywysog Cymru.

Gwawr Jones

Telyn Deires

Telyn ac iddi dair rhes o dannau coludd gyda chwmpas o oddeutu pum wythfed. Gelwir y tair rhes yn rhes fas, rhes ganol a rhes drebl. Ceir oddeutu 30 o dannau yn y rhes fas, sy'n cael eu chwarae â'r llaw dde, a thua 34 o dannau yn y rhes ganol. Yn y rhes drebl ceir tua 27 o dannau a gaiff eu chwarae â'r llaw chwith. Mae'r ddwy res allanol yn gyfochrog ac wedi'u tiwnio i'r un nodau yn y raddfa ddiatonig. Y nodau cromatig sydd yn y rhes ganol. Mae'r sain atseiniol a geir wrth chwarae'r ddwy res allanol gyda'i gilydd yn unigryw i'r delyn deires.

Rhaid gwthio'r bysedd i mewn ac allan er mwyn cyrraedd y tannau canol. Cenir yr offeryn ar yr ysgwydd chwith yn draddodiadol, yn wahanol i'r delyn glasurol Ewropeaidd, ac mae'n ysgafnach o lawer na'r delyn honno; nodwedd a'i gwnâi'n haws i delynorion ei chario ar eu cefnau ar hyd a lled y wlad wrth glera mewn tafarndai a phlastai. Ar droad y 18g. y dechreuwyd priodoli'r delyn deires i Gymru, wedi iddi gael ei dyfeisio yn yr Eidal, yn ninas Bologna tua diwedd yr 16g. Dau o brif wneuthurwyr y delyn deires yn y 18g. a'r 19g. oedd John Richard (1711–89), Llanrwst, a Bassett Jones (1809–69), Caerdydd. Yn 1755 creodd John Richard delyn deires ar gyfer **John Parry** (Parry Ddall). O ganlyniad i arbenigrwydd y delyn hon, gwahoddwyd John Richard i dreulio'i flynyddoedd olaf ym mhlasty Sackville Gwynn, yng Nglanbrân, Llanymddyfri, fel gwneuthurwr telynau teires, a bu hynny'n allweddol o ran hyrwyddo poblogrwydd yr offeryn a lledaenu gwybodaeth amdano. Roedd Sackville Gwynn ei hun yn canu'r delyn deires, a rhoddai'r **offerynnau** fel anrhegion i gerddorion a pherfformwyr a ddeuai i'w blasty.

Bu 1833 yn flwyddyn bwysig yn hanes yr offeryn oherwydd dyna pryd y sefydlwyd Cymdeithas Cymreigyddion y Fenni, cymdeithas a fu'n hyrwyddo'r delyn deires yn ddiwyd dan nawdd ac anogaeth **Augusta Hall**, Arglwyddes Llanofer (1802–96), yn bennaf. Daeth y delyn deires yn arwydd ac yn symbol o Gymreictod yng Nghymdeithas Cymreigyddion y Fenni, ac fe'i dyrchafwyd yn offeryn cenedlaethol y Cymry. Sefydlwyd cystadlaethau ar gyfer yr offeryn yn **Eisteddfodau**'r Fenni a chyflwynwyd cynifer â 37 o delynau teires fel gwobrau dros gyfnod o 20 mlynedd, telynau a grëwyd yn bennaf gan Bassett Jones, Caerdydd. Cyflogai Augusta Hall ei hun wneuthurwr telynau teires yn Llanofer, gan gynnig ysgoloriaethau ar gyfer disgyblion y delyn honno. Un o selogion pennaf yr achos oedd y Parch Thomas Price (Carnhuanawc).

Yn ôl Ann Rosser roedd gan y telynorion swyddogaeth ddeublyg, sef cynnig adloniant yn yr eisteddfodau ac atgoffa'r Cymry o'u gwreiddiau cerddorol (Rosser 1981). Mae lle i gredu mai yn y tafarndai y gwnâi'r telynorion eu bywoliaeth yn bennaf, er eu bod hefyd yn perfformio'n gyson ym mhlastai bonedd megis Syr Watkin Williams Wynn yn Wynnstay, Rhiwabon.

Ymhlith rhai o brif chwaraewyr y delyn deires yn y 18g. a'r 19g. yr oedd John Parry (Parry Ddall) a **John Roberts** (Telynor Cymru); roedd yr olaf yn ddisgynnydd i'r sipsiwn Cymreig a theulu Wood (gw. **Woodiaid, Teulu'r**). Bu'r ddau yn hynod bwysig o ran hybu poblogrwydd y delyn deires yng Nghymru, ac roeddynt ill dau hefyd yn datblygu'r delyn deires a cherddoriaeth werin ar gyfer y genhedlaeth nesaf.

Gwelwyd dirywiad sylweddol ym mhoblogrwydd y delyn deires wrth i ddylanwad y Methodistiaid gynyddu yng Nghymru. Bu eu gwrthwynebiad hwy i'r adloniant a berthynai i ddiwylliant y tafarndai yn ergyd enbyd i'r traddodiadau gwerin Cymreig, gan gynnwys yr arfer o ganu'r delyn deires. Lleihaodd nifer y telynorion wrth i nifer ohonynt brofi tröedigaeth grefyddol a gwadu eu swydd a'u gallu fel perfformwyr, gan wawdio'r offeryn a'i feirniadu fel offeryn pechod. Gwelwyd dylanwad y dirmyg hwn yn parhau hyd at droad yr 20g.

Wrth i'r delyn deires golli ei bri yn ystod y 19g. gwelwyd cynnydd ym mhoblogrwydd y delyn bedal fodern a ddyfeisiwyd gan Sebastian Erard c.1810. Am gyfnod bu'r ddwy delyn yn cydoesi yng Nghymru, ond yn raddol cadarnhawyd goruchafiaeth y delyn bedal.

Erbyn diwedd y 19g. roedd y telynorion a feddai'r ddawn i ganu'r delyn deires yn hynod brin, ac erbyn yr 20g. roedd y delyn deires wedi'i disodli ymron yn gyfan gwbl gan y delyn bedal. Tra oedd y delyn deires, gyda'i sain arbennig, yn ddelfrydol ar gyfer chwarae trefniannau o alawon traddodiadol, roedd y delyn bedal yn ei benthyg ei hun ar gyfer y gerddoriaeth glasurol a oedd yn ffasiynol yn y cyfnod, ac roedd

hyblygrwydd y delyn bedal yn nhermau cyweiriau a hapnodau yn peri bod nifer o delynorion yn ei ffafrio dros y delyn deires.

Bu **Nansi Richards** (Telynores Maldwyn; 1888–1979) yn allweddol o safbwynt parhad yr arfer o ganu'r delyn deires. Meithrinwyd ei diddordeb mewn cerddoriaeth werin wrth iddi glywed y sipsiwn Cymreig yn canu'r alawon pan ddeuent i aros mewn sgubor ar fferm ym Mhen-y-bont-fawr ger Llanfyllin, a chafodd ei hyfforddi yn y dull traddodiadol o ganu'r delyn deires gan Thomas Lloyd (Telynor Ceiriog; 1848–1917). Yn ei thro dysgodd hi eraill i ganu'r offeryn; ymhlith ei disgyblion yr oedd **Llio Rhydderch** a Dafydd a Gwyndaf Roberts o **Ar Log**. Er na ellid dweud bod y delyn deires wedi'i hadfer yn llawn i'w hen fri, bu gwaith Nansi Richards, a'i dylanwad ar delynorion o'r genhedlaeth nesaf, yn allweddol o ran sicrhau goroesiad yr offeryn yn yr 21g.

Yn yr 20g. a'r 21g. mae'r delyn deires wedi dechrau adennill tir yng Nghymru. Ymysg y cenhadon amlycaf drosti y mae Llio Rhydderch a **Robin Huw Bowen** sydd wedi hybu a hyrwyddo'r offeryn yng Nghymru ac ar hyd a lled y byd. Yn ogystal â gwaith telynorion fel hyn yn perfformio hen gerddoriaeth draddodiadol o'r 18g., mae gweisg megis Teires yn datblygu *repertoire* newydd, ac mae'r delyn deires bellach yn hawlio ei lle yn yr 21g. fel offeryn y Cymry gyda'i sain a'i thechneg unigryw.

Llyfryddiaeth

Ann Rosser, *Telyn a Thelynor: Hanes y Delyn yng Nghymru* (Caerdydd, 1981)

Gwawr Jones

Telyn Rawn

Telyn gyda thannau wedi'u creu o rawn, sef y blew hir o fwng neu gynffon ceffyl. Gwelir y term am y tro cyntaf mewn testunau cyfraith o'r 13g. Roedd yn delyn ysgafn, ac yn fach iawn o'i chymharu â thelynau cyfoes, hyd yn oed y telynau 'Celtaidd'. Roedd wedi'i gwneud o ddeunyddiau a fyddai ar gael yn rhwydd i'r gwneuthurwyr: pren ar gyfer y fframwaith, croen anifail i'w lapio o amgylch y seinfwrdd, asgwrn ar gyfer tiwnio'r delyn a rhawn ar gyfer plethu'r tannau. Ceid oddeutu 30 o dannau ar y delyn rawn, a'r tannau hynny yn ddu ac yn loyw. Fe'i chwaraeid ar yr ysgwydd chwith, yn unol â'r dull traddodiadol, gyda'r llaw chwith yn seinio'r tannau uchaf gan chwarae'r alaw, tra seinid y tannau bas gyda'r llaw dde. Plycio'r tannau gyda'r ewinedd fyddai'r dull arferol o'i seinio. Roedd gan y delyn sain ysgafn ac mae'n debygol iawn mai ar gyfer cyfeilio i'r llais canu neu wrth adrodd barddoniaeth y'i defnyddid yn bennaf. Roedd telynau rhawn yn brin iawn mewn gwledydd eraill yn ystod y 14g.

Mae'n bosib fod awgrym o'r gerddoriaeth a chwaraeid ar y delyn rawn i'w gael yn llawysgrif **Robert ap Huw** (c.1580–1665). Yn ôl **llawysgrifau** a cherddi o'r cyfnod, hon oedd y delyn a ffafriai'r beirdd, fel y tystia cywydd Iolo Goch (c.1325–c.1398), 'Moliant i'r Delyn Rawn a Dychan i'r Delyn Ledr'. Roedd yn offeryn a oedd o werth digon sylweddol i'w osod fel taliad priodasol. Ond er gwaethaf statws y delyn rawn yng nghymdeithas y cyfnod, fe gâi ei chyfnewid am delyn o fath gwahanol pan ddeuai'r cerddor yn gerddor cyweithas a chymwys yn llys Hywel Dda yn y 10g. (Harper 2007, 39).

Gellid olrhain datblygiad cerddorion y cyfnod drwy gyfrwng yr **offerynnau** a chwaraeent: o'r delyn rawn i statws pencerdd yn y llysoedd. Awgryma hyn nad oedd y delyn rawn yn briodol ar gyfer y llys yn y cyfnod hwn, er gwaethaf ei phoblogrwydd gyda'r beirdd. Pan fyddai'r cerddorion wedi datblygu'u crefft yn ddigonol i ildio'r delyn hon, talent 24 ceiniog i'r pencerdd, am ei fod yn colli'i ddisgyblion mae'n debyg, a chydnabyddid y telynorion fel cerddorion nodedig.

Diflannodd y delyn rawn yn gyfan gwbl erbyn y 14g. ac nid oes unrhyw enghraifft wedi goroesi. Mae rhai gwneuthurwyr telynau yn yr 21g. wedi ceisio adeiladu atgynyrchiadau o'r delyn rawn, ond i ddibenion hanesyddol yn hytrach nag ar gyfer perfformio. Fe'i disodlwyd yn bennaf o ganlyniad i dwf ym mhoblogrwydd y delyn ledr.

Llyfryddiaeth

Sally Harper, *Music in Welsh Culture Before 1650* (Aldershot, 2007)

Gwawr Jones

Telyn Wrachïod

Telyn gynnar a oedd yn boblogaidd yng Nghymru rhwng y 14g. a'r 17g. Tarddiad y term 'gwrachïod' yw'r gair 'gwrach' neu 'gwrachod' sy'n dynodi sain ansoniarus y delyn. Ceid iddi naill ai 31 o dannau, yn ymestyn o A' i c'', neu 34 o dannau yn ymestyn o G' i e''. Fe'i chwaraeid yn y dull traddodiadol

ar yr ysgwydd chwith gyda thechneg ganoloesol a olygai ddefnyddio'r ewinedd yn hytrach na chnawd y bysedd.

Roedd gwrachïod, sef pegiau bychain siâp L, wedi'u gosod yn seinfwrdd y delyn a hynny mewn modd a olygai eu bod yn cyffwrdd y tannau'n ysgafn wrth i'r rheini ddirgrynu yn eu herbyn gan greu sain suo nid annhebyg i'r delyn Wyddelig gyda'r tannau weiren. Yn unol â *repertoire* telynorion o'r 16g., defnyddid pum cyweiriad gwahanol, sef is gywair, cras gywair, lleddf gywair y gwyddil, go gywair a **bragod** gywair. Gellir gweld enghreifftiau ohonynt yn llawysgrif **Robert ap Huw**, gyda'r gerddoriaeth yn galw am delyn unrhes ddiatonig gydag oddeutu 25 o dannau. Yn ogystal â nifer y tannau, ceir cyfarwyddiadau ar gyfer byseddu a thechneg y telynor wrth dynnu a distewi'r tannau. Byddai'r delyn wrachïod yn gweddu i dechnegau o'r fath. Cyfeirir at y delyn wrachïod mewn cywydd gan Huw Machno, sy'n crybwyll y gwrachïod lluniaidd a rydd lais i bob emosiwn yn ystod datganiad ar yr offeryn.

Mae recordiadau o'r delyn wrachïod yn hynod brin, er y ceisir atgynhyrchu'r telynau hyn ar gyfer diben hanesyddol heddiw. Un o'r arloeswyr pennaf ym myd y delyn wrachïod yw William (Bill) Taylor sydd wedi perfformio a chynhyrchu cerddoriaeth ar yr offeryn. O ganlyniad i'w waith ar lawysgrif Robert ap Huw, mae wedi llwyddo i ddod â'r delyn yn ôl i sylw'r byd cerddorol yng Nghymru drwy gynhyrchu cryno-ddisg o ddeunydd o'r casgliad hanesyddol hwn.

Disgyddiaeth

Bill Taylor, *Musica* (Cornelyn 5637724966, 2010)

Gwawr Jones

Telynor, Telynorion (gw. Telyn; Telyn Deires; Telyn Rawn; Telyn Wrachïod)

Terfel, Bryn (g.1965)

Ganed y bas-bariton Bryn Terfel (Jones) ym Mhantglas, ger Caernarfon. Dangosodd ddiddordeb mewn canu yn ifanc iawn: roedd yn **eisteddfodwr** brwd ac yn ymddiddori mewn canu **cerdd dant**. Datblygodd y grefft honno gyda Dafydd G. Jones (Selyf) yng Ngarndolbenmaen cyn mynychu gwersi canu gyda Pauline Desch. Derbyniodd ei addysg uwchradd yn Ysgol Dyffryn Nantlle cyn astudio yn Ysgol Gerdd a Drama'r Guildhall, Llundain, gan dderbyn hyfforddiant lleisiol gan Arthur Reckless. Aeth ymlaen i dderbyn ei addysg gyda Rudolph Piernay yn ystod ei flwyddyn olaf yn y Guildhall gan ddatblygu ei allu i ganu mewn Almaeneg, Eidaleg a Ffrangeg.

Enillodd Ysgoloriaeth Kathleen Ferrier yn 1988 am ei berfformiad o 'The Cloths of Heaven' gan **Dilys Elwyn-Edwards**, a derbyniodd Fedal Aur wrth raddio o'r Guildhall yn ogystal. Flwyddyn yn ddiweddarach enillodd y wobr Lieder yng Nghystadleuaeth **Canwr y Byd**, gan gymryd yr ail safle yn y brif gystadleuaeth. Derbyniodd CBE am ei wasanaeth i **opera** yn 2003, Medal y Frenhines i Gerddoriaeth yn 2006 ac fe'i gwnaethpwyd yn Gymrawd o Brifysgol Aberystwyth, Coleg Brenhinol Cerdd a Drama Cymru a Choleg yr Iesu, Rhydychen. Dyfarnwyd iddo ddoethuriaeth er anrhydedd gan y Coleg Cerdd Brenhinol Llundain a Phrifysgol Bangor yn 2012, a'i urddo'n farchog gan y Frenhines yn 2017.

Mae **Geraint Lewis** yn disgrifio Syr Bryn Terfel fel 'ymgorfforiad rhyngwladol o Gymru ac yn llysgennad answyddogol y genedl', gan nodi y gellir olrhain ei arbenigedd mewn ynganiad a mynegiant naturiol yn ôl i'w brofiadau ym myd **cerdd dant** a osododd sylfeini cadarn i'w yrfa gerddorol. Mae llu o feirniaid wedi tynnu sylw at ei ddeallusrwydd, ei bresenoldeb llwyfan a'i garisma fel canwr, ac at ei allu arbennig i ganu gyda chynhesrwydd a hiwmor ond hefyd gyda dwyster mawr.

Dechreuodd ei yrfa ar y llwyfan operatig wrth gymeriadu'r '*buffo*' yn operâu Mozart. Cymerodd rôl Guglielmo yng nghynhyrchiad Opera Cenedlaethol Cymru o *Così fan tutte* yn 1990. Aeth ymlaen i wneud ei ymddangosiad cyntaf yn Unol Daleithiau America gyda'r brif rôl yn *Figaro* ar gyfer Opera Santa Fe yn 1991. Perfformiodd y rhan honno gydag Opera Cenedlaethol Lloegr yr un flwyddyn, ac yn ei hadolygiad o'r cynhyrchiad sylwodd Lindsay Kemp ar ei 'actio effro a deallus ynghyd â'i ynganu geiriau perffaith wrth ganu gyda chysondeb tôn deniadol a diymdrech'. Ymunodd â'r cwmni Opera Brenhinol, Covent Garden, yn 1992 fel Masetto yn *Don Giovanni* a derbyniodd wahoddiad i chwarae rhan y prif gymeriad yn *Falstaff* ar achlysur ailagor y Tŷ Opera Brenhinol yn 1999 a hynny o dan arweiniad Bernard Haitink.

Perfformia mewn nifer helaeth o dai opera nodedig ledled y byd, ac er iddo ddechrau ei yrfa operatig gan ganolbwyntio ar weithiau Mozart, aeth ymlaen i berfformio operâu Verdi a Wagner ymysg llawer eraill. Yn 2005 derbyniodd ganmoliaeth wresog am ei berfformiad o Wotan yn nhrioleg epig Wagner, *Der Ring des Nibelungen*, gyda Rupert Christiansen yn datgan bod 'eglurder ei dafluniad lleisiol' a'i 'bresenoldeb bonheddig oll yn arddangos celfyddyd brin', ac yn cyflawni ei dynged fel canwr opera wrth droi at *repertoire* Wagner.

Ddwy flynedd yn ddiweddarach perfformiodd rôl Sweeney Todd yn sioe gerdd Stephen Sondheim (Royal Festival Hall, 2007). Yn 2015 llwyfannwyd cynhyrchiad arall o'r sioe gerdd honno gan Opera Cenedlaethol Lloegr yn y Coliseum, Llundain. Ymhlith ei berfformiadau diweddarach y mae *Falstaff* (Opera Cenedlaethol Cymru, 2008); *Tosca* (Opera Brenhinol, 2009); *Die Meistersinger von Nürnberg* (Opera Cenedlaethol Cymru, 2010); *Der Ring des Nibelungen* (Opera Metropolitan Efrog Newydd, 2011–13); *Der fliegende Holländer* (La Scala, 2013); *L'elisir d'amore* (Opera Brenhinol, 2015); *Fiddler on the Roof* (Grange Park Opera, 2015); a *Tosca* (Opéra de Monte-Carlo, 2016). Perfformiodd waith Rwsieg am y tro cyntaf yn 2016 gan chwarae'r brif ran yn opera *Boris Godunov* gan Mussorgsky (Opera Brenhinol, 2016) – fel ei berfformiadau o weithiau Wagneraidd, llwydda i bortreadu cymeriadau pwerus, cymhleth a sylweddol trwy gyfuniad o allu cerddorol a phresenoldeb llwyfan argyhoeddiadol a dramatig.

Gwna Bryn Terfel ymddangosiadau cofiadwy ar lwyfannau cyngerdd yn ogystal. Yn 1994 cymerodd ran yng ngwamalrwydd Noson Olaf y Proms yn Neuadd Frenhinol Albert ac ers hynny mae wedi perfformio'n rheolaidd yn y gyfres honno. Yn ogystal, trefnodd Ŵyl y Faenol yng ngogledd Cymru rhwng 2000 a 2008 gan wahodd artistiaid ym myd cerddoriaeth bop megis **Edward H Dafis** a **Bryn Fôn** ochr yn ochr â chantorion clasurol megis Angela Gheorghiu ac Andrea Bocelli.

Rhyddhawyd ei albwm unawdol cyntaf, *Bryn Terfel: Cyfrol 1*, ar label Sain yn 1988, ac fe'i dilynwyd gan gyfrol arall o ganeuon ddwy flynedd yn ddiweddarach. Derbyniodd ei albwm *Schwanengesang* (1990) adolygiadau ffafriol tu hwnt gan y wasg gerddorol am arddangos ei ddawn arbennig i ddehongli Lieder. Yn 1993 rhyddhawyd *Casgliad o Ganeuon Meirion Williams*; cenir y caneuon hyn mewn tai opera rhyngwladol, ac o ganlyniad disgrifir Bryn Terfel gan **Kenneth Bowen** fel 'allforiwr caneuon Cymraeg ar draws y byd'. Ymddengys sawl recordiad arall ar label Sain gan gynnwys ei ddeuawd ef a **Rhys**

Meirion (*Benedictus*, 2005) a'r gân elusennol *Anfonaf Angel* (2011).

Daeth y canwr yn gysylltiedig â'r cwmni recordio uchel ei barch Deutsche Grammophon yn gynnar yn ei yrfa, ac erbyn hyn mae wedi rhyddhau oddeutu 70 o recordiadau gyda nhw. Mae ei ddisgyddiaeth yn tystio i'w allu a'i barodrwydd i ganu cerddoriaeth o bob arddull. Yn gynnar yn yr 1990au recordiodd *Marien-Vesper* gan Monteverdi, *Salome*, *Tosca* a *Figaro*. Yna yn 1994 recordiodd gasgliad o Lieder gan Schubert, *An Die Musik*. Rhyddhawyd albwm yn flynyddol wedi hynny, fel yr ymddengys yn y rhestr ddethol a ganlyn. Yn 1995 cafwyd casgliad o ganeuon Seisnig yn *The Vagabond*; enillodd ei albwm *Opera Arias* wobr Grammy yn 1996, ac yn yr un flwyddyn rhyddhawyd *Something Wonderful*, yn seiliedig ar weithiau Rogers a Hammerstein (1996). Dilynwyd y rhain gan *Handel Arias* (1997) ynghyd â detholiad o ganeuon allan o sioeau cerdd, *If Ever I Would Leave You* (1998).

Dychwelodd Bryn Terfel i fyd Lieder ar ddechrau'r mileniwm newydd gyda'i ddehongliad o *Liederkreis op. 39* gan Schumann. Bu iddo hefyd ryddhau casgliad o ganeuon adnabyddus o Gymru, '**We'll Keep a Welcome**' (2000), cyn recordio operâu *Falstaff* a *Figaro* (2001). Daeth albwm *Wagner Arias* allan yn 2002; dair blynedd yn ddiweddarach cafwyd *Silent Noon* a *Simple Gifts* – y naill yn gasgliad o ganeuon Saesneg gan **Dilys Elwyn-Edwards**, Quilter, Vaughan Williams ac eraill, a'r llall yn cynnwys ffefrynnau cymysg gan ennill gwobr Grammy arall. Wedi hynny rhyddhawyd *Tutto Mozart!* (2006), yr albwm cymysg *A Song in My Heart* a'r albwm gwerin *Scarborough Fair* (2008). Yn 2010 ymddangosodd *Bad Boys* fel detholiad o ganeuon yn gysylltiedig â chymeriadau dieflig y byd theatrig ac operatig. Yr un flwyddyn llwyddodd y canwr i ddarbwyllo Deutsche Grammophon i gynnwys disg ychwanegol o garolau Cymreig ar eu halbwm *Carols & Christmas Songs*. Ymhlith ei recordiadau diweddarach y mae *The Art of Bryn Terfel* (2012); *Das Rheingold*, *Die Walküre* a *Siegfried* (2013); a *Homeward Bound* (2013) lle mae'n canu gyda Chôr Tabernacl y Mormoniaid.

Mae'n hael ei gefnogaeth i berfformwyr ifanc a newydd. Ac yntau'n gyn-aelod o Gôr Cenedlaethol Ieuenctid Cymru, ef yw llywydd presennol y côr. Sefydlodd Ysgoloriaeth Bryn Terfel fel cystadleuaeth flynyddol yn 2004 ar gyfer perfformwyr buddugol yn **Eisteddfod** Urdd Gobaith Cymru. Yn 2009 lansiwyd Ymddiriedolaeth Bryn Terfel i gefnogi perfformwyr ifanc; ym Mai 2012 rhannodd y llwyfan gyda derbynwyr bwrsarïau'r Ymddiriedolaeth mewn cyngerdd i ddathlu canmlwyddiant Neuadd Prichard-Jones ym Mhrifysgol Bangor. Gwelwyd ei gysylltiad â'r Brifysgol yn parhau wrth i'r brif neuadd berfformio yng Nghanolfan Celfyddydau ac Arloesi Pontio, a agorwyd yn 2015, gael ei henwi'n Theatr Bryn Terfel.

Disgyddiaeth

Bryn Terfel Cyfrol I (Sain SCD9032, 1989)
Bryn Terfel Cyfrol II (Sain SCD9099, 1990)
Schwanengesang (Sain SCDC4035, 1991)
Caneuon Meirion Williams (Sain SCD2013, 1993)
An Die Musik (Favourite Schubert Songs) (Deutsche Grammophon 445294-2, 1994)
Mahler Symphony No. 7, Kindertotenlieder (Deutsche Grammophon 453133-2, 1994)
The Vagabond & Other Songs (Deutsche Grammophon 445946-2, 1995)
Opera Arias (Deutsche Grammophon 445866-2, 1996)
Something Wonderful: Bryn Terfel Sings Rodgers & Hammerstein (Deutsche Grammophon 449163-2, 1996)
Bryn Terfel Sings Handel Arias (Deutsche Grammophon 453480-2, 1997)
We'll Keep A Welcome (Deutsche Grammophon 463593-2, 2000)
Schumann: Romances & Ballads (Deutsche Grammophon 447042-2, 2000)
Wagner (Deutsche Grammophon 471348-2,2002)
Bryn (Deutsche Grammophon 474703-2, 2003)
Silent Noon (Deutsche Grammophon 4742192, 2004)
Simple Gifts (Deutsche Grammophon 4775919, 2005)
Bryn Terfel & Rhys Meirion – *Benedictus* (Sain SCD2500, 2005)
Bad Boys (Deutsche Grammophon 4778091, 2010)
Carols and Christmas Songs (Deutsche Grammophon 4778768, 2010)

Casgliadau:
Y Recordiau Cynnar (Sain SCD2533, 2007)

Llyfryddiaeth

Kemp, Lindsay, 'Fresh Air', *Musical Times*, 133/1787 (Ionawr, 1992), 35

Kenneth Bowen, 'A Tribute to Bryn Terfel', *Welsh Music/ Cerddoriaeth Cymru*, 10/4 (2000), 6–7

Geraint Lewis, 'Bryn Terfel' yn Trevor Herbert a Peter Stead (gol.), *Hymns and Arias: Great Welsh voices* (Caerdydd, 2001), 133–45

Rohan, Michael Scott, 'A model Falstaff', *Gramophone* (Hydref, 2001), 8–11

Alun Guy, *Cantorion o Fri: Ar Lwyfan y Byd* (Llandysul, 2005)

Christiansen, Rupert, 'Amid the nonsense, a towering Terfel fulfils his destiny' (8 Mawrth 2005) <http://www.telegraph.co.uk/culture/music/3638369/Amid-the-nonsense-a-towering-Terfel-fulfils-his-destiny.html>

Mark Glanville, 'The performing voice: Bryn Terfel', *Opera Now* (Mai/Mehefin, 2009), 35, 37

Pwyll ap Siôn, 'Marathon yn y Met: diwrnod yn hanes Bryn Terfel', *Barn*, 593 (Mehefin, 2012), 39–41

Tristian Evans

Thomas, D. Vaughan (1873–1934)

Un o gyfansoddwyr amlycaf Cymru yn y blynyddoedd rhwng y ddau ryfel byd a chyda'r pwysicaf yn y cyfnod o drawsnewid yn natblygiad cerddoriaeth Cymru o oes Victoria hyd at heddiw.

Graddiodd David Vaughan Thomas mewn mathemateg ym Mhrifysgol Rhydychen cyn troi ei olygon i fyd cerddoriaeth. Rhagorodd fel cyfansoddwr, darlithydd, beirniad ac arholwr (ar ran Coleg y Drindod Llundain). Wedi iddo raddio yn Rhydychen (mewn mathemateg ac yn ddiweddarach fel DMus), bu'n dysgu yn Lloegr cyn dychwelyd i Gymru ac ymgartrefu yn Abertawe gyda'i deulu (daeth ei fab Wynford yn ddarlledwr amlwg). Gweithio fel cerddor ar ei liwt ei hun a wnâi a theithiodd yn ehangach yn rhyngwladol nag unrhyw gerddor Cymreig o'i genhedlaeth (bu farw yn Johannesburg, De Affrica). Bu ei fethiant i ennill Cadair Cerddoriaeth Coleg **Prifysgol Cymru Aberystwyth** yn 1919 (pan benodwyd **Walford Davies**) yn destun siarad o fewn cylchoedd cerddorol Cymreig am flynyddoedd lawer.

Mae gweithiau Vaughan Thomas yn perthyn i ddau gyfnod gwahanol yn ei hanes: y cyntaf rhwng 1906 ac 1920 a'r ail rhwng 1921 ac 1934. Mae'r cyfnod cyntaf yn dyst i barodrwydd y cyfansoddwr i symud ymlaen oddi wrth yr elfennau Fictoraidd a oedd mor amlwg yng ngwaith llawer o'i gyfoedion tuag at idiom gerddorol fwy anturus wedi'i seilio ar ei wybodaeth eang o gerddoriaeth y Rhamantwyr diweddar ynghyd â'r datblygiadau diweddaraf mewn cerddoriaeth Brydeinig fel gwaith Granville Bantock (1868–1946), Edward Elgar (1857–1934), Charles Stanford (1852–1924) a C. Hubert H. Parry (1848–1918). Dengys ei weithiau **corawl** o'r cyfnod hwn gywasgiad mewn mynegiant, o ehangder *Llyn y Fan* (1907) hyd at *The Bard* (1910), sy'n gyfanwaith cymen, cynnil. Ar yr un adeg datblygodd ei ymwybyddiaeth o farddoniaeth gyfoes, fel y dengys ei osodiad tra sensitif o gerdd George Meredith yn *Enter These Enchanted Woods* (1923).

Oherwydd ei waith fel arholwr mewn gwledydd tramor ac ym Mhrydain, nid oedd mor egnïol yn ei

ail gyfnod. Serch hynny, llwyddodd i greu synthesis yn ei waith o elfennau cenedlaethol, yn arbennig felly yn ei osodiadau o farddoniaeth gynnar (ef oedd y cyntaf ym maes y gân gelf i fentro gosod cynghanedd). Creodd mewn gweithiau fel *Saith o Ganeuon ar Gywyddau gan Dafydd ap Gwilym ac eraill* (1922) fath newydd o gerddoriaeth Gymreig sy'n 'symud ymlaen' i'r gorffennol fel petai, a lle ceir hefyd gyffyrddiadau harmonig mwy cyfoes sy'n debyg i ieithwedd Ffrancwyr megis Maurice Ravel a Claude Debussy ar adegau. Mae ei gân 'Berwyn' (1926) yn glasur o'i bath. Cyfansoddodd yn ogystal nifer o weithiau offerynnol, fel y Pedwarawd Llinynnol (1930), sy'n arddangos cryn fedrusrwydd cerddorol a gafael ar strwythur.

Bu farw Vaughan Thomas cyn i'w syniadau gyrraedd eu llawn dwf ac ni ddilynodd cyfansoddwyr Cymreig eraill yn ôl ei droed, er bod arwyddion o'i ddylanwad i'w weld yn rhai o weithiau **David de Lloyd** (1883–1948) ac i raddau llai yn rhai **Mansel Thomas** (1909–86), **Arwel Hughes** (1909–88) a gweithiau cynnar **Grace Williams** (1906–77). Erys yn ffigwr sydd braidd ar wahân i brif ffrwd y traddodiad cerddorol Cymreig ac roedd yn bersonoliaeth gymhleth. Ar yr un pryd, roedd yn gerddor ymarferol gwych ac yn un o arloeswyr cerddorol pwysicaf Cymru yn y cyfnod modern.

Llyfryddiaeth

Emrys Cleaver, *David Vaughan Thomas* (Llandybïe, 1964)

Lyn Davies, *David Vaughan Thomas (1873–1934)* (Caerdydd, 2004)

Lyn Davies

Thomas, Elin Manahan (g.1977)

Ganed y soprano Elin Manahan Thomas yng Ngorseinon, ger Abertawe. Bu'n canu gyda Chôr Ieuenctid Cenedlaethol Cymru cyn mynd i astudio Eingl-Sacsoneg, Norseg a Chelteg yng Ngholeg Clare, Caergrawnt. Yno ymunodd â Chôr Capel Clare wrth astudio tuag at MPhil mewn astudiaethau Celtaidd. Yn 2001 aeth ymlaen i ddilyn cwrs ôl-radd mewn canu yn y Coleg Cerdd Brenhinol, Llundain. Roedd eisoes wedi canu gyda Chôr Monteverdi o dan arweiniad Syr John Eliot Gardiner ers 1999, ac ymunodd â'r *ensemble* lleisiol The Sixteen o dan arweiniad Harry Christophers.

Daeth i enwogrwydd yn gynnar yn ei gyrfa broffesiynol o ganlyniad i'w pherfformiad o 'Pie Jesu' o *Requiem* John Rutter a ryddhawyd ar label Naxos yn 2003. Yn 2005 cafodd y fraint o ganu'r aria ben-blwydd 'Alles mit Gott' gan J. S. Bach, a oedd newydd ei darganfod mewn llyfrgell yn Weimar. Recordiwyd y perfformiad o dan arweiniad Gardiner y flwyddyn ganlynol a darlledwyd perfformiad cyhoeddus cyntaf o'r darn ar S4C. Yn 2007 rhyddhawyd albwm cyntaf y gantores, *Eternal Light* (Heliodor, 2007), gyda Cherddorfa Oes yr Oleuedigaeth o dan arweiniad Christophers.

Er bod yr albwm yn arddangos ei harbenigedd mewn dehongli cerddoriaeth Baróc (mae hefyd wedi chwarae sawl rhan yng ngweithiau theatrig Purcell er enghraifft), mae'r soprano yr un mor gyfforddus yn ymateb i ofynion technegol a cherddorol gweithiau cyfoes. Enillodd glod am ei pherfformiad ar recordiad o waith James MacMillan, *On the Annunciation of the Blessed Virgin*, yn 2005, a chymerodd ran hefyd yn *Requiem* Syr John Tavener a berfformiwyd am y tro cyntaf yn 2008.

Daeth yn ffigwr adnabyddus fel cyflwynwraig yn y **cyfryngau**. Yng Nghymru roedd yn cyflwyno ac yn perfformio yn y gyfres chwe-rhaglen *Y Sopranos* yn 2010 (a ddilynwyd gan recordiad ar label Sain, casgliad o ariâu operatig a darnau Lieder sy'n ymestyn o gyfnod y Baróc hyd at yr 20g.). Bydd yn ymddangos yn rheolaidd ar y BBC mewn rhaglenni fel *Songs of Praise* a darllediadau o'r *Proms*. Perfformiodd *Eternal Source of Light Divine* gan Handel yn Seremoni Agoriadol Gemau Paralympaidd Llundain yn 2012. Fe'i hetholwyd yn Gymrawd er Anrhydedd yng Ngholeg Brenhinol Cerdd a Drama Cymru, Caerdydd, yn 2012 a derbyniodd radd DLitt er anrhydedd o Brifysgol Abertawe y flwyddyn ddilynol.

Yn Ionawr 2013 perfformiodd gylch o ganeuon **Pwyll ap Siôn**, *Sevi*, gyda'r Gerddorfa Siambr Ewropeaidd yn Galeri, Caernarfon, a'r Neuadd i Gernyw, Truro. Canodd *Messiah* Handel mewn cyngerdd yn Eisteddfod Genedlaethol Sir Ddinbych a'r Cyffiniau yr un flwyddyn, a pherfformiodd yn nathliadau canmlwyddiant geni Dylan Thomas yn Llundain a Chymru yn 2014. Yn 2015 rhyddhaodd gynhyrchiad o *Dido ac Aeneas* Purcell ar label Signum ac fe'i canmolwyd am ei phortread o Belinda yn yr opera.

Llyfryddiaeth

Rhian Price, 'Soprano mewn stereo', *Golwg*, 15/xxx (10 Ebrill 2003), 20

Barry Witherden, 'MacMillan', *Gramophone* (Medi, 2005), 63

Non Tudur, 'Soprano Bach o Gymru', *Golwg*, 18/xxx (6 Ebrill 2006), 7

'Diary: Elin Manahan Thomas', *Gramophone* (Gorffennaf, 2007), 16

Richard Lawrence, 'Purcell: Dido and Aeneas', *Gramophone* (Awst, 2015), 90

http://www.elinmanahanthomas.org

Tristian Evans

Thomas, Gareth J. (gw. Toms, Gai)

Thomas, Gwynedd Rhys (gw. Mwyn, Rhys)

Thomas, John (Ieuan Ddu; 1795–1871)

Cerddor a enillodd ei blwyf fel cyfansoddwr, hyfforddwr ac **addysgwr** oedd John Thomas, a aned ym Mhibwrlwyd, ger Caerfyrddin. Cafodd addysg o safon ac roedd cerddoriaeth yn rhan annatod o'i fagwraeth. Nid syndod, felly, iddo arwain y band lleol ac yntau ond yn llencyn un ar bymtheg oed. Symudodd i Ferthyr Tydfil yn 1830 ac ymgartrefodd mewn amryw drefi yn ne-ddwyrain Cymru hyd weddill ei oes.

Nodweddid ardaloedd y Cymoedd yng nghyfnod Ieuan gan fwrlwm cymdeithasol, diwylliannol a chrefyddol a oedd wedi'i ganoli o amgylch y capel a'r dafarn ac roedd yntau wrth ei fodd yng nghanol y cyffro. Agorodd amryw ysgolion yng nghyffiniau Merthyr Tydfil a Phontypridd lle bu'n addysgu cerddorion ifanc a bu hefyd yn ganwr bas, yn **arweinydd** côr, yn gyfansoddwr, yn feirniad eisteddfodol ac yn gasglwr **alawon gwerin**. Daeth i amlygrwydd yn bennaf yn sgil ei gyfraniad i fyd yr **eisteddfod** gan lwyddo i gymhwyso ei gasgliadau ei hun a chasgliadau eraill o alawon gwerin Cymreig ar gyfer dibenion cystadlaethau eisteddfodol a gweithgarwch adloniannol cyngherddau'r oes. O ganlyniad, ychwanegodd yn helaeth at *repertoire* Cymreig y traddodiad **corawl** yng Nghymru.

Roedd yn eisteddfodwr brwd a bu'n arweinydd côr llwyddiannus ar sawl achlysur rhwng 1838 ac 1845 yn ystod eisteddfodau Cymreigyddion y Fenni. Flwyddyn ynghynt, yn 1837, daeth yn ail i **Maria Jane Williams** yn y gystadleuaeth am 'y casgliad gorau o alawon gwreiddiol Cymreig heb eu cyhoeddi, ynghyd â'r geiriau, fel y'u cenir hwy gan werin Cymru' (Williams 1994, xvi). Yn ogystal â hyn daeth ei ddawn ysgrifennu i'r amlwg pan ddaeth i'r brig ddwywaith yng nghystadleuaeth y traethawd, y naill yn 1838 yn dwyn y teitl 'Gwahanol Beroriaethau Cymru a'r Iwerddon' a'r llall yn 1840 yn trafod 'Yr hanes gorau o Delyn Gwent a Morgannwg' a oedd yn cynnwys 'enghreifftiau o gyfalawon datgeiniaid cerdd dant sydd gyda'r rhai argraffedig cynharaf ar gael' (Evans 1986, 63). Cyhoeddwyd yr olaf o'r rhain yn y *Cambrian Journal* yn y flwyddyn 1855.

Ddegawd yn gynt, yn 1845, daeth ei gyhoeddiad cyntaf i olau dydd, sef *Y Caniedydd Cymreig* (Thomas 1845). Dyma gasgliad o dros gant o alawon Cymreig gydag oddeutu hanner cant ohonynt wedi'u codi o'i waith ei hun a geiriau wedi'u darparu yn y Gymraeg a'r Saesneg. Ceir yn rhagymadrodd y gyfrol hon ddatganiad o'i awydd i gael dewis ehangach o ganeuon Cymraeg i'w defnyddio mewn eisteddfodau a chyngherddau. Dywedai hefyd sut y gwelai'r angen am gofnodi a chywain alawon gwerin Cymreig cyn iddynt ddiflannu o'r tir. I'r perwyl hwn, aeth ati i greu casgliad o drefniannau o'r alawon traddodiadol, rhai a gasglodd ei hun ac eraill a gymerwyd o gasgliadau cynharach y telynorion, rhai megis **John Parry** (Bardd Alaw) ac **Edward Jones** (Bardd y Brenin).

Maes o law, perfformiwyd ei drefniannau gan unawdwyr, deuawdau, triawdau a phartïon adeg eisteddfodau'r Fenni. O ganlyniad, llwyddodd i lenwi bwlch yn y *repertoire* cerddorol a diwallu angen Cymry'r cyfnod mewn cyngerdd ac eisteddfod am ddeunydd cerddorol Cymraeg a lwyddai i gystadlu â chyhoeddiadau mawr Seisnig y dydd. Gwnaeth Ieuan yn fawr o'i gyfle i boblogeiddio alawon traddodiadol y Cymry mewn oes pan welwyd Seisnigrwydd yn rhemp ar lwyfan yr eisteddfod. Bu farw yn Nhrefforest ar 30 Mehefin 1871.

Llyfryddiaeth

J. Thomas, *Y Caniedydd Cymreig* (Merthyr Tydfil, 1845)

Meredydd Evans, 'Ieuan Ddu: Eisteddfodwr a Cherddor', *Taliesin*, 58 (Rhagfyr, 1986), 61–71

M. J. Williams, *Ancient National Airs of Gwent and Morganwg* (Aberystwyth, 1994)

Nigel Ruddock, 'Tair Cân Ieuan Ddu a'u Geiriau Gwreiddiol', *Canu Gwerin*, 28 (2005), 42–51

———, 'Y Caniedydd Cymreig – Rhagor am Ieuan Ddu a'i Ganeuon', *Canu Gwerin*, 30 (2007), 63–78

———, 'Y Caniedydd Cymreig – Rhagor am Ieuan Ddu a'i Ganeuon', *Canu Gwerin*, 31 (2008), 95–120

Phyllis Kinney, *Welsh Traditional Music* (Caerdydd, 2011)

Leila Salisbury

Thomas, John (Pencerdd Gwalia; 1826–1913)

Roedd Llundain y 19g. yn ganolfan gerddorol Ewropeaidd o statws arbennig ac o ganlyniad denwyd nifer o **delynorion** addawol Cymru'r cyfnod i ddilyn gyrfa broffesiynol yno. Yn eu plith yr oedd **Edward Jones** (Bardd y Brenin), **John Parry** (Bardd Alaw) a John Thomas (Pencerdd Gwalia).

Brodor o Ben-y-bont ar Ogwr oedd John Thomas a symudodd ynghyd â'i rieni i'r ddinas yn bedair ar ddeg oed i fod yn ddisgybl yn yr Academi Gerdd Frenhinol. Derbyniodd nawdd a chefnogaeth **Augusta Hall** (Arglwyddes Llanofer; 1802–96) yn ystod ei gyfnod yn chwarae'r delyn deires, ond wrth droi ei olygon i gyfeiriad y delyn bedal 'glasurol' a gyrfa broffesiynol y tu hwnt i Glawdd Offa, enynnodd ei dicter am weddill ei oes. John Balsir Chatterton (1804–71), telynor swyddogol y Frenhines Victoria, oedd ei athro **telyn**, Cipriani Potter (1792–1871) oedd ei athro harmoni a chyfansoddi, ac yr oedd y pianydd o dref Caerfyrddin, **Brinley Richards** (Cerddor Tywi), yn un o'i gyfoeswyr. Wedi chwe mlynedd yn astudio yn yr Academi sicrhaodd le fel telynor Her Majesty's Theatre (Llundain), ond blynyddoedd llwm a dilewyrch fu'r rhain gan fod Chatterton a'r telynor amryddawn Parish Alvars (1808–49) yn dal i ddenu cynulleidfaoedd niferus ac yn tra-arglwyddiaethu yn y maes.

Rhwng 1851 ac 1874 ymwelodd John Thomas yn gyson â chyfandir Ewrop i gynnal cyngherddau a chreu cysylltiadau yn yr Almaen, Awstria, Y Weriniaeth Tsiec, Ffrainc, Yr Eidal, Rwsia a.y.b. – yn wir, yr oedd ymhlith Cymry mwyaf uchelgeisiol a mentrus ei gyfnod. Cadwodd ddyddiaduron manwl (Llsgau 23391E–23406/7A, **Llyfrgell Genedlaethol Cymru**) sy'n olrhain ei brofiadau, ac yn rhestru cynnwys ei berfformiadau a'i deithiau niferus. Daeth i gyswllt â Liszt, Berlioz a Rossini yn ystod yr ymweliadau hyn a alluogodd iddo gael mynediad i rai o gylchoedd cerddorol mwyaf dylanwadol ei ddydd. Er mai perfformiwr ydoedd, cyfansoddodd nifer o ddarnau ar gyfer y delyn gan gynnwys gweithiau gwreiddiol (e.e. *Echoes of a waterfall*, *The Seasons* a *Scenes of Childhood*) yn ogystal â threfniannau o alawon Cymreig (e.e. **'Dafydd y Garreg Wen'**, 'Clychau Aberdyfi' a 'Ffarwel y Telynor') a threfniannau o alawon cyfarwydd gan gyfansoddwyr clasurol yr oes (e.e. *The Trout*, *Lieder Ohne Worte* a *Carmen*). Bu'n ddiwyd yn ailolygu consierto telyn Handel (Bb fwyaf, Op. 4, rhif 6, HWV 294) a consierto Mozart i ffliwt a thelyn (C fwyaf, K299) gan ddwyn y gweithiau hyn i sylw'r cyhoedd, ac ailgyhoeddodd rai o weithiau Parish Alvars er mwyn eu diogelu ar gyfer telynorion y dyfodol.

Nid anghofiodd am Gymru a'i thraddodiadau, fodd bynnag (fe'i gwahoddwyd yn gyson i feirniadu yn **Eisteddfodau** Cenedlaethol y cyfnod), a sefydlodd gyfres o gyngherddau Cymreig (yn Neuadd St James ac yn Neuadd Albert, Llundain) mewn cydweithrediad â Brinley Richards a fu'n gyfrwng i boblogeiddio'r delyn a cherddoriaeth gorawl Gymreig dros gyfnod o ddeugain mlynedd. Fe'i dyrchafwyd yn delynor i'r Frenhines Victoria (1871) ac yn ddiweddarach i'r Brenin Edward VII, fe'i hurddwyd yn 'Bencerdd Gwalia' yn Eisteddfod Aberdâr, 1861, a chafodd ei benodi'n Athro'r delyn yn yr Academi Gerdd Frenhinol, y Coleg Cerdd Brenhinol ac yng Ngholeg Cerdd y Guildhall, Llundain. Perfformir ei gyfansoddiadau i'r delyn, sy'n gyforiog o nodweddion Rhamantaidd ac arddull flodeuog yr oes, gan delynorion amatur a phroffesiynol ledled y byd.

Llyfryddiaeth

Carys Ann Roberts, 'Agwedd Gosmopolitanaidd John Thomas, "Pencerdd Gwalia" (1826–1913)', *Hanes Cerddoriaeth Cymru*, 4 (2000), 88–99

Owain T. Edwards, 'John Thomas (Pencerdd Gwalia)', *New Grove Dictionary of Music and Musicians*, gol. Stanley Sadie, 25 (Llundain, 2001), 410–11

Wyn Thomas

Thomas, Mansel (1909–86)

Un o'r unigolion dylanwadol yn yr adfywiad cerddorol a gafwyd yng Nghymru ar ddechrau'r 20g. oedd Mansel Treharne Thomas. Cyfrannodd i faes cyfansoddi, trefnu cerddoriaeth, **arwain**, darlledu, noddi, gweinyddu a beirniadu ar adeg allweddol yn hanes y traddodiad, ac o ganlyniad fe'i hystyriwyd yn un o arweinwyr cerddorol yr oes a sylfaenydd y grefft broffesiynol yng Nghymru.

Fe'i ganed ym Mhont-y-gwaith, ger Tylorstown yn y Rhondda Fach. Wedi cyfnod yn astudio gyda Benjamin Dale yn yr Academi Gerdd Frenhinol, lle enillodd gryn barch a chydnabyddiaeth fel cyfansoddwr ifanc addawol, sicrhaodd radd mewn cerddoriaeth o Brifysgol Durham (1930). Llunio unawdau lleisiol oedd ei ddiddordeb pennaf a'r cyfrwng mwyaf deniadol iddo, a threuliodd oes gyfan yn mireinio'i grefft (e.e. *Y Bardd, Caneuon Grace a Siân, Four Prayers from the Gaelic*) – y mae'r 150 a

mwy o ganeuon a luniwyd ganddo yn arwydd o'i ymroddiad diflino i'r cyfrwng hwnnw. Fel cerddor llawrydd yn Llundain (1930–35) amlygodd ei fedr fel cyfansoddwr a allai drin cerddorfa a cherddorfaethu'n briodol ar ei chyfer (e.e. *Six Welsh Dances, Breton Suite*). Ymunodd â staff y BBC yng Nghymru yn 1936 fel dirprwy **arweinydd** y BBC Welsh Orchestra a chynorthwyydd cerdd i bennaeth yr adran, **Idris Lewis**.

Wedi diwedd yr ail Ryfel Byd dychwelodd i'w waith gyda'r Gorfforaeth Ddarlledu yng Nghaerdydd ond fe'i dyrchafwyd yn brif arweinydd y gerddorfa ac yn bennaeth cerddoriaeth ar adeg hynod gyffrous yn hanes y traddodiad. Sefydlodd gyfresi o raglenni radio (*In Manuscript* a *Students' Music Hour*) a fu'n anogaeth arbennig i gyfansoddwyr ifanc o Gymru ac a fu'n llwyfan cenedlaethol i rai fel **Alun Hoddinott**, **William Mathias**, **Dilys Elwyn-Edwards** a'u tebyg. Drwy gyfrwng darllediadau fel *They found the songs* ac *Our Music* rhoddodd sylw i dwf a datblygiad cerddoriaeth yng Nghymru, ond coron ar ei lwyddiant oedd y gyfres deledu o ganu **emynau**, *Dechrau Canu, Dechrau Canmol*, a fu mor boblogaidd nes i'r syniad gael ei fabwysiadu gan y BBC yn Lloegr a'i gyflwyno fel *Songs of Praise*.

Ymddiddorai'n fawr mewn barddoniaeth Gymraeg ac Eingl-Gymreig a lluniodd nifer o'i gyfansoddiadau i'w perfformio gan amaturiaid gan gynnwys Cerddorfa Genedlaethol Ieuenctid Cymru a Band Pres Cenedlaethol Cymru. Drwy sefydlu **Gŵyl** Gerdd Llandeilo Gresynni, llwyddodd i ddwyn cerddoriaeth broffesiynol gyfoes i sylw trigolion cefn gwlad Sir Fynwy a fu'n flaenoriaeth iddo yn ei yrfa ddarlledu. Yn dilyn ei ymddeoliad cynnar yn 1965, treuliodd ei flynyddoedd olaf yn cyfansoddi a nodweddir y cyfnod hwn gan rai o'i weithiau mwyaf arloesol a herfeiddiol. Wedi arddull ramantaidd a cheidwadol ei gyfnod cynnar (e.e. *Cennin Aur* i gôr meibion TTBB, *Three Songs of Enchantment* i gôr merched SSA), chwyldrowyd ei gyfansoddiadau aeddfed gan nodweddion cromatig, ansicrwydd cyweiriol, rhythmau arbrofol ac absenoldeb gwrthbwynt. Yn yr un modd, canolbwyntiodd ar lunio gweithiau cysegredig a oedd yn fwy perthnasol i draddodiad yr eglwys Anglicanaidd nag i'r gerddoriaeth Ymneilltuol y daethai'n gyfarwydd â hi ym more oes.

Dyfarnwyd Cymrodoriaeth yr Academi Gerdd Frenhinol (FRAM) iddo yn 1951, fe'i hanrhydeddwyd gan y Frenhines yn 1970 (OBE) a chyflwynwyd

Gwobr Goffa John Edwards (Yr Urdd er Hyrwyddo Cerddoriaeth yng Nghymru) iddo yn 1983 am ei gyfraniad neilltuol i faes cerddoriaeth Gymreig. Cyfeiriwyd ato gan ei gyd-gerddor **Arwel Hughes** fel 'Pensaer polisi cerddorol i Gymru'.

Llyfryddiaeth

John Hywel, 'Mansel Thomas, A Profile', *Welsh Music/ Cerddoriaeth Cymru*, 5/1 (1975–6), 43–53

'Teyrngedau i Mansel Thomas', *Welsh Music Welsh Music/ Cerddoriaeth Cymru*, 8/2 (1986), 6–24

Terence Gilmore-James, 'Mansel Thomas Profile and Worklist', *The New Grove Dictionary of Music and Musicians* gol. Stanley Sadie (Llundain, 2001)

Wyn Thomas

Thomas, Walter Vincent
(1873–1940)

Arweinydd a chyfansoddwr a aned yn yr Hen Ficerdy, Wrecsam, Sir Ddinbych. Dechreuodd gyfansoddi pan oedd yn ddisgybl yn Ysgol Grove Park yn y dref ac astudiodd o dan Dr Warwick Jordan a Dr Matthew Ennis. Ar ôl gweithio am gyfnod byr ym Manc Parr, Wrecsam, symudodd i Lundain yn yr 1890au i weithio i ddechrau yn y London, County and Westminster Bank; yno yn 1895 ffurfiodd gerddorfa gyda rhai o aelodau'r staff.

Yn 1898 perfformiodd am y tro cyntaf yn y Queen's Hall, Llundain, fel arweinydd a chyfansoddwr ac fe'i penodwyd yn arweinydd i'r byrhoedlog Beecham Grand Opera Company, y Westminster Choral Society a'r London Welsh Stage Society ymhlith eraill. Bu hefyd yn arweinydd allanol ar amryfal achlysuron, gan gynnwys arwain y Liverpool Welsh Choral Union yn eu cynhyrchiad ym mis Rhagfyr 1916 o *Messiah* Handel. Dywedwyd bod y perfformiad hwnnw'n ddehongliad 'mawreddog ac aruchel' a bod Thomas yn amlygu 'manylder rhyfeddol'.

Pan gynhaliwyd **Eisteddfod** Genedlaethol Cymru yn Wrecsam yn 1933, ef oedd arweinydd a chyfarwyddwr cerdd y ddrama foes 'Pobun' [Everyman], ac roedd hefyd yn un o'r beirniaid cerdd yno. Yn Eisteddfod Genedlaethol Castell-nedd 1934 arweiniodd Gerddorfa Symffoni Llundain a Chôr yr Eisteddfod mewn cyfansoddiad o'i eiddo ei hun, 'Marwnad i Fardd o Gymro'. Ef oedd y Cymro cyntaf i feirniadu yng **Ngŵyl** Gerdd Genedlaethol yr Alban yn Oban a threfnodd yr alaw o Ucheldir yr Alban, 'MacRimmon's Lament' (1938).

Lleisiol a chorawl yw ei gyfansoddiadau ar y cyfan, ac maent yn cynnwys yr operâu *Eos and Gwevril* (1902), *Gwenevere* (1905), *Enid* (1908) a *The Masque of the Grail* (1908), yn ogystal â baled gorawl *The Sword of Glyndwr*, cerdd gorawl *The Field of Honour* a chyfres i gerddorfa, *From the Welsh Hills*. Yn 1900 cyhoeddodd gyfrol gyntaf casgliad o'r enw *Cryes of Olde London*. Ysgrifennodd ddau gylch o ganeuon, *The Valley of Dreams* a *Dream Island*, a pherfformiwyd y cylch cyntaf yn 1913 yng nghyngherddau'r Queen's Hall Promenade. Roedd ei gorws i gorau meibion, *De Profundis* (1939), yn brif ddarn prawf ar gyfer **corau meibion** yn Eisteddfod Radio Eisteddfod Genedlaethol Cymru yn Aberpennar (1940). Cyfansoddodd nifer o ranganeuon hefyd, gan gynnwys 'Y Deryn Pur' (1933), 'Y Sêr' (1938), 'Banwell Hill' (1939) ac 'April Days' (1939), a chyhoeddwyd ei waith gan Cramer, Boosey & Hawkes, Elkin ac yn fwy diweddar, Gwynn. Un o'i gyfansoddiadau mawr olaf oedd *Y Bumed Gerdd* (1940), gosodiad o Taliesin ar gyfer Côr a Cherddorfa SATB.

Ar 1 Mehefin 1900 priododd Ellen Margaret Cornforth yng Nghapel Wesleaidd Great Queen Street, St Giles, Llundain. Ganed mab a merch iddynt. Bu farw ar 16 Hydref 1940.

Llyfryddiaeth

'Mr. Vincent Thomas and the Production of "Pobun"', *The Leader* (4 Awst 1933)

Ysgrif Goffa, *Western Mail* (17 Hydref 1940)

Ysgrif Goffa, *The Leader* (25 Hydref 1940)

Nansi Pugh, *The Liverpool Welsh Choral Union[:] The First Hundred Years* (Penbedw, 2007)

David R. Jones

Thomas, Wyn (g.1958)

Yn enedigol o Aberystwyth, graddiodd y cerddoregydd a'r ethnogerddoregydd Wyn Thomas mewn cerddoriaeth ym Mhrifysgol Bangor a chwblhaodd astudiaethau ôl-radd yno ym maes ethnogerdddoreg yn 1983. Yn dilyn cyfnod fel cynorthwy-ydd ymchwil ym Mhrifysgol Cymru, fe'i penodwyd yn ddarlithydd ym Mangor yn 1981.

Mae'n uwch ddarlithydd yn yr ysgol gerddoriaeth, ac fe'i gwnaed yn Gymrawd Dysgu o'r Brifysgol. Treuliodd gyfnod sabothol fel dirprwy is-ganghellor y Brifysgol gyda Chyfrifoldeb Cyfrwng Cymraeg a Chysylltiad â'r Gymuned. Yn sgil ei rôl yn yr ysgol gerddoriaeth, mae wedi gwneud cyfraniad sylweddol i ddarpariaeth **addysg** uwch trwy gyfrwng y Gymraeg ym maes cerddoriaeth. Yn ogystal mae wedi gwneud llawer i atgyfnerthu cysylltiadau rhwng sefydliadau busnes a'r byd academaidd; ers yr 1990au cynnar bu ganddo ran allweddol mewn ffurfio partneriaethau trosglwyddo gwybodaeth gan hwyluso cynlluniau ymchwil gyda sefydliadau megis cwmni recordio Sain, Sinffonieta Llundain a Cherddorfa Ffilharmonig Frenhinol Lerpwl.

Wedi ei benodiad yn ddarlithydd mewn cerddoriaeth, sefydlodd Archif **Cerddoriaeth Draddodiadol** Cymru yn y Brifysgol yn gynnar yn yr 1980au; daeth yr Archif yn ganolfan hollbwysig i hybu gweithgaredd ymchwil ym maes cerddoriaeth draddodiadol Cymru. O dan adain yr Archif, cyhoeddwyd argraffiad ffacsimili o lawysgrif unigryw'r telynor **Robert ap Huw**, *Musica* (Gwasg Scolar, 1987). Ffurfiodd gysylltiadau cadarn gyda sefydliadau cenedlaethol allanol megis Cyngor Celfyddydau Cymru, **Amgueddfa Werin Cymru** a **Chymdeithas Alawon Gwerin Cymru**, yn ogystal â phartneriaethau gyda chanolfannau ymchwil cyffelyb mewn gwledydd eraill. O dan gyfarwyddyd Wyn Thomas, mae'r Archif, sy'n rhan ganolog o Ysgol Cerddoriaeth y Brifysgol, yn parhau i fod yn storfa werthfawr o recordiadau llafar a cherddorol, ynghyd â chasgliadau o draethodau, llyfrau a **llawysgrifau** yn ymwneud â cherddoriaeth draddodiadol Cymru.

Rhennir prif ddiddordebau ymchwil Wyn Thomas i bedwar maes: cerddoriaeth draddodiadol Cymru; cerddoriaeth yng Nghymru; ethnogerddoreg ac **organoleg**; a gwragedd ym myd cerddoriaeth Cymru. Mae wedi cyhoeddi'n eang yn y meysydd hyn. Gyda **Sally Harper**, bu'n cyd-olygu'r cyfnodolyn dwyieithog *Hanes Cerddoriaeth Cymru/Welsh Music History* (Gwasg Prifysgol Cymru). Cyd-olygodd gyfres o ysgrifau i anrhydeddu **Phyllis Kinney** a **Meredydd Evans**, *Astudiaethau Cerddoriaeth Cymru: Cynheiliaid y Gân* (Gwasg Prifysgol Cymru, 2007). Mae wedi cywain gwybodaeth ar gyfer sawl cyfrol lyfryddiaethol ar gerddoriaeth draddodiadol Cymru, ac wedi golygu cyfieithiadau Cymraeg o lyfrau addysgiadol pwysig megis *Crynhoad o Hanes Cerddoriaeth Fodern* gan Paul Griffiths (1985) a *Hanes Cerddoriaeth y Gorllewin* gan D. J. Grout (Gwasg Prifysgol Cymru, 1997). Ysgrifennodd yn helaeth ar wragedd ym myd cerddoriaeth Cymru, gyda phwyslais ar y casglwyr alawon **Annie Ellis** (Cwrt Mawr), **Jennie**

Williams, **Mary Davies** a **Grace Gwyneddon Davies** (Meistres Graianfryn). Yn fwy diweddar, cyd-olygodd y gyfrol bresennol, *Cydymaith i Gerddoriaeth Cymru*, gyda **Pwyll ap Siôn** ar gyfer gwasg Y Lolfa.

Tristian Evans

Thomson, George (1757–1851)

Casglwr **alawon gwerin** Cymreig a aned yn Limekilns, Fife, ac a ddaeth yn glerc i Fwrdd yr Ymddiriedolwyr er Annog Celfyddydau a Chynhyrchion yn yr Alban. Roedd Thomson wedi llwyddo i ymchwilio i alawon Albanaidd a Gwyddelig (cyhoeddwyd ei gyfrol gyntaf o alawon Albanaidd yn 1793), a throdd ei sylw wedyn at alawon Cymru nad oeddynt, er syndod iddo, wedi ymddangos gyda geiriau Saesneg.

I ddechrau apeliodd at Gymry a oedd yn gyfeillion iddo i anfon enghreifftiau ato. Awgrymwyd, fodd bynnag, mai ei brif ffynonellau cerddorol oedd cyfrolau **Edward Jones**, *Musical and Poetical Relicks of the Welsh Bards* (1784 ac 1794), a chyfrol Jones, *The Bardic Museum* (1802). Tua 1806, ar ôl darllen llyfr Thomas Pennant, *A Tour in Wales* (1778–81), ac un William Bingley, *North Wales, Its Scenery, Antiquities, Customs...* (1804), aeth ar daith yng Nghymru, a bu'r cyfle i glywed perfformiadau o'r alawon yr oedd wedi eu derbyn yn fodd iddo allu cywiro ei gopïau llawysgrif a chasglu rhai eraill nad oeddynt yn ei feddiant. Gwnaed argraff arbennig arno gan berfformiadau'r telynorion dall, **Edward Randles** (1763–1820), telynor Syr Foster a'r Fonesig Cunliffe, Plas Acton, Wrecsam, a Mr Edwards (1750–1815) o Fangor, telynor Mr a Mrs Williams, Llanidan, Môn.

Wrth olygu ei ganfyddiadau talfyrrodd rai o'r alawon, gan gynnwys 'Blodau'r Drain', 'Mwynen Cynwyd' a 'Tros y Garreg', y teimlai eu bod yn defnyddio 'ailadrodd undonog a sych', ac aeth ati o'i ben a'i bastwn ei hun i symleiddio rhannau fel y gellid eu canu'n haws i eiriau Saesneg. Wedi'u haddasu fel hynny, anfonwyd y rhan helaethaf o'r alawon at Joseph Haydn (1732–1809); anfonodd eraill at Leopold Koželuch (1747–1818) i'w trefnu ar gyfer y **delyn**-bedal neu'r piano, gyda phosibilrwydd cyfeiliant **ffidil** neu soddgrwth.

Yn niffyg geiriau Saesneg i'r alawon Cymreig a ddewiswyd, comisiynodd Thomson benillion newydd at ei gilydd, gan ychwanegu ei deitlau ei hun. Ymhlith y beirdd a ddefnyddiwyd yr oedd Joanna Baillie, Alexander Boswell, Robert Burns, Matthew G. Lewis, Richard Llwyd, Amelia Opie a Walter Scott. Ymddangosodd y gyfrol gyntaf, *A Select Collection of Original Welsh Airs...*, yn 1809 gydag ugain o alawon wedi'u trefnu gan Haydn a deg gan Koželuch. Cyhoeddwyd ail gyfrol yn 1811 a oedd yn cynnwys tri deg a phedair o alawon (y trefnwyd deunaw ohonynt gan Haydn ac un ar bymtheg gan Koželuch).

Roedd iechyd Haydn yn dirywio, ac oherwydd hynny roedd Thomson erbyn 1805 wedi cysylltu â Beethoven (1770–1827), a ddechreuodd weithio ar ei drefniannau cyntaf o alawon Cymreig ddiwedd 1809. O'r deg alaw ar hugain yn y drydedd gyfrol (a ymddangosodd yn 1817) roedd pedair wedi'u trefnu gan Haydn a chwech ar hugain gan Beethoven (WoO 155, rhifau 1–26). Gwelir naw o'r chwe alaw ar hugain yn argraffiad 1794 o *Relicks* Jones, gydag amrywiadau bychain. At hynny, credir bod nifer o drefniannau diweddarach Haydn wedi eu gwneud ar y cyd â'i ddisgybl Sigismund von Neukomm (1778–1858), a bod Thomson weithiau wedi newid mwy ar fersiynau Haydn.

Mae ei fethiant i gyhoeddi **alawon gwerin** Cymru yn ddiaddurn yn anorfod wedi lleihau gwerth ei gasgliad. Bu farw yn Leith ar 18 Chwefror 1851.

Llyfryddiaeth

Barry Cooper, 'The Welsh Folk-Song Melodies set by Beethoven: A Preliminary Investigation', *Hanes Cerddoriaeth Cymru*, 1 (1996), 5–22

Marjorie E. Rycroft, 'Haydn's Welsh Songs: George Thomson's Musical and Literary Sources', *Hanes Cerddoriaeth Cymru*, 7 (2007), 92–133

David R. Jones

Tomkins (Teulu'r)

Teulu o gerddorion o'r 17g. a hanai o Dyddewi, Sir Benfro; cerddorion mwyaf blaenllaw Prydain yn ystod teyrnasiad Iago I a Siarl I.

Thomas Tomkins (yr hynaf) (*c*.1545–1627)

Ymddengys enw Thomas Tomkins gyntaf yn Llyfrau Gweithredoedd y Cabidwl yn Eglwys Gadeiriol Tyddewi yn 1565, lle disgrifir ef fel ficer corawl. Bu'n Feistr y Cantorion ac yn Organydd o tua 1573 tan 1586, pan symudodd ef a'i deulu i Gaerloyw. Cymerodd Tomkins urddau eglwysig a dod yn is-ganon yn Eglwys Gadeiriol Caerloyw; o 1610 hyd

ei farwolaeth ef oedd Blaenor y Gân. Tadogir arno nifer o weithiau hynafiaethol, gan gynnwys hanes Eglwys Gadeiriol Tyddewi yn Lladin, sydd bellach ar goll. Priododd Tomkins ddwywaith. Ei wraig gyntaf oedd Margaret Poher (pr.*c*. 1572–1586), a ganed iddynt dri o blant; yr ieuengaf ohonynt oedd y cyfansoddwr, Thomas Tomkins (gw. **Tomkins, Thomas**). Rywbryd cyn 1586 priododd Anne Hergest, o fferm Penarthur gerllaw, a chafodd gyda hi saith plentyn arall; etifeddodd John, Robert a Giles ddoniau cerddorol eu tad, gan wasanaethu fel organyddion yn y Capel Brenhinol; bu Peregrine yn un o weision y brenin.

John Tomkins (1586–1638)

Ystyrid John Tomkins yn un o chwaraewyr offerynnau llawfwrdd gorau ei genhedlaeth, a gwasanaethodd fel organydd yng Ngholeg y Brenin, Caergrawnt o 1606 hyd 1619. Yn ystod ei gyfnod yno cafodd ei anfarwoli gan ei gyfaill, y bardd Phineas Fletcher, fel 'Thomalin' yn nifer o'i gerddi. Symudodd John i Lundain i fod yn organydd yn Eglwys Gadeiriol Sant Paul o 1619 hyd ei farwolaeth. Yn 1625 fe'i gwnaed yn 'Wrda Arbennig' ('*Gentleman Extraordinary*') yn y Capel Brenhinol a rhoddwyd iddo aelodaeth lawn ddwy flynedd yn ddiweddarach. Nifer fechan yn unig o'i weithiau **corawl** a llawfwrdd sydd wedi goroesi, ond yn eu plith y mae'r **anthem** lawn *The King shall rejoice* a'r amrywiadau llawfwrdd *John come kiss me now*.

Giles Tomkins (1587–1668)

Etifeddodd Giles Tomkins hefyd dueddfryd cerddorol y teulu, a daeth yn organydd Coleg y Brenin, Caergrawnt, yn 1624. Symudodd i Gaersallog yn 1629 ac yno bu'n dal swydd organydd tan y Rhyfel Cartref, gan ailafael yn ei ddyletswyddau yno pan ddaeth yr Adferiad. Daeth yn gerddor yr organau tannau yn y llys yn 1630, ac yn ystod 1633 aeth gyda'r Brenin ar ei daith i'r Alban. Ni oroesodd unrhyw gyfansoddiadau o'i eiddo.

Robert Tomkins (*c*.1628–41)

Mae'n hysbys i Robert Tomkins wasanaethu'r teulu brenhinol fel chwaraewr feiol. Rhestrwyd Giles a Robert yn gerddorion y llwtiau, y feiolau a'r lleisiau yn y Capel Brenhinol yn 1641. Goroesodd drylliau o ddwy **anthem** lawn a chwe anthem wersi ganddo yn Llyfr Organ Batten (llsgr. Tenbury 791).

Nathaniel Tomkins (1599–1681)

Nathaniel Tomkins oedd unig blentyn Thomas Tomkins yr ieuengaf, ac astudiodd ddiwinyddiaeth yng Ngholeg Balliol, Rhydychen, gan ddod yn ganon yn Eglwys Gadeiriol Caerwrangon wedi hynny o 1629 hyd ei farwolaeth. Roedd Nathaniel yn organydd medrus, ac ef oedd golygydd y casgliad o waith ei dad, *Musica Deo sacra*.

Llyfryddiaeth

Denis Stevens, *Thomas Tomkins* ([arg. diw.] Efrog Newydd, 1967)

David R. A. Evans, 'The life and works of John Tomkins', *Welsh Music/Cerddoriaeth Cymru*, 6/4 (1980), 56–62

———, 'A short history of the music and musicians of St. David's Cathedral', *Welsh Music/Cerddoriaeth Cymru*, 7/8 (1984–5), 50–66

———, 'A Cornish Musician in Wales', *Journal of the Institute of Cornish Studies*, 15 (1987)

———, 'John Tomkins and the Batten Organ Book', *Welsh Music/Cerddoriaeth Cymru*, 8/7 (1987), 13–22

———, '"Cerddor euraid": lle John Tomkins ym marddoniaeth Saesneg yr ail ganrif ar bymtheg', *Taliesin*, 114 (2002)

Anthony Boden, *Thomas Tomkins: the last Elizabethan* (Aldershot, 2005)

David Evans

Tomkins, Thomas (1572–1656)

Roedd Thomas Tomkins, un o'r cyfansoddwyr mwyaf a aned yng Nghymru, yr ystyrir yn gyffredinol ei fod o statws Ewropeaidd, yn fab i organydd Eglwys Gadeiriol Tyddewi, Thomas Tomkins yr hynaf. Bu'n byw yn Nhyddewi hyd nes yr oedd yn bedair ar ddeg oed, lle'r oedd yn aelod o'r côr, cyn symud wedyn i Gaerloyw. Ceir tystiolaeth sy'n awgrymu bod Tomkins wedi bod yn ddisgybl i William Byrd rywbryd cyn ei benodi'n organydd i Eglwys Gadeiriol Caerwrangon yn 1596. Fe'i gwahoddwyd gan Thomas Morley, un arall o ddisgyblion Byrd, i gyfrannu'r fadrigal, *The fauns and satyrs tripping,* i *The Triumphs of Oriana* (1601).

Roedd Tomkins yn aelod cyswllt o Goleg Magdalen, Rhydychen o 1593; nid oedd angen preswylio yno, ac wedi pedair blynedd ar ddeg o astudio enillodd ei radd BMus yn 1607. Yn 1612 bu farw etifedd y brenin, y Tywysog Harri, ac ar gyfer yr angladd darparodd Tomkins **anthem**, *Know you not;* ynddi cymerodd bob cyfle i ddangos ehangder ei fedrau cyfansoddi. Mae'r alarnad estynedig sy'n llawn cromatyddiaeth a gwrthbwynt cwynfanus

yn un o'r darnau gorau a gyfansoddwyd yn Lloegr yn yr 17g.

Fe'i penodwyd yn 1621 yn organydd y Capel Brenhinol ac o'r pryd hwnnw hyd y Rhyfel Cartref bu'n rhannu ei amser rhwng cyfnodau o wasanaeth yn Llundain a Chaerwrangon. Un casgliad yn unig o fadrigalau a gynhyrchodd Tomkins, sef ei *Songs* (1622); cyflwynwyd pob darn ynddo i aelod o'r teulu, cyfaill, neu gydweithiwr proffesiynol. Mae safon gyffredinol y madrigalau hyn yn gyson uchel, gan gynnwys y darn a ystyrir yn uchafbwynt ei waith, *When David heard that Absalom was slain*. Yn dilyn marwolaeth sydyn Orlando Gibbons yn 1625, daeth Tomkins yn uwch organydd y Capel Brenhinol ac i'w ran ef y daeth y cyfrifoldeb o drefnu'r gerddoriaeth ar gyfer coroni Siarl I yn ystod yr un flwyddyn.

Daeth dechrau'r Rhyfel Cartref â chryn chwalfa i fywyd sefydlog Tomkins. Bu farw ei wraig gyntaf, Alice, yn 1642, ond tua 1649 priododd wraig weddw leol, Martha Browne. Yn dilyn y gwarchae ar Gaerwrangon yn 1646, ataliwyd y gwasanaethau yn yr eglwys gadeiriol am y tro, ond parhaodd Tomkins i fyw yng nghlos y gadeirlan, gan gyfansoddi cerddoriaeth lawfwrdd hyd 1654, pan aeth i fyw gyda'i fab Nathaniel ym mhentref Martin Hussingtree. Yno y bu farw yn 1656, yn 84 oed. Yn 1668 trefnodd ei fab Nathaniel gyhoeddi nifer fawr o'i wasanaethau a'i **anthemau** mewn casgliad o'r enw *Musica Deo sacra*.

Litwrgaidd yw'r mwyafrif o weithiau Tomkins a oroesodd – mae saith o wasanaethau, tri yn y dull 'llawn', gan gynnwys un gwasanaeth 'mawr', a phedwar yn y dull 'gwersi'. Mae ei anthemau llawn, er eu bod yn geidwadol eu harddull, ymhlith goreuon y cyfnod; mae ei anthemau gwersi yn aml yn flaengar, gydag awgrymiadau o'r dull Baróc. Mae *O sing unto the Lord* ac *Almighty God, the fountain of all wisdom*, anthemau llawn ill dwy, yn amlygu gwreiddioldeb harmonig eithriadol Tomkins, ynghyd â'i synnwyr o bensaernïaeth gerddorol. Cyfansoddodd lawer o gerddoriaeth lawfwrdd o safon uchel, gan gynnwys pafán 'ar gyfer yr amseroedd dyrys hyn', sy'n coffáu dienyddio Siarl I yn 1649.

Llyfryddiaeth Ddethol

Denis Stevens, *Thomas Tomkins* ([arg. diw.] Efrog Newydd, 1967)

David R. A. Evans, 'Thomas Tomkins and the Prince of Wales', *Welsh Music/Cerddoriaeth Cymru*, 7/4 (1983), 57–69

John Irving, *The Instrumental Music of Thomas Tomkins* (Efrog Newydd, 1989)

Anthony Boden, *Thomas Tomkins: the last Elizabethan* (Aldershot, 2005)

Sally Harper, *Music in Welsh Culture Before 1650* (Aldershot, 2007)

David Evans

Toms, Gai (g.1976)

Daeth Gareth J. Thomas, neu Gai Toms i'r rhan fwyaf o bobl, i amlygrwydd gyda'i fand cyntaf **Anweledig**, a ffurfiwyd yn 1992 ym Mlaenau Ffestiniog ganddo ef, Ceri Cunnington a'u ffrindiau ysgol. Ar ôl blynyddoedd o gigio, derbyniodd albwm cyntaf Anweledig, *Sombreros yn y Glaw* (Crai, 1998), a *Gweld y Llun* (Crai, 2000) adolygiadau ffafriol. Roedd sŵn y band – cymysgedd o ddylanwadau ffync a reggae-roc – yn groes i'r arddull *indie* a oedd yn boblogaidd yn y sîn gerddorol ar y pryd. Ond derbyniwyd y band yn wresog gan gynulleidfaoedd ar record ac yn fyw, fel y profodd yr ymateb i'w perfformiadau egnïol yn yr **Eisteddfod** Genedlaethol yn 1999 a Sesiwn Fawr Dolgellau yn 2001.

Yn 2002, fodd bynnag, penderfynodd Gai Toms ddechrau perfformio fel artist unigol o dan y ffugenw **Mim Twm Llai** gan ryddhau ei albwm cyntaf, *O'r Sbensh* (Crai, 2002) yn yr un flwyddyn. Roedd arddull y canwr yn ei bersona fel Mim Twm Llai yn dra dyledus i gerddoriaeth werin a baledi, a bu **Meic Stevens** hefyd yn ddylanwad pwysig arno ers yr 1990au. Roedd *O'r Sbensh* a'r albymau a ddilynodd, megis *Straeon y Cymdogion* (Crai, 2005) ac *Yr Eira Mawr* (Crai, 2006), yn adlewyrchu hyn. Cydnabuwyd Gai Toms yn ystod Gwobrau Roc a Phop BBC Radio Cymru ar sawl achlysur. Enillodd wobr y Cyfansoddwr Gorau bum gwaith (2002, 2003, 2006–2008), a gwobr yr Albym Gorau (i *O'r Sbensh*) yn 2003. Daeth yn fuddugol hefyd yng nghystadleuaeth **Cân i Gymru** yn 2012.

Erbyn 2008 roedd Gai Toms wedi rhoi heibio'r enw Mim Twm Llai a rhyddhaodd ei albwm cyntaf o dan ei enw ei hun, sef *Rhwng y Llygru a'r Glasu*, a hynny ar ei label annibynnol newydd Sbensh. Recordiwyd yr albwm gan ddefnyddio ynni o ffynonellau adnewyddadwy a oedd yn ymdrech ar ei ran i godi ymwybyddiaeth ymhlith ei gynulleidfa o'i ddiddordeb mewn materion gwyrdd. Dilynwyd hyn gan albwm dwbl, *Bethel*, yn 2012 ar yr un label – prosiect am yr hen gapel yn Nhanygrisiau a drowyd

yn stiwdio recordio ganddo. Yn 2014 aeth ati i ffurfio band newydd, Brython Shag, a darlledwyd sesiwn gan y band ar Radio Cymru yn Ebrill y flwyddyn honno.

Disgyddiaeth

gydag **Anweledig**:

Sombreros yn y Glaw (Crai CD060, 1998)

Cae yn Nefyn [EP] (Crai CD067, 1999)

Gweld y Llun (Crai CD074, 2001)

Low Alpine [EP] (Crai CD081, 2001)

Byw [EP] (Rasal CD002, 2004)

fel Mim Twm Llai:

O'r Sbensh (Crai CD085, 2002)

Straeon y Cymdogion (Crai CD100, 2005)

Yr Eira Mawr (Crai CD104, 2006)

fel Gai Toms:

Rhwng y Llygru a'r Glasu (Sbensh CD001, 2008)

Bethel (Sbensh CD002, 2012)

The Wild, the Tame and the Feral (Sbensh CD03, 2015)

Gwalia (Sbensh V001, 2017)

fel Brython Shag:

Brython Shag (Sbensh CD004, 2016)

casgliadau:

Goreuon (Rasal CD027, 2008)

Craig Owen Jones

Tonic Sol-ffa

Nodiant cerddorol sy'n defnyddio llythrennau'r wyddor ac atalnodi i gyfleu seiniau a rhythmau. Er bod gwreiddiau tonic sol-ffa yn yr Oesoedd Canol a'r dull *solfeggio*, yn y 19g. y cafodd ei ddatblygu'n gyfundrefn ffurfiol ac yn nodiant annibynnol. Roedd nifer o ddiwygwyr **addysgol** yn ceisio dull syml o ddysgu plant i ganu, a bu rhai, gan gynnwys yr arolygwr ysgolion John Pyke Hullah (1812–84), yn hyrwyddo dull Guillaume Louis Bocquillon-Wilhem (1781–1842) o ganu ar yr olwg gyntaf gan ddefnyddio *doh* sefydlog. Ond y gyfundrefn a ddaeth yn fwyaf poblogaidd oedd honno a ddatblygwyd gan athrawes o Norwich, Sarah Glover, ac a berffeithiwyd gan weinidog Cynulleidfaol, John Curwen (1816–80).

Seiliwyd y dull hwn ar *doh* symudol lle gellid newid cyweirnod yn hawdd a dal i fynegi'r llinell gerddorol yn y tonydd (dyna esbonio'r enw 'tonic sol-ffa'). Astudiodd Curwen ddull Sarah Glover a'i berffeithio yn gyfundrefn ffurfiol mewn gwerslyfrau a gyhoeddodd yn yr 1850au, yn bennaf *The Standard Course of Lessons on the Tonic Sol-fa Method of Teaching to Sing* (1858). Cyn hynny, yn 1854, roedd wedi sefydlu cylchgrawn, *The Tonic Sol-fa Reporter*, i hyrwyddo'r gyfundrefn, i adrodd ar weithgarwch dosbarthiadau sol-ffa ac i gyhoeddi cerddoriaeth yn y nodiant newydd. Sefydlwyd gwasg (Tonic Sol-fa Agency, yna Curwen Press) yn 1863, ac ysgol, a dyfodd yn goleg (Tonic Sol-fa College), gyda fframwaith o arholiadau a thystysgrifau, yn yr un flwyddyn.

Eginodd syniadau Curwen yng Nghymru yn gynnar: ceir tystiolaeth i rai fod yn dysgu dosbarthiadau trwy gyfrwng ffurf ar y sol-ffa yn 1852 yn Sir Forgannwg. Ond daeth y gwir drobwynt wedi i un o Gymry Lerpwl, Eleazar Roberts (1825–1912), gael ei argyhoeddi o werth y gyfundrefn i ddysgu plant i ganu, yn enwedig yn y capeli a'r Ysgolion Sul (roedd amcanion moesol cryf yn rhan o fudiad y tonic sol-ffa o'r dechrau).

Cafodd Roberts ganiatâd Curwen i gyfieithu ei werslyfrau, a chyhoeddodd *Llawlyfr Caniadaeth* yn 1862, a *Y Gyfres safonol o wersi ac ymarferiadau …* yn 1875. Yn 1861 roedd wedi cyhoeddi ei gasgliad ei hun o *Hymnau a Thonau*, y llyfr Cymraeg cyntaf i'w argraffu yn y sol-ffa. Llwyddodd Roberts i ddarbwyllo **Ieuan Gwyllt** o werth y gyfundrefn a sicrhaodd gefnogaeth y cylchgrawn dylanwadol *Y Cerddor Cymreig*, a ddechreuodd gynnwys darnau sol-ffa yn 1865. Sefydlwyd dosbarthiadau niferus ar draws Cymru, yn aml ond nid yn ddieithriad mewn cysylltiad â chapeli ac eglwysi, ac yn 1869 sefydlwyd cylchgrawn i'r solffayddion, *Cerddor y Tonic Sol-ffa*, o dan olygyddiaeth **Ieuan Gwyllt**, a gyhoeddwyd tan 1874 gan Hughes a'i Fab, Wrecsam. Ymddangosodd *Y Cerddor Sol-ffa* rhwng 1881 ac 1886. Roedd y ddau gylchgrawn yn cynnwys darnau cerddorol.

Tyfodd sol-ffa i fod yn brif nodiant Cymru am gyfnod, yn ddewis cyntaf llawer o gantorion mewn corau a chynulleidfaoedd. O'r 1870au ymlaen prin y ceid unrhyw ddarn o gerddoriaeth Gymreig nad ymddangosai mewn hen nodiant a sol-ffa, naill ai ar wahân neu ar yr un copi. O blaid y sol-ffa yng Nghymru roedd rhwyddineb ei ddysgu heb gymorth offeryn (a phrin oedd yr **offerynnau** mewn llawer ardal yn yr 1860au): gellid dysgu mewn ysgoldy neu gegin trwy gymorth y cyweiriadur (*modulator*) a'r arwyddion llaw a ddatblygwyd i ddynodi'r gwahanol seiniau.

Ymddangosodd sol-ffa hefyd ar yr union adeg pan oedd diddordeb newydd mewn canu **corawl** a chynulleidfaol, ac fe'i coleddwyd yn frwd gan gorau capel ac ardal. Meistrolodd llawer o argraffwyr y greft o gysodi sol-ffa, a'i gwnaeth yn haws i gerddorion

lleol gyhoeddi eu cynnyrch; roedd sol-ffa yn llawer rhatach i'w argraffu na'r nodiant erwydd, ac roedd pris copïau sol-ffa o'r herwydd o fewn cyrraedd pobl dlawd a chymunedau difreintiedig.

Cynhyrchai cwmni Novello argraffiadau sol-ffa o **oratorios**, ac yng Nghymru gwerthent fwy o'r rhain nag o gopïau nodiant erwydd ar ddiwedd y 19g. Awgrymai rhai cerddorion fod sol-ffa yn well dull o adnabod traw – dyfynnodd **David Wynne** sylwadau ei athro, David Evans, am hyn (yn **Heward Rees** 1977, 12). Atyniad arall oedd bod cyfundrefn o gymwysterau ar gael trwy'r Coleg Tonic Sol-ffa, a roddodd nod i genedlaethau o bobl Cymru a safai'r arholiadau am dystysgrif neu radd.

Ni bu'r gyfundrefn heb ei beirniaid yng Nghymru a thu hwnt. Mor gynnar â'r 1860au taranai Jane Hughes (Debora Maldwyn) yn erbyn y bobl a ganai'r nodau sol-ffa yn hytrach na geiriau **emyn** neu gân. Mwy grymus oedd y feirniadaeth fod sol-ffa yn cyfyngu ar orwelion cerddorol. Roedd rhwyddineb argraffu hefyd yn arwain llawer i gerddor lleol i gyhoeddi gwaith llai na theilwng.

Pwysleisiai cerddorion proffesiynol mai cyfrwng oedd sol-ffa i ddysgu elfennau cerddoriaeth ond y dylid symud ymlaen i feistroli'r nodiant erwydd er mwyn gallu cael mynediad at holl gyfoeth etifeddiaeth gerddorol gorllewin Ewrop. Lluniodd **David Jenkins** werslyfr, *Sut i ddysgu yr hen nodiant drwy y sol-ffa* (1898). Yn ystod yr 20g. byddai'r rhod addysgol yn tueddu i droi yn erbyn y sol-ffa, ac fe'i diogelwyd yng Nghymru yn fwy trwy waith capeli ac eglwysi nag yn yr ysgolion dyddiol. Eto i gyd defnyddiwyd elfennau o sol-ffa yn llwyddiannus gan Zoltán Kodály (1882–1967) a defnyddiwyd ei ddulliau ef mewn ysgolion hyd at ddiwedd yr 20g.

Barn W. H. Cummings ar ddiwedd y 19g. oedd bod sol-ffa bron wedi lladd cerddoriaeth yng Nghymru. Fe'i hatebwyd yn gadarn gan **David Jenkins**, a ddadleuai na fyddai **gwyliau** cerddorol mawr tebyg i honno a gynhaliwyd yn y Palas Grisial yn 1896 wedi bod yn bosibl oni bai am ddylanwad sol-ffa, am na fyddai corau ar gael i ganu – sol-ffa oedd y cyfrwng a ddefnyddid gan 92% o'r cantorion (Jenkins 1897). Awgrymai Jenkins ymhellach fod sol-ffa wedi bod yn gyfrwng gwerthfawr i roi cychwyn cerddorol i gerddorion proffesiynol a oedd wedi symud yn eu blaen i feistroli'r nodiant erwydd. Trwy osod sylfeini a thrwy hybu canu corawl a chynulleidfaol ar gyfnod ffurfiannol, gwnaeth tonic sol-ffa gyfraniad pwysig i ddatblygiad cerddoriaeth y genedl.

Llyfryddiaeth

David Jenkins, "'Sol-ffa wedi lladd cerddoriaeth yng Nghymru'", *Y Cerddor* (Ionawr, 1897)

A. J. Heward Rees, 'Changes and Challenges: the composer David Wynne talks to A. J. Heward Rees', *Cerddoriaeth Cymru*, 5/7 (1977), 7–25

Rhidian Griffiths

Tony ac Aloma

Roedd y ddeuawd Tony ac Aloma ymhlith artistiaid mwyaf poblogaidd y byd pop Cymraeg yn ystod yr 1960au. Bu Aloma Davies Jones (g.1951) o Lanerchymedd a Tony Jones (g.1945) o Ros-meirch yn perfformio'n rheolaidd mewn nosweithiau llawen ac **eisteddfodau** lleol ar Ynys Môn yng nghanol yr 1960au cyn iddynt ffurfio deuawd. Daeth cyfle iddynt berfformio ar y radio am y tro cyntaf yn 1965. Wedi iddynt ennill gwobr yn Eisteddfod Llanddona yn Ebrill 1967 cawsant wahoddiad gan gwmni teledu TWW i berfformio ar *Y Dydd* – eu hymddangosiad cyntaf ar deledu.

Roedd arddull Tony ac Aloma yn ysgafn ei naws. Yn groes i nifer o'u cyfoedion – hyd yn oed y rhai hynny a oedd yn debyg iddynt o ran arddull – nodweddir y rhan fwyaf o'u cerddoriaeth a'u gciriau gan sentimentaliaeth bur. Fel perfformwyr, nid oedd ganddynt fawr ddim i'w ddweud wrth ganu protest y cyfnod. Edmygwyd eu harmonïau clir a soniarus, ac alawon cofiadwy baledi Tony Jones, gan lawer.

Perfformiodd y ddau yn yr ŵyl bop Gymraeg gyntaf, Pinaclau Pop, ym Mhontrhydfendigaid ym Mehefin 1968. Erbyn diwedd yr haf hwnnw roedd eu perfformiadau wedi dod i sylw Josiah Jones, perchennog label Cambrian. Rhyddhawyd eu EP gyntaf, *Un, Dau, Tri*, ym Medi 1968. Bu'n eithriadol o lwyddiannus, gan ddod i frig Deg Uchaf *Y Cymro* mewn llai na phythefnos. Arhosodd yno am ddeg wythnos, ac aros wedyn ymhlith y pump uchaf am dair wythnos ar ddeg ychwanegol, camp unigryw ar y pryd. Yn Rhagfyr 1968 daeth EP arall yr un mor llwyddiannus, sef *Caffi Gaerwen*. Erbyn diwedd 1968 roedd y ddwy record wedi gwerthu cyfanswm o 76,000 o gopïau.

Cadarnhaodd y ddwy EP safle'r ddeuawd ar frig y byd pop Cymraeg. Daeth cydnabyddiaeth bellach o'u statws pan ffurfiwyd clwb dilynwyr yn Ebrill 1969, *Cornel Tony ac Aloma*, y clwb cyntaf o'i fath yn hanes artistiaid y byd pop Cymraeg. Ym Mehefin yr un flwyddyn darlledwyd y rhaglen gyntaf yn y gyfres *Tony ac Aloma* a gyflwynwyd ganddynt ar Deledu

Harlech. Rhyddhawyd EP rhif 1 arall, *Dim Ond Ti a Mi*, yn ystod yr un mis.

Serch hynny, erbyn 1970 roedd y ddau wedi dechrau edrych y tu hwnt i Gymru am gyfleoedd ac wedi dechrau diflasu ar gyflwr gwael y rhan fwyaf o stiwdios Cymreig y cyfnod. Trafodwyd y posibilrwydd o fynd i Lundain i wneud 'record dechnegol dda', a gwyntyllwyd y syniad o deithio ledled Ewrop.

Fodd bynnag, cyn bo hir daeth yn amlwg fod y ddau yn awyddus i ddilyn llwybrau gwahanol. Er i'w LP gyntaf, *Tony ac Aloma* (1972), werthu'n dda, roedd eu poblogrwydd fymryn ar drai a gwahanodd y ddau ym Mehefin 1972. Bu Aloma yn canu gyda'r Hennessys am gyfnod, ac aeth Tony ati i ffurfio **band roc** ysgafn Y Tir Newydd. Bu aduniad y ddau yn 1974 yn gymharol lwyddiannus. Sefydlwyd label Gwawr ganddynt, ac aeth EP a ryddhawyd arno i frig y siartiau Cymreig. Mae'r ddeuawd yn parhau i berfformio'n achlysurol.

Diau fod caneuon Tony ac Aloma wedi dyddio braidd o'u cymharu â rhai o'u cyfoedion. Fodd bynnag, anodd gwadu pwysigrwydd eu hapêl i gynulleidfaoedd Cymraeg mewn cyfnod pan oedd y cystadlu am sylw yn y byd pop yn frwd. Bu eu hagwedd broffesiynol at berfformio a'u hymroddiad i waith hefyd yn fodd o greu safonau uwch yn hanes **cerddoriaeth boblogaidd** Gymraeg.

Disgyddiaeth

Caffi Gaerwen [EP] (Cambrian CEP427, 1968)
Mae Geni Gariad [EP] (Cambrian CEP425, 1968)
Tony ac Aloma [EP] (Cambrian CEP440, 1969)
Oes Mae Na Le [EP] (Cambrian CEP466, 1970)
Diolch i Ti [EP] (Cambrian CEP462, 1970)
Tony ac Aloma [EP] (Cambrian CEP473, 1971)
Tony ac Aloma (Cambrian SCLP602, 1971)
Tony ac Aloma [EP] (Gwawr, GWAWR101, 1974)
Clychau Nadolig [EP] (Gwawr, GWAWR103, 1974)
Tipyn o Gân (Gwawr GWA105D, 1976)
Dim Wedi Newid Dim (Gwawr GWA109C, 1984)
Ar y Teli (Gwawr GWA309R, 1985)

Casgliadau:
Goreuon (Sain SCD2042, 1993)

Craig Owen Jones

Torjussen, Ceiri (g.1976)

Cyfansoddwr cerddoriaeth ffilm yn bennaf, a fu'n byw ers rhai blynyddoedd ger Los Angeles, California, yn agos at gartref y diwydiant ffilm yn Hollywood.

Ganed Torjussen yng Nghaerdydd. Roedd ei dad, cynhyrchydd a chyfarwyddwr **rhaglenni teledu** o dras Norwyaidd, yn hanu o'r brifddinas tra deuai teulu ei fam yn wreiddiol o Lŷn. Un o atgofion cerddorol cyntaf Torjussen oedd clywed ei fam yn byrfyfyrio wrth y piano, a hynny – ynghyd â gwrando ar gasgliad recordiau eang ei dad – a'i symbylodd i ddechrau cyfansoddi. Dechreuodd chwarae'r piano a'r trwmped pan oedd yn wyth oed.

Clywed ei fam yn byrfyfyrio oedd man cychwyn ei ddiddordeb mewn cerddoriaeth **jazz** hefyd, ac yn ei arddegau bu'n aelod o grŵp jazz o'r enw Giant Steps, a berfformiodd yng Ng**ŵyl** Jazz Aberhonddu ac yng Ngŵyl Vienne, Ffrainc. Fe'i haddysgwyd yn Ysgol Melin Gruffydd, Ysgol Uwchradd Glantaf a Choleg Chweched Dosbarth Dewi Sant yng Nghaerdydd. Yn ystod ei addysg uwchradd bu mewn cysylltiad â'r cyfansoddwr **John Metcalf**, a roddodd anogaeth iddo barhau ym maes cyfansoddi.

Yn 1995 treuliodd Torjussen rai misoedd yn teithio trwy India a mynyddoedd Himalaya cyn astudio cerddoriaeth am dair blynedd ym Mhrifysgol Efrog (1995–8), lle graddiodd gyda dosbarth cyntaf gan astudio gyda David Blake (g.1936) a Nicola LaFanu (g.1947). Yno fe'i cyflwynwyd am y tro cyntaf i gyfansoddwyr *avant-garde* yr 1960au, megis Pierre Boulez (1925–2016), György Ligeti (1923–2006) a Luciano Berio (1925–2003) ynghyd â datblygu ei wybodaeth am gerddoriaeth o'r Dwyrain, megis Bali ac India, ac astudiodd am gyfnod yn Ffrainc gydag un a fu'n ddisgybl i'r cyfansoddwr Ffrengig Olivier Messiaen (1908–92).

Aeth ymlaen trwy gynllun Ysgoloriaeth Fulbright i astudio cwrs meistr ym Mhrifysgol De Califfornia yn Los Angeles, gan ymgartrefu yn yr ardal ar ôl cwblhau ei astudiaethau. Parhaodd ei ddiddordeb yng ngherddoriaeth yr *avant-garde* a chlywir dylanwad hynny yn yr agorawd cerddorfaol egnïol *Momentum* (1999). Yr un flwyddyn enillodd Torjussen gystadleuaeth Tlws y Cerddor yn **Eisteddfod** Genedlaethol Ynys Môn am ei *Sinfonia* ar gyfer cerddorfa (roedd eisoes wedi ennill Tlws y Cerddor yn Eisteddfod yr Urdd, Llanbedr Pont Steffan, yn 1995, a bu'n fuddugol yn y gystadleuaeth ddwywaith ar ôl hynny).

Yn dilyn llwyddiant *Momentum* fe'i comisiynwyd gan Ŵyl Gerdd Bro Morgannwg yn 2001 i gyfansoddi *Blodeuwedd*. Dangosai'r gwaith comisiwn fod Torjussen, er gwaethaf ei alltudiaeth, yn parhau i ymddiddori yn hanes ac hen chwedlau Cymru. Yn 2003–4 derbyniodd gomisiwn gan Gerddorfa

Genedlaethol Gymreig y BBC i gyfansoddi'r *Welsh Folk-Fantasia* – gwaith ugain munud o hyd ar gyfer cerddorfa lawn, yn defnyddio deunydd melodig allan o bedair **alaw werin** Gymraeg. Gellir olrhain y defnydd o'r traddodiad gwerin yn ei gerddoriaeth yn ôl at y *Tair Alaw Werin Gymreig* ar gyfer piano (1999) ac *Ar Lan y Môr* (2010) – gydag un symudiad allan o'r naill wedi'i berfformio a'i recordio gan **Iwan Llewelyn-Jones** a'r llall yn ddarn comisiwn gan Ŵyl Gerdd Abertawe ar gyfer y delynores **Catrin Finch**. Roedd gwaith arall, *Ffarwel Myfanwy* (2007), ar gyfer côr digyfeiliant, yn seiliedig ar ran-gân enwog **Joseph Parry**.

Dim ond man cychwyn oedd y deunyddiau cerddorol hyn ar gyfer cyfansoddiadau cwbl wreiddiol a modern o ran sain ac arddull, fodd bynnag, yn hytrach na 'threfniannau' yn ystyr fwy confensiynol y term. Er enghraifft, yn *Ar Lan y Môr*, ar gyfer **telyn** unawdol, fe glywir yr alaw werin adnabyddus yn fwyaf amlwg yn adran ganol y gwaith, a hynny mewn gwead sy'n dwyn i gof gyfansoddwyr argraffiadol megis Debussy a Ravel. Cyn hynny defnyddir nifer o dechnegau estynedig ar y delyn i greu 'morlun' cerddorol hynod effeithiol. Mae'r darn yn arddangos dealltwriaeth a meistrolaeth Torjussen o'r offerynnau y mae'n cyfansoddi ar eu cyfer, ac mae wedi llwyddo i drosglwyddo nifer o'r sgiliau hyn i gyfrwng cerddoriaeth a cherddorfaeth ffilm yn ogystal.

Cyfrannodd Torjussen sgorau gwreiddiol ar gyfer ffilmiau megis *Live Free or Die Hard* (2007) a *Repo Men* (2010) ynghyd â thrac sain cyfan i *Mentor* (2006), sy'n gyfuniad o themâu telynegol, cyfeiliannau rhythmig a cherddoriaeth *techno* dywyll. Mae'r trac sain ar gyfer *Undoing* (2006) hefyd yn benthyg elfennau o *electronica*, tra mae meistrolaeth Torjussen ar seinluniau *ambient* a'i ddealltwriaeth o *pastiche electro-pop* yr 1980au i'w clywed mewn sgôr hynod effeithiol ar gyfer *Test* (2013). Amlygir ei ddawn i greu cerddoriaeth seicolegol, anesmwyth effeithiol yn *The Canal* (2014). Ym maes trefnu a cherddorfaeth ffilm cydweithiodd gyda rhai o brif enwau'r maes, yn eu plith Marco Beltrami a Harald Kloser ar gyfer ffilmiau megis *Terminator 3: Rise of the Machines* (2003) *I, Robot* (2004) a *The Day After Tomorrow* (2004).

Mae gwaith Torjussen yn y byd ffilm yn brawf o'i ddawn a'i hyblygrwydd fel cyfansoddwr, ac mae ei ddealltwriaeth o'r mathau o gerddoriaeth sy'n addas ar gyfer *genres* gwahanol – fel *Action, Thriller, Horror, Spoof* ac yn y blaen – eisoes wedi sicrhau mesur o gydnabyddiaeth iddo ar lefel ryngwladol mewn maes cystadleuol iawn.

Wrth ddilyn gyrfa ddisglair fel cyfansoddwr ffilm, llwyddodd Torjussen ar yr un pryd i greu corff o waith ar gyfer y neuadd gyngerdd yn ogystal, ac mae'n amlwg fod Cymru'n dal i ddylanwadu ar ei weledigaeth gerddorol eclectig. Ynghyd â'i waith ym maes cerddoriaeth ffilm, mae Torjussen yn parhau i ddatblygu gyrfa fel cyfansoddwr acwstig. Ailweithiodd *Blodeuwedd* ar gyfer gŵyl o gerddoriaeth gyfoes yn Los Angeles ym mis Ebrill 2016, ac mae cynlluniau i ddiwygio *Ffarwel Myfanwy* a'r *Folk-Fantasia*.

Cyfansoddiadau (rhestr ddethol)

Tair Alaw Werin Gymreig (1999), ar gyfer piano unawdol
Momentum (1999, adolygwyd 2000), ar gyfer cerddorfa
L.A. Stories (2000), ar gyfer *ensemble* siambr
Blodeuwedd (2001), ar gyfer cerddorfa
Welsh Folk-Fantasia (2004), ar gyfer cerddorfa
Ffarwel Myfanwy (2006), ar gyfer côr digyfeiliant
Ar Lan y Môr (2010), ar gyfer telyn unawdol

Cerddoriaeth Ffilm (detholiad)

The Canal (Ivan Kavanagh, 2014)
Test (Chris Mason Johnson, 2013)
Big Ass Spider (Mike Mendez, 2013)
Repo Men (cerddoriaeth ychwanegol) (Miguel Sapochnik, 2010)
Live Free or Die Hard (cerddoriaeth ychwanegol) (Len Wiseman, 2007)
The Eye (cerddoriaeth ychwanegol) (David Moreau/Xavier Palud, 2007)
Underworld: Evolution (cerddoriaeth ychwanegol) (Len Wiseman, 2005)
Dracula III: Legacy (Patrick Lussier, 2002)
Scary Movie II (cerddoriaeth ychwanegol) (Keenan Ivory Wayans, 2001)

Disgyddiaeth

'Oes Gafr Eto?' allan o *Tair Alaw Werin Gymreig*, ar *Portreadau Cymreig* (Sain SCD2308, 2001)
Test [trac sain ar gyfer y ffilm *Test*] (Wenallt 888295073561, 2014)

Pwyll ap Siôn

Traddodiadol, Cerddoriaeth (gw. **Gwerin, Canu a Cherddoriaeth Draddodiadol**)

Treharne, Bryceson (1879–1948)

Brodor o Ferthyr Tudful oedd y cerddor Bryceson Treharne. Cafodd ei addysg gynnar yn lleol cyn mynd i'r Coleg Cerdd Brenhinol yn Llundain lle bu'n astudio'r piano a chyfansoddi. Bu'n dysgu am gyfnod yn adran gerdd Coleg **Prifysgol** Cymru Aberystwyth o dan yr Athro **David Jenkins** cyn ymfudo i weithio yn Awstralia, lle gwnaeth gryn argraff fel pianydd ac fel cyfarwyddwr dramâu. Bu'n athro piano ac yn ddatgeinydd cyhoeddus yn yr Elder Conservatorium yn Adelaide o 1901–1911 ac yno hefyd y sefydlodd yr Adelaide Literary Theatre yn 1908.

Rhwng hynny ac 1911 cyfarwyddodd nifer o ddramâu Yeats a Bernard Shaw, er enghraifft, yn ogystal â chynnal datganiadau piano o *repertoire* eang a thechnegol anodd megis sonatas hwyr ac *Amrywiadau Diabelli* gan Beethoven, gweithiau Chopin, Mendelssohn ac eraill gan gynnwys, fel ag yr oedd yn ffasiynol ar y pryd, gancuon o'i waith ei hun yn gymysg â'r darnau cyfarwydd ar gyfer yr allweddell gyda'r gantores Gulielma ('Guli') Hack (1867–1951). Perfformiodd adeg ymweliad Dug a Duges Cernyw ag Adelaide yn 1901 ac roedd yn gerddor uchel ei barch yn ôl y wasg ar y pryd.

Dychwelodd i Ewrop yn 1911 ac wrth deithio'r cyfandir fe'i daliwyd gan yr Almaenwyr a'i garcharu yng ngwersyll enwog Ruhleben gydol y Rhyfel Byd Cyntaf. Yno cyfarfu â cherddorion eraill megis Arthur Benjamin (1893–1960), Edward Clark (1888–1962) ac Edgar Bainton (1880–1956) mewn awyrgylch diwylliannol, os braidd yn anghysurus. Wedi ei ryddhau yn 1918 teithiodd i Unol Daleithiau America ac ar ôl 1924 bu'n dysgu ym Mhrifysgol McGill ym Montreal, Canada, ond dychwelodd i America yn 1928 gan weithio fel golygydd cerddoriaeth i gwmni cyhoeddi yn Boston. Bu'n gyfansoddwr cynhyrchiol a daeth amryw o'i unawdau lleisiol yn gyfarwydd, megis 'Môr o Gân yw Cymru i gyd'. Perfformiwyd ei *magnum opus, The Banshee*, gwaith **corawl** sylweddol ar gyfer soprano, bariton corws a cherddorfa, yn **Eisteddfod** Genedlaethol Caerdydd yn 1938. Bu farw ym mis Chwefror 1948 yn Long Island, Efrog Newydd.

Cyhoeddwyd nifer o'i weithiau gan rai o'r prif gwmnïau cyhoeddi yng Nghymru (Snell a Gwynn yn bennaf) ac yn America (Cwmni Willis a'r Boston Music Co. lle bu'n gyflogedig fel golygydd), a pherfformiwyd ei weithiau'n gyson gan unawdwyr lleisiol a **chorau cymysg, corau merched** a **chorau meibion**. Fel amryw o'i gyfoeswyr, ysgrifennu ar gyfer marchnad barod a wnâi, a chafodd ei waith groeso yn ei ddydd. Fel yn achos nifer o gyfansoddwyr Cymreig y cyfnod, mae llawer o'i ddarnau wedi eu hesgeuluso erbyn hyn. Yn wir, mae taer angen ailasesu'r genhedlaeth hon o gerddorion.

Cyfansoddodd Treharne gerddoriaeth achlysurol ddeniadol a dramatig – darnau megis 'The Return', 'Joy of Heaven', 'Holy Lord', 'Dies Irae' (trefniant o **emyn-dôn** gan **Joseph Parry**), 'Hear dem Bells' i gorau meibion, gweithiau megis 'O Falmaidd Hafaidd Hwyr' ('*O Balmy Summer Night*') a 'Sons of the Sea' i gorau cymysg a'r *Five Shakespeare Songs* i lais a phiano. Cawsant ymateb gwresog ar y pryd. Yn ei osodiad o 'Laughing Song' William Blake, a gyfansoddwyd ganddo tua 1917, mae ffresni melodig a dealltwriaeth y cerddor o amlochredd y gerdd yn cymharu'n dda gyda'r rhai cannoedd o osodiadau gan eraill, megis Havergal Brian (1876–1972), o waith y bardd. Amgylchfyd y byd cyfansoddi yn amser Treharne a fu'n gyfrifol am ffurfio ei chwaeth mewn darnau sydd, ar eu gorau, ymhlith gweithiau mwyaf swynol y cyfnod.

Llyfryddiaeth

Portread byr o Bryceson Treharne yn *Y Cerddor* (1900), 62–4

Y Drych: newyddiadur cenedlaethol Cymry America, 15 Chwefror 1948

Erthygl yn *Y Genhinen*, Hydref 1951

Erthygl yn *Y Bywgraffiadur Cymreig* <*http://yba.llgc.org.uk/ en/s2-TREH-BRY-1879.html*>

www.tycerdd.org/welshcomposers

www.library.uncw.edu/web/collections/musicmanuscript/ms036. html

Lyn Davies

Tri Tenor, Y

Ffurfiwyd Y Tri Tenor (neu Tri Tenor Cymru) gan y cantorion **Rhys Meirion**, Aled Hall ac Alun Rhys-Jenkins yn Nhachwedd 2009 ar gyfer cyngerdd Celtfest yn Arena Ryngwladol Caerdydd. Gan ddilyn llwybr Pavarotti, Carreras a Domingo, daeth y tri at ei gilydd ar achlysur gêm rygbi bwysig rhwng Cymru a Seland Newydd. Yn Rhagfyr 2014 ymunodd Aled Wyn Davies â'r triawd yn sgil ymadawiad Rhys-Jenkins.

Perfformiodd y triawd yng nghyngerdd agoriadol **Eisteddfod** Genedlaethol Wrecsam a'r Fro yn 2011 gan lansio eu halbwm cyntaf, *Tri Tenor Cymru* ar label Sain yn ystod yr ŵyl. Er bod gwreiddiau'r tri yn ddwfn mewn **opera**, clywir detholiad eang o ganeuon ar eu halbwm, yn gyfuniad o ddarnau clasurol a phoblogaidd gan Rossini (Barbwr Sefil), Rodgers a Hammerstein ('You'll Never Walk Alone'), ynghyd â llu o ganeuon cysegredig a thraddodiadol Cymreig. Cenir trefniant Saesneg o 'Ar Hyd y Nos' ar ddechrau'r albwm, a cheir trefniant o '**Dafydd y Garreg Wen**' gan **Catrin Finch** yn ogystal.

Parhaent i ganu cyn gemau rygbi rhyngwladol. Yn Chwefror 2012 rhyddhawyd y sengl ddigidol *Medli Rygbi*, yn gyfuniad o 'Bread of Heaven', 'Delilah' a '**Hen Wlad fy Nhadau**'. Yn 2013 rhyddhawyd eu hail albwm *Tarantella* sy'n cynnwys trefniant arbennig o ddeuawd 'Y Pysgotwyr Perl' gan Bizet. Gwnaent ymddangosiadau ledled Cymru a thu hwnt. Ym Mawrth 2012 buont yn canu yn nathliadau Dydd Gŵyl Dewi yn Los Angeles cyn hedfan i berfformio yn Seattle. Derbyniodd y triawd wahoddiad i berfformio yn ystod Cynhadledd Cymry Gogledd America yn Nhoronto, Canada, yn 2013.

Wedi i Aled Wyn Davies ymuno â'r triawd yn 2014 ysgrifennwyd 'Y Goleuni' fel teyrnged gan eu cyfeilydd, Caradog Williams, i weithwyr y diwydiant glo yn ne Cymru; ymddangosodd y trac ar albwm unawdol Aled Wyn Davies, *Erwau'r Daith* yn 2015.

Disgyddiaeth

Tri Tenor Cymru (Sain SCD2643, 2011)

Medli Rygbi [sengl] (Sain ll012, 2012)

Tarantella (Sain SCD2685, 2013)

Aled Wyn Davies:

Erwau'r Daith (Sain SCD2734, 2015)

Llyfryddiaeth

Rhys Meirion, *Stopio'r Byd am Funud Fach* (Talybont, 2014)

Tristian Evans

Triawd y Coleg

Gwnaeth Triawd y Coleg gyfraniad allweddol i ddatblygiad **cerddoriaeth boblogaidd** yn yr iaith Gymraeg.

Yn 1942 daeth **Meredydd Evans**, a oedd ar y pryd yn fyfyriwr yng Ngholeg **Prifysgol** Gogledd Cymru, i sylw Sam Jones, cynhyrchydd y BBC ym Mangor. Yn sgil hynny cafodd ef a myfyrwyr eraill o Fangor y cyfle i berfformio alawon o bob math ar y radio. Ar y pryd roedd Meredydd Evans, ynghyd â Robin Williams ac Islwyn Ffowc Elis, yn cynnal nosweithiau llawen o dan yr enw 'Parti Bangor'.

Roedd Sam Jones wedi bod yn ymwybodol o'r angen am raglenni radio adloniant ysgafn yn Gymraeg ar sail reolaidd ers canol yr 1930au. Roedd

Y Cymro hefyd wedi cyhoeddi colofn olygyddol herfeiddiol i'r un perwyl yn 1945. Y flwyddyn honno clywodd Sam Jones y triawd yn rhoi perfformiad, gyda nifer o fyfyrwyr eraill, mewn noson lawen ym Mangor. Cafodd y rhaglen radio fisol *Noson Lawen* ei chomisiynu o ganlyniad, a darlledwyd y rhaglen gyntaf ar 25 Rhagfyr 1945. Trawyd Islwyn Ffowc Elis gan waeledd cyn y perfformiad a chamodd myfyriwr arall, Cledwyn Jones, i'r adwy yn ei le. Ef fu'r trydydd aelod ar ôl hynny, ac o dan yr enw Triawd y Coleg aethant ati i gyfansoddi cerddoriaeth boblogaidd newydd sbon ar gyfer pob rhaglen, gan efelychu arddull 'crwneriaid' (*crooners*) Americanaidd poblogaidd y cyfnod.

Nid oedd arddull canu'r Triawd yn bodloni pawb, a thybiai rhai y byddai dull mor 'Seisnig' o ganu'n debyg o gael effaith drychinebus ar ddiwylliant Cymraeg. Cyhoeddwyd mwy nag un golofn feirniadol yn *Y Cymro* a gwynai fod arddull y Triawd yn 'adlewyrchiad eiddil o grwnio fwlgar America'. Yn wir, cawsant gerydd wyneb yn wyneb wrth recordio yn y BBC gan neb llai nag **W. S. Gwynn Williams** a **Grace Williams**.

Fodd bynnag, roedd *Noson Lawen* yn rhaglen hynod o boblogaidd a llwyddiannus. Cofnododd *Y Cymro* hanes am dafarnwr yn Ne Cymru a anfonodd lythyr ffurfiol at y BBC i gwyno ei fod yn colli busnes yn ystod amserau darlledu'r rhaglen. Yn ôl hanesydd swyddogol y BBC yng Nghymru, John Davies, bu i fwy na hanner y Cymry Cymraeg wrando ar y rhaglen ar un achlysur, sef oddeutu 250,000. Roedd Triawd y Coleg yn hollbwysig yn y llwyddiant hwn. Yn groes i'w rhagflaenwyr cyfansoddai'r tri eu caneuon eu hunain, a chyn iddynt ddod i'r amlwg roeddynt eisoes wedi bod yn arbrofi gyda chyflwyno cerddoriaeth boblogaidd Eingl-Americanaidd yn Gymraeg. Bathwyd y llysenw 'y Bangor Bing' ar gyfer Meredydd Evans, ar ôl y canwr Americanaidd poblogaidd Bing Crosby, a daeth caneuon ysgafn megis 'Triawd y Buarth' yn eithriadol o boblogaidd yng Nghymru.

Darlledwyd *Noson Lawen* am y tro olaf yn 1951, ac erbyn hynny roedd aelodau'r Triawd wedi symud ymlaen at amrywiol yrfaoedd gan ddod ag oes y grŵp i ben. Ond yn ddiweddarach cafodd y Triawd ei recordio ar sawl achlysur gan Welsh Teldisc. Rhyddhawyd EP o ganeuon a sengl yn 1963, EP arall yn 1965 a record hir gyda Sain yn 1973. Cafodd casgliad o'r 'goreuon' ei ryddhau gan Sain yn 2009. Er bod arddull y Triawd wedi dyddio erbyn ymddangosiad y byd pop Cymraeg yn yr 1960au, roeddynt yn rhagflaenwyr arloesol a agorodd y ffordd ar gyfer artistiaid y degawd hwnnw. Yn sgil eu parodrwydd i greu fersiynau brodorol Cymreig o gerddoriaeth boblogaidd eu hoes, a hynny mewn harmonïau gloyw, mae camp ac etifeddiaeth y Triawd i'w hedmygu.

Disgyddiaeth

Goreuon Triawd y Coleg/Best of Triawd y Coleg (Sain SCD2568, 2009)

Craig Owen Jones

Trwynau Coch, Y

Grŵp pync a ddaeth i sylw'r cyhoedd ar ddiwedd yr 1970au gan ennyn llid y Sefydliad yn ogystal â chanmoliaeth rhan ohono. Yn **Eisteddfod** Genedlaethol Caernarfon 1979 cafodd y bechgyn o Gwm Tawe eu hymlid gan y swyddogion am feiddio chwarae ar y Maes ar adeg seremoni'r cadeirio. Doedd dim teilyngdod yn y gystadleuaeth a byrdwn protest y bechgyn oedd y dylid adlewyrchu diwylliant **cerddoriaeth roc a phop** yr ifanc ar lwyfan y pafiliwn yn hytrach na'i neilltuo i'r cyrion.

Yn y Babell Lên yn Eisteddfod Genedlaethol Maldwyn 1981 datganodd yr AS Plaid Cymru a'r beirniad llenyddol Dafydd Elis Thomas mai caneuon y Trwynau oedd y farddoniaeth Gymraeg fwyaf perthnasol ar y pryd gan gyfeirio'n benodol at 'Y Niggers Cymraeg', cân a oedd yn cymharu sefyllfa'r Cymry Cymraeg ag eiddo pobl groenddu Unol Daleithiau America. Rhoddwyd statws o'r newydd i ddiwylliant yr ifanc fel cyfrwng mynegiant perthnasol o gyflwr y genedl.

Ffurfiwyd y grŵp yn Ysgol Gyfun Gymraeg Ystalyfera yn 1977 a'r aelodau sefydlog yn ystod cyfnod eu hanterth oedd Huw Eirug (gitâr), y ddau frawd Rhys ac Alun Harries (y naill yn brif leisydd tra bod y llall yn chwarae'r gitâr fas), Rhodri Williams (gitâr) ac Aled Roberts (drymiau). Bu'r canwr **Huw Chiswell** hefyd yn aelod, gan chwarae'r allweddellau.

Achoswyd cynnwrf pan ryddhawyd eu EP gyntaf *Merched Dan Bymtheg* (Sgwar, 1978), gyda'r llinell bryfoclyd 'tethe bach hyfryd' yn y gân eponymaidd yn arwain at waharddiad gan Radio Sain Abertawe. Ni ellid caniatáu deunydd 'anweddus a di-chwaeth' ar donfeddi'r awyr, meddai Wyn Thomas, pennaeth rhaglenni Cymraeg yr orsaf, ac nid oedd safon gerddorol y grŵp yn cyfiawnhau chwarae eu deunydd yn ôl Aled Glynne Davies, cyflwynydd y sioe *Mynd am Sbin.*

Nid oedd anelu am ragoriaeth gerddorol yn uchelgais gan y grŵp. Roeddynt yn adlewyrchu'r hyn a ddigwyddai yn y byd pync yn Lloegr ond heb ei efelychu'n slafaidd. Roedd caneuon megis 'Mynd i'r Capel mewn Levis', 'Byw ar Arian fy Rhieni' a 'Wastod ar y Tu Fas' yn feirniadaeth gymdeithasol o safonau'r dosbarth canol Cymraeg gan blant y dosbarth hwnnw.

Hyrwyddwyd gyrfa'r grŵp gan Eurof Williams, cynhyrchydd gyda'r BBC o'r Allt-wen. Trefnwyd teithiau ar draws Cymru gan chwarae mewn ysgolion yn y prynhawniau ac mewn neuaddau gyda'r nos. Rhyddhawyd recordiau ar labeli Sgwar a Coch: tair record fer yn 1978 ac yna *Un Sip Arall* (Coch, 1979) ar feinyl coch, y record hir *Rhedeg Rhag y Torpidos* (Sain, 1980) a'r sengl *Pan Fo Cyrff yn Cwrdd* (Sain, 1981) cyn i'r band chwalu yn 1982. Dilyn gyrfaoedd proffesiynol fu hynt yr aelodau maes o law. Bu Ian Jones, un o'r aelodau cynnar, yn brif weithredwr S4C. Yn ddiweddarach rhyddhawyd *Y Trwynau Coch – Y Casgliad* (Sain, 1997).

O'u cymharu â deunydd pync Saesneg y Sex Pistols a deunydd Cymraeg herfeiddiol y Llygod Ffyrnig a'r Doctor Hywel Ffiaidd, roedd caneuon y Trwynau yn ymddangos yn ddiniwed a thafod-yn-y-boch. Ond roedd caneuon megis 'Un Sip Arall o Pepsi Cola', 'Motobeics o Japan' a 'Lipstics a Britvics a Sane Silc Du' yn farddoniaeth bop ar ei gorau. Byddai Tudur Jones yn ymuno â'r Trwynau ar eu teithiau ac yn cyhoeddi erthyglau yn *Y Faner* yn nhraddodiad y newyddiadurwyr roc dadansoddol, ac wrth dafoli eu cyfraniad roedd o'r farn fod 'addasu cyfryngau estron i'r profiad a'r cyd-destun Cymraeg yn rhywbeth i'w groesawu'. Y Trwynau a enillodd Wobr Prif Grŵp Roc Sgrech 1980.

Disgyddiaeth

Merched Dan 15 [EP] (Sgwar RSROC002, 1978)
Wastod Ar Y Tu Fas [EP] (Sgwar RSROC003, 1978)
Un Sip Arall … [Feinyl, 12″] (Coch RCTC1, 1979)
'Methu Dawnsio' [Sengl] (Coch RCTC3, 1980)
Rhedeg Rhag Y Torpidos [LP] (Sain 1186M, 1980)
Pan Fo Cyrff yn Cwrdd [EP] (Sain 92S, 1981)

Casgliad:
Y Casgliad (Crai CD046, 1994)

Hefin Wyn

Tŷ Cerdd (gw. **Hanesyddiaeth, Ysgolheictod a Cherddoreg**)

Tyler, Bonnie (g.1951)

Cantores bop a ddaeth i amlygrwydd ar ddiwedd yr 1970au gan brofi cryn lwyddiant rhyngwladol yn ystod yr 1980au. Fe'i ganed yn Sgiwen, ger Castell-nedd. Glöwr oedd ei thad. Roedd ei mam yn gerddorol a chanai yn y côr lleol. Ar ddechrau'r 1970au bu Bonnie Tyler, neu Gaynor Hopkins fel ag yr ydoedd ar y pryd, yn dra llwyddiannus mewn cystadlaethau talent lleol, ac yn 1975 cafodd gynnig cytundeb recordio gyda label RCA yn Llundain. Newidiodd ei henw i Sherene Davis yn ystod yr 1970au cynnar am ei fod yn rhy debyg i enw'r gantores bop o Gymru, **Mary Hopkin**, cyn ei newid drachefn tua 1975, ar gais RCA i Bonnie Tyler.

Y dylanwadau cynnar ar Tyler oedd cantoresau *soul* a *blues* megis Tina Turner a Janis Joplin. Gwnaeth ei marc cyntaf gyda'r gân 'Lost in France' (RCA, 1976) – un o nifer o senglau cynnar a gyfansoddwyd ac a gynhyrchwyd gan Steve Wolfe a Ronnie Scott ac a gyrhaeddodd ddeg uchaf y siartiau cenedlaethol. Gwerthodd trydedd sengl Tyler, 'It's a Heartache' (RCA, 1977), dros filiwn o gopïau yn Unol Daleithiau America gan gymell rhai i gymharu ei llais pwerus, llawn mynegiant ag eiddo'r canwr Rod Stewart.

Arwyddodd Tyler i label Columbia/CBS yn America yn 1983 gan gydweithio gyda Jim Steinman, a fu'n gyfrifol am gyfansoddi a chynhyrchu recordiau megis *Bat Out of Hell* gan y canwr Meatloaf. Bu'n berthynas lwyddiannus, a chyrhaeddodd 'Total Eclipse of the Heart' rif un yn siartiau America a Phrydain yn 1983, gyda'r record hir *Faster Than the Speed of Light* (Columbia, 1983) hefyd yn cyrraedd y brig. Recordiodd Tyler ddeuawd gyda **Shakin' Stevens** yn 1983 ('A Rockin' Good Way'), Cymro arall a ddaeth i'r amlwg yn ystod yr 1980au, a chanodd hefyd gyda'r cerddor amldalentog Todd Rundgren ar ei record hir *Secret Dreams and Forbidden Fire* (Columbia, 1986). Roedd y gân 'Holding Out For A Hero', oddi ar yr un albwm, wedi'i defnyddio'n wreiddiol yn y ffilm *Footloose* (Paramount, 1984).

Daeth newid cyfeiriad yn ystod yr 1990au gyda phoblogrwydd Tyler yn cynyddu mewn gwledydd Ewropeaidd megis yr Almaen, Norwy a Sweden, ac yn 2003 cafodd lwyddiant yn Ffrainc ar ôl recordio deuawd gyda'r gantores Kareen Antonn. Roedd recordiau megis *Angel Heart* (Hansa, 1992) yn perthyn i arddulliau pop canol-y-ffordd a chanu gwlad, ac, yn achos *All In One Voice* (EastWest, 1998), yn cynnwys rhai dylanwadau gwerinol a Cheltaidd. Aeth i gyfeiriad pop symffonig yn ddiweddarach gan gynhyrchu record hir o drefniannau pop gyda'r cyfansoddwr **Karl Jenkins** o'r enw *Heart Strings* (CMC, 2002) i gyfeiliant cerddorfa symffoni o Brâg. Cynrychiolodd Brydain yng nghystadleuaeth *Eurovision* yn Sweden yn 2013.

Yn wahanol i gantoresau megis **Mary Hopkin** a **Cerys Matthews**, ni chanodd Tyler yn Gymraeg cyn troi i'r Saesneg. Yn wir, dywedodd mewn cyfweliad yn 2012, 'Does neb o'r ardal honno [Sgiwen] yn siarad Cymraeg, felly wnes i erioed ddysgu'r iaith.' Efallai y byddai ei gyrfa wedi bod yn wahanol petai'r Gymraeg wedi bod yn rhan o'i chefndir a'i magwraeth.

Disgyddiaeth

The World Starts Tonight (RCA PL25063, 1977)
Natural Force (RCA PL25152, 1978)
Diamond Cut (RCA PL25194, 1979)
Goodbye to the Island (RCA LP5002, 1981)
Faster Than the Speed of Night (CBS 25304, 1983)
Secret Dreams and Forbidden Fire (CBS 86319, 1986)
Hide Your Heart (CBS 460125, 1988)
Bitterblue (Hansa 212142, 1991)
Angel Heart (Hansa 74321 11491, 1992)
Silhouette in Red (Hansa 74321 16522, 1993)
Free Spirit (EastWest 0630-12108-2, 1996)
All in One Voice (EastWest 3984-25658-2, 1998)
Heart Strings (CMC 5423452, 2002)
Simply Believe (EGP 517024 2, 2004)
Wings (Stick 100, 2005)
Rocks and Honey (ZYX 21010-2, 2013)

Pwyll ap Siôn

Tystion

O'r 1990au cynnar ymlaen llwyddodd **Steffan Cravos** i sbarduno'r sîn roc Gymraeg mewn amrywiol foddau, gan gynnwys ei act hip-hop Tystion. Un o Gaerfyrddin oedd yn wreiddiol a dechreuodd gyfrannu i'r sîn fel golygydd y ffansîn *Psycho* cyn cyfnod byrhoedlog fel aelod o **Gorky's Zygotic Mynci**. Bu hip-hopwyr Americanaidd megis Public Enemy, KRS-One ac A Tribe Called Quest yn ddylanwad arno. Bu ef ac Owain Meredith (MC Mabon) yn cyd-chwarae am gyfnod gyda Datsyn, a byddai Meredith yn ddiweddarach hefyd yn dod yn aelod o Tystion.

Yn 1996 rhyddhaodd Cravos sengl gasét hip-hop, 'Dan y Belt', o dan y ffugenw MC Sleifar, a hynny gydag Alffa Un (Curig Huws) ar ei label annibynnol newydd Fitamin Un. Roedd y traciau'n arloesol yn Gymraeg ar y pryd yn sgil eu defnydd o dechneg lle mae un rapiwr yn gorffen llinell y llall (un o nodweddion y Beastie Boys ymhlith eraill).

Erbyn ymddangosiad 'Dan y Belt' yn 1996, roedd Tystion eisoes wedi cael ei ffurfio gan Cravos, Meredith a Huws. Yn ystod y saith mlynedd nesaf byddai aelodaeth y criw yn newid yn rheolaidd, gyda mwy nag ugain o gerddorion ar un adeg neu'i gilydd yn cyfrannu i'w tri albwm, *Rhaid i Rywbeth Ddigwydd* (Fitamin Un, 1997), *Shrug Off Ya Complex* (Ankst, 1999) a *Hen Gelwydd Prydain Newydd* (Ankst, 2000)), yn ogystal â nifer o senglau a'r EP *Brewer Spinks* (Ankst, 1998) a ddyfarnwyd yn 'Single of the Week' yn y cylchgrawn *Melody Maker*. Daeth Tystion hefyd i sylw John Peel, gan recordio sesiwn iddo yn 2000. Mae'r traciau hyn i'w cael ar *Hen Gelwydd Prydain Newydd*, a ystyrir yn gampwaith y band. Mae swn y record yn fwy sgleiniog na gwaith cynnar y grŵp, ac mae'r traciau – sydd yn delio â phynciau gwleidyddol megis llygredd llosgachol honedig cymdeithas ddinesig y cyfnod ôl-ddatganoli a Llafur Newydd Tony Blair – yn cynnwys beirniadaeth ddeifiol ar fywyd y Gymru gyfoes.

Nid perfformio'n unig a wnaeth Cravos yn ystod y cyfnod hwn. Erbyn 2001 roedd yn ffigwr canolog mewn sîn danddaearol fechan ond bywiog a oedd yn seiliedig ar gerddoriaeth hip-hop, pync ac *avant-garde*. Roedd ei ffansîn *Brechdan Tywod*, ei label Fitamin Un a'i orsaf radio **rhyngrwyd** Radio Amgen i gyd yn rhoi cyhoeddusrwydd i artistiaid o feddylfryd tebyg yng Nghymru a thu hwnt, a rhoddodd bresenoldeb i'r iaith Gymraeg mewn maes cerddorol newydd a heriol. Arbrofodd Cravos yn y maes hwn o dan y ffugenw Trawsfynydd Lo-Fi Liberation Front, gan greu cerddoriaeth *avant-garde* mewn arddull debyg i un Merzbow (Masami Akita, g.1956), y cerddor swn o Japan. Rhyddhawyd un albwm, *Croeso i'r Ganolfan Ymwelwyr*, yn 2000, ond cymysg fu'r adolygiadau.

Rhyddhaodd Tystion yr EP *Y Meistri* yn 2001, ac wedyn eu sengl olaf, 'M.O.M.Y.F.G.', cyn chwalu ar ôl **Eisteddfod** Genedlaethol 2002. Aeth Cravos ymlaen i recordio'r albwm *Miwsig i'ch Traed a Miwsig i'ch Meddwl* (Boobytrap, 2004) gyda Curig Huws o dan yr enw Lo-Cut a Sleifar a chafodd adolygiadau ffafriol. Erbyn hyn roedd yna garfan fechan o rapwyr a hip-hopwyr yn perfformio yn

Gymraeg, gan gynnwys **Pep Le Pew**, Cofi Bach a Tew Shady, ac MC Saizmundo (a.k.a. Deian ap Rhisiart). Disgrifiwyd hip-hop fel 'y canu protest newydd' gan y cynhyrchydd Dyl Mei mewn erthygl yn *Y Cymro* yn 2005. Fodd bynnag, erbyn diwedd y degawd roedd y rhan fwyaf o'r labeli, y ffansîns a'r grwpiau a oedd wedi ffurfio'r sîn danddaearol wedi dod i ben.

Disgyddiaeth

Dyma'r Dystiolaeth [casét] (Fitamin Un 001, 1995)

Tystion vs Alffa Un (gydag Alffa Un) [casét] (Fitamin Un 002, 1996)

Rhaid i Rywbeth Ddigwydd (Fitamin Un 004, 1997)

Shrug Off Ya Complex (Ankst CD088, 1999)

Hen Gelwydd Prydain Newydd (Ankst CD093, 2000)

Brewer Spinks [EP] (Ankst 083, 1998)

Shrug EP [EP] (Ankst 087, 1999)

E.P. Toys (Ankst 090, 1999)

Trawsfynydd Lo-Fi Liberation Front:

Croeso i'r Ganolfan Ymwelwyr (Fitamin Un 007, 2000)

Y Meistri [EP] (Fitamin Un 012, 2001)

M.O.M.Y.F.G. [EP] (Fitamin 014, 2002)

Lo-Cut a Sleifar:

Miwsig i'ch Traed a Miwsig i'ch Meddwl (Boobytrap BOOBREC009CD, 2004)

Craig Owen Jones

U

Urdd Gobaith Cymru (gw. **Eisteddfodau**)

Urdd er Hyrwyddo Cerddoriaeth Cymru, Yr (gw. **Cymdeithas Cerddoriaeth Cymru**)

W

Walford Davies, Henry
(gw. Davies, Henry Walford)

Walters, Gareth (1928–2012)

Ganed y cyfansoddwr Gareth Walters yn Abertawe. Bu cerddoriaeth yn rhan o'i fywyd er pan oedd yn ifanc. Astudiodd yn yr Academi Frenhinol yn Llundain o 1949 hyd 1952 ac yna yn y Conservatoire Cenedlaethol ym Mharis gyda Jean Rivier (1896–1987) ac Olivier Messiaen (1908–92). Bu hefyd yn astudio am gyfnod yn yr Eidal cyn treulio amser yn dysgu yn yr Academi Frenhinol ac yn Ysgol Gerddoriaeth Yehudi Menuhin. Rhwng 1956 ac 1988 bu'n gynhyrchydd gyda'r BBC ac ym mlynyddoedd ei ymddeoliad bu'n gyfrifol, a hynny yn ardal ei gynefin, am sefydlu **Gŵyl** Gŵyr a ganolbwyntiai ar gerddoriaeth siambr.

Mewn cyfnod pan aeth nifer o'i gyfoeswyr (megis **Daniel Jones**, **Alun Hoddinott** a **William Mathias**) ati i weithio gyda ffurfiau estynedig fel y symffoni, yr **opera** a'r *concerto*, denwyd Walters gan ffurfiau bychain a miniaturau telynegol. Un o'i weithiau mwyaf poblogaidd yw *Divertimento for Strings* (1960), a recordiwyd yn yr 1970au gan Gerddorfa Siambr Lloegr dan nawdd Cyngor Celfyddydau Cymru. Clywir dylanwad argraffiadaeth Ffrengig yn nefnydd cynnil Walters o liwiau a gweadau offerynnol. Bu hefyd yn doreithiog ym maes cerddoriaeth i'r gitâr, a bu'n cyfansoddi'n aml ar gyfer y **cyfryngau**, wrth gyfrannu cerddoriaeth gefndir ar gyfer nifer helaeth o raglenni radio, teledu a ffilm.

Yn ôl Martin Anderson, roedd cerddoriaeth Walters yn adlewyrchu ei bersonoliaeth addfwyn: yn dawel unigolyddol gyda chyfuniad o hiwmor tyner a chadernid mewnol (Anderson 2012).

Disgyddiaeth
Song of the Heart (Toccata Classics TOCC0090, 2008)

Llyfryddiaeth
Martin Anderson, 'Gareth Walters: Welsh composer of fastidious craftsmanship who became an inspirational teacher,' *The Independent* (26 Gorffennaf 2012)

Geraint Lewis a Pwyll ap Siôn

Warlock, Peter (1894–1930)

Cyfansoddwr, golygydd a cherddolegwr. Ganed Philip Arnold Heseltine (neu Peter Warlock) yng ngwesty'r Savoy, ond bu farw ei dad, Arnold Heseltine, cyfreithiwr, pan oedd yn ddwy oed, a phriododd ei fam, Edith Covernton, merch i feddyg a fagwyd yn Nhrefyclo, â Walter Buckley-Jones o Neuadd Cefn Bryntalch, Aber-miwl, yn 1903. Dysgodd Gymraeg iddo'i hun, rhoddodd 'Ar hyd y nos' a 'Llwyn Onn' ar raglenni pan oedd yn ddisgybl yng Ngholeg Eton (1908–11), ac ymfalchïai mai erthygl yn disgrifio Rheilffordd y Fan oedd y gyntaf a gyhoeddwyd ganddo (1912). Ysbrydolwyd y pedwerydd o'i bump *Folk Song Preludes* ar gyfer y piano (1923) gan 'Tros y garreg'.

Ar ôl gwrthod gyrfaoedd confensiynol, gan gynnwys y Gwasanaeth Sifil a lle yng nghwmni broceriaid stoc teulu Heseltine, rhoddodd y gorau i'w astudiaethau yng ngholeg Christ Church, Rhydychen (1913–14), a Choleg y Brifysgol, Llundain (1914), i adolygu cyngherddau ar gyfer y *Daily Mail* (1915). Gyda Minnie Lucy Channing, model artistiaid a arddelai'r llysenw Puma, bu'n byw ym Mhorthcothan, Cernyw. (Roedd D. H. Lawrence yn byw yno hefyd.) Priodasant ar 22 Rhagfyr 1916, ond roedd Heseltine ar ei ben ei hun eto erbyn Ebrill 1917, yn dysgu Cernyweg yn Zennor ac yn gosod dwy garol Gernyweg gan yr ysgolor Celtaidd Henry Jenner (1848–1934). Poenai Warlock am orfodaeth filwrol a symudodd i Ddulyn, lle cyfarfu â George William Russell (Æ) a W. B. Yeats, ac i Achill Beg, Swydd Mayo, lle bu'n dysgu Gwyddeleg gyda Francis Power (An Paorach) ac yn astudio hud a lledrith.

Ar ôl dychwelyd i Ddulyn, arbrofodd ag ysgrifennu awtomatig gyda'r cyfryngwr ysbrydol Hester Dowden

(1868–1949), gan ysgrifennu deg o ganeuon mewn pythefnos, rhai a gyhoeddwyd gan Winthrop Rogers dan y ffugenw Peter Warlock (1918). Ar ôl dysgu Llydaweg yng Ngharnac a Quimper (1921), cyflawnodd ei waith cerddorol ac ysgolheigaidd mwyaf arwyddocaol yng Nghefn Bryntalch rhwng 1921 ac 1924: gweithiau i'r llais yn cynnwys *The Curlew, Lillygay, Candlelight, Sleep, Late summer, Autumn twilight* a *Captain Stratton's fancy*; y *Serenade* i offerynnau llinynnol; trawsgrifiadau o 300 o alawon o gyfnod Elisabeth I a'r cyfnod Jacobeaidd; a bywgraffiad o Frederick Delius (1862–1934), ei fentor ers 1911. Bu'r cyfansoddwr Hwngaraidd Béla Bartók (1881–1945), y cyfarfu ag ef ym Mudapest yn 1921, yn aros gydag ef ar ôl datganiad yn Aberystwyth ym mis Mawrth 1922.

Bu'n rhannu bwthyn yn Eynsford, Caint, gydag E. J. Moeran a Hal Collins (1925–8). Roedd pentrefwyr yn cofio cegin yn boddi mewn cwrw, ond roedd yn dal i greu, gan ysgrifennu ei sgôr fwyaf adnabyddus, *Capriol Suite,* a *The English Ayre* (1926). Bu'n byw yn Llundain (1928–30), gan olygu *MILO* (Magazine of the Imperial League of Opera) ar gyfer yr **arweinydd** enwog Syr Thomas Beecham (1879–1961). Ond ar 17 Rhagfyr 1930 cafwyd hyd iddo'n farw yn ei fflat lawn nwy yn Chelsea. A hwythau'n amharod i dderbyn bod yma achos o hunanladdiad yn hytrach na damwain, cofnododd rheithgor y cwêst reithfarn agored; yn ddiweddarach hyrwyddodd ei fab, Nigel Heseltine (1916–95), ddamcaniaeth ei fod wedi'i lofruddio. Mae ei fywyd lliwgar a'i farwolaeth drasig wedi ysgogi sawl portread ffuglennol, gan gynnwys Halliday yn *Women in Love* gan D. H. Lawrence a Coleman yn *Antic Hay* Aldous Huxley.

Llyfryddiaeth

C. Gray, *Peter Warlock: A Memoir of Philip Heseltine* (Llundain, 1934)

N. Heseltine, *Capriol for Mother: A Memoir of Philip Heseltine* (Llundain, 1992)

B. Smith, *Peter Warlock: The Life of Philip Heseltine* (Rhydychen, 1994)

I. Parrott, *The Crying Curlew: Peter Warlock: Family and Influences* (Llandysul, 1994)

R. Davies, "A strayed ghost': Peter Warlock in Wales', *Welsh Music/Cerddoriaeth Cymru*, 9/8 (1995–6), 7–29

B. Collins, *Peter Warlock, the Composer* (Llundain, 1997)

R. Davies, 'Peter Warlock in Montgomeryshire', *Transactions of the Honourable Society of Cymmrodorion*, 14 (2008), 144–61

Rhian Davies

Watkins, Huw (g.1976)

Cyfansoddwr a aned yng Nghwmbrân ac sydd gyda'r pwysicaf o'i genhedlaeth ym Mhrydain. Mae hefyd yn weithgar fel pianydd amryddawn.

Cafodd wersi cyfansoddi tra oedd yn yr ysgol gan **Mervyn Burtch** gan fynd ymlaen i Ysgol Chetham's ym Manceinion ac yna i Goleg y Brenin, Caergrawnt, i astudio gydag Alexander Goehr a Robin Holloway. Bu wedyn yn y Coleg Cerdd Brenhinol yn Llundain yn gweithio o dan arolygaeth Julian Anderson. Erbyn hyn mae Huw Watkins ei hun yn dysgu'r piano a chyfansoddi yn yr un coleg.

Yn fuan wedi graddio daeth i sylw cyffredinol yn 1999 pan ddewiswyd ef gan y cyfansoddwr Thomas Adès i dderbyn comisiwn gan gwmni cyhoeddi Faber Music fel rhan o gynllun dathliadau'r mileniwm i hyrwyddo cyfansoddwyr ifanc. Y canlyniad oedd y 'Sonata i'r Soddgrwth ac Wyth Offeryn' ar gyfer ei frawd **Paul Watkins** a'r Nash Ensemble. Yn 2012 recordiwyd y gwaith ar gryno-ddisg sydd hefyd yn cynnwys nifer o'i weithiau siambr a lleisiol.

Ers y Sinfonietta, a berfformiwyd gan Gerddorfa Genedlaethol Gymreig y BBC yn **Eisteddfod** Genedlaethol Llanelli yn 2000, ysgrifennodd yn doreithiog ar gyfer cerddorfa, gan gynnwys nifer o *concerti*: i'r piano (gydag ef ei hun yn unawdydd), i'r feiolin, y fiola a'r ffliwt (Adam Walker) ac, yn fwyaf arbennig hyd yn hyn efallai, i **ffidil** Alina Ibragimova, gwaith a berfformiwyd yn y Proms yn 2010.

Ym myd **opera** datblygwyd partneriaeth greadigol rhyngddo a chwmni Music Theatre Wales, gyda'r cyfansoddwr yn gweithio gam wrth gam ar gynyrchiadau. Ymhlith y rhain yr oedd golygfeydd o *Under Milk Wood* Dylan Thomas, gwaith hanner awr – *Crime Fiction* – i libreto gan David Harsent, ac yna opera un-act, *In the Locked Room,* gyda Harsent eto yn addasu stori fer gan Thomas Hardy mewn partneriaeth ag Opera'r Alban. Cynhyrchwyd yr opera hon yn ddiweddarach gan Hamburg State Opera yn 2015. Cyhoeddir gwaith cerddorol Huw Watkins gan Gwmni Schott & Co.

Geraint Lewis

Watkins, Paul (g.1970)

Brodor o Gwmbrân ac un o chwaraewyr soddgrwth mwyaf blaenllaw ei genhedlaeth a hynny fel unawdydd ac mewn pedwarawdau llinynnol, *ensemble* a cherddorfa. Mae hefyd yn weithgar fel **arweinydd**.

Daeth i amlygrwydd fel prif chwaraewr soddgrwth Cerddorfa Symffoni'r BBC yn Llundain, swydd a roddodd gyfle iddo hefyd ddatblygu gyrfa fel unawdydd byd-eang. Aeth ymlaen i ymuno â'r Nash Ensemble ac agorodd hyn *repertoire* newydd a chyfoethog iddo, yn enwedig ym maes cerddoriaeth gyfoes Brydeinig. Perfformiodd hefyd yn achlysurol gyda Thriawd Piano'r Beaux Arts gan gymryd lle'r chwedlonol Bernard Greenhouse.

Mae'n frawd i'r pianydd a'r cyfansoddwr **Huw Watkins** a bu partneriaeth gyngerdd a recordio rhwng y ddau. Yn 2013 symudodd i chwarae'r soddgrwth gyda Phedwarawd Llinynnol Emerson sydd wedi'i leoli yn Unol Daleithiau America ond sy'n perfformio'n gyson ledled y byd.

Prin fod unrhyw berfformiwr arall ar y soddgrwth wedi dangos y fath amlochredd yn ei yrfa ac wedi meistroli *repertoire* mor eang i'r offeryn. Wedi ennill Cystadleuaeth Arwain Leeds cafodd gyfle i arwain **cerddorfeydd** amrywiol a'i benodi'n brif arweinydd Cerddorfa Siambr Lloegr. Am gyfnod helaeth ar ddechrau ei yrfa bu'n perfformio ar offeryn a wnaethpwyd gan ei dad, John Watkins, sydd bellach yn arbenigwr yn y maes.

Geraint Lewis

Webb, Sioned

Yn wreiddiol o'r Bala, Gwynedd, astudiodd Sioned Webb gyda **William Mathias** ym Mhrifysgol Bangor ac yn yr Academi Gerdd Frenhinol, Llundain. Bu'n bennaeth adran yn Ysgol Tryfan, Bangor am bymtheng mlynedd cyn dod yn Gyfarwyddwr Artistig Canolfan Gerdd William Mathias. Ynghyd â bod yn bianydd, cyfeilyddes a thiwtor cerdd, mae hefyd yn feirniad ac awdur profiadol. Cyhoeddodd nifer o lyfrau, gan gynnwys *Cerddoriaeth Cymru: The Music of Wales* (Curiad, 1996) a *Cerddoriaeth yr Ugeinfed Ganrif* (Gwynn, 2006).

'We'll Keep a Welcome'

Daeth y gân siwgwraidd hon, sydd yn agor â'r geiriau 'Far away a voice is calling …' yn boblogaidd yn ystod yr Ail Ryfel Byd, diolch i'r rhaglen radio *Welsh Rarebit*. Cynhyrchydd y rhaglen oedd Mai Jones o Gasnewydd, a hi a gyfansoddodd y gerddoriaeth. Awduron y geiriau oedd James Harper a Lyn (Llewelyn) Joshua, mab yr efengylydd Seth Joshua a oedd yn ffigwr amlwg yn Niwygiad 1904–5.

Clywyd y gân am y tro cyntaf ar 29 Chwefror 1940 mewn rhaglen ar gyfer y Lluoedd Arfog a gynhyrchwyd gan Mai Jones, ac roedd gan y geiriau 'We'll keep a welcome in the hillsides, / We'll keep a welcome in the vales' apêl amlwg i filwyr Cymreig oddi cartref. Pan lansiwyd y gyfres *Welsh Rarebit* ychydig yn ddiweddarach, deuai'r rhaglen i ben bob tro gyda chytgan 'We'll keep a welcome' sef 'We'll kiss away each hour of *hiraeth* / When you come again to Wales' yn cael ei chanu gan y Lyrian Singers o dan arweiniad Idloes Owen o Ynysowen (Merthyr Vale).

Cafodd y gân ei chyhoeddi yn 1949 ac fe'i recordiwyd sawl tro wedi hynny gan unawdwyr fel Harry Secombe a nifer o gorau meibion. Nid oes eiriau Cymraeg iddi ac mae'n deg dweud mai yn ne Cymru y mae'n fwyaf poblogaidd.

Gareth Williams

Welsh Recorded Music Society, The (gw. **Diwylliant a'r Diwydiant Cerddoriaeth**)

Wiliam Penllyn (bl. *c*.1550–70)

Roedd Wiliam Penllyn, pencerdd **telyn** a bardd, yn un o'r nifer fechan o benceirddiaid yr 16g. y gwyddys iddynt ennill cymhwyster 'athro telyn', gradd ddyrchafedig y 'pen hyfforddwr'. Ymddengys

Brawddeg Agoriadol y gân 'We'll Keep a Welcome'

ei enw gyntaf ymhlith yr uwch 'benceirddiaid telyn' yn hen dalaith farddol Aberffraw mewn rhestr hir o brydyddion a cherddorion a gopïwyd *c.*1562–4, ac yn ddiweddarach fe'i rhestrir fel un o dri yn unig o 'Benceirddiaid ac Athrawon' y delyn yn ail eisteddfod enwog Caerwys yn 1567 (tybir iddo gael ei eni'n rhy hwyr i fod yn y gyntaf o eisteddfodau Caerwys yn 1523).

Ychydig a wyddom am fywyd Wiliam, ond diau ei fod, fel yr awgryma'i enw, yn hanu o hen ardal Penllyn yr oedd Y Bala yn ganolbwynt iddi, ac fe'i cysylltir â sawl noddwr beirdd yng ngogledd a de Cymru. Rhestrir wyth o'i gerddi yn *Maldwyn* (y gronfa electronig o farddoniaeth Gymraeg mewn **llawysgrifau**). Yn eu plith y mae englynion i'r copïwr a'r casglwr, yr uchelwr Gruffydd Dwnn (*c.*1500– *c.*1570) o Gydweli, ac i Lewis Gwynn, cwnstabl Trefesgob; mae nodyn ysgafn a ychwanegwyd at englyn arall yn awgrymu cymeriad bywiog, gan ei fod yn ei ddisgrifio'n canu 'with courage when he is a little cupshotte'.

Enwir Wiliam hefyd fel un o naw 'gwŷr wrth gerdd' mewn rhestr (yn ei law ei hun, fe ymddengys) a gafwyd mewn llawysgrif deuluol a oedd yn eiddo i deulu Wyn o Foeliwrch (nid nepell o Groesoswallt); bu'r naw gŵr hyn yn diddanu Rhys Wyn un flwyddyn pan oedd y Nadolig ar ddydd Gwener (credir mai yn 1551, 1556 neu 1562 yr oedd hynny). Roedd yn arferol i feirdd a cherddorion ymgynnull yn nhai'r uchelwyr dros ŵyl y Nadolig i ddiddanu eu noddwyr.

Erbyn hyn cofir am Wiliam yn bennaf oherwydd ei gysylltiad â llyfr coll o gerddoriaeth y mae'n bosibl iawn mai ef ei hun a'i lluniodd. Honnir bod y llyfr hwnnw'n sail i ran helaeth o 'lawysgrif **Robert ap Huw**'. Nid yw tabl nodiant unigryw y llawysgrif yn debyg iawn i unrhyw fath arall o nodiant a ddefnyddiwyd ym Mhrydain nac yn Ewrop, er y gall ei luniwr fod wedi defnyddio sawl model gwahanol. Pan ailddarganfuwyd llawysgrif Robert ap Huw gan Lewis Morris, yn ystod yr 1720au, ychwanegodd yr hynafiaethydd o Fôn sylw ar t. 23 yn nodi bod yr adran a ddilynai (tt. 24–32) yn dod o lyfr Wiliam Penllyn ei hun: 'Yma Canlyn y Pedwar Kwlwm Kydgerdd ar Hugain wedi ei prikio allan o Lyfr Wiliam Penllyn'. Mae nodyn arall ar ddiwedd yr un adran yn honni, 'This is in Mr Meyrick's manuscript' (cyfeiriad at Owen Meyrick (1682–1760) o Fodorgan, lle'r oedd Morris ei hun wedi gweithio fel syrfëwr yn yr 1720au), ac mae'r dudalen deitl newydd a ychwanegwyd gan Lewis yn nodi 'This Manuscript

was wrote by Robert ap Huw of Bodwigen in Anglesey ... Some Part of it Copied then, out of Wm. Penllyn's Book'.

Mae'n ymddangos yn debygol, felly, i'r Lewis Morris ifanc weld llyfr Wiliam Penllyn ym Modorgan: gall yn wir fod wedi bod yno am beth amser, gan fod nai Lewis, **John Owen**, hefyd wedi clywed bod 'more [books] of the sort' yno. Mae diwyg adran 'Wiliam Penllyn' ar y dudalen yn sicr ychydig yn wahanol i weddill deunydd Robert ap Huw – mae'n defnyddio saith neu wyth o systemau i'r ddalen yn hytrach na'r chwech arferol; efallai felly fod llyfr coll Wiliam ychydig yn fwy o ran maint y dudalen.

Mae cryn bwysigrwydd felly i Wiliam Penllyn. Mae'n debygol mai ef ei hun, fel athro beirdd, a fu'n gyfrifol am greu'r 'clymau cytgerdd' sy'n ffurfio'r adran arbennig hon o lawysgrif Robert ap Huw: i bob pwrpas, cyfres ydynt o ymarferion technegol ailadroddus yn seiliedig ar bedwar mesur ar hugain **cerdd dant**, yr union fath o ddeunydd a fyddai wedi bod yn addas i ddisgyblion barddol wrth ddysgu eu crefft.

Ond at hynny, mae'n bosibl hyd yn oed mai Wiliam oedd awdur y tabl nodiant Cymreig unigryw ar gyfer y delyn, gan ein bod yn dal yn ansicr sut y daeth hwnnw i fodolaeth. Byddai i'r tabl nodiant nid yn unig swyddogaeth **addysgol**, ond gallai hefyd fod wedi ateb angen brys i lunio ffordd o nodiannu corff o gerddoriaeth farddol a oedd yn ddiau'n ymddangos fel petai mewn perygl enbyd yn ystod yr 1560au o gael ei foddi gan fathau mwy ffasiynol o gerddoriaeth o'r tu allan i Gymru.

Sally Harper

Williams, D. E. Parry (1900–96)

Addysgwr, cyfansoddwr, darlledwr ac ysgolhaig. Ganed David Ewart Parry Williams yng Nglyn-nedd ar adeg pan oedd addysg a chyfleoedd cerddorol yn brin a dirwasgiad troad y ganrif yn gwmwl dros y gymuned gyfan. Canu cynulleidfaol Capel y Bedyddwyr (Bethania) a menter ei ewythr yn prynu casgliad o offerynnau llinynnol a barodd iddo ymddiddori mewn cerddoriaeth. Fel chwaraewr *cello*, bu'n aelod o bedwarawd a ddaeth, yn y man, i gyfeilio i berfformiadau o'r *Messiah* (Handel), a hynny'n groes i draddodiad Ymneilltuol y dydd. Ymunodd â'r Llynges Frenhinol yn 17 oed ac ar sail ei brofiad gwyddonol dilynodd gwrs gradd mewn cemeg yng Ngholeg **Prifysgol** De Cymru a Mynwy, Caerdydd, gan nad oedd cerddoriaeth bryd hynny yn bwnc digon derbyniol ar gyfer gyrfa broffesiynol.

Yn 23 oed, fodd bynnag, wrth i'r dynfa i fyd cyfansoddi a pherfformio gryfhau, enillodd ysgoloriaeth i astudio cerddoriaeth ym Mhrifysgol Caerdydd (dyfarnwyd ysgoloriaeth gyffelyb i **Grace Williams** yr un pryd). Treuliodd yr wyth mlynedd nesaf yn arbenigo yn y maes gan feithrin profiad, er enghraifft trwy gyfrwng gwersi arwain gyda Syr Adrian Boult (1889–1983) ac ennill doethuriaeth, cyn derbyn swydd athro cerdd yn Ysgol yr Eglwys Gadeiriol, Llandaf, ac Ysgol Lewis, Pengam. Sylwai Parry Williams, fodd bynnag, ar yr adfywiad cerddorol a oedd ar droed yn Lloegr yr adeg honno, a chyfraniad allweddol unigolion fel Elgar, Delius a Vaughan Williams. Ymddiddorai hefyd yng nghrefft y cyfansoddwyr Ewropeaidd gan gynnwys Debussy, Strauss a'r Schoenberg ifanc, a gresynai fod datblygiadau addysg gerddorol yng Nghymru mor araf a digyfeiriad.

Ei ddymuniad oedd adfer y sefyllfa er budd ei gyd-genedl. Cyhoeddwyd ei gyfrol *Elfennau Cerddoriaeth* (Gwasg Prifysgol Cymru, 1938) fel cam i'r cyfeiriad hwnnw. Er mai gwrthbwynt yr 16g. oedd un o ddiddordebau pennaf Parry Williams, pwysleisiai bwysigrwydd meithrin dealltwriaeth gadarn o gynghanedd gerddorol ac adleisir hynny yn ei gyfrol, y cyhoeddwyd fersiwn Saesneg ohoni yn 1953.

Fel cyfansoddwr, mae ei iaith greadigol yn gwbl donyddol a soniarus. Ni ddewisodd ymgorffori **alawon traddodiadol** Cymreig yn ei weithiau offerynnol, gan fodloni'n hytrach ar lunio trefniannau syml ond hynod effeithiol o ganeuon brodorol Cymru ar gyfer llais a chyfeiliant piano. Yn dilyn ei benodi'n gyfarwyddwr cerdd Coleg Prifysgol Gogledd Cymru, Bangor, yn 1943, gan olynu'r cyfansoddwr **E. T. Davies** (Dowlais), mynnodd ddenu darlithwyr ifanc (**William Mathias**, **Robert Smith**, **Reginald Smith Brindle**, Bernard Rands a **John Hywel**) a fyddai'n dyrchafu'r adran i statws rhyngwladol ac a fyddai'n cynnig yr addysg gerddorol orau a mwyaf blaengar i gyw gerddorion y cyfnod.

Bu'n aelod o bwyllgor sefydlu Cyngor Celfyddydau Cymru (1945–49) ac yn gadeirydd cyntaf Pwyllgor Cerdd y Cyngor rhwng 1955 ac 1962. Treuliodd gyfnod fel aelod o fwrdd Gwasg Prifysgol Cymru a sicrhau bod cerddoriaeth a chyfansoddiadau'r to newydd o gerddorion Cymreig yn hawlio'u lle. Fel un a ymddiddorodd gymaint mewn **addysgu**

cerddoriaeth trwy gyfrwng yr iaith Gymraeg, bu ei gyfraniad i Bwyllgor Termau Cerddoriaeth yn anfesuradwy (cyhoeddwyd y geiriadur yn 1984) a'i gyfraniad at **ysgolheictod** hefyd yn bwysig. Cefnogai **Eisteddfod** Llangollen oherwydd amrywiaeth y gerddoriaeth a ddeuai i sylw'r Cymry ond uwchlaw popeth ymhyfrydai yn natblygiad adran gerdd Coleg y Gogledd ym Mangor (Prifysgol Bangor erbyn heddiw) y bu'n gymaint rhan ohoni am gyfran sylweddol o'i oes.

Cyfansoddiadau
Ar Gynywair (1954), ar gyfer soprano a phiano

Llyfryddiaeth
D. E. Parry Williams, *Alawon Cenedlaethol Cymru* Cyf. 2 (Caerdydd, 1922)
———, *Elfennau Cerddoriaeth* (Caerdydd, 1938)
———, *A Music Course for Students* (Rhydychen, 1953)
Enid Parry, 'Yr Athro Emeritws D. E. Parry-Williams yn 90 oed', *Y Traethodydd* (Ebrill, 1991), 65–7
John Hywel, 'D. E. Parry Williams (1900–1996): Teyrnged', *Cerddoriaeth Cymru*, 9/9 (Haf, 1997), 15–20
D. E. Parry Williams, *Cân y werin/ Songs of the people* [casgliad o 24 alaw werin Gymreig gyda'r hen benillion] (Penygroes, 2003)

Wyn Thomas

Williams, Edward (Iolo Morganwg) (1747–1826)

Ganed Edward Williams ym Mhennon, Sir Forgannwg, a bu farw yn Nhrefflemin. Yn ystod ei ymweliadau â Llundain (rhwng 1773 ac 1777 ac eto rhwng 1791 ac 1795) y cododd yr awydd ynddo i ddefnyddio'r enw barddol Iolo Morganwg, sef yr enw a lynodd wrtho byth wedi 1790 (Williams 1956, 1). Priododd â Margaret Roberts yng Ngorffennaf 1781 ac roedd yn saer maen wrth ei alwedigaeth. Er mai fel bardd, llenor a hynafiaethydd y'i hadwaenid yn bennaf, cyfrannodd Iolo at draddodiad cerddorol Cymru hefyd trwy ei waith yn casglu **alawon gwerin** a'i ddawn farddol yn cyfansoddi dros 3,000 o **emynau** Undodaidd. (Roedd Iolo yn gyd-sylfaenydd Cymdeithas Dwyfundodiaid Deheubarth Cymru.) Ni chafodd addysg ffurfiol ond dysgodd sut i ganu'r ffliwt o dan gyfarwyddyd ei fam, Ann Matthew, a chredir mai ei dylanwad hi yn bennaf a oedd i gyfrif am ei ddiddordeb mewn cerddoriaeth.

Yn Llundain y daeth Iolo a gwŷr eraill megis Lewis a Richard Morris o deulu Morrisiaid Môn, Owain Myfyr a Robin Ddu yr Ail o Fôn (a sefydlodd

Gymdeithas y Gwyneddigion yn 1770) o dan ddylanwad syniadaeth Edward Lhuyd (1660–1709) a'r mudiad hynafiaethol. Yr elfen gadwraethol, hynafiaethol hon yn fwy na dim a ysbrydolodd John Clare o Loegr, Thomas Moore o Iwerddon, Robert Burns o'r Alban a Iolo Morganwg i gasglu a diogelu diwylliant gwerin eu priod wledydd. O ganlyniad, aethant ati i gofnodi gwahanol agweddau ar lenyddiaeth, barddoniaeth, llên gwerin, amaethyddiaeth, archaeoleg a chanu gwerin. Nid syndod yw natur amrywiol casgliadau llawysgrifol Iolo o ystyried ei fod yn ymddiddori yn yr hyn a'i hamgylchynai'n feunyddiol wrth grwydro a chofnodi'r hyn a welai. Er enghraifft, cofnodwyd yr alawon gwerin ganddo blith draphlith ymysg darluniau o adeiladau, traethodau ar hanesion lleol a llythyron at ei gyfeillion yn Llundain.

Casglodd Iolo 88 alaw werin ym mro Morgannwg rhwng 1795 ac 1806 (Huws 2005, 333), gan groniclo'r alawon, y geiriau a chyd-destun cymdeithasol eu creu. Cyfeiria'r rhan fwyaf o'r alawon gwerin at bobl a sefyllfaoedd cyffredin bob dydd, gyda'r gweddill yn alawon tymhorol (er enghraifft y Fari Lwyd, **canu gwasael**, dawnsio corelwi, taplas haf a 'cwnnu bedwen'), yn ganeuon serch a chaneuon gwaith. Iolo a gyfrifir heddiw fel casglwr **alawon gwerin** cyntaf Cymru (Huws 2005, 333), gan mai ef yn anad neb arall a roddodd y sylw dyladwy cyntaf i ganeuon brodorol. Gosododd ar glawr ran o draddodiad a oedd cyn hynny'n bodoli ar lafar gwlad yn unig. Gwelir yr alawon mewn 17 o lawysgrifau gwahanol yn **Llyfrgell Genedlaethol Cymru**.

Yn wahanol i'r ffugiadau o'i eiddo a ddatgelwyd gan **ysgolheigion** yr 20g., bwriad Iolo wrth gywain yr alawon oedd dal gafael ar drysorau'r gorffennol a'u rhoi ar gof a chadw. Ni ellir honni iddo ffugio'r alawon gwerin gan nad oedd ganddo'r dychymyg na'r crebwyll cerddorol i'w hefelychu. Wrth ddynwared, Iolo y bardd a'r ffugiwr rhamantaidd oedd wrthi, ond cymhelliad cwbl wahanol a'i gyrrodd i gofnodi'r alawon, fel hynafiaethydd.

Gellir honni bod gwaith Iolo yn cynrychioli deffroad ym myd **cerddoriaeth draddodiadol** Cymru, er na theimlwyd penllanw'r deffroad hwnnw tan 1844, bron ugain mlynedd wedi marwolaeth Iolo. Dyma pryd y gwelodd y casgliad cyhoeddedig cyntaf o ganeuon llafar gwlad Cymreig olau dydd, sef *Ancient National Airs of Gwent and Morganwg* gan **Maria Jane Williams** a gynhwysai alawon a phenillion a godwyd o lawysgrifau Iolo gan ei fab Taliesin. Mae'r modd y defnyddiwyd alawon o gasgliadau Iolo ar gyfer y

gyfrol hon yn tystio i werth y deunydd a gasglodd, y modd yr arloesodd yn y maes a'r ffaith mai ei lafur ef a gyfrifir yn feincnod ym myd **canu gwerin** Cymru'r cyfnod a'i dilynodd.

Llyfryddiaeth

G. J. Williams, *Iolo Morganwg – Y Gyfrol Gyntaf* (Caerdydd, 1956)

Daniel Huws, 'Alawon Gwerin Iolo Morganwg', *Cylchgrawn Cymdeithas Alawon Gwerin Cymru*, V, Rhan 4 (1977), 178–85

──────, *Caneuon Llafar Gwlad ac Iolo a'i Fath* (Pen-y-groes, 1993)

──────, 'Iolo Morganwg and Traditional Music', yn G. Jenkins (gol.), *A Rattleskull Genius: The Many Faces of Iolo Morganwg* (Caerdydd, 2005), 333–56

Geraint Jenkins (gol.), *A Rattleskull Genius: The Many Faces of Iolo Morganwg* (Caerdydd, 2005)

Leila Salisbury, 'Canu'r Dewin o Drefflemin: Golwg ar Alawon Gwerin Iolo Morganwg' (traethawd MPhil Prifysgol Bangor, 2008)

──────, *Alawon Gwerin Iolo Morganwg* (Tal-y-bont, 2012)

Leila Salisbury

Williams, Gareth

Derbyniodd Gareth Williams ei addysg yng Ngholeg Balliol Rhydychen, y London School of Economics, a Phrifysgol Chicago. Bu'n Athro Hanes ym Mhrifysgol Aberystwyth cyn ymuno â Phrifysgol De Cymru yn 2001, lle'r oedd yn Gyfarwyddwr y Ganolfan ar gyfer Cymru Fodern a Chyfoes (2004–9) cyn ei wneud yn Athro Emeritws yn 2011. Mae wedi cyhoeddi nifer o lyfrau ar hanes a diwylliant Cymru, gan edrych yn arbennig ar swyddogaeth gymdeithasegol cerddoriaeth, megis yn *Valleys of Song: Music and Welsh Society 1840–1914* (Gwasg Prifysgol Cymru, 1998/2003) a *Do You Hear the People Sing? The Male Voice Choirs of Wales* (Gomer, 2015).

Williams, Georgia Ruth (g.1988)

Cantores, cyfansoddwraig a thelynores a fu'n flaenllaw yn natblygiad yr arddull werin fodern newydd yn ystod y blynyddoedd diwethaf. Cafodd ei magu yn Aberystwyth cyn astudio Llenyddiaeth Saesneg ym Mhrifysgol Caergrawnt. Tra yno dechreuodd recordio ei chaneuon ei hun ac yn sgil hyn cafodd y cynnig i berfformio yng Ngŵyl Glastonbury yn 2008.

Fe dderbyniodd ei EP gyntaf *In Luna* (Gwymon, 2011) sylw cadarnhaol gan gyflwynwyr radio megis

Huw Stephens, Bethan Elfyn a Steve Lamacq. Roedd yr EP yn gosod pwyslais ar ddoniau lleisiol ac offerynnol Georgia Ruth gyda'r arddull yn delynegol Geltaidd. Bu'n perfformio'n gyson yn 2012, gan gynnwys ymddangosiad yng **Ngŵyl** y Dyn Gwyrdd. Dilynwyd hyn gyda'i halbwm cyntaf *Week of Pines* (2013) a recordiwyd gyda chyfraniadau gan aelodau'r grŵp **Cowbois Rhos Botwnnog**. Yn yr un flwyddyn ymddangosodd yng Ngŵyl WOMEX ac yng Ngŵyl Rhif 6.

Roedd ei hail albwm, *Fossil Scale* (Navigator Records, 2016) yn fwy dyfeisgar ac arbrofol, gyda nifer o'r caneuon yn osgoi ffurfiau a phatrymau gwerin confensiynol gyda llawer llai o bwyslais ar y delyn Geltaidd. Yn garreg filltir nodedig yn ei gyrfa hyd yma, dengys *Fossil Scale* ddawn ac addewid greadigol arbennig Georgia Ruth. Bu hefyd ynghlwm â phrosiect Gazhalaw gyda'r gantores **Gwyneth Glyn**.

Pwyll ap Siôn

Williams, Grace (1906–77)

Fe'i ganed i rieni Cymraeg eu hiaith ym mis Chwefror 1906, a bu gweithgareddau ei thad, W. M. (William Matthew) Williams, yn ddylanwad mawr iawn ar ei phlentyndod cerddorol: roedd yn gasglwr recordiau brwd, yn bianydd yn y triawd teuluol ac yn **arweinydd** y Romilly Boys Choir byd-enwog. Yn 1920 roedd W. M. Williams yn allweddol yn y gwaith o drefnu digwyddiad tra phwysig a llwyddiannus, sef yr **Eisteddfod** Genedlaethol a ymwelodd â'r Barri y flwyddyn honno (Allsobrook 1992). Mae **Heward Rees** (1977) wedi honni i W. M. Williams ddod â Cherddorfa Symffoni Llundain i'r Barri i berfformio cyfres Stravinsky o *Yr Aderyn Tân* yn groes i ddymuniadau **Walford Davies**: os gwir hynny, rhaid bod ei ymroddiad i gerddoriaeth gyfoes yn allweddol i ddatblygiad cerddorol ei ferch.

Dechreuodd Grace Williams gyfansoddi a hithau'n dal yn yr ysgol, a diau iddi deimlo bod yr amgylchedd cerddorol yno'n llawer mwy creadigol na'r hyn a brofodd wedi iddi symud i Goleg **Prifysgol** De Cymru a Mynwy (Prifysgol Caerdydd bellach) yn 1923. Er bod y Coleg cyn hynny wedi cynhyrchu doniau mor nodedig â **Morfydd Owen**, roedd y cwricwlwm yn hynod geidwadol o dan oruchwyliaeth yr Athro David Evans, yr honnir iddo'i rhybuddio rhag ysgrifennu 'unrhyw beth y tu hwnt i 13eg y

llywydd': 'Fy ngeneth annwyl, phasiwch chi fyth mo'ch arholiad os ysgrifennwch chi gordiau fel yna' (dyfynnwyd mewn llythyr gan Grace Williams at **Daniel Jones**, 1940). Ac ystyried hynny, nid oes fawr ryfedd mai ychydig iawn o gerddoriaeth Grace Williams o'r cyfnod a oroesodd, na bod ei hatgofion am astudiaethau ôl-radd yn y Coleg Cerdd Brenhinol mor gyfan gwbl wahanol.

Wedi cyrraedd Llundain yn 1926 cafodd gysur yn hyfforddiant Ralph Vaughan Williams ac yng nghwmni cylch o gyd-fyfyrwyr a oedd yn cynnwys Elizabeth Maconchy a Dorothy Gow, y daeth y ddwy ohonynt yn gyfeillion oes iddi. Mae ei Sonata i'r Ffidil, ei Sonatina i'r Ffliwt a'i Chwechawd o'r cyfnod hwn yn ymdrechu i gyfuno dylanwadau ei hathrawon Prydeinig â dylanwadau Egon Wellesz, y treuliodd gyfnod yn astudio wrth ei draed yn Fienna yn 1930–31.

Os mai cosmopolitaidd oedd diddordebau Grace Williams yn aml cyn yr Ail Ryfel Byd, mae cysylltiad annatod â Chymru yn llawer o'i gweithiau a gyfansoddwyd yn niwedd yr 1930au a dechrau'r 1940au. Yr enwocaf o'r rhain, yn sicr, yw'r *Fantasia on Welsh Nursery Tunes*: mae gweithiau eraill cerddorfaol sy'n fwy uchelgeisiol yn cynnwys y lled-symffonig *Four Illustrations for the Legend of Rhiannon* a *Symphonic Impressions*. Yn 1947 gorfodwyd Grace Williams gan afiechyd i ddychwelyd i dde Cymru, ac yn y Barri y bu fyw weddill ei hoes. Gan nad oedd ganddi waith amser llawn, trodd am fywoliaeth at ysgrifennu sgriptiau a threfnu **alawon gwerin** ar gyfer darllediadau plant i'r BBC, ond cyfansoddodd gerddoriaeth hefyd ar gyfer y sinema; hi oedd y fenyw gyntaf o Brydain i gyfansoddi sgôr ar gyfer ffilm nodwedd lawn-hyd (*Blue Scar*, 1948). O ganlyniad, nid yw'n syndod mai nifer cymharol fychan a geir ganddi o weithiau creadigol pur: dim ond y Concerto i'r Ffidil (1950) a *The Dancers* (1951) sy'n llwyddiannau mawr amlwg, er bod caneuon fel 'To Death', 'When thou dost dance' a 'Flight' ynghyd â'r darn i ddau biano, *Three Nocturnes*, hefyd yn haeddu ailystyriaeth.

Gweithiau Grace Williams o ganol yr 1950au ymlaen, pan oedd yn ennill digon trwy ei gwaith cyfansoddi i ganiatáu iddi ganolbwyntio arno'n gyfan gwbl, sy'n cynrychioli orau ei gwaddol parhaol fel cyfansoddwr o sylwedd a weithiai mewn cyfryngau gwreiddiol. Er mai *Penillion* (1955) sydd fwyaf adnabyddus, mewn gwirionedd mae ei dehongliad offerynnol o gystrawennau barddonol traddodiadol Cymraeg a rhythmau a melodïau yr iaith lafar yn amlycach a mwy bwriadus yn *Ballads* (1968) a *Four Mediaeval Welsh Poems* (1962). Yno, mae ffurfiau penillion a'r cyfuno ar 'gainc' a 'datgeiniad' yn asio â **jazz** a 'chelfyddyd pop ddoe a heddiw' (Grace Williams at Elizabeth Maconchy, 1967–8) i greu cerddoriaeth sy'n chwarae â thraddodiad mewn ffordd sy'n unigryw ymhlith cyfansoddwyr Cymru.

Llawer llai eglur yw 'Cymreigrwydd' tybiedig gweithiau diweddarach fel *Castell Caernarfon* (1969) a *Missa Cambrensis* (1971). Ymhlith ei gweithiau sylweddol eraill y mae ail symffoni (1956), **opera** (*The Parlour*, 1961), *concerti* ar gyfer trwmped ac obo (1963, 1965) a sgorau lleisiol fel *The Billows of the Sea* (cylch o ganeuon, 1969) ac *Ave Maris Stella* (i gôr, 1973). Pan fu farw ym mis Chwefror 1977 gadawodd osodiadau anghyflawn o *Le Roi a fait batter tambour* a *Simon the High Priest*; mae **Heward Rees** hefyd wedi darganfod brasluniau o ganeuon cynharach. Er mai ychydig o ddisgyblion a adawodd ac na ddaeth yn enwog iawn y tu allan i Gymru, cafodd gryn ddylanwad ar y sefydliad cerddorol Cymreig (yn enwedig y BBC), ac mae'r geiriau hyn o gofiant gwreiddiol Boyd yn hynod addas: 'Uwchlaw popeth, gadawodd lawer o weithiau tra gwreiddiol a safonol y byddai'n dda i Gymry, ac *nid Cymry yn unig* [ychwanegwyd y pwyslais], eu coleddu a'u perfformio' (Boyd 1980, 10).

Heb amheuaeth, Grace Williams oedd un o gyfansoddwyr mwyaf blaenllaw Cymru'r 20g.. Er hynny, dim ond detholiad pur gyfyngedig o'i gwaith sy'n gyfarwydd i gerddorion ac i eraill sydd â diddordeb mewn cerddoriaeth. Mae 'hwyl' y *Fantasia on Welsh Nursery Tunes*, y disgrifiad o arfordir Morgannwg yn *Sea Sketches* a'r ailddehongli ar hen gelfyddyd yn *Penillion* yn haeddiannol adnabyddus, ond dim ond yn ddiweddar iawn y cymerwyd unrhyw gamau i fynd i'r afael â'r swmp o'i gwaith sy'n gorwedd yn ddisylw yn **Llyfrgell Genedlaethol Cymru**.

Mae llawer o'i chynnyrch sylweddol yn dal i aros am sylw difrif. Yn ddiweddar, bu'r ysgolhaig Dr Rhiannon Mathias yn paratoi cofiant amdani. Fe fydd yn sicr o ychwanegu at gyhoeddiad Malcolm Boyd ddeng mlynedd ar hugain yn ôl. Hyd nes y cyhoeddir llyfr Rhiannon, cyfeirir y darllenydd at yr erthyglau achlysurol sydd wedi ymddangos mewn cylchgronau yn y cyfamser, astudiaeth Rhiannon Mathias o Grace Williams a ymddangosodd yn *Lutyens, Maconchy, Williams and Twentieth-Century British Music* (2012); a thraethodau ymchwil ôl-radd anghyhoeddedig awdur yr erthygl hon (2007, 2012).

Llyfryddiaeth (ceir llyfryddiaeth lawn yn Cotterill, 'Music in the Blood', gw. isod)

A. J. Heward Rees, 'Obituary: Grace Mary Williams (1906–1977)', *Welsh Music/Cerddoriaeth Cymru*, 5/6 (1977), 80–81

Malcolm Boyd, *Grace Williams* (Caerdydd, 1980)

D. I. Allsobrook, *Music for Wales* (Caerdydd, 1992)

Graeme Cotterill, 'Ambition Overshadowed: Grace Williams's symphonies evaluated', traethawd MPhil anghyhoeddedig ynghyd â chymar argraffiadau ysgolheigaidd, Prifysgol Cymru, Bangor, 2007

———, 'Music in the Blood & Poetry in the Soul?: National identity in the life and music of Grace Williams' (traethawd PhD Prifysgol Bangor, 2012)

Rhiannon Mathias, *Lutyens, Maconchy, Williams and Twentieth-Century British Music* (Aldershot, 2012)

Graeme Cotterill

Williams, J. Lloyd (1854–1945)

Cerddor, botanegydd, ysgolhaig, cenedlaetholwr a phrif ladmerydd **cerddoriaeth draddodiadol** Gymreig yn ystod hanner cyntaf yr 20g.

Ganed John Lloyd Williams ym Mhlas Isaf, Llanrwst. Derbyniodd hyfforddiant fel athro yn y Coleg Normal, Bangor (1873–75) ac fe'i penodwyd yn brifathro Ysgol Garndolbenmaen yn 1875 lle bu'n weithgar fel **arweinydd** corau a hyfforddwr. Mae ei gyfrolau hunangofiannol, *Atgofion Tri Chwarter Canrif*, yn edrych yn ôl ar y cyfnod cynnar hwn ac yn amlygu ei ddiddordeb ysol mewn cerddoriaeth a byd natur, dau faes a barhaodd i fynd â'i fryd ar hyd ei oes.

Yn yr 1890au dilynodd gwrs gradd mewn botaneg yn y Coleg Brenhinol Gwyddonol yn Llundain cyn dychwelyd i'w gynefin a chael ei benodi'n ddarlithydd yn yr Adran Fotaneg yng Ngholeg **Prifysgol** Gogledd Cymru, Bangor, yn 1897. Yn ddiweddarach rhwng 1915 ac 1926, bu'n Athro botaneg yng Ngholeg Prifysgol Cymru, Aberystwyth. Fe'i hystyrir yn un o brif fotanegwyr ei gyfnod oherwydd ei arbenigedd ym myd planhigion prin yn Eryri (yn enwedig y *Trichomanes speciosum* a'r *Lloydia serotina*) a'i waith arloesol ar wymon y môr, a derbyniodd radd doethuriaeth am ei lafur yn y maes gan Brifysgol Cymru yn 1908.

Er mai dilyn gyrfa broffesiynol fel gwyddonydd a wnaeth J. Lloyd Williams, bu cerddoriaeth yn rhan anhepgor o'i fywyd a bu ei gyfraniad i fyd **canu gwerin** Cymru yn bellgyrhaeddol yn sgil ei athroniaeth gadarn a'i weledigaeth arloesol. Yn fuan wedi iddo ymuno â staff y Brifysgol ym Mangor fe'i penodwyd yn arweinydd y Gymdeithas Gorawl ac yn ddiweddarach yn gyfarwyddwr cerdd y sefydliad. Perfformiwyd un o'i chwaraeganau cerddorol, *Aelwyd Angharad,* gan y myfyrwyr ym mis Mawrth 1901. Nid yw'n gampwaith cerddorol ond yr oedd i'r cyfanwaith hwn arwyddocâd diwylliannol gan mai byrdwn ei neges oedd pwysleisio'r angen am deyrngarwch i'r iaith Gymraeg ac i draddodiadau Cymreig a chodi ymwybyddiaeth ohonynt. Bu'r gwaith yn boblogaidd ymysg cynulleidfaoedd a chwmnïau perfformio ar hyd a lled Cymru ar droad yr 20g.

Chwaraeodd Lloyd Williams ran allweddol yn yr ymgyrch i geisio Cymreigio seremonïau a pherfformiadau cyhoeddus y Brifysgol ym Mangor, ac am y tro cyntaf cafwyd datganiadau o **alawon gwerin** Cymreig ar lwyfan cyhoeddus. Yn dilyn hyn gwawriodd ymwybyddiaeth newydd arno o werth ac apêl yr alawon gwerin. Fe'i hystyrir yn un o'r casglyddion gorau yn hanes cynnar **Cymdeithas Alawon Gwerin Cymru** a thrwy ei sêl a'i eiddgarwch ysbrydolwyd eraill i fynd ati i gasglu alawon yn yr un modd.

Cywain alawon gwerin a'u poblogeiddio oedd prif amcan cymdeithas Y Canorion a sefydlwyd ganddo ym Mangor oddeutu 1906/7. Cangen o Gymdeithas Gorawl y Brifysgol oeddynt, a dychwelodd yr aelodau, tua 19 mewn nifer, i'w broydd genedigol i gasglu a chofnodi alawon traddodiadol ac yna'u perfformio fel trefniannau tri a phedwar llais o waith Lloyd Williams. Daeth galw am ei wasanaeth fel trefnydd yn sgil y diddordeb cynyddol mewn perfformio'r alawon gwerin ac yn wyneb diffyg deunyddiau gan gyfansoddwyr proffesiynol y cyfnod.

Er mor rhwystredig y teimlai fel cyfansoddwr ac er mai prin oedd yr addysg gerddorol ffurfiol a gawsai, bu'n gyfrifol am drefnu degau o alawon, megis 'Tra Bo Dau' a 'Ffarwel i Blwy Llangower'. Cyhoeddodd ddwy gyfrol o *Sixteen Welsh Melodies,* sy'n gyfuniad o alawon **telyn** ac alawon gwerin wedi'u trefnu ar gyfer unawdydd a chyfeiliant piano, a chyfrolau o drefniannau dau a thri llais ar gyfer ysgolion sef *Alawon Gwerin Cymru* a *Hwiangerddi Cymraeg,* a'r cyfan yn gyfrwng i boblogeiddio'r alawon traddodiadol.

Cyflwynwyd darlith arwyddocaol ganddo yn dwyn y teitl *Welsh National Melodies and Folk-Song* gerbron Anrhydeddus Gymdeithas y Cymmrodorion yn Llundain ym mis Ionawr 1908; bu'r digwyddiad yn garreg filltir bwysig yn yr ymdrech i ddeffro'r ymwybyddiaeth o gerddoriaeth werin Cymru ac yn sail i weithgarwch cynnar Cymdeithas Alawon Gwerin Cymru. Dyma'r ymgais gyntaf i ddosbarthu'r alawon a hynny mewn gwyddor wyddonol, ond agor y maes yn unig a wnaethpwyd yma a phwysleisia Lloyd Williams yr angen i ddadansoddi'r alawon, cyflawni astudiaeth gymharol ohonynt a darganfod eu gwir nodweddion, gyda'r bwriad o fraenaru'r tir ar gyfer myfyrwyr ymchwil y dyfodol. Ei obaith mawr oedd gweld sefydlu ysgol arbennig i astudio cerddoriaeth Gymreig er mwyn sicrhau bod cerddorion a chyfansoddwyr yn cael eu trwytho yn y traddodiadau cynhenid, ac y byddai hynny maes o law yn dwyn sylw rhyng-genedlaethol i gerddoriaeth Gymreig.

Bu'r elfen addysgol, bedagogaidd hon yn rhan allweddol o'i fywyd. Roedd yn ddarlithydd ysbrydoledig a charism ataidd, a thraethai gyda brwdfrydedd ac awch. Amlygwyd ei gariad tuag at Gymru a'i thraddodiadau yn ei anerchiadau, mewn ysgolion haf, y mynych ddosbarthiadau nos yn ogystal â'r llu o sgyrsiau radio a gyflwynodd, a gellir honni mai'r gwaith cenhadol hwn dros gerddoriaeth Gymreig oedd un o'i brif gyfraniadau at waith y Gymdeithas Alawon Gwerin.

Roedd y genhadaeth addysgol yn amlwg hefyd yn ei waith fel golygydd *Cylchgrawn Cymdeithas Alawon Gwerin Cymru* (1909–41) a'r *Cerddor* (1931–9). Darparu deunydd ar gyfer ymchwil pellach i faes cerddoriaeth werin oedd ei nod fel golygydd. Gosododd linyn mesur beirniadol dros yr holl alawon a gyhoeddwyd yn y *Cylchgrawn* gan sicrhau na chyhoeddid yr un alaw oni bai fod ganddo dystiolaeth bendant ei bod yn tarddu o'r traddodiad llafar. Defnyddiodd *Y Cerddor* fel cyfrwng i geisio codi ymwybyddiaeth o gerddoriaeth werin ac er bod gwrthdaro mynych rhyngddo a cherddorion proffesiynol Cymru, llwyddodd i ddwyn hygrededd a sylw i'r maes ymysg y werin Gymreig ac **ysgolheigion** fel ei gilydd.

Mae'r erthyglau a ymddangosodd yn y ddau gylchgrawn hyn yn brawf o wybodaeth ysgolheigaidd Lloyd Williams. Ymchwiliodd yn drwyadl i'r maes ac ystyrir mai ef oedd yr arbenigwr pennaf ym maes cerddoriaeth Gymreig yn ystod hanner cyntaf yr 20g. (gw. hefyd **Hanesyddiaeth, Ysgolheictod a Cherddoleg**). Cyhoeddodd gyfrol o'r enw *Y Tri Thelynor,* sy'n olrhain hanes **John Parry** (Rhiwabon), Ifan William ac Edward Jones (Llandderfel), ac ysgrifennodd lu o erthyglau yn ymdrin â chanu gwerin.

Bu farw, yn 91 mlwydd oed, yng Nghaerfaddon, cyn cyhoeddi ei gyfrol ar hanes cerddoriaeth yng Nghymru. Roedd yn Gymro i'r carn, yn gymwynaswr swil ond argyhoeddedig, yn ysgolhaig o'r radd flaenaf ond yn un â blas y pridd ar ei weithgarwch. Llafuriodd hyd eithaf ei allu er lles y traddodiad cerddorol cynhenid a derbyniodd radd doethuriaeth er anrhydedd gan Brifysgol Cymru yn 1936 am ei gyfraniad chwyldroadol i'r maes.

Llyfryddiaeth

Llyfrgell Genedlaethol Cymru, Casgliad J. Lloyd Williams (GB 0210 JLLW)

Llyfrgell Genedlaethol Cymru, Nodiadau Ymchwil Dr Meredydd Evans ar bapurau Dr J. Lloyd Williams; (NLW Facs 973)

J. Lloyd Williams ac Arthur Somervell, *Sixteen Welsh Melodies* (Llundain, 1907 ac 1909)

J. Lloyd Williams (gol.), *Cylchgrawn Cymdeithas Alawon Gwerin Cymru*, Cyfrolau 1–3 (1909–41)

J. Lloyd Williams, 'Welsh National Melodies and Folk-Song', *Transactions of the Honourable Society of Cymmrodorion*, Sesiwn 1907–8 (1909)

———, *Ceinion y Canorion* (Bangor, c.1909)

J. Lloyd Williams a Lewis D. Jones, *Aelwyd Angharad, neu Hwyrnos Lawen Llwyngwern, Chwareugan yn dangos dull ar arferion bywyd gwledig Cymru Fu* (Bangor, c.1909)

———, *Alawon gwerin Cymru/Welsh folk songs: arranged for schools* (Caerdydd, 1920, 1923, 1924)

J. Lloyd Williams, *Hwiangerddi Cymraeg* (Wrecsam a Chaerdydd, 1928)

———, *Hen Geinciau Cymru* (Pwllheli, 1931)

——— (gol.), *Y Cerddor* (1931–1939)

———, 'Tri Chwarter Canrif o Atgofion Cerddorol', *Y Cerddor*, 8 (1938), 1–10

———, *Atgofion Tri Chwarter Canrif*, I–IV (Dinbych 1941, 1942, 1944; Llundain, 1945)

———, *Y Tri Thelynor – Arloeswyr Cerddorol Cymru yn y Ddeunawfed Ganrif* (Llundain, 1945)

J. Lloyd Williams a Lewis D. Jones, *Cadifor, Tywysog Cymru*, Llyfr Geiriau (Bangor, d.d.)

Daniel Huws, 'Dr J. Lloyd Williams a Cherddoriaeth Draddodiadol', *Canu Gwerin*, 6 (1983)

Elen Wyn Jones, *Ac yna dyddiau Bangor, ni bu ac ni bydd eu tebyg: Golwg ar gyfraniad yr Athro J. Lloyd Williams i fyd canu gwerin Cymru rhwng 1897 a 1914* (traethawd MPhil, Prifysgol Bangor, 1999)

———, 'Camp Cerddor a Gallu Gwyddonydd, J. Lloyd Williams a'i Gylchgrawn', *Hanes Cerddoriaeth Cymru*, 5 (2002), 135–49

Dewi Jones, *Naturiaethwr Mawr Môr a Mynydd, Bywyd a Gwaith J. Lloyd Williams* (Penygroes, 2003)

Elen Wyn Keen, 'J. Lloyd Williams: Y Cyfarwyddwr Cerdd', *Canu Gwerin*, 27 (2004)

Gwenan Mair Lockley, 'Y proffwyd yn ei gerbyd aur: Yr Athro J. Lloyd Williams a'i weithgarwch cerddorol yn Aberystwyth rhwng 1914–1928' (traethawd BA Prifysgol Bangor, 2004)

Leila Mair Salisbury, 'Y Cerddor bytholwyrdd o Blas Isa: Golwg ar gyfraniad yr Athro J. Lloyd Williams i faes cerddoriaeth draddodiadol Cymru o 1927 hyd at 1945' (traethawd BA Prifysgol Bangor, 2006)

Elen Wyn Keen

Williams, Jennie (1885–1971)

Cynnyrch cerddorol Capel y Tabernacl, Aberystwyth, sef un o ganolfannau mwyaf dylanwadol-gerddorol canolbarth Cymru'r 19g., lle bu **Ieuan Gwyllt** a'r Athro **David Jenkins** yn bwrw eu prentisiaeth, oedd Jennie Williams (Thomas 2007, 251–79). Derbyniodd ei haddysg uwchradd yn y Camden School for Girls ac wedyn yn y North London Collegiate School, sef yr ysgol fonedd gyntaf i ferched a sefydlwyd yng nghanol y 19g. yn ardal Camden Town y brifddinas. Trwy gydol ei blynyddoedd cynnar yn Llundain, bu gofal **Mary Davies** (Mair Mynorydd) yn gyfrwng i gyfeirio ei gyrfa gerddorol a'i dwyn dan ddylanwad Capel Charing Cross a chymdeithas Cymry Llundain y dydd. Ar gais Mary Davies hefyd, dechreuodd ganu enghreifftiau cerddorol o **alawon gwerin** Cymreig yn ystod ei darlithoedd mewn canolfannau fel Lerpwl a Chaerdydd ym mlynyddoedd cynnar **Cymdeithas Alawon Gwerin Cymru**. Hwn oedd man cychwyn ei hymwneud â'r maes.

Rhwng 1903 ac 1906 bu'n fyfyrwraig yn yr Academi Gerdd Frenhinol, Llundain, yn arbenigo ar y piano a'r llais, ond roedd ei diddordeb fel cantores a chyfeilyddes yn y cyfnod hwnnw yn bennaf yng nghaneuon rhai fel Chaminade a Saint-Saëns – arweinwyr y mudiad cenedlaethol yn Ffrainc. Fe'i penodwyd yn athrawes gerdd yn ei hen ysgol (North London Collegiate School) yn 1906, ond er mwyn ennill ei phlwyf fel pianydd (*repetiteur*) a hyfforddwraig leisiol gydnabyddedig, ymdrechodd i ddysgu Rwsieg, Ffrangeg a Sbaeneg yn rhugl.

Erbyn diwedd y degawd symudodd i Baris lle derbyniodd wersi gan ddau o unawdwyr opera amlycaf y cyfnod, Jean ac Edouard de Reszke. Ar lannau afon Seine yn ystod gweithgareddau 'The Celtic Club' y daeth Jennie a'i chwaer, Mary Williams, a oedd yn ymchwilydd ym Mhrifysgol Paris (Sorbonne), i berfformio alawon o Gymru, gan gynnwys rhai o drefniannau **J. Lloyd Williams**. Hyn fu'r ysgogiad iddi fentro cyflwyno casgliad o ganeuon gwerin siroedd Ceredigion, Caerfyrddin a Phenfro yn **Eisteddfod** Genedlaethol Caerfyrddin (1911) (gw. **Amgueddfa Werin Cymru**, Llsgr. 1316). Seiliwyd ei chasgliad ar waith maes mewn ardaloedd megis Tal-y-bont, Mynydd Bach a Llanddeiniolen (ger Llanrhystud). Er bod casgliad gwreiddiol Jennie Williams ar gyfer Prifwyl Caerfyrddin ar goll, mae copi bras o'r deugain alaw ynghyd â nodiadau a geiriau wedi goroesi ac ar gadw yn Amgueddfa Werin Cymru, Sain Ffagan. Ynddo, ceir alawon fel 'Merch ei mam', 'Y Folantein' a 'Trwy'r drysni a'r anialwch'. Er na chyhoeddwyd ei chasgliad, ymddengys rhai ohonynt yng nghylchgrawn **Cymdeithas Alawon Gwerin Cymru** (gw. 1919).

Bu'n flaenllaw yng nghynadleddau'r Gyngres Geltaidd yn ystod yr 1930au a'r 1940au, ac fe'i gwahoddwyd yn gyson i draddodi ar faterion a oedd yn gysylltiedig â cherddoriaeth Gymreig. Bu'n hael ei chefnogaeth i Gymdeithas UNESCO a'r International Folk Music Council hefyd, a thrwy gyfrwng ei hymweliadau ag Ewrop cafodd gyfle fel unawdydd ac areithydd i gyfarfod cerddorion a dysgu mwy am draddodiadau estron, yn bennaf er mwyn cymhwyso'r ddealltwriaeth honno a'u cymharu â maes cerddoriaeth Cymru. Er na wadodd Jennie Williams y traddodiad Cymreig erioed (hwn fu man cychwyn ei hastudiaethau a yn sail i bob erthygl o'i heiddo), ymdrechodd i ehangu gorwelion a'r ddealltwriaeth o faes cerddoriaeth frodorol Cymru drwy ddwyn elfennau cymharol i sylw ei darllenwyr ac ystyried cerddoriaeth Gymreig yng ngoleuni traddodiadau byd-eang.

Llyfryddiaeth

Amgueddfa Werin Cymru, Sain Ffagan. Llsgr. 1316 ['Welsh Folk Song – Eisteddfod Caerfyrddin – 'Sian' (ffugenw) – ail oreu']

Cylchgrawn Cymdeithas Alawon Gwerin Cymru, II/2 (1919), 84–5

Wyn Thomas, 'Ffarwel i Aberystwyth …': Jennie Williams a byd yr alaw werin yng Nghymru', yn Sally Harper a Wyn Thomas (goln.) *Cynheiliaid y Gân – Ysgrifau i anrhydeddu Phyllis Kinney a Meredydd Evans* (Caerdydd, 2007), 251–79

Wyn Thomas

Williams, Jeremy Huw (g.1969)

Canwr sy'n hanu o Gaerdydd. Astudiodd yng Ngholeg Sant Ioan, Caergrawnt, lle daliodd Ysgoloriaeth Gorawl, cyn derbyn hyfforddiant lleisiol yn y National Opera Studio. Bu'n astudio hefyd gydag April Cantelo (g.1928). Mae wedi ennill lle amlwg fel un o faritoniaid mwyaf gweithgar ei genhedlaeth ac edmygir ei amlochredd a'i ddeallusrwydd cerddorol.

Gall feistroli gweithiau newydd ar fyr rybudd ac felly mae ganddo *repertoire* eang tu hwnt. Ers ei ymddangosiad cyntaf gydag Opera Cenedlaethol Cymru (Guglielmo yn *Così fan tutte* Mozart) mae wedi perfformio dros 60 o rannau operatig a theithiodd y byd gan berfformio nid yn unig mewn tai opera ond hefyd neuaddau cyngerdd mewn datganiadau gyda'i gyfeilydd Nigel Foster. Yn fwy diweddar bu'n perfformio gyda'r pianydd Tsieineaidd Paula Fan. Recordiodd wyth CD fel unawdydd gyda phiano.

Ymhlith yr operâu modern a berfformiodd, a lle gwelir yn amlwg ei gryfderau theatrig a cherddorol, y mae *Curlew River* a *The Rape of Lucretia* (ill dau gan Benjamin Britten), *The Knot Garden* (Michael Tippett), *The Electrification of the Soviet Union* (Nigel Osborne), *Punch and Judy* (Harrison Birtwistle) a llawer o weithiau eraill. Dyfarnwyd iddo Wobr Syr **Geraint Evans** gan yr Urdd er Hyrwyddo Cerddoriaeth Cymru (gw. **Cymdeithas Cerddoriaeth Cymru**), arwydd o'i sêl dros hybu gweithiau newydd gan gyfansoddwyr Cymreig, yn enwedig caneuon **Alun Hoddinott** (enillodd radd doethur yn 2013 gan Brifysgol Caerdydd am waith ymchwil ar Hoddinott).

Mae wedi comisiynu neu roi perfformiad cyntaf o weithiau nid yn unig gan Hoddinott ond hefyd **William Mathias**, John Tavener, Michael Berkeley, Paul Mealor, Julian Phillips, Richard Causton, Mark Bowden a **Huw Watkins**. Fe'i hanrhydeddwyd yn 2011 gan Brifysgol Aberdeen gyda doethuriaeth er anrhydedd.

Disgyddiaeth ddethol

Caneuon Jeremy/ Songs for Jeremy (Sain SCD2266, 2000)

Richard Elfyn Jones

Williams, Llŷr (g.1976)

Un o bianyddion disgleiriaf ei genhedlaeth yn rhyngwladol a cherddor athrylithgar. Fe'i ganed ym Mhentrebychan, Wrecsam, ac astudiodd yng Ngholeg y Frenhines, Rhydychen, ac yna yn yr Academi Gerdd Frenhinol yn Llundain. Roedd yn aelod o gynllun Yehudi Menuhin 'Live Music Now' ac fe'i dewiswyd hefyd yn un o gerddorion yr Young Concert Artist Trust yn 2002.

Daeth amlygrwydd rhyngwladol iddo'n sydyn yn dilyn datganiad ganddo yng **Ngŵyl** Caeredin yn Awst 2002. O hynny ymlaen daethpwyd i gyfeirio ato fel athrylith o bianydd ac o gerddor. Yn dilyn hyn daeth yn rhan o gynllun y BBC 'New Generation

Artists' ac enillodd wobr gan Ymddiriedolaeth Borletti-Butoni. Fe'i hapwyntiwyd yn gyfeilydd swyddogol i gystadleuaeth **Canwr y Byd** Caerdydd (gw. **Cystadlaethau Cerddorol**). Mae hefyd yn bianydd preswyl yn Galeri, Caernarfon.

Recordiodd sawl cryno-ddisg yn cwmpasu gweithiau cyfansoddwyr megis Beethoven, Chopin, Liszt, Mussorgsky, Debussy a Wagner, ac maent yn cynnwys nifer o drefniannau gan gyfansoddwyr, pianyddion eraill ac ef ei hun. Recordiodd hefyd waith Bartók a **Daniel Jones** yn arbennig ar gyfer Tŷ Cerdd. Perfformiodd yn helaeth gyda cherddorfeydd ledled y byd ac mae ganddo sawl partneriaeth ym maes cerddoriaeth siambr, gydag Alexander Janiczek ar y feiolin a Thomas Carroll ar y soddgrwth, a gweithiodd hefyd gyda **Bryn Terfel**.

Yr hyn sy'n cael ei ystyried yn arbennig am ddehongliadau Llŷr Williams yw ei allu anghyffredin i uniaethu â meddylfryd a gweledigaeth y cyfansoddwr heb iddo, fel pianydd, greu unrhyw fath o fur personol rhwng y cyfansoddwr a'r gynulleidfa. Cymaint yw ei ganolbwyntio ar elfen graidd y cyfansoddiad dan sylw fel nad yw'n rhoi fawr o bwys ar yr elfen o sioe sydd mor aml yn rhan annatod o berfformio'n gyhoeddus. Mae hyn yn arbennig o amlwg wrth iddo berfformio gwaith Beethoven a Schubert, ac mae ei gyfresi cyflawn o 32 sonata Beethoven wedi datblygu'n uchafbwynt mewn llawer canolfan a gŵyl gerdd ym Mhrydain a thu hwnt.

Mae ganddo ddawn **arwain** hefyd a bu'n perfformio sawl *concerto* i'r piano gan Mozart gan eu harwain o'r offeryn yn null y cyfansoddwr ei hun.

Disgyddiaeth

Liszt, Schubert, Beethoven (BBC Music Magazine BBCMM254, 2005)

Chopin: Complete Preludes (Quartz QTZ2040, 2006)

Liszt: Excerpts from Années de pèlerinage, deuxième année: Italie S161 (Signum SIGCD290, 2012)

Llŷr Williams: Pictures (Signum SIGCD226, 2010)

Wagner Without Words (Signum SIGCD388, 2014)

Geraint Lewis

Williams, Margaret (g.1941)

Cantores soprano, yn wreiddiol o Frynsiencyn, Ynys Môn, yw Margaret Williams a bu'n serennu ar lwyfan a theledu ers yr 1960au. Dechreuodd ganu mewn côr plant, ac yna fel unawdydd pan oedd hi'n wyth oed. Ymddangosodd ar y radio gyntaf pan oedd yn ddeuddeg oed. Y flwyddyn ddilynol dechreuodd gymryd rhan yng nghystadleuaeth radio *Sêr y*

Siroedd, gan gynrychioli Sir Fôn. Hwn oedd cyfnod poblogrwydd grwpiau megis **Hogia Bryngwran** a **Hogia Llandegai**, a bu Margaret Williams yn aml yn perfformio ar yr un llwyfannau â nhw.

Ymddangosodd ar raglenni teledu TWW pan oedd yn ferch ysgol yn yr 1950au, ac ar raglenni Teledu Cymru yn yr 1960au, yn enwedig *Moment for Melody*, cyfres o wyth rhaglen ddeg munud. Bu'n athrawes yn ysgol gynradd Biwmares am gyfnod. Fodd bynnag, yn sgil penodi **Meredydd Evans** yn bennaeth adloniant ysgafn BBC Cymru yn 1963 daeth yn wyneb mwy cyson fyth ar y teledu. Cafodd ei chyfres deledu gyntaf yn 1970 a bu'r rhaglen *Margaret* yn rhedeg ar S4C o 1982 hyd 1999.

Yn 1964 enillodd y *grand slam* eisteddfodol: **Eisteddfod** Genedlaethol yr Urdd (Porthmadog), Eisteddfod Ryngwladol Llangollen a'r Eisteddfod Genedlaethol yn Abertawe. Yn annhebyg i lawer o gantorion ifanc Cymreig ei chenhedlaeth, trodd yn broffesiynol yn 1966 gan ymddangos yn fynych ar raglen *Ryan a Ronnie*. Yn 1969 bu'n llwyddiannus yng nghystadleuaeth **Cân i Gymru** gyda'r gân 'Cwilt Cymraeg'. Yn sgil hynny gofynnodd y gyfansoddwraig **Grace Williams** iddi ganu cân o'i heiddo a gomisiynwyd gan y BBC ar gyfer drama *Esther* Saunders Lewis.

Gydol ei gyrfa bu Margaret Williams yn serennu mewn sioeau cerddorol ledled Prydain, ar longau mordaith, ar raglenni teledu, ac ar lwyfannau Cymru. Yn ychwanegol at y gyfres *Margaret*, mae wedi ymddangos ar raglenni teledu megis *Noson Lawen*, *Dechrau Canu Dechrau Canmol*, *Cwpwrdd Dillad*, ac fel beirniad ar gyfer Cân i Gymru. Yn 2004 dathlodd ddeugain mlynedd yn y diwydiant perfformio ac i nodi'r garreg filltir enwyd rhosyn ar ei hôl: *Rosa* 'Rhosyn Margaret Williams'.

Disgyddiaeth

Y Goreuon / The Very Best of (Sain SCD2101, 1995)

Sarah Hill

Williams, Maria Jane (1795–1873)

Ganed Maria Jane Williams i deulu bonheddig plasty Aberpergwm yng Nglyn-nedd, Morgannwg. Cynhaliai'r teulu nosweithiau llawen a gwleddoedd ar gyfer cantorion, **dawnswyr** a beirdd lleol a dderbyniai nawdd a chefnogaeth ganddynt. Cantores a chasglwr **alawon gwerin** oedd Jane a chwaraeai'r gitâr a'r **delyn**. 'Llinos' oedd ei henw barddol a'i chyfraniad pennaf i gerddoriaeth Cymru oedd *Ancient National Airs of Gwent and Morganwg* (1844), sef y casgliad cyhoeddedig cyntaf o ganeuon brodorol y genedl (Huws 1973, 93).

Ffrwyth un o gystadlaethau **Eisteddfod** Cymreigyddion y Fenni, Hydref 1838 (er mai yn 1837 y derbyniodd hi'r wobr), yw'r rhan fwyaf o gynnwys y gyfrol. Rhoddwyd y wobr gan y Foneddiges Elizabeth Brown Greenly (Llwydlas) ar gyfer 'y casgliad gorau o alawon gwreiddiol Cymreig heb eu cyhoeddi, ynghyd â'r geiriau, fel y'u cenir hwy gan werin Cymru' (Huws 1994, xvi). Bu Jane yn ddiwyd rhwng 1837 ac 1844 yn llunio cyfeiliannau i'r delyn neu'r piano ar gyfer yr alawon, yn ymestyn y casgliad ac yn eu golygu, eu tacluso a'u cywiro. Tarddai'r alawon yn gyfan gwbl o Went a Morgannwg ac yn y gyfrol y cyhoeddwyd y gân werin boblogaidd 'Bugeilio'r Gwenith Gwyn' am y tro cyntaf.

Roedd cyfnewid a chymharu deunydd yn nodweddiadol o waith casglu hynafiaethwyr a chasglwyr yr oes ac nid oedd casgliad Jane Williams yn eithriad. Cawsai awgrymiadau a gwelliannau gan Arglwyddes Llanofer (y Foneddiges **Augusta Hall**), John Jones (Tegid) a Taliesin Williams (ab Iolo), sef mab **Iolo Morganwg**. Defnyddiwyd alawon o gasgliadau llawysgrifol Iolo Morganwg yn sail i'r cyhoeddiad a gohebai Jane yn aml ag Arglwyddes Llanofer a Tegid er mwyn cael manylion cefndir yr alawon, awgrymiadau ynghylch geiriau'r penillion a chywiriadau. Ceir cyfanswm o 43 cân werin yn y gyfrol ac mae'n enghraifft o gasgliad o alawon llafar gwlad y werin bobl, o'i chymharu â'r cyhoeddiadau eraill a ddaeth i olau dydd yn yr un cyfnod, fel cyhoeddiad **John Parry** (Parry Ddall; Rhiwabon) ac Evan Williams, *Antient British Music* (1742). Alawon a cheinciau'r telynorion, rhai a apeliai at gynulleidfaoedd rhyngwladol y dydd, a geid yn y casgliad hwnnw, tra oedd casgliad Jane Williams yn enghraifft o ganu'r werin gyffredin a **baledi**'r cantorion lled broffesiynol (Williams 1975, 54).

Yn ogystal â hyn, bu Jane yn cynorthwyo cerddorion blaenllaw'r oes trwy gynnig ei gallu a'i harbenigedd cerddorol at eu gwasanaeth. Er enghraifft, bu'n gymorth i **John Parry** (Bardd Alaw) wrth iddo ddwyn ynghyd ddeunydd ar gyfer ei gyhoeddiad *The Welsh Harper* a bu'n cynghori **John Thomas** (Pencerdd Gwalia) ar gyfer ei gyhoeddiadau yntau hefyd (Jones 1994, 67). Yn yr un modd, cafodd Jane fenthyg casgliadau llawysgrifol **John Jenkins** (Ifor Ceri) yn dilyn ei farwolaeth yn 1829, sef *Melus-seiniau Cymru* a *Melus-geingciau Deheubarth Cymru*, a chyhoeddodd hithau ambell fersiwn o'r alawon

hyn yn *The Cambrian Journal* rhwng 1854 ac 1857 (Stephens 1997, 373).

Cafwyd deffroad ym myd **cerddoriaeth draddodiadol** Cymru gyda gwaith casglu a chofnodi Iolo Morganwg ar drothwy'r 19g. Fodd bynnag, ni welwyd penllanw'r deffroad hwnnw tan ganol y ganrif honno, bron ugain mlynedd wedi marwolaeth Iolo, pan gyhoeddwyd cyfrol Jane Williams. Dyma gyfrol a nodweddai'r adfywiad ym myd **canu gwerin** Cymru; yn wahanol i'r casgliadau o geinciau offerynnol y telynorion a ymddangosodd trwy gydol y 18g., alawon gwerin ynghyd â geiriau a welir yn y gyfrol hon. Bu Jane farw ar 10 Tachwedd 1873.

Llyfryddiaeth

Daniel Huws, 'Ancient National Airs of Gwent and Morganwg', *Cylchgrawn Llyfrgell Genedlaethol Cymru*, XV/1 (Haf, 1967), 31–54

———, 'Ancient National Airs of Gwent and Morgannwg', *Cerddoriaeth Cymru/ Welsh Music*, 4/5 (Gaeaf, 1973–4), 93–107

W. S. Gwynn Williams (gol.), *Welsh National Music and Dance* (Wrecsam, 1975)

Daniel Huws (gol.), *Ancient National Airs of Gwent and Morganwg* (Aberystwyth, 1994)

———, 'Ancient National Airs of Gwent and Morgannwg: 1844–1994', *Cerddoriaeth Cymru/Welsh Music*, 9/7 (Gaeaf, 1994–5), 22–5

Phylip Jones, 'Traddodiad Cerddorol Nedd a'r Cyffiniau', *Cerddoriaeth Cymru/Welsh Music*, 9/7 (Gaeaf, 1994–5), 67–76

M. Stephens (gol.), *Cydymaith i Lenyddiaeth Cymru* (Caerdydd, 1997)

Phyllis Kinney, *Welsh Traditional Music* (Caerdydd, 2011)

Leila Salisbury

Williams, Meirion (1901–76)

Cyfansoddwr caneuon, pianydd, cyfeilydd a beirniad cerddorol. Fe'i ganed yn Nyffryn Ardudwy, Meirionnydd, yn fab i bostfeistr a groser ar aelwyd Glanywern. William Robert Williams sydd ar ei dystysgrif geni; newidiodd ei enw pan aeth i'r coleg yn Llundain. Roedd gan ei fam gysylltiadau teuluol Eidalaidd a thybiai llawer fod rhywbeth yn Eidalaidd yn ei bryd a'i wedd yntau. Derbyniodd ei addysg yn ysgol elfennol y Dyffryn ac Ysgol Ramadeg y Bermo, a bu'n gwasanaethu eglwysi'r dyffryn trwy chwarae'r organ ynddynt.

Trobwynt ei yrfa oedd ei benodi, yn 1919, yn gyfeilydd yng **Ngŵyl** Gerdd Harlech lle cafodd yr Athro **Walford Davies**, a oedd newydd ei benodi i'r adran gerdd yn Aberystwyth, gyfle i wrando arno. Yn sgil hynny fe'i derbyniwyd yn fyfyriwr yn Aberystwyth; treuliodd ddwy flynedd yno ac yna bu am wyth mlynedd yn yr Academi Gerdd Frenhinol yn Llundain lle derbyniodd wobrau lawer fel pianydd.

Ar ôl ei gyfnod yn yr Academi penderfynodd ymsefydlu yn Llundain fel cerddor ar ei liwt ei hun gan ddod yn ôl i Gymru bob tro y deuai cyfle, yn bennaf fel beirniad mewn **eisteddfodau** bach a mawr. Cafodd beth gwaith parhaol fel organydd mewn eglwysi yn Llundain a bu'n unawdydd cyngerdd mewn neuaddau megis y Wigmore. Yn yr 1930au bu hefyd yn gynhyrchiol fel cyfansoddwr. Clywyd 'Gorffwys', 'Awelon y Mynydd' ac 'Aros Mae'r Mynyddau Mawr' am y tro cyntaf ar y radio yn 1934 ac fe'u cyhoeddwyd yn fuan wedyn gan J. B. Cramer & Co., Llundain. Fe'u dilynwyd gan 'Gwynfyd', 'Cloch y Llan', 'Rhosyn yr Haf', 'Ora Pro Nobis' a 'Y Blodau ger y Drws'. Bu'n ddegawd prysur a llawn gobeithion i'r cyfansoddwr ac yntau hefyd yn cyfeilio i sawl sefydliad, gan gynnwys Cymdeithas Gorawl Syr Thomas Beecham yn Covent Garden. Priododd â Gwendoline Margaret Roberts yn 1932.

Ar ôl yr Ail Ryfel Byd, a phrofiadau anodd wedi dod i'w ran, aeth Meirion yn llawer llai cynhyrchiol fel cyfansoddwr. Er iddo fethu'r prawf meddygol a olygai na fyddai'n cael ei alw i ymladd, roedd profiadau eraill wedi peri i'w iechyd ddirywio. Fe'i gorfodwyd i weithio ar y tir yn dyrnu polion mawr i'r ddaear, ac arweiniodd hynny at ddifetha'i ddwylo. Roedd ei yrfa fel pianydd cyngerdd ar ben ond cafwyd cnwd newydd o ganeuon yn y degawdau wedi'r Ail Ryfel Byd. Er bod y caneuon hyn yn ymddangos yn llai aml bellach, roedd dyfnder ac aeddfedrwydd newydd yn perthyn iddynt. Cyfrifir 'Y Llyn' (1948), 'Pan Ddaw'r Nos' (1950), 'Cwm Pennant' (1952) ac 'O Fab y Dyn' (1962) ymhlith ei oreuon a chânt eu canu'n aml ar lwyfannau Cymru.

Parhaodd i fyw fel cerddor llawrydd. Roedd ei gysylltiad gyda'r Seiri Rhyddion yn anhepgorol yn ei ymdrech i greu bywoliaeth o gerddoriaeth a byddai'n chwarae'n gyson yn y cyfrinfeydd niferus yn Llundain. Bu farw ar ôl iddo gael ei daro'n wael ar y ffordd i chwarae mewn cyfrinfa.

Roedd Meirion Williams ymhlith y cyfansoddwyr cyntaf yng Nghymru i ysgrifennu caneuon yn arddull y *lied* Almaenig, gan gynnwys cyfeiliannau heriol a oedd yn rhan annatod o wneuthuriad y caneuon. Aeth eraill ymhellach gan gymharu ei arddull delynegol, donyddol gyda chyfansoddwyr Seisnig o droad yr 20g. megis John Ireland a Roger Quilter (Thomas 1977). Trwy hynny cododd y gân Gymreig i dir uwch.

Disgyddiaeth

Bryn Terfel – *Caneuon Meirion Williams* (Sain SCD2013, 1993)

Llyfryddiaeth

Mansel Thomas, 'Meirion Williams (1901–1976): the Welsh Roger Quilter', *Welsh Music/Cerddoriaeth Cymru*, 5/5 (1977), 25–26

Sioned Webb, 'Meirion Williams – y gŵr a'i grefft' (traethawd MA Prifysgol Bangor, 1984)

Sioned Webb

Williams, Menai (g.1942)

Un o gynheiliaid **cerdd dant** yng Nghymru yn yr 20g. a'r 21g. Fe'i ganed yn Ninbych, gyda'r cartref yn y Bylchau, pentref cyfagos. A'i thad yn weinidog gyda'r Presbyteriaid a fu mewn amryw o ofalaethau, derbyniodd ei haddysg gynradd ac uwchradd mewn aml i fan, gan gynnwys y Rhyl, Penrhyndeudraeth, Ysgol Ramadeg y Bermo, Ysgol Ardudwy ac Ysgol Ramadeg y Genethod, Rhiwabon. Aeth yn ei blaen i Goleg **Prifysgol** Gogledd Cymru, Bangor, yn 1960 gan astudio cerddoriaeth, Ffrangeg, Lladin ac athroniaeth. Graddiodd gyda gradd BA yn 1964.

Y dylanwad mawr arni oedd ei mam, a ddeuai o linach gerddorol o gantorion gwerin a cherdd dant, a buan y dechreuodd hithau ymddiddori yng nghrefft **canu penillion**. Ar ôl derbyn gwersi gan y delynores Gwenllian Dwyryd, cafodd gyfle i osod **cerdd dant** a chyfeilio i'r artistiaid gan ddilyn ôl troed ei mam. Bu hefyd yn aelod o gôr Madrigal Penrhyndeudraeth dan arweiniad Harri Jones Williams, lle dysgodd lawer am ddisgyblaeth a lliwio geiriau.

Bu'n athrawes gerdd ar hyd ei gyrfa. Ar ôl priodi ac ymsefydlu yn Nyffryn Ogwen bu'n athrawes mewn nifer o ysgolion, megis Ysgol Dyffryn Ogwen, Ysgol Eifionydd ac Ysgol Syr Hugh Owen cyn ymddeol yn 2000. Cafodd brofiad hefyd yn y sector gynradd yn Ysgol Pen-y-bryn, Bethesda, ac Ysgol yr Hendre, Caernarfon. Daeth ieuenctid yr ysgolion uchod i sylw'r cyhoedd trwy eu llwyddiannau mewn cystadlaethau canu a cherdd dant.

Bu Menai Williams hefyd yn hyfforddi unigolion, corau a phartïon y tu allan i fyd addysg, ym maes cerdd dant ac yn ehangach. Bu'n **arweinydd** ar Gôr Meibion y Penrhyn, Côr Meibion Caernarfon, Hogia'r Ddwylan a Chôr Cymunedol Dyffryn Ogwen gan ddod yn fuddugol droeon mewn **gwyliau** ac **eisteddfodau** yng Nghymru a thu hwnt. Treuliodd beth amser yn creu cysylltiadau â chorau dramor a chrëwyd partneriaethau rhwng nifer o'r corau

Cymreig a rhai yn Ewrop, yn enwedig yr Almaen. Rhyddhawyd recordiadau o'r corau ynghyd ag ambell artist gwadd, megis y gantores Leah Owen yn canu'r garol 'Ganwyd Iesu', a ddaeth yn boblogaidd iawn yn yr 1980au.

Ym myd cerdd dant y gwnaeth ei chyfraniad pennaf a hynny fel beirniad, cyfeilydd a sylwebydd ar deledu a radio. Mae'n adnabyddus hefyd fel cyfansoddwr ceinciau megis *Ceinciau'r Dyffryn a Mwy* (Cymdeithas Cerdd Dant, 2011). Bu'n weithgar gyda'r Gymdeithas Gerdd Dant fel cadeirydd, aelod o'r pwyllgor gwaith a golygydd cerdd cylchgrawn y Gymdeithas, *Allwedd y Tannau*.

Sioned Webb

Williams, Sioned (g.1953)

Prif delynores Cerddorfa Symffoni'r BBC (Llundain, er 1990), unawdydd ac un a fu'n amlwg ym maes ymchwil cerddoregol i hanes a *repertoire* y **delyn** yng Nghymru a'r tu hwnt. Fe'i ganed ym mhentref Mancot, dwyrain Sir y Fflint. Cafodd ei haddysg yn Ysgol Gynradd Glanrafon ac Ysgol Maes Garmon, yr Wyddgrug. Bu'n fyfyrwraig i **Elinor Bennett** yng Ngholeg Cerdd a Drama Cymru rhwng 1971 ac 1974, ac yna i Renata Scheffel-Stein ac **Osian Ellis** yn yr Academi Gerdd Frenhinol rhwng 1974 ac 1976, lle sicrhaodd gymhwyster ôl-radd ym maes perfformio.

Ar drothwy ei gyrfa broffesiynol ymaelododd â rhai o ensemblau siambr newydd y cyfnod, gan gynnwys Endymion, Gemini a Spectrum, yn ogystal â'i thriawd Nimrod Harp Trio, a bu'n gweithio fel prif delynores gyda'r London Sinfonietta a Cherddorfa'r Philharmonia. Sicrhaodd fri rhyngwladol fel unawdydd wedi ennill cystadlaethau'r ISM a CAG Efrog Newydd, gan berfformio rhai gweithiau am y tro cyntaf erioed. Bu'n cydweithio gyda chorau fel The BBC Singers, The Sixteen, The Holst Singers a chorau eglwysi cadeiriol San Steffan a St Paul.

Llwyddodd i ehangu *repertoire* unawdol trwy ailgyflwyno darnau anghofiedig a thrwy gyfrwng gweithiau comisiwn (yn eu plith rai gan Michael Finnissy, **Gareth Glyn**, Paul Patterson, John Tavener ac yn y blaen) a gweithiau arloesol a heriol gan Amir Sadeghi Konjani, Dominic Murcott a Graham Fitkin (*concerto* i'r delyn MIDI o wneuthuriad cwmni Camac). Trwy gydol ei gyrfa gweithiodd gyda rhai o **arweinyddion** amlycaf y byd cerdd, gan gynnwys Jiøí Bìlohlávek, Pierre Boulez, Andrew Davis a

Leonard Slatkin, ynghyd â'r cyfansoddwyr John Adams, Harrison Birtwistle, John Cage, Elliott Carter, Sofia Gubaidulina, Peter Maxwell Davies, Jonathan Harvey, Oliver Knussen, Michael Tippett a Mark Anthony Turnage.

Er iddi dreulio rhan sylweddol o'i gyrfa yn Lloegr, cyfrannodd at fyd y delyn yng Nghymru trwy gyfrwng ei hymchwil i waith a chasgliadau **John Parry** (Parry Ddall; Rhiwabon), o'r 18g. a **John Thomas** (Pencerdd Gwalia) o'r 19g. Lluniodd drawsysgrif (ynghyd â nodiadau) o'r *Four New Lessons for Harp* (sef y pedair *Sonata* gyflawn allan o gasgliad John Parry a gyhoeddwyd yn 1761), a recordiodd drawsdoriad o weithiau amrywiol gan Parry a Thomas, a'u poblogeiddio ymhlith caredigion byd y delyn yn rhyngwladol.

Cyflwynodd ei hymchwil hefyd i gynulleidfaoedd ledled Ynysoedd Prydain trwy gyfrwng darlith-gyngherddau, er enghraifft *The harp in Wales − an unbroken tradition, and a new outlook*; *Blind John Parry − Master of High Baroque*; *John Thomas − Harpist to the Queen (Victoria)*; a *Benjamin Britten − his harp legacy*. Derbyniodd ysgoloriaethau a chymorth gan nifer o gyrff cerddorol a diwylliannol ym Mhrydain, gan gynnwys The Countess of Munster Musical Trust, The Boise & Mendelssohn Musical Foundation a Chyngor Celfyddydau Prydain. Derbyniodd Gymrodoriaethau (er anrhydedd) gan yr Academi Gerdd Frenhinol, Coleg Brenhinol Cerdd a Drama Cymru a Choleg Cerdd a Dawns, Trinity Laban (Llundain), am ei chyfraniad i gerddoriaeth. Hi oedd y Gymraes gyntaf ar fwrdd cyfarwyddwyr Cyngres Telyn y Byd (1999) a bu'n llywydd Cymdeithas Telyn y Deyrnas Unedig (2007). Enillodd barch ac edmygedd fel athrawes a hyfforddwraig, a sefydlodd gwrs Astudiaethau Proffesiynol ar gyfer telynorion, y cyntaf o'i fath ym Mhrydain.

Disgyddiaeth

Harp Music by John Parry (Meridian E45002, 1981)
Harp Music by John Thomas (Meridian E4577066, 1983)
A Ceremony of Carols gan Benjamin Britten (Hyperion CDA66220, 1986)
Land of Heart's Desire (Hyperion CDA66988, 1997)
Danse Sacrée et Profane gan Debussy (Chandos 10717, 2012)

Llyfryddiaeth

Sioned Williams (gol.) *Four New Lessons for Harp by John Parry* (Piasco, 1982)
———, *Spiders by Paul Patterson* (Llundain, 1985)
———, *Wessex Graves by Michael Berkeley* (Rhydychen, 1986)

——, *Suite BWV 1006a* by J. S. Bach (Rhydychen, 1986)

Wyn Thomas

Williams, W. Albert (1909–46)

Beirniad, organydd a chyfansoddwr a fu farw cyn cyflawni ei wir botensial. Cafodd William Albert Williams ei eni a'i fagu yn Lerpwl, gyda'i rieni yn Gymry o Ynys Môn a oedd wedi ymsefydlu yn y ddinas. Dim ond pedair oed ydoedd pan gollodd ei dad, a oedd yn gapten llong gyda'i fywyd ar y môr, a bu farw ei fam pan oedd yn 16. Bu'n byw wedi hyn gyda'i fodryb yn Lerpwl a thra oedd yn gweithio fel clerc i fwrdeistref Lerpwl bu'n astudio cerddoriaeth o dan gyfarwyddyd W. H. Whitehall gan lwyddo yn arholiadau'r ARCO a'r FRCO.

Bu'n organydd yn eglwysi MC Chatham Street, Douglas Street a St George Street. Yn 1940 priododd Glenys Jones o Bontypridd. Chwalwyd ei gynlluniau i astudio cerddoriaeth ymhellach gyda dyfodiad yr Ail Ryfel Byd. Gwrthododd yr awdurdodau milwrol roi caniatâd iddo symud fel trefnydd cerdd i Sir Aberteifi oherwydd ei ddyletswyddau, a bu farw wedi gwaeledd byr yn Ysbyty Middlesex ar 8 Ionawr 1946.

Roedd yn feirniad cerdd praff iawn. Ysgrifennodd erthyglau gwerthfawr am gerddoriaeth, yn enwedig ar gerddoriaeth Cymru, mewn cyhoeddiadau fel *Y Cerddor*, *Y Faner*, *Y Cymro*, *Y Llenor* a'r *Western Mail*.

Fel cyfansoddwr, canolbwyntiodd ar waith lleisiol a chorawl. Cyhoeddodd gyda Chwmni Gwynn a Phrifysgol Cymru, ac er mai corff bychan o waith a adawodd, mae o safon uchel a chlywir peth ohono mewn eisteddfodau hyd heddiw. Enillodd wobrau lu yn yr **Eisteddfod** Genedlaethol am gyfansoddi. Roedd yn ddethol iawn wrth ddewis geiriau ac yn fawr ei ofal hefyd dros wead yr ysgrifennu i'r piano, sydd bob amser yn idiomatig. Mae hyn yn wir hefyd am ei **anthemau** ar gyfer corau cymysg. Mae'r darnau byr ar gyfer lleisiau plant, er enghraifft *Yr Oen Bach*, *Cartref* a'i osodiad o 'Y Gwanwyn' gan J. O. Williams yn effeithiol ac ymarferol, ac mae nifer o'r darnau ar gyfer **corau meibion** yn dal yn rhan o *repertoire* nifer o gorau, er enghraifft *Fy Mreuddwyd*.

Gosododd gerddi gan amryw o feirdd poblogaidd y cyfnod, megis Eifion Wyn yn *Y Ffrwd* ar gyfer lleisiau merched a J. M. Edwards yn y darnau ar gyfer lleisiau plant. Yn aml ceir trawsgyweiriadau effeithiol, fel yn *Cartref*, lle symudir yn gelfydd o F fwyaf i A feddalnod fwyaf o fewn ychydig farrau, a hynny'n gwbl naturiol mewn modd sy'n adleisio'r cyfansoddwr *lieder* Franz Schubert. Diau mai ei waith gorau yw'r gân *Cwyn y Gwynt*, lle mae'n arddangos yr un gofal dros osod geiriau â cherddorion Seisnig y cyfnod. Mae'r agoriad, lle ceir gwrthgyferbyniad trawiadol rhwng E feddalnod yn y bas a D naturiol yn y cwmpawd uchaf, yn dwyn i gof waith Frank Bridge (1879–1941) neu Thomas Pitfield (1903–99), dyweder, ac mae'r unawd yn parhau'n boblogaidd ac yn tystio i'r dalent a gollwyd mor gynamserol.

Llyfryddiaeth

Y Bywgraffiadur Cymreig 1941–50 (Llundain, 1970) a'r fersiwn ar-lein o'r Bywgraffiadur: *www.yba.llgc.org.uk*

Disgyddiaeth

Bryn Terfel: Cyf. 2 (Sain SCD9099, 1990)

Lyn Davies

Williams, W. S. Gwynn (Gwynn o'r Llan; 1896–1978)

Roedd William Sidney Gwynn Williams yn gyfansoddwr, yn gyhoeddwr, yn ymchwilydd ac yn hyrwyddwr **cerddoriaeth draddodiadol**. Fe'i ganed ym Mhlas Hafod, Llangollen, Sir Ddinbych. Astudiodd gyfansoddi gyda'i dad, William Pencerdd Williams (1856–1924) a daeth yn aelod cysylltiol o'r Coleg Tonic Sol-Ffa, Llundain (1913); bu'n gefnogol i'r drefn honno gydol ei fywyd. Cyfansoddodd dros naw deg o ganeuon, gan gynnwys 'My Little Welsh Home' (1921), 'Hwiangerdd Sul y Blodau' (1922), 'Telyn Fud' (1924) a 'Tosturi Duw' (1943).

Bu newid mawr yn ei arddull sentimental gynnar wedi iddo ddarllen sylwadau Syr W. Henry Hadow yn Adroddiad Terfynol (1918) y Comisiwn Brenhinol ar Addysg Brifysgol yng Nghymru, a argymhellodd mai cerddoriaeth werin ddylai fod yn sail i arddull gyfansoddi Gymreig genedlaethol. Wedi hynny bu'n annog defnyddio arddulliau gwerin moddol Cymreig traddodiadol mewn **cerddoriaeth gelfyddydol** Gymreig, gan hyrwyddo'r syniadau hynny fel golygydd *Y Cerddor Newydd* (1922–9), mewn erthyglau papur newydd a darllediadau radio (gan ddechrau yng Nghaerdydd ar 23 Hydref 1925), gan gynnwys darllediadau misol i Gymru o Ddulyn o fis Ionawr 1927 (pan berfformiodd ran o lawysgrif **Robert ap Huw**) hyd fis Mehefin 1928. Ef oedd **arweinydd** y darllediad byw cyntaf o Gymanfa Ganu (Rhosllannerchrugog, 22 Mehefin 1927).

Ymhlith ei gyhoeddiadau cynnar y mae *Penillion in English* (1926), *Old Welsh Folk Songs...* (1927) a *Songs of the Welsh* (1935); cafodd ei *Traditional Welsh Music and Dance* (1933) glod gan y beirniaid. Ymunodd â **Chymdeithas Alawon Gwerin Cymru** a bu'n weithgar ar ei rhan fel ysgrifennydd (1933–57), golygydd (1946–75), cadeirydd (1957–75) a chyfarwyddwr cerdd (1977–8). Yn 1930, 1934 ac 1941 recordiodd Decca 'Gwynn Williams and His Welsh Singers' yn perfformio trefniannau o **alawon gwerin** Cymru. Roedd yn un o aelodau cychwynnol Theatr Genedlaethol Cymru (1933) a threfnodd gerddoriaeth ar gyfer *Y Gainc Olaf*, cynhyrchiad cyntaf y Theatr.

Ym mlynyddoedd cynnar yr 1920au bu'n ymchwilio i ddawnsfeydd gwerin Cymru, gan gydweithio â Lois Blake (1890–1974) i gyhoeddi 'The Llangadfan Dances' (1936), ac ym mis Gorffennaf 1949 sefydlodd, gyda Blake ac eraill, Gymdeithas Ddawns Werin Cymru. Bu'n gwasanaethu'r gymdeithas honno fel cadeirydd (1949–71), is-lywydd (1971–5) a llywydd (1975–8). Bu hefyd yn drysorydd y Cyngor Cerddoriaeth Werin Rhyngwladol, ac yn gyfarwyddwr **Gŵyl** Alawon Gwerin a Dawns Werin gyntaf Cymru, Bae Colwyn, 1961. Yn 1969, gyda Roy Bohana, sefydlodd Ffederasiwn Cerddoriaeth Amatur Cymru.

Fel trefnydd cerdd Gorsedd Beirdd **Eisteddfod** Genedlaethol Cymru (1923–78), ef a gyfansoddodd 'Gweddi'r Orsedd' (1924), a chydweithredodd â Cynan (1895–1970) i drefnu'r ddawns flodau. Wedi cyfnod yn bennaeth adran gerdd Hughes a'i Fab (1932–7) sefydlodd Gwmni Cyhoeddi Gwynn yn 1937 i gyhoeddi cerddoriaeth cyfansoddwyr Cymreig cyfoes, gan ychwanegu cyfieithiadau i'r Gymraeg o'r clasuron yn ddiweddarach.

Gyda Joseph Scott Archer, George H. Northing a Harold Tudor roedd yn un o sefydlwyr Eisteddfod Gerddorol Ryngwladol Llangollen, ac ef oedd ei chyfarwyddwr cerdd cyntaf (1947–77). Yn sgil ei llwyddiant daeth *Y Delyn* (1947), ei gylchgrawn cerddoriaeth chwarterol newydd, i ben ar ôl y trydydd rhifyn.

Cafodd anrhydeddau lawer, yn eu plith OBE (1953), Cavaliere al Merito della Repubblica Italiana (1961), ac MA er anrhydedd gan Brifysgol Cymru, Aberystwyth (1959). Yn 1937 priododd y gontralto o Abergele, Elizabeth Eleanor Davies (1907–2001).

Llyfryddiaeth

David R. Jones, 'Advocate of Change and Tradition: W.S. Gwynn Williams (1896–1978): His Contribution to Music in Wales to 1950' (traethawd PhD Prifysgol Cymru Bangor, 2007)

———, 'Nationalism, Folk Song and Welsh Art Music: One Man's Vision' *Hanes Cerddoriaeth Cymru/Welsh Music History*, 7 (2007), 161–91

David R. Jones

Wood, Jeremiah (Jerry Bach Gogerddan) (1778?–1867)

Perfformiwr a arbenigai ar y delyn deires. Perthynai i deulu'r sipsiwn Cymreig, fel mab i Valentine Wood ac ŵyr i Abram Wood (gw. **Woodiaid, Teulu'r**).

Fel yr awgryma'i lysenw, roedd yn fychan o gorff – yn llai na phum troedfedd o uchder ac yn gwisgo esgidiau maint pedwar am ei draed. Ond, er gwaethaf ei gorff bychan, bu'n canu'r delyn deires i deulu Pryse, Plas Gogerddan, Aberystwyth, am dros hanner can mlynedd. Wedi ei farwolaeth, daeth John ei fab i'w olynu fel telynor i deulu Pryse, Gogerddan.

Ni wyddys pwy a hyfforddodd Jeremiah Wood, ond awgrymir ei fod wedi'i ddysgu gan Wil Penmorfa (1750–1828), a oedd yn gefnder i'w wraig, Ann Griffiths o Bren-teg. Awgrym arall yw mai ei dad, Valentine Wood, y cyntaf o deulu Wood i ganu'r delyn deires, a'i dysgod.

O ran ei natur, roedd yn ŵr mwyn a thawel, ac mae'n debyg mai ei wraig a oedd â'r llaw uchaf yn eu perthynas. Roedd ganddynt naw o blant – chwech o ferched a thri o feibion. Er bod Jeremiah, Theophilus a John ill tri yn delynorion, roedd John, yn benodol, yn cael ei gydnabod fel chwaraewr **telyn deires** heb ei ail, ac ymhlith y gorau yng Nghymru yn ei ddydd. Priododd eu chwaer, Eleanor, â **John Roberts** (Telynor Cymru), un arall o delynorion amlycaf Cymru yn y cyfnod.

Bu farw ar 27 Gorffennaf 1867 a gosodwyd darlun o delyn deires ar ei garreg fedd yn Eglwys Llangynfelyn ger Clarach.

Llyfryddiaeth

J. Glyn Davies, 'Welsh Sources for Gipsy History', yn *Journal of the Gipsy Lore Society*, 3/9 (1930), 78–86

Eldra Jarman a A. O. H. Jarman, *Y Sipsiwn Cymreig* (Caerdydd, 1979 [1991])

Gwawr Jones

Wood, Teulu
(gw. **Woodiaid, Teulu'r**)

Woodiaid, Teulu'r
(Y Sipsiwn Cymreig)

Pobl wrthodedig, yn byw ar ymylon cymdeithas fu'r sipsiwn ar hyd y canrifoedd ac ym mhob gwlad a chyfandir. Erbyn heddiw, er gwaethaf y modd y cawsant eu gormesu a'u herlid, ceir oddeutu deng miliwn ohonynt ar wasgar ledled y byd, a'r un nodwedd amlwg sy'n eu clymu ynghyd yw'r lle pwysig sydd ac a fu i gerddoriaeth a dawns ym mywyd y Romani. Hyn, yn ddi-os, a gadwodd eu diwylliant yn fyw wrth i'w gallu fel perfformwyr a diddanwyr hawlio sylw ac edmygedd bonedd a gwreng yn ddiwahân.

Yma yng Nghymru, mae cyfenwau fel Lock, Boswell, Lee, Ingram a Hogan yn lled gyfarwydd. Dyma ddisgynyddion y teuluoedd Romani gwreiddiol a fu'n crwydro'r wlad. Wrth grybwyll cerddoriaeth a dawns, rhaid cyfeirio'n benodol at deulu amlochrog ac amryddawn Abram Wood (c.1699–1799). Y teulu hwn, yn anad neb arall, fu cynheiliaid y traddodiadau cerddorol Cymreig – y **delyn deires**, y **ffidil**, ceinciau ac **alawon gwerin** y genedl, a'u diddordeb ysol hwy yn arferion y Cymry a sicrhaodd barhad iddynt ac a fu'n gyfrwng i feithrin perthynas rhwng y teulu a'r gymdeithas o'u hamgylch.

Er bod Ellis Wynne yn ei argraffiad cyntaf o *Gweledigaethau y Bardd Cwsg* (1704) yn cyfeirio'n ddigon sarhaus at fodolaeth y sipsiwn yng Nghymru, a hynny rai blynyddoedd cyn dyfodiad Abram Wood, gwelir bod teulu Abram a'i ddisgynyddion wedi cyfrannu'n sylweddol i fwrlwm y bywyd cymdeithasol yn eu dydd. Dywedir bod Abram yn canu'r ffidil, ac o ganlyniad cafodd ei dderbyn yn wresog i'r twmpath dawns a'r noson lawen. Ganed iddo dri mab ac un ferch, Valentine (neu John) Wood (1742–1818), William, Solomon a Damaris, a chyfrannent hwy, ynghyd â'u teuluoedd, yn hael i gyfoeth y traddodiad Cymraeg. Roedd bri mawr ar ganu'r delyn deires yng Nghymru yr adeg honno, a thyfodd canolfannau fel Llanrwst a Dolgellau yn atynfa i nifer o sipsiwn, offerynwyr a gwneuthurwyr **offerynnau** fel ei gilydd.

Archelaus Wood (mab William ac ŵyr i Abram) a ddaeth i enwogrwydd fel datgeinydd **telyn** cyntaf y teulu, ac fe'i dilynwyd gan ei gefnder Harri Wood (Harry Ddu), Llanidloes, a fu'n gyfaill agos

i'r bardd Ceiriog a Nicholas Bennett, Glanyrafon (golygydd *Alawon fy Ngwlad*, a gyhoeddwyd yn 1896) ac yn gyswllt â'r sipsiwn wrth iddo gywain ceinciau traddodiadol ynghyd. Chwaer i Archelaus a Harri oedd Sarah Wood, a ddaeth yn wraig i John Roberts Lewis (Pentrefoelas) a mam i **John Roberts** (Telynor Cymru), un o delynorion amlycaf ei ddydd a chyfarwyddwr *ensemble* siambr cynharaf y genedl, y **Cambrian Minstrels**.

Daeth John Wood Jones yn adnabyddus fel pencampwr ar y delyn deires ac o ganlyniad cafodd swydd fel telynor teuluol i Sackville Gwynne, Glanbrân, cyn symud i Blasty Llanofer, y Fenni, a gwasanaethu **Augusta Hall** (Gwenynen Gwent), un o gefnogwyr pennaf yr offeryn yn y 19g. Telynor Plas Gogerddan, ger Aberystwyth, oedd **Jeremiah Wood** (Jeri Bach) a gwasanaethodd yno fel cyfeilydd a diddanwr am gyfnod o hanner canrif cyn i'w fab, John Wood, ei olynu yn y swydd. Roedd ymgais John Roberts (Telynor Cymru) i ddwyn safonau proffesiynol i blith cerddorion y sipsiwn yn ddylanwad allweddol ar eu hapêl a'u poblogrwydd ymysg Cymry'r cyfnod. Pan gafwyd ymweliadau brenhinol yn ardal y Bala, gwahoddwyd y **Cambrian Minstrels** i gynrychioli'r traddodiad cerddorol Cymreig, a thrwy gydol misoedd yr haf cynhaliai'r *ensemble* gylchdaith o amgylch prif ganolfannau ymwelwyr y cyfnod, gan gynnwys Aberystwyth, Bermo, Porthmadog, Llandudno, y Rhyl a Chilgwri.

Cyfuniad o gerddoriaeth draddodiadol Gymreig ac addasiadau offerynnol o glasuron operatig y cyfnod a berfformid ganddynt. Ond cafodd rhai o ddisgynyddion Abram Wood lwyddiant eisteddfodol yn ogystal. Er enghraifft, dyfarnwyd y wobr gyntaf i Mary-Anne Wood (gwraig Edward Wood), Corwen, am berfformiad yn **Eisteddfod** Llangollen, 1858, ac enillodd John Roberts (nai John Roberts, Telynor Cymru) delyn deires yn wobr yn Eisteddfod Cymreigyddion y Fenni. Trwy gyfrwng perfformiadau cyhoeddus fel y rhain y sicrhaodd y sipsiwn gefnogaeth ac ymlyniad y Cymry. Yn sgil eu cyfraniad, diogelwyd y delyn deires ar gyfer perfformwyr y dyfodol a sicrhawyd bod rhai alawon (er enghraifft 'The Wrexham Hornpipe') yn cael eu mabwysiadu'n rhan o'r traddodiad llafar yng Nghymru. Roedd Eldra Jarman yn un o ddisgynyddion teulu John Roberts (Telynor Cymru), ac ymelwodd rhai o delynorion Cymreig yr 20g. a'r 21g. o gyfoeth eu crefft.

Llyfryddiaeth

R. W. Jones (Erfyl Fychan), 'Teulu Abram Wood', *Yr Eurgrawn*, 161 (Gaeaf, 1911), 182–6

J. Glyn Davies, 'Welsh Sources for Gipsy History', yn *Journal of the Gipsy Lore Society*, 3/9 (1930), 78–86

———, 'Edward Wood a'r Dadgeiniaid', *Lleufer*, VIII/2 (Haf, 1952), 57–65

Eldra Jarman ac A. O. H. Jarman, *Y Sipsiwn Cymreig* (Caerdydd, 1979 [1991])

E. Ernest Roberts, *John Roberts Telynor Cymru* (Dinbych, 1981)

Robin Huw Bowen, 'Teulu Abram Wood', *Dawns* (1987), 29–42

Robin Gwyndaf, 'Y Sipsiwn yn Uwchaled', *Llafar Gwlad*, 18 (Gaeaf, 1988), 8–10

'Y Sipsiwn', *Llafar Gwlad* (rhifyn arbennig), 18 (Gaeaf, 1987–88)

Wyn Thomas, 'John Roberts, Telynor Cymru, 1816–1894', *Hanes Cerddoriaeth Cymru/Welsh Music History*, 1 (1996), 164–171

Wyn Thomas

Wyn, Arfon (g.1952)

Canwr, cerddor a chyfansoddwr caneuon. Yn frodor o Lanfairpwll ar Ynys Môn, derbyniodd ei addysg yn Ysgol Uwchradd David Hughes cyn mynd ymlaen i astudio Diwinyddiaeth ac Addysg yng Ngholeg **Prifysgol** Cymru, Bangor.

Bu'n aelod o'r band gwerin-seicadelig Yr Atgyfodiad yn ystod yr 1970au, gyda Gwyndaf Roberts (gitâr fas, telyn), John Gwyn (gitâr) a Keith Snelgrove (drymiau), gan ryddhau EP ar label Sain yn 1974. Tra'r aeth Gwyndaf Roberts a John Gwyn ymlaen i ffurfio Brân yn fuan wedyn (gyda Roberts yn dod yn aelod o **Ar Log** yn ddiweddarach a John Gwyn yn gitarydd bas gyda **Jîp**), aeth Arfon Wyn ymlaen i ffurfio **Pererin** gyda Charli Goodall (gitâr flaen), Nest Llywelyn (llais ac allweddellau, bu hithau hefyd yn aelod o Brân am gyfnod), Einion Williams (offerynnau taro, bodhran) ac Aneurin Owen (chwisl, llais).

Roedd dylanwad Alan Stivell i'w glywed mewn trefniannau a roddai bwyslais ar gyfuno elfennau gwerin gyda roc blaengar. Gan ddwyn cymariaethau gyda grwpiau gwerin Celtaidd megis yr Horslips yn Iwerddon a Runrig yn yr Alban, perfformiodd Pererin yn Llydaw, Iwerddon a Chatalonia, gan ryddhau pedair record hir yn ystod yr 1980au, tair ohonynt ar label Gwerin. Pan ddaeth Pererin i ben ar ddiwedd yr 1980au, aeth Arfon Wyn ati i sefydlu y **Moniars** gyda Einion Williams a'r sacsoffonydd Richard Synnott.

Yn gyfansoddwr medrus a ysgrifennodd nifer o ganeuon ar gyfer plant (bu'n athro yn ysgol arbennig Pendalar cyn dod yn brifathro ar ysgol Hafod Lôn ger Pwllheli), bu Arfon Wyn hefyd yn fuddugol yng nghystadleuaeth **Cân i Gymru** bedair gwaith (yr unig un i wireddu'r gamp hon), gyda'r caneuon 'Ni Welaf yr Haul' (Pererin, 1979), 'Cae o Ŷd' (Martin Beattie, 2000), 'Harbwr Diogel' (Elin Fflur, 2002) a 'Y Lleuad a'r Sêr' (Elin Angharad, 2015). Yn 2017, fe ail-ffurfiodd Pererin i berfformio ym mhabell Tŷ Gwerin yn **Eisteddfod** Genedlaethol Ynys Môn, ar ôl saib o 36 mlynedd.

Disgyddiaeth (gw. hefyd **Moniars, Y**)
gyda Yr Atgyfodiad:
Yr Atgyfodiad [EP] (Sain 41, 1974)

gyda Pererin:
Haul ar yr Eira (Gwerin SYWM 215, 1980)
Teithgan (Gwerin SYWM 230, 1981)
Tirion Dir (Gwerin SYW 242, 1983)
Yng Ngolau Dydd (Sain C639N, 1988)

fel artist unigol:
Pwy Wnaeth y Sêr Uwchben (Gwerin SYWD 235, 1982)

Pwyll ap Siôn

Wyn, Casi

Cantores a chyfansoddwraig. Ganed ym Mangor. Gan ddod o deulu cerddorol (roedd ei brawd, Griff Lynch, yn aelod o'r grŵp Yr **Ods**), astudiodd Casi Wyn ym Mhrifysgol Queen Mary, Llundain, rhwng 2012 a 2015. Yn ystod ei blwyddyn olaf bu'n gweithio gyda Cherddorfa Genedlaethol y BBC ar gyfer perfformiad yn y BBC Proms yn Abertawe, i drefniannau cerddorfaol gan y cyfansoddwr ffilm **Owain Llwyd**.

Gan gyfrif artistiaid megis y canwr hip hop Stormzy a'r gantores bop Lana Del Rey fel dylanwadau, mae ei chaneuon synth-pop atmosfferig wedi cael eu cymharu gyda Gonzalez ac M83, a'i llais etheraidd gyda chantoresau mor amrywiol â Jessie Ware neu **Georgia Ruth Williams**. Yn 2016, rhyddhaodd y sengl ddwbl 'Lion' a 'Golden Age Thinking' i adolygiadau ffafriol. Roedd fideo dyfeisgar gan y cyfarwyddwr a'r ffotograffydd Maisie Cousins yn cyd-fynd â 'Lion', gyda'r gân yn defnyddio geiriau gan Shakespeare i archwilio diymadferthedd emosiynol. Disgrifiwyd ei llais fel un 'hypnotig' â'i chaneuon breuddwydiol yn gyfuniad o elfennau o synth pop amgen/arbrofol ac arddull werin fodern. Rhyddhaodd y sengl 'Beast' yn 2017.

Wyn, Fflur (g.1981)

Ganed y soprano Fflur Wyn yn Sir Gaerfyrddin. Amlygwyd ei diddordeb mewn cerddoriaeth yn gynnar yn ei phlentyndod, gyda'r eisteddfod a'r capel yn ddylanwadau amlwg arni, a daeth yn aelod o Gwmni Opera Ieuenctid Theatr y Lyric, Caerfyrddin. Derbyniodd ei haddysg uwchradd yn Ysgol Gyfun Ystalyfera cyn astudio gyda Beatrice Unsworth a Clara Taylor yn yr Academi Gerdd Frenhinol, Llundain, lle graddiodd gyda BMus (Hons) Dip. RAM yn 2004. Fe'i hetholwyd yn Aelod Cysylltiol o'r Academi (ARAM) yn sgil ei chyfraniad sylweddol i gerddoriaeth hyd yma. Mae eisoes wedi ennill llu o wobrau gan gynnwys Ysgoloriaeth Bryn Terfel (2000), Bwrsari Kathleen Ferrier (2001), ynghyd â gwobr gyntaf (a gwobr y gynulleidfa) yng Nghystadleuaeth Genedlaethol Handel (2005). Cyrhaeddodd rownd derfynol Cystadleuaeth i Gantorion Cymreig yn 2004 a 2012.

Wedi manteisio ar y profiad o berfformio ar lwyfannau eisteddfodol yn ystod ei hieuenctid, canodd gyda **Bryn Terfel** a Chôr Rhuthun yn sioe gerdd *Atgof y Sêr* gan **Robat Arwyn** yn **Eisteddfod** Genedlaethol Cymru Sir Ddinbych yn 2001. Mae bellach yn adnabyddus ar brif lwyfannau cyngerdd ac opera Prydain, gyda rhai o'i pherfformiadau cyngerdd diweddar yn cynnwys dehongliad o ariâu cyngerdd Mozart gyda cherddorfa Aurora yn neuadd gyngerdd King's Place, Llundain, yn Ionawr 2011. Yn Ebrill 2015 perfformiodd raglen o ganeuon o dan ddylanwad cerddoriaeth werin a thraddodiadol yn St John's Smith Square, Llundain. Canodd mewn cynhyrchiad o'r *Dioddefaint yn ôl Sant Mathew* gan J. S. Bach gyda Cherddorfa Oes yr Oleuedigaeth a fu ar daith yn ystod 2015.

Ym myd **opera**, a chydag Opera Cenedlaethol Cymru, perfformiodd rannau yn *Jephtha* ac *Orlando* gan Handel ynghyd â *Guillaume Tell* gan Rossini; cyfrannodd i gynhyrchiad o'r *Ffliwt Hud* gan Opera North, ac opera Michael Berkeley, *Jane Eyre*, gyda Music Theatre Wales. Mae rhai o'i pherfformiadau diweddaraf yn cynnwys prif rolau mewn dau o gynyrchiadau Opera Holland Park: *Lakmé* gan Delibes (2015) a'r opera gyfoes i deulu, *Alice's Adventures in Wonderland*, gan Will Todd (2013–5). Wrth drafod ei pherfformiad yn *Lakmé*, dywed Richard Fairman fod 'Fflur Wyn yn berchen ar ansawdd pur a chain yn ei llais […] a gall alw ar ddigon o gryfder lleisiol i lenwi'r theatr led-awyr-agored'. Mewn adolygiad o *Alice*, nododd Peter Reed fod Fflur Wyn wedi 'llwyddo i swyno trwy bortreadu cyfuniad Alice o ddiniweidrwydd a doethineb'.

Disgyddiaeth

Alice (Signum SIGCD420, 2015)

Llyfryddiaeth

Peter Reed, 'Alice's Adventures in Wonderland', *Opera Magazine* (Hydref, 2013), 1335–6

Alun Gibbard, 'Byw ym myd hud a lledrith Alice', *Golwg*, 27/5 (23 Gorffennaf 2015), 20–1

Alun Guy, *Cantorion o Fri: Ar Lwyfan Cymru* (Llandysul, 2004)

Richard Fairman, 'Lakmé, Opera Holland Park, London – review', *Financial Times* (12 Gorffennaf 2015)

Tristian Evans

Wynne, David (1900–83)

Am flynyddoedd lawer, gallai David Wynne (ei enw llawn oedd David Wynne Thomas) hawlio mai ef oedd cyfansoddwr hynaf Cymru. Ond o safbwynt arddull ac ysbryd parhaodd ymhlith yr ieuengaf, yn arbennig felly yn ei weithiau blaengar o'r 1960au ymlaen. Mae cwrs ei fywyd yn ddrych o gwrs hanes Cymru yn ystod ei gyfnod. Fe'i ganed yn y Gymru ddiwydiannol ym Mhenderyn ger Hirwaun ac wedi ei addysg gynradd aeth i weithio o dan ddaear yng nglofa'r Albion, Cilfynydd, ac yntau'n bedair ar ddeg mlwydd oed. Cychwynnodd wersi cerddoriaeth gyda Tom Llewellyn Jenkins, athro cerdd ac organydd lleol, a datblygodd yn gyflym.

Yn 1925 enillodd Ysgoloriaeth Morgannwg i astudio yng Ngholeg **Prifysgol** Caerdydd, gan fynd yn syth i flwyddyn olaf y cwrs. Yn 1929 fe'i penodwyd yn bennaeth cerdd Ysgol Lewis Pengam (lle bu'n dysgu **Mervyn Burtch** (1929–2015) a **Robert Smith** (1922–98) ymhlith eraill) a chredir mai ef oedd yr athro cerdd amser llawn cyntaf yng Nghymru.

Derbyniodd radd DMus Prifysgol Cymru yn 1938 ond ennill Gwobr Goffa Clements am ei Bedwarawd Llinynnol Rhif 1 yn 1944 a'i sbardunodd i droi at gyfansoddi, a daeth yn un o gyfansoddwyr pwysicaf Cymru yn y cyfnod wedi'r Ail Ryfel Byd. Comisiynau oedd y mwyafrif o'i weithiau wedi hyn. Ymddeolodd yn 1960 ond parhaodd fel athro, yn gyntaf yng Ngholeg Cerdd a Drama Caerdydd (wedi hynny Coleg Cerdd a Drama Cymru) ac yna yn adran gerdd Prifysgol Cymru, Caerdydd. Bu farw yn ei gartref yn Hengoed yng Nghwm Rhymni tra oedd yn gweithio ar ei Bedwaredd Symffoni.

Mae llawer wedi sylwi ar y gwrthddywediad rhwng ei bersonoliaeth gynnes, ei ddull tawel o lefaru, ei urddas a'i garedigrwydd fel athro ar un llaw ac ar y llaw arall y gerddoriaeth ddi-ildio, ymwthgar a grëwyd ganddo ar brydiau. Mae ei weithiau cynnar yn ddyledus i systemau cyfansoddwyr Ewropeaidd o hanner cyntaf yr 20g. megis Paul Hindemith, Béla Bartók ac eraill, ond erbyn diwedd yr 1950au a'r 1960au fe'i gwelir yn arbrofi fwyfwy gyda'r system gromatig gyflawn mewn modd sy'n dwyn i gof waith yr Americanwr Elliott Carter a'r cyfansoddwr o wlad Pwyl Witold Lutosławski dyweder.

Yn gynnar yn ei yrfa cerddoriaeth siambr a oedd yn mynd â'i fryd (fel nifer o'i gyfoeswyr yng Nghymru), er enghraifft yn y Triawd Llinynnol (1945), Sonata Rhif 1 a Rhif 2 i'r Ffidil (1948, 1957) a nifer o weithiau pwysig eraill. Gadawodd nifer helaeth o weithiau siambr nodedig ac mac'r pum pedwarawd llinynnol yn hollol nodweddiadol o'i ddatblygiad fel cyfansoddwr. Ei Symffoni Rhif 3 Castell Caerffili (1963) yw un o'i weithiau gorau, gyda'i afael feistrolgar ar gystrawen yn amlwg o'r dechrau.

Roedd iaith a diwylliant Cymru yn ddylanwad pendant ar ei waith. Fe'i hysbrydolwyd gan farddoniaeth gynnar ei famwlad ac elfen gyson trwy ei waith yw'r diddordeb angerddol mewn mydr. Awgrymwyd bod 'hwyl' pregethwyr ei gyfnod wedi dylanwadu arno hefyd. Cyfansoddodd rai gweithiau sy'n amlwg 'Gymreig' megis y Cymric Rhapsody Rhif 1 (1965) a Rhif 2 (1969) ynghyd â gweithiau eraill fel ei drefniannau o **alawon gwerin**. Yn Owain ab Urien mae'n gosod barddoniaeth o'r 6g. ar gyfer côr meibion ac offerynnau taro – un o'r ychydig weithiau o'i fath. Yma, mae mydr y farddoniaeth yn dylanwadu'n drwm ar y gerddoriaeth sy'n cyrraedd uchelfannau creadigol Janáčekaidd. Nid ar chwarae bach y mae perfformio gwaith o'r fath ond roedd Wynne yn ffodus fod Côr Meibion Pendyrus, o dan arweiniad Glynne Jones, ar gael i'w berfformio yn y Festival Hall, Llundain yn 1967, gyda grŵp pres Philip Jones yn cyfeilio. Yn ddiau dyma un o'r gweithiau pwysicaf yng nghanon cerddoriaeth Cymru.

David Wynne oedd un o gyfansoddwyr pwysicaf a mwyaf mentrus Cymru yn y cyfnod tyngedfennol wedi 1945 ac mae ei weithiau gorau yn rhagorol.

Disgyddiaeth

Pumawd Piano Op. 20 (1964) yn Ian Parrott, David Harries, David Wynne (Lyrita SRCD284, 2008 [1971])

Llyfryddiaeth

Richard Elfyn Jones, David Wynne (Caerdydd, 1978)
Nodiadau Paul Conway ar gyfer recordiad Ian Parrott, David Harries, David Wynne (Lyrita SRCD284, 2008 [1971])
Archif Tŷ Cerdd
Archif a Llyfrgell Prifysgol Caerdydd

Lyn Davies

Wynne, Edith (Eos Cymru; 1842–97)

Ganed Sarah Wynne yn Nhreffynnon, Sir Fflint, yn 1842, a'r bardd, yr unawdydd a'r eisteddfodwr Llew Llwyfo a ddygodd berswâd ar ei rhieni, medd ef, i ychwanegu Edith at ei henw (gw. Llwyfo 1896, 137). Yn naw oed dechreuodd ganu gyda chymdeithas gorawl y dref, yr Holywell Philharmonic, lle'r oedd ei dwy chwaer Hannah a Kate hefyd yn aelodau. Yn ei harddegau cynnar symudodd i Lerpwl er mwyn cael **addysg** gerddorol uwch a bu yno am bum mlynedd. Erbyn diwedd yr 1850au roedd yn enwog am ganu **alawon gwerin** Cymreig mewn cyngherddau ac **eisteddfodau** ledled Cymru ac yn 1861 ymddangosodd hi a Kate mewn cyngerdd o gerddoriaeth Gymreig yn St George's Hall, Lerpwl, gyda rhai o gerddorion mwyaf blaenllaw Cymru fel y telynor **John Thomas** (Pencerdd Gwalia) a'r pianydd **Brinley Richards**.

Bu'n astudio yn yr Academi Gerdd Frenhinol yn Llundain yn yr 1860au ac yn ddiweddarach yn yr Eidal. Erbyn 1862 roedd hi'n ymddangos ar lwyfannau Llundain mewn cyngherddau a drefnid gan Bencerdd Gwalia, un tro i gyfeiliant 120 o delynau. Ymsefydlodd yn y ddinas a phriodi bargyfreithiwr o Armenia, Avet Agabeg. Ymddangosai mewn theatrau fel Drury Lane a'r Garrick, a mynd ar deithiau cerddorol o gwmpas Lloegr. Cymerodd ran mewn opera am y tro cyntaf yn Lerpwl yn 1867 fel yr arwres yn Maritana (W. V. Wallace), ac yn 1871 ac 1874 bu ar daith yn Unol Daleithiau America gan dderbyn cymeradwyaeth fawr yng **Ngŵyl** Gerdd Boston, Massachusetts. Haerodd Charles Dickens wrthi na fedrai fyth anghofio ei datganiad o 'Clychau Aberdyfi' ar ôl ei chlywed yn ei chanu ugain mlynedd ynghynt, 'er nad oedd ef, ysywaeth, yn deall gair o'r geiriau peraidd'. Canodd o flaen y Frenhines sawl tro ac yng **ngwyliau** cerddorol blaenaf y wlad yn y Palas Grisial, Norwich, Brighton a Gŵyl y Tri Chôr (Caerwrangon, Henffordd a Chaerloyw).

Er gwaethaf ensyniadau cenfigennus i'r gwrthwyneb nid anghofiodd Edith Wynne erioed mai Cymraes ydoedd. Bu bob amser yn barod i gynorthwyo unawdwyr o Gymru a oedd yn dechrau ar eu gyrfa – un a elwodd ar ei chefnogaeth oedd **Mary Davies** (1855–1930) – a bu'n unawdydd **oratorio** droeon gyda chymdeithasau **corawl** safonol fel Côr Dowlais (e.e. yn *Judas Maccabeus* yn 1881). Roedd yn ffefryn yn yr **Eisteddfod** Genedlaethol o'r 1860au cynnar, er y bu'n rhaid iddi yng Nghaerfyrddin yn 1867 ganu dan ymbarél gan fod to'r babell yn gollwng. Er pan oedd yn ferch ifanc buasai'n feistres ar 'drin' cynulleidfa ac fe'i hadwaenid gan ei chyd-genedl fel 'Eos Cymru'. Roedd ei chwaer Kate (Llinos Gwynedd) yn gantores ddawnus hefyd, er nad enillodd yr un enwogrwydd ag Edith, ac o blith ei thri brawd roedd Llew Wynne yn ysgrifennydd Undeb Corawl Cymry Lerpwl ac yn y

blynyddoedd cyn y Rhyfel Byd Cyntaf yn drefnydd gwyliau cerddorol poblogaidd ar Lannau Merswy.

Ymddangosodd Edith Wynne yn gyhoeddus am y tro olaf yn un o gyngherddau Pencerdd Gwalia yn Llundain yn 1894, a bu farw yn y ddinas honno yn 1897, y gantores gyntaf o Gymru i ddod i sylw'r byd. Yng ngeiriau'r *Cerddor,* 'hi oedd y gyntaf o ferched Cymru a lwyddodd i wneud nôd arbennig, a nôd uchel, y tu allan i'w gwlad enedigol'.

Llyfryddiaeth
Llew Llwyfo, *Y Geninen*, xv (1896), 137
Y Geninen, xv (1897), 273
Y Cerddor (Ebrill, 1897), 38

Gareth Williams

Y

Ymdeithgan ac Ymdeithganau

Mae ymdeithganu, boed yn angladdol, araf, yn gyflym neu'n ddwbl-gyflym, yn rhan o atgofion a phrofiadau nifer fawr o bobl ers eu plentyndod. Unwaith y daeth yr ymdeithgan yn rhan o gerddoriaeth gelfyddydol yn yr 17g. ni phetrusai cyfansoddwyr mawr Ewrop cyn ei chynnwys mewn **opera**, symffoni a sonata (gw. **Ffurfiau Offerynnol**). Erbyn heddiw, mae ganddi swyddogaeth mewn achlysuron o bob math, o'r teuluol i'r cenedlaethol: ceir ymdeithganau llon ar gyfer organ, band neu gerddorfa mewn dathliadau a seremonïau mor amrywiol â phriodas a choroni, a rhai lleddf i gladdu a choffáu. Mae **bandiau militaraidd** yn rhoi gwên ar wyneb pawb a fu'n martsio, petai dim ond yn ddychmygol, i gyfeiliant ymdeithganau adnabyddus John Philip Sousa fel 'Semper Fidelis' (1888), 'Liberty Bell'(1891) a 'Stars and Strips Forever' (1897), tra mae 'Colonel Bogey' (Kenneth Alford, 1914) yn rhan annatod o'r ffilm *Bridge over the River Kwai* (1957) fel y mae 'Rhyfelgyrch Gwŷr Harlech' yn rhan o *Zulu* (1964) a'i chysylltiadau Cymreig adnabyddus.

Gan nad oes gan Gymru, ers yr Oesoedd Canol, draddodiad militaraidd ar wahân i gyfraniad ei chatrodau i luoedd arfog Prydain Fawr, prin yw ei hymdeithganau cynhenid, er i T. J. Powell (1897–1965), a adwaenid fel 'Sousa Cymru', ysgrifennu nifer ar gyfer y band pres: 'Castell Coch' yw'r fwyaf adnabyddus ohonynt. Ymhlith ymdeithganau y gellid eu hystyried yn rhai cenedlaethol, yn ogystal â 'Rhyfelgyrch Gwŷr Harlech' y mae 'Ymdaith Capten Morgan' a genir gan unawdydd yn ystod defod cadeirio'r **Eisteddfod** Genedlaethol. Gwelodd y rhain olau dydd am y tro cyntaf yng nghasgliad **Edward Jones** (Bardd y Brenin), *Musical and Poetical Relicks of the Welsh Bards* (1784 a 1794), a chaiff 'Ymadawiad y Brenin' a gyhoeddwyd gyntaf yng nghasgliad John Parry, *British Harmony* (1781) ei chanu ar yr organ wrth i'r Orsedd ymdeithio o gefn y Pafiliwn i'r llwyfan ar gyfer y prif seremonïau. Mae elfennau ymdeithgan i'w cael hefyd yn arwyddgan Urdd Gobaith Cymru, 'Dathlwn glod ein cyn-dadau', y geiriau gan **Llew Tegid** a'r alaw yn drefniant gan **J. Lloyd Williams** o 'Ymdaith Capten Llwyd'.

Gareth Williams

Ysgolheigion (gw. **Hanesyddiaeth, Ysgolheictod a Cherddoleg**)

Ysgolion Cerdd (gw. **Cymdeithasau ac Ysgolion Cerdd**)

Z

Zabrinski

Roedd Zabrinski yn fand roc o Gaerfyrddin a gafodd ei ffurfio yn niwedd yr 1990au gan Matthew Durbridge (prif leisydd, gitâr), Iwan Morgan (allweddellau) a Gareth Richardson (gitâr). Dros y blynyddoedd bu mwy na 30 o gerddorion yn chwarae gyda'r band. Ond ar ôl i'r band poblogaidd Topper ddod i ben yn gynnar yn 2001, ymunodd cyn-aelodau o'r band hwnnw, Rhun Lenny (bas) ac Owain Jones (drymiau), gan ddarparu'r aelodaeth fwyaf sefydlog.

Recordiwyd albwm cyntaf y band, *Screen Memories* (2000), ar label *ad hoc* Microgram. Yn sgil llwyddiant y record arwyddodd y band gytundeb recordio gydag Ankst. Yn 2000 cefnogodd y band Coldplay ar gyfer gig gan BBC Radio 1 yng Nghaerdydd, a'r flwyddyn ddilynol rhyddhawyd ail albwm, *Yeti* (Ankst), a gafodd adolygiadau cadarnhaol. Cafodd y band wahoddiad gan John Peel i recordio sesiwn ar ei sioe ar BBC Radio 1 yn 2001, cyn mynd ymlaen i berfformio yn yr **Eisteddfod** Genedlaethol yn Ninbych yn Awst. Yn ddiweddarach yn ystod yr un flwyddyn aethant ar daith o gwmpas Prydain yn cefnogi **Gorky's Zygotic Mynci**.

Yn 2002 recordiwyd trydydd albwm, *Koala Ko-Ordination* (Ankstmusik), yn Stiwdio Rockfield yn Sir Fynwy a Stiwdio Bryn Derwen ym Methesda gyda'r cynhyrchydd medrus Dave Wrench wrth y llyw. Derbyniodd yr albwm ganmoliaeth yn y wasg gerddorol Gymraeg a Saesneg, gan sicrhau cyhoeddusrwydd yn y *New Musical Express*, *Q*, *The Fly* a nifer o bapurau newydd Saesneg. Yn sgil eu sain seicedelig cafodd y band eu cymharu gyda'r **Super Furry Animals**, y Coral a'r Zutons, sef grwpiau a ymwelodd drachefn ag estheteg seicedelig diwedd yr 1960au yn ystod diwedd yr 1990au a dechrau'r mileniwm newydd. Ymddangosodd Zabrinski hefyd ar sioe S4C *Y Sesiwn Hwyr* yn 2003.

Ar ôl recordio'r EP *Executive Decision* (Ankstmusik) yn 2004, ailryddhawyd *Koala Ko-Ordination* pan aeth Zabrinski ar daith ym Mhrydain gyda'r Super Furry Animals a Goldie Lookin' Chain. Ym mis Awst 2004 chwaraeodd y band mewn gig yn TJ's, Casnewydd, yn ystod yr Eisteddfod Genedlaethol, ochr yn ochr â Baswca a'r DJ ar BBC Radio 1 Huw Stephens, a oedd wedi bod yn gefnogwr brwd i'r band ers rhyddhau 'Freedom of the Hiway' ar ei label Boobytrap yn 2001.

Yn 2005 cynhyrchodd y band bedwerydd albwm *Ill Gotten Game* ar label Ankstmusik, cyn mynd ar daith arall gyda'r Super Furry Animals. Fodd bynnag, siomedig fu gwerthiant yr albwm a daeth y band i ben yn 2007.

Disgyddiaeth

Screen Memories (Microgram micro001, 2000)
'Freedom of the Hiway' [sengl] (Boobytrap BOOB005CD, 2001)
Yeti (Ankst CD99, 2001)
Koala Ko-ordination (Ankstmusik ANKST106, 2002)
Executive Decision [EP] (Ankstmusik ANKST110, 2003)
Feeding on Our Filth (dienw, 2004)
Ill Gotten Game (Ankstmusik ANKST113, 2005)

Craig Owen Jones